石家莊年鉴 2008

SHIJIAZHUANG YEAR BOOK

石家庄市人民政府主办

中国国际文化出版社
CHINA INTL CULTURE PRESS

石 家 庄 年 鉴

石家庄市人民政府 主办

主　　编／王孟新

文稿审阅／文　静　晓　竺

编辑校阅／第六编辑室

排版设计／山东海天国际文化传播有限公司

（电话：0531－82628288　82624966）

出版发行／中国国际文化出版社

北京地址／北京市朝阳区八里庄东里 3 号 654 信箱（100025）

印　　刷／海洋印务有限公司

开　　本／889×1194　1/16

印　　张／44.5

字　　数／1106 千字

印　　数／3000 册

版　　次／2008 年 12 月第一版第一次印刷

书　　号／ISBN 988-97358-2915-2

定　　价／288.00 元

石家庄市地方志编纂委员会

《石家庄年鉴》终审

张妹芝　李　清　郭广生　李天印　王建国　赵景芳　赵志敏

《石家庄年鉴》

主　　编：王孟新

常务副主编：马福香

副 主 编：刘建洲　黄俊清

编辑部主任：李新华

责 任 编 辑：（按承编顺序为序）

武光宇：特载

赵振献：大事记

肖海军：石家庄综述、城市建设与环境保护、工业、信息产业、交通运输、国内外贸易、旅游

王建峰：政治

石玉杰：社会团体、军事、政法

薛鹏飞：农业、综合经济管理、财政、税务、金融

郭尚武：科学、教育、文化、卫生、体育、社会生活

荀志俊：图照、人物

徐陈卫：文献法规、县（市）区概况

韩　芳：统计资料

太平河风光

立交桥

广播电视塔

世纪公园一角

住宅建设

人民会堂

电力大厦

希望绿洲公园

和谐家园

梨花初绽

观光农业

建筑交响曲

省城晨曲

湖光波影

投洽会

TOUQIAHUI

▲ 省、市领导出席投洽会开幕式

◀ 国外客商云集投洽会

▼ 投洽会会场一角

国际药展

GUOJIYAOZHAN

石家庄医药产业基地展区

石药集团展区

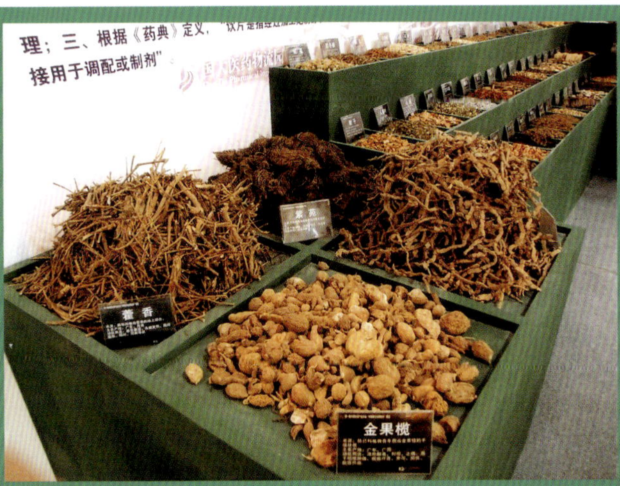

中草药展区

国际服装节

GUOJIFUZHUANGJIE

展区

开幕式 ▼

动漫节

DONGMANJIE

展区一角

演示

入场参观

河北省石家庄市

高层板式住宅透视

一、设计依据

1、国家与石家庄现行的有关规划及设计规划

2、石家庄规划局提供的建设用地红线及用地条件

3、甲方提供的任务书

4、甲方提供的会议纪要

二、项目分析

1、基地概况

本项目位于石家庄市中山东路与谈固西街交叉口，北至跃进路，东为谈固东街，用地面积为49.78公顷，其中居住用地37.60公顷。该项目性质为旧村的整体改造。

2、项目定位

根据本地块的规模、区位和市场调查的结果，我们认为本楼盘应以普通市民作为客户对象，规划和户型以精致、紧凑为主，强调可居住性和生活的舒适性。

3、用地分析

（1）交通：用地南侧紧邻城市干道——中山东路，东侧为建成多层住宅区，西侧为已建多层住宅区和预留医疗用地，人流和车流主要方向来自中山东路。

（2）景观环境：该用地周边无可借用的景观资源，应在居住区内部创造亲切的景园。

（3）地形：本地块地形基本平整。

三、规划构思

1、规划宗旨

以人为本，以21世纪的社会、经济、文化、环境、技术为设计背景，创造一个现代化生态人文社区。根据现代人的栖居理念，创造顺应时代与地域文化的社区生活新概念。

2、规划原则

注重现有经济技术条件下的生态设计；注重社区人文气息的营造；在充分体现现代化城市住宅的特性的同时，使其回归于自然，人工与自然的美相应生辉。

3、规划构思

住区环境空间舒适化、景观视线的最优化、交通流线的合理化。

4、住宅创新：要把握本项目与市场上现有项目的设计差异性和地点性，实现居住空间和生活方式的创新。

四、总体规划

本居住共有六个地块构成，其中A地块最小，B、C地块较大，D、E、F地块稍小，约为B、C地块的一半。规划设计中，力求传统建筑街坊的回归和复兴。

五、建筑设计

高尚典雅的具有北方情调的住宅、健康型的居住环境。

六、结构设计

本工程为一住宅居住区，大部分为高层住宅，辅以若干多层和小高层住宅，配套的一至三层商业门点。

七、环保设计

本工程为民用建筑。其设施排放的生活粪便、油烟气及设备所发出的噪音、振动在一定程度上将对环境造成不同程度的影响。

八、给排水设计

本居住区南临中山东路，东临谈固东街，北临跃进路，三条路皆有完善的市政给排水管网，居住区的多个地块皆从和

谈固旧村改造规划

规划道路各引一根DN200给水管与居住区环管相连。

九、电气设计

本住宅居住区由多栋高层住宅组成，并设有配套商业门点、地下停车库等公共建筑。

十、消防设计

设计依据（1）《建筑设计防火规范》（GBJ16−87）（97版）（2）《高层民用建筑设计防火规范》（GB50045−95）（2001）（3）《汽车库、修车库、停车场设计防火规范》（GB50067−97）

沿中山路街景透视

鸟瞰图

石家庄中级人民法院

审判委员会会议

2007年，石家庄中级法院在市委领导、人大监督和政府、政协支持下，坚持以党的十六大和十七大精神为指导，深入贯彻落实科学发展观，坚持“公正司法、一心为民”的根本宗旨，围绕“公正与效率”工作主题，不断增强司法能力建设，充分发挥审判职能作用，为构建社会主义和谐社会提供司法保障和服务。全年共受理各类案件6438件，审（执）结4707件。

受理各类信访申诉案件1365件，办结1253件，结案率91.8%。

审判大厅

游乐设施篇：

为增强生态公园的综合功能，园中设置了一些游乐设施，以供游人及业主健身娱乐。例如5000多平方米的健身浴场，戏水者可以尽得其乐，从安全的角度考虑又将泳区分为成人泳区和儿童泳区，满足了不同年龄段人群的需求；占地4000多平方米、长约700米的漂流河，蜿蜒贯穿公园南北，游人可乘坐小型游艇游览整个公园沿岸景色；园中还专为儿童开辟了儿童城堡、儿童活动天地等区域，分为“虫虫乐园”、“海底乐园”、“侏罗纪”、“人猿泰山”、“科幻城”等五大主题，使他们在体验新奇快乐之余，增长了知识，开拓了视野。

此外，船型咖啡座、室内攀援墙、水滑梯等设施也进一步完善了公园功能、丰富了人们的需求。

技术篇：

公园应用了多项高端科学技术，大型计算机程控系统使园内常年温度保持在18℃～30℃之间，并且随着一年12个月、一天24小时不同季节和时间的环境自然起伏变化，由计算机向各个终端设备发出动作指令，从而使公园模拟营造出三亚的自然环境。

源自德国的空气调节系统和新风技术保证了公园中空气清新，有利于植物生长和游人的游赏；浴场用水采用奥运净化水系统，去尘除菌，能分离出多种分离物，使戏水者畅游其中，杜绝了健康隐患。

此外，德国“普罗门特”水质监控系统、温度自动控制系统、湿度自动调节系统、自动降雨系统、自动补光系统、生态调节疾病防治系统等多项技术也保证了公园内生态链的正常循环，使得园中呈现出一派模拟于自然而超乎于自然的神奇景象。

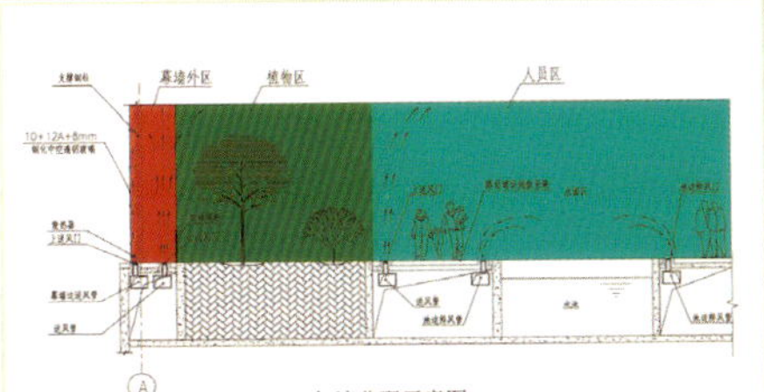

气流分配示意图

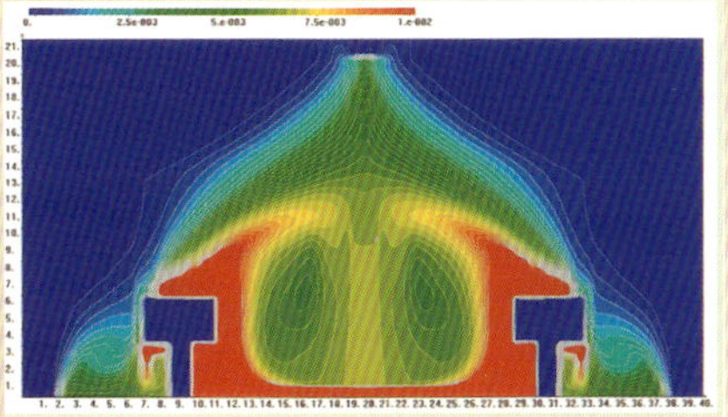

空气含湿量分布示意图

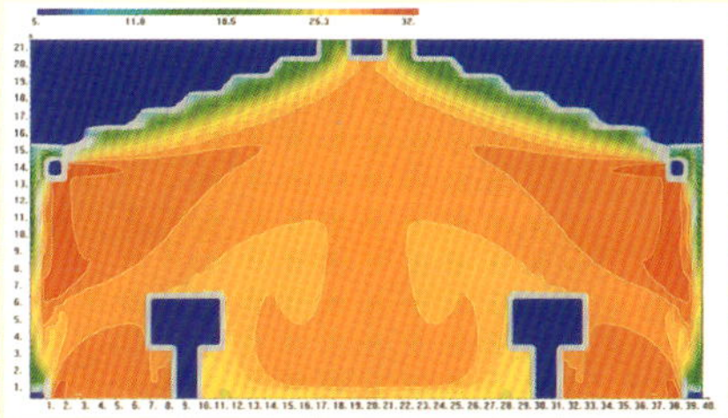

空气温度分布示意图

维护及意义：

公园自身的“造血功能”形成强大的资金支持，确保了公园的可持续运营。浴场收入、公园内各项游乐设施的收入以及公园对外开放的门票收入三项构成了公园强大的运营资金支撑体系。因此，公园的经营收入完全能够满足自身的维护费用，保证四季生态公园的常绿常青。

空中四季生态公园的建成，让身处内陆城市的石家庄市民可近距离观赏众多热带植物，享受海南三亚、美国夏威夷等异域风光的情景，并能辐射周边人群，为省会打造旅游观光亮点，进而能拉动旅游消费，促进区域的商业繁荣，推动城市经济增长，为石家庄建设宜居宜看的和谐城市增添一笔亮色，为这座愈加繁华的都市增加一个闪光点。

“诚信至上”是联邦的企业宗旨，企业的每一项决策也都是本着这一原则而付诸行动，不计较单一的财力付出，而是将一种美好的生活呈现给人们，将企业的一种精神内涵融入到每一个建筑符号中，当人们看到这些美轮美奂的建筑的同时，行业尖端品牌也得到了进一步深化。

空中四季生态公园能在今天“梦想成真”，联邦集团公司虽然在项目建设中多付出了近2亿多元，但是打造了全国首创，开了在寒冷北方建造南国热带风情公园的先河，给业主提供了一个四季赏绿玩水的绿色空间，填补了国内的空白，从而为石家庄的城市建设增加了一个闪光的名片。

在发展中，联邦地产仍将坚持一贯的可持续发展信念，将土地最大化利用，在美观、舒适、实用的基础上，充分利用每一寸土地，打造与国际接轨的新型居住社区，让每一个项目焕发魅力光彩。

联邦地产，还在征程中……

大马庄园

董事长　赵新会

“大马庄园”项目是河北大马集团股份有限公司，为本集团所有股民建造的高品质安居工程，是石家庄市“城中村”改造工程之一，是拓宽谈固南大街，打通东岗路、规划 1 号路、2 号路的拆迁安置工程。

“大马庄园”项目 位于谈固东街以西，东岗路以北，规划 1 号路以南，2 号路以北，与对面的四十四中、九里庭院、东方官邸、顺驰蓝郡等高档小区相毗邻，距东二环不足 300 米、距槐安路不足 150 米，交通便利发达。

“大马庄园”一期工程，占地 184.824 亩，总建筑面积为：37 万平方米，可安置 3012 户居民，32000 平方米的沿街商业门脸，本小区内建造 6000 平方米的 24 班标准小学和 3000 平方米的幼儿园，小区内设有大型音乐喷泉，人造湖面 48000 平方米，整个水系贯穿小区；小区楼间配置多处先进的健身器械、网球场、篮球场等健身场所供居民休闲锻炼，各种配套设施完备、齐全，地下设有水、气、暖加压陪送站，雨、雪回收净化系统，投资金额为 5.5 亿元，本集团与新东方房地产联合建造一处占地 10000 平方米的大型超级市场，营业面积为 19750 平方米，地上 5 ～ 6 层，分别有卖场、精品、办公、小吃、KTV 等区域组成，地下一层建筑面积为 5675 平方米作为大型停车场，设有 120 个车位，投资造价为 6300 万元；整体总投资约为 5.84 亿元。

二期工程正在规划中，集团公司建造具有石家庄标志性建筑——大马集团双子星“金色假日”商务大厦，设计构思有上海现代建筑设计集团、上海现代华盖建筑设计有限公司、英国 HWCD 建筑事务所联手打造“金色假日”方案，本项目由五星级宾馆、高档写字楼、大型商业中心组成，富有时代气息的建筑群体。其规模庞大，占地面积为 42 亩，“金色假日”为两栋全玻璃幕梭型建筑，两幢高层建筑在总体布局上组合为“八”字形建筑群体，建筑面积达 19 万平方米，高度为 158 米，地上建筑面积为 15.3 万平方米，38 层，可设高档会议区、办公区、元首下榻区、贵宾入住区、标准入住区、娱乐休闲区、健身区、精品小吃聚集区及中餐、西餐厅、旋转观光区。地下三层建筑面积为 3.7 万平方米，设有 620 个标准车位，投资约为 7.5 ～ 8.2 亿元。

地下停车场

大马庄园小学

大马庄园大地双语幼儿园

城中村改造回迁楼

大马庄园养殖基地效果图

石家庄市中小企业局

民营经济五年来工作回顾

局长 郭素芝

石家庄市中小企业局于2004年1月挂牌成立，五年来，市中小企业局在市委、市政府的领导下，解放思想，开拓创新。积极发挥职能作用，当好市委政府参谋助手，在扶持民营经济、大力发展中小企业工作中发挥了主要的作用。并且实现了“三大突破”。

一、发展的突破。五年来，全市民营经济增速保持在20%左右，始终高于全市的平均水平，年均拉动全市经济增长约5个百分点。截至2007年底，全市民营经济统计单位达到25.14万个，民营企业3.23万家，其中规模以上工业企业1763家。年营业收入5亿元以上的产业集群38个，30亿元以上的10个，百亿元以上的3个。全市民营经济实现增加值由2003年850亿元左右上升到2007年的1600亿元，占全市生产总值的比重达到57.1%以上，由“三分天下有其一”上升到“半壁江山”；实缴税金由2003年的30多亿元上升到2007年的109亿元，占全市全部财政收入的48.2%；外贸出口企业由2003年的100家左右上升到2007年的582家，创汇额度108.6亿元，年均增速20%左右，从业人员由2003年的136万人发展到2007年的293万人，占全社会二、三产业人员的三分之二，年均吸纳就业39万人。

二、政策的突破。五年来，根据国务院非公经济“36条”，按照省市委、省市政府的部署，始终把优化政策环境作为重中之重，在深入调查研究的基础上，出台了石家庄市关于进一步鼓励、支持和引导民营经济发展的“30条”和“50条”意见，关于开展全民创业活动的《实施意见》；积极落实《河北省中小企业促进条例》、《关于鼓励创业的决定》、《关于进一步鼓励支持和引导非公有制经济发展的若干意见》、《关于鼓励支持民营企业参与国企改革的实施意见》、《关于加强中小企业社会化服务体系建设的指导意见》、《贯彻〈国务院关于鼓励支持和引导个体私营等非公有制经济发展的若干意见〉的实施意见》、《关于加快中小企业产业集群发展的指导意见》、《关于促进中小企业发展若干政策的意见》和《关于加快农产品加工业发展的意见》等九个文件确定的政策措施。先后筹备召开了全市民营经济工作会议、关于落实国务院非公经济“36条”意见座谈会、促进规模以下工业发展座谈会、重点扶持成长型民营企业工作会议和鼓励创业大会等重要会议等并协调市直有关部门制定出台了一系列配套措施，加大政策的督导和落实力度，着力打造民营经济、中小企业发展的绿色通道。

三、工作的突破。五年来，按照市委、市政府的部署要求，从制约民营经济、中小企业发展的瓶颈入手，形成了“宏观加强指导、中观搭建平台、微观重点扶持”的工作格局，全力打造以融资担保、创业辅导、人才培训、产业集群为重心的主业品牌，加大服务体系建设力度，树立中小企业部门形象，推动了民营经济、中小企业健康快速发展。

截至去年底，全市已建成各类创业辅导基地21个，投入资金25.6亿元，新建和改造创业厂房300万平米，入驻企业718余家，提供创业辅导服务423项次，累计孵化企业361家，提供就业岗位4.6万个。

全市担保资本金总额达到10.99亿元，担保机构达到46家，其中资本金超亿元的2家，担保资金总额、亿元以上担保机构数量均居全省首位。

借助省里指导，与北京大学、清华大学合作，建成中小企业远程教育培训基地15个。全市累计完成各类培训150万人次。

产业集群发展从低到高。认定7个省级重点产业集群和30个市级重点产业集群。至2007年底，营业收入5亿元以上的产业集群发展到38个，30亿元以上的130个，百亿元以上的3个。产业集群经济总量比重占民营经济总量的25%左右。

局长陪同领导视察

教育基地

石家庄市供销合作总社

河北省委常委、石家庄市委书记吴显国，市政府副市长张殿奎同志在市供销社调研时与领导班子合影留念。

2007年，在党委书记、理事会主任赵顺法同志和市社领导班子带领下，市供销社全面贯彻科学发展观，按照“完善两个体系，发挥两个职能，搞好两个服务”的工作思路，在深化改革中增活力，在服务“三农”中求发展，开拓进取，争创一流，各项工作取得了长足进步。2007年全系统商品购销总额突破100亿元，实现利税5103万元，综合经济效益在全省11个市级供销社居领先地位。市社被授予全国总社普法先进单位、河北省文明单位、河北省思想政治工作先进单位、石家庄市文明单位、双争共建先进单位、社会治安综合治理和安全生产先进单位等荣誉称号。连续四年荣获省供销社系统综合经济效益一等奖。

参与社会主义新农村建设亮点频现。大力实施“三进三建”工程，广泛推广村党支部、村委会、协会（专业社）“三位一体”的农民合作经济组织模式，全系统共领办各类专业社179家，兴办行业协会83个，吸收农民社员（会员）4.55万人。培育农业产业化龙头企业20个，兴建农产品交易市场28个，连接基地25个，带动农户16.4万户。上联龙头企业和农产品交易市场，下接基地与农民合作经济组织的农产品购销体系初步形成，年帮助农民推销农副产品12亿元，在助农增收和维护农村稳定中发挥了重要作用。试办农业种养殖保险业务，为农民减少损失36万元。通过培训，301人取得了国家职业资格认证证书，为进一步提高农民素质做出了贡献；深化综合改革，“两个体系、一个中心”的县级供销社新体制构架形成，企业经济实力明显增强，正定县城关供销社跃居全国百强基层社第三名；实施超市下乡、网络进村战略，现代流通服务网络覆盖全市城乡。全系统共组建配送中心50家，建设村级农资综合服务站2989个，兴办“农家店”1794个，发展农村社区综合服务中心100家。兴建废旧物资交易市场35个，绿色回收站（亭）2200个，设置流通回收车1700辆。农资、农产品、日用消费品、再生资源和烟花爆竹、食盐6大连锁经营网络覆盖全市80%的行政村，在改善城乡环境、推进文明生态村建设等方面发挥了积极作用。

全国政协副主席、全国供销合作总社主任白立忱，省供销社主任张彦惠视察平山县供销社。

河北省委常委、石家庄市委书记吴显国，市政府副市长张殿奎同志在石家庄国际会展中心筹建工作指挥部指导工作。

石家庄市政府副市长张发旺，市供销社党委书记、理事会主任赵顺法同志陪同全国供销合作总社党组副书记、理事会副主任王君，省供销社主任张彦惠同志到灵寿县供销社视察。

张殿奎副市长陪同商务部副部长姜增伟视察我市再生资源绿色回收网络。

众美现代城

新兴城市社区综合体

众美地产公司未来城市行政中心——裕华区内打造百万平米大盘：众美现代城。

众美现代城位于省会东南方向裕华新区——省会城市未来行政中心，东临众美·凤凰城，北临二环快速路，南延的建华大街在本项目中贯通。该项目将分8块地开发完成，初步发展定位为新兴城市综合体，规划拥有高品质住宅、五星级酒店、大型商业购物场所、时尚商业街、商务办公、中小学校、国际培训中心等，以市场为依托，以城市综合体的功能需求为平台满足更丰富业态的要求，为项目的细则设计提供更细化的市场方向。

沿街

商业街

- 沿建华大街两侧的五星级酒店、5A级高档写字楼；
- 沿建华大街、社区组团道路两侧风情商业街、餐饮、休闲、娱乐等繁复业态总计20万平方米的商业面积；
- 以规划面积总计120万平方米，居住人口多达6万人的超大规模的，由高层、多层、花园洋房等不同建筑形式所组成的复合型居住区；
- 与名校石家庄外国语国际学校（43中）联手建立省级重点幼儿园、中、小学各一所；
- 众美国际培训中心等逐层丰富，全方位，立体化的人文教育空间；
- 与槐安路、裕华路、中山路并行的石市东南区域主交通干道——50米宽的仓裕路及项目内所涉及到的5条市政规划道路……

显赫的地理位置、便利的交通网络，加之省会行政中心地位、城市发展主导方向的确立、奥林匹克体育中心及奥林匹克公园建设、新火车站的南迁、大学城的建成，超前提升项目所在区域价值，为购房者带来居住与投资的双重乐趣。

规模优势

众美现代城共占地717亩，规划总建筑面积达到140万平方米。适度的开发规模，一流的建筑和景观设计，必将成为该区域地标性的建筑，从而为居住在此区域的业主带来无形的尊贵感受。

区位优势

众美现代城位于石家庄市东南方向裕华新区，是石家庄市城市发展主导方向，随着众多大型公建设施的拔地而起，随着省会行政中心的迁移，必将飙升此区域居住者的高尚身份，提升业主令人羡慕的尊贵地位。

交通优势

在石家庄市空间战略发展规划中，明确强调今后石家庄市的空间发展方向是“西优东拓南延北跨中疏”。随着槐安路的通车、建华大街的南拓开通、南焦客运站的投入使用、新火车站的建设及众多路段的改造完工，使得该区域拥有良好的快速便捷交通运输网络。该区域完善的交通网络不仅让居住者享受到舒适、便捷的整体环境，更可享有投资升值的硬件环境。

配套优势

★奥林匹克体育中心

即将动工的省会大型体育中心距离本项目仅0.5公里满足业主的运动、健身需求。

★浓郁的教育与文化氛围

省重点中学43中距离项目仅1千多米，周边十几所中专院校已建成使用，包括近邻大学城的兴建，从小学、中学到大学一条龙的教育配套满足了业主子女就学需求。同时与名校石家庄外国语国际学校(43中)联手建立省级重点幼儿园、中、小学，为业主子女就近就读提供便利和高起点。

★优美、人文、休闲的生态绿化公共设施

项目邻近世纪公园、奥林匹克公园、东环公园、希望绿洲公园、莱茵河绿化带，同时随着城中村改造带来的城市生态环境和居住环境的改善，新建道路和居民小区配套高标准绿化的建设，必将为消费者带来健康的生态环境。

★完善的医疗商贸体系

卓达商贸广场、东方明珠(距本项目1000米)、怀特国际商城、易初莲花，还有市一大医院、市第二医院等生活服务、休闲娱乐场所，保障了业主生活、医疗需求。

施工优势

众美地产聘请国内一流的的建筑施工单位、监理单位，安排一流的管理、施工队伍，使用一流的机械设备，确保一流的工程质量，最终为消费者交上品质优良的住宅项目。

服务优势

衡美物业管理有限公司创建于2006年，为众美地产公司投资控股的专业物业服务管理公司，该公司与行业金牌物业管理公司——万科物业公司建立广泛的合作关系，在引进万科物管精髓的基础上，已在市场竞争中创建了自己的服务品牌形象。

现代城鸟瞰图

北国先天下购物广场

北国先天下购物广场位于河北省省会石家庄市CBD核心商圈，是北国股份有限公司将石家庄商业推向极致的一个典范。北国股份（前身北国人百集团）成立于2000年7月4日，是一家以百货连锁为主业，超市连锁、电器连锁为两翼，珠宝连锁和钟表连锁为主生力军，兼营商业软件、仓储运输、酒店餐饮等多种经营业态的大型商业集团。

北国先天下购物广场由国际一流的韩国商业设计公司全面规划设计，是一座与西方消费文化有机结合的现代高档购物中心，是国际国内知名品牌汇聚的潮流舞台。北国先天下购物广场倡导全新生活理念、引导潮流消费文化，全力营造与国际接轨的高端时尚商业氛围。在这里，国际化、人性化、生活化的服务经营理念得到充分体现。

北国先天下购物广场商业面积12万平方米，地上六层、地下一层。在其富含人文气息的高品质空间中，拥有1300个停车位的智能化停车场、温馨舒适的VIP和SVIP休息室、便捷周到的衣物保管处和礼品包装中心……全方位的国际化标准、殷勤挚真的服务让宾客独享、体验先天下奢华与时尚。

2007年北国先天下购物广场获得“河北省消费者信得过单位”荣誉称号，2008年，获得“全国百城万店无假货单位”荣誉称号。

2008年1月19日先天下盛大开幕

卡地亚开业

北国先天下购物广场外景

MaxMara

VIP室

石家庄市滹沱河生态开发整治工程

滹沱河生态开发整治工程西起规划中的南水北调中线，东至京深高速公路，南、北分别以石太高速公路和滹沱河北大堤为界，总规划面积约53平方公里。

工程建设内容包括：基础设施工程、滹沱河、太平河生态防洪工程、滹沱河防护林工程。工程总投资：14.6亿元。

经过几年的大力整治，滹沱河、太平河的生态环境得到显著改善，主要体现在三个方面：一是太平河行洪能力大幅提高，防洪标准达到了50年一遇，消除了我市北部汛期防洪的一大隐患。二是水源地生态得到有效恢复，过去因受污染而被迫关闭的自来水井的水质明显改善，各项指标已达到国家标准，于2005年6月开始陆续恢复供水；地下水的净化为城市居民安全用水提供了可靠的保障。三是通过实施滹沱河万亩防护林工程，进一步巩固和加强了市区北部防风固沙绿色屏障，一定程度地抑制了风沙的蔓延。四是随着7.8公里太平河整治工程的全线蓄水以及两岸绿化带的逐步形成，已形成水面面积150万平方米，蓄水量310万立方米，绿地面积160万平方米，植有松、柳、槐、法桐等乔木50余种，花灌木20余种，营造滹沱河人工湿地87万平方米，构成了我市北部特有的郊野风光带，景区内设有凉亭、游船码头、儿童乐园等游乐设施及其他配套设施，为广大市民提供了一处休闲娱乐的良好场所，每天都吸引大批市民纷纷前来观光、垂钓、放风筝；天鹅、黑鹳、白鹭等野生鸟类频繁光顾栖息，展现了人与自然和谐共处的美好画卷。2005年国庆期间，在太平河上首次举办了清华——剑桥中英名校赛艇对抗赛；为增加景区的文化韵味，2006年又相继落成了以冀之光塔为核心的几十件雕塑和石刻作品，使游人在领略大自然秀美风光的同时还可享受燕赵文化的熏陶，进一步提升了景区的文化品位。由于该工程在生态环保以及城市建设方面取得的突出成就，相继荣获了2006年度市长特别奖和河北省第四届人居环境奖，而且成为2006年度全省唯一获得中国人居环境范例奖的项目，石家庄市被授予"中国人居环境奖（水环境治理优秀范例城市）"称号，该项工程做出了突出贡献。曾庆红、习近平等中央领导同志曾视察滹沱河工程，对工程建设成就给予了高度评价。

工程建成后，突出体现为三大功能，四大效益。三大功能：一是防洪功能，随着滹沱河、太平河行洪能力的提高，可有效地保护省会及下游地区人民生命财产安全；二是拓城功能，通过开发整治、恢复生态、完善设施、统一管理，实施东拓西进、南延北跨城市发展格局，营造宜居宜看的都市人居新环境，进一步提升城市整体形象；三是旅游功能，以绿地为基础，水体景观为核心，形成一核（核心区）、一廊（滹沱河沿岸绿色长廊）、一线（太平河滨水景观线）、数园（各种主题公园）的总体格局，使市区西北部成为石家庄城郊最富魅力的大型休闲旅游地；四大效益：一是经济效益，通过招商引资，适度开发绿色休闲旅游项目，拉动全市的经济增长，增加就业机会；二是社会效益，以生态开发整治为契机，进一步丰富人民群众的物质文化生活，提高生活质量和健康水平，推动我市的精神文明建设再上新台阶；三是生态效益，配合国家南水北调工程，将市区西北部建成我市面积最大，涵养最好的水源保护区，切实维护好水资源这条城市命脉；四是环境效益，通过现有资源的开发利用，拆迁重污染企业，清除污染源，同时，大面积植树种草，造湖蓄水，增加该区域及周边地区的空气湿度，减少扬沙，使省会的天更蓝、水更清、气更爽、景更美。

冀之光塔夜景

澄波泛影

市民游览太平河

俯瞰太平河

白鹭现身滹沱河人工湿地

石家庄俊景房地产开发有限公司

石家庄俊景房地产开发有限公司是由香港俊和集团投资成立的外商独资企业。香港俊和集团于 1968 年在香港成立，从承办建筑工程开始，逐步发展成为一家集房地产开发、建筑、物业管理、IT、药业等项目于一体的集团公司。1993 年 2 月，在香港联合交易所挂牌上市。

近年，俊和集团积极参与房地产项目的投资，在香港地区已有为数不少的楼盘交付使用，每年平均开发住宅近 3000 个单位。

凭着不断精益求精和努力开拓业务的精神，以客户称心满意为宗旨，通过多年经验积累，俊和集团于 2003 年获得国家建设部土木工程领域最高荣誉奖“詹天佑土木工程大奖”，也是香港建筑行业中唯一获得此奖的公司。俊和并多次获得在建筑工程界中地位崇高的“鲁班奖”、“长城杯”等荣誉称号。2005 年获得香港管理专业协会举办的优质管理奖铜奖。

1994 年，俊和集团成立了全资公司——俊和（中国）有限公司，开发中国大陆房地产等市场。目前俊和（中国）有限公司在北京、上海、广州、中山、石家庄、扬州、宜兴、太原等大中城市均已开设公司或办事处，从事房地产投资及开发、IT、药业、楼宇建筑、物业管理等项目。

2004 年 10 月 26 日通过拍卖／挂牌公开出让，竞得石家庄(2004)009 号土地，此地块位于和平路与广安大街交叉口北侧（原“第一印染厂”），邻近省会文化中心——省博物馆，是石家庄市中心 CBD 黄金地段。项目命名为“名门华都”，占地 111554 平方米，总建筑面积 481728 平方米。项目包括高档及有品味的住宅、商业及社区设施，其中住宅面积 205500 平方米，办公面积 160200 平方米，公建 16000 平方米，地下车库 100100 万平方米。项目分三期，预计于 2010 年底竣工，总投资预计 25 亿港币。一期主要为七栋住宅，包括会所及地下车库，小区中间为景观广场，人性化设计，环境优雅，配套设施齐全。凭借丰富的行业经验、先进的设计理念及雄厚的资金实力，我们有信心将此项目打造成石家庄顶级国际社区！项目建成后，必将成为石家庄的标志性建筑，从而增加石家庄商业机会，提升石家庄城市形象，促进石家庄早日迈入国际化商业都市的行列。

效果图

俊景房地产开发有限公司获奖情况：

2006 年荣获《生活时尚》“2006 年度最具品牌影响力房地产企业”；

2006 年被评为“中国（河北）房地产十大风云企业”；

2006 年石家庄房地产诚信联盟成员单位；

2007 年被石家庄市消费者协会评为第九届消费者信得过单位。

样板间

《名门华都》项目获奖情况：

荣获《生活时尚》百位地产经理人眼中的“2006 年度石家庄十大名盘”称号；

评为《生活时尚》2006 年度十大金牌户型；

评为“第三届中国数字地产节 2006-2007 中国最具投资价值住宅”楼盘；

荣获“第三届中国房地产网络人气榜——2006 年最具网络人气住宅奖”称号。

现状

雄踞华北 连锁中国

CONGLOMERATE NORTH CHINA CONCATENATE CHINA

河北保龙仓商业连锁经营有限公司是发展连锁化大型综合超市的运营商。是河北省著名商标企业、重点扶持的龙型企业及重点推荐境外上市企业。2004 年销售总额达 11.6 亿元，在中国商业联合会和中华全国商业信息中心统计发布的“中国零售百强”中排行第 96 位，在中国连锁经营协会统计发布的“中国连锁百强”中排行第 64 位。2005 年销售总额达 14.8 亿元，居中国连锁百强第 76 位。2006 年，年销售额为 18.3 亿，居中国连锁百强第 76 位，快速消费品连锁零售企业百强第 52 位。保龙仓以品牌价值 23.67 亿元进入 2007 年中国品牌 500 强，成为河北唯一一家上榜的零售企业。2007 年度，保龙仓销售额达 22.8 亿，据 2007 年中国连锁百强第 66 位。现有员工 3900 人。

保龙仓第 1 家店正式营业于 1998 年 5 月，是石家庄市乃至河北省最早的大型综合超市。发展至今，保龙仓的跨区域发展战略已取得初步成功，现已在河北、山东两省的石家庄、唐山、秦皇岛、德州等 7 地市开设直营店（加盟店）12 家。始终坚持利国、利民、立自身，顾客永远正确的经营理念，以优质、便捷的服务，在各已开店的城市成为了当地百姓的好邻居、家庭的好伙伴，树立了良好的口碑。

保龙仓在未来 3 年的发展目标是成为华北区最大的零售商之一。公司目前的发展战略是夯实基础，优先在已开店的且具一定竞争优势的城市设点布局，先将网络做细做精，加强区域竞争优势建设，再图以点带面，提高规模扩张的效益。

★ 社会荣誉

保龙仓自成立以来，得到省、市政府的支持与关注，同时获得了众多荣誉：

★ 全国“百城万店无假货”活动示范店
★ 中国商业信用企业
★ 河北百强企业
★ 河北省消费者信得过单位
★ 河北省会市场争创质量服务双满意单位
★ 河北省用户满意服务企业
★ 河北省最佳先进集体
★ 河北省 3.15 消费者直接推选品牌优胜单位
★ 石家庄整顿和规范市场经济秩序先进单位
★ 石家庄市商贸流通行业最佳效益企业
★ 石家庄最具影响力的零售企业
★ 重合同守信用单位
★ “如意杯”优质服务竞赛红旗单位
★ 石家庄市商贸系统最佳综合效益企业
★ 石家庄市商贸系统推行现代营销方式先进单位
★ 石家庄市商贸系统利税大户
★ 石家庄十大知名商场
★ 石家庄市加强行业自律保证食品安全示范单位
★ AAA 级信用企业
★ 石家庄市纳税先进单位
★ 秦皇岛市商贸十强企业

市场视察

中华店

董卿食品有限公司

董事长董卿

煎饼作为深受百姓喜爱的特色小吃，在民间已流传千年而长盛不衰。董卿女士在原有煎饼口味基础上，经过十几年的探索与实践，创立了董记煎饼品牌，研究出了以各种杂粮为主料、酱类为辅料、配以四十余种秘方佐料的十几种特色煎饼，更适合中老年人及儿童口味，具有调节人体营养平衡、补充维生素及微量元素的作用。

董卿女士从脚踏三轮车街头支煎饼摊起步，有一定经济基础后转入卫生条件较好的煎饼店铺内，并打出了董记煎饼的招牌，彻底改变了煎饼沿街叫卖的形式。由于董记煎饼讲究卫生、口味独特、品种繁多、个大量足，再加上诚信经营，煎饼店的生意日益兴隆，利润丰厚，稳中有升，逐渐开始有下岗职工主动找上门来要求学习煎饼的制作技术，做董记煎饼的加盟店。面对为生计整日奔波的下岗职工焦急的期待，董卿女士决定把生意做大做强，于是，以董记煎饼为品牌的加盟连锁开始红红火火地发展起来。

董记煎饼初期的快速发展，引起了省会石家庄当地媒体高度的关注，石家庄电视台、河北电视台及河北日报等相继做了报道，直到有一天，吸引了中央电视台第七套农业频道致富经栏目记者的目光。2004 年 6 月 24 日，致富经栏目播出了董记煎饼加盟连锁的专题片“只要能赚就行”，董卿女士以及她的董记煎饼迅速传遍大江南北，咨询的电话几乎将手机打爆，全国各地的投资者纷至沓来，董记煎饼迎来了快速发展的黄金时期。

董记煎饼发展到今天，加盟店已由节目播出时的石家庄十几家，扩大到遍布全国多个省、市、自治区的数百家店，并发展了北京、东北、山西、天津、山东等区域代理。董记煎饼自身也由一个作坊店发展为拥有自主品牌、完善的加盟培训系统、畅通的物流配送体系以及规范治理结构的从事加盟连锁的企业 --- 石家庄董卿食品技术有限公司。

自董记煎饼品牌创立以来，就一直秉承“天然杂粮，健康为本”的经营理念，倡导“健康、天然、营养、美味”的传统小吃新时尚。本品牌采用以招收区域授权代理及特许加盟为主的经营模式，为每位授权经营者提供全方位的经营辅导，帮助其全面掌握开发经营市场的技巧及相关技术，达到独立开发经营的能力。投资小，风险低、利润高、收入稳定、经营时间长久是本品牌发展代理及加盟的经营特色。

董记煎饼真诚地希望帮助每一位愿意从事煎饼行业的特困职工、下岗职工早日摆脱失业的窘迫，祝愿每一位信赖董记煎饼品牌的投资者与我们一道，共铸事业辉煌，开创美好前程！

技术人员合影

▲ 公司部分产品

◀ 学员技术培训

▶ 群众购买

石家庄柯棣华医学专修学院

领导班子成员

名誉院长郭庆兰和学员在一起

学员礼仪展示

石家庄柯棣华医学专修学院是经河北省教育厅批准建立的一所以培养专业护士为主的特色院校。学院成立于 1992 年 5 月，时值柯棣华大夫逝世五十周年之际，为了永远纪念这位为中华民族抗战事业献身的国际主义战士，学校取名为石家庄柯棣华医学中等专业学校，后扩大为柯棣华医学专修学院。由柯棣华大夫的遗孀郭庆兰女士任名誉院长，创办人原北京军区军事医学研究所政委胡邦忠先生任院长。

学院目前开设了四个专业：护理、中西医结合、社区医学和助产士。每个专业有大专和中专两个层次。其中护理专业又分为英语护理（涉外护理）、西医护理和中医护理。学院占地面积 40000 多平米，有完善的护理教学设备、外语教学设备、计算机教学设备，有能够容纳 4000 多人进行操作训练的实训基地。学院师资力量雄厚，学院有教职员工 400 多人，其中高级职称 78 人、中级职称 91 人，已形成学科带头人为龙头，中青年教师为骨干的充满生机的教师队伍，他们治学严谨，为人师表，具有医护基础理论和专业理论教学的丰富经验。

学院设有基础医学教研室、基础护理教研室、临床护理教研室、英语教研室、微机中心、考试中心和阅书馆。实训基地设有内、外、妇、儿、急救操作训练大厅和模拟病房。使学生在校期间既能学到扎实的专业理论知识，又能掌握实际操作技能，有较强的动手能力。实现了学生与就业岗位的无缝链接。

学院还根据用人单位的需求，把护士形象培养做为教书育人的重要内容，对学生进行护士形体训练、护士礼仪训练和军事训练，使每个毕业生具备优雅的气质，端庄的体态，成为合格的“白衣天使”。

学院在校生 8000 多人，护理专业学生占学生总数的 95% 以上，是我国华北地区规模最大的专业护士培养基地。学院实行封闭式管理，大力突出护理专业的办学优势，重视教学质量的不断提高和学生的实习就业工作，学院已和 260 家部队、武警医院，130 多家地方医院建立了长期稳定的实习就业协作关系，学生实习率达 100%，就业率达 95%。近 5 年来，护理专业毕业生供不应求，就业形势十分喜人。办学 16 年来，在河北省教育厅、河北省卫生厅等部门的领导下，学院全体员工团结奋斗、艰苦创业，坚持以柯棣华精神育人，为部队医院、武警医院和地方医院培养输送了 18000 多名技能型护理人才，受到了用人单位的广泛认可，树立了良好的社会口碑，同时也为我省的经济发展和贫困农村地区的脱贫致富作出了贡献。

学院 2003 年—2007 年连续 4 年获河北省卫生厅护理临床技能考核优秀奖。2004 年被河北省教育厅评估为省级重点职业中专、2006 年成为全国首家 ICE8000 国际监督体系评级的民办院校、2006 年被石家庄市人民政府授予“职业教育先进集体”荣誉称号、2007 年石家庄市教育局命名我校为“安全文明校园”。

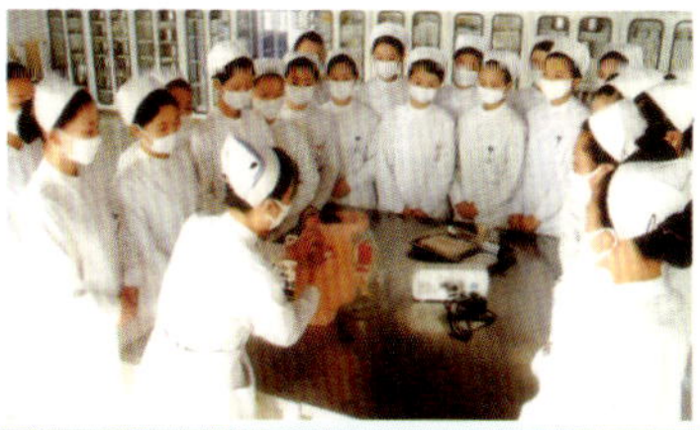

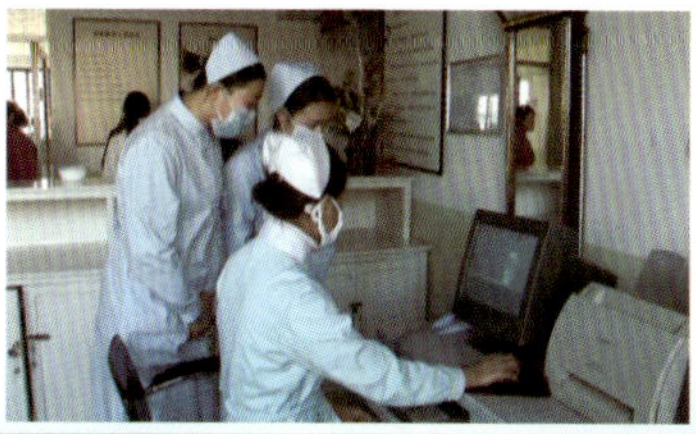

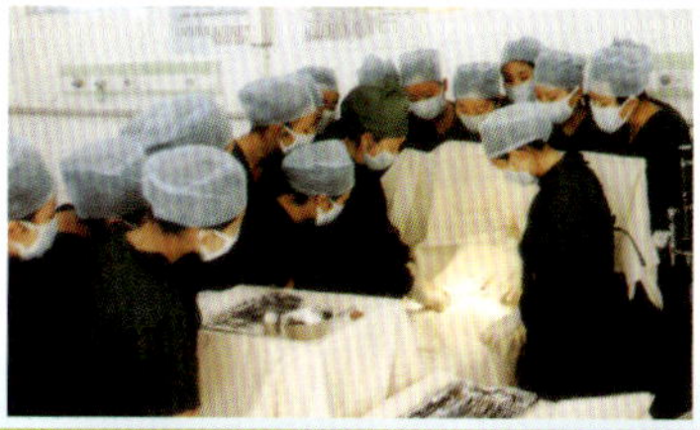

石家庄市第二十三中学

二十三中团结创新的领导班子

石家庄市第二十三中学建校于1968年4月，主校区位于桥东区长征街61号，现发展为拥有2个校区、340名教职员工、4300多名学生的现代化完全中学，省级示范性高中，市级素质教育先进学校。

校长张永宁是河北省教育系统先进工作者、市级劳动模范、市优秀人大代表。学校领导班子坚持“温和中坚持，宁静中创新”的办学理念，以“团结、务实、创新、廉洁、高效”为目标，探索“三元序化、两能级、双渠道”管理体制，全员聘任，高效运转，内部管理科学规范。

学校弘扬“淳朴耐劳，务实无华，团结和谐，温情至善”的优良师风，教师队伍“讲境界，讲团结，讲大气，讲奉献”；开展校本培训，探索团队学习，改善教师心智模式，实现教师个人与学校的共同发展。学校形成了一支由全国优秀教师、特级教师、省市骨干教师组成的名师队伍。

学校注重和实践“德智合一，全员育人”的德育理念，通过开展主题教育、开设时政论坛课，加大了正面教育和舆论宣传，倡导学生自我教育、自我管理，培养学生关心国家和民族的意识，浓厚了全员育人的氛围，强化了传统教育和国防教育的特色。学校充分尊重学生差异，因材施教，分层次教学，“让每一个学生抬起头来走路”。学校鼓励教师“实干是基础，苦干是精神，巧干是境界”，培养学生“用心动脑，卓尔不群”的优良品质。

近年来，借助全市教育资源调整的契机，该校成倍扩大了校园面积，新建并装备了综合实验楼和北教学楼；新建塑胶操场和室内体育馆；装备了先进的理化生探究实验室，建有微型科技园，装备了大型影视厅，重建了高标准国防教育展厅。

学校以“汲取民族精华，弘扬民族精神”为核心，继承中华民族传统美德，“以人为本，文化引领，让每一名师生都得到充分发展”。校门前“文明的对话”浮雕，启迪着学生思想；文化石“吉象如意”，镌刻着校长起草、名家书写的《二十三中赋》；百米浮雕《中华文明》20幅，展示着五千年文明的灿烂画卷；操场南侧15平方米的电子屏幕，成为校园电视台的载体和舆论宣传的窗口；新建的图书馆，宁静高雅，书香弥漫；国防教育展厅，增强了学生国防意识，振奋着民族精神。

近年来，学校获得了全国中华美德民族精神实验研究示范单位、河北省示范性高中、河北省国防教育示范学校、河北省心理健康教育实验学校、石家庄市精神文明单位、石家庄市素质教育先进学校等称号。

鼓乐队亮相2008年桥东区中小学运动会

吉象如意文化石

桥东区委区政府主要领导视察二十三中国防教育展厅

石家庄市急救中心（紧急救援中心）

SHIJIAZHUANGSHIJIJIUZHONGXIN

石家庄市急救中心王文举主任十周年庆典接受记者采访

石家庄市急救中心

石家庄市急救中心于 1997 年 12 月 10 日开通“120”专线电话并正式投入使用。当时中心有救护车 7 辆，人员 30 名，日出车 25 次，占地 2000 多平方米。随着我市日新月异的飞速发展以及突发性公共卫生事件发生率的提高，原急救中心在规模和功能上远远落后于城市现代化发展的步伐。为适应当前我市发展的新形势以及适应突发性公共卫生事件的发生，在市委、市政府关注下，投资 7000 多万元，建筑面积 8000 多平方米的石家庄市紧急救援中心于 2006 年底完工并投入使用。按上级指示，石家庄市急救中心于 2006 年 6 月独立，年底迁入新址（建设南大街 188 号）与石家庄市紧急救援中心共同运行，设行政科室 7 个，配备世界一流的医疗急救设备、34 辆救护车、30 条“120”专线和 200 余名技术人员，日均出车 120 次。拥有独立的院前急救队伍，特勤大队和急救培训基地，中心设三个中心站，14 个急救站，成网络状覆盖整个市区。并有独立的覆盖半径 50 公里的无线电通讯、现代化指挥调度系统和 GPS 卫星定位系统。几年来石家庄市急救中心曾多次参加我市重要的政治、经济、宗教、文化体育大型活动的救援保障任务，出车 23 万多次，为城市重大突发事件的医疗急救指挥协调及境外人士的急救服务提供了强有力的医疗保障，也为社会公众的急救培训做出了贡献，成为医疗急救医学临床和基础的良好基地。

随着中心功能的逐步完善，现代化指挥调度系统的启用，将大大提高我市急救水平和突发性公共卫生事件的应急能力。我们相信，在不久的将来、在改革春风的沐浴下，急救中心将以崭新的精神面貌服务于省会市民，将为人民生命健康提供更为开阔的生命“绿色通道”。

地　址：石家庄市建设南大街 188 号石家庄市急救中心

邮　编：050021

24 小时咨询电话：0311－66610087

网　址：www.sjz120.net.cn

Email：sjz120@126.com

石家庄市计划生育协会

生育关怀工程会议

市领导现场办公

2007年，石家庄市计生协在市委、市政府的正确领导下，在省计生协的指导帮助下，坚持以“三个代表”重要思想为指导，以科学发展观为统领，紧紧围绕中共中央、国务院《关于全面加强人口和计划生育工作，统筹解决人口问题的决定》和中宣部等十部门联合下发的《关于广泛开展“生育关怀行动”通知》要求，紧紧围绕全市经济社会发展大局和人口计生工作总体部署，以全面实施“生育关怀行动”为主线，开展了生育关怀行动、爱心捐助行动、保险保障行动、早期教育促进活动、生殖健康援助行动、项目扶贫行动、关爱女孩行动、关心基层计生干部行动、志愿服务行动等，认真履行协会职能，打造品牌服务，增强协会活动能力，计生协在统筹解决人口问题中的生力军作用越来越突出。一年来，市计生协先后在中国计生协召开的上海、沈阳两次会议上从不同角度做了典型发言，在中国计生协第六届三次理事会上，市计生协再次荣获全国计划生育协会工作先进集体称号，成为河北省唯一受此殊荣的市级单位。

以“生育传承希望、关怀相伴和谐”为主题的生育关怀行动启动大会

石家庄医学高等专科学校

2007年5月23日，中共中央总书记、国家主席、中央军委主席胡锦涛亲切接见出席北京军区第九次党代会代表时与董事长邹本兴同志亲切握手。

赵英院长应邀参加格雷温赫斯特市白求恩铜像揭彩仪式，受到加拿大总督伍冰枝的亲切接见。

中共中央政治局委员、中央军委副主席张万年、迟浩田及郭伯雄、曹刚川、傅全友、于永波、王克、徐才厚、唐天际、李新良等军委、总部、北京军区领导同志接见邹本兴先进事迹报告团。

2007年人才培养水平评估专家组在校领导陪同下视察校园，学校评估取得良好成绩。

石家庄医学高等专科学校是经教育部批准正式建立，有独立颁发学历文凭资格的普通高校。现有在校生1.7万多人，专、兼职教师973人，其中高级职教师274人。13个医学专业面向全国招生，是全国、省、市民办教育先进单位。

中华人民共和国教育部

教发函〔2006〕22号

教育部关于同意正式建立石家庄医学高等专科学校的通知

望你省本着改革的精神，加强对该校的领导，继续督促学校加快总体规划和建设步伐，进一步理顺管理体制和运行机制，指导并支持该校加强师资队伍建设和学科专业建设，不断提高教育质量和管理水平，使学校办出特色，办出水平，为河北省的经济建设和社会发展做出更大贡献。

二〇〇六年二月十四日

主题词：高校 设置 河北 通知

抄 送：河北省教育厅
部内发送：部领导、办公厅、政法司、人事司、财务司、职成司、高教司、民族司、师范司、思政司、社科司、直属司、学生司、科技司、体卫艺司、学位办

教育部办公厅 2006年2月17日印发

“石医高专”董事会带领全校师生员工继往开来走向新的辉煌。

石家庄鑫玉科技开发有限公司

热忱欢迎各位同仁来我公司指导工作，共谋发展以实力创造辉煌！

董事长兼总经理　赵劲霖

公司宗旨：崇实求新，服务三农

经营理念：挚诚质优，互惠双赢

企业目标：打造精品，种业先锋

企业精神：以勤为本，敢为人先

石家庄鑫玉科技开发有限公司是一家专业从事玉米新品种的选育及技术服务推广的大型玉米种业公司。由玉米育种专家赵劲霖先生任董事长兼总经理，聘请了中国农科院作物栽培专家佟屏亚研究员等教授、专家、律师为我公司高级顾问。

公司具有稳定可靠的种子繁育基地，拥有黄淮海蠡县试验站，该试验站同时担任省内区域试验和生产试验；在海南有长期南繁加代试验站；2004 年公司又在广西成立了繁种试验加代试验站；并在东北建立了试验示范站。公司具有先进的种子选育技术及精密仪器，并有丰富的育种基础材料。

公司拥有一支技术过硬、事业心强的专业技术队伍，经过多年的玉米育种及高产多抗的潜心研究，根据我国的多气候环境及玉米种业的现状，突破了我国原有品种的抗病、抗逆性差或不抗倒、单产量低的状况，适时推出了稳定性好、适应性广、抗逆性强的丰产、多抗的鑫玉系列新品种。其中鑫玉 2 号于 1999 年通过河北省农作物品种审定委员会审定。鑫玉 6 号（临奥 1 号）2000–2002 年先后通过了湖南省、贵州省、甘肃省、陕西省、四川省、河北省、河南省、广西自治区、重庆市等九个省、市农作物品种审定委员会的审定，获第七届中国杨凌农业高新技术成果博览会后稷金像奖，2001 年通过了国家审定。鑫玉 5 号 2001 年分别通过了重庆市和广西自治区农作物品种审定委员会的审定。鑫玉 168（奥玉 17 号）于 2002 年在湖南省已通过了审定，2004 年通过国家审定。其它品种鑫玉 10 号、鑫玉 13 号、鑫玉 15 号、鑫玉 16 号、鑫玉 17 号、鑫玉 18 号、鑫玉 21 号、鑫玉 23 号、鑫玉 26 号也分别在不同省、市通过了审定。鑫玉 16 号 2006 年获河北省科技进步 3 等奖，获石家庄市科技进步 1 等奖。公司致力于新品种的选育，竭诚与全国种业界朋友精诚合作。我公司现在与北京奥瑞金种业股份有限公司联合开发的品种有：鑫玉 6 号（临奥 1 号）、鑫玉 16 号、鑫玉 168（奥玉 17 号）、鑫玉 26 号、鑫玉 15 号（奥玉 19 号）、鑫玉 35 等品种。其中鑫玉 35 于 2006 年最新合作品种，审定区域遍布黄淮海夏玉米区域。2004 年与三北种业股份有限公司合作开发了鑫玉 13 号。为加大科技成果转化的力度，更好的为我国玉米种业服务，公司加强品种知识产权保护力度，创建名牌。并且以诚信为本，真诚合作，共同发展原则。竭诚与各玉米种业单位进行多形式合作，共同开发鑫玉系列玉米新品种。

赵总精心挑选自交系品种

玉米专家考察玉米高产新品种（左一为育种专家赵劲霖）

二00七环卫工作纪实

2007年，我们按照市委、市政府工作部署，本着“大环卫运作、精细化管理、社会化服务、产业化推进、品牌化升级”工作思路，不断创新管理机制，全面深化无缝隙管理，努力干好各项工作，出色地完成了年度工作任务。

环境卫生达到新水平。制定并实施了《2007年度环境卫生管理工作实施意见》、《绩效考核实施意见》、《小街巷管理及考核办法》、《城中村及城郊结合部管理办法》等规定，实行了处领导和科室包区、干部职工包街的督查责任制，坚持了拍摄实放环卫管理录相的月评制度，推广了新华区卫生队治理主次干道晚七点半后脏乱差问题和裕华区卫生队“门前三包”管理经验，开展了小街背巷环境卫生整治达标和“八个一工程”清理积存垃圾大会战活动，积极推进机械化清理作业，创建了环境卫生示范街示范区，圆满完成40余次重大活动环卫保障任务，树立了省会良好形象，省会环境卫生质量显著提高。

节能减排实现新成效。生活垃圾管理方面。实行了生活垃圾清运计量制度，积极组织生活垃圾卫生填埋和焚烧发电工作，生活垃圾无害化处理率达80.7%，比去年提高了10个百分点。建筑垃圾管理方面。推广了长安区建筑工地诚信管理经验，实行了运输企业资质信誉考核，与市拆迁办协调办理拆迁单位建筑垃圾处置手续，与交管部门联合执法查处违规运输行为，推行了辖区建筑垃圾管理月考评奖惩制度，规范了建筑垃圾管理秩序，年收取渣土处置费900多万元。餐厨垃圾管理方面。开展了餐厨垃圾产生单位摸底调查工作，初步理顺了城区餐厨垃圾管理处置问题。废旧电池回收管理方面。举办了6次大型公益宣传活动，设置了2500个回收箱，新增了28个废旧电池回收小区、200多家商业企业，全年回收废旧电池57.4吨，封存率达100%。医疗垃圾处置方面。新签订收集处置合同89家，收集覆盖二十个县(市)区956家医疗单位，收集处置医疗废弃物1700多吨，比去年增加了16.5%。洗车场点管理方面。严格洗车场点管理，全面推广中水洗车，月输送中水5000吨，年节约用水6万多吨，中水利用率提高了20%，二环内洗车场点中水洗车普及率达到100%。

环卫设施建设实现新突破。新建固定公厕15座、翻新改造公厕26座，超额105%完成了全年公厕建设任务，解决了部分区域市民入厕难问题。维修翻新果皮箱2500余只，新设金属喷塑分类果皮箱和公交站专用单桶可翻转果皮箱4032只，果皮箱饱有量由32%上升到65%，提高了街区环卫设施承载能力。新建普通生活垃圾中转站2座、维修31座，购置专用车2部，更换中转站集装箱85只，保证了生活垃圾转运需求。

处属单位发展迈上新台阶。大力倡导求真务实的工作作风，把谋事、干事、干成事作为衡量基层领导干部第一标准，调整充实了基层单位领导班子，着力提高基层单位领导班子解决复杂问题、参与市场竞争、开拓创新谋发展的能力，扭转了处属单位管理水平不高、经营创收能力不强、职工工资待遇偏低的局面，处属单位整体发展迈上了新台阶，呈现出蒸蒸日上新气象。

精神文明建设取得新成果。我们把坚持经常性的思想教育作为激发广大干部职工进取心、增强工作责任感的根本来抓，牢固树立“有一必争、逢旗必扛”意识，努力营造奋发向上的工作氛围。先后被市政府评为“解放石家庄纪念活动先进单位”；市环卫处党委被市直机关工委评为“先进基层党组织”；被市直机关妇女工作委员会评为“巾帼建功活动先进单位”。职工徐鸿忠被团市委授予“石家庄市十大杰出青年”称号，段双波被市政府授予“石家庄市爱岗敬业标兵”称号。

石家庄市民心河管理处

管理处主任马东平

石家庄市民心河管理处成立于2002年，现有干部职工191人，其中管理人员35人，园林专业技术人员15人。主要负责56.9公里河道及沿线22座公园、游园的绿化养护、卫生保洁、水体治理的管护任务，同时还担负着城区夏季防汛泄洪的重要职责。几年来，按照城镇面貌“每年一大步、三年大变样”的工作要求，求真务实、开拓创新，全力打造精品民心河。连续六年被市文明办、市园林局评为“市级文明单位”、“过硬领导班子”、“先进基层党组织”，三次被市直工委评为“工会工作先进单位”，世纪公园、西清公园先后被省建设厅评为“四星级公园”。同时，民心河、世纪公园还先后被市政府授予“新石家庄十大景观”、“夜景亮化十佳建筑”及“巾帼文明岗”等荣誉称号。

民心河生态景观

石家庄市红星食品有限公司简介

- 我们的理念：生产道德、销售人品
- 我们的宗旨：红星食品让您的生活多滋多味

石家庄市红星食品有限公司前身为我市第一家糕点老字号企业——“红星食品厂”，于2004年7月成立为有限公司。公司现坐落于石家庄市商贾云集、交通十分便利的中山西路，距石家庄火车站、长途客运站仅1.5公里。公司现有员工33人，其中高等学历6人，高级面点师13人。在几年的发展历程中，红星食品公司已经形成了自己独特的经营优势。

1、石家庄市红星食品有限公司的前身石家庄市红星食品厂，成立于1946年6月，已有60多年的悠久历史。是省会城市中西面点行业的老字号，其生产的大蛋糕、夹心拉丝、二色卷、辫子（圈）面包、营养蛋糕、梅花蛋糕、小奶油蛋糕，苏式、京仁、广五仁月饼等产品以其质量稳定、口感独特、价格合理、营养丰富等优势，赢得了广阔的销售市场和消费者的厚爱，久销不衰。特别是大蛋糕、夹心拉丝、二色卷、辫子面包等产品曾多次获得省优、部优光荣称号。

2、红星食品公司自组建有限公司以来，引进先进的食品加工设备，采用现代工艺与传统秘制配方相结合的方式，以更加专业化的方式生产中西面点制品。

3、2007年10月我公司通过了食品专家组的审查，获得了“全国工业产品生产许可证”。

4、公司自成立以来，秉承了老红星食品选料考究，做工精细的优良传统，在保持原有传统产品的基础上，加大了安全卫生、绿色健康适应现代饮食潮流产品的开发，公司现有中西式糕点60余个品种，花式、欧式面包30余个品种。

5、面对日趋激烈的市场竞争，石家庄市红星食品有限公司坚持以人为本，依托科技，创造特色，积极探索自我发展的道路，同时顺应国家对食品安全高要求的发展趋势，坚持高起点的发展道路，将一如既往的坚持向社会、向消费者提供多品种的新型、优质产品，为提高人民的身体素质，振兴中国民族工业做出更大的贡献！

石家庄市地方道路管理处

石家庄市地方道路管理处成立于 2004 年 3 月 9 日，负责全市地方道路的建设、养护工作。几年来，培养了一支专业养护队伍，并创造出了一条适合本地特色的养护模式，各项工作走在全省前列。

2007 年共完成农村公路建设县道投资 12317.7 万元，114.5 公里；乡道 481.15 公里；村道 647.29 公里。

全市农村公路通车总里程 12473.28 公里，其中，县道 1593.698 公里，乡道 4949.743 公里，村道 5929.836 公里。我市农村公路建设养护并重的做法，保障[illegible]安全畅通。有为地推动了我市[illegible]发展。

2007 年建成鹿泉沿山公路

正定界羊曲线 2005 年被评为省优质工程

井陉山路

努力开创水利工作新局面

石家庄市水利局班子成员

2007 年，水利部门开拓创新，取得显著成绩。

（一）水利工程建设。滹沱河防洪综合整治工程开工建设，完成 11 座中小型水库的除险加固，整治河道堤防 26.2 公里。农村建设饮水工程 78 处，解决了 6.56 万人的饮水安全问题，抗旱浇地 263 万亩次，治理水土流失面积 157 平方公里，建成景庄等三座小水电站。

（二）节水型社会建设。《石家庄市节水型社会建设试点规划》通过上级审批，同时，市政府出台了《关于加强农业节水工作的指导意见》，发展节水灌溉面积 31.8 万亩。

（三）现代水利建设。建成覆盖全市 18 个县（市）区，集视频会议、数据传输、语音通信、远程监视、雨水自动测报“五位一体”的防汛抗旱指挥系统，防汛抗旱工作初步实现信息化，我市被评为全国防汛抗旱先进单位。制定了都市区“1+4”组团水系拓展规划，三年新增水面 1000 万平方米，利用冶河枢纽工程为市区生态供水 1400 万立方米。滹沱河地下水库、雨洪资源利用等课题研究取得阶段性成果。

（四）水利改革。市政府下发了《关于横山岭、口头水库上划市水利局管理的通知》两座大型水库正式上划市局管理，全市水管体制改革任务基本完成。积极推行“一事一议”和农民用水户协会，开展小农水“民办公助”试点建设，全市农民用水户协会达 467 个。

（五）水利管理。落实水资源论证和取水许可制度，完成了 17 个建设项目的水资源论证，制定了水功能区纳污能力及限排污总量意见，加强水质监测，严格入河排污口的审批和管理，防止水污染事件的发生。建立巡查巡防和部门联席会制度，全天监控和突击巡查、专项整治和群防群治、部门执法和联合执法相结合，严厉打击河道内非法采砂、采铁和乱倒垃圾行为，严格涉河建设项目审批，河道秩序进一步规范。制定了《石家庄市水保方案编报审批管理办法》，认真落实水保方案“三同时”制度，开展水保监督执法专项行动，审批水保方案 34 个，实施水保恢复治理工程 78 处，有效地控制人为造成的水土流失。

白草坪水库大坝

石家庄洛杉奇食品有限公司

董事长谷兰菊和总经理李宗力

石家庄洛杉奇食品有限公司是一家综合食品加工企业，总部及生产场地在石家庄市北二环西路 33 号。公司拥有现代化的管理体系、先进的生产工艺、完善的冷藏储运和销售网络体系、优秀的技术人员和现代化的生产流水线。拥有“金凤”、“洛杉奇”两个河北省著名商标，专业生产金凤扒鸡禽类制品、洛杉奇肉类制品、面食制品等三大类上百种产品。目前公司拥有金凤扒鸡连锁店 63 家、洛杉奇食品连锁店 25 家。

“金凤扒鸡”始于二十世纪初，自诞生至今已近百年历史，是石家庄商业文化发展的代表之一，具有深厚的历史文化底蕴，产品享誉国内市场，荣获“石家庄市标志型产品”、“石家庄名特产”、“河北省优质产品”、“中华著名特产”、“河北省名牌产品”、“河北畅销品牌”等称号。2006 年被商务部首批认定为“中华老字号”，是目前石家庄市唯一被认定的品牌。2007 年在河北省首届“冀菜饮食文化展演大赛上”，“金凤扒鸡”的“凤飞九天”荣获冷拼类最高奖 --- 金鼎奖。2007 年金凤扒鸡的传统手工制作技艺被列入“第二批省级非物质文化遗产保护名录”，同年被商务厅认定为“河北畅销品牌”。

洛杉奇面食制品在河北省素有“面包大王”的美誉，追求“专业品质、健康共享”的理念，拥有众多的消费者，洛杉奇食品连锁店被评为“全国优秀饼店”和“全国三星级饼店”；洛杉奇月饼荣获“第五届全国烘焙技术大赛月饼制作总决赛金奖”，“2006 年度中国饭店业十佳品牌月饼”称号。

2005 年在省内同行业中首家通过 ISO9001-2000 国际质量管理体系和 HACCP 食品安全管理体系双认证。2004 年公司被授予“河北省著名商标企业”称号，被中国商业联合会首批认定为“中国商业信用企业”，2006 年被授予“河北省自主品牌建设重点培育企业”，2007 年被授予“河北省食品安全诚信单位”、“全国食品安全示范单位”、“河北省商贸名牌企业”等荣誉称号。

石家庄雅德食品有限公司

石家庄雅德食品有限公司成立于1999年，是2007年全国第六家、石家庄市裕华区第一家取得食品质量安全QS管理体系合格认证资质的企业。公司具有符合GB8957糕点卫生规范、GB14881食品企业通用卫生规范的建筑、设备和设施，具有良好的卫生条件。公司具有自主检验能力、具备专业资质的检验人员，拥有食品卫生出厂检验室、无菌室及相关的各种检验设备.

◀ 企业荣誉

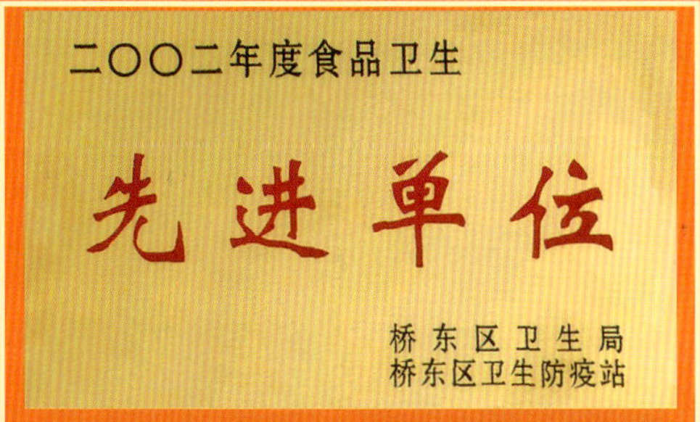

▶ 公司部分产品

石家庄市第一职业中专学校

石家庄市第一职业中专学校是一所国办省级重点职业学校，该校创办于 1962 年，1981 年改办职业教育，是石家庄市最早开办职业教育的学校之一。学校位于石家庄市桥西区工农路 3 号，占地面积 1 万 2 千余平米。现开设 2+3 大专班、职业中专、中技三个办学层次，有数码动漫技术、服装设计与工艺、服装表演、计算机及应用、现代物流、幼儿艺术与教育等专业。学校现为中国动画学会会员单位、河北省服装行业协会理事单位、石家庄市服装专业教育集团龙头学校、石家庄市服装技能鉴定单位、石家庄市动漫协会会员单位。

该校师资力量雄厚，教学设备先进，现有专任教师 119 人，其中高级教师 36 人，双师型教师 32 人，并有 80 余人参加了全国、省市级的骨干教师培训。学校建有计算机室、服装 CAD 室、服装实习室、制版室、舞蹈室、形体房、钢琴房等 26 个专业实习室以及艾依服装工作室、奇点动漫工作室、定格动画实验室、后期合成实验室及计算机应用等多个实训基地。

学校以“面向市场经济，面向劳动就业”为办学思想，坚持“强技能、重就业”的办学方向，先后开展了宽基础、活模块教学、实训教学、半工半读工学交替等卓有成效的改革，借助北京电影学院等高校的技术优势，联合石家庄市本地及北京、天津、青岛等地企业，依靠先进的实训基地，大力开展实训教学，学生在实训基地边工作、边学习，既提高了技能，又适应了企业管理，实现了学生学得会、用得上、就业有保障。在全国及省内的各级职业学校技能比赛中，该校师生屡屡夺魁，为河北省、石家庄市争得了荣誉。先后被评为河北省职业教育先进单位、石家庄市心理健康教育示范校，石家庄市文明礼仪教育示范校。多次被石家庄市委市政府命名为“市级文明单位”，被石家庄市政府命名为“职业与成人教育先进集体”。

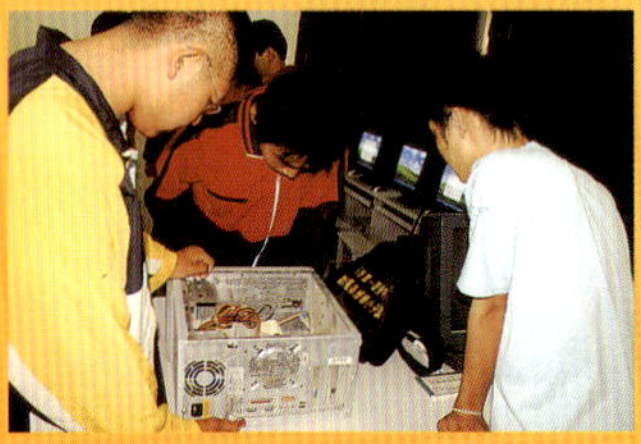

计算机专业学生义务为社会提供维修服务

服装专业CAD制图课

一职专定格动画实验室

幼儿艺术与教育专业学生训练

石家庄市群众艺术馆

石家庄市群众艺术馆（前身为民众教育馆）始建于 1947 年 12 月 12 日，是中国共产党在城市建立的第一个群众文化机构。作为全国群众文化建设的“创例”，其成功经验受到党和政府的高度重视，曾对全国群众文化建设起过示范作用。60 年来，市群艺馆在宣传党的政策、普及文化知识、培养文艺人才、组织大型文化活动、保护非物质文化遗产等方面均做了大量的卓有成效的工作。特别是近年来，在打造省会“彩色周末”、“鼓王争霸赛”、“千人大比舞”等文化品牌，提升城市文化品位、提高文化软实力方面做出了积极贡献，已发展成为现代化、综合性、开放式的群众文化中心。2007 年策划并组织举办省会第三届千人大比舞、欢乐大广场、“石家庄市首届非物质文化遗产保护成果展”、“新农村、新农民、新风采”群众文艺调演、歌手大赛等大型文化活动 20 多项，并在全国第二次群艺馆评估中顺利通过一级馆验收。

2007 年 12 月 12 日，市群艺馆隆重举行“耕耘之路——建馆六十周年庆典”。民进中央名誉副主席、全国人大政协常委楚庄，文化部社文图司副司长李宏，市委常委、宣传部长孙万勇，市政协主席张光大，省文化厅厅长许宁，副厅长彭卫国，市文化局局长李耀峰，市社科联、石家庄日报社、市文联、石家庄电视台、西柏坡纪念馆等省市有关部门领导，来自河北省、天津市、北京市石景山区、云南省楚雄州等地的友好馆，唐山、承德、秦皇岛、张家口、保定、邯郸、廊坊、衡水、邢台、沧州 10 个兄弟群艺馆，23 个县（市）区文化馆长，市直文化系统 17 个单位主要领导，以及历任老馆长、建馆初期的老前辈、在馆工作过的老同志、离退休职工 400 余人参加了庆典。

在馆庆期间，许多省、市及文化艺术界领导及知名人士为群艺馆建馆六十周年发来了贺信和题词。

石家庄电视台《民生关注》、《石市要闻》栏目，《石家庄日报》、《大众阅读报》等媒体给予了翔实的报道。12 月 16 日，石家庄电视台播出了《耕耘 60 年——纪念石家庄群众艺术馆建馆六十周年》专题片。

“非物质文化遗产专题调研组”参观展览

文化部评估组检查验收

文化部领导讲话

群艺馆馆长在庆典上讲话

激情颂歌第四届业余歌手大赛

民间艺术表演

目　录

特　载

大事记

石家庄综述

政　治

军 事

政　法

城市建设与环境保护

农 业

工 业

交通运输

国内外贸易·旅游

综合经济管理

财政·税务

金　融

科学技术

教 育

文　化

卫生·体育

社会生活

县（市、区）概况

人　物

文献法规

统计资料

CONTENTS

Featured Articles

Events

Eneral Introduction of Shi Jiazhuang

Politics

Military Affairs

Politics and Laws

City Construction & Environment Protection

Agriculture

Industry

Information Industry

Traffic Transportation

Internal Trade & Tourism

General Economic Management

Government Finance & Taxation

Banking

Science & Technology

Education

Culture

Public Health & Sport

Social Life

An Introduction of Cities and Counties

Figures

Literatures & Regulations

Statistical Data

特　　载

政府工作报告

——2008年2月28日在石家庄市第十二届人民代表大会第一次会议上

石家庄市人民政府市长 冀纯堂

各位代表：

现在，我代表市人民政府，向大会作工作报告，请予审议，并请市政协各位委员和其他列席人员提出意见。

一、过去五年的工作回顾

市十一届人民代表大会第一次会议以来的五年，是不平凡的五年。全市人民在省委省政府和中共石家庄市委的正确领导下，坚持以邓小平理论和“三个代表”重要思想为指导，全面贯彻落实科学发展观，围绕建设繁荣、文明、和谐新石家庄的总目标，扭住发展这个第一要务不放松，解放思想求突破，凝心聚力抓落实，圆满完成了市十一届人大确定的目标任务，改革开放和现代化建设取得巨大成就，开启了建设沿海强省省会的新征程。

过去的五年，是综合实力大幅提升的五年。2007年全市地区生产总值完成2393亿元，比2002年翻一番，年均增长15.1%；人均生产总值由2002年的12818元提高到25144元。全部财政收入达到230.34亿元，年均增长15.8%，其中地方一般预算收入达到95.87亿元，是2002年的2.2倍。规模以上工业企业实现利税353.7亿元，是2002年的3倍，有18家企业跻身全国500强。万元生产总值能耗、主要污染物排放总量逐年下降，节能减排走在全省前列。服务业完成增加值920亿元，年均增长14.4%，占GDP的比重为38.4%。县域经济实力明显提升，生产总值、财政收入占全市的比重分别达到67.4%和37.7%，平山、藁城、鹿泉财政收入突破10亿元。民营经济整体实力增强，上缴税金占全市的比重达到48.3%。高新技术产业技工贸总收入年均增长24%。

过去的五年，是发展后劲显著增强的五年。五年建成投产重点项目97个，完成投资1656亿元。五大基地建设成效明显，累计完成投资168亿元。三鹿集团牛乳深加工、炼油厂综合改造工程、常山纺织股份整体改造、华药新产品工业园等列入省重点产业支撑项目，石炼化500万吨炼油、硅外延材料产业化等23个项目竣工投产，石药工业园一期开工建设，金刚集团、泵业集团等整体搬迁改造全部竣工。首届中国生物产业大会成功举办，我市被认定为省级信息产业基地和国家半导体照明产业化基地。正定小商品市场一期建成开业，石家庄内陆港建成开港，使我市无海有港成为现实。石太铁路客运专线全部具备铺轨条件，京石、石郑客运专线和铁路枢纽工程扎实推进。张石高速公路石家庄段主体完工。张河湾抽水蓄能电站1号机组并网发电，滹沱河防洪综合整治工程开工建设，南水北调石家庄北段主体工程基本完成。

过去的五年，是省会面貌发生明显变化的五年。城市空间发展战略规划、城市总体规划编修完成，形成了“1+4”组团城市格局，拓展了省会发展空间。五年累计投入城市基础设施建设资金118亿元。主城改造全面提速，东南新城区亮点集群凸显，西部山前生态新区建设稳步推进，组团城区功能不断完善。旧城改造步伐加快，45个城中村有7个基本改造完工，29个启动改造。裕园广场、美东国际、北国先天下等一大批展现时代特色的高层建筑群相继建成。槐安路东拓西进、体育大街南延工程竣工通车，石环公路主路试通车，京广铁路客进货出、穿城入地工程顺利启动，石家庄机场扩建工程候机楼主体完工。五年主城区新建、续建和大修道路345条，打通断头路76条，整修小街小巷1107条，外环内网、四横六纵八放射的城市道路交通体系进一步完善。城市管理工作不断加强，先后出台了33个城市管理规章，精细化管理扎实推进。城市环境整治全面展开，“八个一”工程成效显著。关停、治理大气污染企业248家，五年累计达到470家；取缔、治理水污染企业183家，累计达到431家；拆除整治市区1吨以上燃煤锅炉（烟囱）102台（根），累计拆除580台（根）；拆除整治各类违法建筑220万平方米，累计拆除390万平方米；清理市内积存垃圾235万立方米；二环路以内塔式及楼体楼顶广告基本拆除，城市亮化品位明显提升。“5528”绿化工程全面启动，百万树木进市区已完成38万株，五年累计达295万株。太平河生态整治、市区西北部水利防洪生态一期工程全部完工，形成35.6公里滨水景观长廊，太平河整治工程获得中国人居环境范例项目奖，我市被授予中国人居环境奖（水环境治理优秀范例城市）。新建植物园二期、野生动物园、希望绿洲等18座公园，全市公园总数达到44个；五年新增建街旁游园绿地75块，新增绿地2600万平方米，建成区绿化覆盖率达到36.8%，跻身国家园林城市行列。去年市区二级以上天气达到289天，比2002年增加108天。县城容貌显著改观，小城镇建设步伐加快，城市化率达到43.96%。

过去的五年，是新农村建设扎实起步的五年。全市18个农村县（市）区和90%的乡村完成了新农村建设规划编制，20个新农村建设示范乡（镇）和105个示范村启动实施。农业连续四年丰收，粮食总产稳定在490万吨，单产创历史新高；肉、蛋、奶产量逐年增加，畜牧业占农业总产值比重超过50%，成为第一主导产业。农业产业化经营率达到60%，龙头企业总数达到270家，年经营额达到180亿元。五年累计转移农村劳动力120万人次，全市农民人均纯收入年均增长341元，其中工资性收入比重达到45%左右。农村基础设施条件明显改善，完成55座中小型水库除险加固，治理水土流失面积812平方公里，发展节水灌溉面积151万亩；新建农村公路7912公里，所有行政村实现村村通油路通客车；解决了35万人的饮水安全问题。全市940个行政村进入文明生态村创建先进行列，建设村民中心100个，沼气用户达到28万家。村级财富积累机制全面推广，集体资产有偿使用费收入达到4.6亿元，村均收入达到12.7万元。支农惠农政策力度不断加大，农业税、特产税全部取消，累计发放粮食直补等财政资金7.2亿元；五年来财政用于“三农”的支出达84.1亿元，实现了工业反哺农业、城市支持农村的历史性转变。

过去的五年，是改革开放向纵深推进的五年。国有企业改革取得重大进展，五年累计改制1234家，其中有915家企业实现国有资本全部退出，39家企业关停破产，改制面达到98.7%。长征集团破产终结，供水总公司、金石集团、焦化集团实现战略重组，石药集团整体转制，东方热电、北人集团等大型国企改制迈出新步伐。185家经营性事业单位完成产权制度改革。城镇集体企业改制基本完成。金融、投融资体制等各项改革也都取得积极进展，境内外上市公司由9家增加到16家。对内对外开放进一步扩大，我市与世界192个国家和地区建立了经贸关系，与国外21个城市建立了友好关系，与东部沿海、西部能源和京津地区的战略合作关系不断深化。石洽会、华洽会等重要经贸活动成为招商引资的重要平台。五年累计实际利用外资20.5亿美元，引进市外资金679.6亿元，落户石家庄的世界500强企业达到10家。外贸进出口总值达到51亿美元，年均增长35%。

过去的五年，是人民生活水平明显改善的五年。2007年城镇居民人均可支配收入达到13205元，年均增长超过12.8%；农民人均纯收入达到4954元，连续四年增长超过8%，2007年达到11.2%。城乡居民储蓄存款余额1695亿元，是2002年的1.83倍。五年累计城镇新增就业40万人，安排下岗失业人员再就业21万人，零就业家庭实现动态为零，城镇登记失业率控制在4.5%以内。城镇企业基本养老保险、失业保险、基本医疗保险、工伤和生育保险参保范围逐步扩大；城镇居民基本医疗保险试点工作正式启动，被征地农民基本养老保险全面实施，新型农村合作医疗参合率达到87.5%，位居全省第一。连续三年增加企业退休人员养老金，五年两次提高城镇低保标准。7.2万城镇贫困人口、8.1万农村特困人口纳入低保范围，农村“五保”供养实现了应保尽保。五年累计投入各类扶贫、救灾、救济资金4.5亿元，弱势群体的基本生活得到保障。农民居住条件持续改善，城镇居民住房人均建筑面积由22.8平方米提高到27.8平方米，五年累计竣工经济适用房278万平方米，发放廉租住房补贴543万元，解决了2.8万户中低收入家庭的住房困难。

过去的五年，是各项社会事业全面进步的五年。公共财政用于教育、科技、文化、卫生事业的支出年均增长20%以上。科技创新能力不断提高，跨入国家级科技创新示范市行列。五年累计申请专利6714件，获省级以上科技奖励182项，其中以岭药业在全省首获国家技术发明二等奖，三鹿集团和先河科技公司获国家科技进步二等奖；五年累计引进大学本科以上毕业生和各类高级专门人才32460名；培育市级以上工程技术中心17家，华药、石药集团与中科院建立维生素、抗生素技术创新战略联盟。义务教育均衡发展，农村义务教育公用经费、“两免一补”全面落实，城乡学生资助体系进一步完善，高中段教育毛入学率达到85%以上；学前教育、特殊教育基本普及，基础教育、职业教育、高等教育更加协调，成人教育成效显著，民办教育快速发展。文化事业和文化产业繁荣发展，精品力作成果丰硕，五年累计获国家级奖项134个；燕赵讲坛、彩色周末等群众性文化娱乐活动日趋活跃；精神文明创建活动深入开展，市民文明素质提升工程成效明显；精心组织纪念石家庄解放60周年大型系列活动，石家庄市的知名度、美誉度和影响力大大提升；市广电中心大楼等一批重点文化基础设施相继开工或投入使用，石家庄国家动漫产业基地正式挂牌。公共卫生服务体系建设成效明显，市县两级疾病控制中心全部建成，85%的乡镇卫生院和村级卫生室改造达标，城市社区卫生服务街道覆盖率达到90%，在全省率先推行社区责任医生制度，被确定为全国社区卫生服务体系建设重点联系城市。群众性体育活动日益普及，竞技体育取得优异成绩，在省级以上重大比赛中累计获金牌213枚。低生育水平保持稳定。国防动员和双拥共建深入开展，荣获全国双拥模范城“六连冠”。妇女、儿童、老龄、慈善、残疾人等事业不断发展，民族宗教、防震减灾、社会科学、人防档案等各项事业都取得新成绩。

过去的五年，是民主法制建设不断加强的五年。各级政府自觉接受人大、政协监督，五年累计办理人大代表议案建议1364件、政协委员提案3067件，结案满意率达到98%以上。五年提请市人大常委会制定、修改和废止地方性法规10件，出台行政规章29个。“五五”普法全面启动，法律服务体系日益健全。扎实推进政府自身建设，专家论证、市民听证、社会公示等科学民主决策机制不断完善。行政审批制度改革继续深化，机关效能建设初见成效。市民服务、投资促进、诚信管理、行政效能投诉“四个中心”运转顺利。产品质量和食品安全专项整治取得阶段性成果，安全生产连续四年实现事故起数、伤亡人数双下降。坚持廉洁从政，从严治政，强化监察审计监督和制度建设，源头防治腐败工作全面加强。信访工作取得明显成效，“三位一体”大调解经验在全国推广。社会治安综合治理卓有成效，流动人口管理向县（市）农村延伸基本完成。深入推进平安省会建设，突发公共事件应急预案体系初步形成，依法严厉打击各类违法犯罪活动，主要刑事案件发案率连年下降，群众对社会治安的满意度逐年上升，全市政治稳定、社会安定、人民安居乐业。

各位代表！过去的五年，是石家庄发展历程中综合实力提升最快、城乡面貌变化最大、社会建设成效最好、人民群众得到实惠最多的五年。回顾五年风雨历程，我们之所以能够战胜一个又一个困难，保证石家庄改革开放和现代化建设的航船破浪前进，靠的是中国特色社会主义理论体系的正确指引，靠的是科学发展观指导下的创新实践，靠的是省委省政府和中共石家庄市委的正确领导，靠的是市人大、市政协的监督和支持，靠的是全市人民的团结奋斗、顽强拼搏，在遭遇突如其来的非典疫情、禽流感的危难时刻，全市人民众志成城、共赴时艰，取得了决定性的胜利。在此，我代表市人民政府，向广大的工人、农民、知识分子、各级干部和社会各阶层的建设者，向人大代表、政协委员，向各民主党派、工商联、无党派人士、人民团体，向驻石人民解放军、武警官兵、政法干警，向中直、省直机关驻石各单位，向所有关心石家庄改革发展稳定的国内外朋友，致以崇高的敬意和诚挚的感谢！

各位代表！回顾五年来的工作，我们深切感到，做好新形势下的政府工作，最根本的是牢固树立和落实科学发展观，切实把这一战略思想贯穿于建设繁荣、文明、和谐新石家庄的全过程，体现到经济社会发展的各方面，努力走出一条以科学发展为特征的全面小康建设之路。过去五年的实践启示我们，在新的起点上，必须始终把解放思想作为开创新局面的“总开关”，坚持解放思想与实事求是相结合，执行上级政策与石家庄市情相结合，敢于突破陈规，勇于创新思路，善于博采众长，以创新的精神谋划和推动各项工作；必须始终把实现又好又快发展作为首要任务，自觉追求质量、效益、环境相协调的“好”，努力做到经济总量做大和人民得到更多实惠的“快”，实现好中求快、优中求进；必须始终把改革开放作为率先发展的强大动力，以深化改革突破体制障碍，以扩大开放增创发展优势；必须始终把改善民生作为一切工作的出发点和落脚点，牢固树立民生为重、富民优先的执政理念，把促进社会公平正义作为执政的核心价值，突出公共性和普惠性，使改革发展的成果更多地惠及于民；必须始终把统筹兼顾作为处理经济社会发展重大关系的基本方略，全面推进与重点突破相结合，改革发展与稳定相协调，切实做到统筹规划、兼顾各方，促进社会和谐稳定；必须始终把抓落实、求突破、见成效作为提升政府执行力的根本目的，以落实为己任，破瓶颈、解难题、促发展，创造对得起人民、无愧于历史、经得起检验的政绩。

在充分肯定成绩的同时，我们也清醒地认识到，全市经济和社会发展还面临不少困难和矛盾，政府工作还存在不少缺点和问题。一是制约经济社会发展的深层次矛盾尚未根本消除。结构性矛盾比较突出，主导产业的支撑作用不够明显，服务业发展相对滞后，大项目、好项目不够多，高新技术产业发展不够快；经济发展方式比较粗放，恢复生态的任务十分艰巨；不少影响科学发展的体制机制性障碍还未有效化解，市场主体不够多不够活，整体开放水平不高。二是城乡区域发展还不够平衡，城乡布局不尽合理的状况尚未根本改变。县域经济发展不够快，城镇化水平比较低，中心城市辐射带动作用不够强，县城和建制镇功能、品位较低。三是城乡居民收入总体水平偏低，特别是部分低收入群众生活比较困难的状况尚未根本改善。社会保障和就业压力仍然较大，一些涉及群众切身利益的问题还没有解决好。由于多种原因，去年物价上涨较快，对群众生活造成一定影响。四是政府工作与人民的新期待还有不小差距，政府职能转变不到位的状况还没有根本解决。社会管理和公共服务还有待加强，依法行政能力和科学管理水平需要进一步提高，一些政府部门大局意识、服务意识不强、办事效率不高，形式主义、官僚主义问题还比较突出，少数政府工作人员弄虚作假、奢侈浪费、以权谋私甚至贪污腐败现象仍然存在。我们必须高度重视存在的问题，采取有效措施，认真加以克服。

二、今后五年的发展目标和总体要求

各位代表！辉煌的成就已成为新的起点，美好的未来亟待我们共同开创。置身于建设沿海强省的伟大征程中，我们面临着前所未有的机遇和挑战。

今后五年，是石家庄发展史上至关重要的战略机遇期。党的十七大对全面建设小康社会提出了新的更高要求，为我们进一步推动科学发展，促进社会和谐指明了前进的航向；省委省政府对省会发展提出的“一年一大步、三年大变样”殷切期望，为我们乘势发展，建设沿海强省省会确定了前进的方向；国际产业转移和资本技术流动加快，国内区域性合作加深，为我们在更高层次上参与分工合作，加快培育战略支撑产业提供了有利时机；环渤海地区特别是京津冀都市圈的崛起，为我们合作共赢，打造竞争优势，拓展了更加广阔的空间。

今后五年，是石家庄发展史上不进则退的严峻挑战期。随着经济全球化和区域经济一体化的深入发展，各种不确定因素和潜在风险也在增加。一方面，经济结构战略性调整加速推进，深层次改革加速发力，社会转型出现新特征，人民群众提出新期待；另一方面，全国各地千帆竞发、百舸争流，形成了不进则退、慢进也是退的逼人态势。综合分析面临的形势，市委审时度势，作出了我市正处于产业和城市布局调整期、基础设施建设攻坚期、生态环境恢复期的科学判断，进一步明确了省会定位和前进坐标，对发展路径有了更科学的谋划，对发展目标有了更高的追求，省会蓄势起飞的战略思想更加清晰。面对调整转变、追赶先进、改善民生三重任务，面对市场竞争加剧、资源环境约束、宏观环境趋紧三大压力，我们必须增强忧患意识，切实做到居安思危，负重奋进，不辱使命。

今后五年，是石家庄发展史上大有可为的黄金发展期。当前，求和平、谋发展、促合作仍是世界的主旋律。中央加强和改善宏观调控，将在很大程度上抑制和消除发展中的不积极、不健康因素，经济发展必将呈现稳健上行的态势。经过多年积累，我市的基础设施、基础产业、基础工作进一步夯实，长期积聚的潜能开始在更高层次上加速释放；随着高速铁路、高速公路、机场改扩建等重大交通项目的建成投用，必将使我市的区位优势进一步彰显；全市人民议发展、盼发展以及对物质文化生活的新需求，必将进一步激发全社会的创业激情，成为我们推进改革发展的强大动力。更为重要的是，我们已经找到了实现大踏步前进的有力抓手，这就是打开解放思想“总阀门”，集全民之智做好“三篇大文章”，举全市之力实现“三年大变样”，狠抓城建、猛促工商，实现“三化互动”大发展，五年再上大台阶。

面对战略机遇期，我们耽误不得；面对严峻挑战期，我们回避不了；面对黄金发展期，我们失误不起。我们坚信，只要我们紧紧抓住难得机遇，积极应对各种挑战，顺势而为，乘势而上，就一定能够把石家庄的明天建设得更加美好！

当前和今后一个时期，政府工作的总体要求是：认真贯彻党的十七大精神，以邓小平理论和“三个代表”重要思想为指导，全面落实科学发展观，按照以实力、活力、竞争力为主要标志的沿海强省省会这一发展定位，坚持富民优先、科教优先、环保优先，更加注重改善民生和促进社会和谐，着力做好城市和产业布局调整、基础设施建设攻坚、生态环境恢复三篇大文章，努力实现又好又快发展，为在全省率先建成全面小康社会、实现省会现代化打下更加牢固的基础。

今后五年政府工作的中心任务是围绕建设繁荣、文明、和谐新石家庄，率先发展、富民强市，通过努力，争取实现以下目标：

——综合经济实力明显增强。在优化结构、提高效益、降低消耗、保护环境的基础上，地区生产总值突破4000亿元，年均增长11%左右，人均生产总值达到40000元；全部财政收入达到530亿元，年均增长18%，其中一般预算收入年均增长20%，不断提高财政收入占地区生产总值的比重。

——人民生活水平明显提高。城镇居民人均可支配收入年均增长10%以上，农民人均纯收入年均增长8%以上；社会就业更加充分，覆盖城乡的社会保障体系基本健全，人民群众的幸福指数进一步提升，切实做到学有所教，全面实现劳有所得，积极保障病有所医，加快推进老有所养，着力促进住有所居。

——经济结构明显优化。“一体两翼”区域战略布局基本形成，主导产业和五大基地的战略支撑作用显著增强；经济结构向新型经济、绿色经济转化，服务业增加值占GDP的比重达到43%以上；自主创新能力明显增强，经济发展质量和效益显著提高，万元地区生产总值能耗和主要污染物排放总量，在实现“十一五”规划目标的基础上进一步下降，节约能源资源的产业结构、增长方式和消费模式初步形成。

——城市面貌明显变样。城市空间布局定位更加科学，现代化城市框架基本形成，县城和小城镇建设迈出新步伐，城市化率超过50%；主城改造、新区开发、组团提质三大工程取得重大进展，城市载体功能进一步增强，城市品位明显提升，自然生态得到恢复，市区优良天气争取稳定在310天以上，努力建成国家级生态园林城市，真正使石家庄成为创业兴业的福地、宜居宜看的城市、幸福和谐的家园。

——和谐社会建设明显进步。社会主义民主法制更加完善，社会管理进一步加强，公共服务能力显著提高。社会诚信体系基本健全，公民权益得到有效维护，社会公平正义得到切实保障。人民群众的归属感、认同感、自豪感明显增强，公民意识和公民素质普遍提高，社会安定有序，人民安居乐业。

各位代表！把石家庄的明天建设得更加美好，是全市970万人民的共同愿望和根本利益所在。我们已经打下了一个较好的发展基础，我们也一定能够谱写更加辉煌的新篇章！

三、2008年的重点工作和主要措施

2008年是全面落实党的十七大精神的第一年，也是改革开放30周年和举办北京奥运会的喜庆之年，做好今年的工作，具有极为重要的意义。综合考虑各方面因素，全市经济社会发展的主要预期目标是：地区生产总值增长11%以上，万元生产总值能耗降低4.5%，主要污染物排放总量减少5%；全部财政收入增长17%，其中一般预算收入增长18%，执行中力争达到和超过五年平均水平；城市居民人均可支配收入增长10%以上，农民人均纯收入增长8%以上；全社会固定资产投资增长20%以上，其中城镇固定资产投资增长21%以上，全社会消费品零售总额增长16%，实际利用外资争取达到5亿美元，居民消费价格指数控制在104.5%以内，城镇登记失业率控制在4.5%以内。

做好今年的各项工作，必须更加坚定地贯彻国家宏观调控政策，更加有为地落实中央“两个防止”的要求，更加自觉地坚持稳中求进、好字优先，着力解决影响科学发展和改善民生的薄弱环节，努力实现速度质量效益相协调、消费投资出口相协调、改革发展稳定相协调，保持经济社会又好又快的发展势头。为此，全年要突出抓好以下八个方面的工作：

（一）着力实施“一体两翼”战略，再造经济新繁荣。统筹城乡产业布局调整，确立主导方向，明确产业定位，努力形成一体带动、两翼支撑、多极增长、整体腾飞的区域发展新格局。

构筑环省会“一体”经济新高地。充分发挥“1+4”组团的区位和产业优势，大力培育特色鲜明、富有竞争力的战略支撑产业，把总量做大、质量做优、实力做强，增强省会城市的综合竞争力，辐射带动全市经济又好又快发展。主城区，把服务业作为省会产业发展的重要方向，逐步使服务业成为主城区的主导经济，大幅度提高服务业在国民经济中的贡献份额，大踏步向区域性总部经济、会展经济和现代物流中心城市的目标迈进。高新区，大力整合资源，加快“二次创业”，努力建设一流的高新技术产业密集区、对外开放主导区。正定，着力发展纺织服装产业、旅游业和商贸物流业，强力打造“北方义乌”。鹿泉，着力发展信息产业，优化建材业，积极发展总部基地和生态旅游业，努力打造省会西花园。栾城，着力发展装备制造业、医药化工业、食品加工业，做强叫响现代中药品牌。藁城，着力发展生物医药产业、循环化工和现代物流业，努力打造省会综合经济区。

建设“西翼”山区经济隆起带。充分发挥平山、井陉、矿区毗邻山西能源优势和矿区塌陷地以及岗坡次地的土地优势，统筹经济建设和生态保护，重点发展煤炭经济、钢铁和电力产业，以项目建设助推西翼腾飞，打造“东出西联”的桥头堡。井陉和矿区，按照建设“大井陉”的目标，加快推进县区一体化进程。以打造煤化工产业基地为龙头，年内力争总投资11亿元的3个焦化项目竣工，加快投资6.3亿元的甲醇项目建设进度，重点谋划好投资20亿元的聚乙烯醇项目。平山，着力发展旅游业，壮大钢铁、电力、建材业，年内突出抓好投资25.8亿元的敬业集团扩能改造项目，加快投资4.8亿元的正元复混肥项目建设。灵寿，加快发展化工、建材和生态旅游业，努力提升工业园区建设水平和承载能力，年内在确保15万吨醇氨项目竣工投产的同时，全力跑办总投资35亿元的100万吨醇氨项目。

打造“东翼”平原经济增长极。以辛集市为中心、晋州市为重点、周边县（市）为腹地，加强重点项目谋划与实施，构建新的经济圈。辛集市，在加快完善城市载体功能的同时，抓紧推进投资20亿元的精细化工基地、投资5亿元的澳森钢铁技改扩能、投资5亿元的皮革一体化项目建设。晋州市，年内确保新大东纺织等3个总投资10亿元的纺织项目开工建设，加快推进总投资15亿元的嘉远钢管等4个在建项目，启动总投资8亿元的生物柴油等5个项目建设。

作为经济腹地的其他县（市），都要因地制宜，扬长避短，错位发

展，主动融入“一体两翼”发展布局，坚持企业向园区集中、园区向城镇集中、农民向城市集中，每个县（市）重点建设1～2个特色鲜明、配套完善、功能齐全的工业园区，突出抓好一个主业突出、规模较大、链条完整的产业集群，真正形成各具特色的区域经济发展新优势，推动全市整体经济实现新跨越。

（二）大力推进工业强市，构筑又好又快发展新支撑。工业是“三化互动”的发动机，关注经济，工业优先。盘活存量，优化增量，扩张总量，提高质量，力促工业大市向工业强市转变。

夯实工业发展的基础。结合解放思想大讨论，下大力改变市场主体不动、难动和盲动的状况。加快国有资本从一般竞争性领域退出的步伐，以产权制度为核心，深化企业股份制、公司制改革，力争今明两年国有企业全部改制到位，激发内在动力，在体制机制层面切实解决活力不足、主体“不动”的问题；建立健全效能统一、运转协调、责权一致的工业领导体制和运行机制，着力打造高水平、低成本、零障碍的企业发展环境，以优质高效的服务为企业发展排忧解难，有效解决环境不优、主体“难动”的问题；进一步加强企业家队伍建设，努力造就一批懂市场、善管理、会经营的企业领军人才，以企业家队伍整体素质的大提升，避免市场主体“盲动”发展。

抓好五大基地建设。按照“政府主导、企业主体、市县共建、市场运作、利益共享”的原则，年内切实抓好59个亿元以上的重点项目建设，全年完成投资167亿元，力争五大基地建设取得突破性进展。国家生物产业基地，启动华药工业园建设，确保华药免疫制剂等6个项目竣工投产，力促石药国际化制剂生产中心等11个项目开工建设。循环化工示范基地，要确保16万吨己内酰胺等5个项目竣工，800万吨炼油、60万吨合成氨等7个项目开工建设。信息产业基地，加大人才技术与资本结合的力度，加快科技成果转化和信息产业发展速度，年内确保半导体照明、二代卫星导航等项目竣工达产，光电子产业等3个项目开工建设。装备制造基地，确保河北汉崴等3个项目竣工投产，完成通用航空产业基地等7个项目前期工作。纺织服装基地，确保常山纺织改造升级一期项目竣工投产，二期项目开工建设。

推动工业“5+3”企业上台阶。围绕实现“三年翻一番，五年新跨越”的目标，全面落实专项扶持、激励政策，力促产业做大、企业做强、品牌做优。积极引导企业进行高起点、大规模的技术改造，努力提高装备技术水平。建立市级名牌发展基金，支持企业争创中国名牌产品和全国驰名商标；对列入省重点产业支撑项目和省市重点项目的，在土地、资金和水、电、气上优先安排。今年工业“5+3”企业实现利税力争突破150亿元，增长18%以上。各县（市）区都要围绕做精、做特、做强“2+1”企业，加快培育一批关联度高、带动力强的小巨人企业，形成骨干优势企业引领示范、中小企业协调跟进的新局面。

启动建设南部山前工业新区。围绕破解土地瓶颈制约，有效保护耕地，充分利用高邑、元氏、赞皇三县交界区域可开发的丘陵、山前荒坡和滩涂地，启动建设规划面积32平方公里的“一河三山”（槐河、凤凰山、五马山、万花山）工业新区，使其真正成为企业整合搬迁的载体，招商引资的平台。年内全面完成工业新区总体规划，启动红旗大街南延主干道及通往工业新区的基础设施建设，争取“七通一平”基本到位。同时，出台工业企业搬迁改造激励政策，支持企业以产品晋档升级、节能减排为目标，快速有序地实施退市进郊、退城进区、集聚发展。年内，石家庄卷烟厂等15家已启动搬迁的企业取得突破性进展，飞机制造厂、车辆厂等26家企业启动搬迁。

增强企业自主创新能力。创新是企业发展的不竭动力。把自主创新作为提高综合竞争力的关键，进一步加快建立企业为主体、市场为导向、产学研相结合的技术创新体系。围绕我市优势主导产业，在电子信息、生物技术、新材料、新能源等重点领域实施重大科技攻关，形成一批拥有自主知识产权的核心技术。大力引进国内外先进技术成果，切实加强消化吸收再创新。以高新区和各大企业集团为载体，整合省会科技资源，加快科技公共创新平台建设。完善人才激励政策，加大科技领军人才的培养和引进力度，年内引进各类高级专门人才500名，大力营造创新人才辈出、创新智慧迸发、创新成果涌流的社会环境。

（三）合力推进城乡互动发展，加快建设社会主义新农村。坚持把解决好“三农”问题作为工作的重中之重，以工业化致富农民，以城市化带动农村，以产业化提升农业，加快构筑城乡经济社会发展一体化新格局。

提升农业综合生产能力。稳定发展粮食生产，粮食播种面积稳定在1100万亩左右。积极推进种植集约化生产，确保全市优质专用小麦、专用玉米种植面积分别达到400万亩以上。加快推进无公害蔬菜生产，年内建设100个标准化示范样板村。做大做强奶业、禽蛋、优质猪三大优势产业，对规模养殖实行“以奖代补”，年内新建标准化养殖小区、牧渔产品基地各20个，巩固畜牧业第一主导产业地位。继续实施农业产业化项目“115行动计划”，着力抓好201家市级以上重点龙头企业发展，农业产业化经营率力争达到61%以上。抓住良种、技术、设施、推广四个关键环节，深入实施科技进村入户工程。围绕主导产业和特色产业，大力推进“一乡一业，一村一品”，年内在全市培育50个特色农产品专业乡、100个特色农产品专业村、1万个特色组织专业户。

促进农民持续增收。认真落实各项支农惠农政策，增加粮食直补、良种补贴、农机具购置补贴和农资综合直补，年内力争在17个县（市）的小麦、玉米产区落实良种补贴面积300万亩，惠及70万农户。继续实施“粮田亩增百元”工程，年内增收面积达到350万亩，为种粮农民增收3.5亿元。大力推进农田节水工程，确保年内全市小麦节水面积达到100万亩，亩节约成本50元。组织实施“百万农民素质培训工程”，引导农村劳动力有序转移就业，年内向非农产业转移劳动力30万人次。

加强农村基础设施建设。切实加大资金投入力度，确保今年财政支农资金、固定资产投资和土地出让收入用于农村的增量均明显高于去年。加快以水、路、电、气、讯为重点的农村基础设施建设，解决10万农村人口的饮水安全问题；新建改造35KV变电站86座，完成600个村的硬化、净化、绿化建设任务；在西部山区建设2座电视差转台，新增300个自然村通广播电视；新增沼气用户3.8万户，新建100个村民中心，改造通达120个行政村的公路；搞好大中型和重点小型水库的除险加固。加快农村经济组织建设，全面深化农村财富积累机制，通过抵押集体资产贷款，大力发展农村公益事业。

（四）倾力发展服务业，增强省会经济新活力。服务业的发展水平是衡量现代社会发达程度的重要标志。省会发展服务业具有得天独厚的优势，必须把发展服务业放在更加突出的位置，力促服务业发展水平有一个大的提高。

加快发展现代服务业。立足我市、面向全国，发挥“东出西联”战略节点作用，建设全国性的物流基地和货物枢纽，年内加快石家庄内陆港三期、正定北方国际物流基地等重大物流项目建设进度，谋划发展临港物流、临港产业，打造全国性现代物流集聚区。巩固提升我市在冀中南区域的金融中心地位，高起点、高标准规划建设现代金融中心，着力优化金融生态环境，加强与外埠金融企业的交流合作，力争浦发、招商、兴业3家银行入驻我市。积极推进软件产业园、创意产业园建设，重点抓好电子商务、数字社区和城市信息化示范项目建设，打造“数字石家庄”。

改造提升传统服务业。结合城市规划改造，切实加大商业基础设施投资力度，突出抓好总投资300亿元、建筑面积800多万平方米的“20+X”工程，年内确保联邦东方明珠广场等7个在建项目顺利推进，力促远洋城商业广场等8个项目开工建设。大力优化商业布局，加快推进中山路东西两大中心商业区、商业副中心、二级商业中心建设，重点加快新华集贸、南三条市场升级改造以及正定国际小商品城建设步伐，提高沿二环批发贸易区、农产品批发市场和专业特色市场的档次和集聚辐射功能。继续实施“万村千乡”市场工程，完善农村流通网络体系。

培育拓展新兴服务业。大力发展会展经济，启动建设建筑面积20万平方米的石家庄会展中心，全力举办好正定国际小商品博览会、国际动漫节、纺织服装博览会、医药博览会和医疗器械博览会，打造会展品牌。进一步完善和规范家政服务、物业管理、养老托幼、社区商业等居民服务行业，新建市级社区商业示范中心10个、社区快餐大排档31个，打造10分钟社区生活圈。积极培育特色消费，扶持发展历史文化一条街、餐饮一条街、娱乐一条街等特色街区。加大市域旅游资源统一规划、整合、开发和宣传力度，谋划打造精品旅游线路，精心培育旅游市场，年内重点抓好驼梁——五岳寨等旅游资源整合，促进景区晋档升级。抓住北京举办奥运会的难得机遇，以举办西柏坡之春、伏羲文化等大型旅游节庆活动为载体，最大限度地把国内外游客吸引到我市，扩大石家庄的影响力。

（五）全力实施“三年大变样”攻坚工程，塑造沿海强省省会新形象。统筹拆除、规划、建设与管理，以更大的气魄、更高的标准，全力实施六大工程，突出抓好总投资1400亿元的600个项目建设。今年完成投资338亿元，确保“三年大变样”迈出关键性的一大步。

主城改造工程。在总体推进违章建筑、破旧建筑、危陋建筑、超期临建和有碍观瞻建筑拆迁的同时，重点突破主路主街和出入市口两侧各150米左右纵深范围的拆迁改造，确保年内拆除整治260万平方米，力争突破300万平方米。加快主路沿线23个城中村改造，拆旧建新、提档升级，切实改善村民居住条件，提高村民生活质量，增强村级“造血”功能，年内重点实施投资30亿元的南花园金世界、投资12.8亿元的东方曼哈顿城市广场、投资8.4亿元的河北体育中心等10大亮点工程。按照客进货出、穿城入地方案，加快铁路入地和货运线外迁工程进度，年内拆迁67万平方米和征地1.08万亩。上半年，在主城区推出10块百亩以上地块，面向全国公开招商，实施大规模、高档次、整体连片开发。

新区建设工程。以建设“山水城市”为目标，在推进南延、东拓的同时，全力推进城市北跨、西进，着力打造以“北水、西山、古城”为特色的3个新区。滹太新区，按照会展、行政、文化、教育、总部经济和北部滨水而居高档社区的发展定位，尽快修改完善规划，强力推进基础设施建设。年内启动太平河北岸、107国道以东近2平方公里土地开发工程，完成主要路网和主要基础设施配套，适时启动会展、行政、文化、教育等中心建设。西部新区，按照休闲居住、旅游度假、会议博览、高档社区的定位，逐步形成青山环绕、山水相依、错落有致的生态型新区。年内整合青银高速公路以西6个村庄，实施2平方公里土地一级开发，开工建设100万平方米的休闲度假区和田园风情镇。正定新区，突出古新辉映、城河交融特点，着力打造具有古城文化特色的商贸区和旅游度假区。

道路畅通工程。重点围绕解决城市主次干道不畅、支路小巷不通、管理体制不顺的突出问题，全面建成石环公路和张石高速公路，抓好主城区路网完善、主城区与新区（组团）道路连接等工程。重点实施中华大街北延至学府路及机场快速路工程，续建体育大街北跨滹沱河至正定工程，新建友谊大街北延至学府路、学府路拓宽及东延工程，基本建成滹太新区四纵三横路网主骨架；实施西二环主要交叉路口单向直跨立交工程及和平路跨线桥工程。打通维明街（槐安路至南二环）等6条断头卡脖路，完成裕西街等30条小街小巷整修。积极推进高速外环和轨道交通建设。

生态环保工程。实施环城1000万平方米水系拓展工程，年内形成300～500万平方米水面；实施“5528”绿化工程，年内完成100万株乔木进社区工程；整体推进12个出入市口和3个高速路口的综合整治。年内重点抓好裕华路东口、107国道北口和石青高速路口的高标准规划建设和绿化美化。围绕市区优良天气力争达到293天的目标，实施结构减排，严把新上项目节能减排关口，加快淘汰落后产能步伐，大力推行清洁生产，实行煤炭管制，大幅度提高天然气利用量，年内推广使用优质低硫煤700万吨以上，对不符合产能标准排放不达标的小造纸、小水泥等“五小”企业全部关停取缔。实施工程减排，对全市所有重点污染源安装在线监控设备，年内完成金石化肥等22家企业减排治理和热电四厂等14家企业脱硫治理项目，拆除石环公路以内燃煤锅炉80台，其余锅炉全部治理达标。加大市区周边污染源专项治理力度，争取今年整顿治理基本到位。加快污水处理厂建设，采取BOT等开放方式，启动桥东、桥西两个污水处理厂扩能改造，完成滹沱河污水处理厂和太平河污水处理厂二期主体工程，全面启动县（市）区污水处理厂建设。实施管理减排，切实加大对332家重点污染企业和列入省“双30”目标考核县（市）的监督、检查和考核力度，实施跨界断面水质与财政挂钩的生态补偿机制，全面落实一票否决制，坚决遏制违法排放。

素质提升工程。把提升市民素质作为塑造城市灵魂的重要内容，认真落实《建设繁荣、文明、和谐的新石家庄指导纲要》、《市民素质提升规划》，年内以“双争共建”为主题，深入开展公共文明道德实践、万家窗口创文明、百万市民学习培训、全民读书和青年志愿者行动。加强教育，完善制度，切实做好文明城区、文明社区、文明单位、文明庭院评选工作，培育树立各行各业的文明典型、文明标兵，大张旗鼓地进行宣传表彰，让广大市民在参与活动中陶冶情操，提升思想道德、科学文化、身心健康和法律素质，确保一年有起色，两年见成效，三年大提升。

精细管理工程。加大改革探索力度，围绕“两级政府、三级管理、四级落实”，加快建立适应市场经济的、符合石家庄市情的、充满生机与活力的城市管理体制和运行机制。切实加强对城管人员的教育和管理，全力建设一支素质高、作风硬、纪律严、形象好的城管队伍。今年重点在精细管理上下功夫，在制定标准上做文章，对城市的社区、街道以及花草树木、门脸牌匾、楼宇外立面等，都要制定明确标准，实行规范建设管理。继续深入开展市容样板街评比活动，全面提高净化、绿化、亮化、美化水平。整治和规范交通秩序，有效改善城市交通拥堵状况。同时，按照省委省政府的部署，各县城、重点建制镇都要按照“一年一大步、三年大变样”的要求，科学制定实施方案，明确责任时限，因地制宜，以动为先，与省会同步推进。

（六）强力推进改革开放，增创体制机制新优势。激活市场主体，引进市场主体，培育市场主体，构建充满活力、富有效率、更加开放、有利于科学发展的体制机制。

推进重点领域改革。抓好大型国有企业战略性重组，健全现代企业制度。年内，重点做好北人集团等6家企业战略重组和股份制改造，无线电三厂等6家企业完成政策性破产，铝业有限公司等5家困难企业进入政策性破产程序，推进物资和商务系统19家企业依法破产。全面完成市属企业主辅分离和辅业改制。按照中央和省的统一部署，围绕转变职能、理顺关系、优化结构、提高效能，加快行政管理体制改革。以岗位设置管理和人员聘用制度改革为重点，加快事业单位分类改革。围绕加强公共财政建设，调整完善市级对县（市）区财政管理体制，进一步加大对欠发达县财政转移支付和政策扶持力度。完善投融资体制，大力推进企业上市。加强“四资”整合运作，积极探索资源变资产、资产变资金、资金变资本的有效途径。

扩大对内对外开放。围绕增强开放意识，创造开放环境，提高开放本领，注重开放实效，在开展全方位招商引资活动的同时，进一步创新招商方式，更好地发挥企业的主体作用，更多地开展专题招商、重点招商和小团组招商。把国内外大公司、大集团作为重中之重，在寻求战略投资者上实现新突破。全力举办好石洽会、华洽会，积极参加香港、厦门、廊坊投洽会等重大招商活动。切实抓好签约项目特别是500万美元以上外资项目的落实，提高合同履约率和外资到位率。发挥我市区位交通、产业基础以及人力资源成本低等优势，加强与国外友好城市的交往，推进国际交流，进一步强化与东部沿海、西部能源和京津地区的合作共赢。鼓励具备条件的企业到境外投资设厂，开展国际化经营。进一步优化出口结构，扩大先进技术、关键设备、重要原材料进口，努力实现外贸增长方式由数量型向质量型转变，确保全市外贸进出口总额增长15%。

发展壮大民营经济。进一步完善创业辅导、融资担保、技术支持等六大服务体系，组建市中小企业信用担保和民间小额信贷公司，担保本金达到12亿元，担保能力达到60亿元。帮助支持有条件的民营企业上市融资、发行债券。继续大力实施中小企业成长工程，对50家规模企业、120家成长型企业和重点特色产业集群，在政策、资金、技术等方面予以倾斜，促其做大做强。积极引导民营企业实施体制、技术、管理三大创新，加快建立现代企业制度，加强民营企业文化建设，提高企业整体素质和核心竞争力。年内，确保全市民营企业上缴税金增长16%以上。

（七）努力做到统筹兼顾，推动社会建设取得新进步。进一步加大投入力度，优化公共资源配置，全面繁荣各项社会事业，促进公共服务均等化。

优先发展教育事业。发展规划优先安排教育，财政资金优先保障教育，公共资源优先满足教育。在免除农村义务教育阶段学杂费的基础上，全面免除农村中小学生课本费和城市义务教育阶段学生杂费，年内全市中小学全部实现暖气供暖。推进义务教育均衡发展，年内建设标准化学校102所。普及高中阶段教育，重点发展职业教育，整合职业教育资源，谋划建设中等职业教育园。重视学前教育，关心特殊教育，促进民办教育，注重高等教育内涵发展，构建终身教育体系。深化教育体制改革，逐步解决好教师编制问题。加大教师培训力度，年内培训2万名中小学教师，“双师型”教师达到40%以上。加强校园周边环境整治，规范网吧经营和管理，为学生提供一个良好的学习环境。

积极推动文化建设。继续实施文艺创作精品工程，努力打造一批体现地域文化特色和时代精神的精品力作。加快建立覆盖城乡、惠及全民的公共文化服务体系，实施广播电视村村通、综合性文化站建设、文化信息资源共享、农村电影放映、农村书屋“五大工程”。加大公共文化设施建设力度，年内建成市广电中心、市图书馆及区级文化中心，加快市美术馆、市民间艺术馆建设。实施重点文化产业项目建设工程，大力推进国家动漫产业基地建设，力促东方美院等动漫产业园区建设迈出实质性步伐。积极发展印刷包装产业，挖掘藁城宫灯、无极剪纸、辛集农民画等地方特色文化产业。加强网络文化市场建设和管理。做好文物和非物质文化遗产保护工作。

加快发展卫生等各项社会事业。加强城乡卫生服务体系建设，年内实现所有乡镇卫生院改造达标，每个行政村设立一所标准化卫生室，新改建7家社区卫生服务中心，社区卫生服务街道覆盖率达到100%。加强基层医疗队伍建设，继续开展“医学专家大篷车”和“千名医师下乡村”活动，对口支援60所乡镇卫生院，培训乡村医生4000名。巩固完善新型农村合作医疗制度，提高参合标准，探索建立参合农民大额医疗保险制度，研究建立农民就医转院急救机制，下大力解决农民“看病慢”的问题。推进城镇居民医疗保险试点工作，城镇居民医疗保险参保人数达到97万人。完善公共卫生服务体系，继续抓好重大传染病防控工作。积极开展全民健身运动，组织开展好迎奥运相关活动。完善人口计生导向机制，提高出生人口素质。以全国双拥模范城“六连冠”命名为契机，进一步巩固我市军政军民团结的大好局面。繁荣哲学社会科学事业，加强关心下一代工作，保障妇女权益，关心老龄、残疾人事业，重视民族宗教工作，促进民族团结、宗教和睦，切实抓好外事、侨务、气象、防震、人防、档案等各项事业，推动社会全面进步。

（八）竭力促进社会和谐稳定，实现改善民生新进展。改善民生、保障民安，是我们对人民群众的庄严承诺。从今年开始，全面实施涉及民生问题的六大行动。一是就业促进行动。关注民生、就业优先，切实加强就业指导和创业培训，健全就业服务和援助体系，努力实现零就业家庭动态为零，高度重视高校毕业生、退伍转业军人、残疾人就业。年内城镇新增就业7万人，下岗失业人员再就业3.5万人。认真解决非法用工、工资拖欠等问题，维护职工合法权益，促进劳动关系和谐。二是社会保障行动。加快完善社会保障体系，确保企业养老、医疗、生育、工伤保险分别扩面4.8万人、5万人、3万人和3万人，失业保险参保人数达到87.3万人。进一步解决好民营企业职工养老保险问题。完善社会救助体系，扩大农村低保覆盖面，全市享受农村低保人数达到16万人。加强“五保”供养工作，年内集中供养率达到40%。三是安全安居行动。加强公共安全和应急管理工作，完善突发公共事件应急机制，加强流动人口服务和管理，健全社会治安防控体系，强化社会治安综合治理，依法防范和打击各类犯罪活动，进一步提高人民群众的安全感。严格落实安全生产责任制和责任追究制，严厉打击非法生产经营活动，加强隐患排查和专项整治，确保安全事故、经济损失双下降。实施城市低收入家庭住房保障三年行动计划，完善廉租住房保障制度，增加经济适用住房供给，扩大住房公积金制度覆盖范围，年内竣工经济适用住房55万平方米、购建廉租住房4.2万平方米。四是食品药品放心行动。切实加强食品药品生产、加工、流通、消费等环节的监管，建设覆盖城乡的药品供应保障体系，控制药品价格，确保用药安全。力争食品合格率达到98%以上，药品市场监管覆盖面达到100%。认真落实保供稳价的各项措施，健全价格监测、预警和应急机制，加强市场监管，依法打击各种价格违法违规行为。五是群众合理诉求解决行动。围绕不再制造新的矛盾纠纷隐患，认真解决历史遗留问题，依法规范信访秩序，进一步完善“三位一体”大调解格局。高度重视人民来信来访工作，健全利益调节、诉求表达、权益保障机制，畅通社情民意反映渠道，解决群众合理诉求。六是发展成果惠民行动。建立健全企业职工工资正常增长和支付保障机制，严格执行最低工资制和最低小时工资制度。按照国家部署，继续做好规范、落实公务员和事业单位津贴补贴工作。落实职工带薪年休假制度。从今年开始再连续三年提高企业退休人员养老金。继续办好与人民群众生产生活密切相关的25件实事。

四、切实加强政府自身建设

面对新的形势和任务，各级政府必须按照为民、务实、清廉的要求，大力提高贯彻落实科学发展观的能力和水平，推进管理创新，努力建设法治政府、责任政府、廉洁政府和服务型政府。

更加注重提高依法行政能力。严格按照法定权限和程序行使权力、履行职责。自觉接受人大法律监督、政协民主监督以及社会公众和媒体舆论监督，诚恳听取民主党派、工商联、无党派人士和各人民团体的意见。加强政府法制工作，重点推进社会事业、公共管理、节能环保等方面的法规建设。加大行政综合执法改革力度，相对集中行政处罚权。进一步完善行政复议、行政调解、行政赔偿和补偿制度，健全行政争议解决机制。加强行政执法队伍建设，切实做到严格执法、公正执法、文明执法。

更加注重提高公共服务能力。建立健全了解民情、反映民意、集中民智、珍惜民力的政府决策机制，对涉及经济社会发展的重大决策，充分论证评估，力求科学缜密；对与群众利益密切相关的重大事项，实行公开听证，真正体现群众意愿。整合行政资源，进一步强化市民服务、投资促进、诚信管理、行政效能投诉“四个中心”的服务功能，不断强化各级政府的社会管理和公共服务职能，真正做到一切工作对人民负责、受人民监督，所有举措为人民造福、让人民满意。

更加注重提高政府执行力。坚持把“完成任务是硬道理，拒绝理由”的工作理念贯穿政府工作的每个节点，在政府系统大力推进思想大解放、作风大转变、效率大提高，大兴求真务实之风、开拓创新之风、艰苦奋斗之风。健全责任体系，强化行政问责，努力使各项工作有标准、讲程序、求精细，每项任务量化、实化、具体化。坚持从严治政，严厉治懒、治散、治庸，唱响满负荷、高效率、快节奏、求实效主旋律。

更加注重提高政府公信力。全面贯彻标本兼治、综合治理、惩防并举、注重预防的方针，认真落实廉政建设责任制。加强廉政监察和效能监察，强化对社保基金、住房公积金和扶贫救灾专项资金的监管。大力纠正行业和部门不正之风，严肃整治损害群众利益和破坏投资环境的行为。加强对领导干部、人财物管理使用、关键岗位的监督和制约，规范财政转移支付、土地征用出让、政府采购、国有资产转让等公共资源权力的运行，从源头上预防和遏制腐败现象的发生，保证人民赋予的权力始终用来为人民谋利益。切实加强公务员的教育、管理和监督，努力建设一支政治坚定、业务精湛、作风过硬、纪律严明的公务员队伍。

各位代表！全面完成未来五年的目标任务，使命崇高、责任重大。让我们高举中国特色社会主义伟大旗帜，紧紧团结在以胡锦涛同志为总书记的党中央周围，在省委省政府和中共石家庄市委的正确领导下，团结依靠全市人民，继承发展、开拓创新、求真务实、埋头苦干，为石家庄更加美好的明天而努力奋斗！

关于2007年市本级预算及市总预算执行情况和2008年市本级预算及市总预算（草案）的报告

——2008年2月28日在石家庄市第十二届人民代表大会第一次会议上

石家庄市财政局局长　李和平

各位代表：

受市政府委托，现将2007年市本级预算及市总预算执行情况和2008年市本级预算及市总预算（草案）的报告提请大会审议，并请市政协各位委员和其他列席人员提出意见。

一、2007年市本级预算和市总预算执行情况

2007年，我市财政工作在市委正确领导和市人大常委会的监督支持下，坚持以邓小平理论和“三个代表”重要思想为指导，全面贯彻落实科学发展观，围绕建设繁荣、文明、和谐新石家庄的目标，大力增收节支、积极服务经济、深化管理改革，圆满完成了十一届人大六次会议确定的各项财政预算任务。全市及市本级一般预算和基金预算均实现了收支平衡、略有结余。

2007年，市本级一般预算收入及城区分享收入完成40.52亿元，比上年增长18.83%，加上上年结余、税收返还、转移支付及各项专款，扣除上解支出，全年一般预算内可用财力为51.25亿元，实际支出完成48.95亿元，完成调整预算的97.24%，比上年实际支出增长21.61%。收支相抵，滚存结余2.21亿元，其中净结余2076万元。

全市一般预算收入完成95.87亿元，占预算的106.82%，增长23.91%。一般预算支出159.51亿元（含上级专款），占调整预算的97.13%，增长24.38%。全市一般预算收入加上中央和省分享收入，全部财政收入完成230.34亿元，比上年实际增收40.28亿元，增长21.19%。全市基金收入完成65.36亿元，增长1.3倍；基金支出62.6亿元，同比增长近1倍。市本级基金收入完成48.27亿元，同比增长1.6倍；基金支出43.98亿元，同比增长1.2倍。

上述预算执行情况均为快报数，省批复结算事项后还会有些变化，届时再将决算情况向市人大常委会报告。

过去的一年，我市财政工作重点抓了以下五个方面：（一）大力强化收入管理，有效增强财政实力。各级党委政府高度重视财政收入工作，把工作的着力点放在促发展、增财源、抓项目上。按照年初人代会确定的目标任务，财税部门层层落实收入责任，实行增收激励政策，调动了各级组织收入的积极性。依法强化收入征管，深入开展综合治税，对房地产、金融、采矿、烟草等行业和重点企业的纳税进行规范，清理欠税费3.1亿元。完善

税源监控体系，对“5+3”、“2+1”企业实行重点监控。全市财政收入保持了平稳较快增长，收入增量和增幅均创“九五”以来最好水平，收入质量和结构进一步改善。17个县（市）和矿区全部财政收入完成86.9亿元，占全市收入总量的37.73%，比上年提高2.8个百分点。平山、藁城、鹿泉财政收入率先突破10亿元，辛集完成8亿元，井陉、晋州超过5亿元，超过3亿元的县（市）新增加3个，达到7个。乡镇财政收入增长步伐明显加快，全部财政收入超亿元的乡镇达到了7个，比上年增加6个。全市全部财政收入占GDP的比重由上年的9.39%提高到9.62%；一般预算收入占全部财政收入的比重由上年的40.71%提高到41.62%；税收收入占全部财政收入的比重达到92.7%。

（二）切实保障重点支出，促进社会事业协调发展。财政支出着力体现以人为本，努力使财政发展成果惠及全市人民。一是大力支持城市建设。市级财政通过预算内外安排和多渠道融资，共筹集拨付资金47亿元，支持了槐安路东拓西进、滹沱河综合整治、石环公路建设、体育大街南延等重点项目；拨付资金1.54亿元，重点支持了污染治理、节能减排和环境建设“八个一”工程。二是全力保障公教人员工资发放。市县两级工资制度改革和规范津补贴工作顺利实施，全市各级公教人员工资水平有了较大提高。三是切实加大对教育事业的投入。全市财政用于教育的支出达39.66亿元，增长32.36%。推行了农村义务教育经费保障机制改革，“两免一补”全面落实，受益学生82.6万人。完善农村中小学校舍维修改造长效机制，对106所农村中小学进行了维修改造。建立大中专贫困生资助体系，使10.6万名家庭经济困难学生受益。四是不断提升城乡社会保障能力。发放企业离退休人员养老金27.4亿元，城乡最低生活保障资金1.2亿元，做到了应保尽保。落实了下岗失业职工再就业政策。农村“五保”供养工作启动。城镇低保家庭廉租房补贴机制进一步完善。各级财政落实资金2.12亿元，支持了新型农村合作医疗试点工作，参合农民达540万人。安排专项资金支持社区医疗服务和农村卫生基础设施建设，启动了城镇居民基本医疗保险试点工作。五是有力支持了精神文明建设。安排资金2.35亿元，支持了市广电大楼、市图书馆、广播电视村村通、新剧目创作以及纪念石家庄解放60周年活动、第二届石家庄动漫节、市民文明素质提升工程等。六是积极支持“平安省会”建设。全市公共安全支出13亿元，增长22.76%,重点支持“科技强警”示范城和政法基础设施建设，促进了社会稳定。

（三）努力促进经济发展，不断壮大财源基础。适应“五大基地”建设和市区企业搬迁改造新形势，协调理顺税收征管关系，提出了完善市以下财政体制的意见。改革完善县乡财政体制，214个乡镇分别实行了相对规范的分税制体制和统收统支加激励的体制。加大财政对重点企业发展的支持力度。落实资金近4亿元，支持了石家庄制药集团等7家企业成功改制，安置职工1.3万人。通过资本金注入方式，落实企业“退二进三”资金2亿元，支持了6家国有企业的搬迁改造。制定“5+3”企业奖励政策，兑现工业50强企业发展奖励资金1600万元。积极支持中小企业服务体系建设，市财政调度资金5500万元，帮助宝德公司完成增资扩股，扩大其融资功能，为中小企业融资提供了便利。对企业搭建科技创新平台、高新技术研发等给予了重点扶持。

（四）认真落实惠农政策，扎实推进新农村建设。全市财政用于农林水事业支出12.19亿元，重点支持了农业基础设施、农业产业化和文明生态村建设。用于教育、文化、卫生、社会保障等社会事业的投入大幅度向农村倾斜。发放粮食直补和综合直补资金3.42亿元，动植物良种和农机具补贴1.3亿元。落实渔业、林业、农村道路客运等相关行业成品油提价补贴资金1.28亿元。积极探索财政支农新机制，在栾城、行唐、高邑、鹿泉等县（市）分别开展了农业财政资金整合或“乡财县管”试点工作。支持了“万村千乡”市场工程建设。全年各级财政用于“三农”的投入达28.1亿元，增长32.5%，广大农民从新农村建设的政策中得到了更多实惠。

（五）坚持依法科学理财，构建公共财政管理体系。预算管理改革进一步深化，建立了市级支出绩效评价和预算项目管理制度。市级财政整合资金约7亿元用于支持重点项目建设，财政调控能力得到加强。国库管理制度改革全面推进，市级集中支付中心全年支付资金流量106亿元。在市直单位推行了公务卡试点。政府采购工作不断规范，全市采购额22.8亿元，增长25.14%。财政监督能力进一步提高，财政部门向7个政府投资的重点项目派驻了监察员。开展了专项资金和会计信息质量检查工作，实行了会计行业准入制度。政府投资评审工作成效显著，全年共审核建设项目1006个，送审金额45亿元，审减额7.6亿元。开展了行政事业单位国有资产清产核资。收支两条线管理全面落实。

各位代表、各位委员，本届政府任期五年来，财政工作取得的成绩有目共睹。一是全市财政收入保持了稳定较快增长。全部财政收入由2002年的110.46亿元增加到230.34亿元，翻了一番多，年均增长15.8%，高于同期GDP增幅。全市各县（市）全部财政收入均超过亿元，其中超10亿元县（市）从无到有，达到3个。县（市）财政收入占全市财政收入的比重由29.83%提高到37.73%。二是财政对社会事业发展的支撑作用明显增强。全市财政可用财力由60.8亿元增加到140.8亿元，年均增长18.3%。财政支出水平由68.9亿元增加到159.5亿元。农业、教育、科技、卫生、文化等重点社会事业的投入年均增长都在20%以上。五年累计投入城市基础设施建设资金118亿元。三是财政支持经济发展的力度进一步加大。五年间，市财政通过向上级争取和直接投入，运用资本金注入、短期借款、贴息、奖励等手段，累计向企业投入财政资金40多亿元，支持了国企改革、技术创新和搬迁改造，有力推进了“五大基地”项目建设、工业“5+3”企业发展。四是改善群众生活方面的支出大幅度提高。五年间，全市筹集拨付各类社会保障资金197亿元，年均增长20%，弱势群体基本生活得到保障。实施了新型农村合作医疗制度，覆盖农民总人口的87.54%。城镇居民基本医疗保险试点开始启动。全面取消农业税，大幅度增加了对农民的财政补贴，农民受益近40亿元。五是财政运行机制更加完善。公共财政管理改革取得明显成效，财政监督得到加强。通过集中支付、政府采购、投资评审、收支两条线等管理措施的实施，五年累计节减财政开支30多亿元，成为从源头上治理腐败的重要措施，有力地促进了廉政建设。上述成绩的取得，是市委正确领导的结果，是市人大、市政协正确监督指导的结果，是各级各部门大力支持、共同努力的结果。

在总结成绩的同时，我们也清醒地看到，当前财政运行中还存在一些不容忽视的问题：由于经济内在结构和增长质量制约，我市财政收入增长幅度相对较慢，与一些先进地区比有较大差距；财政收支矛盾尖锐，财政债务负担仍然较重，县（市）收入占全市收入的比重仍然偏低，县乡财政困难状况还没有根本好转；财政资金安排和使用仍然存在着“散”和“碎”的问题；预算约束不够严格，个别单位存在铺张浪费和违规违纪现象，财政、会计管理有待进一步加强。对这些问题，我们要通过增强发展观念、深化财政改革、提高理财水平、加大工作力度，逐步加以解决。

二、2008年市总预算和市本级预算安排情况

2008年是全面贯彻落实党的十七大精神的第一年，是落实新一届政府工作部署的第一年，是做好“三篇大文章”、实现“三年大变样”决定性的一年。做好今年的财政工作，具有十分重要的意义。今年财政工作的指导思想是：全面贯彻党的十七大精神，以邓小平理论和“三个代表”重要思想为指导，认真落实科学发展观；依法强化收入征管，保持收入稳定增长，不断增强财政实力；集中财力保障重点，发挥财政调控作用，促进经济社会健康发展；坚持公共财政方向，深化财政管理改革，提高资金效益和服务效率，为建设繁荣、文明、和谐新石家庄做出更大贡献。

2008年我市经济继续保持良好的发展势头，将为财政收入增长打下良好基础，但同时也存在企业所得税、个人所得税调整等一些政策性的减收因素，公教人员工资调整、规范津补贴、实施城乡免费义务教育、提高“新农合”补助标准、扩大城镇居民医疗保险试点等政策性增支因素比较多，城乡建设任务重、投入大，都给财政支出造成一定压力。综合分析各种收支增减变化因素，按照积极而为的原则，2008年全市全部财政收入计划安排270.15亿元，比上年增长17.28%。其中，地方一般预算收入计划安排113.38亿元，比上年

增长 18.27%。初步汇总的全市一般预算支出安排 155.17 亿元，比上年预算安排增长 18.9%。按照收入计划和现行体制初步测算，市本级一般预算收入及城区分享收入安排 45.29 亿元，加上省财政税收返还、增资转移支付和专项转移支付等各项补助 8.58 亿元，减上解省支出及补助县（市）区支出 7.08 亿元后，市本级一般预算可用财力为 46.79 亿元。相应安排一般预算支出 46.79 亿元，比上年预算（下同）增长 15.74%。其中，机关事业单位人员经费、公用经费等基本性支出安排 26.84 亿元，增长 13.63%，占一般支出预算总额的 57.36%；经济建设和事业发展等专项支出安排 18.65 亿元，增长 16.56%，占一般支出预算总额的 39.86%。总预备费安排 1.3 亿元，占总支出的 2.78%。

2008 年全市基金收入预算安排 133.86 亿元，比上年增长 1.05 倍。其中土地有偿使用收入安排 101 亿元，增长 1.87 倍。按照收支平衡原则，相应安排全市基金支出 133.86 亿元。

今年市本级支出预算安排，一是体现了公共财政的要求。支出安排优先保障公共管理、公共服务和社会保障需要，保障公教人员增资和规范津补贴，提高职工收入水平。用于改善民生方面的支出均按政策规定足额安排。落实了各项社会保障和提高新型农村合作医疗标准、城镇居民基本医疗试点等政策。对经济建设的投资，重点用于改善发展环境和加强对市场活动的引导，主要采取贴息、补贴、奖励等方式进行。二是体现了做好“三篇大文章”、实现“三年大变样”对财政工作的要求。市级一般预算内安排城市建设、环境保护、节能减排、产业结构调整方面的支出 6.4 亿元。同时，今年市级财政还要通过其他渠道筹资约 50 亿元用于城市基础设施建设；国有企业土地出让收入和企业产权出让收入，也要用于支持“五大基地”、工业新区建设、企业改革和产业结构调整。三是体现了依法理财。支出安排符合《预算法》要求。农业、科技、教育、计划生育等方面的支出，达到了有关法规或规定增长要求。农林水支出安排 2 亿元，增长 17.57%；科技支出安排 1.75 亿元，增长 18.47%；市教育局系统教育支出安排 4.71 亿元，增长 17.51%，落实了义务教育经费保障和健全各项学生资助机制等各项资金；计划生育支出安排 1767 万元，增长 26.21%。四是体现了集中财力办大事。加大了各项资金的整合力度，集中财力解决事关全市经济社会发展的重点问题，整合资金规模近 7 亿元。同时，对一般性公用经费进行了适当压缩。

今年的财政预算，各项支出尽可能细化到项目，统筹安排了预算内外资金、政府基金和部门其他收入。按照市人大常委会的要求，我们向大会提交了市级政府预算文本和市直部门预算文本，请一并审议，提出意见。

三、确保完成 2008 年预算任务的主要措施

2008 年财政预算任务十分艰巨。财政工作将围绕市委各项部署，凝心聚力求突破，全力以赴抓落实，着力抓好以下五个方面的工作：

（一）依法强化税费征管，确保完成全年收入任务。加强对收入工作的组织领导，坚持财税联席会制度，强化财政运行分析，扩大税源监控范围，对重点税种、重点行业和重点企业实行动态监控。认真落实省对市县新一轮激励性财政政策，改革完善市以下财政体制，调动征收部门和县（市）区组织收入的积极性。依法加强各项收入征管，深入推进综合治税，打击偷、骗税行为，纠正违规减免，堵塞收入漏洞，做到应收尽收。提高收入质量，优化收入结构，着力提高全部财政收入占 GDP 的比重、一般预算收入占全部财政收入的比重、税收收入占全部财政收入的比重、县（市）财政收入占全市财政收入的比重。

（二）加强预算支出管理，增强财政保障能力。硬化预算约束，维护预算的严肃性，全力保证重点支出需要。按照公共财政原则，清理财政支出内容，规范财政支出责任，化解财政压力。从严控制新增支出。必须增加的支出，通过部门内部调剂解决，年内不再追加临时预算。加强资金使用的跟踪问效，对重点项目和民生的支出，实行重点监督检查。加强公务消费管理，扩大公务卡试点。从严控制会议费、接待费、出国考察费等一般性支出和小汽车购置支出，厉行节约，精打细算，提高财政资金使用效益。

（三）积极拓宽筹资渠道，大力支持城乡基础建设。积极推进城市资本经营，使城市经营、资源整

合、资本运作成为城建投资的主渠道，加快形成政府主导、市场化运作、社会参与的多元化投资格局。加强土地出让收入管理，加大城建收费的征缴力度。开征石环路通行费等收费项目。依托政府职能和城市资源实现的非税收入，全部纳入财政管理。加大争取资金力度，加强与国内外各金融机构的联系，最大限度争取贷款支持。

（四）深化财政管理改革，不断创新理财机制。完善部门预算、综合预算，推进预算项目库建设，完善预算决策机制，扩大资金项目绩效评价试点。严格执行《政府采购法》，规范采购行为，扩大采购范围。深化国库集中支付、政府投资评审工作，改进服务质量，提高服务效率。大力推进行政事业单位国有资产管理改革，实现资产管理与财政管理的紧密结合，加强产权管理，优化资产配置，规范资产处置，防止收益流失，提高运行效益。加强财政监督工作，落实“收支两条线”管理规定，组织专项资金检查。继续向重点建设项目委派财政监察员，开展向重点预算单位派驻财政监督员试点，从源头上预防和治理腐败。

（五）强化为民理财观念，切实加强干部队伍建设。按照“为民、务实、清廉”的要求，加强财税干部队伍管理，转变作风，提高效率，努力服务经济、服务社会。认真贯彻依法理财，加强廉政建设和行业风气建设，进一步完善工作机制，推进行政权力公开透明运行，自觉接受人民群众监督。认真落实目标责任制管理，严格监督检查，实行责任追究制度，确保各项工作目标的落实。开展文明单位创建活动，加强学习培训，不断提高科学理财水平。

各位代表，2008年全市财政预算任务艰巨而繁重。我们将在市委的正确领导和市人大及其常委会的监督支持下，开拓创新，扎实工作，确保完成财政工作各项任务。

关于石家庄市2007年国民经济和社会发展计划执行情况与2008年国民经济和社会发展计划（草案）的报告

——2008年2月28日在石家庄市第十二届人民代表大会第一次会议上

石家庄市发展和改革委员会主任　韩宪章

各位代表：

我受市政府委托，向大会作石家庄市2007年国民经济和社会发展计划执行情况与2008年国民经济和社会发展计划（草案）的报告，请予审议，并请市政协委员和其他列席人员提出意见。

一、2007年计划执行情况

2007年，全市各级、各部门坚持以科学发展观为统领，紧紧围绕市十一届人大六次会议确定的目标任务，不断完善发展思路，强化政策措施，着力抓专项、破难题、解瓶颈，国民经济向着又好又快的方向发展，社会事业全面进步，经济体制改革扎实推进，主要指标达到或超过年度计划要求。

——经济总量快速增加。地区生产总值实现2393亿元，增长13.2%，高出计划1.2个百分点。全社会固定资产投资完成1391亿元，增长26.9%，其中城镇固定资产投资完成1263.8亿元，增长26.7%，分别高出计划3.9个和0.7个百分点。粮食总产量实现494.5万吨，增长1.9%，粮食生产连续四年丰收。规模以上工业增加值实现851.7亿元，增长20.4%，高出计划4.4个百分点。社会消费品零售总额实现821亿元，增长17.5%，高出计划3.5个百分点。

——经济效益不断提高。全部财政收入完成230.3亿元，增长21.2%，其中地方一般预算收入完成95.9亿元，增长23.9%，分别高出计划6.2个和7.9个百分点。规模以上工业利税实现353.7亿元，增长36.9%，高出计划21.9个百分点。

——改革开放扎实推进。石药集团与联想集团成功合作。“四个中心”挂牌运行。实际利用外资完成5亿美元，引进市外资金完成180亿元，均与计划持平。进出口总值完成51.3亿美元，增长22.6%，高出计划12.6个百分点。

——民生指标表现良好。城市居民人均可支配收入13205元，增长14.9%，农民人均纯收入4954元，增长11.2%，分别高出计划4.9个和5.2个百分点。居民消费价格指数为104.6%，高于控制目标1.6个百分点。城镇登记失业率为4%，低于控制目标0.6个百分点。城镇新增就业8万人，高于计划1万人。

——经济社会和谐发展。八个

约束性指标完成情况较好，万元地区生产总值能耗、主要污染物排放总量、万元工业增加值取水量逐年下降，节能减排走在全省前列。基本农田保有量保持在780万亩，森林覆盖率达到25.4%，城镇基本养老保险覆盖人数达到79.4万人，新型农村合作医疗覆盖率为100%，人口总量为955万人。市区二级以上天数实现289天，超出上年2天。

2007年经济社会发展的特点主要表现为以下四个方面：一是产业结构调整稳步推进。城镇固定资产投资首次突破1000亿元，其中第三产业投资比重达到51.2%，比上年提高2.6个百分点，五大基地建设进展顺利，三鹿牛乳深加工、石炼化综合改造及配套、常山股份整体改造优化升级、华药迁建重组暨新工业园区建设等4个项目列入省重点产业支撑项目。二是经济发展质量明显提升。全部财政收入、规模以上工业利润首次双双突破200亿元，增幅分别比地区生产总值、工业增加值增速高出8个和20.3个百分点。亏损企业亏损额同比下降32.4%，减亏8.5亿元。三是经济社会发展更趋协调。全市农村实现户户通电，行政村基本实现村村通公路、通广播、通电视、通电话。农村九年义务教育阶段首次实现全免费。在全面实施新型农村合作医疗的同时，启动实施城镇居民医疗保险，全市医疗保障体系首次实现全覆盖。四是县域经济加速发展。县域规模以上工业增加值、城镇固定资产投资、全部财政收入占全市比重分别达到71.9%、54.6%、37.7%，分别比上年提高3.1个、4.7个、2.8个百分点，其中平山县、藁城市、鹿泉市财政收入突破10亿元。

同时，我市经济和社会发展中也存在一些突出矛盾和薄弱环节。一是节能减排形势严峻。我市高耗能行业中多数企业规模小、技术装备水平低的问题较为突出，在当前市场需求旺盛而落后产能退出机制尚不健全的情况下，淘汰落后产能、减少“两高”产品生产的压力较大。滹沱河、磁河、洨河、汪洋沟等主要河流出境断面COD浓度严重超标，需采取断然措施，认真加以解决。二是投资继续快速增长难度加大。国家进一步加强和规范总投资5000万元以上新开工项目管理，严控新增建设用地和中长期贷款，在一定程度上加大了部分拟建项目的开工难度。去年全市新开工重点项目为17个，单体平均规模为8.64亿元，新开工项目数量少、规模小，对今年的投资增长形成制约。三是关系群众切身利益的问题仍较突出。物价涨幅仍然较高，对低收入群体生活的影响值得关注。房地产价格总体仍在高位运行，普通居民购房压力较大。就业、教育、医疗、食品安全、社会保障、职工收入等关系群众切身利益的问题依然存在。对这些问题应高度重视，下大力解决。

二、2008年经济和社会发展主要目标

——预期性指标

1、地区生产总值增长11%以上。

2、全部财政收入增长17%，其中一般预算收入增长18%。

3、全社会固定资产投资增长20%以上，其中城镇固定资产投资增长21%以上。

4、全社会消费品零售总额增长16%。

5、实际利用外资5亿美元。

6、外贸进出口总额增长15%，其中出口总值增长15%。

7、居民消费价格指数控制在104.5%以内。

8、城镇居民人均可支配收入增长10%以上。

9、农民人均纯收入增长8%以上。

10、城镇登记失业率控制在4.5%以内。

——约束性指标

1、万元生产总值能耗下降4.5%。

2、万元工业增加值取水量下降9.38%。

3、主要污染物排放总量中化学需氧量下降8.5%；二氧化硫排放量下降8%。

4、城镇职工基本养老保险覆盖人数增长6%以上。

5、新型农村合作医疗覆盖率100%。

6、人口自然增长率控制在7.8‰以内。

7、基本农田保有量780万亩。

8、森林覆盖率25.8%。

今年地区生产总值增长预期目标安排11%以上，其目的不是人为地控制或压低速度，而是引导各级、各部门更好地贯彻落实科学发展观，切实把工作着力点放到调整结构、提高效益、降低能耗、保

护环境上来，增强发展的稳定性、协调性、持续性。实际工作中，要在“好”的前提下力争发展得更快一些。

三、重点工作和主要措施

2008 年是全面贯彻落实党的十七大精神和市委《建设繁荣文明和谐的新石家庄指导纲要》的第一年，是“做好三篇大文章、实现三年大变样”，组织实施“一体两翼”发展规划的第一年，是实施“十一五”规划承上启下的重要一年。我们要按照市委八届三次全会的总体部署，细化目标任务，落实关键举措，努力促进经济社会又好又快发展。

（一）实施“一体两翼”战略，构建经济发展新格局。一是制定“一体两翼”发展规划。着眼城乡一体化发展，实施以“1+4”组团为“一体”，以平山县、井陉县、矿区、灵寿县为“西翼”，以辛集市、晋州市为“东翼”的“一体两翼”发展战略。成立“一体两翼”建设领导小组并设立办公室，制定“一体两翼”发展规划、实施细则、评价办法、考核体系。二是优化“一体”产业布局。主城区优化商业布局，发展总部经济和会展经济，形成全市服务业核心。高新区发展生产性服务业，建成高新技术产业密集区。依托西部新区开发、滹沱河综合整治，加快推进主城区周边休闲、文化、旅游产业发展。“四组团”县（市）在重点建设“五大基地”的同时，发展特色主导产业。“一体”地区生产总值增长 13% 以上，财政收入增长 18% 以上。三是做强“西翼”区域经济。充分发挥毗邻山西煤炭资源和电力、水利、交通、土地等优势，建设西部山区经济隆起带。西翼地区生产总值增长 14% 以上，财政收入增长 30% 以上。四是打造“东翼”经济增长极。以辛集市为中心，以晋州市为重点，以周边县（市）为腹地，形成辐射半径 50 公里经济圈，构筑石家庄东部中等城市。东翼地区生产总值增长 13% 以上，财政收入增长 28% 以上。

（二）抓好“五大基地”和重点项目建设，培育壮大支柱产业。一是全力抓好“五大基地”建设。年度投资 167 亿元，谋划亿元以上投资项目 59 个。国家生物产业基地完成华药培养基级白蛋白、石药四代头孢产业化、欧意药业特色原料生产中心等 10 个项目；启动华药 GCLE 新头孢、石药国际化制剂中心等项目；谋划石药工业园、药都健康城、益海粮油二期等项目前期工作。循环经济化工示范基地完成 16 万吨己内酰胺、10 万吨环己酮、20 万吨硫酸、5 万吨氨基乙酸、1 万吨制氢等工业项目和供水、泵站、绿化亮化等基础设施项目；新开工 60 万吨合成氨多联产、适应加工含硫原油改造工程、油品质量升级改造工程等项目；启动 40 万吨己内酰胺、30 万吨环己酮、50 万吨硫酸、5 万吨生物柴油等项目前期工作。信息产业基地完成光电子产业化、天线产业化、中电科半导体器件可靠性中心、微波暗室等项目；启动数字化温补集成电路、中小功率电力半导体器件等项目前期工作。装备制造基地完成河北汉崴、裕华热电等项目；启动通用航空产业制造基地、潜水泵厂、三环阀门、三原压缩机等项目前期工作。纺织服装基地完成常山股份整体改造优化升级项目一期；启动新石家庄人服装园、四川九龙服装生产线等项目前期工作。二是着力抓好重点项目建设。全年安排省、市重点项目 126 项，其中前期项目 29 项（其中 10 亿元以上项目 14 项），在建项目 97 项（其中 10 亿元以上项目 17 项），总投资 1760 亿元。力争年内竣工项目 29 个、新开工项目 35 个。三是重点抓好省重点产业支撑项目建设和申报工作。对已列入省重点产业支撑项目的三鹿牛乳深加工、石炼化综合改造及配套、常山股份整体改造优化升级、华药迁建重组暨新工业园区建设等四个项目，搞好服务协调。新争列石药国家重大创新药物产业化及药物制剂国际化基地、石飞石家庄通用航空产业制造基地、正定北方国际物流基地等项目为省重点产业支撑项目。

（三）提高城市建设和管理水平，塑造宜居宜看省会新形象。一是优化城市空间布局。改造旧火车站及周边区域，打造中央商务区。建设新客运站周边商业金融服务中心。加强城中村、老旧小区、棚户区“三改”工作。搞好西部山前 22 平方公里和太平河、滹沱河沿岸 55 平方公里起步区开发建设。“四组团”县（市）总体规划、基础设施与主城区相衔接，实现“1+4”组团有机融合。二是构建城市综合交通体系。加快建设石太、京石、石郑高速铁路客运专线和石家庄铁路枢纽工程，确保京石高速铁路客运专线上半年正式开工。启动城区轨道交通项目与京石高速铁路项目衔接工作。完成石家庄机场改扩建。完成张石高速公路石家庄段建设。谋划石家庄至阳曲、石家庄至天津、石家庄至长治高速公路项目，打造“东出西联”的节点和枢纽。做好内陆港三期前期工作。抓好槐安路东延、中华大街北延、红旗大街南延和机场快速路等主路主街新建续建工程。进一步优化公交路网布局。三是加强基础设施建设。确保上安电厂三期、张河湾抽水蓄能电站、裕华热电项目竣工投用。力争鹿华热电2×30万千瓦项目和良村热电2×30万千瓦项目年内完成核准，做好大唐微水发电厂1×60万千瓦项目核准工作。力争西柏坡电厂四期2×60万千瓦项目列入国家规划。落实与中石油华油集团公司签署的合作开展城市燃气业务框架协议，整合燃气市场，明显提高清洁能源使用率。四是推进城市精细化管理。完善市、区、街、居四级管理网络，实现城市管理文本全覆盖。开展市容样板街创建活动，对主干道、出入市口进行综合整治。全年拆除破旧建筑、危陋建筑、超期临建和有碍观瞻建筑260万平方米。

（四）推进社会主义新农村建设，开创农业农村发展新局面。一是推动城乡互动发展。新增建设用地有偿使用费、耕地占用税主要用于支持“三农”，财政新增教育、卫生、文化等事业费70%以上用于新农村建设。继续实施“阳光培训工程”，提高农民工资性收入。全市农村劳动力转移达到30万人次。二是提高农业综合生产能力。发展优质专用小麦、药饲用玉米等八大特色主导产业。实施“一县一业一园”农业科技示范工程和技术创新工程。推进绿色、无公害、标准化生产。加快农业产业化经营和农民专业合作社建设。加强农田水利基本建设，大力发展节水农业，粮食生产能力稳定在450万吨以上。三是加快农村基础设施建设。加快县城、乡镇政府驻地的基础设施建设。每个县城建成1～2条样板街道、2～3个公园、3～5个街旁游园。每个乡镇拥有设施完备的卫生院、文化站、图书馆、体育休闲场所。开展村容村貌综合整治。加强饮水、道路、沼气、电力、文化、卫生等基础设施建设。四是创新农村管理机制。推进村民自治工作。建立村级财富积累机制长效保障制度。加快各类农民合作组织、村级综合服务中心建设。全市村务公开满意率达到99%。

（五）加快发展第三产业，提升服务业比重和水平。一是改造提升传统服务业。壮大北人、东购、保龙仓等龙头企业。实施“三场一园”（新华集贸中心、南三条市场、正定小商品城和正定北方国际现代物流园区）晋档升级工程。谋划建设希尔顿、远洋城、东方曼哈顿等20个商贸项目。二是培育壮大新兴服务业。加快石家庄国际会展中心建设，培育和争办一批影响力大的知名展会。发展石家庄软件产业园、太和电子城。做大做强“西柏坡”品牌，申报正定古城国家优秀旅游城市和世界文化遗产。做好引进浦发、招商、兴业等3家银行在我市设立分行工作。三是加快发展现代物流业。抓好石家庄内陆港、石家庄国际物流园区、正定北方国际现代物流园区等现代物流建设，努力打造全国重要区域物流中心、二级物流节点城市和华北重要商埠。四是全面拓展居民服务业。发展老年公寓、幼儿园、残疾人服务站等社会福利服务，完善物业管理、医疗服务、社区商业等居民生活服务。完成55万平方米经济适用住房建设，并加强销售管理。提供4.2万平方米廉租住房，并完善保障制度。

（六）推进节能减排和生态恢复，提高可持续发展能力。一是推进能源资源节约和综合利用。对年耗能5000吨标煤以上的110家企业、年耗水30万吨以上的150家企业（单位），逐一签订目标责任书。在省对“双三十”单位重点考核的基础上，市再确定若干家工业企业直接进行考核，试行“一票否决”。制定淘汰落后产能实施方案。搞好西柏坡电厂、再生物资总公司等循环经济试点。大力发展节水农业。开展资源能源节约八个专项活动。二是加强大气和水污染综合整治。将环保目标纳入经济社会发展评价范围和干部政绩考核，试行“一票否决”。各县（市）区都要制定污染物排放总量控制计划，并层层分解，落实到基层和重点排污单位。对170家大气污染重点企业和162家水污染重点企业进行重点监管。推广使用优质低硫煤，限期淘汰小火电机组和燃油锅炉及发电机组，关停取缔全市所有水泥机立窑，市区二级以上天气达到293天。加快建设各县（市）污水处理厂，提高污水处理能力。三是建设高标准生态园林城市。新建100亩以上公园5座，新增35块街旁绿地。对市区道路实行扩绿升级改造，加强居住区和单位庭院绿化。开展园林绿化样板街创建活动。四是加大区域生态环境整治力度。规划实施1000万平方米水系拓展工程和“5528”绿化工程。植树造林1000万株。建设四条市区北部防风固沙绿化带。加强东部平原农田防护林网建设。新增有林面积15万亩，森林覆盖率达到25.8%。

（七）深化改革开放，为经济社会发展注入活力。一是加大企事业单位改革力度。重点做好北人集团、东方热电等6家大型企业的战略性重组和股份制改造，无线电四厂等4家国有中小企业实现国有资本依法有序退出，完成无线电三厂等6家企业政策性破产工作，妥善安置职工。搞好二轻联社、供销社、劳服企业等集体企业改制工作。抓好市胶印厂、牧工商等一批经营性事业单位产权制度改革。二是深化综合体制改革。推进城市建设管理市场化。调整完善市对县（市）区的财政管理体制。出台医药卫生体制改革方案并稳步推进试点工作。出台《集体经济组织改制和“城中村”集体资产处置的意见》。完善“四个中心”运行机制。完善民营经济发展政策和服务体系，年内每个县（市）建立一个创业辅导基地。新组建市中小企业担保公司，全市担保本金规模达到12亿元。三是扩大对内对外开放。组织好“石洽会”等重大招商活动，开展“一对一”等形式的专项招商，重点抓好与国外国内500强和央企的合作。加强区域合作，开展与清华大学等十二所高校和科研院所的合作，加强与东南沿海发达省市合作，落实与阳泉市及阳煤集团签订的合作协议，加强与天津港、黄骅港的合作。四是转变对外贸易增长方式。抓住国家外汇储备较多的机遇，加快引进先进技术和关键设备，扩大重要原材料进口。增加机电、高新技术等高附加值产品出口。

（八）加强运行调节，力保经济平稳增长。一是运行调控，坚持监测预警与调节引导相结合。继续实行经济运行部门联席会议制度和信息直报制度，加强对100家重点工商企业经济运行监测。二是要素保障，坚持即期供应与完善机制相结合。巩固与铁路部门、山西阳泉等长期稳定的合作关系，完善电力、成品油、天然气生产、供应和使用的综合协调机制。完善生产要素供应的各项应急预案，增强应对突发事件的能力。三是企业调度，坚持抓大户与培育新的增长点相结合。实施“5+3”、“2+1”企业上台阶工程。完善政策和奖励措施，实行领导分包、定点联系走访、职能部门挂牌服务。对省、市重点项目提前介入，跟踪服务，促其按期投产达效。四是安全生产，继续实行目标管理和“一票否决”制。推进安全生产“三级机构、四级网络”建设，突出抓好煤矿、非煤矿山、道路交通、危险化学品、烟花爆竹等行业的安全监管和专项整治，严肃查处各类安全生产违法行为并依法追究责任。

（九）切实保障和改善民生，努力为群众多办实事。一是抑制物价总水平过快上涨。认真落实已出台的政策措施，支持粮食、食用油、肉类等重点农产品扩大生产，增加供给。搞好粮、油、肉等重要商品储备和调运，制定相关应急预案，确保市场供应不断档。严格控制新上用粮工业项目。密切跟踪物价走势，加强对生活必需品供求和价格变动的监测与分析，及时制定对策措施。二是做好就业和社会保障工作。认真落实就业促进法，完善支持自主创业、自谋职业的政策措施。扶持中小企业、非公有制企业和服务业加快发展，千方百计增加就业岗位。从今年开始再连续三年提高企业退休人员养老金水平。研究制定淘汰落后产能企业在人员安置上的优惠补贴政策。开展农村劳动力转移就业服务体系建设试点。实施社会保障经办服务中心示范工程。三是推进各项社会事业发展。全面实施城乡免费义务教育。巩固完善新型农村合作医疗制度，推进城镇居民医疗保险工作，城镇居民参保率达到80%。完成省博物馆、省图书馆等项目，启动河北省体育中心等项目建设，推进国家动漫产业基地建设。实施20户以上自然村广播电视村村通工程。继续为乡镇卫生院配置必要的医疗设备。大力推进计划生育信息化建设和县乡计划生育基础设施建设。继续办好与人民群众生产活动密切相关的40件实事。

省会城市建设三年大变样和2008年迈大步实施方案

2008年3月6日以中共石家庄市委、石家庄市人民政府石发［2008］4号文件印发

为认真贯彻落实省委、省政府关于省会城市建设“每年一大步、三年大变样”的重要指示和省会城市建设工作座谈会精神，特制定本实施方案。

一、总体思路和目标

今后三年城市建设总的思路是：坚持以科学发展观为指导，按照“建设具有实力、充满活力、富有竞争力的沿海经济社会发展强省省会和繁荣、文明、和谐的新石家庄”的城市定位和“石家庄市正处于城市布局和产业布局的调整期、基础设施建设的攻坚期和生态环境的恢复期”的科学判断，统筹当前与长远、需要与可能，统筹主城与组团、新区与旧城，统筹发展与改革、建设与管理，用开放的思维、改革的办法和创新的手段，抓布局调整，抓主城优化，抓管理升级，大力推进城市结构完善和品位提升，不断增强综合功能和辐射带动能力，努力提高全省人民对省会的满意度。

总体目标是：经过三年努力，实现省会城市面貌大变样，为长期又好又快发展奠定坚实的基础，基本成为城市布局进一步优化、城市功能趋向合理、配套设施基本齐全、城市品位明显提升、山水特色初步凸现、生态环境持续好转的现代化生态型区域性中心城市。

——城市布局进一步优化。城市布局调整基本完成，城市行政办公、文化体育、金融保险、商业商务、交通集散中心基本确定，主城改造、新区开发、组团提质三大工程取得重大进展，现代化城市框架初步形成。主城建成区面积由182平方公里达到200平方公里左右，人口由218万人控制在240万人左右；四个组团建成区面积由58平方公里达到80平方公里左右，人口由45万人达到61万人左右。

——基础设施进一步完善。快速路和微循环体系基本形成，人均道路面积、路网密度明显增加，平均行车时速进一步提高。城市出行结构日趋合理，公交出行比例由13%提高到20%。现代化交通管理体系基本建成，城市交通管理达到国内同类城市先进水平。城市供水覆盖率进一步提高。建成区内集中供热管网全面覆盖。人均住房建筑面积由27平方米提高到30平方米以上。保持民用供气率、综合垃圾填埋率、建筑垃圾利用率、餐厨及医疗废物处理率100%。排水系统基本实现雨污分流，污水处理率由70%接近100%。

——生态环境进一步改善。环境污染治理、环城水系建设、省会绿化美化取得重大进展，空气质量、水体质量持续好转，山体植被、自然生态得到恢复。市区优良天气稳定在300天以上，争取达到310天，二氧化硫、化学需氧量分别下降15.5%和18%。饮用水水质达到优质标准。绿地率由32.7%提高到35%，人均公共绿地由8.87平方米增加到10平方米。

——城市品位进一步提升。以拆促建，以拆促改，大张旗鼓地推进主城区连片拆迁改造。二环

以内主街主路沿线城中村、老旧小区和危陋住宅区基本改造完毕，沿主街主路特色建筑群、特色街区和层级分明的文化体育设施基本形成。城市容貌整洁有序，社区环境和谐舒适。

二、主要任务

按照上述思路和目标，今后三年坚持“东拓西进并举，以西进为主；南延北跨同抓，以北跨为主；主城改造与新区开发共上，以新区开发为主”的原则，采取政府投入与市场运作兼顾，城镇化与工业化、产业化互动的办法，以全新的理念、积极的举措，总体推进，重点突破，全力实施“主城改造、新区建设、道路畅通、品位提升、精细管理、市民素质”六大工程，确保城市建设“每年一大步、三年大变样”。

（一）主城改造工程。围绕提升主路主街和出入市口道路形象，大规模实施集中连片拆迁改造，三年内拆除760万平方米，其中今年确保拆除260万平方米、力争突破300万平方米（详见附件一）。在总体推进破旧建筑、危陋建筑、违章建筑、超期临建和有碍观瞻建筑拆迁的同时，重点抓好主路主街和出入市道路两侧各100～200米纵深范围拆迁改造工作，建成环境整洁、特色鲜明、具有大都市风格的街道景观，力争使每处建筑、标志景观、公共设施和主要街道都展示现代化、体现人性化。

1、旧城改造。拆除建筑203万平方米，全面推进主路沿线62个占地50亩以上的大型旧城拆迁改造项目，其中正在实施的32个。重点抓好正在实施的开元环球中心、远洋商贸城、“万象天成”商务城、“金世界”商业中心、“南花园”步行街、北方药博园、新华和南三条市场升级、大经街改造、缔景城、联邦名都等10个精品亮点区域建设项目。

今年的目标是拆除建筑68.5万平方米，重点对和平路沿线水泵厂俱乐部、经编厂宿舍等2个旧区，中山路沿线油漆厂、和平医院生活区、中山路与大经街围合区域、南三条市场大经街两侧区域、石家庄饭店区域、机关事务管理局宿舍、棉三生活区、化工学校旧校区、铁四局等9个旧区，裕华路沿线七分部仓库、中华大街东侧区域、排水处住宅等3个旧区，槐安路沿线银星技校；维明街沿线东风塑料厂，中华大街沿线太行机械厂宿舍、第十棉纺厂厂区等2个旧区，建设大街沿线棉五生活区、电建生活区等2个旧区，自强路沿线南花园旧区，共计21个旧区实施沿主干道全部或部分拆迁改造，鼓励实施整体拆迁改造。

2、城中村改造。拆除334万平方米，基本把位于“四横六纵”主干道、二环路和主要出入市道路两侧100～200米纵深范围内城中村改造完毕，改善村（居）民居住环境，增加道路绿化用地，繁荣商贸服务产业，提升沿街景观形象。

今年的目标是拆除建筑80万平方米，重点对裕华路沿线小谈、北杜、城角庄、东里、方北、留村等6个旧村，中山路沿线西王、休门、谈固、白佛口等4个旧村，槐安路沿线振头一街、振头二街、振头四街、槐底、小马、大马、小岗上等7个旧村，和平路沿线大郭村，友谊大街沿线钟家庄村，维明街沿线西三教村，中华大街沿线柏林庄、高柱等2个旧村，建设大街沿线东岗头村，共计23个城中村实施沿主干道全部或部分拆迁改造，鼓励实施整体拆迁改造。

3、拆违改造。拆除156万平方米，实现主次干道两侧各纵深100～200米范围内无违法建筑和超期临建。按照街道改造规划设计方案和城市主色调，对四横六纵主干道和出入市口道路，从每一座楼房、每一块广告、每一棵树木、每一块绿地、每一盏霓虹灯、每一块便道砖抓起，全部清理占道经营，全部拆除违章广告，全面整治门头牌匾，全面整修粉刷清洗建筑墙体，架空线缆全部入地，建成环境整洁、设施完好、景观优美、秩序井然的精品线路。

今年的目标是拆除44.5万平方米，全部拆除“四横六纵”主干道以及十二个出入市道路两侧和三个高速公路出入口周边的违法建筑、超期临建。同时，主要路口架空线缆全部入地，沿街建筑立面装修改造和高标准绿化全部到位。

4、铁路改造。围绕铁路“客进货出、穿城入地”工程实施，完成货运系统迁建工程和中山路以北铁路入地工程，实施铁路沿线土地收购储备和综合开发改造，启动城市中心轴线带状绿地公园建设，高标准规划建设新客站，并规划“留白”金融中心。

今年完成铁路入地和货运线外迁工程拆迁67万平方米和征地

1.08万亩任务，启动货运系统迁建工程和铁路沿线土地收储改造。

（二）新区建设工程。以创造“山水城市”为目标，全力推进城市北跨、西进，着力打造以“北水、西山、古城”为特色的四个新区。

1、滹太新区。规划一期建设区为南水北调以东、京珠高速公路以西、太平河南岸1000米以北、滹沱河北岸2000米以南范围，约70平方公里，建设行政、会展、文化、教育、总部经济、休闲居住等项目。三年内计划完成道路网络框架，力争完成太平河、滹沱河和南水北调水系以及会展中心、市行政中心、总部经济、职业教育园区、文化设施、休闲居住设施，完成水源地北移和4.6平方公里经营性用地收储。

今年实施五项工程：一是滹沱河（南水北调——京深高速公路段）蓄水绿化工程，主河道蓄水（包括湖心绿化，堤坝工程，主河道绿化工程等）长10公里，宽500～1000米，水面300～500万平方米。二是启动太平河北岸107国道以东近2平方公里土地开发工程，完成主要路网（友谊大街、中华北大街、学府路、堤顶南路，投资5亿元）及水、电、气、暖等基础设施配套，启动建设大型会展、高级酒店、行政办公、总部经济等标志性建筑群。推动正在谋划的2个大型综合项目(1)、拉美风情园，包括五星级酒店，国际会展交易中心，办公及公寓，用地面积1平方公里；(2)、河北绿色生态观光园，包括化肥厂遗址公园、康乐运动公园、足球训练基地、风情商业街、景观住宅、示范性老年公寓等。总投资30亿元）。三是太平河二期工程（赵陵铺——田庄桥，长3.2公里），新增绿地94.6万平方米、水面27.5万平方米。四是建设污水处理厂工程，投资2.1亿元，按照国家二级处理标准完成日处理能力7万吨的滹沱河污水处理厂和日处理能力3万吨的太平河二期工程污水处理厂主体工程。五是启动“沙磁河”水源地供水工程，逐步将滹沱河水源地作为应急水源。

2、西部新区。控制区为62平方公里。其中山前大道以东、获铜路以西、槐安路西延线以南、南二环西延线以北22平方公里作为重点发展区域。该区以体育休闲、旅游度假、会议博览、高档社区等为主要建设内容。三年内完成8平方公里山体绿化、10个村庄土地整合、青银高速公路以西约6平方公里休闲度假区土地一级开发、4平方公里的体育休闲公园、7处沿槐安路和山前大道的农家乐旅游度假村以及动漫产业园和海尔高档住宅建设。

今年实施二项工程：一是西山绿化。投资0.5亿元，对秀山、横山和龙泉山共4平方公里山体实施包片治理、绿化，恢复山体植被；治理矿山4平方公里。二是投资5亿元，整合青银高速公路以西6个村庄，开发建设用地面积2平方公里、建筑面积100万平米的休闲渡假区和田园风情镇。

3、正定新区。规划建设面积31平方公里。主要结合滹沱河生态整治蓄水和滹太片区建设，突出古、新辉映，城、河交融的特点，推进商贸、文化、旅游设施建设，打造具有古城文化特色的新型商贸片区，重点建设占地790亩、总建筑面积120万平方米的国际小商品城，占地2360亩的北方物流园区、纺织服装基地起步区和重点文物古迹周边环境改善项目。

今年实施三项工程：一是完成占地124亩、建筑面积约32万平方米的国际小商品市场二期工程。二是投资55亿，加快推进以常山纺织搬迁改造为主的纺织服装基地建设。三是投资5000万元，综合整治旺泉街以东、中山路以南、东门里小学以北的隆兴寺周边历史文化街区。

4、南部工业新区。为破解土地瓶颈，充分挖掘高（邑）元（氏）赞（皇）山前岗坡次地潜力，采取“政府推动、县区引动、企业主动、政策驱动、环境助动、协调联动”的办法，积极谋划西部山前工业区，为主城区工业企业特别是污染企业退市进郊晋档升级和引进战略投资者搭建平台。

今年上半年完成南部工业新区总体规划和控制性详细规划编制工作，并按照一级路标准启动红旗大街南延至高邑工程，构建主城区与工业区的快速通道，为主城区企业搬迁创造条件。

（三）道路畅通工程。大力完善城市立体交通体系。通过三年努力，基本建成省际城市一小时交通圈、“1+4”组团之间半小时交通圈和主城区畅通网络系统。一是加速构建区域交通网络。加快推进石太、京石、石郑高速铁路客运专线建设，谋划启动石青专线。完成石家庄机场改扩建工程，高标准建设机场大道，建成冀中南区域性航空枢纽和空港物流基地。将京珠高速公路东迁至良村以东，形成全长133公里的环城高速公路。启动城市“东出西联”第二通道工程，缓解石太高速和307国道交通拥堵状况，解决外埠大型货运车辆穿越城区问题。二是加快构建主城区与四组团间道路网络，将南二环(东段)、槐安路东延至藁城，南二环（西段）西延至鹿泉西部山前，东二环、红旗大街、太行大街南延至栾城，体育大街、建华大街、太行大街北延至正定，强化“1+4”之间的交通联系。三是加快实施中心城区快速路网建设工程，建设槐安路、和平路、体育大街、中华大街四条高架路，基本建成中心城区“井”字型快速路系统。实施二环路与三环路衔接工程，充分发挥二环、三环的交通疏导作用。实施次干路、支路网贯通加密工程，打通市区内断头卡脖路，对超期服役、影响通行的主次干道和小街小巷进行改造整修，提高道路通行能力。四是加快启动轨道交通工程，成立筹备建设机构，完成线网规划和初步设计等前期工作，争取国家尽早审批立项。

今年重点围绕解决城市次干道、支路和微循环网络不完善等突出问题，在全面建成石环公路和张石高速公路的同时，抓好主城区路网完善、主城与新区（组团）道路连接等工程。实施中华大街北延(和平路以北局部高架直跨）至学府路工程及机场快速路，续建体育大街北延跨滹沱河至正定工程，新建友谊大街北延至学府路、学府路拓宽及东延工程，基本建成滹太片区四纵三横路网主骨架。实施西二环主要交叉路口单向直跨立交工程和和平路跨线桥工程。打通维明街（槐安路至南二环）、富强大街（槐安路至槐中路）等6条断头卡脖路。对中山路（中华大街至体育大街）、工农路（中华大街至红旗大街）等6条主次干道进行大修，同时，对部分破损严重的小街小巷进行整修,提高次干道和支路网通行能力。

（四）品位提升工程。大力实施生态建设“三个一”和减排治污“三个三”工程，促进环境质量持续好转。

围绕构建绿量适宜、分布合理、特色明显、景观优美的城市绿地系统，实施生态建设“三个一”工程：一是实施环城（1+4组团）1000万平方米水系拓展工程。利用现有水网体系，通过整治改造，新增水面面积1000万平方米。主要包括内环水系、中环水系和外围水系。内环水系是在已建成的民心河水系基础上，新建南茵河水系，新增水面20万平方米。中环水系分为北环、西北环、西环、南环、东环水系。新增水面450万平方米。外围水系主要是北部的滹沱河和周汉河水系,新增水面540万平方米。二是实施“5528”绿化工程，植树1000万株。“5528”绿化工程是指5环、5河、2山、8带绿化。5环绿化，即环省会与环4个组团城市周边绿化，植树112万株。5河绿化，即在流经石家庄的5条河流（滹沱河、大沙河、木刀沟、槐河和洨河）行洪线以外的两侧沙滩地建立防护林带，植树631万株。2山绿化，即封龙山、西山绿化，植树239万株。8带绿化，即在贯穿石家庄的四条高速公路（京珠、石太、石黄、青银）和三条国道（107、307、308）及南水北调工程两侧建立防护林带，植树29万株。三是实施100万株乔木进市区工程。今明两年在住宅小区院内和道路两侧植树100万株。同时，新增100亩以上公园5座。结合“拆违”整治，建设1500～6000平方米的街旁游园90个，今年建设35个。对主路主街和12个出入市口进行高标准绿化美化，提升出市口道路绿化景观和城市形象。今年完成主路主街和主要出入市口道路绿化美化任务。

在大规模实施园林绿化、增加环境容量的同时，出重拳，用实招，以结构减排、工程减排和管理减排“三个三”工程为抓手，大力削减二氧化硫、化学需氧量、可吸入颗粒物和氮氧化物排放量。

结构减排三项工程：一是淘汰落后产能工程。三年内全部淘汰小火电、小水泥、小造纸、小炼焦、小炼铁产能，拆除厂房，关停设备。二是市区污染企业搬迁改造工程。通过企业整合、技术改造和产业升级，力争将占市区污染物排放总量41%的东北工业区污染较大企业和40余家分散的高危高污企业分门别类搬至以“五大基地”和“高(邑)元（氏）赞（皇)”山前岗坡次地工业带为主的工业园区内。三是调整能源结构工程。扩大优质天然气能源利用量，到2010年天然气年用量由现在的1.9亿立方米增加到10亿立方米。大力推进建筑节能、工业锅炉改造、热电联产和余热余压利用工程，到2010年节约标准煤850万吨。实施煤炭管制，三年内推广使用优质低硫煤1700万吨。

工程减排三项工程：一是重点源头企业减排治理工程。提高标准，深化石钢等39家重点大气污染企业治理，对华北制药等23家重点水污染企业实施工程治理。二是燃煤锅炉拆除治理工程。全部拆除石环公路以内具备供热条件的燃煤采暖锅炉，不具备供热条件的燃煤采暖和工业锅炉全部完成治理并实现达标排放。三是污水处理厂建管工程。到2010年，全部完成市区桥东、桥西两个污水处理厂扩建以及17个县（市）和矿区污水处理厂建设，新增污水处理能力136万吨，并全部实现达标运行。

管理减排三项制度：一是实施节能降耗绩效考核制度，完不成考核指标的企业停产整顿，国有企业法人就地免职。二是实施环境质量与建设项目审批挂钩制度，对环境污染严重的县（市），实行县域限批。三是实施水环境质量奖惩制度，将水质考核断面达标情况与财政联动，达不到目标值，由市财政从各县（市）、区年度经费扣缴相应额度的资金。

今年减排治污的目标是：市区优良天气力争达到293天，二氧化硫和化学需氧量排放量分别比2007年下降5%以上。启动华北制药、焦化集团等24家企业搬迁改造，完成热电四厂等14个企业脱硫治理项目。石环公路以内具备集中供热条件的燃煤锅炉一律拆除，统一参加集中供热；达不到《石家庄市锅炉大气污染物排放标准》的燃煤锅炉，由产权单位进行治理。完成桥东污水处理厂深度处理工程、桥西污水处理厂设备改造工程和滹沱河污水处理厂建设。实施桥东、桥西两个污水处理厂扩建工程。完成金石化肥、华曙制药等22家企业工程减排治理项目。对所有重点污染源全部安装在线监控装置。

（五）精细管理工程。通过制定标准、改革体制、规范管理，深入开展街面容貌环境整治，全面提高“净、绿、亮、美”水平。

净化方面，本着“谁的产权谁负责”的原则，根据建筑外立面材质定期整修、装饰、清洗，玻璃幕墙、户外广告及标牌类设施每半年清洗一次，水刷石、干粘石和其他材质每年清洗一次，并每四年粉刷一次。强制建设单位按规定标准落实防治措施，不间断地对各类工地巡回检查，控制工地扬尘。

绿化方面，按照“既注重生态效应，更注重观赏效应”的要求，根据道路等级和性质，对主路主街树木进行整形、修剪或更换，做到树种、树型与道路景观相匹配。加强园林绿地管理，做到对花草树木定期整形、死株断垄及时补植、垃圾杂草及时清理、枯枝败叶及时修剪；公园游园和主次干道树木、绿篱和花草每周冲洗一次，保持枝叶干净碧绿。

亮化方面，在完成主要街道、重要地段的大型建筑物亮化的基础上，本着“节能环保、亮美和谐、凸现特色”的思路，全面实施主次干道沿街建筑物亮化“扩面提升”工程。对既有建筑物进行综合设计，增设亮化设施；对新建建筑物按照规划与建筑主体同步实施亮化工程，确保一次到位，体现建筑风貌特色。继续实施小街小巷和老旧小区路灯更新改造，方便群众居住生活。

美化方面，组织人大代表、政协委员和群众代表，以明查和暗访相结合的方式，对城市街道容貌进行考核评比和社会公示，促使街道容貌不断好转。同时，加强垃圾箱、果皮箱等城市家具规划设置，做到整洁美观；加强停车管理，做到划定区域、按线停放；加强道路交通流量监测，科学设置信号灯变换时间，改善交通状况；严查交通违章行为，建立违章档案，记入单位和个人信誉记录；严管广教结合，严格控制大型货运车辆白天进入市区。实施“1+4”范围内所有广告牌匾晋档升级，今年完成“1+4”范围内所有户外广告（共约40万平方米）拆除和石环公路以内所有牌匾（共约60万平方米）整治任务，同时科学编制户外广告设置规划，本着公开、透明的原则，适时面向国际一流广告公司招标拍卖广告设置权。加强城乡结合部管理，分段划片建立责任制，切实解决脏乱问题，基本实现视野所见整洁有序。

（六）市民素质工程。按照一年有起色、两年见成效、三年大提升的思路，主要抓好四项工作：一是提高市民思想道德素质。围绕建设社会主义核心价值体系，大力宣传社会主义荣辱观，大力倡导文明道德规范，普及文明礼仪常识，在全社会逐步形成知荣辱、讲文明、促和谐的社会风尚。二是提高市民科学文化素质。广泛开展马克思主义唯物论、无神论宣传教育，引导市民崇尚科学文明、反对愚昧迷信、抵制歪理邪说，形成健康向上的良好生活氛围。三是提高市民身心健康素质。大力开展医疗卫生、心理健康、体育健身知识普及教育，引导市民塑造自尊自信、理性平和、积极向上的社会心态。四是提高市民法律素质。开展面向市民法律法规常识普及教育，引导市民依法依规维护自身合法权益，以理性合法的方式表达利益诉求，不断增强遵纪守法意识和民主法制观念。

今年重点开展四项活动：一是公共文明道德实践活动。引导市民自觉养成文明行车、文明走路、文明乘车、文明观演、文明游园、文明排队等候习惯。二是百万市民学习培训活动。广泛开展公民基本道德规范、公共文明道德常识、城市历史文化、公共文明礼仪和常用法律法规基本知识学习培训。三是社区“四个文明”道德实践活动。在社区深入开展文明养犬、文明装修、文明娱乐、文明停放“四个文明”道德实践活动，引导社区居民养犬不伤人、装修不扰人、娱乐不烦人、停车不碍人。四是万家窗口创文明活动。在各行各业基层窗口单位，大力开展职业理想、职业道德、职业纪律、职业技能评比竞赛活动，提高办事效率和服务质量，提高群众满意度。

三、保障措施

实现“每年一大步，三年大变样”的目标任务，需要各级各部门进一步解放思想，坚持依法行政，深化改革开放，制定政策措施，严明责任奖惩。

（一）实行开放规划。按照科学性、前瞻性、可行性和政策性的标准，以开阔的胸襟、开放的视野，坚持高标准、高起点、大手笔，将所有规划设计项目全部推向市场，面向国内外顶尖规划设计单位公开招标，重金聘请一流规划设计单位，引进先进规划设计理念，提高规划设计水平。同时，牢固树立“规划即法”的意识，严格落实规划，对条件不成熟的项目，宁可“留白”、暂时缓建，决不凑合。

（二）坚持标准建设。按照体现“匠心”、突出特色、打造精品的要求，严格按照规矩进行招投标，按照规范进行建设，按照标准进行施工，做到精细精准、无可挑剔。在道路的线型、建筑的造型、建材的选用、色彩的搭配、树种的选择、细节的处理等方面处处体现精品意识，使建设项目的每一项内容都能达到最佳设计要求，做到“零缺陷”。建立设计单位、建设单位、施工单位、监理单位信用档案体系，只要在石家庄搞项目，无论好的、差得都要记入信誉档案，好的可以继续在市里干，差的逐出石家庄市场。

（三）改革管理体制。围绕“探索适应市场经济的、符合石家庄市情的、充满生机与活力的、管而不死、活而不乱的管理体制与运行机制”，改革现行不合理体制，完善现行运行机制。按照“市里考核、区街管理”的模式，落实属地管理责任，将道路保洁、广告牌匾、园林绿化等街面管理职能全部下放到区街，市里主要负责检查评比和考核验收，实行严管重罚，对达不到规定标准和要求的，从组织上、经费上、名誉上从严惩戒。

（四）大力招商引资。加大开放力度，打开“石门”，在抓好与中国城建、青岛海尔、香港嘉里、大连万达等大集团合作协议落实的同时，积极吸引更多、更大、信誉好、实力强的国内外战略投资者参与城市建设。对“主城改造、新区建设、道路畅通、品位提升”四大工程重点项目进行精心包装，适时召开发布推介会，面向国内外公开招标规划、设计、建设、监理单位，最大限度地招大商、引巨资，拒绝“小玩闹”，全面提高建设档次和水平。

（五）搭建融资平台。抓好“四资”整合，搭建三个投融资平台。一是完善地产集团职能，加大土地收储力度，发挥投融资主渠道作用。二是在市城建投资管理办公室加挂城建投资公司牌子，强化融资功能，促进城建项目实施。三是在市公路桥梁投资开发管理中心加挂交通投资公司牌子，筹集建设资金，促进交通项目建设。

（六）严格落实责任。市委、市政府成立城市建设三年大变样指挥部，强化对城市建设的组织领导。实行市委市政府领导包区、区委区政府领导包街道和项目、街道干部包村（居）和片区、村（居）干部包社区和楼宇责任制，将“每年一大步，三年大变样”各项任务细化分解，层层落实到项目，落实到人头。对各项工作实行“日报告、周例会、月交流”制度，定期通报进度，不定期检查评比，并将考核结果作为2008年重要政绩计入干部实绩档案。

家庄市实际利用外资和直接利用外资均居第二位。

【县区不平衡现象依然比较突出】 县（市）、区利用外资在全市占有重要的地位，对全市利用外资工作具有举足轻重的作用。2007 年，石家庄市加强了对县（市）、区利用外资工作的指导和督察，但县（市）、区引进利用外资仍然存在发展不平衡的现象。其中实际直接利用外资完成 1000 万美元以上的有 9 个县区，完成 500 ～ 1000 万美元的有 3 个县区，完成 500 万美元以下有 12 个县区。全年外资到位较多的县区利用外资在 9000 万美元以上，而最少的县仅 1 万美元。

【服务业利用外资大幅增长】 2007 年，新批服务业利用外资项目 22 个，总投资额 9099.23 万美元，同比增长 57.81%，合同外资 5878.26 万美元，同比增长 103.7%。服务业利用外资主要项目由石家庄安森置业有限公司、河北爱心友好医院有限公司、河北盛荣开元汽车配件有限公司等。

【大项目支撑作用和外资到位态势良好】 在新批外商投资企业中，投资总额 500 万美元以上的项目 17 个，合同总投资占全市的 91.6%，合同外资额占全市比重达 92.2%。在直接利用外资中，投资总额 500 万美元以上的项目到位外资 37651 万美元，占全市比重达 91.6%，。通过对总投资 500 万美元以上的较大项目定期调度、定向服务，促进外资尽快到位，2007 年外资到位 500 万美元以上的大项目有 20 个，外资到位额为 35027 万美元。其中外资到位数额较大的项目有河北天山房地产开发有限公司 8010 万美元，石家庄四药有限公司 7395 万美元，石家庄钢铁有限责任公司 4470 万美元。另外，河北盛荣开元汽车配件有限公司、河北开元贸易有限公司、河北北国开元广场等项目到位数额也比较大。

【投资促进工作成效显著】 紧紧围绕全市“四大产业”发展、“五大基地”建设和经济结构调整，着力引进世界 500 强和战略投资者，开展富有成效的投资促进活动。先后组织参加了香港投洽会、环渤海国际商务节、9·8 投洽会等国内大型招商引资活动。6 月份市委书记吴显国率石家庄市经贸代表团赴意大利及北欧开展了一系列经贸洽谈活动，巩固和拓展了石家庄市与意大利、德国等欧盟国家政府和企业间的合作关系。10 月份成功举办了 2007 中国·石家庄国际投资贸易洽谈会，会议期间开展了项目发布、贸易洽谈、产业展示和“网上投资贸易洽谈会”等多项活动，使该会的办会规模和影响力得到进一步提升。

（陈佩君）

精神文明建设

【概况】 2007 年，省会文明办认真学习贯彻党的十七大精神，按照《石家庄市 2007 年精神文明创建工作要点》的安排部署，认真谋划、狠抓落实、力求创新，积极有效地开展了市民素质提升工程，市民文明素质大幅提高；文明生态村创建活动，社会主义新农村建设扎实推进；文明城市创建活动，城市文明程序和品位全面提升；未成年人道德建设工作，未成年人文明素质明显提高；广泛开展道德实践活动，城市的人文环境更加文明和谐。省会精神文明建设又上了一个新台阶。

【市民文明素质提升工程】 根据党的十七大关于把“加强文化建设，明显提高全民族文明素质”作为全面建设小康社会的一项新的要求和市委安排部署（计划用四年时间在全市实施市民文明素质提升工程），年初，制定了《石家庄市 2007—2010 年市民文明素质提升工程规划》。8 月底召开了“全市提升市民文明素质工程启动仪式暨创建文明城市动员大会”，成立了以市委副书记王增明为组长和以市委党委、宣传部长孙万勇为主任的“石家庄市提升市民文明素质工程”领导小组及办公室。各区、各工委、各系统、各有关部门按要求制定了具体工作方案，建立了领导机构，细化了任务分解，认真抓了责任落实。全市市民文明素质提升工程工作有了良好的开端。一是编印了以“石家庄的历史、现状、未来发展”为内容的专题教材，作为 10 月份教育的主要内容；编制了以城市文明、道德规范、生活常识为内容的《市民文明读本》，编制了以家庭礼仪、职场礼仪、社会礼仪、生活礼仪为内容的《市民文明礼仪读本》，12 月中旬发放到市民手中；

编印了以讲文明、讲礼貌，图文并茂，通俗易懂的《图说文明礼仪》；编印了以在影剧院、体育场馆遵守剧场秩序、遵守时间、着装整齐、行为端正等为内容的《剧场文明观演礼仪常识》3万册，已全部发放到市民手中。二是扎实开展了百万市民文明素质学习培训活动。从9月份开始，先后以“石家庄的历史，现状及未来发展”，“市民文明礼仪知识”和“市民卫生健康常识”为内容，组织专家、教师对全市近百万市民进行了职业礼仪、机关礼仪、公务礼仪、家庭礼仪等文明礼仪知识和卫生健康常识等基本知识学习培训。到年底各社区学习培训率达到50%以上，市直各单位学习培训率达到80%以上。组织市内五区、市直机关工委、市国资委、市中小企业局系统的机关干部职工、企业员工、社区居民，利用各级党校、单位活动场所、居民社区等300多个学习培训点进行了重点学习培训。市卫生局在11月份组织的“市民卫生健康常识”为内容的学习培训中，对市人大、市自来水总公司和栗康街社区等100多个学习培训点的6000余名干部职工、社区居民讲授疾病预防、文明健康理念等知识。三是深入开展“五个文明”和“四个文明”道德实践活动。在全市开展了以行人不乱穿马路、不闯红灯、不跨越路栏，车辆不乱停放，不抢道行驶，驾驶员不酒后驾驶等为内容的文明行车、文明走路活动；以志愿者和公交工作人员宣传劝导乘公交车文明礼让，主动为老幼病残孕乘客让座，以及“爱心玫瑰接力”行动等为内容的文明乘车活动；以在公园广场、旅游景点不损坏公物，不乱扔杂物，不踩踏草坪为内容的文明游园活动；以在影剧院、体育场馆向观众发放《文明观演手册》和宣传劝导观众观看演出时，不大声喧哗，不乱扔废弃物，不提前退场为内容的文明观演活动；以在社区养犬、装修、娱乐、车辆停放不伤人、不扰人、不烦人、不碍人等为内容的“四个文明”实践活动。新华区以建设“魅力新华”为载体，创新道德实践活动内容；裕华区在全区大力开展“文明奉献岗”活动，为道德实践活动注入新的活力；长安区和平世家社区制做的“邻里联系卡”和裕华区阳光海天园社区印制的“邻里和谐卡”，宣传“四个文明”，倡导邻里和谐等，积极组织居民参与道德实践活动，为深化道德实践活动增添了新内涵；桥西区在全区广泛征集“社区文明公约”修订案，结合新形势、新任务，修订了“社区文明公约”，拓展了道德实践活动的空间。在此基础上还组织开展了“文明路口”和“文明排队”两项大型道德实践活动。每月的第一天为排队日。11月1日、12月1日，分别组织河北师范大学等11所院校、市直宣传文化系统“传播文明志愿服务活动”的公务员志愿者 2000余人次，在市内主要道口和较大型营业场所、居民社区，开展了以有序排队、文明礼让为主要内容的“排队日”活动，制作了“我排队、我礼让、我文明”和“排队日”为标志的便民手提袋6000个和宣传画5000幅，由志愿者现场发放到广大市民手中。四是强化宣传报道。按着市委宣传部、省会文明办印发的《关于市民文明素质提升工程宣传报道方案》，以提升市民文明素质为目标，以普及公共道德知识和文明礼仪知识为重点，市新闻媒体都开辟专栏、专题，定时间、定频道、定版面，协调联动，以普及文明知识为重点，辅助于言论、评论、杂谈、图片等形式，对提升市民文明素质工程进行全方位的宣传报道，推动了市民文明素质提升工程进一步深化。《石家庄日报》开设“市民素质大家谈”、“图说文明”、“争做文明市民，礼仪常识别忘记”、“特别关注”等专题、专版，每周或每月一期，赞美文明行为，曝光或评说不文明现象。《燕赵晚报》开设了“市民文明常识”、“锐眼看文明”、“市民素质大家谈”和每月一期的“大周刊”专刊，采取灵活多样、图文并茂、直观简洁的形式对在市民文明素质提升工程中的典型事例、重点活动进行大篇幅、集中刊发报道，仅9至11月份在专刊、专栏中刊载的文章、杂谈、漫画等达百余篇。市电视台开设“关注文明”等节目和利用“民生关注”节目开展“文明只差一点点”专栏，评说市民身边发生的文明与不文明事，收到了很好的社会效果。市电台在早7:00开设5分钟的《文明之窗》栏目，在新闻频道的《绝对现场》，以及交通台的“文明热线”等专栏，集中时间对市民在公共场所的行为进行实地采访和调查，整理录音，按时播放，为听众提供了分辨荣耻的空间，为提升全民文明素质搭建了很好的平台。

【文明生态村创建活动】 建设社会主义新农村，是我国现代化进程中的重大历史任务。省会文明办以“三化”建设为重点，进一步改善人居环境。石家庄市从农民所想所盼入手，集中力量抓好“四化”建设，着力打造“路畅、地绿、村美、精神爽”这一农民群众千百年来一直梦想的人居环境，使创建活动伊始就顺民意、得民心、受欢迎。一是抓硬化便出行。全市按照“上下联动、量力而行”的原则，因村制宜，把街巷修建成水泥、柏油、灰渣或砖石路，有效地解决了出行难的问题，方便了村民生活和农业生产。截至2007年底，全市完成通村路硬化3630公里，村庄街道硬化3600余公里，硬化小街巷1.5万条，有2754个村实现了全村道路硬化。二是抓绿化变环境。以建设绿色石家庄为载体，开展绿化造林大会战，大力抓好5环（环省会和四个组团）、5河（流经市域的5条主要河流）、2山（封龙山、西山）、8带（贯穿市域的4条高速、3条国道和南水北调工程）的植树造林工作，努力构建路林结合、林水相依、山清水秀的生态格局。同时，制定优惠政策，采取得力措施，在广大农村开展了春秋植树造林，在农户开展了“创建绿色庭院”等活动，使全市创建村呈现出绿树成荫、花团锦簇的喜人景象。高邑县实行了“挖坑就给树、树活就补助、林权落到户、谁有谁管护”四项激励措施抓绿化，财政出资350万元，植树140万棵，收到显著成效。三是抓净化改面貌。以“治脏”、“治乱”、“治差”为重点，在各县城主干道、重要节点和出入口等重点部位，进行了整治垃圾遍地、残垣断壁、私占乱建专项行动；在乡镇及农村开展了整治垃圾乱倒、牌匾乱挂、房屋乱建等行动，促进了环境的规范整洁。全市农村共拆除违建3.7万处，2700多个村落实了长效保洁制度。

以多形式文明创建为载体，倡导乡风文明。按照《公民道德建设实施纲要》的要求，紧紧抓住提高农民素质，促进人的全面发展这条主线，狠抓公民素质教育，有力地促进了农村良好道德风尚的形成。一是抓载体，用有益的活动感染人。通过大力推广“三会一录一户”（红白理事会、道德评议会、禁赌会、公民道德新风录、“十星级文明户”评选）活动，大力弘扬社会主义荣辱观。藁城市岗上村24年如一日推行《村民公德录》的做法，在中央和省各大媒体进行了重点宣传；高邑县推广敬老公示制的经验，被中央、省级媒体给予了大力报道。二是抓阵地，用良好的环境改造人。通过实施以一条宣传文化街、一个文化活动场所、一个文化宣传栏、一支文化宣传队伍为主要内容的“四个一”建设，让农民文体活动有场地，休闲娱乐有去处，求知求学有场所。井陉县建成了111个集村民中心、文体广场、休闲花园为一体的农民公园；正定县出资160万元为农村配备健身器材785件。三是抓培训，用先进的文化教育人。全市通过大力组织“三下乡”、“专业技术人员进万村兴百业”、“健康生活进农村大讲座”等活动，对广大农民群众进行科技、文化、卫生等知识教育培训，促进了群众素质的不断提高。据统计，截止2007年底，全市累计举办各类培训班2300多期，培训科技骨干5.5万人、医疗骨干近2万人，文艺骨干1.5万人。

以九大服务功能为内容，扎实推进“村民中心”建设。把“村民中心”建设作为市委、市政府服务农民群众的重要举措，列入了必须办好的四十件实事之一，采取有效措施，有序推进，确保了各项建设任务的顺利完成。一是因地制宜，分类实施。将“村民中心”建设划分为集中型和相对集中型两种模式，制定出400m^2、600m^2、1000m^{2}以上三种面积标准，确定了新建和改建两种形式，要求各村庄根据人口多少和经济发展状况等实际情况，本着因地制宜、量力而行的原则实施，确保了建设项目的有序开展。二是明确功能，方便群众。围绕农村群众实际需求，进一步细化了“村民中心”提供经济、卫生、法律、科技、文体等九大服务功能，努力为群众生产生活提供全方位服务，使村民中心真正能用、实用、管用。藁城市徐村的“村民中心”专门建设了农业信息活动室，使村民能很方便地查到各种科技信息、商品价格等，为农民的生产生活带来便利。三是完善机制，规范管理。重点建立和完善了领导机制、帮扶机制、管理机制、操作机制，确保了建成的“村民中心”的正常运行，使之成为村民进行自我教育、自我管理、自我服务的新平台和各级各部门服务“三农”的阵地。鹿泉市南故城村的“村民中

心”，功能齐全，制度完备，活动经常，真正成了名副其实的村民活动场所。全市已建成并投入使用的“村民中心”有300个。

以连线成片创建为主线，建立推动新农村建设的示范集群。以环省会文明生态圈为样板，实施了环县城文明生态圈、乡镇文明生态片、特色文明生态线递次辐射带动的新举措，推动创建工作由典型创建往全面创建转变，由零散创建朝集约创建跨越，由面上创建向深度创建迈进，不断推动创建工作向深度和广度拓展。一是大力推进“1+4”环城式创建，着力打造圈状示范集群。2005年，根据石家庄城区及周边四县（市）区位相对集中、经济比较发达和群众基础较好等优势，在城区和鹿泉、藁城、正定、栾城四县（市）启动了环省会文明生态圈工程，将市区周边1000多平方公里内的339个村统一规划，统一标准，统一时限，大力推进集群创建。到2007年底，已有近300个村基本达到了标准。环省会文明生态圈举措的实施，起到了大圈带小圈的示范效应，赵县、无极、辛集等8个县（市），也相继开展了建设环县城文明生态圈行动，推动了创建文明生态村工作向深度和广度拓展。二是大力推进“2+14”连线式创建，着力打造线状样板集群。按照“道路框架为支撑、绿化生态为基础、特色产业为依托、旅游景点相连接”的创建思路，联动建设，着力打造文明生态特色线路样板集群。在国省干道和旅游线路沿线所有村庄全部纳入创建规划的同时，重点抓了西柏坡红色旅游生态线、赵县梨区文明生态观光线等14条文明生态特色线路，取得了良好成效。三是大力推进“10+100”组团式创建，着力打造片状辐射集群。抓好以乡镇驻地为重点的创建工作，辐射带动所辖村庄整体推进，努力打造一批文明生态示范乡镇。2007年下半年，选择了10个经济条件较好的乡镇推进创建工作，要求他们带动各自周边的10个村进行创建。这一措施的实施，使100个村形成了相互促进，协调联动，齐头并进的良好局面，成为了当地特色突出、代表县城形象的亮点区域，进而有效地解决了村与村之间创建力量分散、资源难以共享、区域经济特色产业难以集群发展等问题。藁城市丘头镇、鹿泉市大河镇等10个文明生态示范乡镇基本建成。

以“四个一点”筹措办法为途径，加大文明生态村扶持力度。按照“以村集体和农民投入为主出一点、政府财政奖补结合拿一点、有关部门专项资金重点倾斜帮一点、动员社会力量筹一点”的办法，整合资源，集中力量，保证文明生态村建设重点任务所需资金。一是坚持政府主导。把创建专项资金纳入各级财政预算，市财政连续四年拿出600万元，各县（市）区财政配套落实资金1亿多元用于创建文明生态村工作，充分发挥了政府主导作用，激发了基层抓好创建的积极性。二是注重部门倾斜。把计划、农业、交通、建设、科教文卫等部门的公共事业支出的资金集中起来使用，并重点向文明生态村建设投入，推动了创建工作的顺利开展。2007年，全市各级各部门向文明生态村投入资金已达1.3亿元。三是用好集体资产。各村把集体收入主要用于创建，同时积极运用财富积累、四荒拍卖、有偿使用集体资源、贴息贷款等多种办法，千方百计筹集创建资金，为创建工作增添了活力。正定县率先在160多个村建立起集体财富积累机制，将以往闲置、浪费和被少数人挤占的公共资源充分利用，建立起卫生保洁、治安防范、水电管理、农技服务等组织，为村民生产生活提供了全方位的服务，巩固了创建成果。2007年，全市共有4248个村建起了村级财富积累机制，占到农村总数的97.7%。四是动员社会帮扶。鼓励企业、单位、个人开展形式多样的助建活动，支持文明生态村建设，在全社会形成了以城带乡、以工促农的良好局面。全市党政机关和企事业单位已累计落实帮扶资金物资6000多万元。九月份，在文明单位中开展了城乡共建“文明书屋”捐书活动，共捐赠各类图书100余万册。五是依靠群众力量。各创建村本着自愿量力的原则，发动群众捐款捐物，出工出力，用自己的双手建设自己的美好家园。赞皇县东高村通过自筹资金、自愿捐款、自己设计、自己购料、自己施工的“五自”办法，新建一个800平方米的“村民中心”和两个1000多平方米的村民休闲广场。

以长效机制建设为根本，永葆文明生态村创建的生机活力。创建文明生态村是一项长期性、反复性、复杂性、系统性工程。为确保创建活动深入持久健康地开展下去，全市摸索建立了一套保障制度。一是落实分包责任制度。实行市领导包县、县领导包乡、乡干部包村、村干部包户四级分包责任制；实施了文明单位包村帮扶制，增强了广大干部和有关单位的责任感，促进了责任目标的落实。二是落实检查通报制度。专门成立了督导检查组，实行月检查调度、季评比通报制度，健全了定期检查、随机抽查、及时复查的“三查”工作机制，有效调动了基层单位的工作积极性。三是落实考核奖惩制度。把创建活动的开展情况纳入对县（市）区和市直部门领导班子和领导干部的考核目标，纳入全市乡镇综合实力排位考核内容，作为文明单位评选的重要条件，增强了各单位的责任意识。全市还坚持每年评比表彰一批先进单位和先进个人，累计对470个创建先进乡镇、先进村、帮扶共建先进单位和100名创建先进个人进行了表彰奖励。井陉县对在创建中贡献突出的8名村支部书记落实转非转干待遇，激发了广大干部的创建热情。四是落实长效管理制度。全市各创建村分别制定了“五个一”卫生保洁、绿化管护、道路建养制度和资金筹措办法、“村民中心”运行管理办法等一整套建设、管理、维护相统一的保障机制，巩固和发展了创建文明生态村成果。

【文明城市创建活动】 创建文明城市工作。一是制定详细规划。市委、市政府将争创全国文明城市目标纳入了《石家庄市国民经济和社会发展第十一个五年规划》，明确了在全市整体工作格局中的重要战略地位。2006年，在市第八次党代会上，确定了建设繁荣、文明、和谐新石家庄的奋斗目标，把创建全国文明城市工作先进市作为精神文明建设的龙头工程，列入重要议事日程。先后制定了《2006年省会“争做文明市民、营造优美环境、创建文明城市”活动实施方案》和《石家庄市2006～2008年创建全国文明城市工作先进城市规划》，连续召开全市“争、营、创”活动动员大会、城市工作会议、创建文明城市动员大会等大型会议，统一了全市干部群众的思想认识，明确了创建文明城市的目标任务，确定了具体工作措施，在全市广泛开展了创建文明城市活动。二是健全组织体系。市成立了市委书记、市长担任总指挥，分管市领导担任副总指挥，市委宣传部、省会文明办、市城管、建设、规划、园林、公安、工商、司法、交通、环保等相关部门的主要领导为成员的“争、营、创”指挥部及其办公室，具体负责指挥协调全市的创建工作。市内五区、市直有关部门都成立了相应的创建机构，各基层单位也明确了专门负责人员，形成了全市上下渠道通畅、协调有力、运转高效的组织体系，为创建活动的开展提供了可靠的组织保证。三是明确任务责任。结合实际，制定了《石家庄市创建全国文明城市工作先进城市测评标准及责任分解》；制定了《2007～2010年市民文明素质提升工程任务分解》，细化目标任务，量化标准要求，明确完成时限。组织各区、各责任部门认领测评内容，明确具体责任，强力推进对标达标工作。各单位也将创建任务细化分解，落实到具体人员，做到了层层有任务，事事有标准，人人有责任的工作格局。四是严格督查考核。市委、市政府主管领导坚持每半年召开一次调度会，听取各部门的工作落实情况。市创建办、文明办坚持全方位、高标准进行现场检查督导，并通过召开调度会、现场会、交流会等，具体指导各单位对照标准找差距、查问题，争取出亮点、创品牌，高标准开展创建活动。明确相关单位的一把手为第一责任人，将创建文明城市工作指标，纳入对各区、市下各部门领导班子和领导干部实绩考核内容，并将考核结果与干部管理、评先评奖和文明单位的评选挂钩。

创建文明和谐社区工作。1、圆满完成第三批文明社区创建工作。2007年3月，省会文明办按照《创建文明社区实施方案》的责任分工和任务分解的具体安排，深入基层，逐个社区、逐项标准抓督导、抓检查、抓落实。同时，针对在督导检查时发现的社区内未建有健身路径、阅览室藏书量不达标、室内活动场所不对外开放、社区环境脏乱差、物业公司与业主矛盾突出、物业公司服务不到位、市民教育不经常等实际问题和重点难点问题，协调有关责任单位采取一事一议、重点调度等方式逐条解决。2月份，完成了第三批50个文明社区300万元市、区配套资金的文体器材购买与配发工作。5月份对市内五区第三批文明社区50个参创社区进行了检查验收。7月份召开了第三批文明社区总结表彰暨第四

社区文化活动剪影组照

批文明和谐社区动员会议，会议对第三批文明社区创建工作进行了总结，命名了第三批 30 个文明社区和 30 个创建文明社区先进社区，表彰了创建工作先进单位和个人。2、第四批文明和谐社区创建工作进展顺利。一是大力开展“百万市民文明素质培训”活动。结合实施《石家庄市 2007～2010 年市民文明素质提升工程》，各参创社区依托市民学校，对广大居民进行社会主义荣辱观、法律法规、公共道德、文明礼仪、科普知识、卫生保健等知识的学习培训，着力培育市民的公民意识、市民意识、省会意识，进一步提高市民综合素质。省会文明办还编印 60 万册《石家庄市民文明素质提升工程系列读本》，免费发放到社区居民手中，有力促进了市民文明素质提升。在社区开展了“百名社区道德标兵”评选活动、“社区文化艺术节”。为了活跃居民业余文化生活，开创居民和谐相处的新局面，各社区调动社区文艺骨干，结合居民群众的典型事例，组织社区居民自编自演文艺节目，使居民群众在娱乐中受到了深刻教育。二是深入开展公共文明道德教育实践活动。各区开展了以“迎奥运、讲文明、树新风”为主题的特色活动，激发广大居民群众的参与热情。围绕全市正在开展的文明乘车、文明行车、文明走路、文明观演、文明游园为内容的“五个文明”道德实践活动，教育引导市民做到乘公交车主动让座、排队上下车，行车遵守交通法规，走路不闯红灯、不乱穿马路、不跨越路栏，观演不大声接打手机，不随意丢弃垃圾，游园不乱扔杂物、不踩踏草皮、不攀枝折花。在社区广泛开展以文明养犬、文明装修、文明娱乐、文明停放为主要内容的社区行为“四个文明”道德实践活动，引导居民规范自身行为，提高自身修养，和睦邻里关系，做到装修不扰民、养宠物不吓人、车辆停放不碍人、娱乐活动不烦人。同时，市委宣传部、省会文明办向市内五区下发了《关于在第四批创建文明和谐社区活动中加强资金配套工作的通知》，同时下发了《第四批文明和谐社区文化活动室需配备器材（参照）统计表》。截止 2007 年，市内五区配套资金已经全部到位。

【未成年人思想道德建设工作】 进一步加强和改进未成年人思想道德建设，是中央从推进新世纪新阶段党和国家事业发展、实现党和国家长治久安出发作出的一项重大决策。2007 年主要抓了以下几项工作。一是组织系统短剧进校园活动。市委宣传部、省会文明办组织市青年评剧团创作排演了儿童情景系列短剧《为了祖国的明天》，深入到市区中小学校巡回演出 25 场，师生们反响强烈。二是不断深化“五小”（小帮手、小标兵、小伙伴、小卫士、小主人）道德实践活动。为了使道德实践活动更加贴近学生生活，根据学生的年龄特点和实际，在开展“五小”，活动的基础上，结合全市“争做文明市民，创建优美环境”的活动，提出开展“十项道德实践活动”。特别是在农村，开展了“1357”活动，即：护一段街道或一个山场保护环境，学三手家务或农活感恩父母，种养五种花卉美化家园，做七件好事为他人解难。使中小学生在道德实践活动中得到锻炼和成长。三是组织了中国首届“让每个孩子成功”美术赛、艺术表演赛的推荐工作。省会文明办、教育局在时间紧任务重的情况下组织全市未成年人积极参与，经过认真严格筛选，石家庄市有617人入围复赛，有408名选手进入省决赛，共有52人获特别金奖、126人获金奖、151人获银奖、119人获铜奖、12人获优秀奖，70位老师获得园丁奖。同时，石家庄市有35名获奖选手代表河北省赴上海参加全国总决赛，取得1个金奖、5个银奖、11个铜奖、17个艺苗奖、1个优秀奖的好成绩，手风琴选手王雪冰获得参加全国汇报晚会演出的资格。四是健全未成年人心理健康教育网络，培养未成年人健全的人格。为深化未成年人心理健康教育，实现心理健康教育的专业化、科学化、制度化、规范化，市委宣传部、省会文明办、市教育局于2007年4月3日召开了"石家庄市未成年人心理维护中心"揭牌仪式。标志着全市未成年人有了自己的心灵家园，也为做好家庭教育的拓展延伸和未成年人心理健康教育奠定了坚实的基础。中央文明办、教育部、中央科教所对此给予高度评价，教育部领导在讲话中指出："由党委政府牵头成立未成年人心理维护中心，并把建立好未成年人三级心理维护网络100个基层维护站点，列为2007年石家庄市委宣传部为民办十件实事之一，这是个很值得赞赏的创举。由党委政府牵头整合社会资源，动员全社会共同关注未成年人的心理健康，共同参与未成年人心理健康培养，营造浓厚的社会氛围，这是一件功德无量的好事。"中国心理学会理事长张侃指出：石家庄市未成年人心理维护人力资源全国首屈一指，未成年人心理维护模式全国第一。2007年初，市第27中学的"班级心里委员"，桥西区的"道德实践论坛"，团市委的"网络阳光计划"等3个案例分获中央文明办"第二届未成年人思想道德建设创新案例"评选一、二、三等奖。其中27中的"班级心理委员"在中央文明办举办的全国未成年人创建安全交流会上做了典型发言。

【广泛开展道德实践活动】 1、**通过举办形式多样的活动，进一步深化文明行业创建工作**。在各窗口行业和基层单位，结合市民文明素质提升工程，广泛开展礼仪教育和践行"八荣八耻"宣传教育活动，通过开展全员培训、完善岗位服务规范措施、进一步增强了行业从业人员的服务意识、提高服务技能和服务质量，优化了服务环境；继续深化"万家窗口创文明、诚信服务铸品牌"活动，各行业以培育广大职工职业理想、职业道德、职业技能、职业纪律和诚实守信为活动内容，大力推进规范化服务，使广大人民群众对窗口行业优质服务的满意度不断提升；按照省通知精神，继续组织文明执法杯、优质服务杯、便民利民杯"三杯"竞赛评比活动，有力的调动了各行业的创建积极性，有效的解决了一些部门和单位服务意识差、工作效率低、政策不透明、办事不规范等问题，同时为广大人民群众直接参与评议、监督行风开辟了一个渠道；年初河北日报以《公交车"露骨广告"惹非议》为题，对市公交车刊登不雅广告进行了报道。按有关领导的批示精神，省会文明办组织开展了重点专项整治活动，及时印发了《省会文明办关于规范净化石家庄市广告的通知》，组织召开了由市城管局、市工商局、市卫生局、市公交总公司及部分广告公司的负责同志参加的协调会，各单位昼夜行动，于2月12日之前对110部车体、120部公交车厢内扶手吊环、200部车厢座位后背的不健康医疗广告进行彻底清理。同时，省会文明办向各县（市）区下发明传电报，要求各地文明办要对各类广告进行认真的清理和规范。截止年底，各县(市)区共清理整顿各类广告15991处。全市广告市场得到进一步规范；结合"迎奥运、讲文明、树新风"活动，组织金融、邮政、电信等营业性收费窗口，大力推行"一米线"制度，引导市民养成排队礼让的习惯；在出租汽车行业启动了"文明使者迎奥运、提升素质树形象"活动，以语言、仪表、车容、行车、经营"五个文明"、落实十六项服务规范为重点，通过搞好素质培训、规范行业行为、加强监督检查等六项具体措施，促进了出租车行业文明程度的提高。石家庄电业局开展了"光明行"服务品牌创建活动，严格规范用电窗口员工服务行为，推出了"班前五做到、班上五不准"工作标准。2007年，客户服务中心接听电话18.3万次，处理客户故障报修1.4万起，全部在规定时限内完成，全年客户满意率和供电服务承诺兑现率始终保持在100%。

2、**认真组织实施2007年"助学工程"**。2007年度，共资助大学生18名、保定高中"宏志班"8名，石家庄高中“宏志班”100名。其中举办石家庄市高中“宏志班”工作是市委宣传部2007年度，为民所办10件实事之一，也是党和政府为民办实事的民心工程。为此，市委宣传部、省会文明办、市教育局联合印发了《石家庄市2007年度高中“宏志班”招生工作的通知》。通知明确了受助学生的资助条件，资助程序、资助标准等有关要求，并将招生标准制成宣传品到各县重点中学张贴，同时在石家庄日报新闻发布中心召开了2007年度“宏志班”招生工作新闻发布会，以增进工作的透明度接受群众监督，主管部门采取，入户调查、媒体公开，计生、民政部门审查，部务会审定等四项措施严格把关，确保了受助学生符合资助条件，圆满完成了2007年度“助学工程”工作。

3、大力弘扬社会新风，培育思想道德建设典型。一是组织了全国道德模范评选推荐工作。根据省文明办、省部工会、团省委、省妇联《关于我省评选推荐全国道德模范的实施方案的通知》要求，成立石家庄市全国道德模范推荐活动组委会，省会文明办、市总工会、团市委、市妇联联合下发了《关于评选推荐全国道德模范的通知》，《石家庄日报》、《燕赵晚报》刊发了评选活动消息，省会文明办建立了先进典型数据库。各社区村镇利用黑板报、有线电视、广播等各种宣传手段进行了深入广泛宣传，掀起了评身边模范、学身边模范的热潮。各县（市）区在宣传发动的基础上，经层层筛选，全市共推荐道德候选人47名，经宣传部部务会研究，上报了5名全国道德模范人选，其中赵渭忠入围全国道德模范候选人。二是开展了石家庄市文明公民、文明公民标兵评选活动。共评选出文明公民100余名，文明公民标兵51名，弘扬了社会新风。三是全面启动“‘双争共建’模范家庭”评选活动。按照市委、市政府关于《省会“争创优美环境　争做文明市民　共建繁荣文明和谐新石家庄”活动实施方案》的要求，结合石家庄市实际情况，制定了《关于开展创建“‘双争共建’模范家庭”活动的实施意见》，明确了“‘双争共建’模范家庭”评选活动的内容、标准、步骤和评选办法并召开专题会议进行了专门部署。各区都制定了评选“‘双争共建’模范家庭”细则，明确了任务和责任，分解、细化了评选内容、条件、标准等。动员和组织开展各具特色的创建活动。长安区组织居民积极参与社区“星期六义务劳动”、清理整治小区环境卫生、清理楼道“小广告”大会战、整治墙体“乱涂乱画”会战等活动；桥西区在99个社区中开展了“比一比、看一看”活动，以楼组为单位，组织邻居互相看一看，比一比，那栋楼前更干净、谁家卫生更清洁卫生；裕华区开展了“手牵手、邻帮邻”爱心互助活动，通过邻里之间互赠“邻里互助卡”，为邻居做一件好事，清扫一次楼道，引导邻里之间主动奉献爱心，增进感情。在各社区建立了“居民点评台”和“道德众议院”，把“双争共建”模范家庭评选活动过程进一步公开化、透明化，有力促进了居民思想道德水平的提高。

爱心捐活动

省会精神文明办公室

主　任：薛建廷

副主任：沈学启

（刘素兰　张颖岚）

“四个中心”建设

【概况】 为创新机制，转变职能，提高效率，优化服务，改善环境，加快建设繁荣、文明、和谐的新石家庄步伐。2007年2月25日，市委、市政府召开市直机关干部大会，宣布成立投资促进、市民服务、诚信管理、行政效能举报“四个中心”。投资促进中心的职能是监督政府有关职能部门，提高行政审批效率，促进投资环境的改善和优化，主要为企业和投资者服务；市民服务中心的职能是把群众反映的热点难点问题收集起来，组织有能力的人为市民排忧解难；诚信管理中心的职能是围绕建设诚信社会，加强诚信体系建设；行政效能举报中心的职能是重点查处不讲效率、不讲服务、不讲诚信等影响发展环境的人和事，主要对公务员队伍进行监督。3月28日，市委办公厅、市政府办公厅联合下发《成立“四个中心”建设领导小组的通知》（石办字〔2007〕36号），领导小组由吴显国书记任组长，王增明副书记任副组长，下设办公室，具体负责“四个中心”建设的综合协调等工作。3月29日，“四个中心”挂牌运行，本着边起步、边建设、边完善的原则，加强制度建设，完善内部管理；精心选聘人员，选好配强队伍；认真履行职责，推动工作落实，取得了初步成效，也得到了社会各界的普遍好评。

【精心选配“四个中心”人员】 根据“四个中心”的职能定位、工作任务和基本要求，由领导小组办公室牵头成立了选聘工作领导小组，制定了周密的工作方案。领导干部选聘采取了单位推荐、组织考核、市委常委会研究决定的办法。中层干部选聘采取“自愿报名、单位推荐、组织审查、考试选聘、集体研究、择优选用”的方法，选聘过程做到了组织严密，运作规范，客观公正。2007年9月12日和11月8日，市委、市政府分别举行了“四个中心”领导干部和中层干部聘任仪式。选聘的12名领导干部和35名中层干部政治素质较好，年龄结构和知识结构比较合理，大多熟悉相关业务工作，符合“四个中心”工作需要，确保了“四个中心”工作的全面开展。

“四个中心”中层干部聘任仪式

【投资促进中心规范窗口部门审批职能】 投资促进中心整合行政联合审批流程，加大窗口建设力度，大力清理滞留项目审批手续，2007年共登记投资项目970项，办理投资项目报建手续4538项次，办结4453项次，平均每个工作日办结23项次。同时，积极拓宽服务企业渠道，强化投资项目审批跟踪服务。

【投资促进中心主动为企业服务】 投资促进中心深入企业查实情摸实底，了解企业项目报建和发展存在的困难和问题，如南花园二期工程、北方茶都选址、敬业集团道路问题、省国资委后勤服务中心项目、省胸科医院扩建项目等问题，协调相关审批单位，加快了项目前期审批手续的办理进度，为企业和报建单位解决了一些实际问题。建立了定期与企业联系工作制度，先后分行业、分系统组织召开24次130家项目单位参加的座谈会。积极为企业提供咨询服务，2007年为企业和投资者提供政策咨询、投资指导等方面的服务316 项次，项目审批前期辅导 96 项次。

【市民服务中心拓宽为民服务领域】 一是组织开展为民服务活动。2007年6月23日，组织市教育局、市广电局在石家庄二中举办“2007高招大论坛”。邀请省、市有关部门解读高招政策、分析就业形势，国家和省内重点院校资深专家为广大考生填报志愿指点迷津。石家庄电视台《民生关注·特别节目》进行了现场直播，市长公开电话12345提供了场内外全程互动服务。组织市环保局在人民广场举办环境保护宣传教育专项活动，通过摆放环保常识展示牌、发放环保宣传材料等方式，向广大市民进行环保宣传，提供环保法律服务、并接受群众环保投诉，现场调解环保纠纷。活动现场接到市民投诉35件，咨询40多人次，发放环保宣传材料1500多份。二是组织开展“千员万人”进社区活动。按照全市“双争共建”实施方案的总体要求，9月22日和23日，市民服务中心组织动员市、区、街道办三级机关1000余名公务员，深入市内336个社区，宣讲“八个一”工作，征集社情民意。在短短两天的时间里，千名入区人员共召开座谈会600余个，征集群众意见、建议15222件。经过一个月的认真承办，全部意见、建议，除261件因问题不具体或无法与反映人取得联系没有办理外，办结12637件，办结率83%，群众总满意度98.89%。三是做好来信来访和领导批件督办工作。为确保市委、市政府领导同志承接的群众来信事项得到及时办理，保持工作的连续性，市民服务中心积极克服困难，多方协调力量，全面清理以往批办件涉及事项的落实情况，及时召集有关承办单位领导研究解决棘手难点问题，明确时限、标准等要求，进一步理顺交办、承办关系，健全交办、接办制度，实行严格的责任制，全年累计接待群众来访2350人次，受处信访事项1958件，办结1726件；交办领导批示件1561件，办结1353件，使一批涉及群众生产生活的问题基本得到解决。

【诚信管理中心深化诚信体系建设】 创新工作模式，通过建立政府关联事项的信息公开制度、资信收集制度、校准制度和监督管理制度，深化全市诚信体系建设，使政府和企业以诚信为主线，构成一个信用应用链条，形成政府关联事项的管理和运行模式。2007年，全市按照此模式共推进投资近50亿元的项目建设。采取多种措施加强对企业的监管力度，全市已建立各类部门监管企业（包括中介）诚信档案1万多份，公务员、教师、医生、律师、法律服务人员、房地产评估师、导游等7类人员诚信档案8700多份，收录各类信息10万余条。同时，对县域诚信体系建设模式也进行了大胆改革创新，针对县域诚信体系建设实际情况，突出特色，选择典型县（市）召开县域诚信体系建设片会，对县域诚信体系建设有关工作进行观摩和督导。

【诚信管理中心加强诚信数据库系统建设】 诚信管理中心积极谋划“一总库、多分库”的建设模式，加强诚信数据库系统建设。即建立诚信政府、社会组织、公民三大主体总库，设市级信用信息交换中心，在市直各部门设分库；在各县（市）区设县级诚信数据库，设县级信用信息交换平台，从而实现部门间和市、县两级的信用数据交换共享，建立跨行业、跨地区的诚信数据库系统。2007年底，初步实现工商、质监等18个部门信用信息的交换共享，网络建设任务全面完成，诚信总库、市级交换平台已建设完毕，18个政府部门分库均已上线运行，共入库13.4万家企业，收录各类信息近437.8万条，初步形成了企业信用信息库的基本架构。

【行政效能举报中心强力推进机关效能建设】 行政效能举报中心坚持“以查促纠、以案促效”，推进机关效能建设。制定了石家庄市《关于2007年机关效能建设工作安排意见》和《对重点企业发展和重点项目建设情况实施效能监察的工作意见》等10余个优化发展软环境的文件，并采取有效措施，加强督导检查，狠抓各项工作的落实。在全市乡镇以上机关开展以“治懒增效、治散正气、治庸提能”为主要内容的“三治”活动。2007年4～6月份，分别对104市直部门、24个县（市）区和112个乡镇、街道办事处进行大规模的暗访检查，查处了一批违反工作纪律、行政不作为、乱作为的效能案件，在全市引起强烈震动。各级各单位都引起高度重视，以此为切入点，开展形式多样的纪律作风整顿，促进机关工作人员素质的提高，有效推动了机关效能建设。

【行政效能举报中心深入开展效能监察】 行政效能举报中心坚持24小时接访、严格报批、日清周结月汇总制度，共接待群众咨询、举报955人次，受理举报401件，办结387件，办结率在96%以上。省政府效能网转来群众举报件33件，办结率为100%。2007年市县两级行政效能举报中心明查暗访70余次，查处各类效能案件和问题1260件，其中影响发展环境案件176件，有1306人次受到效能责任追究，给予党政纪处分67人。其中，市行政效能举报中心直接查处各类效能案件和问题310件，有435人次受到效能责任追究，给予党政纪处分3人、效能告诫140人、通报批评77人、离岗培训193人、调离岗位13人、辞退9人，收缴违纪资金32万元。在全市三级干部大会上，对8起影响行政效能、损害发展环境的典型案件进行了公开曝光。

“四个中心”建设领导小组办公室

主　　任：李天印

常务副主任：张院生

市投资促进中心

主　任：李献平

副主任：宋夕元　王丽新

市民服务中心

主　任：耿　涛

副主任：姜　红

市诚信管理中心

主　任：李富强

副主任：张长路　李　燕

市行政效能举报中心

主　任：韩秀华

副主任：殷宗良　齐志良　郭　城

（杨　璐）

石家庄年鉴 Politics

政　治

政　　治

中国共产党石家庄市委员会

【概况】 2007年，中共石家庄市委员会坚持以邓小平理论和“三个代表”重要思想为指导，以科学发展观统领经济社会发展全局，认真贯彻落实党中央、国务院和省委、省政府的一系列重大决策部署，紧紧围绕建设繁荣、文明、和谐的新石家庄这一目标，团结带领全市广大干部群众，凝心聚力求突破，全力以赴抓落实，保持了经济快速健康发展的好势头。全市地区生产总值完成2395亿元，增长13.4%；全部财政收入完成230亿元，增长21%，城市居民人均可支配收入、农民人均纯收入分别达13200元、4890元，增长15%和9%。政治建设、文化建设、社会建设和党的建设进一步加强，继续巩固发展了政治安定、社会稳定、人民安居乐业的良好局面。

【中共石家庄市委及其工作部门组成人员】

书　　记：吴显国
副 书 记：冀纯堂　王增明
市委常委：吴显国　冀纯堂
王增明　刘瑞新
刘云峰　杨志辉
王华清　朱浩文
蒋洪江　李文起
孙万勇　栗进路
张振县（6月任）
秘 书 长：杨志辉
副秘书长：李乃毅
刘占山（12月免）
刘　群（12月任）
郭清常（4月免）
张院生（8月免）
卢瑞卿
葛江河（8月免）
宋学恭（6月任）
刘吉广（6月任）
左建平（6月任）
卢建新（8月任）
李　龙（6月任）

研究室主任兼副秘书长：李潇

机关事务管理局局长兼副秘书长：吴新景（4月免）

机关事务管理局局长兼副秘书长：郭清常（4月任）

信访局局长兼副秘书长：魏晓流

防范和处理邪教问题领导小组办公室主任兼副秘书长：梁建斌

市纪律检查委员会

市纪委书记：李文起
市纪委副书记：张治春
王增飞
刘书平
徐将威
市纪委常委：王文朝
范云生（满）
梁铁斌
左素娥（女）
尹新民

办公厅

主　任：李乃毅（兼）
副主任：宋学恭（6月免）
刘吉广（6月免）
左建平（6月免）
张建国（7月任）
栾建英
唐　克（7月任）
李海峰（7月任）
纪检监察员：彭蕴贤（9月免）
杨富华（9月任）

市委组织部

部　　长：刘云峰
常务副部长：胡儒钗
副 部 长：姜贵增　张树清
韩存锁（4月免）
郭领域
孙彩然（4月免）
王冬梅（4月任）
陈慧明

市委宣传部

部　　长：孙万勇
常务副部长：刘　群（12月免）
王惠周（12月任）
副 部 长：王惠周（12月免）
耿震环
薛建廷

赵贵世（12 月任）
王勋涛

市委统战部

部　　长：王华清
常务副部长：彭占良
副　部　长：哈宝伏
郜存悦
白兰怀
李风江

市委政法委

书　　记：栗进路
常务副书记：叶克田
副　书　记：李文起　刘国梁
祁　改　吕军英

市直机关工委

书　　记：康瑞斌
副　书　记：夏国明（7 月免）
姚振勇
范志斌
聂忠海
杨宗波

市委农工委

书　　记：马玉文
常务副书记：王武德
副　书　记：王胜乔
李瑞进（8 月免）
谢　顺
郭同珍（11 月免）

机构编制委员会

主　任：郭领域
副主任：李振岐　董胜国
黄岩松

台湾工作办公室

主　任：乔仁秋
副主任：刘嫦嫦　彭彩欣
杨文江

市信访局

局　长：魏晓流
副局长：平国强　齐刚明
苏清才　田　志
张建平（6～12 月）

老干部局

局　长：孙彩然（4 月免）
王冬梅（4 月任）
副局长：兰永谦　谷昌栓
胡国龙　宋成武

【重要决策】 **加强和改进乡镇工作**　为深入贯彻中共中央、国务院《关于推进社会主义新农村建设的若干意见》中发（[2006] 1 号）等有关文件精神，充分发挥乡镇党委、政府在新农村建设中的领导核心作用，培养一支适应新形势要求的乡镇干部队伍，促进乡镇各项工作上台阶、上水平。12 月 31 日，中共石家庄市委、市政府下发了《关于加强和改进乡镇工作的若干意见》（石发［2006］22 号），明确提出：加强和改进乡镇工作要坚持邓小平理论、“三个代表”重要思想和落实科学发展观为指导，以建立一支高素质的乡镇干部队伍为目标，加强乡镇领导班子建设，提高乡镇干部政治、业务、科技素质；推进乡镇规范化管理，加快乡镇职能和作风转变；加强部门对乡镇的支持，形成全社会支持乡镇的合力，建立激励约束机制，充分调动乡镇干部工作的积极性和主动性，努力使乡镇党委、政府更好地担负起发展农村经济、开展公共服务、管理社会事务、构建和谐农村的重任。

制定 2006～2010 年石家庄市干部教育培训规划　为培养和造就高素质干部队伍，推进繁荣、文明、和谐的新石家庄建设，根据《干部教育培训工作条例（试行）》、《2006～2010 年河北省干部教育部训规划》和《石家庄市国民经济社会发展第十一个五年规划纲要》，结合石家庄市干部教育培训工作实际，制定了《2006～2010 年石家庄市干部教育培训规划》（石发［2007］5 号），确立了以马克思主列宁主义、毛泽东思想、邓小平理论和“三个代表”重要思想为指导，全面贯彻落实科学发展观，紧紧围绕我市“十一五”时期经济社会发展战略任务，按照联系实际创新路、加强培训求实效的要求，以服务大局为主线，以加强理论武装和能力建设为重点，以改革创新为动力，把干部教育培训的普遍性要求与不同类别、不同层次、不同岗位干部的特殊需要结合起来，大规模培训干部，大幅度提高干部素质，努力实现规模、质量和效益的统一，不断开创干部教育培训工作新局面，为实现我市更好更快发展和构建“和谐石家庄”提供思想政治保证、人才保证。2006～2010 年，干部教育培训工作的总体目标是：干部教育培训任务得到全面落实，干部教育培训基础建设取得新进展，干部教育培训制度建设实现新突破，干部教育培训工作新格局逐步形成，干部队伍的素质和能力进一步提高。

构建社区大党建工作新格局　为全面贯彻落实十六届六中全会和省、市党代会精神，进一步加强和改进基层党的建设，切实提高城市基层党组织的创造力、凝聚力和战斗力，努力构建区域性、网络性、整合性的社区大党建工作新格局，推进繁荣、文明、和谐的新石家庄建设，2007年4月5日，中共石家庄市委下发了《关于构建社区党建工作新格局的意见》(石发[2007] 7号)。确定了以邓小平理论和“三个代表”重要思想为指导，认真贯彻落实党的十六大和十六届六中全会精神，坚持以人为本的科学发展观，以构建社会主义和谐社会为本，坚持党委领导，行政配合，群众参与，条块结合，以块为主，整合资源，形成合力，服务群众，凝聚社会。通过进一步理顺体制，调动各方力量，构筑上下相通、左右联动的社区大党建工作网络，使不同部门、单位和党组织以及其他各种社会组织资源，使不同部门、单位和党组织以及其他各种社会组织资源在加强社区大党建工作平台上找到各自的着力点，形成整体合力，加快推进社区党建共作的顺利开展，为建设繁荣、文明、和谐的新石家庄在建设沿海经济社会发展强省中担当重任提供坚强有力的组织保证。

加快推进全市现代农业和社会主义新农村建设 根据《中共中央、国务院院关于积极发展现代农业，扎实推进社会主义新农村建设的若干意见》(中发［2007］1号）和《中共河北省委、河北省人民政府关于认贯彻中央1号文件精神，扎实做好2007年农业农村工作的意见》(冀发［2007］6号）等文件精神，结合石家庄市实际，2007年5月15日，中共石家庄市委、石家庄人民政府下发了《关于认真做好2007年农业农村工作的意见》，确定了以邓小平理论和“三个代表”重要思想为指导，以科学发展为统领，以新农村建设为主线，以农民增收为核心，以发展现代农业为重点，以统筹城乡发展为基本途径，认真落实中央、省农业农村工作部署，加大对“三农”投入力度，继续夯实农业基础，进一步改善农村生产生活条件，积极培育新型农民，努力推动农村经济社会全面进步。2007年，全市农业增加值增长5%，农民人均纯收入增长6%以上。

加强信访工作和责任追究制 为进一步加强基层信访工作，提高基层解决信访问题的能力和水平，切实发挥好基层维护稳定第一道防线的作用，及时、有效化解矛盾纠纷，维护社会和谐稳定，促进全市经济社会健康发展，2007年6月8日，中共石家庄市委、石家庄市人民政府下发了《关于进一步加强基层信访工作的意见》(石字［2007］39号)。要求进一步加强基层信访组织机构建设，健全基层信访工作运行机制，完善基层信访工作制度，加强基层信访部门和干部队伍建设。同时根据国务院《信访条例》和省委、省政府有关信访工作规定，结合石家庄市实际，下发了《中共石家庄市委石家庄市人民政府关于进一步强化信访工作责任制和责任追究制的意见(试行)》(石字[2007] 40号)，要求进一步提高对做好新时期信访工作重要性的认识，不断强化信访工作责任制，形成齐抓共管局面，严格实行信访工作责任追究，确保信访工作责任落实。

制定社会主义新农村建设规划 为全面落实党的十六届五中全会关于建设社会主义新农村的重大战略部署，促进全市农业农村经济和社会事业更好、更快发展，根据中央和省的有关要求，结合石家庄市实际，制定了《石家庄市社会主义新农村建设规划纲要》(石发［2007］10号)，纲要以邓小平理论和“三个代表”重要思想为指导，以科学发展为统领，按照“生产发展，生活宽裕，乡风文明，村容整洁，管理民主”的总体要求，坚持工业反哺农业、城市支持农村和“多予、少取、放活”的方针，以促进农村经济快速发展、实现农民持续增收和推进社会全面进步为目标，着力推进现代农业建设，大力繁荣农村经济、加强基础设施建设、加快农村社会事业发展、加强民主政治和精神文明建设、健全和完善农村社会保障制度，促进农村经济社会全面协调发展。

【加强思想建设 用党的理论创新成果武装头脑】 2007年，紧紧围绕“贯彻落实科学发展观，建设繁荣、文明、和谐的新石家庄”这个主题，坚持常委班子带头，组织开展了多个专题学习。先后以常委会集体学习、市委理论学习中心组集中学习、常委扩大会等形式，重点学习了科学发展观、构建社会主义和谐社会理论、胡锦涛总书记“6·25”重要讲话、党的十七大精神、省委七届三次全会精神等内容。坚持理论与实践相结合，务虚与务实相结合，集中学习与外出考察相结合，努力提高学习实效。同时，狠抓各级班子和广大党员干部的理论学习，特别是精心组织了各级党组织和广大干部群众对党的十七大精神的学习贯彻，加强党的十七大精神的专题培训，连续举办8期轮训班，将全市县处级以上领导干部轮训一遍。通过组织宣讲，召开研讨会、座谈会、报告会，加强舆论宣传，在全市掀起了学习宣传贯彻党的十七大精神的热潮，进一步增强了广大干部群众贯彻落实党的十七大精神的自觉性和主动性。省委七届三次全会后，坚持把学习贯彻党的十七大、省委七届三次全会精神与建设繁荣、文明、和谐的新石家庄的实际紧密结合起来，对事关石家庄长远发展的重大问题进行了深入研究谋划，召开了市委八届三次全会，制定了《建设繁荣、文明、和谐的新石家庄指导纲要》。同时，按照省委的要求，认真组织开展了解放思想大讨论。围绕省委提出的全省城镇面貌改善要力争“每年一大步、三年大变样”的要求，在全市进一步开展解放思想大讨论。通过解放思想大讨论，进一步端正指导思想，突破陈规桎梏，理清工作思路，深化工作举措，创新体制机制，破解瓶颈制约，推动各项工作又好又快发展。

【大兴调查研究之风　创新发展理念思路】 2007年，通过有计划地组织大规模、宽领域、高强度的外出学习考察和下基层调研活动，对石家庄所处的发展阶段有了更清醒的认识，对发展路径有了更科学的谋划，对发展目标有了更高的追求。据此，市委作出了“三期”的科学判断，即：“十一五”后三年，石家庄将是“城市和产业布局的调整期、基础设施建设的攻坚期、生态环境的恢复期”，是为2010年～2020年加速发展打基础的重要时期。确定了省会发展定位和参考坐标，即：要把石家庄建设成为以实力、活力、竞争力为主要标志的沿海强省省会，在冀中南城市群中要当好龙头；近距离的城市参考坐标应该是太原、郑州、济南，远距离应该是沈阳、武汉、成都、长沙等。调整了经济社会发展目标。提出了实现既定目标的“五新”举措。即：大力实施“一体两翼”战略，再造经济新繁荣；强力实施“宜居宜看”工程，塑造沿海强省省会新形象；积极推进“城乡互动”发展，加快建设社会主义新农村；努力维护“和谐稳定”局面，创造安定有序的新环境；牢固树立“以人为本”理念，提升“繁荣·文明·和谐”新境界。在市八次党代会召开一年之际，市委召开市第五次三级干部会议，对这一系列重大问题作出了全面部署，得到了全市上下的积极响应。同时，市委在新农村建设、县域经济、服务业、民营经济、城市建设管理、生态环保、优化发展环境、信访稳定、舆论导向以及抓班子带队伍等方面，进一步完善了工作理念、思路和举措，有力地推动了各方面工作，激发了广大干部群众干事创业的热情，使各项事业有了好的开端和进展。

【抓住第一要务不放松 推动经济又好又快发展】 坚持把握经济建设这个中心，认真贯彻落实中央宏观调控政策，围绕打造经济发展新优势，狠抓关键环节，全市经济保持了持续快速健康发展的良好势头。着眼于构筑又好又快发展的产业支撑，大力调整优化产业结构，发展“四大产业”、建设“五大基地”。“五大基地”建设取得重大进展，全年完成投资53亿元，有14个项目竣工投产、7个项目主体完工、18个项目正在加紧建设。大力实施“5+3”工业发展战略，着力提升工业企业的核心竞争力和辐射带动力。工业“5+3”企业发展势头良好，利税总量占全市的比重超过50%，有18家企业入选全国500强。坚持把加快省会服务业发展摆在重要位置，着力做强现代物流和商贸流通两大主导产业，积极发展现代服务业。正定小商品市场一期建成并试营业，南三条、新华集贸等商业设施改造加速推进，石家庄内陆港建成开港。把加快发展民营经济作为重要增长点，重视和发挥“新石家庄人”作用，积极搭建良好创业平台，全市民营经济发展势头强劲，上缴税金109亿元，增长24.8%。不断加大改革开放力度，大型企业引进战略投资者和合作伙伴工作迈出重要步伐，石药集团国有产权转让联想集团完成签约。成功举办了中国首届生物产业大会以及石洽会、吴桥国际杂技艺术节等活动，与东部沿海、西部能源基地和京津地区的战略合作不断深化。外贸出口总值继续稳居全省首位，石家庄市被认定为国家科技兴贸创新基地。

【围绕建设沿海强省省会　优化发展软硬环境】 在硬环境建设方面，提出硬环境建设靠拼实力、年年要有新变化。坚持把省会建设摆在突出位置，着眼于城市的可持续发展，从控制调整规划入手，按照“1+4”组团城市发展格局，对城市的发展方向、布局结构进行调整。初步形成了以主城区为核心，“两个新区”和“四个组团”功能配套、协调发展的格局。围绕拉开城市框架、优化城市布局，统筹推进航空、铁路、公路建设，加速构筑内外贯通、方便快捷的现代化立体交通体系。槐安路东拓西进、体育大街南延工程竣工通车，石环公路试通车，张石高速公路石家庄段路基全部完工，市区铁路“客进货出、穿城入地”工程、石家庄机场改扩建及京石、石太、石郑铁路客运专线等交通设施建设取得新进展。按照“双向挤压”的办法，加强污染治理和生态恢复工作，启动了创建优美环境“八个一”工作，省会环境逐步得到改善。截至年底，市区优良天气达到289天。

在软环境建设方面，提出软环境建设要下硬功夫。着眼于解决在项目审批、为民服务、办事效率、诚信守法等方面存在的突出问题，积极整合行政资源，大胆创新体制机制，探索建立了投资促进中心、市民服务中心、诚信管理中心、行政效能举报中心等“四个中心”。“四个中心”运转顺利，职能作用逐步显现，有力地促进了政府职能部门的作风转变和行政效能的提高。坚持把提升市民素质作为增强城市综合竞争力的核心要素来抓，在全市启动实施了市民文明素质提升工程，深入开展群众性精神文明创建活动，积极发展文化事业和文化产业，营造了文明和谐的人文环境。精心组织石家庄解放60周年纪念活动，充分展示了石家庄的辉煌成就和美好前景，进一步激发了全市人民的归属感、认同感、自豪感，提升了石家庄的知名度和美誉度。

【不断开创农村和城市工作新局面】　坚持扭住基层基础工作这个关键环节不放松，把关注点转向基层，把着力点倾向基础，通过抓基层推动工作任务落实，通过打基础促进工作水平的提高。坚持下抓一级的工作思路，建立了“市县两级联合抓乡镇、县乡两级形成合力到村入户进企业”的工作机制，恢复了市县乡三级干部会议制度，先后安排部署了农业农村工作的“4个方面、14件事”，研究制定了关于加强和改进乡镇、街道工作的两个《意见》，对乡镇和街道的工作情况进行了综合性的考核排队，调动了乡镇和街道的工作积极性，形成了你追我赶、争先进位的良好氛围，有力地推动了工作的开展。着眼于提高各级党组织的执政能力和领导水平，大力加强党的建设，建立健全党建工作责任制，认真落实县（市）区委书记抓基层党建专项述职制度，深入推进新一轮基层组织建设“基础工程”。顺利完成了县乡两级人大、政府和县级政协换届以及市级人大、政府、政协换届干部推荐考察工作。坚持把人才队伍建设摆在突出位置，大规模培训干部。对换届后新提拔的县级领导干部进行了任职培训，提高了新任职干部履行岗位职责的能力。通过举办县级干部研讨班、中青年干部培训班和“干部讲坛”，加强对党政领导干部教育培训，积极选派优秀年轻领导干部到清华、人大、复旦、南开等四所重点高校深造，各级干部的整体素质得到提升。同时，坚持把干部队伍作风建设放在突出位置，把“抓落实、求突破、促发展、见成效”作为工作主基调，从市级干部做起，大力倡导“完成任务是硬道理，拒绝理由”的理念，做到“学习艰苦、思想艰苦、工作艰苦”，“今日事今日毕”，“事无巨细、事必躬亲、事不过夜”，努力把各项工作做精做细做实。坚持借鉴管理企业的方式管理行政事务，在市级领导班子中率先推行“日报告、周例会、月交流”制度，并及时延伸到全市各级领导班子，促进了工作质量和效率的提高。

【坚持稳定压倒一切　扎实推进和谐石家庄建设】　坚持把社会和谐稳定放在与经济发展同等重要的位置，从亟待解决的问题入手，从基层基础工作抓起，扎实推进“和谐石家庄”建设。始终高度关注民生，把解决好群众最关心、最直接、最现实的利益问题，作为实现省会和谐稳定的基础。认真落实就业再就业政策，积极组织开展就业再就业援助和服务活动；启动实施了城镇居民基本医疗保险试点工作，全面实施了被征地农民基本养老保险制度和新型农村合作医疗制度，在全省率先推行了社区责任医生制度，被确定为“全国社区卫生服务体系建设重点联系城市”；确定并兴办了10个方面40件涉及群众生产生活的实事、好事，并全部落实兑现，受到群众的好评，密切了党群干群关系。坚持稳定压倒一切，深入开展矛盾纠纷排查调处工作，进一步完善“三位一体”大调解机制，信访形势明显好转；深入开展社会治安综合治理，强化了对流动人口的服务管理，开展了公安干警大练兵活动，始终保持对犯罪分子的高压态势，群众的安全感进一步增强；加强安全生产基层基础工作，安全生产形势保持平稳。

【中共石家庄市委常委会议】

1月9日　吴显国主持召开八届市委常委会第5次会议。研究了干部问题（市委常委会议纪要八届第5号）。

1月10日　吴显国主持召开八届市委常委会第6次会议。听取并原则同意市财政局关于2007年政府预算安排情况的汇报；听取并原则同意市建设局关于2006年城建计划执行情况及2007年城建计划（草案）安排情况的汇报；听取并讨论同意市政府办公厅关于2006年40件实事落实情况及2007年继续为人民群众办好十个方面40件实事的汇报；听取并同意市委宣传部关于全省宣传部长会议精神及石家庄市贯彻落实意见的汇报（市委常委会议纪要八届第6号）。

1月22日　吴显国主持召开八届市委常委会第7次会议。讨论并原则同意《市政府工作报告》（市委常委会议纪要八届第7号）。

2月5日　吴显国主持召开八届市委常委会第8次会议。听取并原则同意市纪委关于省纪委二次全会、全省农村基层党风廉政建设工作座谈会主要精神及石家庄市贯彻意见的汇报，讨论并同意关于召开市纪委第二次全体会议的安排意见；听取并原则同意市委组织部关于全省组织部长会议、全省农村党的建设“三级联创”活动暨非公有制企业党建工作会议精神及贯彻落实意见的汇报；听取并原则同意市委宣传部关于全省宣传部长、外宣局长专题会议精神及石家庄市贯彻落实意见的汇报；听取并原则同意市委农工委关于全省农村工作会议精神及石家庄市贯彻落实意见的汇报；学习了《中共中央国务院关于全面加强人口和计划生育工作统筹解决人口问题的决定》，听取并原则同意市人口和计划生育委关于全省人口和计划生育工作会议精神及石家庄市贯彻落实意见的汇报；讨论并同意市民宗局关于召开全市民族团结进步表彰大会的安排意见（市委常委会议纪要八届第8号）。

2月9日　吴显国主持召开八届市委常委会第9次会议。研究了干部问题（市委常委会议纪要八届第9号）。

3月2日　吴显国主持召开八届市委常委会第10次会议。研究了稳定工作，原则同意关于进一步做好稳定工作的意见和安排；听取并原则同意市委统战部关于全省统战工作会议主要精神及石家庄市贯彻落实意见的汇报；听取了市双拥办关于参加海军“石家庄舰”命名授旗仪式及赴青岛、济南学习考察双拥工作情况的汇报；听取并原则同意市发改委关于第一届中国生物产业大会·2007·石家庄总体方案；讨论并原则同意关于市级领导分包2007年重点项目重点工作的初步意见；讨论并原则同意关于市委常委工作分工的意见；研究了干部问题（市委常委会议纪要八届第10号）。

3月8日　吴显国主持召开八届市委常委会第11次会议。研究了干部问题（市委常委会议纪要八届第11号）。

3月22日　吴显国主持召开八届市委常委会第12次会议。讨论并原则同意《石家庄市投资促进中心实施方案（讨论稿）》、《石家庄市市民服务中心实施方案（讨论稿）》、《石家庄市诚信管理中心实施方案（讨论稿）》、《石家庄市行政效能举报中心实施方案（讨论稿）》和关于“四个中心””机构编制、人员、办公场地、经费及组织领导、启动运行等问题的意见；讨论并同意《中共石家庄市委关于贯彻落实〈中共中央关于巩固和壮大新世纪新阶段统一战线的意见〉的实施意见（讨论稿）》；讨论并同意市委、市政府《关于进一步加强流动人口服务管理工作的意见（讨论稿）》；听取了市保密局关于当前保密工作的形势及石家庄市保密工作基本情况的汇报；讨论并原则同意市委办公厅关于调整市委有关工作领导小组的意见（市委常委会议纪要八届第12号）。

3月31日　吴显国主持召开八届市委常委会第13次会议。听取并原则同意市委组织部关于全省县乡换届工作座谈会议精神及石家庄市贯彻意见的汇报；讨论并同意市委关于县（市）区人大、政府、政协换届人事安排原则；讨论并原则同意县（市）区人大、政府、政协换届人事安排方案（市委常委会议纪要八届第13号）。

4月3日　吴显国主持召开八届市委常委会第14次会议。讨论并原则同意县（市）区人大、政府、政协、法院、检察院换届候选人名单（市委常委会议纪要八届第14号）。

4月11日　吴显国主持召开八届市委常委会第15次会议。听取并原则同意市国资委关于石药集团改制工作情况的汇报；讨论并同意石家庄市2007年民主评议工作方案及2006年度民主评议工作优秀单位、先进单位、进步奖单位名单；研究了干部问题（市委常委会议纪要八届第15号）。

4月14日　吴显国主持召开八届市委常委会第16次会议。传达学习了吴官正同志在河北考察时的讲话精神；传达学习了省委、省政府主要领导对省会规划建设和产业发展的指示精神；听取了关于石家庄市县乡两级人大、政府和县级政协换届有关情况的通报；听取了市发改委关于石家庄市2007年一季度经济和社会发展情况的通报；讨论并原则同意石家庄铁路枢纽改造规划方案；结合市四大班子成员城市规划建设和重点项目集体调研，研究了省会城市规划建设和产业发展问题（市委常委会议纪要八届第16号）。

4月20日　吴显国主持召开八届市委常委会第17次会议。听取了市总工会关于石家庄市2004～2006年度劳动模范评选情况的汇报；听取了市财政局关于全市和市直机关规范津贴补贴情况的汇报；听取了市委统战部关于市工商联换届筹备情况的汇报；讨论并同意市考核办关于石家庄市省管干部2006年度考核工作的实施意见；研究了干部问题（市委常委会议纪要八届第17号）。

4月30日　吴显国主持召开八届市委常委会第18次会议。学习了《地方各级人民政府机构设置和编制管理条例》；听取了市委宣传部关于全省深入推进创建文明生态村工作会议精神及石家庄市贯彻落实意见的汇报；听取了市信访局关于全国和全省信访工作会议精神及石家庄市贯彻落实意见的汇报；讨论并同意市财政局关于规范公务员津贴补贴方案的调整意见；讨论并原则同意《关于建立市委重要工作事项沟通协调机制的意见（讨论稿）》；研究了干部问题（市委常委会议纪要八届第18号）。

5月27日　吴显国主持召开八届市委常委会第19次会议。通报了石家庄市党政代表团赴三省八市学习考察情况，研究了改进工作的措施；研究了6月底前要抓好的重点工作（市委常委会议纪要八届第19号）。

5月31日　吴显国主持召开八届市委常委会第20次会议。学习了中央办公厅《地方党委委员、纪委委员开展党内询问和质询办法（试行）》；讨论并原则同意市委宣传部关于举行石家庄解放60周年纪念活动的安排意见；研究了《石家庄市2007～2010年市民文明素质提升工程规划（讨论稿）》；学习了省委办公厅《关于进一步加强基层宗教工作的意见》，研究了石家庄市贯彻意见；听取了市纪委关于评选推荐省级党风廉政建设先进个人情况的汇报；讨论并原则同意市委组织部关于“七一”前夕表彰全市先进基层党组织、优秀共产党员和优秀党务工作者的意见；同意市编办关于市信访局增加副局长职数的意见；研究了干部问题；同意市纪委关于给予市中级人民法院原副院长吴正稳开除党籍、开除公职处分的意见和关于给予无极县副县长陈玉汝行政警告处分的意见，按有关规定程序办理（市委常委会议纪要八届第20号）。

6月8日　吴显国主持召开八届市委常委会第21次会议。听取了关于第一届中国生物产业大会筹备情况的汇报；讨论并原则同意市委、市政府《关于进一步加强基层信访工作的意见（讨论稿）》、《关于进一步强化信访工作责任制和责任追究制的意见（讨论稿）》；听取了市侨联关于石家庄市第九次归侨侨眷代表大会筹备情况的汇报；讨论并原则同意拟受市委表彰和推荐拟受省委表彰的“一先双优”建议名单、“石家庄市庆祝中国共产党成立86周年暨党的建设工作经验交流会”会议方案；听取了市考核办关于县（市）区党政领导班子和市管干部2006年度考核情况的汇报；研究了干部问题（市委常委会议纪要八届第21号）。

6月18日　吴显国主持召开八届市委常会第22次会议。学习了《中共中央纪委关于严格禁止利用职务上的便利谋取不正当利益的若干规定》，听取了省纪委贯彻落实中央纪委《规定》会议主要精神及石家庄市贯彻意见的汇报；听取了关于市商业银行增资扩股工作有关情况的汇报；讨论并原则同意《石家庄市乡镇主要工作考核意见(试行)(讨论稿)》；同意关于设立中共国家统计局石家庄调查队党组的意见；同意关于核定石家庄职业技术学院领导职数的意见；研究了有关干部人事问题（市委常委会议纪要八届第22号）。

7月1日 吴显国主持召开八届市委常委会第23次会议。通报了关于6月份重点工作完成情况和7月份要抓好的重点工作；通报了关于石家庄市经贸代表团出访欧洲的情况（市委常委会议纪要八届第23号）。

7月6日 吴显国主持召开八届市委常委会第24次会议通报了关于赴太原市学习考察的情况；研究了《石家庄市“5528”绿化工程规划方案（讨论稿）》；讨论并同意《石家庄市污染减排“四个一”工作实施方案（讨论稿）》；讨论并同意2006年度市管专业技术拔尖人才预选对象名单；讨论并原则同意“石家庄市市县乡三级干部会议”会议方案；研究了有关干部人事问题（市委常委会议纪要八届第24号）。

7月12日 吴显国主持召开八届市委常委会第25次会议。听取了关于乡镇主要工作考核有关情况的汇报，讨论并同意关于《石家庄市乡镇主要工作考核意见（试行)》的修改意见；听取了关于2006年度创建文明生态村先进单位、先进个人和帮扶共建先进单位评选情况的汇报；听取了关于《选聘招聘市“四个中心”工作人员实施方案》的汇报；研究了有关干部人事问题（市委常委会议纪要八届第25号）。

7月19日 吴显国主持召开八届市委常委会第26次会议。通报了征求社会各界对石家庄市党员领导干部作风建设意见的情况，分析了在作风和民主集中制建设中存在的问题和原因，研究了整改措施；听取了关于全省宣传部长座谈会精神暨石家庄市贯彻意见的汇报；听取了关于全省网络文化建设和管理工作会议精神暨石家庄市贯彻意见的汇报；听取了关于2007年选派干部赴四所高校培训学习情况的汇报；听取了关于对处置藁城市丘头镇北乐乡村群体赴省上访事件调查情况的汇报；传达学习了省委、省政府“两办”关于迅速开展防汛大检查的紧急通知；研究了有关干部人事问题（市委常委会议纪要八届第26号）。

8月10日 吴显国主持召开八届市委常委会第27次会议。听取了关于省委常委（扩大）学习会议主要精神，同意石家庄市传达贯彻安排意见；通报了关于赴沈阳市学习考察的情况；讨论并同意《关于深入学习贯彻〈地方党委委员、纪委委员开展党内询问和质询办法（试行)〉的意见（讨论稿)》；听取了关于都市区水系规划、滹沱河市区段综合整治规划和下一步工作意见的汇报；听取了关于石家庄市拆除违法建筑、超期临建、简陋建筑及主要街道整修工程实施方案的汇报；研究了干部人事问题（市委常委会议纪要八届第27号）。

8月16日 吴显国主持召开八届市委常委会第28次会议。听取了关于石家庄铁路枢纽改造工程情况、石家庄铁路枢纽改造工程指挥部及办公室机构设置方案的汇报；讨论并原则同意关于召开石家庄市社科联第五次代表大会的意见；研究了干部人事问题；通报了有关案件进展情况（市委常委会议纪要八届第28号）。

8月24日 吴显国主持召开八届市委常委会第29次会议。听取了关于纪念石家庄解放60周年筹备情况的汇报，讨论并原则同意《石家庄解放60周年纪念活动实施方案》；讨论并原则同意关于市委理论学习中心组（扩大）学习会议的安排意见；通报了关于赴成都和长沙学习考察的情况（市委常委会议纪要八届第29号）。

8月30日 吴显国主持召开八届市委常委会第30次会议。讨论并原则同意《关于做好今年后四个月重点工作的安排意见》（讨论稿）；讨论并原则同意《关于在全市深入开展维护稳定专项整治活动的实施方案》（讨论稿）；讨论并原则同意《关于进一步强化社会治安综合治理及维护社会稳定领导责任制的实施细则》（讨论稿）；讨论并同意关于省管干部2006年度考核评价等次的建议；研究了干部人事问题（市委常委会议纪要八届第30号）。

9月9日 吴显国主持召开八届市委常委会第31次会议。讨论并原则同意市委、市政府《关于贯彻落实省委书记张云川同志在石家庄市考察调研时讲话精神的意见

(讨论稿)》；讨论并原则同意市委、市政府《关于做好今年后四个月重点工作的安排意见（讨论稿)》；点评、沟通了关于8月份重点工作完成情况和9月份要抓好的重点工作（市委常委会议纪要八届第31号)。

9月21日　吴显国主持召开八届市委常委会第32次会议。听取了关于石家庄市城镇居民基本医疗保险实施方案有关情况的汇报；研究了《关于对全市城区街道工作考核的意见（试行)（讨论稿)》；讨论并原则同意石家庄市第五次市县乡三级干部会议安排意见；研究了干部人事问题（市委常委会议纪要八届第32号)。

9月27日　冀纯堂同志主持召开八届市委常委会第33次会议。研究了干部人事问题（市委常委会议纪要八届第33号)。

9月30日　吴显国主持召开八届市委常委会第34次会议。听取了关于全省设区市人大、政府、政协领导班子换届工作座谈会主要精神及贯彻意见的汇报；讨论并原则同意《关于加强和改进街道工作的意见（讨论稿)》、《关于对城区街道工作考核的意见（试行)（讨论稿)》；讨论并原则同意吴显国、冀纯堂同志在石家庄市第五次市县乡三级干部会议上的讲话（讨论稿)；研究了干部人事问题（市委常委会议纪要八届第34号)。

10月27日　吴显国主持召开八届市委常委会第35次会议。讨论并同意《关于认真学习宣传贯彻党的十七大精神的通知(讨论稿)》；听取了关于纪念石家庄解放60周年活动情况的汇报；听取了关于向解放石家庄60周年献礼活动项目准备情况的汇报；听取了关于2007’中国·石家庄国际投资贸易洽谈会筹备工作情况的汇报；讨论并原则同意《关于召开共青团石家庄市第十五次代表大会的意见》；讨论并原则同意《县（市）区党政领导班子和市委管理干部考核办法》；研究了干部人事问题（市委常委会议纪要八届第35号)。

10月30日　吴显国主持召开八届市委常委会第36次会议。传达学习了省委七届三次全会精神(市委常委会议纪要八届第36号)。

11月9日　吴显国主持召开八届市委常委会第37次会议。听取了关于纪念石家庄解放60周年有关活动筹备情况的汇报；讨论并同意市残联党组《关于召开石家庄市残疾人联合会第四次代表大会的请示》；研究了干部人事问题（市委常委会议纪要八届第37号)。

11月16日　吴显国主持召开八届市委常委会第38次会议。研究了《关于进一步加大预防腐败力度的工作方案（讨论稿)》；听取并同意关于石家庄东方热电集团有限公司增资改制工作实施方案的汇报；讨论并同意市编办关于张石高速公路筹建处设纪检组的意见；讨论并同意市编办关于核定石家庄科技工程职业学院机构编制的意见；研究了干部人事问题（市委常委会议纪要八届第38号)。

11月26日　吴显国主持召开八届市委常委会第39次会议。听取了关于全省市委组织部长、统战部长和省直单位负责人会议主要精神及贯彻意见的汇报；讨论并原则同意市人大常委会党组《关于选举石家庄市出席河北省第十一届人民代表大会代表和市人大换届选举工作有关问题的意见》(市委常委会议纪要八届第39号)。

11月27日　吴显国主持召开八届市委常委会第40次会议。讨论并同意《石家庄市推荐提名第十一届全国人大代表候选人建议名单》；讨论并同意《石家庄市第十一届全国政协委员拟推荐人选建议名单》(市委常委会议纪要八届第40号)。

12月3日　吴显国主持召开八届市委常委会第41次会议。讨论并原则同意市委《关于在全市党员干部中开展解放思想大讨论活动的实施方案（讨论稿)》，并对大讨论活动进行了动员部署；通报了关于11月份重点工作完成情况和12月份要抓好的重点工作及明年要抓好的大事要事（市委常委会议纪要八届第41号)。

12月8日　吴显国主持召开八届市委常委会第42次会议。讨论并原则同意《关于召开中共石家庄市第八届委员会第三次全体(扩大）会议的安排意见》；讨论并原则同意市人大常委会党组《关于召开石家庄市第十一届人民代表大会第七次会议的意见》；讨论并原则同意市人大常委会党组《关于石家庄市人大常委会第四个五年（2008～2012）立法规划草案的建议》；讨论并原则同意《关于进一步加大预防腐败力度的工作方案》；讨论并原则同意市公安局《关于进一步加强和改进公安国内保卫工作的意见》；讨论并同意《2007年团职转业干部安置方案》；研究了干部人事问题（市委常委会议纪要八届第42号）。

12月23日　吴显国主持召开八届市委常委会第43次会议。讨论并原则同意《中共石家庄市委常委会工作报告（讨论稿）》；讨论并原则同意《中共石家庄市委2008年工作要点（讨论稿）》；讨论并原则同意《中共石家庄市委建设繁荣文明和谐新石家庄指导纲要（讨论稿）》；讨论并同意《石家庄市推荐提名省第十一届人大代表候选人建议名单》；讨论并同意《石家庄市推荐提名第十届省政协委员人选建议名单》；讨论并同意《关于市政协换届工作有关问题的意见》；讨论并同意关于组建石家庄市动物疫病预防控制中心、成立城市综合交通规划研究所、撤销市直机关工会工作委员会的意见；讨论并同意市残联换届人事安排意见；讨论并同意市房产管理局更名人事安排意见；研究了干部人事问题（市委常委会议纪要八届第43号）。

12月27日　吴显国主持召开八届市委常委会第44次会议。听取了全省经济工作会议精神暨2008年全市主要经济工作安排的汇报；研究了吴显国、冀纯堂同志在市委八届三次全体（扩大）会议上的讲话；听取了关于改革市对县（市）区财政体制的汇报；听取了关于石家庄北国人百集团有限责任公司改制重组工作情况汇报；讨论并同意关于适当调整石家庄市非居民供热价格的意见；讨论并同意关于团市委换届人事安排意见；研究了干部人事问题（市委常委会议纪要八届第44号）。

组织工作

【概况】　2007年，中共石家庄市委组织部坚持以邓小平理论和“三个代表”重要思想为指导，认真贯彻落实科学发展观，围绕迎接十七大胜利召开和学习贯彻十七大精神这条主线，突出抓好领导班子建设和基层组织建设两个重点，统筹做好干部队伍、人才队伍和党员队伍建设等工作，大力推进组织工作改革与创新，各方面工作均取得新成效。

【全市组织部长会议】　2月7日，召开全市组织部长会议。市委常委、组织部长刘云峰同志作了题为《开拓进取奋发有为为建设繁荣文明和谐新石家庄提供坚强组织保证》的讲话，对2006年全市的组织工作进行回顾总结，对2007年的工作进行全面部署。各县（市）区委组织部长，市直各单位干部（人事）处长、市属高校、市管企业党委分管组织人事工作的负责同志，市委组织部、市考核办处长以上干部，约330余人参加了会议。

【做好县乡人大、政府和县政协换届】　在对换届班子职数和结构配备进行摸底的基础上，制定县乡换届工作方案。召开全市县乡两级人大、政府和县级政协换届选举工作会议，制定下发《关于做好县乡两级人大、政府和县级政协班子换届选举工作的通知》，对换届选举工作进行具体部署。召开考察考核培训会，就换届工作的有关业务进行了培训，为做好换届工作打好了基础。坚持把加强思想政治工作贯穿于换届全过程，开展以正确对待换届、正确对待领导班子配备改革、正确对待个人进退留转为主要内容的“三个正确对待”教育，引导广大干部把思想统一到顾大局、讲团结、干事业上来。同时，根据提任、转任、留任干部的不同情况，组织市县两级领导干部分层次开展了谈心活动，及时了解干部的思想动态，有针对性地做好政策解释和思想疏导工作。严肃工作纪律。明确提出“六不准”的要求：不准利用换届之机“跑官要官”，不得通过拉关系、走门子、写条子、打招呼等手段谋取职务和职级待遇；不准搞团团伙伙，亲亲疏疏，禁止组织正常公务以外的宴请、聚会等活动；不准拿原则做交易，封官许愿，笼络人心，或收授钱物，搞权权交易、权钱交易；不准搞非组织活动，严禁在推荐和选举中，以各种形式搞串联、拉选票、违反换届纪律；不准对他人进行人身攻击，恶意中伤，影响或干扰换届工作；不准随意打探和传播小道消息，随便猜测和议论上级人事安排工作。先后派出了换届工作巡察组和督导组，加强对换届工作的督导和检查。通过扎实有效地工作，圆满完成了县乡两级人大、政府和县级政协换届工作，实现了省委关于领导班子配备改革的目标。严格程序，严密组织，完成了市十一届人大六次会议和市政协十届五次会议的选举任务。同时，认真做好党的十七大代表选举等工作，做好全国、省人大代表和政协委员的推荐提名和选举的有关准备工作。

【开展县处级领导干部大规模培训】 加强了对干部培训工作的宏观管理和指导，制定石家庄市《2006～2010年干部教育培训规划》、和《2007年干部培训工作要点》，对“十一五”期间全市干部教育培训工作进行全面部署，对各县（市）区、市直各部门2007年度办班计划进行认真审核。按照中央和省、市委要求，认真筹备开展十七大精神轮训。12月7日至12月30日，连续举办8期轮训班，将全市县处级以上领导干部轮训一遍，共计1566人。积极拓宽培训渠道，开展赴国内四所高校培训工作。9月份选派200名45岁以下副县级干部和40岁以下正科级干部赴清华大学、中国人民大学、复旦大学、南开大学参加城建、法律、金融、区域经济四个专题培训班，进行为期1年的培训。充分利用党干校主阵地，举办了2期新任职干部培训班，对换届中新提拔的148名县级领导干部进行了培训，提高新任职干部履行岗位职责的能力。加大外埠培训力度，组织24名县级领导干部赴加拿大参加依法行政和建设诚信政府专题培训班；在青岛大学举办了2期科级干部培训班，组织100名学员学习建设社会主义新农村方面的知识。2007年，市委组织部共直接办班8期，培训干部508人，其中县处级干部278人次，乡科级干部230人次。

【加强各级领导班子建设】 按照中央和省委要求，与市纪委联合下发《关于以加强领导干部作风建设为主题开好党员领导干部专题民主生活会的通知》，指导各县（市）区委和市直各部门党组织召开加强作风建设专题民主生活会，认真学习胡锦涛总书记在中纪委七次全会上的重要讲话，查找在思想、工作、作风方面存在的问题，形成大力倡导“八个方面良好风气”的良好氛围。为及时掌握换届后领导班子运行情况，组成7个考察组，集中1个月时间对23个县（市）区党政领导班子进行跟踪考察，通过发放问卷调查表、个别谈话、查看资料、实地察看等方式，全面了解班子的主要特点、团结状况、运行情况，党政主要领导驾驭全局能力、民主作风情况，班子成员精神状态、履行职责和工作成效以及存在的问题。在此基础上，完成了《关于对换届后县（市）区党政班子运行情况跟踪考察的报告》，提出改进和加强领导班子建设的意见和建议。进一步加强领导班子和领导干部的宏观管理。做好班子的日常调整补充工作，先后调整交流干部494人，进一步优化了班子结构，增强了班子活力。加强对市直部门（单位）科级干部任免工作的管理，制定《关于进一步规范市直部门（单位）正科级领导干部任免备案工作的通知》，对科级干部任免备案工作提出新要求。做好军转干部安置和选调生管理等工作，选派第五批10名援藏干部。

【组织开展农村干部培训】 制发了《2007～2009年全市农村干部培训工作规划》，编印《农村基层干部培训教材》，设立了农村干部培训示范点近30个。采取集中办班、“邻培工程”、外出交流和正规化学历教育等形式，扎实推进“素质工程”。全市共举办农村干部培训班680余期，培训干部31900余人次，其中市委组织部举办培训示范班5期，培训干部1000余人次，实现了年内对农村干部轮训一遍的目标。

【深入实施惠民工程】 在全市乡镇干部中开展“一帮三带九”活动，全市223个乡镇的1.3万名干部共与3.9万户专业户结成帮扶对子，专业户分包近12万户低收入农村家庭，直接受益农户近16万户。在乡镇推行“一站式阳光服务”，召开现场会在全市农村推行村民事务代理制，形成“干部变作风、村民得实惠”的长效机制。大力推行实事承诺制，目前全市已完成承诺事项20470项，占承诺总数的98%。

【加大后进支部转化力度】 通过采取召开调度会、向县（市）区委书记寄函、约谈质询乡镇党委书记等措施，年初按照倒排5%～8%的比例确定的302个农村后进党组织全部顺利实现转化。10月份，按照省委要求，排查确定涉及9种类型的618个农村后进党组织，列入2007年冬和2008年春集中整顿范围。按照省委要求，部署实施党的建设工作总结交流和宣传教育活动。开展农村基层组织建设调研月活动，组织力量深入到全市24个县（市）区进行调研，为进一步加强和改进基层党建工作奠定基础。加大对基层党建先进典型的挖掘宣传力度，选树了李振西、王保申等基层先进典型，在基层党员干部中开展向先进典型学习活动，有力激发了农村党员干部干事、创业、为民的信心和决心。“七一”，全市共有109个农村先进基层党组织和个人受到省市委表彰。在市电视台开设“基层组织建设巡礼”专栏，深入宣传各县（市）区在农村基层组织建设方面的创新经验和先进做法。

【加强基层组织活动场所建设】 在农村以逐村建立以数码图片和文字卡片为主要内容的信息资料库为重点，加强动态监管，推动场所建设的顺利开展。列入省备案的全市600个新建活动场所已全部建成并投入使用。在城市社区和国企，制定《关于在全市街道建立和完善党员服务中心、社区综合服务中心和社区卫生服务中心的实施意见》，按照“先行试点、逐步推开、巩固提高”的思路，全市共确定15个“三个中心”试点，通过建立工作台帐、组织拉练督导，推动工作开展。至2007年度，全市20个街道完成了街道“三个中心”建设，46个街道全部建立党员管理服务中心，23个街道建立社区综合服务中心，21个街道建立社区卫生服务中心。

【构建社区大党建工作新格局】 制发了《关于构建社区大党建工作新格局的意见》，确定了10个社区大党建试点街道。8个试点街道吸收了21名驻区单位负责人进入街道党工委委员，2个试点街道拓展了社区党建联系会的运行形式和内容，形成以街道党工委为核心，条块结合、以块为主的社区党建工作格局。“七一”前夕，在全市机关党组织、驻区单位党组织和街道社区党组织中开展“情系美好家园·共建和谐社区”主题实践活动，通过举办“资源共享、共驻共建”研讨会、开展互访互送活动，推进社区大党建格局的形成。深入实施“民本工程”，各街道社区党组织动员社区各方面力量，围绕服务居民开展一系列活动。召开全市社区党建工作经验交流暨表彰会，对20个2006度社区党建示范社区和15个星级党员管理服务中心进行表彰。举办“福彩杯”无限创意·情系家园社区标识征集活动，营造浓厚的社区党建工作氛围。

【规模以上非公有制企业党建工作】 召开了规模以上非公有制企业组建党组织工作现场经验交流会，采取建立健全党务人才交流中心、加强职业技能培训、实行非公企业发展党员计划单列、农村党支部升格、选派优秀党员到非公企业任职等多种形式，加大规模以上非公有制企业党组织组建力度。全市1221家规模以上非公有制企业全部单独建立了党组织，组建率达到100%。加强阵地建设，全市规模较大的非公有制企业中新增流动教学点100个。依托各级流动党校对新任职的党组织书记进行党务知识培训，共培训党组织书记和党员骨干2000余人（次）。按照党建强、经济强“十个好”要求，在全市“两新”组织中深入开展争创“双强”企业活动，各县（市）区培树的“双强”企业（单位）示范点都不少于10个。7月份召开了全市争创“双强”企业活动现场经验交流会，命名了62家“双强”企业。围绕争创“双强”企业活动，组织党员开展党员责任区、党员示范岗、党员挂牌上岗、优秀经营户挂牌等丰富多彩的主题实践活动。

【继续加强党员教育管理】 制定了石家庄市《2007～2009年党员教育工作三年规划》和《2007年度党员教育工作计划》，深入实施“培养工程”、“发展党员系统工程”，做好部分单位党组织设置及党组织隶属关系的调整工作，进一步规范发展党员工作，理顺组织关系。加大对落实保持共产党员先进性长效机制文件情况检查力度，组织召开全市“贯彻落实保持共产党员先进性长效机制暨党员教育管理工作经验交流会”，总结推广先进经验，进一步健全长效机制。石家庄市贯彻落实保持共产党员先进性长效机制做法受到中组部、省委组织部的肯定。加强和改进流动党员管理工作，召开了“《流动党员活动证》和老党员生活补贴发放工作现场会”，通过登记造册、上门发证、邮寄发证等多形式，做好《流动党员活动证》的发放工作，全市共发放活动证6990个。创新党员教育活动载体，印发《关于深化“四助”活动的通知》，将“四助”活动延伸到全体党员，为党员服务群众搭建平台。全市共有115660名有帮扶能力的党员参与到“四助”活动中，结成帮扶对子53019个，捐款捐物合计约840余万元。七一期间，组织召开“石家庄市庆祝中国共产党成立86周年暨党的建设工作经验交流会”，对100个先进基层党组织、100名优秀党务工作者和100名优秀共产党员进行表彰。做好老党员的补助慰问以及党内统计、党费管理等工作。充分发挥党员电教作用，先后配合学习贯彻十七大、庆祝建党86周年，制作下发党员教育光盘34部23080张；在市电视台开办《共产党人》栏目。摄制的《生死零距离》，获得省第十一届党教片评比特等奖。按照中央和省委要求，抓好农村党员干部现代远程教育工作，对有关情况进行深入调研，初步提出了全市农村党员干部现代远程教育工作实施方案。

【积极推进人才队伍建设】 加强对人才工作的宏观指导和综合协调，召开市委人才工作领导小组会议，对进一步做好人才工作进行安排部署。深入实施高层次、高技能人才队伍建设工程。开展2006年度市管优秀专家选拔工作，对评选出的61名市管拔尖人才进行表彰。对十年来青年拔尖人才评选选拔工作进行总结，修改完善了有关评选条件和评选办法，做好2006年度青年拔尖人才评选工作，评选出100名青年拔尖人才，为优化石家庄市人才结构起到了良好的导向作用。协助省委做好省管优秀专家的管理服务工作，对石家庄市11名届满的省管优秀专家进行考核，9名同志被批准延期管理。对管理期限内的170名市管拔尖人才进行年度考评，建立拔尖人才实绩档案，完成了拔尖人才评审材料整理归档工作，为实现拔尖人才规范化管理打下良好基础。同时，抓好各类人才待遇落实，积极为专家解决实际问题。积极开展专家决策咨询服务工作。召开了“石家庄市专家咨询服务团二届理事会第八次会议”，下发《关于进一步发挥各级专家服务组织作用认真做好专家咨询服务工作的通知》，就新形势下如何进一步发挥各级专家服务组织作用进行安排部署。充分发挥决策咨询委员会参谋智囊作用，围绕石家庄市建设“四个中心”、如何进一步做好石家庄文化产业等主题进行咨询论证，提出意见和建议。举办“石家庄市委、市政府决策咨询委员暑期学习班”，向有关专家进行有关业务知识的辅导和讲座。面向基层，积极开展专家下乡咨询服务活动，组织指导市专家团各中心深入乡村、学校开展多种形式的下乡咨询服务活动，为群众解决实际问题。认真做好科技副职工作。组织力量对今年届满到期的51名挂职科技副乡镇长进行考察，提出评价意见；组织开展挂职科技副职选派工作专题调研，出台了《关于加强挂职科技副职考勤管理工作的通知》、《关于明确挂职科技副乡镇长有关待遇的通知》，进一步加强了对科技副职管理。

【干部人事制度改革和干部监督】 认真学习贯彻中央出台的“一法、一纲要、三条例、十一个法规性文件”，在领导班子换届和日常调整中，严格执行有关法规性文件和换届工作政策。在深入调研的基础上，起草了市直部门有关领导职务和非领导职务干部管理的《意见》，进一步完善市直部门干部管理工作。进一步规范诫勉谈话工作，与市纪委联合制发了《关于对市管领导干部进行诫勉谈话和函询的具体办法》，明确了诫勉谈话和函询的范围和对象、方法和程序以及相关要求。认真做好实施《国家公务员法》工作。按照省委要求，严格掌握登记标准和条件，严密组织，科学实施，规范操作，积极稳妥地做好公务员登记工作。市、县、乡三级公务员登记主体工作已全部完成。全市党群、人大、政协、法检系统登记乡（科）级及以下人员共计10928人，其中市直部门1542人（在职1482人，提前离退60人），县（市）区9386人（在职7488人，离岗1898人）。在此基础上，按照省委、省政府《关于对在公务员岗位工作未予登记人员进行考试考核办理录用手续的意见》要求，认真做好在公务员岗位工作未予登记人员考试考核办理录用手续工作。按照省委要求，对原市直党群系统12个参照管理范围内的事业单位重新进行了审核、审批，做好列入参照管理范围的单位工作人员登记工作。做好市直各参照管理单位2006年度考核结果的审核备案，对连续三年优秀、正常级别晋升的同志考核结果进行审核。加强机关工作人员培训，会同市人事局举办了公务人员电子政务培训班8期、公共管理与公共服务能力培训班2期，共培训学员1100余人次。认真做好干部考核工作。按照中组部印发的《体现科学发展观要求的地方党政领导班子和领导干部综合考核评价试行办法》精神，印发了《县（市）区党政领导班子和市委管理干部考核办法（试行）》，进一步完善考核目标，改进考核方法，简化考核程序。完成了2006年度各县（市）区、市直各部门领导班子和干部考核工作，配合省委组织部完成省管干部考核工作。切实做好乡镇考核评价工作，在深入调研、召开座谈会反复征求意见的基础上，制定了《石家庄市乡镇主要工作考核意见》，对2006年度和2007年上半年全市乡镇考核排位情况进行通报，对综合排位前50名的乡镇和进位较快的20名乡镇进行表彰。同时，对全市222个乡镇1～3季度部分考核指标特别是定量指标进行采集、汇总、排位和分析。积极探索城区街道考核工作，印发了《关于城区街道工作考核意见（试行）》，做好实施考核的各项准备工作。加大对《干部任用条例》贯彻执行情况的监督检查。召开落实2006年《条例》检查《整改通知书》情况汇报会，对2006年检查的10个县（市）区和10个市直单位整改情况，确保整改措施的落实。认真开展《条例》检查工作，组成3个检查组对9个县（市）区和10个市直单位贯彻执行《条例》情况进行检查，根据检查中发现的问题，逐单位下发整改通知书。按照省委要求，组织实施石家庄市省管、市管领导干部首次集中报告个人有关事项的工作。加大对领导干部经济责任审计工作力度，制定了2007～2009年经济责任审计计划，委托市审计局完成对9名领导干部的经济责任审计工作。制发了《关于进一步规范科级干部选拔任用工作的通知》，对进一步学习贯彻《干部任用条例》、严格任用程序和资格、强化监督检查等提出明确要求。认真做好12380举报电话的接听、受理、统计、梳理工作，直接受理和接转干部选任方面群众来信来访28起，全部按规定做了妥善处理。

【老干部、干部信息和组织史征编工作】 召开全市老干部工作会议，对2006年度先进典型进行表彰，对做好2007年老干部工作进行部署，形成了齐抓共管的工作合力。加大对全市离休干部“两费”保障“三个机制”运行情况的督导检查力度，全市离休干部“两费”保障机制运行良好，离休干部“两费”实现足额按时发放、按规定实报实销。制发《关于进一步加强改制、破产企业单位离休干部管理服务工作的意见》，全面落实市本级离休干部医药费统筹和待遇拉平工作。加强离退休干部党支部建设，开展先进离退休干部党支部和优秀老干部党员评选工作，对评选出的92个先进离退休干部党支部和199名优秀老干部党员进行通报表彰。积极拓宽老干部发挥作用新平台，组织全市副市长（实职）以上老干部参观石家庄市城市建设、县域经济发展和新农村建设情况。积极拓宽老干部发挥作用新平台，组织“五老”队伍积极参与社会主义新农村建设、社会主义荣辱观教育、石家庄市“八个一”工作等活动。制发《关于开展纪念石家庄解放60周年活动的安排意见》，开展文艺演出、书画展、首届老干部艺术节、感恩老英模等一系列纪念活动。老干部活动中心坚持“老干部至上、服务第一”原则，在运行中不断规范；老年教育事业取得新成效，全市共有各级各类老年大学（学校）235所，在校学员16430人。加大全市干部人事档案指导力度，做好市管干部人事档案的整理工作，加强了干部任前档案审核；在完成2006年度全市干部统计数据汇总、上报和调研分析工作的基础上，召开“全市公务员专题统计工作培训会议”，对2007年度全市干部统计工作进行了部署；加强“石家庄组织工作网”的管理维护和安全保密工作，做好全市干部信息管理软件的宏观指导及市管干部信息库的更新、维护工作。认真做好组织史征编工作，完成了《河北省组织史资料（第三卷）》的征集、整理及报送工作，扎实开展市级本（第四卷）、县级本（第五卷）组织史资料续编工作。另外，组工信息、信访等工作也取得较好成绩。

【全面加强组织部门自身建设】 紧紧围绕“迎接、学习、贯彻十七大”，继续深化和拓展“坚持公道正派，加强能力建设，永葆共产党员先进性”主题实践活动，不断推进自身思想、组织、作风和制度建设。

十七大召开后，市委组织部及时向全市组织系统印发了《关于认真学习贯彻党的十七大精神的通知》，11 月 5 日召开全市组织系统学习贯彻党的十七大精神动员会，对全市组织系统学习活动作出了部署。同时，市委组织部召开部机关全体干部大会，印发了部机关学习贯彻十七大精神《通知》，引导部机关干部率先垂范，作好表率，推动了学习活动的深入开展。围绕学习十七大报告，邀请市社科院专家进行系统讲解；组织部机关干部集中收看《党章（修正案）》电教专题片；各党小组组织干部原原本本、逐字逐句地研读了十七大报告和新党章等规定的学习材料，并结合工作实际，撰写心得体会，深入理解和系统掌握贯穿其中的一系列新思想、新观点、新举措。围绕加强组工干部能力建设，开展多种形式的学习培训活动，先后聘请专家学者举办学习胡锦涛同志 6 月 25 日重要讲话、城市发展规划、干部作风建设等 10 期专题知识讲座；创新学习形式，组织机关全体干部到鹿泉市信息产业基地、市区西城水系工程、滹沱河生态开发整治工程、正定国际小商品市场进行参观见学，赴沧州市黄骅港进行学习考察，进一步开阔干部视野，提升干部能力；继续实行干部跟班学习制度，有力地提高干部的整体素质和工作能力。三是切实加强机关作风建设。认真落实“日报告、周例会、月交流”制度，通过《部内建设简报（专刊）》、《周例会纪要》、《月交流纪要》，及时刊发交流工作进展情况，有力地推动各项工作任务的落实。按照“三规一程”要求，建立工作监查制度，每周编发《督查专报》，强化对重点工作的监督检查，提高工作效率和工作水平。严肃组织工作纪律，规范组工干部言行，明确提出“十个不准”要求，以实际行动展现组工干部的良好形象。继续组织开展全市组织系统“迎七一”文化艺术作品展，共展出作品 300 幅；开展“感怏悟闪光警言，共塑组工形象”文化作品征集活动，机关干部共撰写诗歌、散文等文学作品 52 篇，征集处室信念、组工感言 141 条，展现了组工干部健康向上、奋发有为的精神风貌；在部机关大力开展“送温暖、聚人心”活动，凡是部内干部家中遇有生老病死等情况时，都及时到干部家中慰问，帮助干部职工解决工作生活中遇到的实际问题。

（石进楼）

宣传工作

【概况】 2007 年，市委宣传部全面落实科学发展观，准确把握和谐社会的要求。围绕中心，服务大局，改革创新，以学习宣传贯彻党的十七大精神和纪念石家庄解放 60 周年系列活动为重点，扎实推进各项工作，努力提高宣传思想工作对全局工作的贡献率，为建设繁荣文明和谐的新石家庄提供了强大精神动力和良好舆论氛围。

【全市宣传工作会议】 2 月 7 日，石家庄市组织召开全市宣传工作会议。各县（市）区委书记、常委、宣传部长、常务副部长、文明办主任、文化局长、广电局长，市直各单位一把手，市直宣传文化系统各单位领导班子成员，市属各新闻媒体采编业务处室的负责同志，市文化局下属单位的负责同志，市属各大企业、各高校的负责同志，共计约 450 人参加了会议。会议传达了全国和全省宣传部长会议精神，总结了石家庄市 2006 年的宣传思想工作，表彰了工作先进，对 2007 的工作进行了安排部署。省委常委、市委书记吴显国同志出席会议并作了重要讲话。吴显国同志要求，要充分认识做好宣传舆论工作的重要意义，牢牢把握正确的舆论导向，切实加强对宣传舆论工作的领导，努力提高做好宣传工作的水平，大力营造积极向上、团结和谐的主流舆论，讲政治，顾大局，做到对内凝心聚力，对外提升形象，为推动石家庄市经济社会又好又快发展，为建设繁荣、文明、和谐的新石家庄做出新的更大的贡献。市委常委、宣传部长孙万勇要求，2007 年要以邓小平理论和“三个代表”重要思想为指导，全面贯彻落实科学发展观和构建社会主义和谐社会重大战略思想，以学习贯彻十六届六中全会精神、省第七次党代会精神、市第八次党代会精神、党的十七大精神为主线，以社会主义核心价值体系为根本，以纪念石家庄解放 60 周年为契机，大力加强和谐文化建设，坚持贴近实际、贴近生活、贴近群众，着力创新内容、创新形式、创新手段，全面推进宣传思想各项工作，为实现又好又快发展和建设繁荣、文明、和谐的新石家庄提供强大精神动力和良好思想舆论氛围。要努力做好以下工作：围绕全市工作大局，广泛开展迎接十七大和纪念石家庄解放60周年活动；围绕学习宣传社会主义核心价值体系，积极推进理论武装工作；围绕把握正确舆论导向、营造强大舆论声势，认真抓好新闻宣传工作；围绕巩固思想道德基础、提高市民素质，切实加强思想政治工作；围绕壮大文化实力、满足群众文化需求，大力发展文化事业和文化产业；围绕完善创建机制、提升创建水平，深化群众性精神文明创建活动。

【理论武装工作取得新成绩】 以科学发展观和构建社会主义和谐社会等马克思主义最新理论成果为基本内容，围绕贯彻落实党的十七大、省七次和市八次党代会精神，建设繁荣文明和谐新石家庄这一主题，大力推进理论武装工作，取得了明显成效。围绕迎接学习贯彻党的十七大精神，认真抓好胡锦涛总书记“6·25”重要讲话精神的学习，代市委起草并下发了关于认真学习宣传贯彻党的十七大精神的通知，对全市学习宣传贯彻党的十七大精神做出了全面部署。以县以上领导干部为重点，着力抓好各级党委中心组的集体学习，总结推出了一批先进典型。做好十七大精神宣讲工作，组织了中央宣讲团来石家庄市的活动和省委讲师团在石家庄市的宣讲报告会。抽调石家庄市理论骨干组成市委十七大精神宣讲团，深入各县（市）区和市委各工委系统，宣讲十七大精神和省委七届三次全会精神，宣讲30场，听众达万余人。围绕学习宣传贯彻十七大精神，在全市深入开展了“理论面对面”活动，组织理论专家和宣传骨干深入城市社区和广大乡村作报告，就14个热点难点问题为群众解疑释惑，统一思想，坚定信念。共举行报告会45次，受众达20万人次。推动“燕赵讲坛”大力向基层延伸，在中心点、基层点的基础上，增加了流动点讲座。进一步加大聘请名家的力度，于丹、王立群等名人来石讲座，取得轰动效应，有效提升了影响力，全年共举办各类讲座约300场，听众10万余人次。《人民日报》在重要版面以“市民点菜，专家下厨，企业买单，社会受益”为题，对燕赵讲坛的经验进行了报道。编辑了《石家庄历史名人》一书，收录了石家庄市的30位历史名人，共30万字，填补了系统宣传石家庄历史人物的空白。

【开展纪念石家庄解放60周年活动】 纪念石家庄解放60周年是石家庄市政治生活中的一件大事。活动从6月份市委常委会研究确定，到11月底基本结束，历时半年时间。按照市委要求，紧紧围绕主题，用创新的理念谋划整体工作，用创新的方法实施重大项目，用创新的方式开展各项活动，在众多方面实现重大突破，取得明显成效，得到省市领导的充分肯定，受到社会各界的广泛关注和普遍赞誉。积极组织纪念大会、专题座谈会和慰问老功臣活动。隆重召开了解放60周年纪念大会，张云川、郭庚茂等省领导同省会各界人士约1600余人出席了大会。组织召开了由市四大班子领导、老干部、专家学者和部分县（市）区主要负责同志参加的纪念石家庄解放60周年座谈会。设计制作了25000枚纪念章，组织慰问了参加过石家庄解放的老干部和老战士。举办了“辉煌60年”大型展览。准确把握石家庄是“新中国摇篮”这一重大历史定位，精心布展，以回顾解放石家庄的艰苦斗争，展示60年来的沧桑巨变为

主要内容，展出照片280余张，文物、实物85件，大型模型和景观4件，在广大市民中引起了强烈反响，观众达15万余人。广大市民从展览中了解了石家庄的历史，感受到了石家庄的美好发展前景，激发了全市人民热爱石家庄、建设石家庄的热情。高质量打造了《放歌石家庄》大型主题文艺晚会。与央视联合推出了主题突出、演员阵容强大、具有较高水准的大型文艺晚会，面向全国充分展示了石家庄的良好形象。省、市电视台进行了直播或录播。紧紧围绕纪念石家庄解放60周年活动主题，同中央电视台联合拍摄了纪录片《石破天惊》，并在央视多个频道播出；编排了现代戏河北梆子《石门风萧萧》，组织拍摄了《1947：电影镜头下的石家庄》，编辑出版了《走向辉煌》、《转折》等一批优秀图书；举办了大型书法、美术、摄影展览；开展了歌咏比赛、文艺演出、知识竞赛、演讲比赛等多种形式的群众性纪念活动，使人们更多地了解了石家庄深厚的文化底蕴，光荣的革命历史和发展成就，增强了建设繁荣文明和谐新石家庄的责任感。四是抓好整体形象宣传。综合运用多种宣传手段，精心谋划组织了大规模、高层次、全方位、大跨度、持续不断的宣传活动。经过沟通协调，中宣部专门下发通知，安排十八家中央新闻媒体到石家庄市采访纪念活动。参与纪念活动报道的中央、省、市及境外媒体达45家，刊发各类稿件1400余篇（条）。《人民日报》在头版重要位置刊发了《打造宜居宜看的新石家庄》等新闻稿件；新华社刊发了《石家庄解放60周年建设成就纪实》等长篇通讯；中央电视台分别在新闻联播、焦点访谈、流金岁月等栏目播出了多条纪念活动专题报道；中央人民广播电台在《新闻联播》节目中两次播出长篇录音报道和综合消息；《求是》杂志发表了吴显国书记的署名文章。《河北日报》以纪念活动为主题连续发表了3期共36个版面的特刊，并在纪念日前后连续五天在头版头条或重要位置进行了重点报道；河北电台、河北电视台分别策划了一批题目进行了重点报道。香港《文汇报》刊发纪念专题2期，6个专版；《大公报》刊发了对冀市长的专访；凤凰卫视《纵横中国》栏目制作播出了宣传石家庄的专题节目。中国网、中新网、新华网等网站分别开辟了石家庄解放60周年的专题，发布信息达10万字、图片近百幅。中央、省、市、境外，报刊、电视、互联网，多媒体、多层次、大规模的宣传，形成了强大冲击力，在全国产生了较大影响，大幅度提升了石家庄的知名度和美誉度。同时，通过纪念活动，拉练了宣传工作队伍，使整个队伍的创意策划能力、组织协调能力、业务能力有了一个大的提升，整体工作水平有了一个质的飞跃。

【新闻宣传工作实现新跨越】 牢牢把握正确舆论导向，围绕提高舆论引导能力，树立形象，打造强势，以宣传党的十七大精神为重点，着力提高新闻宣传的质量和水平。党的十七大精神宣传有新举措。把迎接宣传贯彻党的十七大作为新闻工作的重中之重，制定宣传报道方案，组织市属各新闻媒体统一开设专栏，及时推出一批动态消息，精心策划了一批专题，广泛报道、深入解读十七大精神，反映石家庄市落实十七大精神的新举措、新亮点、新成就，社会各界学习贯彻十七大精神的先进经验、典型事迹，在全社会掀起了学习贯彻十七大精神的高潮，引导广大党员干部群众把思想和行动统一到中央的决策部署上来。重点工作宣传有新领域。围绕市委、市政府的中心工作和石家庄市经济社会发展全局，组织市属各新闻媒体，大力宣传在“五大基地”建设、社会主义新农村建设、“双争共建”活动和“八个一”工程等方面取得的新进展、新成绩。深入宣传报道了省委七届三次全会和市三级干部会精神，通过刊播系列综述、专题专栏等方式，在全市营造了加快建设繁荣文明和谐新石家庄的良好舆论氛围。强化典型宣传，组织了“在我们身边”系列典型报道，推出了一批先进典型，引起了社会各界的广泛关注。三是形象宣传有新亮点。精心组织摄制了新版石家庄形象片，在央视、省市电视台、凤凰卫视和公交移动电视、河北高客上滚动播出，展示石家庄新貌。组织了第三届感动省城十大人物评选，举行了颁奖晚会。创新宣传手段，首次采用文学形式展现石家庄新形象，组织了全国知名作家石家庄采风活动，五位作家分别创作了《石桥与纪念碑》等石家庄题材文学作品，在人民日报、人民文学等国家级媒体刊发。举办了《石家庄赋》大型有奖征文活动，部分优秀作品在光明日报等报刊发表。加大境外宣传力度，在香港文汇报刊发“话说石家庄”专栏32期。进一步完善石家庄市的新闻发布制度，加强发布内容策划，全年举办各类新闻发布会16次。全年在省以上主要媒体刊播各类稿件达3100余篇（条），其中中央主要媒体刊播360余篇（条），为历年来最多，一批重量级稿件在《人民日报》、《经济日报》等中央媒体头版头条等重要位置刊发。加强采访线工程建设，编发教材，培训人员，积极主动地做好境外记者来访工作，圆满接待和妥善处理了17批次境外记者来访。新闻质量管理年有新成效。组织市属各媒体制定质量管理手册，建立起科学有效的质量管理体系，确保了新闻安全，极大提升了新闻质量。围绕增强新闻意识，提高与媒体沟通能力，分别对各县（市）区委书记、各部门领导进行了业务培训。建立了重要新闻信息报送反馈制度，确保新闻报道和突发事件处理的主动权。对媒体各类广告进行了集中治理，社会反响良好。

【文化建设工作开创新局面】 围绕贯彻落实《石家庄市文化建设五年规划》，以壮大文化产业为切入点，石家庄市的文化事业和文化产业都呈现出蓬勃发展的态势。市广电大楼、图书馆改造等一批标志性在建文化设施进展顺利，启动了市美术馆建设项目。大力推进县区级文化中心，乡村和社区文化站、文化室建设，完善基层文化服务体系。加大农村宣传阵地建设力度，建成了第四批35个市级宣传文化示范村。不断提升进城务工人员服务中心的功能，利用文化流动服务车，为农民工送电影、送图书、搞咨询、办培训，共深入工地246次，受益农民工达3万余人。健全产业发展组织机构，成立了石家庄市文化体制改革和文化产业发展领导小组及其办公室，制定了文化产业发展规划，为文化产业快速发展营造了良好环境。利用省会区位和人才优势，大力发展动漫产业。制定出台了《推动石家庄市动漫产业发展的意见》，建成石家庄市动漫创意产业园，21家动漫企业、机构入驻。石家庄市被国家新闻出版总署命名为国家动漫产业发展基地，6月14日举行了授牌仪式。9月30日至10月5日，成功举办了“2007中国·石家庄第二届国际动漫节”，签约金额6620万元，观众和参赛、参展人数总计近50万人次，有力促进了石家庄市动漫产业的发展。以文化招商促产业发展。组织了第二次文化项目招商活动，签约60个项目，协议吸引社会资金达2340万元；5月17日，独立组团参加了第三届深圳文博会，14个文化产业项目签约，招商资金70亿元，并荣获优秀展示奖。精品生产成果显著，在第十届全国“五个一工程”评选中，歌曲《西柏坡，我是你的读者》获入选作品奖，电视剧《当家的女人》获优秀作品奖。组织市丝弦剧团进京成功演出了优秀剧目《空印盒》和《武成王》。群众性文化活动丰富多彩。组织开展了第十四届“彩色周末”活动，共举办文化活动1300余场，观众达百万人次。为喜迎十七大，国庆节前后举办了“祝福祖国”——省会庆祝建国58周年大型文化演出活动。寓教于乐，十七大召开后，组织广大文艺工作者深入基层为群众演出，以文艺的形式宣传十七大精神。举办“高雅艺术演出活动”，引进了现代京剧《智取威虎山》等剧目。“千场电影进社区，万场电影进农村”活动取得实效。召开全市扫黄打非和文化市场管理工作会议，组织了多次专

五一节目汇演

项行动。党的十七大和纪念石家庄解放60周年期间开展了文化市场安全巡查活动，强化市场监管，有效净化了省会文化市场环境。

【思想道德建设取得新进步】 坚持以建设社会主义核心价值体系为根本，以引导社会实践为重点，积极探索思想道德教育的新途径、新方法，使工作的针对性和实效性不断增强。积极开展爱国主义教育系列活动。组织参加了“新世纪·新河北·新成就”党的十六大以来河北经济社会发展成就展览，精心做好石家庄厅的布展工作和群众组织工作，得到省市领导的肯定和群众的普遍欢迎，取得了良好效果。围绕纪念建军80周年，组织了石家庄“十大爱国拥军杰出人物”评选、影视剧周、国防知识竞赛及书画大赛等纪念活动；在华北军区烈士陵园修建了“子弟兵的母亲——戎冠秀”铜雕；举行了革命后代“情系太行”革命纪念地参观考察活动。国庆节期间，在全市开展了“五星红旗飘起来”升挂国旗活动，激发了广大市民的爱国热情。抓好国防教育工作。召开了国防教育现场会，在全市开展学习贯彻《全民国防教育大纲》、全民国防教育日活动，促进了广大市民国防意识的不断提高。认真抓好党员教育和农村宣传工作。为迎接十七大，摸清全市党员的思想政治建设基本情况，开展了为期一个月的调研活动，代市委起草了调研报告，得到省委调研组的充分肯定。组织“党委书记讲党课”活动，并对活动中的先进代表进行了表彰。认真做好文化科技卫生“三下乡”工作。对近年来在活动中做出突出成绩的先进单位和个人进行了表彰，全年组织了4次大规模“三下乡”集中活动，捐赠款物总额650余万元。开展“专业技术人员进万村兴百业”活动，组织2486名市、县两级专业技术人员，与所包村签订目标责任书，实施具体帮扶，促进了石家庄市的社会主义新农村建设。大力推进企业文化建设。把企业文化建设作为加强企业思想政治工作、促进企业健康发展的重要措施，在对全市46家不同类型企业进行调研的基础上，制定了推进石家庄市企业文化建设的指导意见。举办了首届企业文化建设论坛，邀请全国知名专家进行了研讨式讲座。组织召开了全市企业文化建设现场经验交流会，进一步明确了搞好文化建设的思路与举措。编辑出版《石家庄政工论坛》6期。积极探索加强未成年人思想道德建设的新途径。健全未成年人心理健康教育网络，投资近百万元建成“石家庄未成年人心理健康维护中心”，在全市中小学建成100个心理维护站点，开辟了未成年人道德教育的新阵地。这项工作得到中央文明办和国家教育部的高度评价。不断深化中小学生的“五小”道德实践活动，针对农村特点，设计了贴近农村实际的的道德实践活动，使中小学生在活动中得到锻炼和成长。举办高中“宏志班”，资助100名品学兼优、家庭困难的初中毕业生完成高中学业。

【干部队伍建设取得新成效】 以学习培训推动提高综合素质，以深入基层力促转变工作作风，着力加强干部队伍建设。通过发送学习材料，请专家辅导，抓好机关干部日常学习，举办了文明礼仪、《物权法》等知识讲座。宣传部长万勇亲自为机关干部讲“为民、务实、清廉”专题党课，促进了机关干部综合素质的提高。举办了全市新任宣传部长培训班。组织业务骨干到湖南考察了湖南卫视、动漫基地，学习文化建设的先进经验。在去年的基础上，再次在宣传文化系统选拔了50名中层干部和业务骨干，到乡镇、社区和企业进行为期半年的挂职锻炼，使他们积累了基层工作经验，促进了工作作风的转变。开展“传播文明志愿服务行动”，组织市直宣传文化系统数百名干部职工，发挥业务特长，利用周末时间，以义务服务的形式，深入基层开展文化惠民活动，受到群众普遍欢迎。中央文明办简报刊发了石家庄市的做法。做好调研和信息舆情工作。开展了“深入基层抓落实调研周”活动，围绕全年工作目标，下农村、进社区，摸情况、访民情，形成了13份具有较高价值的调研报告，促进了宣传文化重点项目和为民所办实事的落实，得到市委主要领导的肯定。全年编发《宣传信息》普刊52期、特刊17期，《舆情信息》18期。积极向上级报送各类信息动态，10篇被中宣部采用，百余篇被省委宣传部采用。对石家庄宣传网进行了改版，充实信息容量，提高更新频率，点击率超过4万人次，提高了石家庄市宣传思想工作的知名度和影响力。

（颉　斌）

统战工作

【概况】 2007年，在市委的正确领导下，全市统战工作坚持以邓小平理论和“三个代表”重要思想为指导，牢固树立和落实科学发展观，以学习贯彻党的十七大精神为主线，着眼全面把握和正确处理政党、民族、宗教、阶层和海内外同胞关系，以更高的站位、更宽的视野来重新审视和科学判断统战工作在全市经济社会发展大局中的特殊地位和重要作用，坚持以人为本，凝心聚力，各领域统战工作不断取得新成绩，为建设繁荣、文明、和谐的新石家庄提供了智力支持和力量保障。

【新一届民主党派市级组织领导班子培训班】 3月21日至25日，石家庄市新一届民主党派市级组织领导班子成员在中央社会主义学院接受系统的学习培训，市委常委、统战部长王华清，中央社会主义学院副院长张锋出席开班典礼并讲话。举办此次为期5天的培训班，旨在进一步加强民主党派领导班子思想建设，提高民主党派领导干部政治理论素质，不断开创新世纪新阶段石家庄市多党合作和政治协商工作的新局面。

【“热爱统战、奉献统战”学习教育活动】 从3月开始至8月底，在全市统战系统开展了“热爱统战、奉献统战”学习教育活动。成立了由市委常委、统战部长王华清亲自任组长的学教活动领导小组，副组长由市委统战部一名副部长担任，其他领导班子成员为领导小组成员。领导小组下设办公室，具体负责学习教育活动的实施。制定了《关于在全市统战部门开展“热爱统战、奉献统战”学习教育活动的实施方案》。围绕“热爱统战、奉献统战、干好统战”这个主题，开展了“热爱统战、奉献统战”征文活动，组织举办了“热爱统战、奉献统战”演讲比赛。

【全市统战工作会议召开】 4月29日，全市统战工作会议和民族团结进步表彰大会召开。会议认真总结了近年来石家庄市统战工作和民族团结进步工作经验，研究部署了新世纪新阶段全市统战工作，表彰了在统战工作“十佳百颗星”和民族团结进步工作中涌现出的先进集体和个人。市委书记吴显国出席会议并讲话强调，各级党委一定要从巩固党的执政地位、提高党的执政能力的高度，从构建和谐社会的高度，从广泛凝聚人心和力量、推进石家庄市改革发展大业的高度，进一步加强和改进党对统战工作和民族工作的领导。统一战线要以促进和谐为统领，以促进发展为中心，在建设繁荣、文明、和谐的新石家庄中担当重任，有所作为。市委副书记王增明主持会议，市领导王长敏、李宏英、刘云峰、杨志辉、王华清、赵长栓等出席会议。

【“新石家庄人”爱在第二故乡、奉献第二故乡中秋联谊会】 9月20日，“新石家庄人”爱在第二故乡、奉献第二故乡中秋联谊会举行。市委统战部、市工商联邀请近百名在石经商置业的“新石家庄人”欢聚一堂，共叙一家情。市浙南商会、市工商联湖南商会、市工商联安溪经济促进会、市工商联永康商会和重庆、四川、福建、江苏、湖北等籍人士代表纷纷发言，表达了做“新石家庄人”，热爱第二故乡，奉献第二故乡的良好心愿。

【统一战线的地位不断得到提升】 全省统战工作会议后，市委常委会专题听取了汇报，并对石家庄市贯彻落实会议精神进行了安排部署。市委常委会研究通过并下发了《中共石家庄市委关于贯彻落实＜中共中央关于巩固和壮大新世纪新阶段统一战线的意见＞的实施意见》。4月29日召开了全市统战工作会议，市委办公厅印发了实施意见责任分解通知。石家庄市委重视统战工作“五个纳入”的做法在《人民政协报》作了详尽报道。“五个纳入”的基本内容是：一是纳入了常委会研究议题，今年以来，市委常委会就专题研究统战工作5次，召开专题协调会1次，市委领导对统战工作的批示19件（次）。二是将统战工作列入了市委年度考核目标，加大了考核力度。三是把党的统一战线理论和方针政策纳入了各级党委中心组的重要学习内容。四是将统一战线知识纳入党校各级党政干部的培训内容。五是纳入了全市宣传工作计划，今年以来，市级及以上新闻媒体刊播反映石家庄市统战工作的稿件、新闻片等达108篇（次）。

【发扬民族宗教工作在构建和谐石家庄进程中的作用】 进一步完善了由市委统战部负责的宗教工作协调机制，建立了统战部牵头的宗教工作联席会制度和城市建设规划拆迁中涉及宗教教产问题联席会制度，推广了栾城县的“四制一评”制度，把宗教工作纳入县级年度目标考核体系；在宗教界开展了“爱家乡、献良策、做贡献、促和谐”主题教育活动，积极引导宗教与社会主义社会相适应；依法加大管理宗教事务的力度，农村乱建寺庙教堂等得到有效遏制；认真解决赵县柏林广场问题，柏林广场的经营管理秩序已有了明显改善；积极争取省宗教工作领导小组为石家庄市14个宗教工作重点县配发了宗教工作专用车；在全省率先开展了创建民族和谐社区工作，创出了一条城市民族工作的新路子。

【新的社会阶层人士统战工作进一步深入】 组织市工商联领导班子全体成员到温州、义乌学习考察，开展“温暖工程”系列活动，举办了以凝心、聚力、和谐、发展为主题的“新石家庄人”爱在第二故乡、奉献第二故乡中秋联谊会，召开了石家庄市民营企业文化建设研讨会和学习党的十七大精神座谈会，推荐安排711名新的社会阶层人士担任市、县两级人大代表和政协委员，圆满完成了市工商联换届工作。开展了“百家民企支持县域经济发展光彩事业深泽行”系列活动，组织河北天山集团等20家会员企业到革命老区深泽县进行考察投资，签订合作协议、意向11个。

【经济领域统战工作空前活跃】 积极协调中央统战部海联新农村卫生室资金第一期50万元，并已完成了平山县卫生室选址工作。做好石洽会客商邀请及签约项目后续工作，市统战系统共邀请来自世界各个国家和地区的客商105人参加石洽会。协调广州三学苑网络科技有限责任公司向平山县、赞皇县、灵寿县捐赠1588张教学资源卡。受理侨资侨属企业法律咨询202件，为台商、台资企业协调解决各种问题和纠纷40余起。启动海外人才库系统建设，并于2007年11月份开通试用。

【按时圆满完成人大、政协换届任务】 完成了石家庄市出席全国、省非中共政协委员及各民主党派、无党派人士、宗教界人士和归侨侨眷方面人大代表候选人的提名推荐工作。召开了市政协换届工作会议，加强市政协换届工作政策指导，完成了市政协405名非中共政协委员、133名党外人大代表的推荐提名工作，汇总整理了660名市政协委员人选情况。

【统一战线理论研究和宣传、信息工作更加活跃】 统战理论研究工作方面，共收到调研成果56篇，完成市招标课题2个，实现成果转化两项。《关于石家庄市散杂居民族问题的研究》在今年的中央统战部《调研参考》上予以刊用。统战宣传工作方面，据不完全统计，在电视台、电台、报社刊播统一战线稿件1316篇，市级新闻媒体播出、刊发统战宣传稿件876篇。拍摄了《继往开来的石家庄统一战线》专题片。统战信息工作方面，健全制度，完善网络，共上报信息241条。

（卢明刚）

农业农村工作

【概况】 2007年，农业农村工作认真贯彻落实中央1号文件和市委八次党代会精神，以新农村建设统揽全局，创新机制，深化改革，突出重点，全面推进，推进了全市农业农村工作又好又快发展。全市农民人均纯收入达到4954元，比上年增长11.18%。

【农村经济实现平稳快速发展】 主要农产品产量创历史最好水平。粮食总产达到494.2万吨，亩产447公斤，分别比上年增9.7万吨和8公斤，单产、总产均创历史新高。瓜菜预计总产1360万吨，与上年持平。肉、蛋、奶、果品、水产品产量预计分别达到115万吨、115.3万吨、110万吨、216.7万吨和4.4万吨，分别比上年增长4%、6%、15%、9.8%和20%。现代农业建设稳步推进。全市农业标准化生产基地面积达到780万亩，占农作物总播种面积的51.6%。主要农作物优种覆盖率达到了98%。牛奶、禽蛋、生猪品牌生产率达到了95%、50%和40%。建立完善了市、县和基地三级农产品质量检测体系，全市畜产品瘦肉精等有害物质残留在农业部例行检测中，合格率位居全国36个大中城市首位，蔬菜生产基地无公害产品合格率达到98%以上。农业基础设施建设不断加强。完成了12座中、小型水库的除险加固，整治河道堤防26.2公里，发展节水灌溉面积31万亩，退耕还林、封山育林、省会周围绿化等各项生态工程建设均超额完成年度目标任务。党在农村的各项政策得到落实。认真落实党在农村的各项政策，加大了对支农惠农政策落实力度，极大地调动了农民发展农业农村经济的积极性。全年落实粮食直补资金2950万元，农机购置补贴资金1620万元，生猪母猪补贴、规模场补贴和生猪生产大县补贴资金达到7917.86万元，加上石家庄市其它各类补贴，全年累计补贴资金超过1.2亿元。

【新农村建设扎实推进】 按照“规划先行、试点带动、城乡互动、协调发展”的思路，精心组织，统筹安排，扎实推进，取得了显著成效。石家庄市被省评为新农村建设工作先进单位。基本完成了县、乡两级规划编制工作。出台了《石家庄市社会主义新农村建设规划纲要》，指导各县（市）区分别制定了本县（市）区《指导意见》或《规划》，90%的乡村完成了新农村建设规划的编制工作。新农村建设试点工作成效明显。20个新农村建设示范乡镇、105个示范村以及50个不同产业的特色专业村示范带动作用明显。105个试点村中，农民人均纯收入平均达到5300元，农村公益事业建设年内总投资额超过1亿元，村均超过100万元，98%的试点村建立了规范的村民活动中心，70%村实行了村民养老保险制度，所有的试点村实行了最低生活保障制度。加快推进了城乡互动。制定了《推进新农村建设任务目标分解实施方案》和《关于支持新农村建设的指导意见》，市直有关部门也出台相关的配套措施，支持新农村建设。继续推进了帮带工程实施，100个市直部门和单位对口帮扶105个新农村建设试点村，共落实帮扶资金物资400多万元。启动“四个一批”建设。对全市农村发展现状进行全面调查，摸清了底数，确定了各个批次的建设内容。其中列入转变一批的628个村、提升一批971个村、改善一批2806个村、迁建一批71个村。

【农业产业化经营全省领先】 全市农业产业化经营总量达到550亿元，比上年增加60多亿元，农业产业化经营率达到60%以上，位居全省首位。强化推进了农业产业化项目建设“115行动计划”。对列入市、县的标志性项目，实行了动态跟踪监测，每季一调度。组织开展了农业产业化工作“看、比、学”活动，加强了对接，促进了发展。全年开工建设项目193个，基本竣工113个，投资总额突破40亿元，比上年增长10亿元。无论投资规模，还是新上项目数量，均是近年来最多的一年。加强龙头组织建设。修订完善了扶持政策，认定了一批市级先进龙头组织典型，加大了扶持力度，推进了龙头项目做强做大。加快了龙头企业品牌化建设，全市172家入统企业中国名牌或驰名商标企业达到13家，31家企业产品获省名牌产品和著名商标。预计全年全市入统企业实现销售收入达到360亿元，利税40亿元，同比分别增长20%和13%。藁城、鹿泉、栾城3个县（市）跻身全省20个农产品加工示范基地县之列，数量位居全省第一。引导发展“一村一品”产业。实施了龙头企业牵动、优势项目促动、合作组织推动、品牌带动等一系列措施，加快推进“一村一品”产业的发展。全市“一村一品”专业村达到394个，专业乡镇达到23个。全市12个县(市)区的2类（果品、粮油）8个特色产品，列为《全国特色农产品区域布局规划》中重点发展的特色农产品。

【村级财富积累机制建设深入推进】 全市18个农村县（市）区的4348个村建立起村级财富积累机制，占到农村总数的99%。共清理规范合同7.99万份，收取集体资产有偿使用费4.55亿元，有可盘活资产的村村均收入达到12.7万元，抵顶和化解村级小额债务1894万元，涉及农户1.38万户。强化工作调度和核查。按照“月初挂账、月中查账、月底交账”的要求，每月一要账。同时还组织召开了三次村级财富积累机制建设工作调度会和三次大规模检查核实活动。深化村级财富积累机制改革。启动了利用集体资产抵押贷款发展农村公益事业试点工作，6个试点村完成公司注册，协调贷款490万元，吸收其它企业和大户资金250万元。在总结6个试点村经验的基础上，开展了以集体资产质押贷款发展公益事业、以集体资产质押贷款发展集体经济项目、无集体资产村通过发展特色产业增加集体收入等三类试点，并不断扩大。省政府在正定县召开现场会推广石家庄市经验，国家、省级新闻媒体报道达到26次，《人民日报》头版头条进行了报道，中央电视台《朝闻天下》栏目进行了播报，10多家网站进行了转载，在全国引起强烈反响。

【基层民主政治建设更加完善】 村务公开水平得到提高。坚持每季度检查、评比、排队、通报，组织开展了两次大规模的抽查活动，现场督导，限期要帐。同时，组织召开现场观摩会，学习典型经验，完善硬件建设，充实公开内容，创新公开形式，提高公开质量和水平。全市村务公开“五规范一满意”的村达到95%以上。鹿泉市编制村务公开目录的做法，省村务公开办公室给予充分肯定并组织召开现场会在全省推广。民主议政活动成效明显。组织了两次大规模的民主议政日活动，参加人数达到63万人次，提出意见和问题4.87万条，现场答复2.8万条；群众提出各类合理化建议2万多条，被采纳1.8万条，消除农村上访隐患4191起。“两会”制度更加规范完善。组织开展村民会议和村民代表会议制度规范完善月活动，全市共纠正违规决策事项136项，村民会议制度比较健全的村达到4147个、村民代表会议制度比较健全的村达到4211个，分别占总村数的92.9%和94.3%，分别比活动前增加了372个村和267个村。

【乡镇工作取得突破性进展】 按照市委“抓细、抓实、抓具体”和“把落实进行到底”的要求，先后组织开展了乡镇机关大院整治大检查、落实三干会精神督查活动和2007年农业农村工作“4个方面14件事”大检查，有力地促进了工作落实。乡镇各项工作制度规范建设。“周例会、月交流、日报告”制度在乡镇得到较好地落实，各乡镇建立完善了机关工作制度、财务管理制度、学习制度，目标责任制等各项制度30多项，乡镇工作逐步走向规范化、制度化。乡镇机关大院整治效果明显。全市各乡镇更换牌匾5000余块，美化、绿化道路2500千米，粉刷墙面45万平方米，乡镇机关面貌发生了巨大变化，全市95%的乡镇机关达到了绿化、美化、亮化、净化标准。《乡镇工作简报》成效突出。全年出刊46期，其中刊出调研文章40篇，乡镇工作交流文章230篇，农业农村信息100多条，外地经验30多篇，农村政策40多项，成为宣传农村政策、乡镇交流工作经验的重要平台。为群众办实事落实到实处。建立乡镇村为民办实事台账，加强督查和调度，全市252个乡镇（办事处）为农民办实事达2500多件，解决了一大批群众关心关注的道路修建、饮水困难、扶贫帮困等方面的难题，融洽了干群关系，为构建和谐农村打下了基础。

【机关建设成效明显】 严格落实“周例会、月交流、日报告”制度。研究出台了《农工委机关全员实行工作日志制度的办法》，提出全员建立工作日志，领导班子实行周例会制度，中层干部实行月报告制度，全委机关干部职工实行月工作成果记录建档制度，明确了内容、程序和组织，严格按要求抓落实。书记办公会坚持每周召开一次，中层干部工作月交流会议每月召开，全体干部职工每日报告工作情况，“周例会、月交流、日报告”制度得到较好地落实，用实绩考量干部的机制初步形成。建立了机关内务管理工作制度。机关成立督查落实、民主理财、安全卫生、文体活动四个小组，各小组出台文件、明确了职责，积极开展工作，促进机关工作规范化，有效改善机关的精神面貌，提高工作效率。加强了机关干部队伍建设和党组织建设。在巩固党员先进性教育的基础上，机关组织开展庆“七一”演讲活动、纪念石家庄解放60周年联欢活动、十七大精神宣讲以及党风廉政建设等各项活动，凝聚了人心，增强了战斗力。

（张联平　周宏亮）

政法工作

【概况】 2007年，是石家庄市政法和维护稳定工作全面发展并取得显著成效的一年。全市各级政法机关在市委、市政府的正确领导下和省委政法委的指导下，紧紧围绕发展与和谐两大任务，以“服务第一要务，构建平安省会”为目标，以公正执法为核心，以队伍建设为根本，以政法工作十件实事为突破口，周密部署，强力推进，圆满完成了各项任务。

【全力维护社会政治稳定】 市公安

和国家安全机关牢固树立情报信息主导国家安全工作的理念，进一步健全了情报信息工作网络，强化了对情报信息的搜集、研判，全年共获取各类内幕性、预警性情报信息1373条，同比上升39%，发现和挫败了多次敌对势力插手个案、挑起事端、制造混乱的图谋。组织开展了“清仓”行动，国保重点人和重点阵地防范控制力明显增强，行动战果列全省第一。进一步加强了对互联网及无线通信载体的监控，发现、过滤、封堵各类有害信息2万余条，有效防止了敌对分子通过互联网宣传、电视插播、电话干扰等方式进行煽动破坏活动。在防范和打击“法轮功”等邪教组织的违法犯罪活动方面，始终保持对“法轮功”邪教组织的高压态势，先后开展了“07”、“6.21”、“9.05”等专项斗争，破获“法轮功”非法活动案件56起，打掉团伙4个，摧毁窝点12处，抓获违法犯罪人员111名。加强了对地下宗教势力、极左重点人等特殊群体的控制，有效遏制了其活动空间。在积极预防和妥善处置群体性事件方面，进一步加强了突发性事件信息预警和快速反应机制建设，成功处置重大非法预谋进京赴省聚集活动32起，妥善解决各类群体性事件188起，发现、控制和处置突发性、群体性事件的能力明显提高。为确保党的十七大召开和石家庄解放60周年期间全市社会政治稳定，从9月15日至11月15日，利用两个月时间，在全市范围深入开展了维护稳定专项整治活动。组织动员各级各部门对安全生产隐患、治安隐患和各类矛盾纠纷进行认真摸排，自下而上，逐级将摸排情况签字画押上报。在此基础上，层层实行领导包案，对摸排出的1007起重大疑难案件实行了县级领导分包，有力促进了案件解决。通过开展专项整治活动，共排查各类矛盾纠纷14685件，解决14053件，化解率96%；整改安全隐患2560起，制止铁路“危行”事件21起。各级公安机关认真落实各项安保措施，圆满完成了十七大安全保卫、省市党代会、杂技节、石家庄解放六十周年庆典等重大活动和重要节日的安全警卫任务320余次。

【加强涉法涉诉信访工作】 2007年是全省政法系统处理涉法涉诉上访案件攻坚年。石家庄市各级政法机关按照“坚决把群众反映的合法诉求解决好，坚决把涉法涉诉信访总量降下来”的要求，集中时间，集中力量，采取强力工作措施，开展信访案件攻坚，妥善处理了一大批涉法涉诉信访案件，帮助信访群众解决了大量生产生活方面的实际困难，维护了群众合法权益，促进了社会和谐稳定。组织人员对全部涉法涉诉信访积案进行重新梳理、筛选，进一步明确包案领导、责任干警、解决措施、完成时限和具体要求，逐案落实了包案责任制。对筛选出的210起重点案件，由公、检、法、司“四长”和政法委书记共同分包，采取公开听证、三级终结、教育引导、个案救助等多种方法，投入大量人力、财力、物力，促进了案件解决。抽调200名业务精通、责任心强的律师，对100起疑难案件进行评查，客观公正做出结论，确定措施，对症下药，定分止争。截至2007年底，中央和省委政法委挂账督办的65起案件，已圆满解决59起。市委政法委挂账督办861起案件，已解决842件，息诉率达到97.8%。切实加大了对“两错”案件的追究力度，对出现错案、执法过错或因执法问题导致群众反复上访的13案35名责任人，给予了党政纪处理。坚持积极解决和依法打击并重，在穷尽一切手段解决信访人合理合法诉求的基础上，对长期缠访闹访、屡教不改或采取过激行为、扰乱公共秩序的42名非法上访人员依法进行了严厉打击，其中批捕7人、刑拘8人、劳教3人、行政处罚24人，信访秩序进一步规范。大力加强执法档案建设。按照“统一组织、分级实施、分类建档、动态管理、下管一级”的要求，分系统、分部门建立政法干警执法档案，建档率达到了100%。在此基础上，进一步健全执法质量管理考评体系，科学确定考评内容，规范考评流程，将考评结果与干警的奖惩任用、评先评优挂钩，确保了执法质量考评的实效性和权威性。

【加强政法队伍建设】 以组织开展“执法为民树形象”活动为载体，以查找和解决执法工作中的问题为重点，在全市政法机关和广大干警中继续深入开展了社会主义法治理念专题教育活动。开展“百佳标兵话理念”活动，发挥了“百佳标兵”在社会主义法治理念学习和实践中的示范作用。对2000年以来新进政法机关的大学生和军转干部分系统进行了5期集中培训，共培训人员2300余人。利用反面典型，层层开展了警示教育和“以案析理”活动。组织全市政法干警参加了省社会主义法治理念网上考试，参考率达到了99%。同时，召开专题会议进行部署，各级政法机关按要求建立健全了长效机制。通过开展法治理念教育活动，全市政法干警规范执法意识和公正执法水平有了新提高。中央和省委政法委在石家庄市召开座谈会，对石家庄市做法给予了充分肯定。按照市委统一部署，积极开展解放思想大讨论，推动了制约政法工作问题的解决。扎实开展“百佳标兵”选树活动。按照市委政法委《关于开展“百佳标兵”选树活动的通知》，各级政法部门积极组织广大干警开展实战演练、开庭观摩、案件讲评、业务技能和体能竞赛，干警政治素质和业务能力有了较大提高。在此基础上，按照公开、公平、公正的原则，通过基层推荐，市政法机关组织考察、考试、演讲、比武，选拔出了100名标兵能手，弘扬了正气，鼓舞了士气，调动了政法干警争先创优的积极性。在市直政法部门实行了中层干部逢提必考制度，进一步完善了干部提拔任用体制。对上半年换届中提拔、调整的45名县（市）区公、检、法“三长”进行跟踪考察，并结合年终考核对县（市）区公、检、法领导班子及班子正副职进行了民主测评，全面掌握县（市）区政法部门领导班子和领导干部情况，强化了监督和管理。坚持从优待警，在落实干警休假和体检制度的同时，积极为干警排忧解难，对7名因公伤残或牺牲的干警及家属、1001名特困干警进行资助。坚持从严治警，对干警严格要求、严格教育、严格管理、严格监督，严肃查处各类违法违纪行为，共查处干警违法违纪案件43起，依法依纪处理违纪干警62人。

【继续推进政法机关规范化建设】 以深化ISO9001质量管理体系认证为载体，继续推进政法机关规范化建设，取得显著成效。市公安局、检察院、法院、司法局机关已全部通过认证并取得资格证书。18个公安直属单位、24个基层检察院、5个基层法院和6个基层司法行政单位通过认证，政法机关执法规范化水平有明显提高。

（刘志强）

政策研究

【概况】 2007年，市委研究室紧紧围绕市委中心工作，围绕全市经济和社会发展中的重大问题，完成了一大批高质量的调研成果，圆满完成了各项工作任务，对推动全市调研工作深入开展，更好地为市委科学决策服务，起到了积极的促进作用。全年共完成重点调研报告21个，其中印发《送阅件》的调研报告18个，专题调研报告3个。完成的调研报告中，4篇发省级以上内刊，9篇发市委办公厅《情况交流》，市领导批示43人次，批示率达100%，大部分成果进入市委、市政府决策。

【调研成果】 完成了《如何发挥省会在冀中南城市群发展中的龙头作用》、《用企业管理的方式管理行政事务的研究报告》、《从存贷差分析石家庄市金融环境存在的问题及建议》、《新形势下进一步做好信访工作的调查与建议》、《内外资企业所得税“两税合一”对石家庄市财政收入的影响与对策》等调研报告。完成了《加快石家庄市商业步行街建设的建议》、《关于石家庄市投资环境问卷调查的报告》、《石家庄市城市拆迁中存在的问题与建议》、《关于石家庄市建设用地情况的调查与建议》、《石家庄市医药企业自主创新能力的调查与建议》、《石家庄市企业文化建设的调查及建议》、《关于“新石家庄人”生存发展现状的调查与建议》等调研报告。市委研究室与各县市区委研究室进行了广泛合作，联合完成了多个有影响、有份量的调研课题，并引起较大反响。如与晋州市委研究室合作完成了《以大众文化促进社会和谐的有益探索》，与辛集市委研究室合作完成了《关于辛集市创建“为民服务”新机制主要做法的调查》，与行唐县委研究室合作完成了《关于行唐县龙州镇建立村民和谐互助组的调查》，与无极县委研究室合作完成了《新农村建设的关键是发展村级集体经济——关于无极县东丰庄村发展村级集体经济的调查与思考》，与深泽县委研究室合作完成了《一条新形式下更好地为农民服务的新路子——深泽县在农村推行“三位一体”服务农民新机制调查》。得到市委、市政府领导同志的批示，大多被市委办公厅《情况交流》以及省级以上内刊转发，其典型经验与做法不仅在全市得到广泛推广和借鉴，有的还在全省乃至全国引起了影响。

【组织协调与指导】 制定下发全市重点调研课题，并及时掌握各地各部门对调研课题的任务分解、进展与完成情况。组织召开全市调研工作会议，总结交流调研工作经验，对全市调研工作进行安排部署。加强调研队伍建设，先后组织全市县（市）区委研究室主任培训班和县（市）区委研究室主任及市直有关部门十七大精神培训班，并组织外出考察活动，提高了调研人员业务素质，为更好地做好调研工作打下基础。连续15年组织开展了全市“两先一优”评选活动，报送的调研成果越来越多，层次越来越高，影响也越来越大，对全市调研工作起到了积极的促进作用。

【决策刊物】 贴近市委、围绕中心，在增强服务性上下功夫。坚持正确的政治方向，关注全市经济社会发展中的热点、难点问题，注重对新理论、新方法、新发展观的宣传，充分发挥党刊的导向作用。突出政治性的同时，着重在可读性上下功夫，注重稿件的精炼性、新颖性，注重贴近群众生活，注重扩大刊物的信息量。加大了彩页宣传力度，版面设计上突出了自己的风格和特色。加强协调，充分发挥各方面积极性。聘请了市直28个有关单位、部门工作人员担任《石家庄决策》特约通讯员，召开了《石家庄决策》评刊座谈会暨特约通讯员会议，为更好地做好刊物工作，扩大刊物影响力打下了基础。《石家庄决策》被河北省省会报刊出版评审委员会、石家庄市新闻出版局、石家庄市书报刊出版协会授予“双十佳”荣誉称号。同时编发《决策参考》28期，《资讯专报》20期，充分发挥了决策参谋作用。

（阎晓斌）

信访工作

【概况】 2007年，在市委、市政府的正确领导和省信访局的直接指导下，全市各级各部门认真贯彻《中共中央国务院关于进一步加强新时期信访工作的意见》，深入落实中央、省、市有关信访工作的一系列决策部署，紧紧围绕“不再制造新的矛盾纠纷，认真解决历史遗留问题，依法规范信访秩序”的总体要求，求真务实，团结奋进，开拓创新，圆满完成了各项信访工作任务，维护了省会的和谐稳定，为建设沿海经济社会发展强省和繁荣、文明、和谐的新石家庄做出了积极贡献。2007年，石家庄市市、县两级信访部门共受理群众信访8191件次，同比下降8.9%。市级信访部门受理群众信访总量4010件次，同比下降12.5%。其中接待来访1982件次、6800人次，同比分别下降28.8%、26.2%，接待处理集体访134批次、3106人次，同比分别下降18.2%、28.2%；办理来信2028件次，同比有所上升。发生赴省信访总量3741件次，同比下降17.5%，其中集体访26批次、1599人次，同比分别下降27.8%、24%。办理省以上要结信访案件716件，年终结案率达96.9%。自立信访案件734件，年终结案率达到98%以上。发生非正常进京上访525人次，居全省第8位。办理中央和省联席办交办、转办石家庄市的非正常进京上访案件110件，全部按期办结。大量群众信访问题得到有效妥善解决，全市信访秩序明显好转，信访形势总体平稳。

【制定出台五个关于信访工作文件】 为深入贯彻中共中央、国务院《关于进一步加强新时期信访工作的意见》，市委、市政府先后出台了《关于进一步加强基层信访工作的意见》、《关于进一步强化信访工作责任制和责任追究制的意见》、《处理信访事项“三级终结”实施办法》、《关于实行信访工作重点管理单位制度的意见》、《关于认真解决“非正常进京上访人员”问题维护信访秩序的意见》等关于信访工作的规范性文件，切实加强了对信访工作的领导，全市信访工作机制进一步完善，有力地推动了全市信访工作的顺利开展。各县（市）区和市直部门都把信访工作列入了重要的议事日程，主要领导亲自研究分析信访形势，安排部署信访工作，主管领导认真负责，具体抓好各项工作的落实，其他领导干部按照“一岗双责”的工作要求，积极做好分管部门、行业的信访工作。各县（市）区进一步健全完善了处理信访突出问题及群体性事件联席会议机制，加强了对信访工作的领导，有力地巩固了“统一领导、部门协调、统筹兼顾、标本兼治、各负其责、齐抓共管”大信访工作格局。

【创新工作方法提高工作水平】 创新群众信访诉求表达机制，建立“信访绿色通道”，推行“网上信访”。为畅通信访渠道，在全市建立了“信访绿色通道”，推行正定县“网上信访”的经验。市、县两级信访部门开通了免费信件、免费电话和信访专用电子邮箱，制定了接收、登记、立案交办、转办、回执等一整套工作制度。市、县两级通过新闻媒体、宣传栏、发放明白纸等多种方式，不断加大“信访绿色通道”的宣传力度，对“信访绿色通道”受理的信访事项，打破常规时限，快接快办，引导群众进入“信访绿色通道”解决信访问题。市、县两级“信访绿色通道”共接到群众来信、来电、电子邮件诉求及建议和意见6847件次，其中来信2015件，来电4402次，电子邮件443件，有实质性问题立案办理1481件，结案1328件，产生了良好的社会效果，减少了越级上访的发生，“信访绿色通道”已经逐渐成为群众信访的主渠道之一。正定县“网上信访”工作被列为国家和省试点单位以来，该县进一步完善、规范了工作程序和制度，对群众网上反映的所有问题，真正做到了件件有着落，事事有回音。为了推动全市“网上信访”工作的开展，在石家庄市第四次三级干部会议上，市委、市政府组织与会人员到正定县现场观摩了“网上信访”工作，增强了各级各部门推行“网上信访”的责任感和积极性。创新工作责任管理机制，实行信访重点管理单位制度。市委、市政府两办制定出台了《关于实行信访工作重点管理单位制度的意见》，把因责任不到位、工作措施不落实，造成越级集体访、非正常进京访、重复访居高不下的县（市）区和市直部门，列入全市信访工作重点管理单位，由市联席办和市信访局加强指导督促，帮助整改，限期扭转信访工作被动局面。对连续两次列入全市信访工作重点管理单位的县（市）区和市直部门，由市联席会议召集人对主要领导和主管领导进行谈话，并由市委、市政府派驻工作组，帮助整改。对负有责任的领导和具体包案人还要按照规定追究相应的责任。为及时排查化解重大集体访苗头和群体性事件隐患，有效预防和减少重大越级集体访和群体性事件的发生，市委、市政府两办制定出台了《石家庄市重大集体访苗头隐患三级预警沟通处置办法》，建立了石家庄市重点信访苗头隐患和群体性事件会商机制，通过深入排查，加强信息会商，上下及时沟通协调，明确工作责任，采取有力措施，切实把集体访苗头隐患解决在萌芽状态，化解在基层，减少了群众集体访的发生。创新接处访工作机制，提高解决群众信访问题的工作效率。市信访局实行了“上午接访——下午调度——次日督办”的工作模式，促进了接访与处访工作的有机衔接，缩短了办案周期，提高了办案质量。2007年市信访局自立信访案件734件，年终全部结案。

【扎实开展“矛盾纠纷排查化解年”活动】 认真贯彻中央联席会议的部署和全省排查化解矛盾纠纷电视电话会议精神，采取多种措施，积极开展“矛盾纠纷排查化解年”活动。在市联席会议增设矛盾纠纷排查化解专项工作小组，组织指导全市矛盾纠纷排查化解工作的开展。县（市）区信访部门设立专职排查机构和人员，乡、村配备专（兼）职工作人员，在村民小组、社区楼院、学校、厂矿设有信访信息员，负责日常的矛盾隐患排查化解和信息上报工作。完善民情分析、领导包案、挂帐督办、信息反馈、台账管理等一系列工作制度。加强信访研判和预警处置工作，通过建立由信访、维稳、公安、安全和新闻媒体等部门参加的石家庄市重点信访苗头和群体性事件隐患会商机制，进一步拓宽信访苗头隐患的排查渠道，及时发现倾向性、苗头性的问题，使大量的矛盾纠纷隐患进入排查视野。对重大集体访苗头隐患问题，实行省、市、县三级预警沟通，在基层接待答复群众，共同做好协调处置工作，把矛盾纠纷隐患解决在萌芽状态，减少了群众集体访的发生。对可能引发集体访和群体性事件的矛盾纠纷苗头隐患，进行广泛深入的排查。对排查出的矛盾隐患问题，建立台账，实行动态管理，对重点问题挂帐督办。特殊敏感时期，实行日排查日报告制度，使矛盾隐患全部纳入排查化解范围。2007年，全市共排查各种矛盾纠纷7983件，已经化解7632件，化解率达到95.6%。其中排查集体访苗头和群体性事件隐患

968件，已经化解912件，化解率达到94.2%。

【加大非正常进京上访的处置力度】 1月，石家庄市在北京召开了各县（市）区和市直有关部门主管领导参加的处置非正常进京上访现场会，进一步增强了各级各部门做好处理非正常进京上访工作的紧迫感、责任感和压力感。市委、市政府将驻京工作组定为常设工作机构，确定了编制、人员和局级领导干部，拨付了专项资金，配备了交通和通讯工具，保证了工作的正常开展。建立了非正常进京上访总量排位前10名的县（市）区驻京值班的制度，进一步加强了驻京值班力量。对所有非正常进京上访案件全部落实包案领导，压死解决问题和稳控工作责任，通过会诊、听证、复查、复核、审核等程序解决上访人的合理诉求。2007年，全市共办理中央和省联席办交办、转办石家庄市的非正常进京上访案件110件，全部按期办结。对解决其合理诉求后，仍继续缠访、闹访的非正常上访人员，依法予以严肃处理。2007年，全市共对82名违法上访人员进行了依法处理，有力地维护了全市正常的信访秩序。

【落实领导包案和接访制度　下大力量解决突出问题】 市联席办、信访局把市、县、乡三级领导包案情况，建立台账，统一管理，挂帐督办，结案销号，及时通报案件办理情况，大力推动了重点信访问题的解决。2007年，市、县、乡三级领导共分包重点信访案件2562件，其中市级领导包案51件，县级领导分包1211 件，乡级领导包案1300件，结案2449件，结案率达到95.6%。在坚持市级领导预约接访、县级领导敞开接访、乡镇领导每天接访的基础上，将领导接待日向行政村和社区（居）委会延伸。积极推行县（市）区四大班子领导每月固定一天集体接访的做法，有效地解决了一大批信访热点问题，规定在接访过程中，各级接访领导要做到“五包”，即包接待、包调查、包解决、包稳控、包做思想工作。市、县两级党政领导全年共安排接待日2167次，接待群众来访3250人次，解决信访问题1291个。为推动信访工作重心下移，关口前移，以市、县两级信访部门为主，组织相关职能部门的干部深入到农村、社区、厂矿、学校主动解决矛盾纠纷。全市共开展下基层巡访活动248次，接待群众1853 人次，化解各种矛盾纠纷1241件，立案办理信访事项649件，使大量的矛盾纠纷和信访问题解决在了当地。 各级信访部门从强化“首访责任制”入手，提高解决信访问题的“一次清”指数，对所有有实质性内容的来信来访全部向责任单位立案交办，对重点信访案件定期进行督办，提高了信访案件结案率，减少了越级信访的发生。对“案结事未了”的信访老户，充分发挥各级为民服务中心的作用，调动工会、青年团、妇联和社会志愿者、律师等社会各方面的力量，通过法律援助、困难补助、临时救济、社会捐助等多种方式，耐心做上访人的思想疏导工作，帮助解决生产、生活困难，努力解开心理症结，疏导抵触情绪，促进息诉罢访，努力减少重复上访。为解决好影响社会稳定的突出问题，给党的十七大胜利召开和石家庄解放60周年纪念活动创造良好的社会政治环境，从9月15日到11月15日，市委、市政府在全市开展了维护稳定专项整治活动。全市信访系统开展了集中解决信访突出问题攻坚战活动，市联席办、市信访局制定了《关于集中解决信访突出问题攻坚战活动方案》，攻坚战重点解决市以上要结果信访案件、到市以上群众集体访问题、非正常进京上访问题和排查出的重点信访苗头隐患。经过认真组织，周密部署，深入排查，落实责任，抓好督查，大量的信访突出问题得到及时化解。到专项集中整治活动结束，共办结市以上要结信访案件149件，重点集体访案件34件，化解重点信访苗头隐患问题322件。在党的十七大、全国和省“两会”、省委全会和石家庄解放60周年纪念活动及其他重大政治活动期间，市委、市政府及时启动信访保障机制，由市联席办、信访局牵头，制定信访保障工作方案，从各县（市）区和相关市直部门抽调精干信访干部，参加信访值班工作，确保了重要会议和重大政治活动的顺利进行。特别是在国庆节和党的十七大期间，成立了强有力的驻京指挥部，组织精兵强将进京值班，加强与各县（市）区和市直部门信息沟通，及时拦截、查找、劝返进京上访人员，实现了国庆节和党的十七大期间“三个确保”的工作目标，为党的十七大胜利召开创造了良好的社会环境。市、县两级信访局成立了督查室，配备了专职督查工作力量，建立健全了督查工作制度，通过不断加大督查工作力度，确保上级信访工作决策部署得到贯彻落实，较好地解决了群众信访问题。市信访局实行日通报、周调度、月排队、季考核等督查制度，对重点地方和部门派驻督导员，加大督导力度，帮助制订工作措施，限期扭转落后局面。全年共组织开展对《关于进一步加强基层信访工作的意见》等5个加强信访工作的文件和“信访绿色通道”运行情况及党的十七大期间信访稳定工作专项督查等6次大型督查活动。对在工作中严重不负责任，不认真解决群众信访问题，工作不作为、乱作为，或态度粗暴，作风生硬，导致矛盾激化，发生越级集体访、非正常进京上访或群体性事件的干部，严格追究责任。2007年，全市共对77名干部进行了责任查究，进一步强化了各级干部做好信访工作的责任感和紧迫感。

【积极开展信访调研和人民建议征集活动】 广泛开展人民建议征集活动，调动人民群众参政议政的积极性，积极反映社情民意，为领导决策当好参谋助手。围绕市委、市政府的中心工作，紧紧抓住当前影响社会和谐稳定的重点问题等方面，深入开展信访调研工作，努力探索做好新时期信访工作的办法和经验。全年共撰写调研文章12篇，编发《信访快报》65期，征集人民群众合理化建议128条，编发《人民建议》23期，在《河北公报》、《河北信访》、《情况交流》、《省联席办工作动态》、《省人民建议》、《石家庄快报》等内刊发表文章35篇，产生了良好的社会影响。

（刘　旗）

机关工委工作

【概况】 2007年，市直工委在市委的正确领导下，坚持以邓小平理论和“三个代表”重要思想为指导，以科学发展观为统领，以加强党的执政能力建设和先进性建设为重点，以迎接党的十七大召开为契机，认真落实党的十六大、十六届六中全会和省委七次、市委八次党代会精神，紧紧围绕“实现又好又快发展与构建和谐石家庄”两大任务，求真务实，开拓创新，全面推进机关党的思想、组织、作风和制度建设，为建设繁荣文明和谐的新石家庄做出了应有贡献。

【思想建设】 先后在市直机关部署开展学习贯彻胡锦涛总书记在中纪委七次全会上的重要讲话、学习胡锦涛总书记在中央党校重要讲话、学习宣传贯彻党的十七大精神等一系列学习教育活动，在市直机关掀起理论学习的热潮。继续在市直机关组织开展“党委书记讲党课”活动，增强学习效果，开展了优秀党课讲稿评选活动。通过组织宣讲团巡回宣讲、召开座谈会、举办演讲比赛、知识竞赛、发放宣传教育片，激发了机关党员干部的学习热情，提高理论学习的实际效果。为适应形势任务的需要，举办机关科级干部培训班五期，入党积极分子和预备党员培训班一期，团务干部培训班一期，共培训科级以下干部、党务干部和理论骨干516名，入党积极分子150名，团务系统干部82名。举办了提升文明素质培训班六期，机关干部职工1000余人参加了培训学习。深入开展创建文明单位活动。圆满完成了2005～2006年度省、市级文明单位的审核申报工作和创建环省会文明生态圈结对帮扶任务。认真做好政工职称高、中、初级人员的阅卷上报工作和2006年度法制工作先进单位的评比推荐工作。督促市直机关制定了“五五普法”实施计划，召开了市直机关普法工作经验交流会，推动了“五五”普法工作向纵深发展。

【组织建设】 认真抓好工委关于党组织换届选举、发展党员、党员收缴管理和使用三个规范性文件，进一步健全机关党的基层组织，着力改善机关党务干部队伍的年龄和知识结构。督导23个基层党组织领导班子进行换届选举，调整书记32人，委员65人。严格落实党员发展、培训、公示、预审制度，强化工作责任，严把党员发展“入口关”，切实提高党员发展的质量。全年共预审发展党员材料145份，审批新党员15名，转正32名。进一步规范了党费收缴、管理和使用。认真落实党内“三会一课”制度，注重加强对市直单位领导班子民主生活会的管理和督查，不断提高基层党组织的党内生活质量。广泛开展民主评议党员工作，市直机关（直属单位）1635个基层党支部，37035名党员参加了民主评议。以贯彻执行中央出台的四个长效机制文件为契机，结合市直机关实际，突出在落实党建工作责任及加强党员教育管理、监督和机关党组织经常性工作等方面，建立健全了有关制度。通过开展自查、召开汇报会、进行“回头看”等形式，推动了长效机制的进一步落实。“七一”前夕，结合纪念建党86周年，对市直机关涌现出来的93个先进基层党组织，331名优秀共产党员，88名优秀党务工作者，44名支持党建工作的领导进行了表彰，振奋了精神，鼓舞了士气。

【党风廉政建设】 始终坚持把党风廉政建设宣传教育纳入党员干部思想教育大格局中，以学习贯彻胡锦涛总书记在中纪委七次全会上的重要讲话精神、《中国共产党章程》、《中国共产党纪律处分条例》为重点，开展了“加强领导干部作风建设”教育和“为民、务实、清廉”主题教育活动以及“做人民公仆、树和谐新风”演讲比赛，促进了市直机关反腐倡廉教育的深入开展，取得了实实在在的效果。深入贯彻《中国共产党党内监督条例（试行）实施意见》，建立健全机关科级干部任前廉政教育谈话和诫勉谈话等制度，按照“八个坚持，八个反对”的要求，加强对党员干部尤其是党员领导干部遵守党的纪律和各项法规制度情况的监督，努力实现党内监督正常化、规范化和有效化。及时组织召开市直机关部分单位案件、信访件工作汇报督办会，督促案件查办工作，今年共督导查办党员干部违反党纪政纪案件11件，受理来信来访135件，依法依纪严肃查处了机关党员违法违纪行为。

【作风建设】 按照市委、市政府关于进一步加强机关作风效能建设的部署，积极配合市效能办抓好各项工作的落实，认真解决机关作风效能方面存在的问题。经常组织对机关党员干部落实作风效能建设情况进行督导检查，坚持与党员民主评议和“创先争优”等工作挂钩，切实把机关效能建设纳入规范、长效管理轨道；坚持与援建农村书屋捐助、“四助”帮扶和“八个一”工程、“双争共建”等活动结合起来，不断将机关效能建设成果落实到服务中心工作、服务机关建设、服务基层群众上来，为全市各项工作顺利推进提供高效优质的服务。

（廖文武）

老干部工作

【概况】 截至2007年底，全市共有离退休干部71046人。其中，离休干部8188人（机关2233人，事业单位2264人，企业3691人），退休干部62858人(机关11722人，事业单位30037人,企业21099人)。在离休干部中，享受正地（厅、司、局）级待遇的9人，享受副地（厅、司、局）级待遇的305人，享受正县（处）级待遇的253人，享受副县（处）级待遇的4648人，享受正、副乡（科）级待遇的791人，享受其他待遇的2182人。局领导班子1正4副，设有7个处室，下属石家庄市老年大学、石家庄市老干部活动中心、石家庄市老干部服务中心和三个干休所，共6个事业单位。在职干部职工82人，离退休干部职工29人。市委老干部局保持了文明单位称号，被市委、市政府评为信访工作先进单位、党委系统机关公文规范化先进单位；离休干部“三个机制”运行工作继续在全省领先；被省委老干部局评为信息、宣传、调研工作先进单位；市关工委被评为全省关心下一代工作先进集体；市老年大学被评为全省老年教育工作先进集体；三个干休所继续保持了市级文明楼院的称号。

【各级党委、政府高度重视老干部工作】 市委、市政府主要领导十分关心、重视老干部工作，经常听取老干部工作汇报，把老干部工作纳入全市整体工作统筹考虑和安排。2月9日，省委常委、市委书记吴显国亲自主持并向全市市直机关担任过正县级实职的200多名老干部通报了2006年全市工作情况，市委副书记、市长冀纯堂，市委副书记王增明，市委常委、组织部长刘云峰，市委常委、秘书长杨志辉等领导出席会议。春节前夕，由市委老干部局领导带队，代表市委、市政府分组慰问了担任过地市级实职的老领导、老红军及老干部遗属，并给他们带去了慰问品和慰问金。5月12日，市委老干部局局长、组织部副部长王冬梅同志代表市委、市政府走访慰问了80名地（市）级老干部，并详细了解他们生活中遇到的困难，主动征求了老领导对老干部工作的意见和建议。

省委常委、市委书记吴显国先后两次召开常委会研究老干部工作，两次调度老干部工作，多次对全市老干部工作中的重大问题做出重要批示。市长冀纯堂经常强调，要在政治上关心、生活上照顾老干部，为老干部服好务、尽好责，要把尊老敬老作为衡量公务员是否称职的一个重要标志。各县（市）区、市直各单位主要领导和分管领导切实履行职责，带头尊重、关心老干部，主动联系、沟通老干部，积极帮助协调解决老干部工作中遇到的困难和问题，各级老干部工作领导小组充分发挥组织、协调、督查作用，推动了全市老干部工作全面发展。

【构建对老干部工作齐抓共管的工作格局】 各级党委政府认真贯彻落实《石家庄市老干部工作领导责任制》，形成了较为健全的工作机制和层层负责的工作格局。4月10日，召开了全市老干部工作会议，会议传达了全国老干部工作“双先”表彰大会和中组部老干部局长会议精神，认真总结了2006年度工作、安排部署2007年度老干部工作，对2006年度全市老干部工作、老干部老有所为先进集体和先进个人进行了表彰。市委副书记王增明代表市委作了重要讲话，提出了要“在政治上尊重老干部，支持他们为全市改革发展做出新贡献；在思想上关心老干部，帮助他们做到思想常新、理想永存；在生活上照顾老干部，保证他们安度晚年、颐养天年”的工作总要求。6月，市委老干部局分别召开局机关和各县（市）区上半年工作汇报调度会；12月，市委老干部局对全市《石家庄市老干部工作领导责任制》落实情况进行了检查和督导，有效地推动了各项工作的落实。石家庄市各级老干部部门充分发挥参谋助手作用，积极争取党委和政府的重视，主动协调各方面的支持与配合，形成了对老干部工作齐抓共管的合力。市委组织部将老干部工作纳入全市组织工作统筹考虑，动态管理、及时指导，严格实行工作日报告、周例会、月交流制度。各涉老部门对老干部工作的支持协作力度进一步加大，每月足额划拨“两费”所需财政支持资金，为已破产企业离休干部办理了医药费报销和调整离休费审批等手续，向灵寿等国家和省级贫困县下拨离休干部医药费补助131万元。

【组织老干部深入学习党的十七大精神】 按照中央和省、市委统一部署，市委老干部局印发了《关于组织全市老干部收听、收看和学习、宣传党的十七大精神的通知》，对组织老干部学习宣传党的十七大精神进行具体安排。各级老干部部门充分发挥老干部党支部的战斗堡垒作用，采取集中学习、交流讨论、组织讲座、参观等多种形式，组织老干部深入学习、宣传党的十七大精神，切实做到在政治上、思想上和行动上与党中央保持高度一致。10月下旬，市委老干部局分片组织县（市）区和市直单位老干部学习、讨论了十七大报告。10月29日，市委举办了由原市级老领导、市直单位和市内五区正县级实职以上共计300余名老干部参加的全市老干部党的十七大精神学习通报会。

【离退休干部思想政治工作得到切实加强】 各级老干部部门牢固树立创新意识，运用组织参观、形势通报和开展文体活动等为老同志所喜闻乐见、易于接受的新形式和新方法，让广大老干部及时了解党的路线方针政策和国家大事，了解省市的重要决策和部署。4月27日，市委老干部局协助市老年体协举办了第13届市直机关离退休干部运动会，3000名老干部参加了12个集健身、娱乐为一体的比赛项目。6月5日，组织全市副市级（实职）以上老干部参观了石家庄市西部山前开发远景规划、槐安路西延工程、鹿泉沿山路工程、正定国际小商品市场和正定塔元庄文明生态村建设；10月30日，组织56名曾担任过地（市）级实职的离退休干部赴栾城县和藁城市参观了石家庄市“1+4”组团部分工业生产及“五大基地”建设项目和城建工程。为纪念建军80周年，市委老干部局举办了老干部书画展和“迎接十七大及庆祝中国人民解放军建军80周年知识答题活动”。石家庄市首届老干部艺术节8月初开幕，历时近两个月，设有文艺演唱、健身竞赛、书法展示近20个项目，吸引了全市2万多名老干部的积极参与。

【精心组织纪念石家庄解放60周年系列活动】 按照市委、市政府关于开展纪念石家庄解放60周年活动的安排部署，市委老干部局制定了《关于开展纪念石家庄解放60周年活动的安排意见》，成立以王冬梅局长任组长的领导小组，对市委、市政府交办的纪念章制作发放、慰问老干部、组织老干部参加纪念大会等三项任务进行了精心组织和周密安排。8 月初，市委老干部局对参加过解放石家庄战役的老干部开展摸底调查，详尽地掌握参加过石家庄解放的老干部人数和基本情况，并按照市纪念活动领导小组要求，对慰问人员和慰问分组进行了统筹安排。11 月 5 日，市长冀纯堂以及市委常委、市人大主任、市政协主席、副市长等 18 位市领导，分 10 个小组走访慰问了参加过石家庄解放的 15 名老干部和 15 名老战士代表；11 月 12 日，组织 60 名市级老领导和 30 名参加过石家庄解放的老干部代表出席石家庄解放 60 周年纪念大会。据统计，全市共慰问参加过解放石家庄的老干部657 人，发放慰问金 80 余万元，为老干部发放纪念章 20000 余枚。市委老干部局结合全市老干部工作特点，组织开展了纪念石家庄解放 60 周年老干部文艺演出活动、《回首六十年、我看石家庄》全市老干部纪念石家庄解放 60 周年书画展、纪念石家庄解放 60 周年感恩老英模等系列活动，有力地配合了全市性纪念活动，收到良好效果。

【扎实推进离退休干部党支部建设】 全市共有老干部党支部（党总支）710 个，离退休干部党员 40141 人，其中离休干部党员 6456 人，退休干部党员 33685 人。各级党委认真贯彻中组部《关于加强和改进离退休干部党支部建设工作的意见》，老干部党组织的设置方式和活动形式不断创新、活动质量不断提高。6 月初，市委组织部、老干部局联合印发了《关于在全市开展评选先进离退休干部党支部和优秀老干部党员的通知》，对先进离退休干部党支部和优秀老干部党员的评选条件、办法以及组织领导等进行了安排部署。“七一”前夕，市委组织部、老干部局联合对评选出的 92 个先进离退休干部党支部和 199 名优秀老干部党员进行了通报表彰。各级各单位进一步加大了培训力度，通过举办老干部党支部书记培训班、组织学习交流等形式，着力提高各级老干部党支部书记的政治素质和业务水平，为做好新形势下老干部党建工作奠定了基础。全市共举办各种类型的老干部党支部书记培训 60 余场(次)，培训骨干 2800 余人（次）。在全省老干部党支部建设工作大检查中，省委老干部局检查组对石家庄市老干部党建工作给予了高度评价。

【全面落实老干部生活待遇】 市委老干部局进一步加大了对各县(市)区“三个机制”运行情况的督导检查力度，确保了“三个机制”的健康运行。年初，市委老干部局对全市 23 个县（市）区“三个机制”运行情况、2006 年度财政支持资金、离休干部医药费开支等情况进行了重点检查，及时协调解决机制运行中遇到的问题。8 月上旬，由主管局长带队，到正定、行唐等部分县（市）区抽查了离休干部“三个机制”运行情况。各级财政进一步加大了对离休干部医药费统筹和待遇拉平工作的支持力度。据统计，2007 年市县两级财政共支持“三个机制”资金 1.27 亿元（其中支持离休干部医药费统筹资金 1.04 亿元、支持拉平待遇资金 0.23 亿元），确保了医药费统筹金和待遇拉平资金的全面落实。市委、市政府对石家庄市建立改制、破产企业离休干部管理服务机制工作高度重视，市委副书记王增明多次就有关问题做出重要批示，市委常委、组织部长刘云峰经常听取有关工作进展情况汇报。根据市领导的批示精神，市委老干部局拟定了《关于进一步加强改制、破产企业单位离休干部管理服务工作的意见》，并以市两办名义下发（石办字〔2007〕39 号）。为做好市直差额拨款和自收自支事业单位离休干部待遇落实工作，市委老干部局主动深入有关单位召开老干部座谈会，反复与市人大代表交流沟通，广泛征求意见和建议，奠定了解决待遇拉平问题的基础。“八一”前夕，走访慰问了居住在市区的 22 名军队移交地方管理的离休干部。11 月，市委老干部局分 3 组赴广西、贵州、四川、上海等地慰问了我市易地安置在外省市的离休干部。目前，全市离休干部“三个机制”运行良好、“两费”实现足额按时发放、按规定实报实销，在全省离休干部“三个机制”运行情况检查中受到省委老干部局领导的表扬。

【精心组织、引导老干部在建设和谐社会中发挥作用】 各级各单位充分发挥老干部的政治、经验、技术优势，组织广大老干部深入宣传党的路线方针政策，关心教育下一代，加强思想道德建设，维护社会稳定；组织老干部进言献策，考察干部，开展党风监督，促进民主法制建设；组织老干部为建设资源节约型、环境友好型社会，建设社会主义新农村献计出力。市委老干部局组织了“我为党代会建言献策”活动和“我为八个一工作献一策”老干部座谈会，市关工委继续在农村开展了“讲政治、育新人、学科技、奔小康”活动。各级老干部部门进一步建立、健全老干部发挥作用基层网络体系，将发挥作用工作向农村、企业、学校和社区延伸。市关工委组织“五老”队伍成立宣讲团，走进社区、学校、企业、村镇和家庭，扎实开展社会主义荣辱观宣传教育活动，帮助青少年树立正确的世界观、人生观、价值观，收到很好的社会效果。“六一”前夕，市关工委主任徐增厚、副主任王盛邦，市委老干部局局长王冬梅等到市少儿保护教育中心看望了流浪儿童，并为孩子们带去了节日礼物。据统计，2007 年，全市各级关心下一代组织共举办爱国主义教育、社会主义荣辱观教育报告会 230 余场，受教育的中小学生达 20 万人。在 9 月 6 日召开的全省关心下一代工作表彰会上，石家庄市关工委、正定县关工委等 8 个先进集体、徐增厚等 33 名先进个人受到省委、省政府的表彰，桥东区关工委做了大会典型发言。

【认真做好老干部信息宣传调研和信访工作】 年初，市委老干部局印发了《关于做好 2007 年老干部工作部门课题调研工作的通知》，对以调研推动老干部工作创新发展做了具体安排。4 月份，市委老干部局由局领导带队到行唐、赞皇等县（市）区，对老干部党建和组织老干部在建设社会主义新农村工作中发挥作用工作情况进行了专题调研。6 月，市关工委由老主任带队，就家长学校建设、“五老”队伍建设等工作，分片对 23 个县（市）区进行了调研、督导。市委老干部局局长王冬梅先后深入平山、鹿泉等县（市）区和干休所，深入到老干部家庭和病房，就老干部管理服务工作进行调研，并据此向市委上报了有关问题的调研报告，引起市领导的高度重视，省委常委、市委书记吴显国，市委常委、组织部长刘云峰分别做出重要批示，给予了充分肯定。10 月 16 ～ 17 日，由省委老干部局局长张增良带队的调研组先后到井陉县实地调查了解了企业离休干部生活待遇落实情况，听取了石家庄市直企业离休干部生活待遇落实和改制、破产企业离休干部管理服务工作情况汇报。张增良局长高度评价了石家庄市老干部工作。调研结束后，市委副书记、市长冀纯堂，市委副书记王增明，市委常委、组织部长刘云峰与调研组就新形势下企业离休干部生活待遇落实工作交换了意见。在深入调研的同时，各级领导还特别注重以理论创新推动工作创新。市委副书记王增明《要让老干部共享改革发展成果》，市委常委、组织部长刘云峰《围绕构建和谐社会、强化服务意识》分别在省《老干部工作信息》刊发；王冬梅局长《倾注“四心”，锤炼“六种能力”，切实加强老干部工作队伍建设》分别在《石家庄日报》、《石家庄论坛》和《组工通讯》刊发，被市委研究室评为 2007 年度优秀调研成果，《以科学发展观为指导，做好新形势下老干部工作》被市委研究室评为 2007 年度调研成果一等奖。2007 年，全市各级老干部工作部门共撰写调研文稿 60 篇，上报省局 20 篇，被采用 15 篇。上报各种信息 150 余篇（条），其中《河北老干部工作》刊登稿件 15 篇，《河北老干部工作信息》刊载 4 篇，《河北省关工委简报》刊登 13 篇，在《中国老年报》、《老人世界》、《石家庄日报》等各级报刊发表宣传稿件 28 篇。在老干部信访工作中，各级各单位认真坚持接待老干部来访、跟踪下访、督办回复等行之有效的信访制度，建立健全突发性老干部集体上访事件的应急处理机制，严格落实老干部信访目标考核；各级老干部部门主要领导认真学习贯彻新颁布的《信访条例》，牢固树立老干部信访无小事观念，坚持做好信访工作与解决老同志生活实际困难相结合，定期检查和指导老干部信访工作，推动了老干部信访工作的规范化、制度化。在全市开展的维护稳定专项整治工作中，市委老干部局制定了《关于开展维护稳定专项整治活动的实施方案》，转发了省委老干部局《关于做好老干部信访工作的通知》，对维护稳定专项整治工作进行了认真部署。2007 年，石家庄市老干部信息、宣传、调研和信访工作在全省老干部系统领先，受到省委老干部局的通报表彰。

【加强基础设施建设】 石家庄市有各级各类老年大学（学校）235 所，其中市级 1 所，县级 23 所，乡镇、办事处级 78 所，村办、厂办老年学校 43 所，社区老年学校 30 所，在校学员 16430 人。各级老年大学认真贯彻落实全国老年大学座谈会精神，不断加大财政投入，探索管理规律，改进教学方法，提高教育质量。市老年大学新教学楼投入使用，教学面积达 4500 平方米，共开设61个教学班(其中新增35个)、30 个专业（其中新增 19 个），在校学员 2000 名。为满足广大老同志就近入学的愿望，在新华区新设 1 所分校；适应老年教育新形势，组建了“石家庄市老年艺术团”，为老年教育工作注入了新的活力。2007 年，市老年大学有 185 人被吸收为省市书画协会会员，13 人被聘为国家级书画摄影协会会员和理事，67 人在国家和省市级报刊发表作品200余篇(幅)、论文12篇。市老干部活动中心坚持“老干部至上，服务第一”的原则，通过完善制度，细化管理，强化培训，提高素质，努力争创一流业绩，树立了老干部工作窗口的良好形象。三个干休所针对老干部高龄、多病、行动不便等特点，在内部管理上坚持管理与教育并重，教育干部职工带着热心和爱心，奉献诚心和孝心，通过深入住所老干部、老干部遗属家庭，及时帮助他们解决生活中遇到的困难。

（徐　滨）

石家庄市人民代表大会

【概况】 2007 年，石家庄市人大常委会坚持以邓小平理论和“三个代表”重要思想为指导，深入贯彻党的十六届六中全会和市委八次党代会精神，在中共石家庄市委的领导下，全面落实科学发展观，大力推进民主法制建设和依法治市进程，依法履行宪法和法律赋予的职责，各方面工作都取得了新进展和新成效，为实现石家庄市又好又快发展和建设繁荣、文明、和谐的新石家庄，创造良好的法制环境，做出了新的更大贡献。

认真组织筹备并成功地举行了市第十一届人民代表大会第六次会议，审议了市人大常委会、市政府、市法院和市检察院等六项工作报告并做出了相应的决议；认真组织召开了 7 次市人大常委会会议，审议和通过了 54 项议题，依法任免了 82 名地方国家机关工作人员。审议通过了 3 部地方性法规，召开了 29 次主任会议，研究讨论了 105 项议题。开展了一系列视察、检查和调查活动，针对存在的问题提出了建设性意见和建议。这些工作有效地推动了全市的民主法制建设和更好更快发展。

【石家庄市第十一届人大常委会组成人员及各部门负责人】

主　任：王长敏

副主任：李遵英　姜瑞峰　张振江　王中联（女）　张振东　许昆峥　傅世武

秘书长：王志勇

委　员：马恩来（回族）　王印行　孔祥珠　叶克田　卢素强　白凤楼（女）　邢　铁　吕国朝　刘　群　刘兆安　许凤琴　麦相贤（壮族）　杜　刚　李乃毅　李兵为　李景祯　吴秀超　吴宝河　张书亭　张继春　张殿文　陈　潮（女）　杨凤虎　赵宝贵　赵炳志　赵雪芹（女）　信　真　郭凤彦　高书凯　黄增国　崔秀卫　康瑞斌　董晓航　韩国岐　彭战果　葛瑞芳（女）　管前芹（女）

副秘书长：李兵为　何金录　庞生群（11 月免）　刘国清

办公厅

主　任：李兵为（兼）

副主任：赵海奎　马　军（12 月免）

周全宁

研究室

主　任：李　波

副主任：陈彦良　徐习军

选举任免代表工作委员会

主　任：赵炳志

副主任：吴建华（9月免）

何秀珍（女）

法制委员会

主　任：许凤琴

副主任：张和平

内务司法委员会

主　任：卢素强

副主任：张　杰（12月免）

财政经济委员会

主　任：李景祯

副主任：朱培田（9月免）

农村经济委员会

主　任：郭风彦

副主任：孟书友

城乡建设环境保护委员会

主　任：康德忠

副主任：潘明文

教育科学文化卫生委员会

主　任：高书凯

副主任：倪　华（女）

民族侨务外事委员会

主　任：吴秀超

副主任：李爱华（女）

信访办公室

主　任：刘春艳（女）

副主任：刘凤志

【石家庄市第十一届人民代表大会第六次会议】 1月24日至27日市十一届人民代表大会第六次会议在市人民会堂举行。会议选举62人为大会主席团成员，推选吴显国、王长敏、王增明、李遵英、姜瑞峰、张振江、张承禄、赵其信、王中联、张振东、许昆峥、傅世武、王志勇为主席团常务主席。553名市人大代表出席了会议。会议听取和审议了代市长冀纯堂作的石家庄市人民政府工作报告，市发展和改革委员会主任韩宪章作的石家庄市2006年国民经济和社会发展计划执行情况与2007年国民经济和社会发展计划草案的报告，市财政局局长李和平作的石家庄市2006年市本级预算及市总预算执行情况和2007年市本级预算及市总预算草案的报告，市人大常委会主任王长敏作的石家庄市人民代表大会常务委员会工作报告，市中级人民法院院长李老铁作的石家庄市中级人民法院工作报告，市人民检察院检察长郑治国作的石家庄市人民检察院工作报告，审查和批准了石家庄市2006年国民经济和社会发展计划执行情况的报告与2007年国民经济和社会发展计划；审查了石家庄市2006年市本级预算及总预算执行情况的报告和2007年市本级预算及总预算草案，批准了2006年市本级预算执行情况的报告和2007年市本级预算，并通过了相应的决议。会议选举冀纯堂为石家庄市人民政府市长，补选姜瑞峰为石家庄市第十一届人民代表大会常务委员会副主任。市政府、市政协有关领导同志，市委、市人大常委会和市政府工作部门负责人，出席政协石家庄市第十届委员会第五次会议的全体委员，市各民主党派、工商联和各人民团体以及省属驻石市协管部门的负责同志列席了会议。

会议收到代表10人以上联名提出的议案18件。会议根据《地方组织法》和《石家庄市人民代表大会议事规则》的有关规定，将卢庆忠等12名代表提出的“关于修改《石家庄市岗南、黄壁庄水库水资源污染防治条例》的议案”，交市人大法制委员会作进一步调查研究，提出处理意见，再由市人大常委会审议决定。其余代表议案作为建议、批评和意见，交有关机关研究办理并负责答复代表。

【石家庄市第十一届人大常委会第三十一次会议】 1月12日，市十一届人大常委会第三十一次会议在市人大常委会会议厅召开。王长敏主任、张振东副主任分别主持了会议。副主任李遵英、张振江、张承禄、赵其信、王中联、张振东、许昆峥、傅世武，秘书长王志勇和委员共43人出席了会议。会议学习讨论了《中华人民共和国各级人民代表大会常务委员会监督法》。听取了市人大常委会秘书长王志勇关于召开石家庄市第十一届人民代表大会第六次会议有关事项的报告和《石家庄市人民代表大会常务委员会工作报告（稿）》的说明，审议通过了市十一届人大六次会议建议议程草案、主席团和秘书长建议名单草案，决定了列席市十一届人大六次会议人员名单。听取和审议了市政府《关于2005年度市本级预算执行和其他财政收支情况的审计工作报告》中有关问题整改情况的报告，审议并通过了市十一届人大常委会代表资格审查委员会关于补选市十一届人大代表的代表资格的审查报告，审议并通过了市人大常委会2007年工作要点，审议并原则通过了市人大常委会工作报告(稿)。通过了人事任免事项。王长敏主任就深入贯彻学习《监督法》，认真筹备和开好市十一届人大六次会议和认真做好全年工作等作了重要讲话。要求各有关机关和部门认真学习，积极贯彻，抓好落实，努力推进市人大工作再上一个新台阶。

【石家庄市第十一届人大常委会第三十二次会议】 3月22日，市十一届人大常委会第三十二次会议在市人大常委会会议厅召开。市人大常委会主任王长敏、副主任许昆峥分别主持会议。副主任李遵英、姜瑞峰、张振江、张承禄、赵其信、王中联、张振东、许昆峥、傅世武，秘书长王志勇和委员共43人出席了会议。会议听取了全国人大代表、市人民政府市长冀纯堂作的关于十届全国人大五次会议情况的报告。听取和审议了市政府关于全市城市市容环境卫生管理情况的报告。审议通过了市人大常委会关于接受张承禄、赵其信辞去市人大常委会副主任职务的请求的决定。通过了人事任免事项。王长敏主任就这次会议的议题和学习贯彻十届全国人大五次会议精神，加强和改进人大监督工作等作了重要讲话。要求各有关机关和部门认真贯彻，抓好落实，以不断推进市人大工作的开展，为建设繁荣、文明、和谐的新石家庄，做出新的更大贡献。

【石家庄市第十一届人大常委会第三十三次会议】 4月26日至27日，市十一届人大常委会第三十三次会议在市人大常委会会议厅召开。王长敏主任、傅世武副主任分别主持会议。副主任李遵英、张振江、王中联、张振东、许昆峥、傅世武，秘书长王志勇和委员共40人出席了会议。会议听取和审议了市政府关于工业结构调整情况的报告。听取和审议了市政府关于在构建和谐社会中加强民族宗教工作情况的报告。审议通过人事任免事项。会议要求，各位常委会组成人员、专门委员会成员和人大代表，以对法律和人民高度负责的精神，认真审议各项议题，提出审议意见和建议，促进全市各项工作的不断发展。希望大家继续以主人翁的姿态，切实做好履行职责的各项工作，不断奋发进取，开拓创新，努力使人大及其常委会更好地发挥地方国家权力机关、工作机关和代表机关的作用。

【石家庄市第十一届人大常委会第三十四次会议】 7月5日至6日，市十一届人大常委会第三十四次会议在市人大常委会会议厅召开。王长敏主任、李遵英副主任分别主持会议。副主任张振江、王中联、张振东、许昆峥、傅世武，秘书长王志勇和委员共44人出席了会议。会议听取和审议了市人大常委会视察组关于检查石家庄市实施《石家庄市非公有制企业工会条例》情况的报告。听取和审议了市政府关于全市社会主义新农村建设情况的报告。听取和审议了市法院关于全市法院基层基础建设工作情况的报告。听取和审议了市检察院关于基层检察院建设情况的报告。审议了《石家庄市城区河系公园管理条例(草案)》。审议通过了关于市十一届人大六次会议主席团交付法制委员会审议的第3号代表议案审议结果的报告。审议并通过了人事任免事项。

【石家庄市第十一届人大常委会第三十五次会议】 8月29日至31日，市十一届人大常委会第三十五次会议在市人大常委会会议厅召开。王长敏主任、姜瑞峰副主任分别主持会议。副主任李遵英、张振江、王中联、张振东、许昆峥、傅世武，秘书长王志勇和委员共41人出席了会议。会议学习贯彻了市委理论学习中心组(扩大)学习会议精神。听取和审议了市人大常委会执法检查组关于检查石家庄市实施《中华人民共和国矿产资源法》情况的报告。听取和审议了市政府关于办理市十一届人大六次会议建议的情况报告，听取和审议了市政府关于石家庄市2007年1～6月市国民经济和社会发展计划执行情况的报告，关于2006年市本级决算和市总决算情况的报告、关于2007年1～6月全市及市本级财政预算执行情况的报告，关于2006年度市本级预算执行和其他财政收支情况的审计工作报告，审议并通过了关于2006年市本级决算的决议。审议了《石家庄市养犬管理规定(草案)》、《石家庄市再生资源回收利用管理条例(草案)》。听取了市人大法制委员会关于《石家庄市城区河系公园管理条例（草案）》审议结果的报告，审议并通过了《石家庄市城区河系公园管理条例》。听取和审议了市人大常委会办公厅关于清理与《监督法》规定和精神不一致的有关地方性法规和工作文件情况的报告，市政府关于市本级城建项目争取工商银行贷款情况的报告，市人大常委会调研组关于全市诚信体系建设情况的报告，并通过相应的决定。王长敏主任就认真学习贯彻市委理论学习中心组（扩大）学习会议精神和进一步做好全年后四个月的工作等问题，作了重要讲话，提出了明确要求。要求市人大常委会全体组成人员和各县（市）区人大常委会以及市人大机关全体工作人员，进一步增强做好人大工作的责任感和使命感，坚定信心，努力工作，认真履行好宪法和法律赋予的各项职责，努力做好全年后几个月的工作，确保全年常委会各项任务目标的顺利实现，以优异成绩迎新党的十七大胜利召开。

【石家庄市第十一届人大常委会第三十六次会议】 10月30日至31日，市十一届人大常委会第三十六次会议在市人大常委会会议厅召开。王长敏主任、张振江副主任分别主持会议。副主任李遵英、王中联、张振东、许昆峥、傅世武，秘书长王志勇和委员共40人出席了会议。会议学习传达了党的十七大会议精神。听取和审议了市人大常委会视察组关于全市实施《中华人民共和国档案法》情况的执法检查报告。听取和审议了市政府关于义务教育发展情况的报告。听取和审议了市政府关于洨河和汪洋沟污染治理情况的报告。听取和审议了市政府有关拆除违法建筑的议案，并审议相应的决定。再次审议了《石家庄市再生资源回收利用管理条例（草案）》和《石家庄市养犬管理条例（草案）》。审议通过了人事任免事项。会议要求，市人大常委会组成人员、全体市人大代表和各县（市）区人大常委会，要进一步学习贯彻十七大精神，深入贯彻落实科学发展观，坚持和完善好人民代表大会的制度。按照十七大的要求，从民主法治建设的实际出发，研究和制定人大工作的具体目标、任务和措施，切实把十七大精神和市委决策贯彻到人大各项工作中去，使人大工作跃上一个新的台阶。

【石家庄市第十一届人大常委会第三十七次会议】 12月29日，市十一届人大常委会第三十七次会议在市人大常委会会议厅召开。王长敏主任、王中联副主任分别主持会议。副主任李遵英、姜瑞峰、张振江、张振东、许昆峥、傅世武，秘书长王志勇和委员共39人出席了会议。会议听取和审议了市人大常委会主任会议关于召开石家庄市第十一届人民代表大会第七次会议有关事项的报告；审议通过了关于召开石家庄市第十一届人民代表大会第七次会议的决定。审议通过了关于石家庄市第十二届人民代表大会第一次会议召开时间和石家庄市第十二届人民代表大会代表选举的决定。审议了石家庄市第十一届人大常委会代表资格审查委员会关于补选代表的代表资格的审查报告。

【市十一届人大常委会主任与“三长”联席会议】 1月11日，王长敏主任主持召开石家庄市人大常委会主任和市政府市长、市法院院长、市检察院检察长联席会议。市人大常委会主任王长敏，副主任李遵英、张振江、张承禄、赵其信、王中联、张振东、许昆峥、傅世武，市政府代市长冀纯堂，市法院院长李老铁，市检察院检察长郑治国出席了会议，市人大常委会秘书长王志勇，市政府秘书长李天印以及市人大常委会办公厅、市法院和市检察院办公室的负责同志列席了会议。

会议由市人大常委会主任王长敏主持，市人大常委会秘书长王志勇就2007年市人大常委会听取和审议专项工作报告、计划预算和审计工作报告计划（草案）、执法检查工作计划（草案）、立法计划（草案）、主任会议议题（草案）和召开市十一届人大六次会议的有关事项作了说明。会议商定了2007年市人大常委会会议议题、主任会议议题和立法项目安排意见等。研究了关于召开市十一届人大六次会议的有关事项。

【市人大常委会主任会议】 2007年共召开了29次主任会议，听取和研究了105项议题。议定了市人大常委会及其机关一系列的重要日常工作。主任会议紧紧围绕全市中心工作和人民群众关心的“热点”

问题，认真履行宪法和法律赋予的各项职责，听取了市“一府两院”关于防汛工作、城镇房屋拆迁安置工作、城建项目利用工商银行贷款、老保险扩面工作、新型农村合作医疗工作、建设示范性老年公寓情况的汇报等。针对存在的问题，要求市政府及有关部门，要进一步加强防汛基础设施建设，把防汛工作摆上重要议事日程，确保汛期国家、集体、群众的生命和财产安全。要充分认识拆迁安置工作的重要性，做到统一规划、统一政策、统一开发、统一安置。切实保障拆迁各方的合法权益，提高依法拆迁、规范管理的运作水平。要加强对资金使用的监督管理，提高建设项目预算的科学性和准确性，严格按预算执行，维护预算的严肃性。要积极探索研究养老保险扩面工作的激励机制，调动社会各方面的积极性，努力把养老保险扩面工作做细、做实、做好。要投入更多的力量，积极做好协调工作，加快示范性老年公寓的建设进度，进一步改变全市养老设施落后状况。此外，主任会议还研究确定了市人民代表大会、人大常委会会议及其它会议的会务筹备和视察、培训安排、工作计划、审查报告、人事任免事项及人大机关的重要日常工作等。

【全市县乡人大换届选举工作会议】 1月5日，市人大常委会召开全市县乡人大换届选举工作会议。会议对全市县乡两级人大选举工作进行了安排部署。市人大常委会副主任张振东出席会议并讲话，秘书长王志勇主持了会议。会议要求，要全面贯彻落实科学发展观，充分发扬民主，严格依法办事，精心指导，科学安排，切实保障选民和代表的民主权利，圆满完成全市县乡两级人大的换届选举任务。

【中华人民共和国物权法辅导报告会】 4月17日，市人大常委会举行《中华人民共和国物权法》辅导报告会。市人大常委会邀请全国人大常委会法制工作委员会民法室副主任、法学硕士杨明仑作专题辅导报告。市人大常委会主任王长敏，副主任李遵英、张振江、王中联、张振东、傅世武，秘书长王志勇和市人大常委会组成人员，市政府有关部门负责人，市中级人民法院、市人民检察院负责人，市人大常委会机关干部及各县（市）区人大常委会负责人等参加了报告会。张振江副主任主持了报告会。会议要求，各级人大及其常委会要建立健全《物权法》监督机制，为《物权法》的全面实施做好必要的准备，保证《物权法》在石家庄市的贯彻落实。

【召开“为民、务实、清廉”主题教育动员会】 5月31日，市人大常委会机关召开动员大会，就在全体党员干部中开展“为民、务实、清廉”主题教育活动进行了安排部署。市人大常委会副主任李遵英作了动员讲话。市人大常委会秘书长王志勇传达了市委关于开展“为民、务实、清廉”主题教育活动的安排意见。会议要求，通过开展这次教育活动，要使党员干部牢固树立真心实意为人民服务意识、对党的事业高度负责意识、严格遵守党的纪律意识，确保党员干部特别是党员领导干部的作风建设得到明显加强。

【全市各县（市）区人大常委会主任座谈会】 6月20日至21日，市人大常委会召开全市各县（市）区人大常委会主任座谈会。市人大常委会主任王长敏，副主任李遵英、张振江、王中联、张振东、许昆峥、傅世武，秘书长王志勇出席了座谈会。各县（市）区人大常委会主任及办公室主任参加了座谈会。会议由李遵英副主任主持。王长敏主任做了重要讲话。会议还听取了《中华人民共和国各级人民代表大会常务委员会监督法》的辅导报告。会议要求，全市各级人大及其常委会要进一步提高发展社会主义民主政治的能力，一方面加强学习、熟悉业务，另一方面勤于实践，在实践中增长才干；要紧紧围绕党委重点工作和重大决策的落实情况、经济社会发展中的重大问题以及广大人民群众普遍关心的热点、难点问题安排部署工作；依法履行职责，加强和改进监督工作，增强监督工作的实效性；密切联系群众，在工作中按照以人为本的要求，抓住群众反映强烈、影响社会和谐的带有普遍性、倾向性的突出问题，督促有关部门采取切实措施加以解决；要进一步加强人大干部队伍建设，在人大机关建设上不断取得新进展。

【迎“七一”、深入开展“为民、务实、清廉”主题教育报告会】 6

达到10亿元，对全市工业利润增长影响较大。年末，全市工业利税、利润增速比全省分别高2.28个和8.57个百分点，居全省第3位和第4位；经济效益综合指数为257.6，比上年提高40个点，比全省高21.6个点。县域工业保持较好发展。全年17个县（市）共完成工业总产值2142.73亿元，占全市64.88%，同比增长39.02%，增速比全市高9.72个百分点；实现利税247.45亿元，占全市69.96%，增长39.0%；实现利润178.62亿元，占全市80.34%，增长40.55%。全市24个县（市）区中，有14个县（市）区工业增加值增速超过25%，15个县（市）区利税增速超过40%。

商贸流通业快速发展。年末全市共有商品交易市场726个，其中消费品市场658个，生产资料市场68个，商品交易市场成交额达到1374亿元，比上年增长11.1%。全市有10亿元以上销售规模的大型商贸流通企业13家，亿元以上销售规模的企业67家，大企业、大集团的营业收入占到商贸流通业的60%。消费品市场需求旺盛、销售活跃。全年实现社会消费品零售总额821.1亿元，比上年同期增长17.5%。其中：城市实现468.1亿元，比上年增长 18.5%；农村实现353亿元，比上年增长16.2%。城乡增幅差距由上年3.8个百分点缩小为2.3个百分点。全市消费品市场呈现高位平稳运行态势，9、10、12月份达到19%以上的高速增长，增速为十年来最高水平。全年批发零售贸易业实现零售额731.5亿元，比上年同期增长17.3%，占社会消费品零售总额的89.1%，居主体地位。住宿餐饮业零售额增幅最高，实现零售额77.8亿元，同比增长21.5%，占社会消费品零售额的9.5%。其他消费品销售额也增长较快，其中金银珠宝类零售额5.5亿元，增长40.7%；粮油类零售额4.0亿元，增长28.1%；肉禽蛋类零售额3.1亿元，增长24.7%；书报杂志类零售额1.4亿元，增长21.7%；体育娱乐用品类零售额1.5亿元，增长19.5%。假日经济成为消费品市场快速增长的重要因素。春节、“五一”和“十一”期间，全市10家大型商业企业分别实现销售收入1.19亿元、2.97亿元和3.88亿元，同比增长42.58%、22.7%和25.39%。

民营经济呈现良好的发展态势。全年民营经济实现增加值1367亿元，比上年增长17.2%，占全市GDP的比重达到57.1%；上缴税金111.2亿元，比上年增长27.3%，占全市财政收入的比重达到48.3%。年末全市民营经济实有私营企业4.45万户，同比增长1.11万户，注册资本（金）总额492.84亿元，同比增加39.04亿元。

城乡建设步伐加快。全年城建计划支出48.69亿元，实际完成投资49.5亿元。继续新建、续建、大修城市道路和整修小街巷。石环公路主路试通车，平安大街改造、槐安路东拓西延、体育大街南延等重点工程竣工，城市道路交通体系进一步优化。市政配套设施逐步完善。年末城市道路总长度达到891公里，比上年增加14公里；道路面积达到1835万平方米，比上年增加563万平方米；排水管道长度达到1165公里。全市有水厂8座，日产水能力65万立方米，管线总长度1205公里，全年供水量1.17亿立方米。城市公共汽车营运线路达到103条，营运车辆2115辆，营运线路长度1313公里，年客运总量3.3亿人次。其中，新购置公交车371辆，投资资金1.4亿元。环境保护取得新成绩。全年以污染物排放总量消减为主线，以防止水和大气污染为重点，加大综合整治力度，市区空气综合污染指数为2.44，二级及二级以上优、良天气达到289天，比上年增加2天。以创建园林城市为目标，加大城市园林建设。全市完成人工造林15.6万亩，飞播造林5万亩，封山育林65万亩，零星（四旁）植树1902万株。春季义务植树在小壁林区及动物园西山植树41万株，种植花灌木10万株。社会绿化主要开展了万株乔木进社区和百万树木进市区活动，共栽植各种乔木6.98万余株，植树38万株。全年拆违绿化6561平方米，种植各类植物3300余株、修建草坪1253.5平方米。年末城市拥有公园37个，公园面积731公顷；城市园林绿地面积6136公顷，园林绿化覆盖面积6758公顷，分别比上年增加416公顷和431公顷。其中，绿地率达到33.61%，绿化覆盖率达到37.02%，人均公共绿地面积8.91

平方米，比上年增加 0.04 平方米。各项绿化指标均达到国家园林城市标准。

固定资产投资呈现较快增长。全市以经济结构调整为主线，积极谋划发展思路，推动重大项目建设，优化产业布局和经济结构。全年全社会固定资产投资达到 1391.0 亿元，比上年增长 26.9%，其中城镇投资完成 1263.8 亿元，增长 26.7%。城镇投资中，第一产业完成投资 28.8 亿元，增长 67.9%，第二产业完成投资 588.4 亿元，增长 31.5%，第三产业完成投资 646.7 亿元，增长 21.4%。建设项目投资完成 1066.6 亿元，增长 23.2%；新开工项目 3666 个，增长 22.5%；施工项目个数 4814 个，增长 40.64%，房地产开发完成投资 197.1 亿元，增长 49.2%，施工面积和竣工面积达到 983 万平方米和 176 万平方米，分别比上年增长 2.4% 和下降 36.4%。

招商引资更加重视提高利用外资质量和水平。全年新批准设立外商投资企业 42 个，比上年减少 14 个；新增合同金额 5.35 亿美元，比上年减少 1.17 亿美元；合同外资额 3.26 亿美元，比上年增加 0.71 亿美元。年末全市实有三资企业 625 家，比上年减少 7 家；实际利用外资 5.02 亿美元，比上年增加 0.08 亿美元。其中直接利用外资 4.11 亿美元，比上年减少 0.24 亿美元。引进市外资金 180 亿元，与上年持平。止年末，全市新登记外资法人及分支机构 251 个，投资总金额 17.95 亿美元。全市服务业新批利用外资项目 22 个，总投资额 9099.23 万美元，同比增长 57.81%，合同外资 5878.26 万美元，同比增长 103.7%。

对外贸易迅速增长。全年外贸进出口总值 51.30 亿美元，比上年增长 22.6%，首次迈过 50 亿美元大关。其中，外贸进口 9.80 亿美元，比上年增长 25.4%；出口 41.49 亿美元，比上年增长 22.0%。在出口中，外商投资企业出口额 11.52 亿美元，比上年增长 24%；国有企业出口 9.98 亿美元，比上年增长 9.7%；集体企业出口 2.15 亿美元，比上年增长 12.1%。钢材出口强劲，出口额达 53918 万美元，同比增长 58.44%，占比 12.82%；塑胶手套出口 36187 美元，同比增长 10.24%；机电产品出口 95694 万美元，同比增长 36.06%，占比 23.06%；高新技术产品出口保持高幅增长势头，同比增长 58.80%，出口 11305 万美元；医药品出口 49663 万美元，同比增长 38.69%；农产品出口 23892 万美元，同比增长 20.51%；纺织纱线、织物及制品出口 33901 万美元，同比增长 15.87%。努力开拓国际市场。年内在巩固传统市场基础上，组织 300 多家企业参加中国出口商品交易会、华东出口商品交易会等国内外二十多个展览会、交易会，其中对欧盟、美国、东盟、韩国和印度等市场出口保持了较快增长，贸易伙伴增加。“走出去”步伐加快。全年申办境外投资企业 13 家，总投资额 1459 万美元。

旅游业稳定发展，旅游人数和收入继续增长。全年围绕“中国和谐城乡游”主题，创新思路举措，加大资源开发、市场促销和行业监管，旅游业继续保持旺盛发展的良好势头。全市共接待入境游客人数突破 10 万人，达到 10.3 万人次，其中外国人 9.3 万人次，分别比上年增长 15.1% 和 15.3%。国际旅游创汇收入 3694 万美元，比上年增长 32.6%；接待国内游客人数 1902 万人次，比上年增长 8.5%，国内旅游收入 103.9 亿元，比上年增长 19.7%。全年实现旅游总收入 106 亿元，比上年增长 24.7%。旅游重点项目建设进展顺利。全年旅游建设项目 62 个，完成投资 8.7 亿元。其中，投资 1200 万元的西柏坡影视厅扩建改造工程、投资 1.2 亿元可容纳 600 多人的“西柏坡培训中心”工程、平山白鹿温泉度假村、赞皇棋盘山景区、天桂山银河洞景区和隆兴寺展馆等项目工程建成开放。还完成新增旅游交通标示牌实地勘查、定向、路测和版面设计工作；修订完成驼梁—五岳寨旅游资源整合规划。全市共新建、改建、扩建景区步游路 300 余华里，整修停车场 5 万余平方米，新建、改建、扩建旅游厕所 12 个。项目招商取得突破。在石洽会和宁波全国旅游项目招商会上，取得丰硕成果。其中投资 3 亿美元拉美国际文化交流中心项目、投资 1.3 亿美元西部山前太行生态庄园项目等近 10 个项目顺利签约。旅游商品开发成效显著。黄金周旅游保持旺盛。春节、“五一”和“十一”黄金周期间，全市接待中外旅游者 264.3 万人次，同比增长 2.24%，旅游业总收入 11.68 亿元，同比增长 9.16%，继续创造了较好的社会效益和经济效益。

财政收入较快增长。全年财政收入完成230.35亿元，增长21.2%，增速比上年提高6.5个百分点，其中一般预算收入完成95.87亿元，增长23.9%。在全部税收中，增值税完成88.5亿元，增长17.2%；营业税完成37.4亿元，增长28.9%；企业所得税完成32.8亿元，增长29.7%；个人所得税完成19.4亿元，增长20.6%。全市一般预算支出159.5亿元，增长24.4%，其中医疗卫生支出9.6亿元，同比增长50.85%；教育支出39.7亿元，增长32.4%；科学技术支出3.0亿元，增长26.8%；社会保障和就业支出13.7亿元，增长23.9%。全市农村社会救济支出6468万元，城市居民最低生活保障资金支出7747万元。向企业离退休人员发放养老金25.3亿元。全年17个县（市）和矿区财政收入完成86.9亿元，占全市收入总量37.73%，比上年提高2.8个百分点。其中平山、藁城、鹿泉财政收入率先突破10亿元，辛集完成8亿元，井陉、晋州超过5亿元。全年全部财政收入占到GDP的比重达到9.62%，其中，一般预算收入占全部财政收入的比重达到41.62%，税收收入占全部财政收入的比重达到92.7%。大力落实支农惠农政策。全年各级财政用于“三农”投入达到28.1亿元，增长32.5%；用于农林水事业支出12.19亿元，重点支持了农业基础设施、农业产业化和文明生态村建设；发放粮食直补和综合直补资金3.42亿元，动植物良种和农机具补贴1.3亿元；落实渔业、林业、农村道路客运等相关行业成品油提价补贴资金1.28亿元。积极探索财政支农新机制。深化财政改革。全市进一步扩大资金整合规模，市级财政整合资金6.9亿元，集中用于重点项目建设。国库管理制度改革，对市级预算单位全部实施零余额账户支付改革试点，15家市直单位推行了公务卡。年内政府采购工作建立了采购诚信档案、采购关联事项信息公开和资信收集制度，采购程序更加公开、透明和规范。投资评审工作力度加大。全市行政事业单位清产核资工作顺利开展，基本摸清了家底。财政监督范围延伸。向桥东区污水处理、滹沱河生态开发等7个政府投资的重点项目派驻了财政监察员。

科技成果水平提高。全年取得科技成果251项，其中达到国际领先水平7项，比上年增加4项，达到国际先进水平41项，达到国内领先水平144项，国内先进水平31项，获省级科技进步奖19项，市级科技进步奖83项。专利申请快速增长。全年申请专利1874项，授权1256项，分别比上年增长25.4%和38.2%。高新技术产业发展迅速。年末全市认定高新技术企业106家，高新技术产品186项，实现高新技术技工贸总收入520亿元。全年市级技术创新项目256项，应用技术研发资金7540万元，项目数量和资金规模，都实现了历史性突破。企业研发平台建设加强。全市积极推动主导产业龙头企业和重点高新技术企业建设国家级和省级研发中心。止年末，全市拥有国家级企业技术中心5家，省级工程技术研究中心3家，省级重点实验室1家，市级工程技术研究中心11家。

高等教育和职业教育人数增加，发展较快。全市共有普通高等院校44所，招生11.0万人，在校生31.7万人，毕业生8.6万人，分别上年增加5所、1.4万人、4.4万人，1.7万人。全市普通中学592所，招生22.0万人，在校生67.7万人，毕业生24.2万人，分别比上年减少27所、1万人、3.8万人和2.3万人。中等职业学校209所，招生10.6万人，在校生25.3万人，毕业生7.3万人，分别比上年增加40所、2.3万人、4.9万人、1.1万人。小学2152所，比上年减少250所，招生11.9万人，比上年增加1.3万人；在校生64.4万人，减少4.6万人；毕业生14.6万人，减少0.6万人。全市幼儿园829所，比上年增加169所，在园人数16.6万人，比上年增加1.5万人。全市义务教育经费保障总额27876.6万元，其中，免杂费资金21180.2万元，补助公用经费2006.4万元，校舍维修改造长效机制资金4690万元。全市共资助贫困生301141人次，资助资金达2069.33万元，受资助贫困生占全部在校生人数的14.67%。全年校舍维修改造、标准化学校建设、布局调整和市区薄弱学校改造工程项目106所，建设面积27万平方米，投资2.2亿元。新建、改建中小学图书馆256个，面积36789平方米；新增图书210万册，电子阅览室86个，微机化管理学校 65 所，半开架、全开架管理学校 128 所。新建常规实验室 125 个，改建、扩建常规实验室 396 个，总面积 51000 平方米。全年中小学新增计算机 3000 余台，多媒体 300 余套，升级改造和新增校园网 50 余套。组织各级各类考试 20 次，报考人数 955134 人。其中，研究生考试报名 20568 人，中考报名 123680 人，普通高考报名 108382 人，成人高考报名 31092 人，会考报名 272065 人，自考报名 116499 人，社考报名 282848 人。全市高考 600 分以上高分段人数达到 3015 人，比上年增加 1293 人。其中，本一上线人数 5190 人，比上年增加 316 人；本二上线人数 13572 人，比上年增加 260 人；音体美本科人数 5602 人，比上年增加 2837 人。

文化事业繁荣活跃。年末全市共有艺术表演团体 19 个，艺术表演场所 18 个。文化馆、群艺馆 24 个，公共图书馆 23 个。其中，市群艺馆和辛集市、井陉县文化馆被评为国家一级馆，另有 3 个县（市）文化馆被评为国家二级馆，9 个县（市）文化馆被评为国家三级馆。年末全市有国家等级文化馆总数位居全省第一。全年新建“村民中心”、文明生态村文化室、图书室和文体活动广场 359 个、文化大院 213 个；新建“文化信息资源共享工程”农村基层中心和网点 25 个，全部实现与省和国家中心联网。全市为乡镇文化站购置电影放映设备 22 套。全年各级公共图书馆接待读者 85 万人次；市博物馆举办各类陈列展览 15 个，接待观众 5 万人次；全年组织开展了群众舞蹈“千人大比舞”、“优秀剧目进社区，好戏送到家门口”、“万场电影进农村、千场演出进社区”等系列文化活动，共举办大型文艺演出 1100 场，放映电影 14000 多场，市直各院团在城乡演出 932 场，市群艺馆组织举办各类群众文艺活动 70 多项，城乡群众参与人数达到 100 万余人次。大力实施“文化环保工程”，积极开展反盗版行动、电子游戏专项整治、娱乐演出场所净化和网吧市场管理等工作，共破获音像大案 4 起，查缴盗版音像制品 60 多万张；查处非法电子游戏厅 40 多家，收缴非法电子游戏机 540 多台，电路板 2000 余块，并进行了公开销毁；查处违规网吧 176 家，停业整顿 24 家，吊销网络经营许可证 1 家。年内《藁城宫灯》等 21 个项目列入第二批省级非物质文化遗产名录，《赵州扇鼓》等 34 个项目列入第二批市级非物质文化遗产名录，辛集市、井陉县和藁城市耿村被命名为“全国民间艺术之乡”，无极县、正定县被命名为“河北民间文化艺术之乡”。其中“井陉拉花”进京参加全国民间艺术大赛并荣获金奖。

广播电视的社会影响力和市场竞争力提高。全年经营收入达到 2.5 亿元，比上年增加 0.3 亿元。电视台广告收入 1.3 亿元，为周边省会城市强台之列。全年广播综合覆盖率为 99.3%，电视综合覆盖率为 99.2%。全市正式启用有线电视数字平台，已完成 10 万户数字电视转换任务。年内市电视台《民生关注》、市电台《新闻 882》栏目改扩版后收视率和市场份额在省会稳居第一。其中《新闻 882》栏目被评为省优秀栏目。全年市电视台在中央台播发稿件 80 条，上《新闻联播》67 条；市电台在中央台播稿 89 篇。两台发稿量均为全省同行第一。其中文献纪录片《石破天惊》连续 4 天在中央电视台第 7 套节目黄金时段播出。

卫生事业稳定发展。年内全市共有医疗卫生机构（含诊所）2155 个，其中医院 172 个，比上年增加 35 个（均为民营医院）；疾病预防控制中心（防疫站）25 个，妇幼保健院（所、站）25 个。卫生机构实有床位 3.02 万张，其中医院拥有床位 2.31 万张，比上年分别增加 0.29 万张和 0.18 万张。全市拥有卫生技术人员 4.78 万人，其中执业医师 1.74 万人，比上年分别增加 1.71 万人和 0.03 万人。新型农村合作医疗实现新突破。全市 17 个农村县（市）全面启动新型农村合作医疗，参合农民 540.16 万人，参合率达到 87.54%，位居全省之首。五保户和贫困户参合率到达 100%。全年共补偿参合农民 203.42 万人次，补偿费用 2.3 亿元，其中补偿 1 万元以上有 900 人。农村卫生服务体系得到加强。年内有 133 所乡镇卫生院在开展创建标准化乡镇卫生院和村卫生室活动中实现达标，其中 85% 的村卫生室达到标准化要求。全市还对 222 所乡镇卫生院院长、放射医师、检验医师、呼吸内科医师进行了全员培训，对 9193 名乡村医生进行了培训考核。卫生监督取得成效。全年重点开展了中小餐馆食品卫生安全整治

"洁餐行动"，共检查单位 18952 户次，查处违法案件 1139 起，取缔无证餐饮单位 1661 家。中小餐馆食品卫生状况得到明显改善，AB 级率达到 66.9%。深入开展"医学专家大篷车"和"千名医师下乡村"活动。全年"医学专家大篷车"活动共提供义诊咨询 15000 余人次，免费体检 1700 余人次，培训基层医务人员 3600 人次，发放健康科普宣传手册 50000 余册；"千名医师下乡村"活动共选派 600 名医务人员对口支援 4 所县级医院和 66 所乡镇卫生院，诊治病人 12.2 万人次，实施各类手术 1734 例，抢救危重病人 702 例，减免医疗费用 28.4 万元，指导受援单位开展新技术、新项目 150 项，免费接受基层单位医务人员进修学习 201 人次。

体育事业成绩突出。全年举办、承办市级以上运动会 27 项，参加运动员 3200 人次。其中，选手在省级以上比赛中获得金牌 181 枚，银牌 170 枚，铜牌 129 枚。全市建立社会体育指导站 568 个，培养社会体育指导员 6000 余名；安装全民健身路径 910 条、体育健身苑 6 个、全民健身工程 42 个、示范工程 4 个，成为全省安装全民健身路径最多的城市。参加全国第六届城运会成绩突出。10 月 25 日至 11 月 3 日在武汉举办的全国第六届城运会决赛上，全市 33 名运动员参加了乒乓球、武术套路、射击、柔道、摔跤、田径等 6 个项目的决赛，共获得 3 金 3 银 2 铜的优异成绩，在参赛的 74 个城市中排名第 27 位，比上届提升了 34 位，实现了历史性突破。参加第十二届省运会战果辉煌。第十二届省运会于 2006 年 6 月至 2007 年 6 月在唐山市举行。上年进行了 22 个大项决赛和 3 个大项预赛。年内 4 月至 6 月进行射击、游泳、田径 3 个大项的决赛。全市体育代表团经历长达一年的奔波征战，最终以金牌总数 214.2 枚、团体总分 6736.4 分、奖牌总数 513.5 枚（214.2 枚金牌、163.4 枚银牌、135.9 枚铜牌）三项第一的优异成绩位居省运会之首。第十三届市运会隆重开幕。9 月 8 日，石家庄市第十三届运动会在裕彤国际体育中心开幕，市委书记吴显国宣布开幕，市长冀纯堂致开幕词。本届运动会各项目比赛于下年 4 月份进行，9 月 15 日结束，全市 24 个县（市）区共 3019 名运动员分青少年组、成年组和老年组参赛，共 18 个大项，203 个小项。全年体育经营场所总投资达到 2.5 亿多元，建有体育俱乐部 26 个，体育经营项目 28 项，经营单位 274 家。至 11 月底，全市销售电脑彩票 2 亿多元，即开型彩票 1500 多万元。

【石家庄市人民政府及其工作部门组成人员】

市政府领导

市　　长：冀纯堂
常务副市长：朱浩文
副 市 长：蒋洪江
　　马玉文
　　张发旺
　　张殿奎
　　王　刚
　　林智敏（5 月免）
秘 书 长：李天印
副秘书长：王建国
　　刘　凯（12 月免）
　　杨智勇
　　刘占军
　　王溪波
　　汤化敏
　　李文昌（4 月任）
　　韩保来（8 月任）
　　蒲国良（11 月任）
　　郑国良（11 月任）
　　赵文锋（12 月任）
　　闫茂云（兼）
　　范宪林（兼）
　　邸占勋（兼）
　　刘建军（兼）
　　裴晓青（兼,6 月任）

一、市政府工作部门

办公厅

主　任：（空）
副主任：赵志敏
　　赵景芳
　　郑国良（11 月免）
纪检组长：董俊学

发展和改革委员会

主　任：韩宪章
副主任：李振章　张彦春
　　左力鸥　吴　飞
　　曹惠芳　杨志乾
　　张书田　张　旭
　　高庆洲

工业经济促进局

局　长：吴　飞
副局长：傅庆文　王双群
　　陈书广　高胜田
　　李建柱

教育局

局　长：王文治
书　记：王咏才

副书记：仵增刚　杜平等
副局长：李冀生
韩保来（8 月免）
马建国　马　力
赵立芬　李立水

科学技术局

局　长：张志勤（9 月免）
卢长锁（9 月任）
副局长：张英才　纪卫国
张志敏　陈　玉
梁国发
郝金卓（不占职数）

民族宗教事务局

局　长：刘书军
副局长：张贵民　张联军
贾琴英　邱建开

公安局

局　长：张铁力
副局长：张石余（2 月免）
纪根庄（8 月免）
郭新年
曾江兴（8 月免）
许振霞　苗社祥
武瑞琪　陈　震
王云才（8 月任）

监察局

局　长：张治春
副局长：张　林（12 月免）
王顺通　李小平
韩秀华

民政局

局　长：张新伟
副局长：刘瑞山　李义春
韩绍明
任跃民（3 月任）
雷铁显　甘国云

司法局

局　长：李锡海
副局长：贾振海（9 月免）
朱惠保　吉志海
任　飞（9 月任）
任保山

财政局

局　长：李和平
副局长：赵志卿　徐树兵
王彦勤　王铁英
王秋旺

人事局

局　长：郭领域
副局长：韩建国　刘桂江
石景辉
袁民杰（3 月任）
刘春东

劳动局

局　长：刘国栋
副局长：肖士杰　刘建国
周亦兵　张　民

国土资源局

局　长：顾旗章（12 月免）
师吉奎（12 月任）
副局长：师吉奎（12 月免）
范振鹏　张增法
李少恒　杜敏海

规划局

局　长：张北海（4 月免）
王晓临（4 月任）
副局长：张国珍　董玉辉
杨若威　吕　军

建设局

局　长：王瑞生
副局长：王增喜　杨立众
周兴旺
魏援朝（8 月免）
曹新杰　赵志武

城市管理局

局　长：崔金刚
副局长：王建国　王运泽
赵宪忠　高乃善

住房保障和房产管理局

局　长：张富春
副局长：白彦德　唐继石
韩东波
张玉荣（12 月免）
王文兴
黄拴喜（12 月任）

交通局

局　长：孙吉明
副局长：孙宏普　葛新生
路喜柱　张国庆

信息产业局

局　长：王玉民
副局长：闫秀林　张庆绪
张殿英　陈卫平
郭　毅　卢昌明
邢卫建

水利局

局　长：楚行宇
副局长：赵卯生　黄万春
陈金成　田振堂
周自强（3 月任）
宋国宏

农业局

局　长：赵国三
副局长：周树方
李建军（3 月任）
田智岭　谷英海
杨锁成　吴振见

林业局

局　长：冯书勤
副局长：杨书堂　孙志强
王兰记　贾　斌
李西平

畜牧水产局

局　长：孙任虎
副局长：何文昌　贾建平
刘海生　王玉坤
刘芬玲（3 月任）

商务局

局 长：罗北中

副局长：张和平 刘 平 王鸿瑞 马千里 和 健 康顺京 李 铭

文化局

局 长：李耀峰

副局长：张文志 孙世煦 郭纯阳 左春和

体育局

局 长：唐 青

副局长：张建增 李进忠 刘 坤 葛学林（4月任）

卫生局

局 长：闻宏海

副局长：周育华 李淑琴 甄继革 林慧芳 闫纯锴

人口和计划生育委员会

主 任：曲仓坤

副主任：吴显文 信建忠 李志宏 郝菊亭 武常贵

审计局

局 长：杨英波

副局长：曹书辰 胡荡舟 李景海 张家亮 李士宗

环境保护局

局 长：李明国（9月免） 齐惠明（9月任）

副局长：周同友 刘卯生 岳存义 宋春元 耿富顺 张智华

统计局

局 长：檀振英（4月免） 王俊林（4月任）

副局长：王俊林（4月免） 郄瑞山（7月免） 徐拥政 杨芬朝 戴贻辉 刘建强（7月任）

物价局

局 长：王 宣

副局长：杨惠萍 朱振堂 崔卫东 卢金保

粮食局

局 长：翟力献

副局长：孙 勃 刘振山 王顺平 张 伟

旅游局

局 长：王玉国

副局长：黄 健 王树生 米进立 刘庆卫（3月任） 丰春雷

中小企业局

局 长：郭素芝

副局长：李清惠 徐 东 刘令军 李丰基 刘国明

安全生产监督管理局

局 长：崔云申

副局长：崔同英 安全喜 潘广平 马锁柱 杨玉珠（3月任） 张宇琪

外事侨务办公室

主 任：杨秋贵

副主任：王中秋（8月免） 魏建涛 孟 硕（3月任） 樊为民（8月任）

法制办公室

主 任：孙二喜

副主任：张若丕 赵成英 赵士宗

二、直属特设机构

国有资产监督管理委员会

主 任：李顺琦（12月免） 刘 凯（12月任）

副主任：段致平 张银群（9月免） 毕拉祥 尚建斌 米志奇 韦 东

三、议事协调机构的办事机构

人民防空办公室

主 任：梁俊科

副主任：李全书（8月免） 吴书建 马新新 苏 力 胡月平（3月任）

四、政府直属事业机构

机关事务管理局

局 长：闫茂云

副局长：鲍新校 武泉林 韩振朝 卢首往

地震局

局 长：高翠君

副局长：赵万里 杨卫东

园林局

局 长：李英波

副局长：曹梦林 杨建秋 范建国 赵同法（3月任） 郝建国

档案局

局 长：王彦明

副局长：赵克胜 胡建敏 王志海（7月免） 乔和平（10月去世） 朱银刚（8月任）

市政府研究室

主任兼政府副秘书长：邸占勋

副主任：张雪峰 刘 信

张　崇

广播电视局

局　长：王　智

副局长：胡全栋（3月任）

商业南　赵树斌

王　强　葛金平

新闻出版局

局　长：张　炬

副局长：贾建军　胡志国

周卫中　张秀芳

【市政府重要文件】

1月16日印发关于加强我市住宅区物业管理工作的意见

1月16日印发关于石家庄市住宅区业主大会规则的通知

1月16日印发关于印发石家庄市新建住宅交付使用管理办法的通知

1月17日印发关于石家庄市户外广告设置管理办法的通知

1月17日印发关于印发2007年省会夜景建设实施方案的通知

1月17日印发关于建立城乡医疗救助制度的意见

1月17日印发关于农村五保供养工作的实施意见

1月29日印发关于进一步加强和规范城建收费工作的通知

2月7日印发关于石家庄市环境保护重点工作实施方案的通知

2月7日印发关于量化管理任务和重点污染单位限期治理计划的通知

2月7日印发关于2007年经济体制改革重点工作的指导意见

2月12日印发关于2007年市政府180项重点工作责任分解表的通知

2月12日印发关于加强市政园林工程招投标管理的通知

2月26日印发关于给予苗社祥同志记二等功表彰的通报

3月6日印发关于2006年度安全生产目标管理考核结果的通报

3月6日印发关于农村义务教育经费保障机制改革的通知

3月6日印发关于2007年进一步抓好安全生产工作的意见

3月13日印发关于石家庄市残疾人事业十一五发展纲要的通知

3月21日印发关于落实全国地震重点监视防御城市措施的通知

4月3日印发关于调整石家庄市区国有土地基准地价的通知

4月12日印发关于2006年市政府行政复议案件情况的通报

4月24日印发关于2006年度石家庄市科学技术奖励的决定

4月24日印发关于2007年立法工作安排意见的通知

5月8日印发关于表彰2006年度热源热网项目建设先进单位和先进工作者的通报

5月15日印发关于2006年市直行政执法机关和县（市）区依法行政评议考核情况的通报

5月15日印发关于2007年全市依法行政工作的安排意见

5月15日印发关于进一步加快万村千乡市场工程的实施意见

5月15日印发关于加快城市公共交通优先发展的实施意见

6月13日印发关于设立石家庄市生物产业发展专项资金的通知

6月13日印发关于对石家庄市食品安全委员会部分成员调整的通知

6月13日印发关于同意局部调整正定县城市总体规划的批复

6月14日印发关于调整市防汛抗旱指挥部成员的通知

6月14日印发关于公布第二批市级非物质文化遗产名录的通知

6月14日印发关于调整法律专家咨询委员会的通知

6月14日印发关于确定石家庄发展投资有限责任公司为我市投融资平台的通知

7月12日印发石家庄市人民政府关于做好第一次全市污染源普查工作的通知

7月23日印发关于17个重大专项工作责任分解表的通知

7月25日印发关于石家庄市加快发展城市社区卫生服务实施意见的通知

7月26日印发关于调整岗南黄壁庄水库防汛指挥部成员的通知

7月27日印发关于开展第二次土地调查的通知

7月30日印发关于石家庄市城市房屋拆迁估价实施意见的通知

8月1日印发关于成立石家庄市危险化学品应急救援中心的通知

8月10日印发石家庄市人民政府修改关于支持开发建设东南规划分区的政策措施的通知

8月17日印发关于2007年度石家庄市科学技术奖励的决定

8月20日印发关于给予邢广林等同志记二等功表彰的通报

8月31日印发关于推行农业科技特派员制度的实施意见的通知

9月10日印发关于做好被征地农民社会保障工作实施意见（试

行）的通知

9月21日印发石家庄市人民政府关于印发石家庄市重点流域水污染综合治理实施方案的通知

9月28日印发石家庄市人民政府关于建立实行七项制度确保政府工作快捷高效运行的意见

10月15日印发关于开展主路主街及主要出市口道路重点部位集中整治活动的意见

10月27日印发关于表彰2007年春季森林防火工作先进单位和先进个人的决定

11月2日印发关于做好县级财政供养人员住房公积金缴存工作的通知

11月2日印发关于进一步推进就业再就业工作实施意见的通知

11月2日印发关于石家庄市城镇居民基本医疗保险实施方案的通知

11月23日印发关于对城市特困群众和重点优抚对象实行采暖费补贴的通知

11月23日印发关于推进二十个重点服务业项目建设的意见

12月1日印发关于石家庄市滹沱河综合整治征地拆迁办法的通知

12月5日印发关于石家庄市城市生活垃圾处理费征收管理办法的通知

12月13日印发关于切实做好拆违后清理整修工作的通知

12月14日印发关于石家庄市重点流域水污染防治专项行动方案的通知

12月18日印发关于解决当前供销合作社几个突出问题的通知

12月27日印发关于石家庄市妇女儿童发展规划的通知

12月31日印发关于石家庄市社区卫生服务体系建设重点联系城市工作方案

12月31日印发关于石家庄市工业5+3企业上台阶实施意见的通知

【市政府全体会议】 7月25日市第十一届人民政府召开第九次全体会议。会议动员全市上下，继续深入贯彻省、市党代会精神，全力以赴抓好各项工作，努力把市委的决策部署真正变为政府系统广大干部的实际行动，推进全市经济社会又好又快发展。会议强调，大力弘扬和树立调查研究之风、谋事成事之风、求真务实之风、敢抓敢管之风、令行禁止之风，以时不我待的紧迫感、高效务实的硬作风，真抓实干，以优异成绩迎接党的十七大胜利召开和石家庄解放六十周年。市长冀纯堂作重要讲话，常务副市长朱浩文主持会议。会上，副市长蒋洪江、马玉文、张发旺、张殿奎、王刚，市政府秘书长李天印分别就分管工作进行了总结部署。市政府党组成员、市长助理韩宪章出席会议。市政协副主席张光大应邀参加会议。

【市政府常务会议】 1月8日 市政府举行了第59次常务会议。与会人员听取了《关于2006年城建计划执行情况及2007年城建计划（草案）安排情况》的汇报，并原则通过了《2007年城建计划（草案）安排情况》。审议并原则通过了《关于2006年40件实事落实情况及2007年继续为人民群众办好的实事》、《关于2007年政府预算安排》。代市长冀纯堂主持会议。市政府常务会议组成人员朱浩文、蒋洪江、马玉文、张发旺、张殿奎、王刚、林智敏、陈启明、郭广生、李天印以及市政府有关部门、部分县（市）区政府负责人出席了会议。市人大常委会副主任傅世武应邀出席会议。会议邀请最高人民法院王林清法官作了《合同法》的学习辅导。

1月17日 代市长冀纯堂主持召开市政府第60次常务会议，专题研究讨论提交市十一届人大六次会议审议的《政府工作报告》。市政府常务会议组成人员朱浩文、蒋洪江、张发旺、张殿奎、林智敏、陈启明、郭广生、李天印出席会议。市人大、市政协领导赵其信、李屏东应邀出席会议。市政府常务会议召开之前，代市长冀纯堂和各位副市长，政府秘书长、各位副秘书长和全体与会人员，听取了中华人民共和国国务院发布的《城市房屋拆迁管理条例》辅导讲座。

4月4日 市长冀纯堂主持召开市政府第61次常务会议，研究讨论并原则通过《2007年度立法计划》（草案）、《关于做好今年承办人大代表建议政协提案工作的意见》、《石家庄市公园管理办法》（草案）等。 市政府常务会议组成人员蒋洪江、马玉文、张发旺、王刚、林智敏、李天印、陈启明出席会议。市政协副主席李屏东应邀出席会议。 会议召开之前，与会人员听取了《中华人民共和国各级人民代表大会常务委员会监督法》辅导讲座。

4 月 19 日　市长冀纯堂主持召开市政府第 62 次常务会议，研究讨论并原则通过《石家庄市餐饮业食品卫生管理办法（草案）》等。市政府常务会议组成人员朱浩文、蒋洪江、马玉文、王刚、林智敏、李天印、韩宪章出席会议。市人大、市政协领导王中联、李屏东应邀出席会议。会议召开之前，与会人员听取了《中华人民共和国物权法》辅导讲座。

5 月 24 日　市长冀纯堂主持召开市政府第 63 次常务会议，研究审议并原则通过《关于石家庄市油漆厂消除重大事故隐患实施搬迁改造的意见》、《石家庄市养犬管理条例（草案）》、《石家庄市城区河系公园管理条例（草案）》。市政府常务会议组成人员朱浩文、蒋洪江、马玉文、张发旺、王刚、李天印、陈启明、韩宪章出席会议。市人大常委会、市政协领导张振江、李屏东应邀出席会议。会议召开之前，与会人员听取了《地方各级人民政府机构设置和编制管理条例》专题讲座。

6 月 29 日　市长冀纯堂主持召开第 64 次常务会议，研究讨论并原则通过《关于进一步加强土地管理推进节约集约用地的意见》、《石家庄市再生资源回收利用管理条理（草案）》、《石家庄市社会诚信体系建设方案》、《石家庄市企业诚信体系建设方案》等。市政府常务会议组成人员朱浩文、蒋洪江、张发旺、张殿奎、李天印、陈启明、郭广生出席会议。市人大副主任许昆峥应邀出席会议。会议召开之前，与会人员听取了《中华人民共和国企业所得税法》辅导讲座。

7 月 26 日　市长冀纯堂主持召开了市政府第 65 次常务会议，专题研究并原则通过了石家庄市“5528”绿化工程规划方案、石家庄市户外广告拆除整治实施方案、石家庄市积存垃圾整治实施方案、石家庄市拆除违法建筑及主要街道整修工程实施方案等。 市政府常务会组成人员朱浩文、蒋洪江、马玉文、张发旺、张殿奎、李天印、陈启明、韩宪章出席会议。市人大常委会副主任傅世武，市政协副主席李屏东应邀出席会议。常务会议前，石家庄行政学院唐永志教授为与会人员作了《中华人民共和国行政复议法实施条例》专题讲座。

8 月 9 日　市长冀纯堂主持召开市政府第 66 次常务会议。会议听取了关于贯彻落实全国“菜篮子”工作电视电话会议情况的汇报；专题研究并原则通过了关于我市全面开征城市生活垃圾处理费的意见、石家庄市新建改（扩）建住宅项目配套建设教育设施建设费征收办法（草案）、关于 2007 年度石家庄市科学技术奖励的决定、关于治理整顿规范无线电通信秩序的实施意见。市政府常务会组成人员朱浩文、蒋洪江、马玉文、张发旺、王刚、李天印、陈启明、韩宪章出席会议。市人大常委会副主任傅世武应邀出席会议。常务会议前，省畜牧兽医局畜牧与草原处处长顾传学为与会人员作了《中华人民共和国畜牧法》专题讲座。

9 月 17 日　市长冀纯堂主持召开市政府第 67 次常务会议。会议专题研究并原则通过了《石家庄市城镇居民基本医疗保险实施方案》、《关于建立实行七项制度确保政府工作快捷高效运行的意见》等。市政府常务会组成人员朱浩文、蒋洪江、马玉文、张发旺、李天印、陈启明、郭广生出席会议。市人大常委会副主任张振东、市政协副主席宣叙应邀出席会议。

10 月 12 日　市长冀纯堂主持召开市政府第 68 次常务会议，讨论并原则通过了石家庄市拆除违法建筑期间就业援助、最低生活保障、医疗救助、价格监管、住房保障等配套政策文件；《石家庄市病媒生物预防控制管理办法（草案）》；关于进一步推进就业再就业工作的实施意见；石家庄市社会诚信体系建设规划。市政府常务会组成人员朱浩文、蒋洪江、张发旺、王刚、李天印、陈启明、郭广生、韩宪章出席会议。市人大常委会副主任傅世武应邀出席会议。

12 月 6 日　市长冀纯堂主持召开市政府第 70 次常务会议，讨论并原则通过了《关于完善和落实城市住房保障制度切实解决低收入家庭住房问题的实施意见》、《关于落实〈河北省人民政府关于鼓励创业的决定〉的实施意见》、石家庄市妇女、儿童发展规划（修订稿），听取了关于我市城乡社会救助工作有关情况的汇报。市政府常务会组成人员蒋洪江、马玉文、张发旺、李天印、陈启明出席会议。

12 月 26 日　市长冀纯堂主持

召开市政府第71次常务会议。会议听取了关于全省经济工作会议精神暨全市2008年主要经济工作安排的汇报，以及关于改革市对县（市）区财政体制改革的汇报；讨论并原则通过了《石家庄生态市建设规划》等。市政府常务会组成人员朱浩文、马玉文、张发旺、王刚、李天印、陈启明、韩宪章出席会议。市政协副主席赵长栓应邀出席会议。

【为人民群众办的40件实事】

一、医疗

序号	具体任务目标	责任单位	完成情况
1	农村县（市）全面实施新型农村合作医疗制度，农民参合率达到80%以上。	市卫生局，有关县（市）人民政府	全市共有540.2万人参加了新型农村合作医疗，农民参合率达到87.54%。其中，全市共补偿172.45万人次，补偿金额1.95亿元。
2	完成23所乡（镇）卫生院改造。		23所乡（镇）卫生院改造工程已全部完成。
3	城市社区卫生服务机构实现收费项目、收费标准、药品价格、服务标准“四统一”。	市卫生局，市内五区人民政府	全市社区卫生服务机构已实行了药品集中招标采购、统一联网配送制度。目前，社区药品集中招标采购品种已达426个，已配送药品价值达2700万元，社区药品平均价格较集中采购前下降21.3%。
4	继续开展“医学专家大篷车”和“千名医师下乡”活动，对口支援63所乡（镇）卫生院，培训乡村医生2000名，提高基层医疗卫生服务水平。	市卫生局	全市选派600名医务人员对口支援4所县级医院和66所乡（镇）卫生院，共诊治病人12.2万人次，实施各类手术1734例，抢救危重病人702例，培训基层医务人员3600人次。同时“医学专家大篷车”走进民工工地、民族村、敬老院和希望小学等，提供义诊咨询1.5万余人次，免费体检1700人次。
5	为全市120万名已婚育龄妇女免费提供生殖保健服务。	市人口和计划生育委员会，各县（市）区人民政府	全年共为128.77万名已婚育龄妇女提供免费生殖保健服务，其中，乳腺疾病检查109万例，查出疾病15.6万例，治疗13.1万例；妇科疾病检查88.7万例，查出疾病21.4万例，治疗18.5万例，超额完成全年目标任务。

二、饮食

6	推行标准化生产，通过省无公害畜产品产地认定单位40家，累计达到150家；通过农业部无公害畜产品认证3个，累计达到19个。	市畜牧水产局	全年通过省无公害畜产品产地认定40家，累计达到150家；通过农业部无公害畜产品认证3个，累计达到19个，完成全年目标任务。
7	继续推进快餐大排档建设，市内五区各建5家、高新区建1家快餐大排档，方便群众就餐。	市商务局、规划局、卫生局、工商局，市内五区人民政府、高新区管委会	全年共投资1000万元，建成26家社区大排档，其中，市内五区各5家，高新区1家，总面积1.2万平方米。市区内快餐大排档总数量累计达到31家。

8	继续开展“洁餐行动”，年内全市营业面积500平方米以下的中小餐馆AB率（卫生优良单位）达到60%以上。	市卫生局、工商局，各县（市）区人民政府	组织实施了卫生整治暨“洁餐行动”专项整治活动，全年共检查中小餐饮单位1.89万户次，查处违法案件1139起，取缔无证经营1661家。全市城区中小餐馆AB率已达66%。
9	实施农村饮水安全工程，解决50个村、4万人的农村饮水安全问题。	市水利局	全年投资1600万元，兴建饮水工程56处，其中，深井50眼，浅井5眼，泵站1处，解决了50个村、4万人的农村饮水安全问题。

三、住房

10	市区经济适用住房竣工55万平方米。	市房管局	市区经济适用住房施工面积61万平方米，竣工面积已达56.2万平方米，超额完成全年目标任务。
11	为全市城镇人均建筑面积15平方米以下的低保家庭发放廉租住房租金补贴。	市房管局、民政局，各县（市）区人民政府	全年共发放廉租住房补贴1432户、3956人，补贴面积45.4万平方米。其中，市内五区补贴1030户、2773人，补贴面积34.5万平方米；县（市）、矿区共补贴402户、1183人，补贴面积11万平方米。
12	全面推行住宅小区物业规范化管理，提高居民居住质量。	市房管局，市内五区人民政府、高新区管委会	全市住宅面积3万平方米以上的生活小区共有417个，其中，由物业公司管理的225个住宅小区已全部施行了物业规范化管理。
13	市区新增集中供热面积200万平方米。	市发改委	市区新增集中供热面积330万平方米，超额完成全年目标任务。
14	市区新发展煤气用户1.6万户、天然气用户4万户。	市建设局	全年市区新发展煤气用户1.95万户，天然气用户4.01万户。

四、出行

15	对市区30条破损小街巷进行维修改造；对裕华路、中山路、中华大街、体育大街等主要干道上的单位、小区门口破损严重的路面、便道进行整修维护，改善群众出行条件。	市城管局	合作路（新合街　水源街）、义东街（石纺路　义中路）、交易街（南小街　自强路）等30条破损小街巷维修改造工程已全部完成；对槐中路、友谊大街、中山路等42条路段上的100个单位、小区门口破损严重的路面、便道进行了整修改造。
16	实施绿色照明送社区工程，为市区25个街道办事处管辖社区内的街巷和主要公共场所安装或更换绿色照明灯具。		维明街、东焦、联盟路等25个街道办事处，管辖社区内的街巷和主要公共场所绿色照明灯具已全部安装完毕。
17	市区新购置50部公交车，新开辟5条公交线路。	市城管局	市区新购置公交车291部，超额完成全年目标任务；新开辟了位同至省博物馆的60路、南郊客运站至贾村西口的61路、南郊客运站至人民商场的75路、天山水榭花都至石炼影剧院的74路、宫家庄至山尹村的104路等5条公交线路。
18	改造通达100个行政村的农村公路。	市交通局，有关县（市）区人民政府	100个行政村改造通达工程已全面完工。
19	为未通客车的行政村通上客车，基本实现全市行政村“村村通客车”的奋斗目标。		全市4349个行政村已全部实现了村村通客车。

五、就业

20	市区开发公益性岗位1000个，优先安置就业困难人员；为全市“零就业”家庭有就业愿望的劳动力送岗上门。	市劳动和社会保障局	全年共开发公益性岗位1559个，超额完成全年目标任务；为全市967户“零就业”家庭中756人提供了再就业岗位。
21	全市免费开办创业培训120期，完成创业培训3000人。	市劳动和社会保障局，各县（市）区人民政府	全年免费开办创业培训166期，培训4169人，超额完成全年目标任务。
22	转移农村劳动力20万人次。		全年已实现农村劳动力向非农产业转移33.6万人次，其中，劳务输出7.5万人次，超额完成全年目标任务。

六、安全

23	市区开通15个110接警台，方便群众报警。	市公安局	市区15个110报警服务台已全部开通。
24	在公共场所、重点部位新增监控探头6000个，使全市监控探头总量达到4万个，增强群众安全感。		全市新增监控探头16982个，总数已达42114个，超额完成全年目标任务。
25	市区新增50处指路标志、10处信号灯，新建100个社区消防工作站。		50处指路标志和10处信号灯已安装完毕；100个社区消防工作站已建成投用。

七、环境

26	市区优良天气力争突破290天，空气综合污染指数下降5%。全市主要污染物总量削减4%。	市环保局，各县（市）区人民政府	全年市区优良天数实现289天，同比去年增加2天。大气主要污染物中可吸入颗粒物、二氧化氮较去年同期分别下降了6.6%、7.9%，二氧化硫与去年持平，污染综合指数同比去年下降4.8%；主要污染物中COD削减2.95万吨，同比去年下降10.2%；二氧化硫削减3.93万吨，同比去年下降5.6%，超额完成目标任务。
27	市区新建、改建20座公厕和2座垃圾转运站；在水上公园、长安公园、樱花广场等公园、广场新建6座公厕。	市城管局、园林局、规划局，市内五区人民政府	北横街、仓安路、新义胡同等26座改建公厕和钢厂、槐安路、孙村等17座新建公厕工程已完工并投用，学府路2座垃圾转运站也已建成投用，超额完成全年目标任务；水上公园、石门公园等公园新、改建的6座公厕已全部建成。

八、文化

28	在农村新建村民中心100个。	市委宣传部，各县（市）区人民政府	100个村民中心已全部建成，其中，73个已具备“九大服务”功能，其余27个正在完善。
29	实施“万场电影进农村、千场演出进社区”工程。在省会主要社区设置100个“彩色周末”演出点，举办1000场文艺演出；组织百支影队深入农村放映电影10000场。	市文化局，各县（市）区人民政府	全市共组织举办“彩色周末”大型文艺演出1100场。放映电影14150余场，其中，社区放映1350余场，农村放映12800余场，超额完成全年目标任务。

30	组织优秀剧目展演和送戏下乡活动，在市区演出不少于100场，在农村乡镇演出不少于800场。	市文化局	市直各院团共演出932场，其中，市内演出108场，农村演出824场，超额完成全年目标任务。
31	在市区及各县（市）安装100条全民健身路径。	市体育局	100条全民健身路径已全部安装完毕，其中市区50条，各县（市）共50条。
32	为山区县建设2座电视差转台；完成100个20户以上已通电自然村的电视覆盖任务。	市广播电视局	灵寿秋山和赞皇云锁山2座电视差转台已建成投用，实现了对西部山区40万人口的有效覆盖。平山、赞皇、灵寿和行唐县拟建设的100个20户以上自然村“村村通”广播电视工程，待国家、省实施方案下达后开始实施。

九、教育

33	全市完成45所中小学标准化学校建设。	市教育局，各县（市）区人民政府	45所标准化学校建设和薄弱学校改造项目已全部完成，其中，市区15所，农村30所。
34	资助1万名贫困家庭子女接受中等职业教育。	市教育局	我市中等职业学校农村学生和城市贫困学生共10.7075万人，全年已资助9.7535万人，资助比例达到91%。
35	实施绿色明亮工程，为市属15所中学更换6.15万只节能灯。	市工业经济促进局、教育局、财政局	全年总投资91.4万元，为市属15所中学更换节能灯7.1万只，年可节电172.2万度，节约经费91.2万元，教室照明度提高了63.7%。

十、其它

36	继续推进“万村千乡”市场建设工程。建设、改造达标“农家店”600家，覆盖全市80%乡（镇）、60%行政村。	市商务局，各县（市）区人民政府	全年共建设、改造达标“农家店”734家，覆盖了95%的乡镇和63%的行政村，超额完成全年目标任务。
37	加快农网建设步伐，完成21项35千伏输变电工程；建设30个标准化供电所；使60个村达到新农村电气化标准。	市电业局，各县（市）区人民政府	全年共投资9720万元，建成21项35千伏输变电工程和54个标准化供电所；使160个村达到了新农村电气化标准。
38	新建农村沼气用户3.7万个，使全市农村沼气用户总数达到28万个。	市农业局，各县（市）区人民政府	全年新建户用沼气池3.7万个，使全市沼气用户达到28万个，占全市农村总户数的15%。
39	新建石家庄市救助管理站和石家庄市光荣院。	市民政局	市救助管理站和市光荣院工程项目报建手续均已完成，年底前可开工建设。
40	加大扶贫开发力度，基本解决6万农村贫困人口温饱问题。	市扶贫办，有关县（市）区人民政府	全年共投入财政扶贫资金4369万元，社会帮扶资金1213.7万元，共扶持扶贫项目310个，解决了6万农村贫困人口的脱贫问题。

【服务协调工作深受群众好评】 2007年省会服务协调处不断探索完善新的工作机制和工作方法，扎实有效地开展工作，受到市民群众和社会各界的广泛好评。协调办精心谋划和组织开展市民服务工作，为市民服务中心的起步做了大量的基础性工作；加强和改进市长公开电话工作，不断解决工作中出现的新情况、新问题，切实解决市民所反映的问题。全年共受理市民来电12万次，接待群众3000人次，受理短信1万余条，编发《周报》49期，问题处理率97%；联系、走访省直机关和驻军单位81家，协调解决有关事项43件，服务满意率100%；承办市领导批示件825件，

办结率 100%。

【610 件督查事项办结率 100%】 2007 年，市政府督查室紧紧围绕市政府中心工作和阶段性重点工作，在狠抓落实上下功夫，较好地发挥了督查工作在协助领导抓落实中的参谋助手作用。在继续督办 180 项政府重点工作的同时，督办的为民承办实事由 2006 年的 20 件增加到 40 件，并新增了 17 项重大专项行动、13 项重点工作的督办。特别是自 9 月份以来，又全面承担了“八个一”工作的具体组织实施和督导检查任务，将“八个一”工作列为阶段性重点工作，及时将任务和目标细化、量化、分解、立项，明确目标要求、时间进度、责任单位和责任人，使“八个一”工作取得了突出成效。全年共办理省、市督查件 610 件，按时反馈、办结率 100%。其中，本级决策督查事项 258 件，会议、文件督查事项 312 件，省委、省政府领导批示、交办事项 11 件，市委、市政府领导批示、交办事项 29 件。制发市委、市政府办公厅文件 5 份，编发《政务督查》专刊、专报 38 期。被省政府办公厅采用经验材料 6 篇，在省级新闻媒体刊发稿件 8 篇。在全省政府系统督查工作考核评比中，再次被评为优秀单位。

【提案工作继续保持全省领先水平】 紧紧围绕市委、市政府中心工作，在工作中抓重点、突难点，圆满完成了各项工作任务。在办理任务方面，共办理省、市人大代表建议、政协提案 889 件，其中省建议、提案 96 件。按照办公厅确定的工作目标要求，按时办结率和答复意见函规范化率均达到 100%，代表、委员所提问题得到解决和基本解决的比例平均达到 51% 以上，走访代表、委员率近 90%，代表、委员对办理结果的满意率达到 98% 以上，5 项工作目标均完成或超过了办公厅规定的工作目标。在信息调研方面，共编辑《提案追踪》10 期；向政府领导报送各类报告、意见和审阅件近百份；在省政府办公厅《承办工作通报》刊发信息 1 篇；起草文件、汇报材料、报告等大型文字材料 10 余篇；撰写调研文章及经验材料 3 篇。在 2007 年度全省承办工作综合考核中，连续被评为省政府系统优秀承办单位，名列全省第一 。

人事管理

【概况】 2007 年，人事局紧紧围绕全市经济社会发展工作重点，大力实施思想观念、工作机制和工作作风的三个转变，以实施人才工作亮点工程为着力点，充分发挥激活生产要素、活化人力资源这一职能作用，努力扩大全市人才总量，不断提高人才队伍整体素质，调动各级各类人才的工作热情和创新能力；以积极构筑公共服务体系为目标，努力深化人事制度改革，不断加强队伍建设，为全市的经济建设和社会发展提供了有力的人才人事保障。

【实施人才集聚工程　人才引进成果显著】 创造性贯彻落实市委、市政府出台的《人才引进、培养、使用实施意见》，完善了“十一五”人才发展规划和石家庄市“五大主导产业基地”所需人才规划，强化了规划的贯彻实施；探索建立了用人单位重金引才，实施财政补贴和股份奖励，搞好各项保险接续相结合的优惠政策体系，形成了“不设门槛、一站调人”的刚性机制；强化“一站式”服务，简化人才异地流动手续，对调入调出石家庄市企业的外地人才，随来随办，增强了对人才的吸引力。组织各类用人单位赴北京、天津、沈阳、兰州等地参加人才招聘会，在全国撒开招揽人才大网，共与 839 名人才达成引进意向，其中高层次人才 129 人。创新人才交流会思路和形式。让人才市场走进企业、走进校园，与石家庄市信息工程学院联合举办了人才专场见面会，效果显著。同时继续开通了人才招聘网站，实施网络引才。据统计，2007 年以来，石家庄市共引进各类人才 24083 人，其中高级人才 411 名，本科学历 13312 名，均超额完成市委、市政府交付的引才任务。

【实施高级人才队伍拓展工程】 继续将高层次人才队伍作为工作重中之重。取消了市直事业单位引进高层次人才编制限制。对各部门引进事业发展所急需的高层次人才及时编制和下达增人计划。对于石家庄市“五大类基地”项目，积极搞好人员配备，先期下达人员计划。努力打造“高级人才洽谈会”品牌，成功举办了第四届高层次人才洽谈会，有 1841 名高级人才现场与用人单位达成合作意向。其中博士生11人、硕士生562人，51人现场签约。完善高级人才跟踪服务机制，对石家庄市从外地引进的高层次人才所遇到的困难，主动协调帮助解决。为整合专家资源，更直接、有效地服务经济建设大局，按照省人事厅统一安排，组织了“博士专家石家庄行”活动。为保证活动效果，人事局提前三个月在全市筛选需要技术服务的项目，根据项目筛选专家，实行一对一技术服务对接，共有17名专家与10家单位、就16个技术项目进行了对接，并取得积极效果。圆满完成国家级、省级专家选拔推荐工作。选拔推荐史占良、生庆海为2007年度新世纪百千万人才工程国家级人选，吴以岭、傅大平为2007年河北省“优秀专业技术人才”人选，高春平为“优秀留学回国人员”人选，生庆海等6名同志获评为河北省新世纪“三三三人才工程”第一、二层次人选，数量为全省第一；选拔推荐6名同志为河北省优秀专家出国培训人选。围绕全市经济建设重点，积极聘请国外专家来石家庄市开展技术指导和服务，全年先后聘请日本、澳大利亚、意大利等国的专家27人，完成2007年聘请外国专家项目19个，分别到石家庄市藁城、晋州等8个县（市）区进行农业技术指导，到石家庄职业教育学院和市中医院等院校和医疗单位就环境保护、教育、中医等方面开展交流。为3名成绩突出的外国专家申报了河北省政府“燕赵友谊奖”。打破身份限制，开展了2007年度有突出贡献中青年专家选拔工作，选拔各行业专家40人。搞好对有突出贡献中青年专家的管理服务，为84名专家进行了体检。

【实施人才素质提升工程】 大力开展专业技术人员知识更新和创新能力培训，构建石家庄市创新能力培养的模式，精选培训内容，以激发创新意识、训练创新思维、培养创造个性、传授创新原理和技法为任务体系，让经过培训的任课教师收集整理大量生动活泼、有针对性的实例，认真备课，构建以增加信心、树立志向、转变观念、转变思维方式、转变行为方式为目标的创造力开发模式。培训效果明显，有效地唤醒、发掘、启发和解放了每个人创造力。围绕提高公务员的公共服务能力开展工作，拟订了《石家庄市公务员培训“十一五”规划纲要》，对科级及以下公务员开展了以公共管理、公共服务能力、创新能力、电子政务和信息化管理为主题的培训，共举办公务员培训班达18个班次，培训1633人。组织了7名公务员参加了第二批赴澳大利亚培训班、36名组织人事系统科级干部参加了赴澳大利亚创新能力培训班。与晋州市人才中心联合举办了公益性纺织企业管理知识讲座，培训管理人员140名。

【实施高技能人才和农村实用人才培养工程】 加强高技能人才培养，坚持考试与考核相结合的办法，考试侧重于专业理论知识和实际操作能力，考核侧重于工作态度和业绩，依此对机关事业单位技能人才做出科学评价。围绕支持社会主义新农村和文明生态村建设，加大农村实用人才和乡土人才培养力度，完善政策措施，培养了扎根农村的生产开发型、科技应用型、能工巧匠型和复合型实用人才1000名。

【实施人才市场形象培树工程】 强化人才市场软硬件建设，结束了人才市场多年没有固定办公地址的历史，迁入建筑面积2700多平方米的新址办公。同时，从强化内功入手加强人事代理工作，以优质的服务增强市场竞争能力，扩大了人事代理工作的覆盖及服务面，全年新增开户代理单位有24家，新增档案315份，存档人员总数13000多份。按照属地原则，拓宽石家庄市人才流动服务范围。强化人才市场的监管。对全市24个县（市）区的34家人才市场的基本情况进行了摸底统计；配合有关部门在全市范围内开展清理整顿人才、劳动力市场秩序专项行动，对部分县、区清理整顿人才、劳动力市场秩序专项行动进行了督导检查。

【实施高校毕业生就业工程】 实行“敞开大门，广纳贤才”的无“门槛”政策。凡有意向到石家庄市（含县、区）工作的普通高等学校和中等专业学校毕业生，在两年择业期内不受学历、专业和生源的限制，均可通过“双向选择”自主择业或者“先落户后就业”。完善毕业生到基层就业优惠政策。凡到农村乡镇基层单位工作的毕业生，可直接执行定级工资，到石家庄市4个国家和省级扶贫开发工作重点县农村乡镇基层单位工作的，还可高定一至二档职务工资。鼓励和支持毕业生到各类中小企业、非公有制经济组织就业以及自主创业，其待遇与国有企事业单位一样；凡毕业生从事个体经营的，在一定期限内免缴登记类和管理类各项行政事业性收费。对毕业生新办独立核算企业或经营单位，税务部门依企业的类别不同，分别减免一定年限和幅度的所得税。2006年以后，石家庄市共有208名大学生享受优惠政策，实现自主创业。认真落实“三支一扶”计划。开展志愿者的管理与培养，解决他们实际困难和问题。同时，专门下发文件加强对志愿者年度考核，按照优秀、合格、基本合格、不合格四个等次进行评价，考核结果载入个人档案，为今后就业提供依据。积极谋划建立毕业生见习基地。经多方协调，已初步建立起石家庄无线电四厂、市政建设总公司、国大连锁有限公司、河北华恒信通信技术有限公司、石家庄华方干燥设备有限公司、东明家俱公司、河北建设勘察研究院有限公司等多家见习基地。并推荐石家庄化肥厂和华牧集团申请省级毕业生就业见习基地。深化校企合作，推广定单式培养模式。积极引导石家庄职业技术学院、石家庄经济信息管理学校、石家庄军兴信息管理学校等多个院校开展校企合作，根据企业的需求设置专业，调整和完善课程，实现学校人才培养标准和企业用人标准的统一，学生毕业后直接到企业工作，提高毕业生就业成功率。

【公务员登记工作基本完成】 按照“逐人审档，逐级审核、交叉检验、随机抽查、实名负责、广泛公示、领导签发”的登记工作制度，采取“集中审档、统一登记”的审核办法，基本完成石家庄市政府系统公务员登记工作。工作中，做到坚持原则不动摇，执行政策不走样。对不能解释答复的登记问题，及时向上级进行请示，在省实施办答复后再进行登记。在对待政府系统各级来信来访人员关于公务员登记政策的咨询反映上，积极采取各项预防措施，确保登记工作的稳定。石家庄市政府系统实有行政机关工作人员24601名。登记公务员21466名，占机关工作人员总数的87.26%，暂缓登记768名（主要是毕业生未转正人员），占机关总数的3.12%，因各种原因待确认未登记人员2367名，占机关总数的9.62%。另外，石家庄市政府系统经省批准列入参照公务员法管理的有28个单位，实有机关工作人员575名。已登记545名，占总数的94.78%，暂缓登记21名，占总数的3.65%，待确认未登记人员9名，占总数的1.57%。

【加强公务员队伍管理】 建立全市公务员诚信档案，起草了《石家庄市公务员诚信体系工作方案》（讨论稿），选择与百姓接触较密切的窗口单位，利用网上评议和问卷调查等形式，启动群众满意度调查和开门评议试点。完成了全市政府系统机关、事业单位208214人的年度考核和实施奖惩工作，行政机关23190人，事业单位和机关工勤人员185024人。其中优秀等次28345人，占参加考核人数的13.6%，不称职(不合格)等次78人。对市直各部门中层干部配备情况进行了调查摸底，并对市政府部门、直属事业机构的科级领导、非领导职位严格按照市编委下达的“三定”规定所核定的职数及国家公务员制度所要求的资格、标准进行审核备案，做到了底数清楚、监管有力。完成了市政府23个部门111人次的科级职数备案工作。

【积极推进机关事业单位工资制度改革】 基本完成了工资制度改革审批工作，全市机关已完成57.65%；事业单位已完成88.91%；离退休已全部完成。完成了机关事业单位工作人员正常升级工作，其中机关工作人员共审批1851人，事业单位共审批23642人。配合财政部门做好规范津贴补贴工作，逐步提高石家庄市机关事业单位工作人员工资水平。

【深化事业单位人事制度改革】 按照“先入轨，后完善”的思路，积极探索事业单位实行全员聘用制后人员社会化管理的途径，加大了对全市各部门加快开展事业单位聘用制改革工作的督促和指导。全市各部门和单位事业单位聘用制度改革工作进展顺利，聘用制改革工作已经全面进入签订聘约阶段。全年共为市直77个单位的6244人进行了合同签约工作。据不完全统计：市直部门事业单位总人数为33046人，签约人数为25287人，占总人数的77%。县（市）区事业单位总人数为159496人，签约人数为

86149 人，占总人数的 54%。

【做好军转安置和解困工作】 按照市委书记吴显国“必须不折不扣地完成全年的安置任务”的要求，通过深入部队走访，召开驻军单位座谈会等形式，了解 2007 年的军转干部情况，发放人才需求调查表，掌握各单位人才需求情况。为有效缓解安置压力，对军转干部进石家庄市安置条件进行了调整，制定了投奔爱人和父母的军转干部、其爱人或父母的户口在石家庄市要满两年的规定。具体工作中，坚持“公开、公平、公正”的原则，继续采取“考试与考核相结合”安置办法，并强化“以人才为本”的安置理念，让人尽其才，才尽其用。共接收军转安置任务 696 名，其中计划分配 639 名，自主择业 57 人，其中分配到党政机关、政法系统的 431 人，占总数的 67.45%。认真总结了石家庄市在军队编制体制调整改革期间的军转安置工作经验，中国人才军转专刊第四期对石家庄市的军转工作进行了重点报道，在全国引起了较大反响。进一步做好企业军转干部解困工作，按时足额发放各种生活补贴。全年共发放解困资金 1657.16 万元。建立了下岗失业军转干部再就业长效机制。从 2003 年起已安排 7 批下岗失业军转干部到公益性岗位就业，共安排 29 名；将失业军转干部纳入解困范围。全年共将 47 名失业军转干部纳入解困范围，对 180 户特困军转干部家庭进行了救助，发放救助金 9 万余元。积极帮助军转干部再就业，依托人才招聘会，开辟自主择业军转干部招聘专场，举办了首届自主择业军转干部专场人才洽谈会，来自省、市 23 家用人单位到场，提供岗位 389 人，前来应聘自主择业军转干部 600 多人，达成就业意向 301 人。

【职称评审和资格考试工作】 强化重水平、重业绩、重创新的政策导向，对一些业绩确实非常突出的专业技术人员，敢于打破任职资历、学历和论文论著要求的限制，积极向评委会进行推荐。进一步完善“岗位比例申报，业内公正评价，单位择优聘用，政府宏观调控”的职称工作运行机制，全年共收取申报材料 5986 份，经资格审查，共向省高级专业技术任职资格评委会推荐申报材料 1760 份；组织了 15 个专业的中级评审，推荐中级评委会申报材料 3687 份。工作中，结合各县（市）区和市直有关部门教师队伍的素质、结构比例、空岗情况等诸多因素进行综合测算，合理分配申报指标。对高、中级结构比例偏低的乡（镇）中小学，在申报数额的分配上给予了重点倾斜。进一步加大职称申报“打假”力度，深入到各县（市）区和市直单位进行高级申报材料原件审核，经过网上比对等方法，共查出弄虚作假材料 36 份。加强中级评委会的管理，继续坚持和落实好“五项制度”：评委的随机产生制度，从评委库随机抽取专业评委，并规定新调整更换的评委要占到总数的三分之一；评委的学习教育制度；评委的公开承诺制度，实行挂牌上岗；交叉评审制度，评委不得评审本单位申报材料，实行分工协作、交叉评审，避免出现“熟面孔”；评委的逐级负责制度，评委会主任、小组长层层负责，实行“责任倒查”。充分发挥职称工作的激励作用，对基层一线，如援外援藏援边及各站、所和厂矿车间的专业技术人员，以及一些长期在边远山区工作的专业技术人员，在政策上都给予了一定倾斜。组织了检察院、法院系统专业技术人员任职资格审核工作，共审核检察院系统申报材料 43 份，法院系统申报材料 13 份。围绕事业单位聘任制度改革，就石家庄市事业单位聘任管理工作的现状进行了调研。认真落实人事部第 3 号部长令，严密组织人事考试工作，严肃考风考纪，规范考试管理，共组织各项考试 34 项，参加考试人数 61944 人。

【加强人事宏观调控】 认真分析近年来机关、事业单位人员增减情况，为合理制定人员计划奠定基础。认真贯彻落实国务院、人事部和市政府文件精神，拟定了《关于进一步规范全市事业单位增加人员工作的通知》，明确要求全市各级事业单位不准无计划或超计划增加人员，严格在编制限额内制定和申报增人计划，对事业单位新增人员实行公开招考。这些举措，使事业单位增人工作更具科学化、制度化，有效控制了财政供养人员增长，优化了人员结构。大力优化人员结构，在年度计划外，对各部门引进事业发展所急需的高层次人才及时编制和下达增人计划。对教育、卫生、城市规划等公共事业的发展给予了重点支持，全年共下达研究生计划169名；为提高公安机关人员素质，促进“平安石家庄”建设，申请了35名录警计划，专招公安部属院校毕业生；专题研究石家庄市“五大基地”管委会人员配备问题，向化工基地建设先期下达了3名人员计划，用于调入技术骨干。提高严格工资基金管理，认真执行工资基金审批程序，进一步完善了工资基金台帐。严格执行《石家庄市机关、事业单位工勤人员综合管理暂行办法》，逐步规范了机关事业单位工勤人员“进、管、出”等环节工作，为市公安局报警服务台编制了68名临时用工计划；积极配合有关部门，做好分离企业办社会工作，为移交的5所学校提出建议性解决方案；做好机构整合中人员划转工作，共划转人员279名。

【继续抓好队伍建设】 认真搞好“为民、务实、清廉”主题教育活动。制定实施方案、学习计划、活动安排，突出“为民、务实、清廉”教育活动的主题，强调五个结合：主题教育活动与强化四项服务（服务大局、服务部门、服务群众、服务基层）创建“四力”（和谐力、服务力、创新力、公信力）机关相结合；主题教育活动与加强机关效能建设，优化人才环境相结合；主题教育活动与巩固保持共产党员先进性教育成果相结合；主题教育活动与政风行风建设相结合。在主题实践活动方面，除按要求开展“六个一”活动外，还组织党员领导干部深入“四助”活动联系点、扶贫村、困难职工家中等了解情况，为群众解决实际问题；主要领导上党课，组织观看话剧《警钟》和反腐警示片，教育党员干部时刻保持清醒头脑、筑牢拒腐防变思想道德防线；要求每一名党员干部都要撰写一篇“为民、务实、清廉”为主题的学习体会文章或论文，积极参加市征文活动。教育活动，有效增强了党员干部为人民服务意识，干部作风建设得到明显加强。开展保持共产党员先进性长效机制建设活动。制定出台了《党员学习教育制度》、《党员联系和服务群众制度》、《党建工作责任制度》、《机关党组织例会制度》等，印发了《机关党建学习资料》2期，召开党支部民主生活会，在全局开展读书活动等，提高党员素质，巩固先进性教育成果。抓制度建设，不断探索人事系统反腐倡廉的长效机制。按照“坚持有效的、完善不足的、补充需要的”原则，对原有的制度进行一次全面的清理，补充和完善《廉政建设目标责任制》、《人事监督员制度》、《行政权力公开透明运行制度》，进一步完善《AB角工作制度》和《人事人才热点工作全程监督制度》等，使机关建设不断制度化、规范化。同时，强化对热点工作的监督检查。特别是在实施公务员登记过程中，从方案的制定，各登记的环节，问题的请示解决，到最后的汇总上报全过程监督检查，保证公务员登记工作的顺利进行。实行权力公开透明运行。把各项工作的职权项目、实施依据、公开形式、公开范围、公开时间、收费依据等编制成职权目录，绘制行政权力公开透明运行工作流程图，装订成册，并在网上公布。认真组织重点岗位中层干部评议工作，将四个重点处室的处长、副处长列为评议对象。四个处室对各自的行政审批事项进行了清理完善，对审批事项名称、程序和收费规定进行了规范，有的还开展了网上受理和审批，专家评审全过程向社会公开，职称评审实行多层次公示制度，就业录用等事项还实行网上公开。

（纪学宏　宋志宏）

劳动和社会保障

【概况】 2007年，石家庄市各级劳动和社会保障部门紧紧围绕“重民生、解民忧、谋民利”，创新思路，完善制度，扎实工作，年初确定的目标任务圆满完成，各项劳动保障工作取得了新发展、新进步。

【就业再就业工作取得显著成效】 全市城镇新增就业8.3万人，下岗失业人员再就业4.3万人，就业困难对象实现再就业1.8万人，均超额完成省下达的任务。城镇登记失业率3.49%，始终控制在4.6%的目标以内。以市政府名义印发了《关于进一步推进就业再就业工作的实施意见》，并会同有关部门制定了配套政策，积极的就业政策得到更好更快落实，省厅给予了充分肯定。成立市小额担保贷款管理中心，加强了小额担保贷款工作。立足为民办实事，在市区开发了1650个公益岗位，收到了良好的社会效应。把消除“零就业家庭”和创建充分就业社区有机地结合起来，并向乡镇农村延伸，使充分就业社区达到462个，走在了全国的前列。积极开展“36524千店万岗关爱零就业家庭”活动，援助城镇“零就业家庭”1059户，使1334人实现了就业，动态为零的目标提前实现。大力实施帮扶特困人员培训就业“三个一”工程和城乡技能就业扶助计划，从根本上帮助城镇“零就业家庭”和农村特困家庭摆脱困境，真正实现“一人就业、全家脱贫”。积极开展了就业援助月、“春风行动”、民营企业招聘周和大中专技校毕业生就业服务周等系列活动，全年累计接待进场用工单位1.3万家，提供用工岗位21.7万个，安置就业15.2万人。坚持以创业促进就业，开办创业培训班166期，培训4169人。把2007年作为“阳光工程监管年”，以示范性职业技能培训为重点，培训农村富余劳动力10.6万人。通过抓好五个农村就业示范县管理，促进全市农村劳动力就地转移和异地输出，全年农村富余劳动力向非农产业转移33.6万人次，劳务输出7.5万人次。

【社会保障体系加快完善】 2007年，石家庄市列入全国城镇居民基本医疗保险试点，经过深入调查研究，10月份出台了《石家庄市城镇居民基本医疗保险实施方案》和市区实施细则，基本形成了覆盖城镇全体居民的医疗保障体系框架。被征地农民基本养老保险工作全面启动。农民工参加工伤保险取得新进展，在实现煤矿企业农民工全部参保的基础上，扩大到了建筑施工企业和商贸、餐饮、住宿等服务业，在全国介绍了经验，中国劳动保障报进行了报道。全面启动实施了事业单位参加工伤保险工作。完成了2007年企业退休人员基本养老金调整工作，全市列入调整养老金范围的人员共22.7万人，人均月增资124.6元，调整后的月人均养老金达到873.8元。调整提高了工伤职工的工伤保险待遇，伤残津贴和护理费平均增加280元。各项社会保险覆盖面进一步扩大，总量和增幅均居全省前列。全市参加养老保险的企业职工达到79.4万人，机关事业单位参加养老保险达到13.7万人，农村养老保险达到59.3万人，城镇职工医疗保险达到109.2万人，城镇居民医疗保险参保33万人，失业保险达到87.1万人，工伤保险达到74.9万人（企业65.6万人，事业单位9.3万人），生育保险达到87.3万人。对各级社保基金进行了全面的自查联查，配合审计部门完成了全市五项社保基金、农保基金和三项专项资金审计。社会化管理服务内容不断丰富，组织开展了石家庄市第三届“社保杯”企业退休人员迎奥运文体活动，首次对75岁以上企业退休人员免费进行体检，开展了在农村居住的退休人员社会化管理服务试点工作。

【高技能人才培养成长环境进一步优化】 市委办公厅、市政府办公厅联合印发了《关于大力加强高技能人才队伍建设的实施意见》和《优秀高技能人才评选奖励办法》，为加快培养更多优秀高技能人才提供了政策保障。大力实施新技师培养计划，全年新培养技师2233名，职业技能鉴定6.1万人，超额完成全年任务，在全省名列前茅。积极参加全国、全省职业技能竞赛和技术大比武并取得了优异成绩。开展了优秀技能人才评选活动。技工教育发展步伐加快，办学条件进一步改善，整体办学实力得到提高，全市技工学校招收新生1.2万名，在校生达到2.3万人，就业率达到98%。国家助学金发放工作运行良好，技工学校在校生受助率达到90%以上。民办职业培训学校的办学行为进一步规范，遵纪守法、诚实守信的办学理念已基本形成。

【企业和劳动者合法权益得到有效维护】 开展了2007年工资集体协商“春季要约行动”，市本级签订工资集体协商协议的企业达到180家，比去年同期增加20%。印发了《关于推进企业解决工资拖欠问题的通知》，建立联席会议制度，形成了长效机制，解决企业工资历史拖欠问题取得实质性进展。对改制企业职工安置方案落实情况进行了回头看。开展创建劳动关系和谐企业活动的单位达到11787家，覆盖面86%，其中非公有制企业8760家，受表彰的国家级劳动关系和谐企业3家，省级47家，市级89家。劳动保障监察力度不断加大，制定了《石家庄市劳动保障监察网格化网络化监管实施方案》，启动实施劳动保障监察能力建设工程。向社会公布劳动保障守法诚信单位名单，产生良好的社会效应。组织开展了清理拖欠农民工工资、整顿劳动力市场秩序、规范劳动用工和工资支付行为等专项检查活动，对2006年度用人单位进行了劳动保障年审。在“两节”期间开展的为农民工追讨工资活动中，与新闻单位联动，实行投诉热线联网，一个多月为6200名农民工追讨工资1129.7万元。山西“黑砖窑”事件发生后，立即部署，及早行动，会同有关部门积极开展了查处非法用工、打击违法犯罪活动，用工环境明显改善。全年共受理劳动争议仲裁案件1492件，涉及职工3602人，接待群众来信来访2.2万人次，影响社会稳定的因素得到有效化解。努力构建“企业内部调解、乡镇区域性调解、劳动仲裁调解”相结合的“三位一体”劳动争议调解工作体系，市本级调解结案率达53%，促进了劳动关系的和谐稳定，得到市政法委的充分肯定。

【各项基础工作扎实推进】 在全系统实行了“日报告、周例会、月交流”制度，抓具体、抓深入、抓落实，收到了良好效果。制定了政务公开办法，政风行风建设和行政权力公开透明运行工作继续深化，在民主评议行风活动中，市局连续三年进入优秀行列。2007年，市医保中心被评为全国劳动保障系统优质服务窗口。劳动保障法律法规宣传力度加大，《劳动合同法》、《就业促进法》、《劳动争议调解仲裁法》三部有关劳动保障工作的法律颁布后，认真组织学习、培训，采取知识竞赛、开展“三进三送”、电视访谈等多种形式强势宣传、普及法律知识。在全国工伤保险与安全生产知识竞赛中石家庄市荣获优秀组织奖，在全省《劳动合同法》、《就业促进法》知识大赛中石家庄市取得了第二名的好成绩。12333劳动保障电话咨询服务热线正式开通，市域网建设稳步推进。开展“搞调研、解难题、促发展”活动，有力地促进了工作的开展。劳动保障统计、政务信息、承办提案建议等各项工作都取得了较好成绩。

（林建春　张元峰）

机构编制

【概况】 在市委、市政府、市编委的领导和省编办的业务指导下，以党的十六届六中全会，邓小平理论和“三个代表”的重要思想为指针，积极规范和加强机构编制管理、整合机构编制资源，创新工作方法，深入调研，不断拓宽工作思路，努力提高工作质量和办事效率，较好的完成了各项工作任务。

【深化行政管理体制改革】 围绕市委、市政府中心工作，把上级精神和石家庄市实际相结合，始终把机构编制工作的重点放在了整合存量、职能调整、方式创新上来，努力做到机构编制有增有减，有保有压。根据市委常委会议有关精神，经过多次调研、反复讨论，多方面听取意见，结合石家庄市实际，完成了设立市委、市政府“四个中心”建设领导小组办公室；市投资促进中心；市行政效能举报中心；市民服务中心；市诚信管理中心等五个机构关于领导职数、人员调剂以及内设机构、隶属关系等落实意见，经市机构编制委员会研究同意后，予以明确，根据石家庄市“1+4”组团规划，为保证城乡规划一体化，将市规划局更名为城乡规划局，在四个组团县（市）建设局挂城乡规划局牌子，并各增加5名行政编制，从而在管理体制上为“1+4”组团建设规划提供了有力保障；围绕全市诚信体系建设工作会议有关精神，完成市直机关诚信体系建设机构设置工作。在市政府办公厅设立了诚信体系建设工作机构，明确了编制和领导职数，同时在相关部门推开，为部门调挤出近50名编制予以加强诚信体系建设；为尽快实现铁路改造工程的开工建设，根据市委常委会议纪要精神，明确了市铁路建设工程指挥部办公室的机构性质、人员来源等事宜，不增编制、不增领导职数，从有关等职能部门抽调专业人员，工程结束后机构撤销、人员仍回原单位。既保证了工作任务的需要，也为机构编制动态管理探索了新思路；根据中纪委关于地级党委巡视机构设立问题的有关精神，省委明确石家庄市为省在设区市一级设立的试点单位，按照市委、市政府主要领导有关批示精神，在充分调研的基础上，结合石家庄市实际，起草了成立市委巡视机构及人员编制的意见，经市委常委会研究后向省编办进行了呈报，为完成试点工作，创造了条件；为加快石家庄市农业行政执法体系建设，健全农业综合执法机构，特别是针对石家庄市近几年畜产品质量安全监管的严峻形势和工作任务需要，在按照设一个、撤一个，不新增机构个数、不增加编制和领导职数的基础上，对市畜牧水产局具有行政执法职能的机构进行了整合设置。

【市直事业单位机构编制资源整合工作初见成效】 根据市委书记吴显国关于机构编制工作“要围绕整合资源、打主动仗，努力提高机构编制管理水平”、“根据工作需要，主动提出机构编制调整意见，该增加的增加，该减少的减少，该整合的整合”、“机构编制能否科学设置关系到城市的投资环境和竞争力”的要求，采用撤、并、转、建、改等办法，对市直50多个事业单位机构编制资源整合。通过事业单位资源整合，共撤销或合并减少事业单位27个，收回财政拨款编制153名，财政补助编制220名，经费自理编制1537名。进一步做好事业单位登记管理工作，按照《事业单位登记管理暂行条例》要求，积极探索，不断创新，以促进事业单位管理科学化、规范化、法制化为目标，圆满地完成了2007年度事业单位登记管理和年检工作。并提出在事业单位登记管理工作中推行诚信体系建设，建立事业单位登记管理诚信等级评价制度。通过事业单位登记管理诚信体系建设，为规范事业单位行为，强化责任意识，提高服务质量，激发事业单位活力，加快自身发展，促进事业单位参与社会竞争。通过向社会公示事业单位登记管理诚信评价情况，增强诚实守信事业单位的知名度，为构建和谐诚信的社会环境做贡献。石家庄市被评为全省事业单位登记管理工作优秀单位。

【做好全市清理吃“空饷”“回头看”工作】 根据省人事厅、省编办《关于进一步做好清理吃“空饷”工作的通知》（冀机编办〔2006〕135号）要求，会同市人事局联合制定下发了《关于进一步做好全市清理吃“空饷”工作的通知》（市编办〔2007〕1号），利用一个月的时间，进行清理工作“回头看”，重点解决清理出来的吃“空饷”人员的处理问题和核查工作不到位的问题，进一步完善了人事管理制度。为确保对清理出来的吃“空饷”人员的处理落到实处，坚持积极稳妥的原则，区分不同类型的吃“空饷”人员，会同市人事局有关处室，依据国家人事部和河北省现行的干部人事政策和财政供给政策，提出了切实可行的处理意见。要求各县（市）、区人事、编制部门和市直各部门对前一阶段清理出来的每个吃“空饷”人员的情况进行认真审查，依据有关政策、程序，按照管理权限，立即做出处理决定，并将处理结果报市级组织、人事和编制部门备案。处理过程中，把按照政策办事与维护当事人的合法权益结合起来，对长期脱岗的各类人员视不同情况办理调离、辞职、辞退、执行病假工资或降级工资、停发工资等手续。截至2007年2月底，全市对上年已确定的750余名吃“空饷”人员，区别不同情况进行了处理。其中辞职、辞退14人，执行病假工资或降级工资37人，停发工资8人，调离和限期调离271人，回原单位上班353人，其他情况60余人。预计年节约财政经费50多万元。

【认真抓好乡镇机构改革试点】 按照省编办《乡镇机构改革试点工作指导意见》，市编办在鹿泉市进行了乡镇机构改革试点，按照省委办公厅、省政府办公厅《关于深化乡镇机构改革试点工作的指导意见》，首先对乡镇人员、编制、机构全面调查摸底，掌握了乡镇的现实情况。市编办与省和鹿泉市组成课题调研组，抓住乡镇政府职能转变这个核心，围绕农村税费改革后“乡镇政府到底该做什么，怎样做”的问题，深入2个乡镇调研解剖，基本摸清了乡镇职能履行情况，研究提出了强化哪些职能，弱化哪些职能的意见。试点工作中，市编办注重发挥各级的积极性、主动性和创造性，积极鼓励鹿泉市结合当地实际积极探索，创新改革模式。认真研究和制定改革试点方案，从试点县改革方案来看，在机构设置、核定编制和领导职数、乡镇分类等方面都有所突破和创新。在试点工作中，市编办抽调精干力量，多次到有关县进行指导，和他们一起研究探讨，帮助他们拟定试点方案，保证了试点工作的顺利进行。

【全面加强机构编制管理工作】 按照中央编办和省编办的要求，市编办以市编办〔2007〕4号文件向各县（市）、区编制部门和市直各部门转发了《中央编办“12310”举报电话受理工作暂行规定》。为规范石家庄市“12310”举报交办、督办和查实情况报送工作，根据中央编办《“12310”举报电话受理工作暂行规定》和调查核实情况报文格式的要求，一并将《“12310”举报电话受理单》和《石家庄市机构编制委员会办公室“12310”举报交办单》等五个文本模式印发给各单位，自2007年1月1日起执行。辛集、藁城等县（市）已设立开通了“12310”举报电话，其他县（市）区和市直由于电话区号等问题暂时无法开通，但均按要求向社会公布了目前的办公举报电话，以便疏通机构编制监督检查工作的信息渠道，做好举报的受理、查办工作，切实维护机构编制工作的严肃性，做到取信于民，保护好群众监督的积极性。5月，为贯彻落实中办、国办《通知》和国务院《地方各级政府机构编制管理条例》精神，按照省编办要求，市编办立即下发通知，深入调查研究，认真总结石家庄市各县（市）区推行编制“实名制”管理经验。经过半个月的调查了解，考察核实，从15个报送了典型经验材料的县（市）区中遴选出桥东、晋州、藁城和元氏等4个比较好的县（市）区，将其各具特色的典型经验材料推荐报送给省编办监督检查处，得到充分肯定。为切实加强全市党政群机关和事业单位机构编制管理，建立健全机构编制管理的约束机制和监督检查机制，严格控制机构编制和人员增长，减轻财政负担，根据市委、市政府《关于贯彻落实省委、省政府＜关于加强机构编制管理的意见＞的通知》(石字〔2004〕73号)和省编办《关于〈机构编制管理证〉有关问题的通知》(冀机编办〔2003〕146号）精神，按照《河北省机构编制管理规定》(冀发〔2005〕9号）关于“机构编制管理实行《机构编制管理证》制度，全省各级机关、事业单位必须核发《机构编制管理证》”的要求，市编办在深入调查研究的基础上，拟定了《关于在全市机关、事业单位全面推行〈机构编制管理证〉制度的意见(通知)》。会同市监察局以市编办〔2007〕24号文件转发了中编办、监察部制发的《机构编制管理监督检查暂行办法》，并根据中编办〔2002〕7号文件和省编办有关县（市）、区机构编制管理监督检查工作的要求，已在各县（市）、区编办明确了1～2名专门负责机构编制管理监督检查工作的人员，还要求市直各部门的人事（干部）处长作为本部门、本系统负责机构编制管理监督检查工作的联络员。初步建立了全市机构编制监督检查队伍。圆满完成了2006年度机构编制统计工作，并根据2006年度统计数据，编辑印制了《石家庄市2006年度机构编制统计资料》，及时向有关领导提供，为领导的科学决策发挥了重要的作用。

（程英超）

法制工作

【概况】 2007年，石家庄市法制办公室在市委、市政府的正确领导下，在省政府法制办的帮助指导下，认真贯彻落实省、市党代会和十七大精神，紧紧围绕市委、市政府的中心工作，狠抓工作落实，提高工作质量，较好地发挥了参谋助手和法律顾问作用。全年保障了15次市委、市政府领导学法，完成了13件立法草案的审修、协调和论证，办结行政复议案件162件，对170余项政府行政决策提出了法律建议，查处了行政执法投诉案件29件，为石家庄市的经济社会发展提供了有力的法制保障。

【法律参谋助手和顾问作用进一步发挥】 会同市政府办公厅，认真制定学法计划，精心挑选授课专家，确保每次政府常务会议前学习一部法律法规，特别是根据市委的安排，完成了市委常委会集体学习《地方各级政府机构设置和编制条例》的保障任务；全年共保障市委、市政府领导学习《中华人民共和国土地管理法》、《中华人民共和国企业破产法》等法律法规15部；此外，还组织各县（市）、区政府，市政府各部门主要领导、主管法制工作领导及法制机构负责人学习了《中华人民共和国物权法》和《中华人民共和国政府信息公开条例》，进一步提高领导干部依法行政能力和水平。按照市政府领导要求，法制办对市政府的行政决策不但在合法性上把关，还对合政策性进行审查。全年共对市委、市政府的《关于清理整顿无线电通信秩序的决定》、《关于加快城市社区卫生服务的实施意见》、《市政府对新开路33号土地使用权处理决定》、《桥东区东三教强拆决定》等涉及经济建设、社会发展各个领域的170余项行政决策进行审查把关，有力促进了行政决策的法制化和科学化。参照省政府的做法，积极协调，精心筹划，调整充实政府法律专家咨询委员会成员，修订了法律专家咨询委员会工作规则。

调整后的法律专家咨询委员会成员由过去的8名增至17名，均是省驻石法学界有一定影响的专家、学者或资深律师，专业结构与政府事务结合更为紧密，进一步为政府领导依法决策、科学决策、民主决策打下坚实的基础。6月17日组织召开了市政府法律专家咨询委员会成员调整暨聘任仪式，市委副书记、市长冀纯堂为受聘专家颁发了聘书，并作了重要讲话。

【行政立法质量进一步提高】 认真执行市人大和市政府年度立法计划，在草案的起草过程中，通过各种媒体向社会公开征求意见，共收到群众来信来电460余件次，充分表达了老百姓对相关条文的意见和建议；在立法草案的修改过程中，召开专家座谈会和论证会，听取法律专家的意见。2007年，共完成《餐饮业食品卫生管理办法》、《病媒微生物管理办法》、《公园管理办法》等政府规章的制定或修订10件；起草《再生资源回收利用管理条例》、《城区河系公园管理条例》、《限制养犬管理条例》地方性法规草案3件。结合石家庄市实际，制发了《关于开展行政法规规章清理工作的通知》，对国务院法制办公布的现行有效的655件行政法规规章进行了全面清理，共对85件行政法规提出了合理的意见和建议，其中建议废止20件，宣布失效12件，修改53件。按照市政府统一安排，组织对全市现行有效的97件政府规章进行全面清理。通过部门清理、公众参与，共征集50余条合理的意见和建议，经过专家讨论、论证，废止政府规章9件，修改11件。通过对行政法规和政府规章的清理，切实维护了法制的统一，提高了制度建设质量，促进了依法行政工作的开展。

【政府法制监督进一步强化】 在全面总结三年依法行政评议考核工作的基础上，对考核办法进行修订完善，细化考核标准。市依法行政工作领导小组牵头组织，并邀请市人大、政协和市委考核办参与，对全市24个县（市）、区政府和43个行政执法部门（垂直管理部门除外）的依法行政工作进行全面考核，促进了市直各部门和县（市）、区政府对依法行政工作的重视程度，推进依法行政工作向纵深拓展。继续推进在城市管理领域实施相对集中行政处罚权工作，9月份，会同市政府办公厅、编办等部门对济南、南京等省会城市实施相对集中行政处罚权工作进行实地考察，进一步完善了石家庄市的实施方案。开展规范行政处罚自由裁量权工作，10月份，在市交通局启动了建立行政处罚自由裁量基准制度的试点工作，建立了交通系统行政处罚自由裁量基准制度。5月初组织召开专门会议，安排部署行政执法资格证件的换发工作，全年共完成49个市直部门和24个县（市）、区共计20782人的信息采集，并上报省政府法制办。9月18日，河北省新型行政执法证件首发仪式在辛集市举行，省政府法制办张国钧主任和市政府常务副市长朱浩文同志到会并作重要讲话。

【行政复议和行政调解工作有了新突破】 认真贯彻落实《行政复议法》和《行政复议法实施条例》，坚持“以人为本、复议为民”，以畅通行政复议渠道为突破口，以提高行政复议办案质量为目标，努力做到“定纷止争、案结事了”，及时化解行政争议。在审理案件时，对争议较大、案情复杂的案件，借鉴法院庭审的做法和经验，大胆摸索复议听证，公开审理案件，全年共举行了6次行政复议听证会，并邀请新闻媒体全程旁听，提高了行政复议办案质量，收到良好的社会效果。全年共收到行政复议申请175件，其中受理162件、不予受理13件；审理办结161件，其中维持原具体行政行为82件，撤销9件，责令履行2件，驳回9件，终止及其他处理59件。此外，代市政府出庭应诉和应诉答复诉讼案件26起，其中经过行政复议后起诉14起，现已审结9起，全部维持了行政复议决定。按照省委、省政府《关于进一步加强行政调解工作的意见》和市委、市政府关于“三位一体”大调解的工作要求，在审理行政复议案件时，积极探索提高行政复议工作质量的新方式、新举措，对事实清楚、争议不大的案件，尝试运用行政调解的方式进行，全年共有51件行政复议案件通过调解，双方当事人达成和解意见，撤回了行政复议申请。

【规范性文件管理进一步完善】 认真执行《石家庄市行政规范性文件管理规定》的相关要求，组织对市直各部门现行有效的426件规范性文件按行政合法性原则逐件进行清理，依法确定继续有效的规范性文件347件，应予修改的54件，废止的147件（经审查后需废止的25件、部门上报废止122件）。另外，加大对规范性文件的检查力度，全年共检查56个市直部门发文10208件，发现未经审查印发的30件；检查24县（市）、区政府发文3355件，发现未报备案文件94件；检查发现的问题均按规定时限予以纠正。全年共计上报河北省政府备案文件21件。

【法制宣传培训有了新进展】 在各部门进行专业法律知识培训的基础上，邀请法律专家为行政执法人员就《中华人民共和国行政处罚法》等公共法律进行集中培训，培训考试成绩作为颁发行政执法证件的依据，考试不合格的人员不予颁发行政执法证。全年分两期对239名行政执法人员进行了培训。为增强行政复议人员素质，4月26日至27日，举办了全市各县（市）、区政府、市政府各部门法制机构行政复议人员共120余人参加的培训班。主要围绕如何加强行政复议工作和行政复议法的理论知识，邀请专家学者采取理论辅导、案例评析和专家答疑的方式，对各级各部门法制机构负责行政复议的工作人员进行了培训。按照国务院法制办的安排部署，在2007年6月的“河北省政府法制信息月”中，积极组织各县（市）、区政府和市直各部门撰写信息稿件，宣传石家庄市在全面依法行政、建设法治政府进程中的先进经验和典型做法，先后向国务院法制办上报各类信息80余篇，有51篇在国务院法制办网站上予以刊载，特别是“石家庄市政府积极推进建设法治政府”工作综述，在国务院法制办《全面贯彻实施〈全面推进依法行政实施纲要〉工作简报》第39期专刊刊载；另外，还积极向《河北法制报》的政府法治周刊投稿20余篇，介绍石家庄市依法行政工作动态和好的做法，为建设法治政府营造了良好的社会氛围。

（刘　军）

民族宗教

【概况】 2007年，在市委、市政府的正确领导下，坚持以邓小平理论和“三个代表”重要思想为指导，认真学习贯彻党的十六大、十七大精神，全面贯彻执行党的宗教工作基本方针，依法加强对民族宗教事务的管理，团结一致，求真务实，开拓进取，较好地完成了各项工作任务。

【推进少数民族及民族地方经济社会事业全面进步】 从年初开始，民宗局借助多种媒体，在全市开展了民族政策、法规、先进事迹等内容的宣传教育活动。期间先后组织开展了民族知识竞赛、典型人物宣传、政策法规现场咨询、典型事迹报道、法制教育培训、和谐社区创建等系列活动。活动中共印发宣传资料10000余份，直接受教育5000人次。中国《民族画报》、《中国民族报》以整版篇幅宣传报道了石家庄市近一阶段以来民族宗教工作取得的新成果、新经验；与新华区共同拍摄录制的民族和谐社区录像片，在现场会期间播放，受到省、市领导的一致好评。通过宣传和培训，广大少数民族同胞的法制、文明意识进一步增强，团结、发展、进步的决心进一步振奋。2007年上半年，市委、市政府召开了全市民族团结进步表彰大会，对全市40个民族团结进步模范集体、75位民族团结进步模范个人进行了命名表彰。创设服务平台，推进民族工作进社区举措的落实。推进民族工作进社区是新时期做好民族工作的尝试和探索，是民族工作服务的延伸和拓展。在深入调研的基础上，民宗局确定了新华区清真寺街社区作为全市民族工作进社区的先行试点。通过调查摸底，制定了《关于加强对城市少数民族流动人口管理的工作意见》。在民宗局和新华区的共同努力下，在清真寺街社区，建立了少数民族服务中心和全市首家少数民族流动人口服务中心。11月2日民宗局在新华区组织召开了创建民族和谐社区现场会，省民宗厅张宝岩厅长和市委、市政府领导出席会议并观摩了整个活动，张宝岩厅长对这一做法给予了高度评价和肯定：“民族和谐社区的建设在全省是第一家，为全省城市民族工作的开展摸索了路子，积累了经验”。 少数民族服务中心的成立和民族和谐社区的创建，创设了社区民族工作服务平台，完善了社区民族工作服务机制，为推进全市民族工作进社区、促进和谐社区建设发挥了较好作用。加强对清真食品的日常管理。为深入贯彻《河北省清真食品管理条例》，维护少数民族的合法权益，加大对清真食品市场的日常管理力度，根据省民宗厅部署和市食品安全委员会的要求，会同市畜牧局对10个县（市）区的20多个清真食品市场，近100家清真肉店及食品店，针对食品安全和清真不清问题进行了专项检查和治理，对查出的问题分别进行了妥善处理，确保了清真食品的安全，净化了清真食品市场。

【促进石家庄市民族经济的发展】 以市委、市政府的名义，研究制定了《关于进一步加强民族工作加快少数民族和民族地方经济社会发展的意见》。召开了市民委委员会议，对民委委员单位对口帮扶民族乡村工作进行了研究，调整了对口帮扶方式，制定了具体帮扶意见，得到了市领导的批示肯定。认真做好民族项目资金的申报工作。围绕当前民族地方基础设施、公益事业等方面存在的重点、难点问题，会同市财政局对有关县（市）区上报的《2007年度少数民族发展资金项目》和《2008至2010年少数民族发展资金项目规划》进行了审查，确定出本年度上报项目8个，总投资额734.8万元；三年规划项目54个，投资总额3790.8万元。同时认真做好对省级专项资金和市本级专项资金的下拨工作，并加强了监督检查，确保专款专用。认真做好民族统计工作。编印了《石家庄市少数民族统计资料》，同时对全市外来少数民族人口和22个人口较少少数民族情况进行了摸底统计。积极为企业发展提供服务。对“十一五”期间全市民族特需商品定点生产企业进行了摸底调查，并会同市财政局、人行等部门对石家庄市少数民族特需商品定点生产企业调整情况进行汇总上报。

【民族教育、体育和卫生工作】 对民族基础教育情况进行了摸底总结，参加了全省民族教育工作座谈会，市局做了书面发言，藁城九门回族乡中学做了经验介绍。继续组织开展了“手拉手”送教下乡活动，加强了城乡学校之间的联系和交流。组队参加了全国第八届少数民族运动会，石家庄市女子珍珠球队取得第二名的好成绩。会同卫生部门，开展了“医疗大篷车”进民族乡村活动，为民族乡村群众义诊1000人次。

【推进宗教事务依法管理工作】 年内先后3次组织市县两级民族宗教干部及宗教团体教职人员参加上级举办的《条例》学习培训，同时还专门组织召开了各宗教团体负责人会议，对国家和河北省《条例》、国家宗教局2、3、4号令及全国性宗教团体出台的教职人员认定办法进行了系统学习座谈，并就抓好贯彻实施提出了明确要求。此外，还举办了全市民宗局长培训班，邀请省厅厅长、处长作了《条例》和国宗局2、3、4号令的学习专题辅导报告，为全面搞好《条例》的贯彻实施奠定了基础。积极做好《条例》的宣传工作。年内借助报纸、杂志、电视广播等媒体进行《条例》宣传的同时，还利用宗教重大节日和12·4法制宣传日向社会各界进行宗教政策法规咨询，发放《条例》小册子500份，宗教规章宣传页2000张，在各宗教场所张贴《条例》公告400张，努力提高了全社会的知情面，为《条例》全面贯彻实施营造了良好氛围。认真抓好《条例》贯彻实施工作。为了认真落实国宗局2、3、4号令和省民宗厅有关文件精神，规范宗教活动场所和宗教教职人员备案管理工作，从年初开始，通过调研论证、下发通知、开会培训、清理整顿等措施，对全市宗教活动场所进行了登记换证，对全市宗教教职人员实行认定备案和主要场所任职备案。共换发宗教活动场所登记证462处，初步认定备案教职人员300余人。

【维护宗教稳定】 2007年为切实维护宗教领域的稳定，提高工作的前瞻性和预警性，针对宗教领域出现的新情况和新问题，及时修订完善了《涉及宗教方面突发事件应急预案》，认真排查宗教领域的苗头性、倾向性问题，妥善处理宗教方面的热点、难点问题。为全面掌握宗教领域的新情况和新问题，从5月份开始，结合具体工作的开展，先后对全市宗教工作基本情况、宗教场所建设管理、民间信仰问题、天主教地下势力问题、天主教爱国力量建设、基督教发展与现状、宗教领域不稳定因素、抵御境外宗教渗透等进行了调研，将宗教方面出现的各种情况及意见、建议及时向市委、市政府和市宗教工作领导小组上报，得到市主要领导的高度重视，经市委、市政府有关领导的调研处理，所反映的问题基本上得到了妥善解决。根据省民宗厅《关于引导天主教界正确对待教皇牧函的通知》精神，及时召开了天主教界人士座谈会，统一思想，提高认识，引导大家正确对待教皇牧函，坚定中国宗教坚持独立自主自办的原则立场。并集中一个月时间，组织宗教干部深入重点活动场所面对面地做基层会长的思想工作，正面引导，解疑释惑，确保了石家庄市天主教界的思想稳定。此外，指导平山县宗教局，依法制止了一起天主教会为已故神甫立碑事件；妥善处理了长安区非法设立寺院问题，及时清理了非法教职人员，停止了非法宗教活动；大力协调、稳妥处理了市伊斯兰教协会大经街房产拆迁矛盾、市基督教两会大经街房产拆迁问题和市35中学占用基督教两会教产纠纷；认真做好政协委员提案承办工作及来信来防处理工作，年内负责承办政协委员提案1件，结案率和满意率达100%，全年接受处理信教群众来信2件，接待来访群众5起计50余人，对来信来访中涉及的各类问题都认真了解情况，及时妥善地进行协调处理。

【推动宗教团体加强自身建设】 督促各宗教团体进一步完善内部管理制度，使宗教团体和活动场所内部管理逐步走向制度化、规范化。支持各宗教团体不断加强团体班子建设，尤其是加强对中青年教职人员的教育，使更多的中青年教职人员成为协会团体的中坚力量，不断增强宗教团体的凝聚力。围绕宗教团体建设中所面临的困难和问题，始终坚持为宗教团体做好事，办实事，通过调查研究，积极争取，为天主教场所危房维修资金问题基本得到解决。积极引导宗教界深入开展“法制进寺观教堂”、“和谐石家庄建设”和“爱家乡、献良策、做贡献、促和谐”主题教育活动。通过开展三项活动，提升了宗教界在社会上的形象，激发了宗教界人士及广大信教群众爱祖国、爱家乡、建设和谐社会、帮贫扶困献爱心的热情。据不完全统计，2007年，全市宗教界已捐款10余万元，面粉3500公斤，大米2000公斤，衣物12000件，电子器材2部。

【宗教日常管理工作取得实效】 坚持市级宗教团体班子成员学习例会制度。通过深入抓宗教政策、法规、教会规章和十七大精神的学习，提高了他们的政治素质和法律意识，增强了他们依法开展宗教活动的自觉性。建立健全了宗教内刊的报审制度，进一步完善了报审程序，加强了对编辑人员的政策法规教育，对内刊的监管工作逐步走向规范化、制度化。加强宗教活动场所的日常监管。执行了场所巡视制度，分别就场所消防安全隐患、活动管理、制度建设、饮食安全、外事接待等问题，及时检查巡视，排查隐患。加强对地下势力的教育管理。会同统战、公安等部门，对地下主教进行了长达三个月的教育监控，对4名不服从宗教部门依法管理的神甫，进行了为期一个月的办班教育。在此基础上，建立了《宗教团体人员和教职人员外出报告制度》，为加强对宗教团体人员和教职人员外出规范化管理奠定了基础。搞好宗教信息库建设。在天主教信息库建设成功试点取得经验的基础上，又在其它四个宗教建立了宗教基本情况信息库，为领导决策和依法管理宗教事务提供了参考依据。重视场所安全工作，防范各种隐患。为彻底杜绝各种安全隐患，确保广大信教群众的生命安全，全年民宗局多次开展宗教活动场所安全检查，检查的主要内容：宗教活动场所的防火设施及防火通道建设情况；宗教活动场所的房屋建筑安全情况；宗教活动场所的防盗措施落实情况。通过检查加强了宗教活动场所安全防范工作，对于发现的隐患，提出了整改意见，重大隐患得到限期整改。建立了与宗教界上层人士日常联系沟通制度。通过走访、座谈、谈话教育等多种方式，全年与宗教界上层人士联系、沟通30人次，通过联系沟通，掌握思想动态，有针对性地对他们进行政策指导，法规教育，帮助解决思想、工作中存在的问题，提高了他们的政治觉悟和管理教会的能力。

【基督教综合治理工作成效显著】 按照《河北省依法治理基督教私设聚会点工作方案》要求，从2007年1月开始在全市范围内部署开展了以依法治理基督教私设聚会点、解决自封传道人问题、团结争取信教群众、加强基督教组织建设等为重点内容的基督教综合治理工作。经过学习动员、调查摸底、集中整治、检查验收四个阶段的工作，共清理基督教私设聚会点65处，自封传道员83人，团结争取信教群众2834人。通过治理，基督教“三乱”得到了有效遏制，基督教活动逐步规范有序。

【规范行政许可 推进依法行政】 认真组织局机关工作人员参加市里举办的依法行政学习培训，组织行政执法人员参加行政执法考试，切实提高依法行政意识。按照《行政许可法》的要求，《河北省宗教事务条例》重新修订实施后，对涉及到的行政许可和审批（核）项目进行了整理，并通过政务公开明确行政许可和审批（核）事项办理程序和时限，完善了配套制度建设及行政许可项目后续监管工作，进一步增加了行政执法透明度，加强了机关效能建设。深入开展信息调研工作。为进一步做好民族宗教信息调查研究工作，保障信息灵通，为上级决策服务，坚持务实创新，把深入调研与创新工作有机结合起来，重新修订了《信息调研工作考核办法》，召开全市民族宗教信息工作会议，局领导带队，多次深入基层，进行调查研究。共完成调研报告 3 篇，信息 123 篇，被采用 32 篇。

（张建营）

外事侨务

【概况】 2007 年，在市委、市政府的领导下，市外侨办认真贯彻中央总体外交路线和各项侨务政策，坚定实施“围绕经济、发挥优势、有所作为、发展外侨”的工作思路，全力实施打造工作品牌和友城拉动战略，以为经济和社会发展服务谋实事、办大事为主线，以挖掘外侨经济含金量、整合外侨资源、提高对外交往层次、加大引智引资力度、强化涉外管理、做优外事氛围环境、提高石家庄市国际知名度和美誉度为工作重点，真抓实干，开拓创新，外侨各项工作扎实开展，全面完成了各项目标任务，取得了显著成效。

【引资引智成效显著】 市外侨办除坚持出访带项目和接访搞洽谈及贯穿日常工作牵线搭桥外，直接组织重大招商引资、招才引智活动，发挥了引资引智的平台作用。6 月 25 日～26 日，第五次成功举办了“海外华侨华人专业人士石家庄经济技术合作洽谈会”（简称“华洽会”）。外侨办邀请了来自美国、加拿大、英国、瑞典、澳大利亚、日本和香港等十几个国家和地区的华侨华人专业人士 83 人参会。国侨办副主任马儒沛等领导亲自出席会议，有 27 个项目签约，总投资达 19.26 亿元。

【积极参与组织全市重大涉外经贸活动】 按照市政府的统一部署，参与了“香港河北投洽会”、“首届全国生物产业大会”、石家庄市国际动漫节、“石洽会”；邀请接待了 25 个国家的 53 名驻华使节；邀请接待了 10 个外国城市代表团；组织举办了“驻华使节合作信息发布会”；承担了“石洽会”的全部翻译工作。

【坚持出访带项目 推动对外合作】 为了确保市级领导出访实效，市外侨办把工作重点放在出访的前期准备上，认真做好项目的筛选和境外联络工作。市委书记吴显国等市级领导先后率团出访了欧洲、北美、南美、澳洲、非洲等地区国家，取得了实效，推动了一批项目。通过外事侨务渠道，牵线搭桥促成市链轮厂、市铁鑫机械厂等企业的产品进入国际市场。先后促成 11 个项目落实，资金总额 1697.6 万元人民币，正在进展中的项目有 13 个，涉及资金 17.57 亿元人民币。

【加大国际交往力度 促进交流与合作】 2007 年，新建友好合作关系城市 2 个（匈牙利瑙吉考尼饶市、罗马尼亚皮特什蒂市）；新建友好联络城市 5 个（澳大利亚的白马市和费尔菲尔德市、英国布莱顿市、西班牙索里亚市、法国马士莫怀市）。2007 年先后邀请接待了来自美国、韩国、瑞典、新西兰、英国、日本、德国、法国、加拿大、澳大利亚、新加坡、阿根廷、印尼和香港等十几个国家和地区的 46 个代表团来石考察访问、交流合作。进一步推动了石家庄植物园与美国得梅因市合作建设美式园林项目；推动了友城间人才交流合作。派遣了 34 人赴瑞典、日本、加拿大研修培训。瑞典地方政府协会代表团、瑞典商务代表团和瑞典民间友好代表团先后来石考察访问，就贸易、教育等方面进行了洽谈交流；日本长野市第 26 次中学生友好代表团一行 14 人来石参观访问等。美国 UPS 公司、墨西哥拉美亚洲咨询集团等大公司先后来石访问。邀请接待了 27 个国家的约 60 名驻华使节来石出席会议、考察交流。接待了香港驻京办主任一行、香港公务

罗北中（特聘）
左力欧（特聘）
李树声（特聘）

农业委员会

主 任：李 克（女，7月免）
杨澜波（7月任）
副主任：杨澜波（7月免）
赵 虹（女，7月任）
梁立安（兼）
孙任虎（兼）
冯书勤（兼）
赵顺法（兼）
郭素芝（女，兼）
周 平（特聘）
张建慧（特聘）

教科文卫体委员会

主 任：李 雯（女）
副主任：郑志学
徐英杰（兼）
李文学（兼）
白士乐（兼）
段万荣（兼）
刘占山（兼）
袁学骏（兼）
张富贵（兼）
羊文庆（兼）
王银川（兼）
解晓芒（女，兼）

社会和法制委员会

主 任：武共义
副主任：许武成
郑英须
张平海（兼）
陈建新（兼）
赵 娥（女，兼）
马立峰（兼）
冯季平（兼）

民族和宗教委员会

主 任：武共义
副主任：许武成
郑英须
张贵民（回族，兼）
陈泉洲（兼）
蒋陶然（兼）
康瑞峰（回族，兼）
邓元富（兼）

港澳台侨和外事委员会

主 任：王镇元
副主任：石志玲（女）
乔仁秋（兼）
杨秋贵（兼）
许 立（兼）

【第十届五次全会】 1月23日至26日，在市人民会堂举行。会议听取和审议了市政协十届委员会常务委员会工作报告和市政协十届委员会常务委员会关于十届四次会议以来提案工作情况的报告；列席了市人大第十一届六次会议，听取并讨论了《政府工作报告》和其他有关报告；审议并通过了市政协十届五次会议政治决议和市政协十届五次会议提案审查情况的报告。会议补选了李天印同志为政协石家庄市第十届委员会副主席；10名委员代表在会上作了发言。闭幕会上李宏英主席作了讲话。会议期间，大会共收到委员提案485件，立案446件，立案率91.96%。

【第十届常委会例会】 1月9日召开十届十九次常委会议，会议审议通过了关于召开政协石家庄市第十届委员会第五次会议的决定及相关事项；审议通过了政协石家庄市第十届委员会第五次会议议程（草案）、日程（草案）；审议并原则通过了政协石家庄市第十届委员会常务委员会工作报告及报告人，政协石家庄市第十届委员会常务委员会关于十届四次会议以来提案工作情况的报告及报告人；审议通过了政协石家庄市第十届委员会第五次会议大会秘书长、副秘书长名单、会议分组办法和召集人名单、会议列席人员名单等相关事项；审议并原则通过了政协石家庄市委员会2007年工作要点；审议通过了人事事项。

1月25日召开十届二十次常委会议，会议听取并审议通过了副主席候选人建议名单，总监票人建议名单，通过了监票人名单。拟补选的副主席候选人建议名单和总监票人建议名单将提交各委员小组讨论。

1月26日召开十届二十一次常委会议，会议听取了关于各委员小组讨论政协石家庄市第十届委员会常务委员会工作报告和提案工作报告的情况汇报；听取了关于各委员小组讨论政协石家庄市第十届委员会第五次会议政治决议（草案）情况的汇报，并通过了这个决议（草案）；听取了关于各委员小组讨论政协石家庄市第十届委员会第五次会议提案审查情况的报告（草案）的汇报，并通过了这个报告（草案）；听取了关于各委员小组讨论补选政协石家庄市第十届委员会副主席候选人建议名单和总监票人建议名单情况的汇报，并通过了这两个建议名单。

4月19日召开十届二十二次常委会议，会议听取了市政府常务副市长朱浩文同志关于石家庄市

“四个中心”建设情况的通报；分组讨论并通过了《关于推进政协履行职能制度化、规范化、程序化建设的试行意见》；分组审议并通过有关人事事项。

7月12日召开十届二十三次常委会议，会议学习了胡锦涛总书记在中央党校省部级干部进修班上的重要讲话；审议通过了《关于大力发展石家庄市民营经济的意见和建议》以及人事任免事项。

11月15日召开十届二十四次常委会议，会议邀请中共十七大代表、辛集市委书记张国亮同志传达了十七大精神；传达了省委七届三次全会和市委常委（扩大）会议精神；审议通过了有关人事任免事项。

【深入开展视察、考察、专题调研等活动】 紧紧围绕全市中心工作，结合政协工作特点，组织主席、副主席及部分政协委员和有关专家学者，围绕全市城乡环境整治“八个一”工作、民营经济发展、农业产业化龙头培育、农村合作医疗、流动人口管理、农业吸引外资情况等重点课题，深入到栾城、晋州、交通局、科技局等县（市）区和市直有关部门、开展调研活动；并就全市工业企业发展、城市建设、公安消防、和谐社区建设、民族乡经济发展、农资连锁超市及市场建设、农田水利基本建设、科普基地建设、历史文化保护开发和利用、侨港企业发展、台胞台属企业发展等情况，安排政协主席集体视察和组织委员进行视察。市政协全年开展30多次调研和视察活动，了解情况，研究问题，提出意见、建议100多条。这些意见、建议涉及经济和社会发展的各个方面，大部分被市委、市政府批转县（市）区和有关部门研究办理，在促进党政科学民主决策，推动相关工作开展，解决改革发展中遇到的热点和难点等问题上，发挥了重要的参考作用。

【切实做好政协提案和社情民意工作】 坚持以提高质量为根本，切实做好政协提案和反映社情民意工作，为党委、政府了解民情、集中民智构架桥梁。市政协常委会在狠抓提案质量，做好交办工作，加大监督办理力度的同时，改进并增加了《提案追踪》栏目的时间，增加了《委员关注》版块，全年共播出50期；对23个县（市）区和57个市直部门的提案办理情况进行检查考核，提高了提案办理质量，促进了提案的落实；继续开展“先进承办单位”和“优秀提案工作者”评选表彰活动，调动委员积极性，提高政协提案的社会影响力；召开全市政协提案工作培训会议，对提案在线的网络化、提案网上办理进行了讲解和示范。市政协十届五次会议以来，共收到提案651件，立案582件，立案率89.4%。经过各承办部门的认真办理，截至12月31日，提案全部办复。其中，已经落实207件，占35.6%；正在落实的296件，占50.9%；解释说明的79件，占13.5%。收到征求委员意见反馈卡529件，反馈率90.9%，其中，满意和基本满意的496件，占93.9%。市政协常委会还通过多种渠道，收集社情民意信件340条，编发《社情民意》内刊54期，省、市领导批示12期，被省政协采用13期；召开了市政协信息工作培训工作会议，邀请省政协研究室有关领导作反映社情民意信息工作辅导，就如何做好反映社情民意信息工作进行了研讨交流；对2006年度反映社情民意信息工作进行了总结表彰。

【广泛开展团结联谊工作】 把握团结民主两大主题，促进各党派团体和各族各界人士的团结合作。搭建平台，提供场所，充分发挥各民主党派在政协工作中的作用，鼓励支持各民主党派、工商联通过大会发言、提出提案、反映社情民意等途径，参与重大问题的协商与监督；及时邀请各民主党派、工商联参加政协组织的调研、视察活动；与市民主党派成员、市九三学社联合组织部分委员开展送医、送药、送科技“三下乡”活动，为基层群众办实事、办好事，并将此工作作为一项长期坚持的工作。进一步加强与社会各界人士的联系与沟通，通过走访民族宗教人士，参加宗教界重大节日活动，联络感情，增进了解；走访民族宗教界委员，交流思想，倾听他们的意见和建议，帮助他们解决困难。走访各界别委员，了解委员的工作和生活情况，促进委员知情，以真心、关心和爱心凝聚人心。广泛开展联谊交友工作。进一步加强与台胞台商和港澳有关人士的联系，积极推动海峡两岸的经济、科技和文化等领域的交流与人员往来；广泛宣传祖国统一的方针政策，适时举办石家庄市对外开放、台海形势报告会和台湾形势专题座谈会。邀请国内外贵宾来石参观考察，为宣传和促进石家庄市经济建设和社会事业的发展做出贡献；进一步密切与各地政府的交流与合作，先后热情接待全国政协、省政协和100多批兄弟市政协考察团来访；参加省、市政协书画展和“女娲杯”全国书画邀请展及我与政协征文活动，交流了经验，探讨了工作，加深了了解，增进了友谊。

【积极做好维护社会稳定工作】 积极协助党委、政府做好协调关系、化解矛盾、增进共识、凝聚人心的工作，努力维护全市民主团结、生动活泼、安定和谐的政治局面，为构建“和谐石家庄”发挥积极作用。组织委员对全市法律进社区开展情况、《妇女权益保障法》落实情况进行视察；对全市消防工作提出建议；帮助少数民族群众大力发展经济和文化教育事业等。同时充分发挥委员中的特约监督员、检查员、行风评议员的作用，对人民群众切身利益问题，通过提案、反应社情民意和参加听证会、论证会、座谈会等形式，进行协商、监督，促进社会的和谐稳定。

【扎实做好文史资料工作】 充分发挥政协联系面广和文史资料工作的优势，组织有关专家学者参与、协助石家庄电视台拍摄石家庄解放电视系列片；做好石家庄解放60周年纪念活动，完成《转折，1947石家庄》的出版发行，受到社会各界广泛赞誉；还邀请当年参加石家庄解放的老战士、省会老专家学者及省市有关领导，举行纪念石家庄解放六十周年暨《转折，1947石家庄》专著出版发行座谈会；市政协获石家庄解放60周年纪念活动先进单位。

【召开全市民营经济研讨会】 为进一步促进民营经济的发展，增强石家庄市综合经济实力，6月份举办了由市政协主办，市政协财经委、市工商联、市中小企业局联合承办的全市民营经济研讨会。部分政协委员、有关单位及各方面人士100余人参加了会议，市政府王刚副市长介绍了石家庄市民营经济发展情况，王增明副书记和李宏英主席分别做了重要讲话，会议交流论文31篇，部分与会同志还发起了加快民营企业发展的倡议。会后形成《关于大力发展石家庄市民营经济的建议》，经市政协常委会审议通过后，以建议案的形式报送市委。为加大宣传力度，在《石家庄日报》上以专版形式发表了12篇论文，并出版了《石家庄政协》专刊，刊登了研讨会上的讲话、论文、倡议书和《关于大力发展民营经济的建议案》。《关于大力发展民营经济的建议案》荣获石家庄优秀调研成果一等奖。会议召开前夕，组织部分政协委员、民营企业家及有关部门的负责同志分别赴邯郸、邢台、唐山、保定和天津滨海新区就民营经济发展和投资环境情况进行了考察。

【大力加强自身建设】 继续把推动委员学习摆在首位。通过召开常委会议、专门委员会会议，举办专题报告会、座谈会、知识讲座、情况通报会、理论研讨会、编发学习资料等多种形式，组织委员深入学习邓小平理论和“三个代表”重要思想、中共十六大、十六届三中、四中、五中、六中全会精神和中共十七大精神以及省第七次党代会和市第八次党代会精神；深入学习《中共中央关于加强人民政协工作的意见》、政协章程、统一战线和人民政协基本理论；深入学习现代市场经济、历史、法律、科技、金融和管理等方面知识，帮助委员和机关干部熟悉政情市情，不断提高履行职责的能力和水平。在政协成立55周年之际还召开了各种纪念活动，其中编著出版《石家庄市政协志》，召开各种形式的专题座谈会，深入总结政协工作经验；举办书画展等多种形式的活动，加大宣传力度，进一步扩大政协的社会影响力。进一步巩固和扩大政协机关保持共产党员先进性教育活动的成果，坚持和完善保持先进性的长效机制，不断加强机关的思想、组织、作风、制度建设，认真研究履行职能中遇到的新情况、新问题，充分认识和把握政协工作的特点和规律，促进政协工作制度创新和机制创新；建立健全与政协章程相配套的各项规章制度，机关的整体效能和服务水平有了显著提高。

（董　伟）

中共石家庄市纪律检查委员会

【概况】 2007年，全市各级纪检监察机关认真贯彻落实中纪委七次全会和省纪委二次全会精神，按照市纪委二次全会工作部署，紧紧围绕市委、市政府工作大局，切实履行纪检监察职能，创新思路，强化措施，狠抓落实，圆满完成了党风廉政建设和反腐败工作的各项工作任务。

【加强对全市党员干部的理想信念教育】 在全市党员干部中开展了“为民、务实、清廉”主题教育活动。制定了石家庄市主题教育活动方案，辑印主题教育活动读本2万册。组织并督导了全市“改进领导班子作风建设分析会”。深入开展了“访民思勤廉、为民办实事”活动，全市党员领导干部为群众办实事、解难题3.2万件，捐赠各类款物1400多万元。全面开展了“信访问题集中排查处理”活动，排查化解集体访苗头隐患问题538件，对963件历史遗留问题和重点信访案件实行了包案责任制。全市各级制定作风建设长效机制670余项。石家庄市主题教育活动得到省委常委、省纪委书记臧胜业的充分肯定。《中国纪检监察报》、省电视台等多家媒体对石家庄市主题活动进行了专题报道。深入推进廉政文化建设。制定了《廉政文化建设实施意见》，建立了由纪委牵头，相关部门为成员单位的廉政文化建设协调小组。全市各级机关建立廉政教育室968个，组织廉政文化报告会152场，举办廉政文化演讲会653场，举办廉政文化书画联谊会、反腐倡廉书画摄影作品展265场，创作、展出书法、绘画、摄影作品6700余件，组织开展了“万人同唱正气歌”、“廉明颂”文艺晚会等大型廉政文化活动125场次。全市农村共建立廉政文化大院1726个，创建廉政文化墙5986块，自编自创廉政文化戏曲28场。以建立廉政文化建设基地为重点，对建立西柏坡廉政文化建设基地进行了调研和筹备。原中央政治局常委、中央纪委书记吴官正，省委常委、纪委书记臧胜业同志对石家庄市的廉政文化建设给予了充分肯定。

【深入开展效能监察和执法监察】 大力开展行政效能监察。建立了情况沟通、台账上报、项目跟踪问效、快查快结、岗位目标责任制和连带责任追究制等22项效能建设方面的制度规定。对104个市直部门、24个县（市）区和112个乡镇、街道办事处治懒、治散、治庸“三治”活动进行了督导暗访。对市以上重大公共投资项目实施了全程效能跟踪，定期征求项目建设单位意见。对石家庄市6县6区环境治理“八个一”工程和“双争共建”活动，进行了督导检查。严厉查处影响效能建设的典型案件和问题，市效能举报中心共受理举报401件，办结387件。市、县两级行政效能举报中心查处各类效能案件和问题1260件，实行效能责任追究1306人次，给予党政纪处分67人。市行政效能举报中心查处各类效能案件和问题310件，实行效能责任追究435人次，给予党政纪处分3人，收缴违纪资金32万元。认真开展执法监察。对国家环保总局挂牌督办的5家违法排污企业进行立案调查和责任追究，对相关县（市）区政府及市环保局进行了通报批评。对2006年石家庄市挂牌督办的21起和2007年挂牌督办的7起环境违法案件进行了督办。配合有关部门解决清理拖欠农民工工资、城镇房屋拆迁中侵害居民利益、企业重组改制破产中侵害职工合法权益等问题。通过执法监察，立案查处174起，处分人员176人，其中党纪处分167人，政纪处分27人，移送司法机关15人，共查出违法违纪资金1486.5万元，挽回经济损失2690.2万元。积极参与查处土地违规违法案件、房地产市场秩序整顿、规范食品药品市场、打击非法传销和非法用工、虚假招标专项治理、整顿规范矿产资源开发秩序等专项活动，严厉查处了“肉毒素”等事件。进一步加大专项资金综合治理力度。对今年的专项资金项目进行了全面检查，全市重点治理专项资金164.86亿元，发现问题资金1953万元，已纠正1248万元。共立案16件，结案13件，处分17人，给予党内警告处分2人，党内严重警告处分13人，撤销党内职务1人，留党察看1人，涉及科级干部4人。

【规范领导干部廉洁从政行为】 开展了领导干部借用、占用下属单位及企业车辆的专项清理工作，对借用、换用下属单位和个人小汽车、擅自购车、公车私照、公车不上固定资产账等问题进行了专门整改。对党政机关办公楼等楼堂馆所建设项目进行认真清理，对项目情况严格审核。取消56个出国（境）团（队、组），节约资金1700余万元。严格领导干部公务用车的配备、使用和管理。控制购买小汽车93部，纠正超标车68部，节约资金2000余万元。对操办婚事借机敛财问题进行了明查暗访，对两起顶风违纪、操办婚事典型案件进行了严肃处理。建立了全市6717名正科级以上领导干部廉政档案，制定了查阅、保密、保管等日常管理制度和规定，建立了县（市）区纪委、市直纪检组（纪委）、市纪委有关室（处）向廉政档案室移交、归档有关资料的动态管理制度、领导干部廉政档案审查制度。对2名县处级干部实行了“三项谈话”制度。集中抓了中纪委“八项规定”的贯彻落实。对市直党政机关事业单位的国有资产，主要是办公楼、培训中心、门面房等对外出租等情况进行了调查摸底和集中清理。

【落实“三个更加注重”要求】 对全市加大预防腐败力度工作进行了全面动员部署。按照“基础工作要扎实、具体工作要深入量化、整体工作要有特色、重点工作要有创新”的要求，对进一步加大预防腐败力度工作进行了深入调研，完成了石家庄市《进一步加大预防腐败力度的工作方案》，召开了预防腐败工作动员大会。积极推进行政权力公开透明运行。制定了石家庄市政务公开与行政权力公开透明运行工作《实施细则》、《责任追究办法》等3个规定。重点实施了“128”计划。“1”是建设一个平台，在市区繁华街道、十字路口大型电子屏幕，滚动公开市直有关部门行政权力。“2”是完善和建立了50个服务大厅，培养和树立50个行政权力公开透明运行先进典型。“8”是重点建设并基本建成了行政许可事项、政府采购、建设工程招标投标、经营性土地使用权出让、专项资金、公务员录用、城市规划、城市管理8个行政权力公开透明运行网络。得到了省纪委领导的充分肯定，在全省进行了经验交流。深化行政审批制度改革，做好与国务院和省政府公布取消行政审批项目的衔接工作。探索实行廉政准入制度。以建立廉政准入制度为重点，制定了“廉政准入”的制度规定，在全市试行工程招投标、政府采购、土地市场交易、国有资产产权交易等廉政准入制度，积极探索市场经济条件下源头遏制违纪违法行为的有效途径。强化信访监督工作。认真落实《关于实施信访监督的办法》，下发《函询通知书》46份，其中对县处级干部函询26人次、乡科级干部20人次；信访谈话7人次，组织召开民主生活会11次，与组织部门沟通15次。受到中纪委、省纪委及市委主要领导同志的肯定。积极探索和创新预防腐败工作机制。认真贯彻省委关于县级纪检监察派驻机构改革的意见，在搞好5个试点的基础上，先后召开两次调度观摩会，指导完成了12个县（市）区的纪检监察派驻机构改革工作。建立健全了市纪委、监察局预防腐败信息员制度，市纪委、监察局从社会各界选聘40名代表组成预防腐败信息员队伍，进一步创新了预防腐败工作机制。

【始终保持惩治腐败的强劲势头】 制定并出台了《纪检监察、公安、检察、审判和审计等执纪执法机关在办案中相互协调配合的若干规定（试行）》，建立了查处大要案协调机制。受理上级纪检监察机关及和同级党委、政府领导转办案件22件，结案18件。1～11月，全市各级纪检监察机关共立案调查各类违纪违法案件966件，同比增长20.6%；立案涉及1045人，其中县处级干部15人、乡科级干部143人。通过查办案件收缴违纪资金547.96万元，为国家挽回经济损失1139.61万元。切实加大治理商业贿赂力度，受理群众举报161件、查结商业贿赂案件88件，涉案金额201.5626万元，罚没505.5062万元，受到刑事处罚1人。先后召开两次“治理商业贿赂典型案件新闻发布会”，通过中央、省、市20余家新闻媒体公开曝光了15起典型案件。全市延伸审理案件25件、公开审理案件17件。回访受处分人员216人（次）。《中国纪检监察报》对元氏县开展回访教育活动进行了报道，中央纪委副书记刘峰岩对此作了重要批示，省纪委发通报予以肯定。

【重点解决损害群众利益的突出问题】 民主评议工作不断深化。增加了对市、县两级408个重点部门重点岗位2007名中层干部的民主评议。推出了“随时、随地、随事”听证质询方法，制定了“季评公示”、民主评议工作记账式日常考核办法，继续组织有关部门参与行风热线，聘请60名行风特邀监督员，建立了民主评议公示室，使民主评议结果更加公开、公正和公平。对全市350余所中小学校和市属9所医院实行单评单列。全市共查处教育乱收费案件21起，给予党政纪处分2人。共查处医药购销和医疗服务中违纪违法案件13件，涉及金额32万元，处罚20万元，没收违纪资金3万元。全市立案查处公路“三乱”案件55起，给予党政纪处分25人。严格规范达标表彰。对上报的377个评比达标表彰项目逐项进行甄别分析和审核，拟保留评比达标表彰活动项目110项，撤销项目173项，合并项目23项，减少经费186.57万元。全市通过各种专项治理减轻农民负担1600万元。

【大力加强农村基层党风廉政建设】 召开了两次全市加强农村基层党风廉政建设工作座谈会，市、县两级分别成立农村基层党风廉政建设工作协调机构，建立了农村基层党风廉政建设联席会议制度。针对农民群众反映强烈的热点、难点问题，并针对当前农村基层党风廉政建设向市委写出了专题报告。认真做好信访工作。截至到11月底，全市纪检监察机关共受理群众来信来访件3666件次。市本级纪检监察机关共受理群众来信来访2281件次。办理上级要结果、要情况32件，办理审核向下级纪委要结果、要情况137件。市纪委办理信访监督事项53件。全年进京赴省访明显下降，到市级来访量与2006年同期相比下降30%。市、县两级下访工作队对17个县（市）区398个乡镇、街道办事处及701个行政村进行了巡察，针对存在的问题向市委写出了专题报告。组织协调有关职能部门直接或协调解决群众反映强烈的热点难点问题346件，共查办各类案件358件，其中立案227件，结案213件，给予党政纪处分205人，维护了基层稳定。

【大力加强纪检监察干部队伍建设】 委局领导班子严格落实“五项制度规定”，召开了以加强领导干部作风建设为主题的领导班子专题民主生活会。委局机关全体党员干部集中一个月进行了思想作风纪律整顿，各支部召开了民主生活会，从思想、作风、纪律等方面深入查找问题，制定了委局机关工作制度。委局机关采取多种形式认真学习党的十七大精神和中央纪委在十七大上的报告，增强贯彻落实十七大精神的自觉性和坚定性。制定了《派驻（派出）机构重大事项报告制度》和《派驻（派出）机构述职制度》等项制度，市直各部门派驻机构负责人向市纪委常委会作了半年工作和年度工作述职。

（郭丽文）

民主党派和工商联

【各民主党派和工商联领导成员】

民革石家庄市委员会

主　委：范振增

副主委：夏玉颖　陈　潮　胡永权　乔　茜

民盟石家庄市委员会

主　委：陈百成

副主委：方　慈　郭　斌　杨凤虎　尹兆旭　崔瑞芳

民建石家庄市委员会

主　委：武义青

副主委：曹志刚　马立峰　田荣凤（女）　李小平

民进石家庄市委员会

主　委：王　刚

副主委：石汉文　邢　铁　李俊秀（女）　刘　贵

农工党石家庄市委员会

主　委：王宝山

副主委：管前琴　王彦英

张祥建　宗丽荣

九三学社石家庄市委员会

主　委：王长华

副主委：王志国

于奕峰

黄增国

邵新中

刘小立

工商联合会

会　长：张　楷（4月免）

王中联（4月任）

副会长：李凤江　韩国岐

徐　石　阎志勇

中国国民党革命委员会石家庄市委员会

【概况】 市民革在民革省委和中共市委的领导下，坚持以邓小平理论和"三个代表"重要思想为指导，深入学习中共中央两个5号文件和党的"十七大"会议精神，坚持走中国特色政治发展道路，加强自身建设，立足于民革特色和优势的发挥，认真履行参政议政、民主监督职能，为石家庄市经济又好又快发展做出显著成绩。市民革被市政协评为2007年度反映社情民意信息工作先进单位并获二等奖；《水——生命之源　不容忽视　石家庄农村水污染与防控的调查与思考》调研课题获石家庄市2007年度优秀调研成果并获二等奖；《完善省会公共文化服务体系》在市政协十届五次会议上被评为优秀提案。

【主要会议及活动】 政治交接教育实践活动提出的"坚持走中国特色的政治发展道路，做老一辈优良传统和高尚风范的传承者，做巩固和发展政治交接成果的实践者"这一主题，切中了民主党派的思想实际，具有很强的针对性。2007年是民革成立60周年，以此为契机，市委会开展了一系列活动，把政治交接教育实践活动推向深入。

6月15日，召开支部工作培训交流会，对支部组织委员、宣传委员进行了党务工作培训并布置"坚持中国特色社会主义政治发展道路，搞好政治交接"教育活动。

7月16日，向各支部（小组）转发《胡锦涛总书记6月25日在中央党校省部级干部进修班的重要讲话（要点）》，并组织各支部（小组）学习贯彻。

9月13～17日，组织各支部（小组）学习《"坚持走中国特色政治发展道路"为主题的政治交接学习教育活动学习读本》，重点学习《中共中央关于进一步加强中国共产党领导的多党合作和政治协商制度建设的意见》和《中共中央关于加强人民政协工作的意见》。

9月20日，举办"我的精神家园——纪念民革成立60周年"演讲比赛，评出的优秀作品《巍巍太行情，铮铮赤子心》参加民革省委的演讲比赛获得一等奖。

10月15日上午，市民革组织各支部代表在市委会机关集中收看了"十七大"召开的实况直播，同时传达了市委统战部要求保证"十七大"期间安定局面，维护社会和谐，与党中央保持一致和集中精力搞好年底交接的指示。

【组织建设】 6月15日，民革市委会召开支部工作培训交流会，会议结合《党章》、《关于进一步做好民主党派组织发展工作座谈会纪要》、《发展党员手续及审批办法》、《支部工作条例》以及河北省民革《标准化支部工作制度》等文件、材料对与会人员进行培训。按照形势的发展和参政党履行职能的需要，在组织发展工作中根据《党章》的规定，采取了一系列切实可行的办法和措施，队伍逐年壮大，层次不断提高，呈现出新的面貌和气象。一批政治素质好、层次较高，参政议政能力较强、有一定社会影响和代表性的人士加入了民革组织。全年发展新党员17人。其中本科以上学历14人，高级职称7人，中级职称4人，民革特色11人，非公经济2人，女党员11人，平均年龄38.9岁。为贯彻落实"中共中央关于进一步加强中国共产党领导的多党合作和政治协商制度建设的意见"精神，市委会坚持和完善了领导班子会议制度和考核制度。

【参政议政】 市民革紧紧围绕改革、发展、稳定的大局，围绕"十一五"规划和构建"和谐石家庄"的要求，认真开展调研，积极建言献策，参政议政取得可喜成果。全年提交集体提案6件，被采纳6篇，分别是《在此次调整工资中，对女教师工龄计算的建议》、《"骑抢"案件频发，建议全市禁止无牌摩托车加油和上路》、《省会入室偷盗日益猖獗问题亟待解决》、

《关于推进城市生活垃圾循环利用问题》、《完善省会公共文化服务体系建设》、《加强政府执法力度，严格管理燃放鞭炮》；个人提案99件，被采纳93篇，其中《小街巷的综合整治》经省民革逐级上报，在9月7日的《河北日报》刊登；全年共向民革中央、省民革、中共市委统战部、市政协等上级单位报送信息113篇，被采纳32篇。市委会《关于推进乡镇职能转换和机构改革的建议》调研报告作为市政协十届四次大会发言材料首先发言，受到大家的好评。全年拟定2个专题调研课题，课题组成员通过长期的调研，收集大量第一手资料，形成《水——生命之源 不容忽视（石家庄农村水污染与防控的调查与思考）》、《改善饮食习惯 提高生命质量》2篇专题调研报告，其中《水——生命之源 不容忽视（石家庄农村水污染与防控的调查与思考）》报市委参评优秀调研课题。

【社会服务工作】 市委会了解到灵寿、平山农民养殖户手中的皮毛产品没有办法销售出去，一年的辛苦连买饲料的钱都拿不回来，面临倒闭的窘况，市委会充分发挥民革党员自身优势，组织500多万元资金到灵寿、平山进行收购，解决了农民养殖户的燃眉之急。12月21日，市民革到河北金泉海进出口有限公司，为扶贫定点灵寿县桥塘沿村小学的师生代表举行“送温暖、献爱心”捐赠活动。

4月份裕华一支部、裕华二支部共赴平山省军区希望小学开展扶贫帮教慰问活动，上助教示范课2课时，捐赠空调被10余件、每个学生一个水杯和文具。新华一支部积极为社区居民办实事，全年组织协调辖区762户居民参加了集中供热，结束了该小区近二十年没暖气的生活。5月19日、9月15日新华二支部先后两次到石家庄市赞皇县黄北平乡东马峪村与村委会签订了定点扶贫协议，为该村买了121册养峰、养牛、种树、种菜等科技图书，同时也为小朋友们带去了文学、童话、爱国教育、科学知识等方面的图书，建起了图书室，结束了该村没有图书室的历史。共捐赠200多件衣物，帮助村民卖出500多斤蜂蜜、大枣、鸡蛋、核桃、板栗，为农民创收6000多元。

（李春梅）

中国民主同盟会 石家庄市委员会

【概况】 2007年，盟市委在民盟河北省委和中共石家庄市委的正确领导下，不断加强自身建设，坚持以科学发展观统领工作，以创新思维、求真务实的精神落实工作计划，较好地完成了各项任务，为石家庄市的发展做出了应有的贡献。

【思想建设】 为进一步巩固与中共亲密合作的思想政治基础，不断加强盟的思想建设，巩固政治交接成果，提高全盟的整体素质。继续把邓小平理论、“三个代表”重要思想、中共中央两个5号文件作为理论学习的重要内容，并与贯彻落实中共十六届六中全会和十七大精神结合起来，与贯彻落实全国第20次统战工作会议精神结合起来。按照盟中央、盟省委的要求，在全盟开展了政治交接主题学习教育活动。盟市委下发了文件通知，成立了领导小组并制定了实施方案。整个“学教”活动分为四个阶段，即：动员摸底阶段、学习教育阶段、查找问题阶段、总结和制定措施阶段。在“政治交接学习教育活动”文件中提出了活动要求，强调了教育目的，明确了学习任务。为指导基层更好地开展“学教”活动，向基层组织下发了民盟中央编写的《我与民盟》、《民盟领导人谈多党合作》、《民盟英烈》等系列从书和十七大报告读本。组织了主题为“坚持走中国特色社会主义发展道路”的征文活动，增强了学习效果，为顺利开展“学教”活动奠定了基础。根据盟务工作实际，开展了形式多样、丰富多彩的活动。分别在春节、三八妇女节、教师节举行了迎新春联欢会、女性心理健康知识讲座，参观了石家庄解放60周年历史资料图片展。在“学教”活动第二个阶段，盟市委与盟省委联合举行“学习胡锦涛总书记6·25重要讲话报告会”，邀请省委党校专家作了辅导报告。召开全委扩大会议学习中共十七大会议精神，传达石家庄市县乡三级干部会议精神。通过各种形式的学习教育活动，使广大盟员系统回顾了老一辈的优良传统，提高了自身的素质，进一步坚定了中国共产党的领导，进一步坚定了走中国特色政治发展道路，自觉做巩固和发展政治交接的实践者。

【组织建设】 2007年，盟市委继续实施“人才强盟”战略，以领导班子建设为核心，以组织建设为基础，以制度建设为保障，促进盟组织健康发展。换届后盟市委继续坚持民主集中制原则，对主委、副主委、常委、委员进行了工作分工，并要求班子成员正确处理好分工与协作的关系，处理好盟务工作与本职工作的关系，团结一致共同做好工作。为提高领导班子成员的政治素质和理论素养。3 月份盟市委主、副委去北京中央社院参加了领导干部培训班。8 月份参加了市委统战部举办的“多党合作专题讲座”。10 月份分别参加了省委党校、市委党校十七大报告轮训班，先后两次召开全委扩大会议，组织市委委员、基层支部主委集中学习了中共十六届六中全会、中共十七大精神和中央两个 5 号文件。按照党派主委联席会议要求，开展了“四个做好”活动，即如何做好主委、如何做好驻会副主委、如何做好兼职副主委、如何做好基层支部主委。民盟各级领导班子主要成员都按要求认真总结了自己的工作。11 月份盟市委主、副委参加了统战部召开的“落实中共十七大精神　四个做好经验交流会”，主委和驻会副主委作了发言。12 月份盟市委召开了“如何做好基层支部主委经验交流会”，会上 10 位同志谈了自己的经验和体会。

加强基层组织建设。根据《民盟中央关于加强基层组织建设的意见》精神，盟市委将 2007 年定为基层组织建设年，在基层组织中广泛开展“管理规范化、建设制度化、活动丰富多彩化”为主要内容的基层组织建设工作。重新修订和完善了《基层支部工作细则》等 5 项制度。对跨区支部、跨区盟员，在争求辖区统战部和个人意见的基础上，进行了调整。根据盟务工作需要，经与中共裕华区委统战部协商成立了民盟裕华区第三支部。与民盟省委组织部一起对河北科技大学基层组织进行调研，与盟员座谈，与党委统战部沟通了基层工作。配合省、市、区统战部门，对推荐为省、市政协委员和人大代表人选进行考察。盟市委机关干部积极参与、支持基层组织开展扶贫、义诊、帮教及红色教育活动，力所能及为基层开展活动提供方便。全年发展新盟员 43 人，举办了第 24 期新盟员培训班，并对他们进行了多党合作、民盟优良传统教育。

加强制度和作风建设。重点是机关工作作风建设，切实提高机关工作人员的整体素质。盟市委积极引导机关工作人员自觉树立学习意识、大局意识、服务意识和奉献意识，坚持了机关周学习日制度，并根据形势的需要随时安排政治学习。支持机关工作人员积极参加各级各类学习培训，不断提高政治素质和理论水平。1 人参加了盟省委举办的“专职干部培训”，1 人参加了中共市委组织部举办的“2007 年选派干部赴国内高校培训班”。及时组织了对中共十七大报告的集中学习和有关省、市解放思想大讨论，每位机关工作人员结合实际，写出了心得体会文章。按照《公务员法》的规定，加强了对机关工作人员的科学管理，建立了岗位责任制为核心的管理机制。加强制度建设。受主委会的委托补充完善了盟市委一整套规章制度 25 项，包括五个部分内容即：民盟石家庄市委工作条例、民盟石家庄市委领导班子工作制度、民盟石家庄市委机关管理制度、民盟石家庄市委参政议政工作制度、民盟石家庄市委基层工作制度。其中加强机关管理是机关作风建设的重点，在人员少、工作量大的情况下，大家团结协作不仅完成了机关日常工作任务，同时为盟市委顺利开展各项工作提供了有力的保障。

【参政议政】　盟市委认真贯彻了“长期共存、互相监督、肝胆相照、荣辱与共”的方针，积极参与石家庄市的重大决策和政治协商，围绕市委、市政府的中心工作积极参政议政。多渠道履行民主监督、参政议政职能。盟市委的主要领导积极参加市委、市政府、市人大、市政协组织的政府工作报告征求意见会、廉政工作电视电话会、市直机关干部大会、机关效能建设评议会、“十一五”循环经济发展规划评审会及各种视察、考察活动，代表民盟发表意见和建议。组织盟员深入调查研究，完成了《医药企业自主创新能力的调查与建议》、承担了盟中央课题《河北省废旧物资回收利用的现状及对策研究》2 篇专题调研报告，上报的《石家庄市循环经济构建的制约因素与对策》、《关于完善新型农村合作医疗制度的建议》分别获中共市委优秀调研成果一等奖和二等奖。由盟市委领导牵头，组织专家通过对石家庄市工业循环经济的现状进行调查、分析，以详实的数据、借助国外的经验，提出了促进石家庄市产业生态化转型、加快循环型工业体系建设的可行性举措和建议，受到了市政府的高度重视。调整充实了参政议政机构，由过去的3个专委会增至8个，同时加强了与对口联系单位市科技局等部门的联系与沟通。以盟市委名义向市政协十届五次全会提交大会发言4篇、集体提案7件，个人提案40件。其中《关于加强市民公德建设的建议》、《关于完善新型农村合作医疗制度的建议》、《关于加强对农民教育培训的建议》分别得到市委书记吴显国、市长冀纯堂的重要批示。个人提案《尽快整修石家庄市平交道口，还百姓平安大道》列为提案专报，冀纯堂市长专门批示，石家庄市电视台连续三次进行了追踪采访和报道。组织民盟组政协委员到民营企业金泉海染化纺织有限责任公司考察。盟市委与省、市政协联合举办了“中小学生素质教育论坛”，8名盟员在论坛上各抒已见，从不同角度做了发言，提交的10篇论文均获奖并发表在《石家庄政协》上，省政协副主席刘健生到会讲话，对论坛给予了高度评价。加大了统战宣传和社情民意信息工作力度。7月份召开了“盟市委宣传工作会议”，成立了稿件编审委员会。建立了社情民意信息工作机制，举办了“盟市委社情民意信息工作培训班”，请市政协研究室主任作了辅导，并编发了社情民意信息工作简报。盟市委组织盟员承担并完成了市委统战部的统战理论课题《着眼于政治交接水平引导民主党派加强自身建设》，已上报省委统战部参加评比。2007年，盟员在国家级刊物发表理论文章23篇、省级19篇、市级50篇，上报各类信息50条。盟市委获省民盟宣传工作先进单位、社情民意信息工作先进单位、参政议政工作先进单位，同时获中共市委统战部参政议政、宣传工作先进单位，市政协宣传工作一等奖。

【社会服务工作】 盟市委从全面建设小康社会和社会主义新农村建设的目标出发，本着发挥优势、突出特色、量力而行、注重实效的原则，做好扶贫和社会服务工作。继续对行唐县翟营乡西石庄村实施对口帮扶。按照市委、市政府要求，春节前夕，为该村困难群众送去大米、面粉、食油、春联等价值4000余元的慰问品。为使该村脱贫致富，盟市委与行唐县发改委一起远赴山东沂蒙地区考察种植“牛蒡”项目。开展送医送教下乡活动，通过盟市委领导联系和基层支部的帮助，将价值2万余元某高校的纯木书柜捐给行唐县教育局下发到困难学校。盟市委组织市二中、九中和四十二中的教师盟员到市十四中帮助该校教师解决教学工作中遇到的实际问题，并捐送了相关的资料。暑假期间，盟市委组织教师盟员到盟中央扶贫点广宗县的第二中学送教下乡，通过交流、讲课的方式，连续三天培训了全县的初中语文、英语任课教师百余名。与市政协教科文委联合组织盟内10名医学专家到赞皇县土门乡医院为群众义诊百余人次。

（杜　蕾）

中国民主建国会
石家庄市委员会

【概况】 民建石家庄市委会在中共石家庄市委的领导下，在民建河北省委的指导下，紧紧围绕中共石家庄市委、市政府的中心工作，按照民建河北省委的工作部署，坚持以邓小平理论、“三个代表”重要思想和中共十六、十七大会议精神为指导，带领广大会员，坚持继承、创新、发展、务实的工作方针，认真履行参政党职能，积极务实、活跃有序、较有成效地开展各项工作，圆满完成了年初确定的各项工作任务。

【思想建设】 2006年12月换届后，在新一届市委领导班子带领下，深入开展政治交接学习教育活动。2007年8月份，市委会召开了十届三次主委会。会上学习了《各民主党派中央关于加强地方组织领导班子建设座谈会纪要》、《民建中央关于开展政治交接学习教育活动的通知》、民建中央学习教育活动办公室编发的《坚持中国特色政治发展道路，建设适应多党合作要求的参政党》以及民建河北省委《关于开展政治交接学习教育活动的实施方案》，并成立了以主委武义青为组长的政治交接学习教育活动领导小组和学习教育活动办公室，制定了《民建石家庄市委关于开展政治交接学习教育活动的实施方案》。为做好政治交接学习教育活动，市委会相继召开学习贯彻中共十七大精神座谈会、“四个做好”经验交流会。

根据民建省委及市委统战部的要求，市委会机关举行了政治交接学习活动。主委武义青向机关同志传达了民建河北省委七届二次常委会精神，并带领大家学习了《民建中央关于深入开展政治交接学习教育活动的意见》和中共中央统战部长刘延东在民主党派新任主委培训班上的讲话。为提高会员的综合素质，更好了解党和国家的方针政策，提高自身修养，帮助广大会员用法律武器维护自身的权益，民建石家庄市委邀请有关专家为民建会员举办了中国式现代公司治理结构讲座、国画的基本知识讲座、《中华人民共和国物权法》知识讲座、民族宗教政策知识讲座。为切实做好政治交接，帮助会员树立正确的政党观和参政党意识，提高会员的光荣感和历史责任感，探索巩固老阵地与开拓新领域的新路子，在继承优良传统的基础上有所创新，市委会认真做好会史的收集、整理、完善、编印工作。通过对民建早期会史资料和人物资料的整理，到石家庄市人大、市政协、市档案馆、市工商联查找资料，到老会员家中走访了解情况，收集到了许多珍贵的文字与图片资料，并得到了一些新的有价值的线索，为充实石家庄民建会史提供了许多真实、有价值的史料。经过市委会一年来的努力，编辑会史文字10余万字，已于12月份印刷完成，为今后进行民建光荣传统教育打下了良好的基础。为学习贯彻中共十七大精神，深刻领会内涵，市委会积极组织会员通过看电视、读报纸、下发学习材料等多种形式，认真学习了十七大报告和新党章。为了加强与对口联系单位的合作与沟通，更好地履行参政党职能。1月份，市委会召开对口联系单位座谈会，邀请市发改委、市国资委、市工商局、市规划局、市商务局的有关同志与民建会员企业家进行座谈。各对口联系单位的有关同志分别介绍了各自单位的情况及工作职责，并就石家庄市招商引资、土地规划、工商管理等问题，详细地回答了民建企业家会员的咨询。为庆祝石家庄解放60周年，市委会组织机关工作人员、各支部成员参观了由民建会员邢士林同志用两年时间，耗资500余万元。在北方汽车商城举办的《遥远的风—历史上的石家庄》图片展。图片展全面系统地展现石家庄的悠久历史，展示石家庄丰富多彩的灿烂文化。市委会经过一年来的培训学习和教育引导，涌现出了一大批先进人物和先进事迹。会员郭刚能被国家人事部、工商总局、中央文明办、中国个体劳动者协会联合授予“全国文明诚信个体工商户”称号；蔡英敏被河北省妇联、河北省企业家协会联合授予“河北省十大杰出女企业家”称号；桥东五支部主任赵力，被中共石家庄市委授予“石家庄市十大杰出青年”称号。据不完全统计，有近70名会员100人次受到了各级有关部门的表彰和奖励。

【参政议政】 市委会本着“站好位置、选准角度、发扬传统、发挥特色”的方针，加强领导，集思广益，充分发挥整体优势，积极组织各方面人才，紧紧围绕市委、市政府的中心工作和人民群众关注的热点、难点问题，深入调查研究，切实履行参政党职能。在2007年市“两会”期间市委会提交集体提案7篇，大会发言3篇，共提出提（议）案57件。有20件被列为重点提案，有10件提案，省、市级领导作了重要批示。全年会员共提交提案议案100余件。其中，主委武义青在省政协大会上提交的《借力天津滨海新区开发，建设沿海经济社会发展强省》被作为重要提案上报，得到常务副省长和省委书记批示。市委会在政协大会上提交的提案《关于建立省市城市儿童基本医疗保险和大病救助制度的建议》得到市领导的重视，被市电视台提案追踪栏目报道。市委会提交的《关于提升石家庄市旅游整体竞争力的建议》获市优秀调研成果一等奖，调研报告《关于推进社会主义新农村建设情况的调查与思考》获市优秀调研成果二等奖。会员蔡茜撰写的《石家庄老字号的调查与思考》获市委办公厅优秀调研成果一等奖。会员李世鸥提交的《加强社区建设的建议》被区政协定为重点提案。参政议政委员会根据中共石家庄市委研究室、民建省委下发的调研课题，先后组织召开了两次参政议政专门委员会。会上总结了过去的工作，研究确定了本年调研课题、两会的提案及大会发言，并且将课题落实到人。做好《石家庄民建》会刊的出版，通过《石家庄民建》及时把会内外重要信息送到会员手中。2007年以来，《石家庄民建》共刊登各类信息50余篇。一年来共在新华网、《民讯》、《河北民建》、燕赵政协新闻网、《石家庄日报》、《石家庄政协》等各级各类媒体上发表新闻近70篇，外树了民建形象，扩大了民建影响。加大反映社情民意力度，努力抓好信息反映工作，随时搜集工作中的新动态、新进展和新经验，从中挖掘闪光点，及时上报相关部门。报送的《关于建立城市儿童基本医疗保险和大病救助制度的建议》被市政协报送省政协研究室及市委、市政府领导参阅，报送的市民建会员对全国两会的反映，被省政协采用；武义青主委撰写的《石家庄市企业特征的调研报告》得到了市委统战部的重视，市委常委统战部长王华清做了重要批示，统战部以党外人士意见专报的形式报送吴显国书记和冀纯堂市长。会员康君元在省民建法律委员会上起草的《关于完善我国“行贿罪立法”的几点建议》得到了时任公安部长周永康的批示。全年市委会共向各级、各类部门报送社情民意信息100余条。

【组织建设】 认真贯彻落实各民主党派中央《关于进一步做好民主党派组织发展工作座谈会纪要》精神，以建立两支素质较高的基本队伍为目标，按照“三个为主”的方针，突出民建特色，规范组织程序，把好会员入口关。在发展会员工作中注意“三个结合”，坚持“三个为主”的原则，有计划地发展会员。一年来共发展会员31名，平均年龄35岁。均为大专以上学历，中级以上职称9名，女会员17人。于7月份举办了全市新会员培训班。加强领导集体建设，坚持民主集中制原则，进一步增强领导决策的民主性和科学性。自换届以来，市委会领导坚持从自身做起，坚持“集体领导、民主集中、个别酝酿、会议决定”的方针，坚持按照组织程序办事，从而保证了领导班子成员在政治上思想统一，工作上相互支持，领导班子的整体功能得到了充分发挥。市委会以“两会”换届工作为重点，积极配合中共省委、中共市委做好人大代表、政协委员人选的推荐、考察工作。采取措施，加强基层组织建设。市会领导和机关干部经常参加基层支部活动，重视对基层支部的联系和指导，积极探索新形式下基层组织建设的新途径。对基层组织建设中存在的支部班子工作关系不顺、组织活动不正常等比较突出的问题采取有效步骤，有针对性地进行调整。市委会还积极组织各支部主任参加民建省委举办的支部主任培训班，使各支部主任自身建设得到进一步提高。加强机关建设,服务质量得到进一步提高。市委会以“务实型机关、高效型机关、服务型机关”为目标，坚持思想教育，坚持政治学习。不断组织业务培训，提高自身素质；不断改进工作作风，提高办事效率；不断加强制度建设，提高服务水平，使机关干部更好地为会员服务。

【社会服务】 市委会把服务社会、服务中心、服务会员当作工作的出发点和落脚点。围绕平山县科举村扶贫联系点，积极做好各项扶贫服务工作。在会员及企业家的支持下，为该村投入了3万余元重建水泵房，并引自来水入户，还为该村提供了2500只小鸡，使每户全年增加1000元的收入。当市委会了解到该村离河道近受洪水袭扰严重时，积极与各方联系通过努力，为该村争取来8万元修建堤坝费用。此举得到了中共平山县委、县政府的好评。为将省委省政府提出的建设沿海经济强省的目标落到实处，给石家庄市的民营企业搭建一个平台，使他们更好地参与到建设沿海经济强省的实践中。市委会邀请天津环海联合投资集团，与部分会员企业、民营企业，以及市中小企业局和平山县、栾城县招商局、项目办的负责同志举行座谈。双方介绍了各自的情况及项目投资意向，并对小额担保、钢铁等项目达成合作意向。市委会关心企业、服务会员，先后两次组织会员中的人大代表、政协委员和专家学者，就改善投资环境、加快非公有制经济发展，到会员企业河北天成企业集团、河北中交跨世纪工程设计有限公司、河北天工化工机械制造有限公司、千喜良缘婚纱摄影公司、布衣坊酒搂、欧蔓中草药种植基地、河北名世锦蔟纺织有限公司、河北雪龙机械制造有限公司、河北大羽制衣有限公司进行调研。调研中，了解了各民营企业的行业特点、发展状况，以及企业生产经营情况及存在的困难和问题，并对企业发展提出了建设性的意见和建议，并写出调研报告，报市委统战部、市政协。市委会组织会员企业家到元氏县进行考察，有两家会员企业与元氏县达成意项投资办厂。为加快构建以社区为基础的新型城市卫生服务体系，以维护群众健康为中心，民建辛集总支组织会员中的医生并邀请相关医护人员组建医疗队，到贫困村举行医疗下乡活动。为群众义诊120人次。医疗队还积极向村民宣传医疗健康科普知识，共发放《卫生小常识》、《糖尿病人如何选择食物》等宣传材料2000余册。这一善举受到了当地党委、政府及村民的欢迎和好评。会员企业河北天成企业集团，积极参与文化产业和石家庄市经济建设。2007年10月27日，作为承办第十一届中国吴桥国际杂技艺术节惟一全程合作单位，共投资650万元。并于2007年10月29日与石家庄市人民政府共同承办了“第五届中国民营企业峰会北方（石家庄）论坛”，为石家庄市招商引资搭建了平台，论坛期间项目签约100.5亿元，合同引资79.6亿元。为加强冀浙两省的经济交往与合作交流、加快河北省经济发展的步伐提供了良好的氛围。

（李建光）

中国民主促进会石家庄市委员会

【概况】 2007年是建设繁荣、文明、和谐新石家庄的重要一年，在新形势下，民进石家庄市委以邓小平理论和“三个代表”重要思想为指导，认真学习贯彻中共十七大精神，牢固树立科学发展观，巩固自身建设成果，提高参政议政能力，积极建言献策，围绕市委、市政府的中心工作，为优化石家庄市发展环境，实现经济社会又好又快发展，做出了新的贡献。

【主要会议及活动】 1月20日，民进石家庄市委召开九届二次全委扩大会，主委王刚总结了2006年的工作，大家一起讨论制定了2007年工作计划，明确了工作重点。

2月13日，召开民进基层支部所在区、单位领导座谈会，市委会总结了2006年的工作，与会领导通报了各单位民进组织的活动情况。

3月29日，召开了11个专门工作委员会会议，并修订完善了《民进石家庄市委专门委员会工作通则》。

5月30日，召开了庆祝石家庄解放60周年座谈会，我会老主委常乃莹和部分老前辈畅谈石家庄翻天覆地的巨变。

7月13日，民进石家庄市委召开九届三次全委扩大会，总结2007年上半年工作和会员发展情况，王刚主委传达了“关于开展以走中国特色政治发展道路为主题的政治交接学习教育活动”的精神和要求。

11月9日，举办联欢会庆祝石家庄解放60周年，主委王刚讲话、老主委常乃莹致辞，联欢会上会员们自编自演了精彩的文艺节目。

12月14日，召开支部工作经验交流会，主任根据《基层支部工作手册》对全年的工作进行全面的总结，并现场投票选出了2006～2007年度先进支部。

【调研提案工作成绩卓著】 2007年在市委政策研究室组织的全市调研报告评比中，民进石家庄市委被评为调研工作先进单位：其中《石家庄市科技自主创新能力的调查与建议》获得特等奖；《关于进一步加强农业节水工作的意见》获得一等奖；《石家庄市农村生活用能水平和发展对策》、《关于石家庄市新型农村合作医疗调查与建议》、《加强农村中小学教师队伍建设提高教师队伍素质》三篇调研报告都获得了优秀调研成果奖。在全市统战理论研究优秀成果评比中，民进石家庄市委获得“党派团体统战理论研究优秀组织奖”，其中：《落实科学发展观 构建和谐社会需进一步加强参政党建设巩固和壮大统一战线》获得一等奖；《加强民主党派参政能力建设，不断提高参政议政水平》获得三等奖；《加强农村基层统战工作促进社会主义新农村建设》获得优秀奖；市委会一直都十分重视提案工作，在2007年初市政协大会上，提交集体提案19件，有6件在市电视台“提案追踪”栏目中报道；做了“加强农村中小学队伍建设的几点建议”的大会发言，向大会提交了《关于挖掘用好名人档案，将石家庄打造成为精神宜居城市的建议》、《关于石家庄市农村生活用能水平与发展对策的建议》、《提高石家庄市科技自主创新能力的建议》三篇书面发言材料，均得到有关领导的批示。两会期间民进会市、区人大代表、政协委员均以高度的政治责任感认真履行职责，提交提案、议案170余件，体现了良好的政治素质和参政议政热情。因工作成绩突出市委会被市政协评为“提案工作先进集体”。另外，民进会组织撰写的《石家庄市科技自主创新能力的调查与建议》和《促进自主创新和科技进步的软环境建设研究》在中共市委宣传部和市科技局立项。

【发挥优势开展服务社会】 2月市委会冒雪到塔崖村开展送温暖活动，为村民送去新春对联，为贫困户准备了面粉、食用油，并到特困户和烈属遗孀家进行慰问，并为该村捐赠了60套棉被、床单和枕头。在王刚主委的协调下，市委会又为该村争取到了10万元专项经费，用于塔崖村及其3个自然村主干道的硬化。因定点扶贫工作扎实有效，被市扶贫办评为“四帮一”工作成绩突出单位。

在中、高考来临之际，市委会组织教师赴元氏举办中、高考考前辅导讲座，受到元氏县师生的热烈欢迎；12月4日，市委会组织9位重点学校名师，对该校高中进行全科辅导。

6月1日，市委会组织医务、艺术界会员到高柱小区义诊、赠送书法绘画作品。为建设和谐社区做出了积极的贡献，为党派参与和谐社会的建设做出了有益尝试。

7月29日，在人民会堂主办“成长心连心”大型社会公益活动，来自石家庄、张家口、邯郸、邢台等地的1100多名学生、家长和老师参加，得到社会各界的广泛赞誉。

8月7日，组织会内文艺界会员到元氏县慰问即将赴利比里亚执行维和任务的工程兵大队官兵。书法、绘画界的会员为部队官兵现场创作，受到部队官兵的热烈欢迎。

9月16日，与市海外联谊会、美国“手牵手”教育基金会共同举办爱心助学活动，向贫困中小学生发放助学金7.5万元。

【扎实推进政治交接学习教育活动】 2007年6月，民进会开展了以“坚持走中国特色社会主义政治发展道路”为主题的政治交接学习教育活动。为保证学教活动深入开展，民进市委成立领导小组，转发了民进省委《关于坚持走中国特色政治发展道路”为主题的政治交接学习教育活动》的通知，并制定了四个阶段的活动实施计划。王刚主委为全体委员、支部主任讲解了政治交接学习教育活动的重要意义，并要求大家高度重视，把活动有效地开展下去。市委会把学教活动同经常性的会务工作结合起来，做到“两促进、两提高”，由点及面，以领导班子、骨干队伍为重点，兼顾全面提高会员的思想政治素质；形式多样，勇于创新，组织举办“三个为什么”征文活动，并在桥西总支召开现场交流会，带领会员参观爱国主义教育基地等。在整个学习教育活动中，共刊发简讯12期，4份阶段总结报告，各种总结、体会等材料近百份在会内广泛交流，对提高会员思想政治素质起到了积极的作用，达到了预期目的，增强了组织的凝聚力，坚定了会员自觉接受共产党的领导，坚持走中国特色政治发展道路的信念。

（张　伟）

中国农工民主党石家庄市委员会

【概况】 2007年，农工党石家庄市委会在农工党河北省委、中共石家庄市委的领导下，在中共市委统战部的具体指导帮助下，高举邓小平理论和“三个代表”重要思想的伟大旗帜，深入学习贯彻中共十六届六中全会、十七大和石家庄市第八次党代会精神，不断加强自身建设，积极履行参政议政、社会服务、民主监督职能，落实科学发展观，为建设繁荣、文明、和谐的新石家庄做出了应有的贡献，并圆满完成了农工党市委会年初制定的各项工作。

【不断提高成员的思想政治理论水平】 2007年农工党市委会以政治交接学习教育活动为主线，深入学习马列主义、毛泽东思想、邓小平理论和“三个代表”重要思想，贯彻科学发展观，认真学习新时期统战理论，围绕中共十七大胜利召开、石家庄解放60周年、农工党石家庄市委会成立25周年，开展了一系列学习教育活动，不断提高广大成员政治素质。扎实开展政治交接学习教育活动。市委会为此召开专门会议，研究部署了详细的活动计划，领导班子成员先后赴中央社院、承德、秦皇岛参加由市委统战部和农工党河北省委召开的专题培训班。组织全体市委委员、基层组织负责人参加由市委统战部召开的“多党合作专题讲座”。积极组织主、副委和基层支部主委深入开展“四个做好”活动，对如何做好主、副委和支部主委进行认真回顾和总结，进一步提高了大家的政治把握能力、参政议政能力、组织领导能力和合作共事能力，进一步提高了继承优良传统，走中国特色政治发展道路的信心和决心。深入学习贯彻十七大精神。十七大召开前夕，市委会就要求各支部组织成员做好收听收看准备，同时积极向广大成员征求对十七大的各种企盼和建议。组织成员参观河北建设成就展，重温辉煌建设成就，喜迎十七大的召开。十七大召开当天，市委会组织市委常委和机关人员集体观看十七大开幕盛况，并进行了座谈交流。十七大胜利闭幕后，市委会召开全委扩大会议，学习贯彻十七大精神，并对全市成员提出了具体学习要求。购买十七大读本和辅导材料，发给各基层支部和市委委员，要求大家将学习十七大精神与各自所在单位党委的中心工作结合起来，立足岗位，建功立业。王宝山主委在市委召开的各界人士庆祝十七大胜利闭幕座谈会上，畅谈了学习心得和体会。为庆祝农工党石家庄市委会成立25周年，农工党市委会举办了一系列活动。11月13日，农工党市委会专门邀请中央社院统战理论研究专家李金河教授，来石举办了“多党合作的历史和优良传统”的专题讲座。12月1日，农工党市委会特邀著名学者、清史专家阎崇年教授，专程来石做了“清代中国为什么没有成为世界强国”和“康乾盛世出现的时代背景和原因”的学术讲座。12月7日，市委会隆重召开了石家庄市委会成立25周年庆祝大会，并组织了专场文艺演出。同时还编辑出版《石家庄农工》庆祝专刊，使广大成员在回顾市委会25年来的发展历程和所取得的丰硕成果的同时，深刻理解多党合作政治协商制度的优越性，进一步坚定了坚持共产党领导的信心和决心。为纪念石家庄解放60周年，市委会以支部为单位，组织成员参观“遥远的风”大型展览。在宣传工作方面，市委会今年在中央、省、市各级媒体刊登各类稿件60余篇，其中在中央级媒体刊登6篇，省级媒体刊登近30余篇，扩大了农工党的影响。

【参政议政】 2007年，市委会紧紧围绕中共市委、市政府的中心工作，开展了一系列参政议政活动。市委会领导先后参加了市委、市政府、人大、政协组织的征求意见会、情况通报会及调研、视察等重大活动，就石家庄市经济建设、“一体两翼”战略、环境保护、“十一五”规划等重大事项建言献策，受到各级领导重视。在年初召开的两会上，共提交大会发言1件，集体提案14件，委员个人提案、议案40余件，内容涉及医疗、交通、市政建设、社会保障等百姓普遍关心的热点、难点问题。其中《关于加强对外来务工者权益保护的建议》被市政协评为优秀提案。《加强食品安全管理，保障人民生活安全》等多个提案被市电视台《提案追踪》栏目作了专访。报送社情民意信息20余篇，有12篇被采用，其中《建议出台政策鼓励公交发展》等分别被《人民政协报》、新华网、农工党中央网站采用。在广泛调研的基础上撰写出了8篇调研报告，其中《石家庄市土地承包流转中存在的问题及其对策研究》和《规范幼儿园管理，促进社会和谐发展》分别被中共市委评为优秀调研成果二等奖和优秀奖。在农工党河北省委会组织的“加强农村社会保障制度建设，构建和谐社会主义新农村”联合专题调研中，市委会撰写的《石家庄市失地农民社会保障情况》的调研报告荣获优秀调研成果奖。加强对口联系，多次召开相关会议，积极取得对口单位的支持和帮助。发动全市成员积极投身“我为建设沿海经济社会发展强省做贡献、献计策”活动，为和谐社会建设献计出力。张祥建副主委《脑出血后脑损伤机制的研究及临床治疗新策略的应用》的科研课题获得国家科技进步二等奖，《炎症反应与脑出血后脑损伤机制的研究与临床应用》的科研课题获得河北省科技进步一等奖。

【社会服务工作取得成效】 以办实事、求实效为原则，继续做好义诊、咨询、定点扶持乡镇卫生院和定点扶贫工作。市委会领导先后多次与农工党中央就定点扶持乡镇卫生院事项进行协商。年初，农工党中央社会咨询部吕道明，亲赴赵县为杨户乡卫生院进行挂牌，同时捐赠15万元的医疗物资，市委会组织部分医卫专家为当地群众开展义诊，并对医院进行业务指导。认真做好扶贫工作，市委会领导多次前往扶贫村实地考察，制定扶贫计划。6月，购买了1000只优质种鸡，由市委会领导亲自前往扶贫村送到村民手中，同时举办养殖讲座，以帮助村民尽快脱贫致富。市委会还发挥自身医卫界优势，多次组织专家成员到石家庄市高校、社区及平山、元氏、获鹿等周边县区进行医疗义诊，受诊人数达1000余人次。11月份以“落实十七大精神，建设和谐社区”为宗旨，在平安小区社区卫生服务站组织了大型义诊活动，省、市5所主要医院的10余名农工党的医卫专家参加了此次活动，为200余名群众进行了义诊、咨询服务。现场还举办了科普展览，向群众分发了200本健康宣传资料，普及医药卫生知识。各基层支部也都组织了形式多样的义诊、咨询活动。人民医院支部、裕华区总支、新华区总支、医大西区、省二、三、四院等支部积极支持市委会义诊、咨询活动，自行组织成员赴元氏、平山、高邑等地开展义诊、植树等形式多样的社会服务活动，收到良好社会效果。

【组织建设】 市委会严格发展程序，坚持“三个为主”的原则，注重党员全面素质，拓宽发展届别。全年共发展34名新党员，其中高级职称13人，中级职称12人。博士研究生5人，硕士研究生6人。医卫界15人，文教科技界10人，其他9人。平均年龄36.4岁。为市委会注入了新鲜力量。市委会全年共召开了七次主委会、五次全委扩大会。认真开好新党员培训会和基层负责人培训会。加强新党员的思想教育，在五岳寨召开基层负责人培训会，组织开展“四个做好”活动，不断提高基层支部负责人各方面的素质，努力提高基层组织的战斗堡垒作用。重阳节组织离退休老党员参观“新世纪·新河北·新成就”展，中秋国庆双节前召开老领导座谈会，组织2007年春节联欢会，使广大成员交流了思想，增进了感情。春节前市委会和各支部对老领导、老同志进行慰问，平时对于生病的领导和成员，市委会和基层支部都及时慰问并积极帮助其解决困难，体现了组织的关怀，增强了组织的向心力。认真做好区县、市、省及全国人大代表、政协委员的推荐工作，经多方协商努力，市委会共有41名成员当选为各区、县人大代表、政协委员。推荐一名成员到高邑县任政协副主席。推荐省人大代表2名、省政协委员15名、市人大代表6名、市政协委员29名、全国人大代表1名、全国政协委员2名，为市委会参政议政打下了良好基础。加强领导班子建设和机关建设，贯彻民主集中制原则，制定完善了各项规章制度。强化服务意识，使机关真正成为党派成员的家，更好的发挥服务、协调和枢纽功能，有力促进了市委会各项工作的开展。

（刘 彦）

九三学社石家庄市委员会

【概况】 2007年，九三学社石家庄市委在九三学社河北省委和中共石家庄市委的正确领导下，以邓小平理论和“三个代表”重要思想为指导，认真学习领会中共十七大精神，贯彻落实科学发展观，大力弘扬胡锦涛总书记倡导的八个方面的良好风气，深入学习贯彻《中共中央关于进一步加强中国共产党领导的多党合作和政治协商制度建设的意见》，以参政议政为中心工作，以发展作为参政议政第一要务，全面提高自身建设水平，较好地完成了年初预定任务目标。

【加强思想建设】 社市委始终高度重视思想建设，强调必须把学习放在首位，坚定拥护中国共产党领导，在政治上与中国共产党保持一致，自觉接受中国共产党的领导，坚持“长期共存、互相监督、肝胆相照、荣辱与共”的十六字方针，在政治上、思想上、行动上自觉与中国共产党保持高度一致，为各项工作的开展奠定了坚实的思想基础。在中国共产党第十七次全国代表大会开幕之际，社市委组织机关干部收看开幕盛况，并安排部署大家在学习原文的基础上，深刻领会十七大精神实质，传达中共中央《认真学习宣传贯彻党的十七大精神的通知》和社省委《九三学社河北省委关于学习贯彻中共十七大精神的安排意见》。邀请河北师范大学管理学院副院长朱月龙教授向市委班子成员、市机关全体干部和今年入社的全体新社员作题为《十七大报告中的新思想新观念》的辅导报告。下半年通过组织全社系统学习党的十七大会议精神，使广大社员能及时了解和准确把握党和国家的大政方针和重要决策，提高对中国共产党先进性和各项战略决策的认识，增强接受中国共产党领导的自觉性和自身工作的积极性。根据中共市委统战部在“统战系统深入开展解放思想大讨论动员会”上的部署，社市委决定在九三学社成员中开展以深入贯彻落实科学发展观为主题的解放思想大讨论活动。通过开展解放思想大讨论活动推动各项工作不断创新，把学习党的十七大精神贯穿始终，把研究新情况、解决新问题贯穿始终，科学参政议政，开展以人为本的社会服务工作，推进社市委工作不断发展与进步。社市委充分利用宣传阵地，深入开展思想建设。编印内部刊物《石家庄社讯》，及时报道社市委和各支社小组的重要活动、最新动态和社员的建议，全年共发表文章50余篇。社市委荣获市政协2007年度信息工作一等奖。

【参政议政工作】 社市委主要领导多次参加中共石家庄市委、市人大、市政府、市政协等有关部门召开的党外人士政治协商会、市纪委廉政建设情况通报会、对口联系单位座谈会以及视察考察活动等，就石家庄市经济建设和社会发展中的重大问题提出了许多中肯、建设性的意见和建议，起到了很好的民主监督作用，为促进民主法制建设做出了积极贡献。社市委主要领导主持了调研课题2个。2007年市政协十届五次会议上，社市委做了题为《关于解决食品安全问题的几点建议》的大会发言，提交集体提案13个，委员提案5个。此外，还有多篇稿件被有关部门和市政协《社情民意》采用。社市委在广大社员中开展了“一人一案”活动，有效地调动了广大社员参政议政的积极性。各基层组织踊跃投递信息，积极反映社情民意，使全社的参政议政工作渠道更加畅通，内容更加丰富，范围更加广泛。九三学社成员的提案《管住城市上空的炮声》、《如何解决“看病难、看病贵”中药品价格过高的问题》被石家庄电视台特别点击栏目与提案追踪栏目进行报道。通过一系列有效措施的实施，社市委参政议政工作成绩有了提高，在调研报告、集体提案、信息以及社情民意等方面，均取得较好成绩。九三学社市委先后有20余条信息被社省委、市政协《社情民意》采用。另有多条信息被社中央、省委统战部、省政协采用。

【加强组织建设】 社市委充分利用各种会议，组织班子成员学习贯彻党的统战理论、统战政策和中央的重大决策，鼓励领导班子成员积极参加中共省委、市委统战部举办的各民主党派负责人学习班、培训班，从更深层次加强对民主党派工作的理解。11月份，社市委领导班子成员参加了市委统战部组织的贯彻落实中共十七大精神“四个做好”经验交流会，进一步提高了班子成员的政治把握能力、参政议政能力、组织领导能力和合作共事能力，使班子成员在大是大非面前能够时刻保持清醒的头脑，不断巩固与中国共产党团结合作的思想基础，确保了各项工作健康稳步开展。“人才强社”战略的有效实施，需要较高素质的干部队伍作支撑。社市委认真贯彻社中央组织发展原则，坚持“以大、中城市为主，以科学技术界为主，以有一定代表性的高、中级知识分子为主”，坚持在工作中发展、发展为了工作的原则，坚持发展和吸收高层次、高素质、有代表性的优秀人士入社。2007年发展新社员27名，超过年初预定的25名新社员发展计划，其中高级职称18人，占66.7%；中级职称7人，占25.9%；其他2人，占7.4%。其中博士学位6名，硕士学位13名。界别分布：教育界11名，占40.7%；医卫界6名，占22.2%；工程技术5名，占18.5%；经济界3名，占11.3%；法律界2名，占7.3%。平均年龄38.2岁。充分体现了九三学社科技界、高知阶层的特点，并已开始向经济界、法律界拓展。截至2007年底，完成了河北医科大学、河北师范大学两个基层委员会换届工作，新成立了河北科技大学基层委员会和河北经贸大学支社。下半年，社市委召开了“基层组织建设研讨会”加强基层组织建设，以提高社员的整体素质和基层组织的活力、凝聚力和影响力，收效显著。为支持基层组织有效地开展工作，社市委领导经常与有关单位的党委、统战部沟通情况，协调关系，鼓励基层组织在活动方式上不断探索创新，活动内容上力求丰富多彩，活动质量上注重实际效果，极大地增强了社组织的吸引力、凝聚力，扩大了九三学社的社会影响。

【社会服务工作】 社市委与石家庄革命老区促进会联系为贫困村争取资金，在社省委的支持下，扶贫村小水库防渗漏及大坝加固工程在全省500多个小水库修复工程中列在较前列解决。社市委组织各医院九三学社的专家赴井陉、灵寿、赞皇等地进行了多次义诊、义教活动，此外还捐赠药品及教学资料，受到了广大患者和县、乡级医院医生们的普遍欢迎和称赞，受益群众达300余人。第十九届“国际科学与和平周”期间，社市委开展“送温暖、献爱心”活动，向革命老区赞皇县枣林村捐赠了粮油、学生用品及衣物。根据市扶贫办的安排，社市委与国家级贫困县赞皇县的枣林村成为扶贫对口联系村，并多次组织人员实地考察，帮助当地村民改善生活环境。

（张晓娟）

石家庄市工商业联合会

【概况】 2007年，在中共石家庄市委、市政府的领导下，在省工商联和市委统战部的指导下，工商业联合会紧紧围绕经济建设这个中心，积极发挥桥梁纽带和助手作用，坚持科学发展观，坚持解放思想，开拓创新、群策群力、不断拓展工商联的工作领域，以一流的精神状态，昂扬向上奋发有为的工作作风，在促进石家庄市非公有经济健康发展，积极引导非公经济人士健康成长，开展了一系列创新服务活动。预计2007年全市地区生产总值完成2393亿元，同比增长13.1%。全部财政收入完成230亿元，同比增长22%，其中全市民营经济实现增加值1681亿元，实现上缴税金116.5亿元，同比分别增长25.5%，占全市财政收入的50.6%。

【加强机关自身建设】 换届以来，面对新形势新要求，下大力抓机关自身建设，把2007年定为“作风转变年”。加强机关学习，通过学习来提高机关干部的整体素质、服务能力。号召机关干部做到懂政策、懂经济、懂管理、会服务，增长为民营企业服务的真本领。创建“四有”商会。即：服务有手段，引导有平台，参与有形式，工作有效果。加强机关干部队伍作风建设，结合市委开展的“为民、务实、清廉”主题教育，开展了“治庸、治懒、治散”为主要内容的“三治”活动，建立健全了机关各项规章制度，做到了用制度规范人、用制度约束人、用制度激励人。发挥机关干部每个人的主观能动性，号召机关全体同志和兼职副主席，为工商联的发展出一个主意、提一条建议。共收集建议20余条，驻会副主席对建议逐条进行了研究，大部分建议得到了采纳。从而增强了机关干部职工的主人翁意识，增强了大家的事业心责任感，机关作风有了明显转变。

【积极参与全市经济建设】 坚持把发展作为第一要务，充分发挥工商联作为政府联系民营经济的桥梁、纽带、助手作用，积极参与市委、市政府组织举办的大型经贸活动，实现了新突破。第一次组团参加“石洽会”，实现新突破。为配合2007中国石家庄国际经济贸易洽谈会的召开，经过工商业联合会积极努力和卓有成效的工作，在“石洽会”期间，共邀请到美国、加拿大、瑞士、日本及港澳客商21人前来参会，有7个项目签约签字，总投资额达16亿元人民币。河北正元集团与瑞士信贷有限公司10.2亿元的氰尿酸项目、二甲醚项目参加了全市的大型集中签字仪式。在国宾大酒店隆重举行了石家庄市工商联会员企业“石洽会”项目签字仪式，有石家庄市华南碳素总厂与美国PAMAS公司等六个项目进行签字，总金额达5.5亿元人民币。2007年12月8日，“石洽会”签字项目——正元集团投资4亿元，年产值15亿元，利税1.5亿元的醇氨项目，举行开工奠基仪式。2007年12月6日，作为主要成员单位，邀请客商30余家在深圳组织召开的“石家庄——珠三角经济技术合作洽谈会”。组织民营企业参加支持县域经济发展实现新突破。为落实市委、市政府提出的加快县域经济发展，打造经济强县，实现城乡统筹协调发展的目标要求。工商联结合光彩事业工作，于2007年9月组织了30多位民营企业家实施了“光彩项目深泽行”。共达成合作意向11项，有5个项目正在抓紧后续工作；工商业联合会的四药集团出资100万元支援革命老区平山县新农村建设；女企业家商会实施了“民营女企业家牵手农家女”行动，为支援贫困山区经济发展做贡献；法商学院免费为井陉县三年培养60名大专高职学生；正元集团支援工商联所包贫困村平山县蛟潭庄乡修水窖3个；安溪商会向石家庄市公安交警捐赠了价值12万元茶叶。全年共实施光彩项目36个，项目投资额达1.3亿元。

【为会员服务工作有了新内容】 非公有制经济的蓬勃发展，已成为国民经济的重要组成部分，成为发展社会生产力的重要力量。为广大会员搞好服务是工商联履行职能的重要内容，也是提高工商联组织的凝聚力、感召力的关键所在。在实际工作中，工商业联合会尽全力为广大会员企业提供优质服务，关注关心支持他们的发展，千方百计为企业排忧解难，从而调动了广大非公有经济人士参与经济建设的积极性，大大提高工商联的感召力。着眼于开阔视野、更新观念，学习先进、查找差距、挖掘潜力，促进发展的思路。带领民营企业家们“走出去”，进一步拓展他们的视野、解放他们的思想。5 月 28 日，带领企业家副主席到深圳、义乌去学习考察，考察了温州的正泰集团、强强集团、康耐鞋业、义乌小商品市场等，同这些企业老板进行面对面交流，学习人家先进的管理理念，企业文化建设等方面经验。真心实意为民营企业排忧解难。帮助福建省安溪商会占地 300 亩、投资 5 个多亿元的“北方茶城”项目列人市物流中心规划区，该项目于 10 月份签定了协议；帮助福建商会在新华区的木材市场解决占地出现纠纷问题，使 200 余家会员企业免受经济损失。帮助民营企业建设企业文化，开展了以“五个一”为内容的企业文化建设（一个展室、一个光盘、一个网站、一本画册、一个讲解员），为把此项工作引向深入，切实做出成效，工商业联合会先后在 6 月 29 日、9 月 18 日组织召开了石家庄市民营企业文化建设研讨会、现场交流会，相继创建了九派集团、正元集团、天山集团、绿野阳光集团、四药集团、博深集团等一批各具特色的企业文化。在创建企业文化过程中，帮助企业摒弃封闭保守、传统落后的家族式企业文化，积极引导企业建立意识开放、理念先进的公司文化。通过示范带动，经验推广，有一批企业的文化建设上了一个新台阶，已有更多的企业开始用自己独具特色的企业文化来打造企业品牌，用企业文化来树立企业形象，用企业文化来统一员工的思想，进而建立起了一种和谐的劳动关系，促进了石家庄市非公有制企业的健康和谐发展。加强会员培训服务。同省联一道，全年共计举办各种民营企业家培训班 10 多期，有近万人次参加了学习。组织为民营企业家免费体检服务；帮助副主席企业晓进科技有限公司解决贷款 500 万元；同省联一道举办银企对接洽谈会。全年共计为企业协调资金 5300 多万元。

【加强组织建设】 4 月 29 日，市工商联第十三届会员代表大会选举产生了第十三届执委会和新一届领导班子。23 个县市区也圆满完成了换届工作。2007 年工商联的会员发展工作突出了“两抓”，一是抓直属商会发展，工商业联合会新成立了永康、温岭、家具装饰业、物流商会等 7 家直属商会，新吸纳会员 1500 多家；二是抓直属会员发展，新发展直属会员 20 余家。工商业联合会大胆创新思路，吸收了与工商联工作联系紧密的市政府 18 个职能部门的同志成为工商业联合会的新会员，这也是工商联前所未有的创举，这样以来，既方便了会员企业和部门之间的沟通联系，又扩大了工商联的影响。工商业联合会还和内蒙古包头市、湖南省长沙市等兄弟城市建立了友好商会。进一步扩大了工商联的覆盖面，提高了工商联的战斗力。

【调研与提案工作】 新一届工商联领导班子上任以来，先后到近百家民营企业调研，掌握了大量的第一手资料，并向市委、市政府写出了《关于石家庄市民营经济发展状况》的调研报告。6 月 22 日，工商业联合会与市政协、中小企业局共同举办了“石家庄市民营经济发展研讨会”。市领导、专家学者、民营企业代表约 80 人出席了研讨会，共同探讨民营经济发展的新思路、新对策。同时，工商联还组织了领导接待民营企业家“活动日”，协调解决一些疑难问题等。

十七大结束后，工商业联合会同省工商联联合组织召开了“省会非公经济人士学习十七大精神座谈会”。在石家庄市召开的有关会上，作了《创造良好环境、促进民营经济发展》、《关于鼓励和引导民营企业积极参与社会主义新农村建设》的发言，受到了一致好评。上交 3 件集体提案，其中《关于设立中小企业发展专项资金的建议》被市政协评为优秀提案。

（贾建勇）

社 会 团 体

【社会团体领导成员】

市工会领导成员

主　席：张君海（兼）

党组书记、常务副主席：刘东才

副主席：崔秀卫　赵金代　尤振昌　范玉霄　王艳芳　郭乃杰

共青团石家庄市委员会领导成员名单

书　记：董晓航

副书记：尚秀伟（2007 年 12 月调离）

金福中（2007 年 4 月任命）

王亚丽（女，2007 年 4 月任命）

魏洪涛（2007 年 12 月任命）

市妇联领导成员

主　席：葛瑞芳

副主席：张玉辉　邵　平　马玉玲

市科协领导班子成员

主　席：王英彬

副主席：羊文庆　刘书槐　张双更　高　娟

秘书长：高　娟（兼）

市文联领导成员

主席、党组副书记：周喜俊（女）

党组书记、副主席：郝建农

副主席：肖建科　马荣川

不驻会副主席：王惠周　孙世煦　商业南　陈　超　陈承齐　刘秀荣　熊基权

市侨联领导成员

党组书记、主席：胡　翎

党组副书记、副主席：许　立

党组成员、副主席：陈小兵

市社科联领导名单

市社科联主席、党组书记：任新社

市社科联专职副主席、党组成员：刘援朝　李贞年

市社科联调研员：刘志坚

市社科联兼职副主席：

（11 月 30 日前）李乃毅　李　潇　韩存锁　王惠周　黄红星　李文学　张景学　王　智　李至信　张　炬　兰平信

（11 月 30 日后）李　潇　张献考　王惠周　韩保来　邸占勋　张景学　肖　力　王　智　张　炬　石景辉

市残联领导成员

理事长：王金斗

副理事长、党组成员：金玉惟（12 月任）

副理事长、党组成员：张爱艳（6 月任）　董志民（12 月免，任正处级调研员）　龙启允（6 月免，任助理调研员）

黄埔同学会领导成员

会　长：张连枝

副会长：徐丙生

秘书长：邱振贵

市台联领导

会　长：徐胜美

副会长：王爱鸽　廖海鹰

秘书长：陈　英

市消协领导成员

名誉会长：张承禄　张殿奎　赵长栓

会　　长：路国庆

副 会 长：李景祯　汤化敏　夏玉颖　卢金保　闫纯锴　栗绪楼　王占云

秘 书 长：许毅敏

副秘书长：杨军生　贾　冉　赵彬学　李永强　徐　勇　魏兰梅

市计生协领导成员

会　　长：张振江（兼）

常务副会长：解晓芒

副　会　长：申春贞　田永杰

市工业经济联合会（经济团体联合会）领导名单

名誉会长：沈志峰　方秉钧　陈启明　孙喜斌

顾　　问：王同林　周世俊　彭造岭

会　　长：白起林

常务副会长：范晓峰

副　会　长：于锡庆　王习文　王炳熙　左喜书　吴宝河　张昌荣　张鹏发　杨成桂　杨耀波　程宝怀　王建良　马魁西　田文华　张　征　李怀斌　李振江　姚振春　唐秀珍

计服务50多万小时。全年近40万名青少年参与志愿服务行动，逐步实现青年志愿者服务由行政化动员到社会化动员的转变。

【青年文明号创建不断深化】 在青年文明号创建活动中坚持一手抓规范管理，一手抓特色展示。2007年，“青年文明号信用建设示范周”、“青年文明号在您身边”、“青年文明号促和谐行动”、“青年文明号贯彻十七大创造新业绩”等主题系列活动在各基层单位相继开展，50多家青年文明号集体参加活动，弘扬了良好的职业文化。组织100个青年文明号、文明窗口单位对口帮扶100个社区、农村，为人民群众提供了优质、便捷的服务。青年文明号纳入市行风评定。

【青年文明社区创建蓬勃开展】 2007年，在社区新建立志愿者服务站100个、少工委50个、青年中心23个，家长交流中心4个，开设道德实践小课堂、开展了“四进社区”服务等健康有益、符合青少年特色的创建活动，为提高社区文明程度、丰富社区文化做出了积极贡献。

【服务青少年成长成才】 大力开发青年人力资源，“石家庄青年五四奖章”、“石家庄十大杰出（优秀）青年”等评选活动挖掘、选树了一批在各行各业涌现出的青年人才和青年典型，起到了良好的示范引导作用。组织青联委员、青年企业家深入高校、社区、企业，围绕“健康、就业、成长、扶助”为主要内容开展活动40余场，服务青少年近2万人次。

【切实维护青少年权益】 加强宣传教育，举办青少年健康上网展，全市近5万名青少年参观展览。规范帮教管理，重新摸排全市边缘青少年236名，并逐一确定帮教力量，进行统一编号建档管理。构建维权平台，依托“12355”青少年维权热线、青少年维权网站等青少年维权阵地，开展心理咨询、法律援助、“四无社区”创建等工作，接听和处理青少年维权投诉和咨询288余起。

【扎实推进希望工程事业】 大力实施希望工程爱心传递、进城助学计划、圆梦大学等活动，全年团市委直接筹资270余万元，资助贫困学生2100名，援建、修缮希望小学2所。

【团的核心组织建设进一步加强】 坚持党建带团建，调整直属团组织关系，成立各类青年协会团工委，新增“两新”组织团组织131个，社区团组织106个。成立团建示范点10个，并在大郭村、西三庄村召开了志愿团干部推进会。9月12日，团中央书记杨岳来石家庄市调研基层团建设工作，并给予高度评价。

【团干部和团员队伍素质进一步提高】 加强对团员的管理和教育，倡导“向党员看齐，做时代先锋”，进一步增强了广大团员的政治意识、组织意识和模范带头意识。加强团干部队伍建设，举办各种类型团干部培训班20余期，培训团干部1000余人，提高了团干部的综合业务能力；面向社会招募100名志愿团干部到社区、农村任职，充实了基层团干部队伍。通过开展调研奖评选，提高了团干部的决策能力。

【团的外围组织覆盖面进一步拓宽】 2007年，完成了市青联、学联、市青年企业家协会换届工作，充实了力量，加强了工作。把更多的青年吸引到共青团组织周围。全年组织与港、台、日、美等青少年内外交流近1000余人次，提升了石家庄青年工作的开放水平。

【团的效能建设初显成效】 团市委机关在全省群团组织中首先引入ISO9001质量管理体系认证，进一步规范了机关的日常管理、办公秩序，达到了管理正规化、工作效能化；强化绩效考核手段，逐步建立团组织和团干部考核评估体系，推进工作目标和任务的落实；不断改进工作方法和手段，开发全团协同网络办公系统、推行团组织“三级在线”工程，加强会议统筹，精简办事程序，提升工作运行效率。

（耿云静　胡必杰）

石家庄市妇女联合会

【概况】 2007年，是市妇联确定的“妇女科学素质年”。一年来，市妇联紧紧围绕实现更好更快发展和构建“和谐石家庄”两大任务，以制定实施《石家庄市2007～2010年妇女素质提升行动计划》为重点，充分发挥妇联组织在提高素质、加快发展、维护权益、促进和谐中的职能和优势，把各项工作往深里做，往实里做，实现了全市妇女工作的新发展。

【实施“巾帼城乡牵手行动”】 围绕新农村建设主题，全面实施“巾帼城乡牵手行动”，城乡交流，岗村牵手，企村联动，搭建多元化城乡妇女协调发展平台。(1)联合市专家办启动了“女专家牵手女村官共建社会主义新农村”活动。向社会招募了50名女专家志愿者，并将她们与96名女村官结成了帮扶对子，实现了城乡妇女发展资源的有效对接，各位专家先后赴农村讲课36场次，做技术指导50次，受益群众达万余人。(2)联合市工商联开展了“女民营企业家商会牵手农村富余女劳动力”活动。积极引导女企业家参与清华大学等学历教育和各种讲座学习，鼓励引导她们以多种形式参与公益活动，三八期间，评选表彰了第二届十大民营女企业家，使商会会员由98名迅速发展到232名，壮大的女民营企业，新吸纳安置农村妇女富余劳动力5000余人。(3)联合女企业家商会开展了“女企业家牵手农家女”活动。18名女企业家捐资6.5万元，与54名贫困农家女签定了牵手协议，开办了石家庄市第一个河北农大（畜牧兽医专业）大专专业证书班，市妇联、市工商联对资助者进行了表彰，并授予她们石家庄市城乡牵手助文化爱心公益大使称号。(4)开展了“市委组织部、市妇联牵手村妇代会主任”活动。选拔50名优秀妇代会主任开办第二个河北农大（农业经济管理）大专专业证书班，《中国妇女报》副主编谢丽华以《农村妇女工作的性别视角》开了第一课，培养了一批新型女农民带头人。(5)联合市科技局开展了“科技工作者牵手种养殖女能手”活动。各级均成立了领导小组、讲师团，市财政拨了专项经费，全市“巾帼科技大讲堂”开班典礼在藁城徐村举行，副市长王刚出席仪式并讲话，河北农大教授谷子林以獭兔养殖技术开了第一课，赵县、裕华区、深泽等县市区也相继开班，全市掀起了学科技、用科技的高潮。(6)联合市劳动和社会保障局开展了“项目牵手城乡创业妇女”活动。将城乡妇女创业项目推介工作日常化、制度化、规范化，截至目前，全市共征集创业项目127个，新增创业巾帼小老板136人，帮助安置1000余名妇女就业。筹备、征集参加“环渤海区域妇女发展论坛暨项目推介洽谈会”项目16个，并随省妇联赴香港举办推介会。在省妇联支持下，为6家企业发放贷款贴息14.86万元。(7)依托“嫂子家园”，开展“嫂子家园牵手下岗嫂子和进城妈妈”活动。创办了石家庄市嫂子家园职业培训学校，并已纳入市阳光工程，标志着市妇联“嫂子家园”进入了健康、快速、可持续的发展轨道。一年来，共培训妇女5000名，上岗率为86%。(8)联合巾帼文明岗（单位）开展了“巾帼文明岗（单位）牵手巾帼示范村”活动。深化巾帼建功活动，积极开展了“优质服务迎奥运、巾帼建功创新业”和“巾帼文明岗”星评选等活动，壮大巾帼文明岗（单位）队伍，激发女性创业创造热情。充分发挥“巾帼文明岗(单位)”的示范引领作用，积极协调130个市、县级“巾帼文明岗（单位）与206个村结成了帮扶对子，捐赠图书40230册，提供致富信息300多条，举办科技培训班305期，培训妇女91540人，提供帮扶奖金103.8万元,项目82个，吸纳安置妇女劳动力16670人，培树巾帼小老板103人。全国妇联副主席赵少华来石家庄市调研指导工作时对石家庄市妇女发展给予高度评价。(9)联合石家庄日报等部门开展“双争共建”系列活动。开展了“展巾帼风采、创优美环境”现场推介会，动员女企业家蔡英敏，向全市妇女发出倡议并带头拆除违章广告牌，同时，联合石家庄日报等有关部门举办了“新时代妇科医院杯”贯彻十七大精神，庆祝石家庄解放六十周年“双争共建”知识竞赛，40000余人参加活动，进一步推进了城乡环境改善工作，提升了市民文明程度。

【深化文明家庭创建 夯实“和谐石家庄”建设基础】 在城镇，启动了“文明家庭在行动”——石家庄市文明和谐家庭评选活动，上万个家庭参与活动，30个家庭入围家庭创意电视展播，10个家庭进入了总决选；在农村，广泛开展“十星级文明和谐新农家”创评活动，在井陉和新乐召开了全市“文明和谐新农家”现场观摩暨经验交流会，全国妇联宣传部副部长张平参加活动，并给予高度评价。同时，在广大家庭中开展了“家庭助廉”、“节能减排”等教育活动，实现了以家庭的文明、和谐促进社会的文明、和谐。“三八”期间，市妇联隆重召开各界妇女庆“三八”创和谐巾帼风采颁奖典礼，对十大女杰等100名先进典型进行了表彰，搜集资料制作了《十大女杰画册》、《十大女民营企业家画册》，发挥了典型的示范引领作用。市妇联荣获“河北省文明家庭创建活动优秀组织奖”。

市委书记在“和谐家庭”颁奖典礼上讲话

抓理念引导，提升妇女文明和谐素质。全面启动“现代女性大讲堂”，组织有关专家成立了市、县级讲师团，首场讲座在河北省艺术中心音乐厅开讲，截至目前，市、县共举办讲座15场次，受益妇女达10000余人次。以十七大召开为契机，组织召开全市各届妇女欢庆十七大座谈会，来自公安、科技、文教卫生、企事业单位、驻石部队的部分代表及县（市）、区妇联主席参加了座谈，同时，通过报纸、网站、印制试卷在全市开展了知识竞赛答题活动，邀请十七大代表做了十七大精神辅导，撰写了心得体会文章等形式，在全市掀起了学习、宣传、落实十七大精神的热潮。

抓实践引导，建立健康文明向上的生活方式。积极组织社区妇女健身队参加“蒙牛城市之间”全民健身展示活动和第三届亿万妇女健身大赛，进一步推动了石家庄市妇女健身活动的发展和健康文明向上生活方式的建立，涌现出千余支妇女健身队，其中5支妇女健身队被全国妇联、国家体育总局授予“全国亿万妇女健身活动‘巾帼文明健身队’”荣誉称号，市妇联组建的“健身秧歌队”获第三届全国亿万妇女健身大赛健身二等奖。市妇联荣获“全国亿万妇女健身活动先进集体”荣誉称号。

【实施“百万家长育英才”工程 为儿童成长营造良好环境】 制定下发了《百万家长育英才工程实施方案》、《石家庄市“十一五”家庭教育规划》，成立了“进城妈妈之家”，举办进城妈妈培训班、座谈会9场次。成功举办了家庭教育工作骨干培训班，并组织家教骨干赴邯郸学习观摩家教工作，评选表彰了一批家庭教育工作先进集体、先进个人，联办了第四届家庭教育成果展，和谐家庭首届“浩谦·成功宝贝杯”省会亲子运动会，父母与孩子共成长大型讲座，有效传播了先进的家教新理念，受益家长、儿童达1万余名。一是抓项目，关注流动、流浪、留守儿童。执行了“受人口流动影响的儿童项目”和“儿童保护体系与网络建设”两个联合国儿基会的儿童保护项目。针对保护留守儿童，组织有关项目人员赴四川省雅安市进行了学习考察，开展了留守儿童和流动儿童拉手共享蓝天活动，帮助120名儿童拉手结对，互赠结对卡；为400余名流动儿童进行了免费体检，有力促进了流动儿童健康状况；两次接待中国青年政治学院教授卢德平一行到石家庄市赵县调研留守儿童情况，进一步探索推进了石家庄市留守儿童权利保护模式的形成。针对儿童保护体系建设，组织了两期培训班，联合国、中国儿童中心分别来讲课，参与培训的政府工作人员、警察、医生等30余人主动申请成为志愿者和传播者。目前，石家庄市项目社区已初步形成社区、学校(幼儿园)、卫生院、派出所分工负责、协调联动的儿童保护体系。针对流浪儿童保护，先后三次去少保中心慰问捐赠消毒柜等物品，帮助学技能、安排工作。联合国儿基会驻华办事处儿童保护处处长小野正博先生、项目高级官员陈学锋博士，中国儿童中心副主任丛中笑一行先后两次来石家庄市调研工作时，对石家庄市儿童工作给予高度评价。二是以“六一”为契机，营造儿童发展的良好环境。成功举办了“共享蓝天,关爱农村留守流动儿童行动”启动仪式、在河北会堂隆重举办全市庆“六一”暨妇女儿童活动中心成立五周年大型文艺演出，组织参加了第二届中国“太阳石杯”智慧新妈妈 健康好娃娃评选等活动，营造了儿童健康成长的良好环境。“六一”期间，省长郭庚茂、副省长龙庄伟在省委常委、市委书记吴显国、市长冀纯堂的陪同下，到石家庄市慰问流动儿童，并对石家庄市关爱流动儿童的做法给予了高度评价，之后，省、市电视台对石家庄市妇儿委牵头保护流动儿童的做法分别在头条进行了专题报道。

【提升妇女依法维权能力 积极促进社会平安稳定】“三八”期间，召开了“法律进家庭”暨“三八维权周”活动启动仪式，命名了7个省级妇女法制宣传教育示范点、百个市级“法律进家庭”示范户和百名市级家庭学法明白人，推动与妇女儿童权益相关的法律进入每一个家庭；启动“法律大讲堂”活动，在藁城市丽阳村开办了第一堂普法知识讲座，全年共举办普法知识讲座231次，培训基层普法骨干、家庭学法明白人3000余人，发放妇女法法律宣传单和手册2万份，2万余家庭受益；承办了“12·4”全国法制宣传日八省（区、市）联动河北省妇女法制宣传行动，并在桥东区元村社区举行启动仪式，现场观摩了市妇联“法律大讲堂”开办情况，开展了普法宣讲法律咨询，入户发放宣传材料等；组织参加全国妇联举办的远程教育“普法大讲堂”活动，进一步提升了妇女法律素质，增强了依法维权能力。“零家暴社区”创建工作扎实推进，反家暴组织网络日趋完善规范。全年，全市共接待来访、来电、来信2293件，结案率为98%。市妇联平安家庭创建工作在全省介绍经验。

加大妇女儿童两个《规划》的实施力度。组织召开了全市的妇女儿童工作会议，总结了“十五”以来石家庄市妇女儿童工作取得的成绩，表彰了171个实施妇女儿童发展规划先进集体和个人，进一步优化妇女儿童的发展环境。根据中期评估情况，参照省两个规划情况，对石家庄市的妇女儿童两个规划中的婚检等指标进行重新的修改和讨论，并报市政府常委会讨论通过，现已正式修订。积极为贫困妇女儿童办实事、办好事,继续开展“百万妇女健康行”，联合市卫生局及11家医院，为15000余名环卫女工、家政服务员、流动、贫困妇女儿童提供了免费体检、先心病检查、诊疗、运动器械、“恒爱行动”，为孤儿织毛衣等服务，一年来，全市募集贫困女童救助款72万余元，救助儿童1000余名。

促进妇女参政议政比例的提高。县（市）区换届后，及时开展了全市妇女参政议政调研，针对个别县（市）区存在的女领导干部配备健全不平衡问题，借全国妇联下发《关于积极配合党委组织部门做好优秀女干部推荐工作通知》之机，形成了《关于进一步推进石家庄市妇女参政议政工作的请示》，上报市委，市有关领导就此请示进行了批示，要求有关部门“高度重视妇联意见，在工作中注意改进和加强”。

【突出“双五”能力建设 着力提升妇联干部组织服务能力】 2007年，市妇联着力提升妇联干部服务能力要求要有：服务大局能力；服务妇女群众能力；学习能力；创新能力；协调能力；妇联干部组织能力；团结动员妇女参与经济建设的能力；依法维护妇女儿童权益的能力；引领妇女参与社会主义先进文化建设的能力；开展妇女交流与合作的能力；促进妇女组织自身发展的能力。在总结借鉴2006年农村妇代会直选工作经验的基础上，将行唐县、新乐市确定为省、市农村妇代会直选试点县。行唐县、新乐市共完成311个试点村的换届直选，直选率达63.4%。联合市委组织部开展了第二届“新农村建设双十佳评选”活动，选树并隆重表彰了31名先进典型。加强党建带妇建工作，联合市委组织部以石组[2007] 31号文件下发了《关于进一步加强党建带妇建工作的意见》，明确提出把妇联基层组织建设作为基层党建的重要任务，纳入党的建设总体格局，统筹考虑，共同规划，同步研究、同期推进，实现党建妇建双赢。建立了妇女干部挂职锻炼制度，有计划安排妇女干部到妇联挂职锻炼，全面提升妇女干部自身素质，夯实妇联工作基础。此外，加强了信息、调研、宣传和网站管理工作，分别制定、实施了市妇联机关和县（市）区信息、宣传工作考评管理办法，重新改版了市妇女儿童网，并争取市财政支持，开始分期分批为县（市）区妇联免费建网站，进一步畅通了妇女利益诉求渠道，目前，已为赵县、新华区、鹿泉市、正定县、藁城市建成并开通妇女儿童网。被市政府授予优秀政府网站。今年，共上报信息1000余条，其中，中国妇女网采用300余条，河北妇女网采用500余条，市委采用10条，《河北发展》、《决策》刊发稿件4篇。名列全省信息第一，授予优秀信息单位，加强市妇联机关自身建设，制定实施了《关于进一步加强机关自身建设的意见》、《关于在机关党员干部中开展“为民、务实、清廉”主题教育活动的实施方案》、《市妇联工作考评管理办法》和《日报告、周例会、月交流工作制度》等，进一步转变了机关工作作风，营造了谋事、干事、干成事的快乐工作氛围。2007年，市妇联被全国、省妇联授予先进妇联组织荣誉称号。

（李海霞）

石家庄市科学技术协会

【概况】 石家庄市科学技术协会（简称石家庄市科协）是石家庄市科学技术工作者的群众组织，是中国共产党石家庄市委员会领导下的人民团体，是党和政府联系科学技术工作者的桥梁和纽带，是推动石家庄市科学技术事业发展的重要力量。石家庄市科协是河北省科协的地方组织，业务上接受河北省科协指导。石家庄市科协是政协石家庄市委员会的组成单位。到2007年底，市科协机关在职人员25人。下辖石家庄市科技干部进修学院和石家庄市科技咨询服务中心2个事业单位，工作人员28人。所属市级学会、协会、研究会51个，会员2.1万人；企（事）业科协、院校科协67个，会员9000人；县（市）区科协23个，实有96人；乡镇、街道科协296个，工作人员10794人；农技协363个，工作人员26349人。

【召开全委会和常委会】 1月11日，召开七届六次常委会和七届四次全委会，通过了题为《肩负新使命，实现新跨越，为建设繁荣、文明、和谐的新石家庄贡献力量》的工作报告和《关于贯彻落实市第八次党代会精神，为建设繁荣、文明、和谐的新石家庄而奋斗的决议》。7月26日，召开七届七次常委会，学习贯彻胡锦涛总书记在中央党校省部级干部研修班上的重要讲话和市委第四次市、县、乡三级干部会议精神，通过了题为《围绕中心，突出重点，努力开拓科协工作新局面》的工作报告。10月15日党的十七大召开后，在党员干部中开展了学习十七大精神和以“深入贯彻落实科学发展观”为主题的解放思想大讨论活动。

【科普工作】 1. 为指导做好全市《全民科学素质行动计划纲要（2006～2010～2020年）》的组织实施工作，经市委、市政府联席会批准，成立了由29个市直部门组成的全民科学素质工作领导小组及办公室；讨论通过了《石家庄市2007年度全民科学素质建设工作安排》，将43项任务分解到了30个成员单位；出台了《石家庄市全民科学素质工作领导小组办公室工作规则》（石全科组办发[2007] 2号文）；制发了《石家庄市全民科学素质工作领导小组督导、考核办法》（石全科组发[2007] 6号文）；制定并下发了《石家庄市全民科学素质工作领导小组关于在企业中大力提升科学素质工作的意见》（石全科组发[2007] 5号文）。确立了“坚持一大方略，建好四支队伍，发挥六大优势，实施多措并举”的工作思路。采取抓调研、当参谋、善协调、多沟通、搞服务、强素质的工作方式。

2. 全国科普日活动成效显著。9月15日在裕华区举行了以“节约能源资源、保护生态环境、保障安全健康”为主题的“2007年全国科普日石家庄系列活动”启动仪式。市政府副市长王刚、省科协副主席杨金深参加活动并讲话。辛集、桥西、晋州、新乐、栾城、高邑、深泽等县（市）区科协都通过各种方式举行了综合性科普服务活动，发放了图书、光盘、技术资料等。市科协被评为河北省科普日先进单位，并被省科协推荐到中国科协参与评选。

3. 开展“科普惠农兴村计划”项目评选活动。2007年7月开展了向中国科协和财政部推荐申报“科普惠农兴村计划”项目工作，经评审，无极县无公害蔬菜协会、正定县科技馆秦瑞强获得农村专业技术协会和农村科普带头人项目支持。市科协对藁城市农业高科技园区、石家庄绿龙枣业科技开发中心项目及鹿泉市紫藤葡萄基地赵贵勤也给予了经费支持。

4. 做好“全国科普示范县（市）区”的创建工作。省科协按照创建标准有关要求对石家庄市辛集市、裕华区、长安区创建全国科普示范县（市）区活动进行了阶段性评估验收总结，给予了高度评价。11月，中国科协命名辛集市、裕华区、长安区为全国科普示范县（市）区。目前石家庄市已有6个县（市）区获此荣誉，9个省级科普示范县（市）区正在创建中。

5. 继续实施科普画廊、科普社区、科普学校创建工程。按照《石家庄市科普画廊工程实施意见》，市科协给予桥东区、新乐市、无极县、新华区、辛集市科协科普画廊资金补助。

6. 开展了2006年科普之冬和第十八届农村科普宣传周活动，5月19～25日开展了以“携手建设创新型国家”为主题的科技周系列宣传活动。据统计，有近10万人次参加了科技周系列宣传活动，展出科普展牌340块，举办科普知识讲座15场，布置和更换科普画廊、科普橱窗、板报160块，举办科普知识竞赛2次，放映科普电影、录像130场次，举办科普文艺演出3场。

7.11月28日，与市委宣传部、市直工委联合举办了“航天技术及应用”专家报告会，应市委、市政府的邀请，中科院科普演讲团的张厚英教授，就我国发展航天事业的意义及“嫦娥一号”等作了精彩介绍和深入分析；11月组队参加了由省科协举办的第二届河北省公众科学素质电视大奖赛，并获得亚军。

【学术交流工作】 1. 积极实施海智计划。上报省科协国际部海智项目5项，其中河北师范大学的蜱类卵黄发生及其激素控制、石家庄市油漆厂的隔热保温涂料、辛集市的帮促辛集皮革产品占领欧美市场等3个项目上报中国科协海智办并列入中国科协海智计划管理项目。

2. 积极举荐青年科技人才。通过专家组对126名候选人进行认真评审，17名科技人员获由市委、市政府授予的第五届石家庄市青年科技奖。

3. 继续办好《专家建议》，编发《关于在石家庄市区开展公共场所英文标识纠错的建议》等3篇专家建议，2篇建议得到3位市级领导的4次批示，为领导决策提供了依据。

4. 圆满完成了首届中国生物产业大会接待任务。6月16日至18日，第一届中国生物产业大会在石家庄市召开。按照市委、市政府的安排，市科协在6月11日接到任务后，就着手与所负责的22位参会领导、专家联系，制定了对口接待方案，大会期间印发简讯5期。市科协的接待工作得到了来石专家领导的称赞。

5.4月6日，与辛集市科协联合举办“新农村建设与经济发展论坛”，邀请省农林科学院教授就构建社会主义新农村问题作了报告。市科协组织撰写论文14篇参加省级以上的各种学术活动，其中《对科协如何在和谐学术生态建设中发挥作用的思考》等2篇论文收入中国科协第二届学术交流理论研讨会论文集进行交流并公开发表，《试论发展现代化农业的途径与模式》在江苏镇江中日现代农业论坛进行交流；全年开展学术活动191场，交流论文1100余篇，参加人员1.9万余人。

6. 努力办好继续教育。一是开拓办学渠道，办好继续教育培训班。科技干部进修学院与市人事局联合举办了7期电子政务培训班，培训383人；举办了创新能力培训班6期，共培训2141人。二是引进优质教学资源，努力做好学历教育工作。与中央党校、北京师范大学、重庆大学等院校联合办学，增设了专业课程，目前学院共开设30多个专业。三是为做好下岗职工再就业培训工作创造条件。先后开办了计算机应用、家政、旅游、餐饮服务四个专业的培训班，培训安置下岗职工572名。

【科技与经济结合】 建立规范非公有制企业科协组织。通过深入部分非公有制企业调查研究，加快了在非公有制企业建立企业科协组织的步伐。目前双剑工具有限公司、辛集申科自动化仪表有限公司、新乐市东方美术学院已建立科协组织。3月29日全国政协科协界委员原电力部副部长陆延昌一行30人到河北省对“环渤海地区2006～2015年经济社会发展环境承载力研究”课题进行调研。考察组在听取石家庄市汇报并且参观了石家庄供水公司八水厂后，对石家庄市企业科协的工作成绩给予了充分肯定。开展以“自主创新与企业发展”为主题的“讲比”活动，“讲比”工作立项申报95项。继续抓好“金桥工程”项目。经过严格筛选，报省级重点管理项目9项。

【青少年科技教育活动】 1月6日在全市举办了“2007计算机技术应用大赛”，石家庄市400余名中小学生参加了网站、动画、幻灯、电子报刊、电子绘画等项目的竞赛。4月11至16日，在保定市召开了“第22届河北省青少年科技创新大赛展示终评”活动，石家庄市上报的118个项目均获得参赛资格。在全省130余个一等奖中，石家庄市选手获得78个，并获得了46个二等奖，创参赛以来的最好成绩。举办第七届石家庄市中小学“探索者”科技创新大赛。收到作品5407件。经评审，竞赛类作品共评出211项，科幻画60项，优秀科技活动奖2项，优秀组织奖1项，并根据上报比例将获得一等奖的作品上报省科协。10月20日，由市科协组织的200名青少年参加了“2007NOIp竞赛”，这是首次借助大学专业学科的资源开展的青少年科技竞赛活动，得到了国家计算机协会特派员的好评。参加“CCTV——《异想天开》——走进石家庄”大型青少年科技创新活动，拍摄了《让青春的智慧闪光，建设创新和谐石家庄》影片。

【自身建设】 年内，全市各县（市）区科协都按章程进行了换届，科协机关的编制、人员、经费得到了落实，行政、事业和活动经费列入地方财政预算，进一步建立健全了乡镇（街道）科协和社区、农村科普组织。积极推进了在非国有企业建立科协组织工作和市级学会的改革。加强了干部队伍建设。通过参加或举办各种培训班，使全市科协干部队伍素质得到了较大的改善和提高。加强了制度建设。结合全市的“三治”和“为民、务实、清廉”主题教育活动及“日报告、周例会、月交流”制度，加强了机关制度建设，健全完善了财务制度、接待制度、对县（市）区科协的考核制度、行文制度、车辆管理制度等。加强了科协工作宣传力度。2007年，《大众科技报》、《河北日报》、《河北科技报》、《石家庄日报》、《燕赵晚报》、《科协论坛》、《河北科协》、石家庄电视台、电台等各级新闻媒体播发通讯、消息等各类文章100余篇（条），提高了科协在社会的知名度。

（杜文君）

石家庄市文学艺术界联合会

【概况】 市文联下辖十大协会，即作家协会、书法家协会、美术家协会、摄影家协会、音乐家协会、舞蹈家协会、影视家协会、戏剧家协会、曲艺家协会、民间文艺家协会。会员约5000人。2007年，市文联在市委、市政府的领导下，高举邓小平理论和“三个代表”的伟大旗帜，坚持“二为”方向和“双百”方针，积极落实科学发展观，紧紧围绕市第八次文代会提出的“十大协会活起来，各县文联动起来；激励机制建起来，人才队伍带出来”的奋斗目标，以“五个一工程”为龙头，以庆祝石家庄解放60周年为契机，认真履行联络、协调、服务、指导职能，依靠广大文艺工作者，扎实工作，锐意进取。全市文艺队伍面貌焕然一新，机关建设进一步加强，社会影响日趋扩大。全市文联系统2007年在各级报刊上共发表作品8000余件，其中在《人民日报》、《光明日报》、《人民文学》、《诗刊》等大报大刊上发表30件；出版各类文艺书籍44部，获得各类文艺奖项1000余项；市文联、十大文艺家协会及县（市）文联开展各种文艺活动、各类培训班、作品研讨会及点评会 300 余次，培训文艺后备人才 2000 余人。

【多部作品获奖】 由市文联主席兼作协主席周喜俊任编剧的 18 集电视连续剧《当家的女人》继飞天奖、金鹰奖之后又获中宣部第十届精神文明建设五个一工程奖优秀作品奖；周喜俊的中篇评书《天地良心》、康志刚的小说《天文现象》分获河北省第 11 届文艺振兴奖。3 月 28 日，在新世隆宾馆颁发了石家庄市第九届文艺繁荣奖，对 9 件特别奖、26 件繁荣奖获奖作品作者进行了表彰奖励；并对在大报大刊上发表的 36 件文艺作品进行了奖励，有效地激发了创作活力。

【展演活动带动文学艺术的繁荣】 在省美术馆成功举办了“纪念石家庄解放 60 周年大型书法美术摄影展”，该活动共收到来稿 1800 余件，从中选出了 350 件优秀作品参展。参展的作品，集印成册（一套三本），由河北美术出版社公开出版发行。成功举办了“纪念石家庄解放 60 周年”省会第 11 届合唱艺术节。通过层层选扰，最后筛选出 32 个合唱团参加决赛，有 4 个合唱团获得金奖，7 个获得银奖，10 个获得铜奖，9 个单位获得优秀组织奖；另有 21 人获得个人单项奖。开展了“我爱石家庄”有奖征文：收到各种体裁的作品 260 余篇，在《太行文学》上选发了 40 余篇，其中 10 余篇作品获奖。在新世隆宾馆成功举办了纪念毛泽东《在延安文艺座谈会上的讲话》发表 65 周年研讨会和精品创作成果展。成功举办了迎十七大、庆双节石家庄文艺界联欢会。开展文学讲座下基层、进校园服务活动。全年共邀请专家先后到井陉、行唐、正定、河北科技大学等地进行讲座 7 次，有效地激发了基层作者的创作激情。2007 年，继行唐文艺家创作基地之后，又在正定塔元庄建立了第二个文艺家创作基地，组织作家深入生活，并在石家庄日报发采风专版。此外，还在赞县行乐村、正定塔元庄村、行唐鲁家庄村建立了作家联系点。开办了“五个一工程”歌曲创作研讨班；举办了曲艺作品研讨会、书法点评会等 10 余次活动；召开了《石门攻坚战》等作品研讨会 10 次。

传播文明志愿服务，开展文化三下乡。深入石门、建明、五十四所等社区为群众进行义务音乐、书法指导 20 来次；组织书法家赴行唐、辛集现场书写春联共 500 余幅。

【《当家的男人》出版发行】 由市文联主席兼市作协主席周喜俊同志创作的 45 万字的长篇电视文学剧本《当家的男人》已由河北人民出版社公开出版。该剧本共 25 集，省委宣传部有关领导阅后给予很高的评价，中央电视台责编和投资方看过之后，都认为它是继《当家的女人》之后又一部河北风味农村题材力作，现正在加紧筹拍。

【积极开展文化宣传交流　展示文联良好形象】 开通了石家庄文学艺术网站；出版了 4 期《石家庄文艺界》；并在《中国艺术报》、《文艺报》、《大公报》、《河北日报》《石家庄日报》等 10 余家媒体上广泛宣传报道市文联文艺工作情况。此外，接待了中国作家采风团、中韩书法交流团、美国女娲考察团、合肥市文联考察团，对石家庄的人文、历史、和发展情况进行大力宣传。

（陈广山）

石家庄市归国华侨联合会

【概况】 2007 年，市侨联在市委、市政府领导下，在省侨联的指导下，以学习贯彻落实党的十七大为工作主线，以市第九次侨代会换届和市侨联成立五十周年为工作契机，把“聚侨心、促和谐活动年”贯穿工作的始终，深入贯彻落实科学发展观，围绕中心，服务大局，认真履行职能，充分发挥侨联组织人才荟萃、智力密集、联系广泛的独特优势，在全市广大归侨侨眷和海外侨胞的共同努力下，圆满完成年初制定的“人才、凝心、维权、联络、素质”五大工程责任目标，受到了市委、市政府的充分肯定，得到了中国侨联和省侨联的积极评价。市侨联连续六年被评为省会文明单位，连续五年被评为全省侨联系统工作实绩突出单位，2007 年被市委授予十佳统战先进集体荣誉称号，多项工作受到中国侨联、省侨联肯定，被中国侨联命名为全国侨联系统维权工作先进集体。

【召开第九次归侨侨眷代表大会】 6 月 27～28 日，隆重召开了石家庄市第九次归侨侨眷代表大会，审议通过了《石家庄市侨联第八届委员会工作报告》，明确了今后五年侨联工作的发展思路和主要任务，选举产生了市侨联第九届委员会，其中委员 79 名、常务委员 37 名、主席 1 名、副主席 10 名，通过了关于在石家庄市侨界开展“聚侨心、促和谐、同心共建新石家庄”的决定，表彰了一批为石家庄市经济社会发展做出突出贡献的归侨侨眷和侨务工作先进集体以及个人。市领导王华清、朱浩文、姜瑞峰、张光大以及省侨联主席张学义应邀出席了大会。市委常委、统战部长王华清代表市委、市人大、市政府、市政协作了重要讲话，对市侨联过去五年取得的成绩给予高度评价，同时要求全市各级侨联组织要进一步增强做好侨联工作的政治责任感和历史使命感，围绕中心，服务大局，找准位置，发挥优势，努力在建设繁荣、文明、和谐的新石家庄中发挥新作用、做出新贡献。大会的召开，还得到了东南亚、北美、欧洲、澳洲等地的许多海外侨社、侨团及国内省会和大中城市侨联的广泛关注和支持，纷纷发来贺电、贺信表示祝贺，这为本次大会增添了亮丽的色彩，与会代表倍受鼓舞。

【参政议政】 参政议政是侨联组织的重要职能。一年来，石家庄市各级侨界人大代表、政协委员在市侨联的引导下，围绕政府关心、侨界关注的热点、难点问题，提出了大量有价值的议案、提案、建议意见、社情民意 100 多件次。在市政协十届五次会议上市侨联做了《关于充分利用爱国主义教育设施的建议》集体提案，市委副书记、市长冀纯堂，市委常委、统战部长王华清，市政府副市长林智敏对此做了重要批示，要求有关部门给予办理。同时做好了人大代表、政协委员的推荐工作，认真履行好职责。2007 年，市侨联协助有关部门推荐了 28 名人大代表和政协委员，他们都是在侨界有影响，热爱侨联事业，参政议政能力强的侨界人士，是石家庄市历届归侨侨眷人大代表、政协委员人数最多，素质最好，能力最强的一届。

【围绕中心　服务大局】 在围绕中心中找定位，在服务大局中显能力。一年来，市侨联紧紧围绕经济建设这个中心，为石家庄市经济社会发展做出了应有的贡献。积极参与、服务“石洽会”等市委、市政府的重大品牌招商活动，展示侨联形象，彰显侨联作用。市侨联作为石洽会筹委会组成单位之一，担负着邀请海外侨商参会等重要任务，通过精心谋划、狠抓落实、精心组织，成功邀请到 12 个国家和地区的 50 余位侨商参会，并推荐和聘请 16 名侨商为深泽县海外经济顾问，通过组织侨商深泽行活动，架起了服务县域经济的桥梁，通过与深泽县签订侨商创业基地协议，探索出一条发挥侨商优势作用，促进县域经济发展的新路，为确保石洽会圆满成功举办方面发挥了重要作用。同时将海外联谊工作和人才工作相结合，有的放矢的开展海外联络工作。8 月 24 日，应香港冀鲁旅港同乡会的邀请，市侨联党组书记、主席胡翎随河北省代表团赴港参加了冀鲁旅港同乡会成立六十周年纪念活动。在香港期间，胡翎主席广泛与香港侨界的朋友们沟通交流，积极宣传石家庄，特别是石家庄市第八次党代会确立的建设“繁荣文明和谐新石家庄”的宏伟目标，同时拜访了香港、澳门友好社团，与香港冀鲁旅港同乡会、澳门归侨总会等友好社团建立了紧密联系关系。2007 年，市侨联通过石洽会、市侨联第九次侨代会、市侨联成立五十周年等活动加强海外联谊工作，与海外客商和高层次人才沟通 658 次，收到海外友好社团、知名侨领发来的贺信贺函 137 个，邀请 48 名海内外侨商参加了石洽会。市侨联还保持了与 163 个海外侨社团建立起了联系，通过多种联系途径，掌握了 53 个海外侨社团的基本情况，目前建立了 1562 名华侨华人、海外留学人员的基本档案，从而逐步夯实了人才引进、服务工作的资源基础。

【维护侨益工作】 一年来，市侨联积极探索实践新世纪新阶段维权工作的新机制、新方法，建立维权机制、搭筑维权平台，通过艰苦耐心细致的工作，切实维护了广大归侨侨眷和海外侨胞的权益，受到了广大归侨侨眷和海外侨胞的广泛赞誉，被中国侨联授予全国侨联系统维权工作先进集体荣誉称号。（一）搭建权益保障平台。2007 年，市侨联指导县（市）区和大专院校侨务部门，加强对归侨侨眷和海外侨胞权益保护力度。一年来，解决归侨侨眷和海外侨胞反映的待遇、就业等实际问题 35 件；充分发挥市侨联老年委员会作用，有针对性地开展联谊联欢活动，顺利完成了市侨联老年委员会换届，成立了市侨联老年合唱团、舞蹈队、时装表演队，赢得了归侨侨眷的广泛赞誉。市侨联领导先后赴市司法局、市总工会、市妇联学习调研，建立与司法局、工会等部门的定期联系沟通机制，整合社会资源，形成维权工作合力。（二）搭建依法护侨平台。 年初，市侨联赴市司法局普法办进行调研，确定将《归侨侨眷权益保护法》及其相关法律、法规纳入“五五”普法重要内容，并利用12·4全国普法宣传日，宣传侨法，发放侨法宣传材料2000多份，得到了全社会的关注，还充分利用动态信息、网站刊物等渠道加大对侨法的宣传力度，不断扩大侨法的社会影响力，努力营造全社会依法护侨的良好氛围。充分发挥了市侨联法律顾问委员会的作用，依托三平律师事务所，设立了法律咨询服务中心，开展依法维护侨益工作，为归侨侨眷和海外侨胞提供全方位的法律服务。一年来，共受理咨询10多起，来信来访8次，都给予了圆满答复，信访量呈明显下降趋势，赢得了全市归侨侨眷的信赖和支持。为了将《归侨侨眷权益保护法》及其相关法律、法规通过法律援助落到实处。在市司法局的大力支持下，在市侨联建立了“法律援助工作站”，市司法局派专人负责与市侨联的联系沟通，及时了解侨界有关法律方面的需求，对涉侨法律纠纷提出意见建议，为侨资侨属企业提供法律咨询和帮助，对符合条件的案件当事人提供法律援助。（三）搭建帮扶救助平台。2007年，市侨联争取了市总工会特困职工救助基金，对侨界6名特困职工进行了救助，还积极与市总工会协商努力搭建归侨侨眷特困职工救助、下岗职工再就业平台，争取更多侨界符合工会救助条件的特困职工纳入工会组织特困职工救助工作的范围，造福于贫困归侨侨眷。为给石家庄市广大归侨侨眷提供一个看病就医更加优惠和方便的平台，市侨联与市第九医院搭建了共建爱心健康平台，归侨侨眷凭“健康俱乐部会员卡”到市第九医院就医，免收挂号费，优惠15%的治疗费、手术费等，同时协助归侨侨眷建立了归侨侨眷健康档案、建立了定期回访制度，为归侨侨眷送去了健康，凝聚了侨心。一年来，市侨联慰问贫困、患病归侨侨眷50多人次，发放慰问金5000多元。经市侨联牵线搭桥，侨属企业福升科技公司为8名孤儿发放资助金4000元，让贫困归侨侨眷和孤儿亲身感受到侨联大家庭的温暖，促进了社会和谐。

【建章立制 加强自身建设】 侨联是党领导下的人民团体，侨联工作是党的群众工作的重要组成部分。一年来，市侨联深入到辛集市、藁城市、新华区、裕华区、河北经贸大学等11个县（市）区、省会高校进行调查研究，加大对县(市)区、高校侨联工作的指导力度，认真总结各县（市）区、高校在加强基层侨联组织建设，增强基层侨联活力的成功经验，12月20日，市侨联成功召开了加强侨联基层组织建设经验交流会，23个县（市）区和9所省会高校侨联工作负责同志参加了会议，新华区、河北医科大学等18个单位做了典型发言，对辛集市、河北师范大学等18个侨联基层组织建设先进单位进行了通报表彰。加强侨联机关的规范化、程序化、科学化建设，造就高素质侨联队伍，一年来，市侨联立足于建立长效的工作机制，着眼于打造科学、规范、效能型机关，制定了《市侨联2007年度工作目标责任分解》，规范了主席办公会、重大活动操作方案、领导阅批卡、动态上报等19项工作程序，进一步增强了工作的动力，促进了效能的提高和作风的转变。驻会干部在抓落实上用心思、下功夫、见成效，在各项工作中讲规矩，讲程序，变无序工作为有序管理，变让我做为我要做，变要我落实为我要落实，人人潜心做事，主动工作，使整体队伍素质得到了提高。2007年，市侨联深入开展了“凝侨心、促和谐活动年”活动。各县（市）区和高校侨联组织围绕“凝侨心、促和谐”这个主题，做了大量工作，开展了富有成效的活动。新华区在归侨侨眷中开展了“介绍一个客户、提供一个信息、引进一项技术、促成一个项目”的四个一活动；河北医科大学制定下发了《关于引进和稳定海外高层次人才的暂行规定》；河北师范大学对五十年代回国的老归侨逐一进行了看望；藁城市在农村归侨侨眷中开展了“科技兴侨活动”，辛集市大力扶持侨资侨属企业，发挥好在经济建设中的生力军作用等等。通过活动的开展，共引进海外人才 67 人，引进项目 21 个，侨界 32 人获得市以上奖励和荣誉称号，为归侨侨眷办实事 67 件次，进一步凝聚了侨心、促进了和谐石家庄建设。

【举办成立五十周年庆典】 以纪念市侨联成立五十周年为契机开展了系列庆典活动。2007 年第一季度，市侨联胡翎主席带队先后赴石家庄市铁大电讯设备有限公司、华药集团华日药业股份有限公司、麦格石家庄眼科中心等侨资侨属企业进行调研；4 月 30 日，市侨联组织 60 余名老归侨侨眷举办了以“凝侨心、促和谐”为主题的庆“五一”联谊游园活动；9 月 19 日，市侨联邀请曾在侨联任职的老领导举办了中秋“话”团圆的迎双节茶话会；9 月 25 日，举办了省会侨界“新石家庄人，圆梦新石家庄”为主题迎中秋联谊活动；11 月 9 日，市侨联组织 60 名归侨侨眷到河北省博物馆参观了“辉煌六十年——纪念石家庄解放 60 周年”大型展览；11 月 26 日，市侨联在亚太大酒店举行了庆祝大会，来自省会归侨侨眷代表、侨资侨属企业代表、区县及高校侨务干部代表、涉侨部门负责人、人民团体负责人共 200 余人欢聚一堂，热烈庆祝市侨联成立五十周年。市委常委、统战部长王华清，省侨联副主席包东出席了庆典活动并分别作了重要讲话，来自海外 60 多个侨社侨团和 57 个国内友好侨联向石家庄市侨联成立 50 周年发来了贺电贺信，英国河北同乡会秘书长高霞等通过互联网视频表达了对祖国的无限热爱和对市侨联的深情祝福。市侨联老年委 80 多岁的老归侨、新侨代表、侨资侨属企业的员工、市侨联机关干部竞相登台献歌献舞，表达了对祖国的祝福和对市侨联的美好祝愿。市侨联党组书记、主席胡翎点通并启动了海外人才库，为石家庄与海外高层次人才架起一座“零距离”接触的网络平台，将庆典活动推向高潮。为更好地回顾历史，总结经验，展望未来，充分调动广大归侨侨眷和海外侨胞为新石家庄建设服务的积极性、主动性和创造性，市侨联历时半年，集驻会全体同志之力，编辑整理出《石家庄侨联五十周年》纪念文集和专题片，以不同的形式生动再现了市侨联在半个世纪的历史进程中不平凡的发展历程，使广大归侨侨眷和海外侨胞倍加感受到侨联人五十年的历史沉淀，铸就了今天侨联事业的辉煌！

（徐　莉）

石家庄市社会科学界联合会

【概况】 2007 年，社科联坚持深入贯彻落实科学发展观，积极组织和带领全市广大社科工作者，认真践行“为党和政府决策服务，为全市经济建设、政治建设、文化建设和社会建设服务”的宗旨，立足实际，围绕中心，服务大局，努力为打造繁荣、文明、和谐的新石家庄，为建设沿海经济社会发展强省提供智力支持和精神动力。坚持“贴近实际，贴近生活，贴近群众”原则，创新机制、创新形式、创新内容、创新手段，不论是评奖、评选工作，还是社科普及宣传工作；不论是学会管理、学术研究，还是机关建设，都取得了可喜成绩，获得了良好的社会效益。

【开展十七大精神普及宣传活动】 市社科联按照市委和省社科联指示精神，组织全市各学会、协会、研究会和有关社科机构迅速行动起来，认真学习宣传贯彻党的十七大精神，在全市造就一个学习十七大、宣传十七大、贯彻十七大的社科普及热潮。广大社科团体和社科工作者坚持贴近实际、贴近生活、贴近群众，通过不断创新社科知识的宣传普及方式、拓展宣传普及领域、完善宣传普及网络等方式方法，把党的十七大精神的宣传普及的触角伸向农村、社区和基层，通过各种大众传播媒体和人们喜闻乐见的形式，普及宣传科学发展观，普及宣传全面建设小康社会的宏伟蓝图。大力开展“理论面对面”活动，围绕党的十七大提出的一系列新思想、新观点、新论断，结合全市广大干部群众学习贯彻过程中的热点难点，搞好正确引导，帮助人们解疑释惑，从而使广大干部群众凝神聚力，形成万众一心，建设繁荣、文明、和谐新石家庄的“大合唱”。

【加强干部队伍建设　强化机关效能】 “加强干部作风建设，大力倡导八个方面良好风气”是胡锦涛总书记的重要指示，省委常委、市委书记吴显国在年初的全市干部大会上就强调要加强干部作风建设，强化机关效能。社科联党组以高度的政治责任感将此作为大事来抓，并结合市委、市政府今年上半年开展的“治懒增效、治散正气、治庸提能”以及“为民、务实、清廉”等项教育活动，统筹部署，切实加强领导，列入工作日程，摆上突出位置。具体做到了以下三点：一是发动机关干部撰写“加强作风建设”的理论文章。社科联主席、党组书记任新社身体力行，带头加班加点撰写的“深化认识，增强落实科学发展观的自觉性”等多篇理论文章分别被多家报刊重点采用。其他班子成员撰写的“大力加强领导干部作风建设”、“广泛听取民意，认真为民办事”等理论文章分别被《光明日报》等突出报道。二是组织召开省会社科界“强化机关效能”座谈会，请专家学者谈见地、查问题、谋对策，为加强干部作风建设，构建和谐省会建言献策。三是依托内部刊物《石家庄论坛》开辟“领导干部论坛”、“转变机关作风”、“知荣明耻”等专栏，围绕落实胡锦涛总书记的重要讲话精神，刊发学习体会、理论探讨、署名文章等26篇，有力地促进了干部作风建设教育活动的深入开展。

【“燕赵讲坛”先进文化系列讲座持续火爆】 由市社科联与市委宣传部共同举办的“燕赵讲坛”先进文化系列讲座活动，自2005年5月29日启动以来，截至2007年底，主会场已举办讲座186场，基层加盟点讲座260场，流动点讲座14场。2007年，本着主会场上水平，加盟点搞普及，流动点求深入的工作思路，并通过采取精选题目、邀请名家、扩大宣传等项具体措施，使“小讲桌”产生“大效果”。2007年又开辟了流动点，于1月28日在平山敬业集团举办启动仪式。至此形成了“三点串成线、全市连成片”的格局，使“燕赵讲坛”走进基层，更广泛的传播先进文化知识，为构建和谐社会贡献力量。2007年，国内及省市许多著名学者专家如于丹、纪连海、刘彦斌、王建华等莅临“燕赵讲坛”，更使这一惠民工程持续火爆，为构建和谐省会做出了积极贡献。5月29日，社科联与市委宣传部、河北移动公司石家庄分公司共同举办了纪念“燕赵讲坛”3周年活动座谈会。省委宣传部副部长戴长江、省政协《文化精华》主编石玉新、省社科院研究员王彦坤等领导、专家学者以及听众代表应邀出席座谈会，大家畅所欲言，从多方面热情赞扬了“燕赵讲坛”的成功之处和良好的社会效益，并对继续办好“燕赵讲坛”提出了宝贵的建议和意见。“燕赵讲坛”的成功举办，其密度和持久度开创了国内先河，形成了河北省会一道靓丽的文化景观，“燕赵讲坛”受到省、市领导及全市人民的广泛赞誉，省、市领导多次批示，给予充分肯定和表扬。

【举办省会第五届“社科普及周”活动】 哲学社会科学肩负着“认识世界、传承文明、创新理论、咨政育人、服务社会”的使命。5月20日至5月26日，市社科联与省社科联共同举办了“河北省第五届暨省会第五届社科普及周”活动。副市长王刚及省委宣传部、省社科联等省直有关部门领导出席开幕式。历时一周的科普周活动规模大、效果好。石家庄市36个基层学会、140多名专家学者、500多名社科工作者进社区、下农村、到军营、赴学校、入企业、找民工，共设立咨询台43个，宣传橱窗254块，发放宣传品38300份。社科联以此为契机，在全市范围广泛深入开展社科普及宣传活动，组织省会各学会、协会、研究会的社科专家、学者及广大社科工作者深入基层，通过现场咨询、解疑释惑、学术报告、橱窗展览、文艺宣传等形式，为广大群众普及金融、法律、就业、教育、住房改革等项社科知识，为打造繁荣、文明、和谐的新石家庄提供精神动力、智力支持和思想保障。

【完成第六届社科优秀青年专家评选工作】 根据《石家庄市哲学社会科学优秀青年专家评选办法》，2007年是第六届哲学社会科学优秀青年专家的评选年，此次评选是重新修订《办法》后的第一次。社科联按照市委常委、宣传部长孙万勇指示精神，在这次评选活动中重点突出了一个“严”字，就是严格程序、严格标准、严格纪律，使评选做到高标准、高质量、高水平。一是严格程序：按照《办法》的要求，成立了由市委常委、宣传部长孙万勇任组长的领导小组，3月份发出《评选通知》，6月20日申报结束，共申报24名，经评选办初审，对明显不够标准的7名予以剔除，其余17名报送评委会。评委会由9名专家组成，其中正高职称8人，省直专家7名。在评选阶段，首先由评委会主任组织评委会委员认真学习评选办法，然后分两组轮流全部阅卷，对照标准对每个参评者做出评价记录，经过反复酝酿，采取无记名投票方式产生评审候选结果。通过评审，王俊华、李芬、谭运江、邢秀荼、张振平、范彩平6名同志脱颖而出，作为第六届社科优秀青年专家的入围人选，7月4日在市新闻媒体进行为期15天的社会公示，社科联还组织专门班子对入围人选进行了政治思想素质考察。最后通过第六届社科优秀青年专家评选领导小组审查、批准，对全市第六届哲学社会科学优秀青年专家进行了命名、表彰和奖励。二是严格标准。评选中严格按照《办法》规定，要求参评者既要有获得省部级三等奖、市级二等奖以上社科优秀成果，又要业务成就突出，二者缺一不可。实践证明，6名第六届社科优秀青年专家各个业务出色，政治过硬。三是严格纪律。为保证评选公平、公正、公开，按照《办法》要求，本届评选成立了以组织部副部长韩存锁为组长的监督小组，对评选进行全过程监督。并在评选结果上签名和签署监督意见。同时，实行严格的回避制度，社科联在职领导不当评委会委员，参评者单位不抽调评委会委员。评委会委员，必须遵守纪律，不许将评委会审议中的不同意见散布出去，保证了评选工作的严肃性。

【召开石家庄市社科联第五次代表大会】 12月30日，成功召开了市社科联第五次代表大会。本次大会有285名代表参加会议；市委常委、宣传部长孙万勇，省社科联党组书记张志平出席会议并作了重要讲话；市政协副主席、市政府秘书长李天印主持会议并致贺辞。会议选举产生了第五届委员会、常委会和主席、副主席和秘书长；通过了第四届委员会的《工作报告》和新的《章程》；表彰奖励了市第六届社科优秀青年专家。石家庄市61家友好单位及全国23个省市自治区、126家社科联分别送来了贺礼、发来了贺电和贺函。

【社科联第五次代表大会召开】 11月30日，石家庄市社科联第五次代表大会在人民会堂电影厅隆重举行，省社科联党组书记张志平，市委常委、宣传部长孙万勇作重要讲话，市政协副主席李天印出席主持会议并致词。任新社代表四届委员会作工作报告；共青团石家庄市委书记董晓航代表人民团体致词；刘援朝同志宣读全市友好单位和全国各地社科联贺信、贺电；刘志坚作《章程》（修改草案）的说明；李贞年宣读关于市第六届社科优秀青年专家的表彰决定。会议通过了《工作报告》和新的《章程》，选举了新一届委员会、常委会和领导机构，表彰奖励了市第六届社科优秀青年专家。

（刘献国）

石家庄市残疾人联合会

【概况】 石家庄市残疾人联合会，是石家庄市委、市政府领导下的将残疾人自身代表组织、社会福利团体和事业管理机构融为一体的残疾人事业团体。市残疾人联合会第三届主席团为2003年7月石家庄市残疾人联合会代表大会选举产生，主席团特聘市委副书记艾文礼、市人大副主任赵其信、市政协副主席赵明信为名誉主席，共有委员57名，主席马玉文，副主席9名。残疾人联合会执行理事会是残联主席团的常设执行机构，负责全市残疾人康复、教育就业、维权及扶贫等工作，隶属单位有市残疾人劳动就业服务中心。至2007年连续五年获全省优胜单位光荣称号。

【社会受助贫困群众送锦旗】 4月20日上午10时，元氏县鹿台村农民时利斌和他的父母，手持“感谢石家庄市残疾人联合会，维护权利，无偿救助”红色锦旗，在闻讯赶来的新闻记者和围观群众的簇拥下来到市残联办公室。2006年8月份，时利斌在为一个建筑队打工时，不小心扎伤了眼睛。家里借钱在邢台眼科医院住院40多天，当时包工头给了1万元钱后逃之夭夭。仅第一次手术费用即花销2万多元。四处举债，家徒四壁。他的母亲无望中从电视上看到了市残疾人法律援助中心为贫困残疾人无偿提供救助的事迹。抱着试试看的心理，找到了市残疾人法律援助中心。主任韩秀杰如实向市残联领导进行了专题汇报。王金斗理事长对此非常重视。认为时利斌虽然不是残疾人，但是为贫困弱势群体提供帮助，也是残疾人法律援助中心的责任和义务，指示要加大对此案件的工作力度。法律中心经过多方调查，多方协调，晓之以理，动之以情，费尽周折，最终于2007年4月份由包工头挂靠单位河北恒山建筑工程有限责任公司一次性赔偿时利斌6万元人民币。时利斌拿到了二期手术费用，全家非常感动，遂敲锣打鼓到市残联“谢恩”！据统计2007年残疾人法律援助中心共接受维权案件220件，结案160件，为残疾人减免费用80多万元，挽回直接经济损失500多万元，受到了全社会和广大残疾人的认可和称赞。

【特奥家庭支持联络网活动】 2007年1月，石家庄市石纺社区被中国特奥会确定为“全国特奥活动示范社区”。根据中国特奥会关于《特奥家庭支持联络网活动方案》要求，4月7～8日，在石纺社区举办了特奥家庭支持联络网活动，活动内容包括特奥活动家庭培训班、特奥运动会等内容。7日上午，在银河宾馆举办了特奥活动家长培训班，智障残疾人家长、特教老师、志愿者、残疾人工作者共计80余人参加了培训。中国特奥会张天伦副秘书长、干事张华分别就特奥活动简介、特奥活动发展历程以及相关知识进行了详细的讲解和培训，放映了先进地市开展特奥活动影像资料。8日，在石纺社区举行了“全国特奥活动示范社区”揭牌仪式暨石纺社区特奥运动会。中国特奥会副秘书长张天伦、河北省残联副理事长杨俊民为石纺社区“全国特奥活动示范社区”揭牌。特奥运动会分别进行了50米跑、定点投篮、乒乓球、跳绳、立定跳远、赶猪跑等6个大项、30个组别的比赛，以及两人三足跑等娱乐项目，90余名运动员、30名裁判员、30名志愿者以及90余名家长共计260余人参加了活动。经过一天的比赛，6个项目共产生金牌30枚，银牌30枚，铜牌30枚。国家、省、市、区各级领导为运动员颁发了证书和奖品。

【举办第十七次全国助残日活动】 5月20日，省残联、市残联、长安区残联联合举办的第十七次全国助残日大型公益宣传活动在长安区残疾人服务中心广场隆重举行。活动的主题是：保障残疾人权益，共建和谐社会。省残联副理事长杨生春、市残联理事长王金斗、副理事长董志民和长安区委副书记刘卓雄、副区长党惠建等领导与来自省会的500多名残疾人代表和残疾人工作者共同参加了庆祝活动。

活动中，市卫生局为特困残疾人代表发放了《就医优惠证》，省残联、长安区政府和长安区质量技术监督局捐赠轮椅20辆，捐赠拐杖、盲杖、收音机、盲表等价值2万多元的物品，蓝天集团、蓝天圣木家具广场为特困残疾人免费装修、赠送了家具，价值达10万多元。市中心医院、长安区医院为200多名残疾人进行了免费义诊，市残联现场发放《残疾人就业条例》、法律维权等宣传册1000余册，为残疾人提供就业咨询百余人次。长安区法院和区法律援助中心为50多人次现场提供了法律咨询。市学雷锋车队、河北师范大学体育系的青年志愿者服务队现场义务服务，长安区20余名残疾人还开展了盲人按摩、修车、裁剪、配钥匙等回报社会活动。省歌舞剧院、省杂技团的艺术家们和市特教学校、长安区残疾人歌手现场演出精彩文艺节目助兴。进一步宣传和营造了全社会扶残助残的氛围。

各县（市）区也相继开展了庆祝第十七次全国助残日活动。此次助残日和以往不同，一是扶残助残工作更趋于沉在基层，更趋于解决基层残疾人的生产、生活困难。二是扶残助残内容不仅在物质上为残疾人提供某些帮助，而且通过开展互动活动，在心理上、精神上给残疾人以支持，使残健更加融合，残疾人受自身残障影响的心理因素正在逐步减小，平等参与社会生活的信心和创造美好生活、享受美丽人生的愿景进一步增强。三是全社会支持残疾人工作和事业发展的社会氛围更加浓厚，真正成为一种人道主义的体现，成为一种文明进步观的体现。

【启动“法律八进”活动】 6月15日，市残疾人法律援助中心在河北政法职业学院隆重召开了法律“八进”活动动员大会，政法学院、河北铁道学院法律系教师、学生及社会一些法律事务所热爱残疾人事业的律师2120多名法律志愿者参加了会议，省、市残联领导和省、市人大、政协、中级法院、公安局、劳动局、司法局等主要领导应邀参加会议。省残联副理事长杨俊民、市残联理事长王金斗及政法学院邵院长、省人大副主任郝建英做了动员讲话。省电视台、市电视台、燕赵晚报等强势媒体给予了极大关注和支持。并实时进行了直播和重播；石家庄市电视台7次跟踪采访；燕赵晚报连篇累牍进行刊登，为开展工作准备了良好的舆论环境。活动中把2120多名志愿者编成5个中队，26个小分队，分包23个县和市内5区，每个居委会和村委会都有志愿者专人负责，任命了5名中队长和68名小队长，实行一级抓一级责任制。同时建立监督处，韩秀杰任大队长，政法学院法律系副主任韩文成任副大队长，王志印任监督处主任，监督处对志愿者所去的社区、企业、学校、单位给予不定期回访，保证法律“八进”工作顺利进行。截至年底，共为残疾人提供法律咨询28658人次，结案365件，为残疾人减免费用328万元。

【举办“全国特奥日”活动】 7月20日，在省会文化广场，省残联、省特奥会、石家庄市残联联合举办“全国特奥日”大型宣传活动。活动的主题是：关注特奥运动，迎接上海世界特奥会”。河北省人民政府副省长龙庄伟，河北省人民政府副秘书长李靖，石家庄市人民政府副市长马玉文，省残联理事长李民，省特奥会主席、省残联副理事长杨俊民，省教育厅厅长靳宝栓，省民政厅副厅长陈先琴，省体育局巡视员李爱民及石家庄市残联、教育、民政、体育等部门的领导和来自铁道学院成人教育分院的志愿者和广大智障残疾人运动员参加了此次活动。活动中，由智残人组成的石家庄蓝梦文艺队演出了《春天在哪里》、《智残人之歌》、《家家都有好时光》等文艺节目，智残人运动员还分别进行了男子同心协力跑，男、女、“赶猪跑”、男子“托球跑”，男、女立定跳远、跳绳及男、女30米跑等特奥项目比赛。

【举办残疾人职业技能免费培训班】 市残联于3月份和8月份举办了2007年度两期残疾人职业技能培训班，免费培训残疾学员604名，培训期间，和学员签订用人合同且“三险”齐全的就有200多名。

【香港专家对桥东区社区康复工作进行技术指导】 9月4日，中残联香港复康会专家魏国荣女士到桥东区就全国社区康复合作项目培训班参训人员进行回访，并对该区残疾人社区康复工作给予技术指导。魏国荣女士是我国最早一批开始康复工作的治疗师，曾经到澳大利亚、英国、马来西亚等地学习社区康复，多年来一直作为香港复康会的外聘专家。魏女士充分肯定了桥东区社区康复工作模式，对社区康复责任医生制的推行、社区康复信息化建设工作给予了高度评价。同时，就肢体残疾人康复技术基本知识以及实际操作对全区40余名社区康复员进行培训和技术指导，并结合2例肢体康复病例详细讲解。

【举办第三届残疾人艺术汇演】 9月21日，市残联在铁路工人文化宫举办了石家庄市第三届残疾人艺术汇演，汇演分舞蹈、声乐、器乐、戏曲小品、智障综合五具门类，选调节目60多个，分门类评选出特等奖1名，二等奖2名，三等奖3名。一系列文体活动的开展，大大丰富了残疾人的精神文化生活，提高了他们的参与意识和能力。

【扶助60户特困残疾人家庭活动圆满结束】 11月25日至11月30日，石家庄市残联牵手燕赵晚报李梓工作室共同发起了救助市区60户特困残疾人家庭活动。按照救助标准和范围，市残联把层层筛选上来的受助家庭名单，转交给晚报。晚报记者调查核实后，采写稿件见报，呼吁社会爱心企业和个人采取“结对子”的办法，对这些家庭进行长期扶助、资助或提供工作岗位。活动期间，燕赵晚报每天在重要版面上开辟专版，报道贫困残疾人家庭情况及社会各界参与扶助活动情况，先后推出16版、5万多字的报道，在社会上引起很大反响，众多爱心企业和人士通过各种方式与记者联系，主动表示对上述贫困家庭实施帮助。经过筛选，先后有29个企业和63名个人分别与59个家庭结成了长期帮扶对子。12月3日，在第16个国际残疾人日这个特殊的日子里，市政府残工委召开全市社会扶残爱心大使表彰大会，对爱心企业和爱心个人进行了表彰。

【超额完成各项康复任务】 其中，“视力第一中国行动”复明手术任务3000例，完成3245例，超任务8%；贫困白内障任务数350例，完成850例，超任务114%；低视力康复任务数100例，完成110例，超任务10%；培训低视力家长任务数30名，完成110名，超任务267%；聋儿康复训练任务数100

名，完成112名，超任务12%；肢残康复训练任务数100名，完成130名，超任务30%；智残儿童康复训练任务数100名，完成110名，超任务122%；假肢任务数120例，完成130例，超任务9%；矫形器装配任务数15例，完成30例，超任务100%，辅助器具任务数2000件，完成2160件，超任务8%。免费肢体残疾儿童矫治手术50例，免费发放轮椅400辆。

（王兆惠）

石家庄市黄埔军校同学会

【概述】 2007年，石家庄市黄埔军校同学会的工作遵循党的基本路线和对台方针政策，在中共石家庄市委统战部领导下，根据黄埔同学的身体状况，采取多种多样的学习方法，通过举办各类型的座谈会、交流会、讲演会、报告会，重点学习和贯彻邓小平理论和“一国两制”及胡锦涛总书记关于台湾问题的四点建议和意见等，学习十七大精神，使全市黄埔同学的政治理论水平不断提高，在当前台海局势不断变幻的形势下，牢牢把握政治方向，以清醒的政治头脑投入到促进祖国统一大业中去。

【“黄埔之家”温暖黄埔同学】 至2007年，石家庄市黄埔军校同学会黄埔老人大都进入80岁以上的高龄，为了使他们安度晚年和有效地发挥他们在促进祖国统一事业中的余热，“黄埔之家”主要开展了以下工作：(1) 每逢春节和重大节日到来的前夕，中共石家庄市委统战部有关领导专门到黄埔同学会机关看望慰问黄埔老人，为石家庄市黄埔军校同学会黄埔高龄老人祝寿祝福，并希望石家庄市黄埔军校同学会黄埔同学继续发扬黄埔精神，为祖国统一大业献计出力作贡献。表达了市委领导和市委统战部领导对石家庄市黄埔军校同学会黄埔同学的深切关怀，同时坚定了石家庄市黄埔军校同学会黄埔同学作好对台工作的坚强信心。(2) 春节到来之前，按照省黄埔同学会和石家庄市委统战部领导有关指示精神，石家庄市黄埔军校同学会对全市黄埔同学进行了挨家挨户走访慰问，并送去油、米、面、奶等慰问品和慰问金，把党的温暖送到每位困难黄埔同学的家中。(3)马庆德、孙恕仁、王茂宾、孙士魁四位黄埔同学相继去世，在他们去世前后，石家庄市黄埔军校同学会通过“黄埔之家”派代表和机关工作人员向病人和家属进行了慰问，参加了追悼会，并积极协助作好善后工作。(4) 九九重阳节到来之际，石家庄市黄埔军校同学会黄埔之家组织了温馨的团聚会，畅谈古往今来，今昔生活对比，使石家庄市埔军校同学会黄埔老人在黄埔之家里感到更加和谐、幸福。

【开展有益活动 加强爱国主义教育】 举办了石家庄市黄埔同学会“迎新春，促统一”座谈会；接待了台湾赵本立先生和美国美东黄埔同学考察团，在接待过程中，沟通了感情，加深了了解；举办纪念七七卢沟桥事变70周年座谈会，石家庄市黄埔军校同学会黄埔同学以自己的亲身经历痛斥日本侵略军的罪恶行径。

【拜访冯理达将军】 2007年，市黄埔同学会会长张连枝、秘书长邱振贵进京到海军总医院，拜访了全国政协委员、海军总医院副院长冯理达将军。冯理达将军是著名爱国将领冯玉祥将军的长女，是饮誉海内外的著名医学专家。近年来，83岁的冯理达将军与石家庄市黄埔军校同学会保持经常联系，来电来信关心黄埔同学会的情况。春节前夕，理达将军听说石市个别黄埔同学生活比较困难时，捐款请市黄埔同学会转交困难同学，并转达对石市黄埔同学新春的问候和慰问。在拜访中，理达将军对石家庄市各级领导关心黄埔同学十分高兴，她还讲述了冯玉祥将军当年爱国、爱兵、爱将的可亲事迹，并将冯玉祥将军专著和蒋介石的书信及最后的遗书真迹（复印件）和《健康健美长寿学》4本专著赠送给石家庄市的黄埔同学，希望黄埔同学及冯玉祥将军的部下，继续秉承冯玉祥将军的爱国遗志，为促进祖国统一做出贡献。

（邱振贵）

石家庄市台湾同胞联谊会

【学习贯彻党的十七大会议精神】 3月28日，石家庄市台湾同胞联谊会组织部分台胞学习、讨论十七大会议精神。通过学习，台胞们进一步提高了认识，一致认为，胡总书记以战略性思维和前瞻性眼光，对中国社会发展方向以及中国人民利益实现等重大课题做了明确的回答。对全党、全国在前进道路上遇到的新情况、新问题都进行了详细深刻的分析，也勾画出了今后一个时期的发展蓝图，体现了党中央高瞻远瞩、与时俱进的魄力。大家认为我党又一次向台湾表示了善意，说明我党的对台政策更加务实，体现了最大的诚意，两岸关系会朝着比较平稳的方向发展，对祖国统一充满了信心。

【召开二届五次理事（扩大）会】 3月6日，市台联召开二届五次理事（扩大）会，总结了2006年的工作，并对2007年的工作提出了设想。会议还组织学习了全国人大十届五次会议精神、全国政协“胡锦涛同志对台工作四点意见发表两周年”座谈会的报道以及中台办、国台办负责人就陈水扁抛出“台独”分裂主张发表的谈话等文章。大家发言积极、讨论热烈，充分表达了拥护党的政策，表示要坚持“一个中国的原则”，按照胡锦涛总书记四点意见的要求做好台湾民众的工作，坚决和党中央保持一致，和“台独”分裂势力作斗争，积极发挥亲情、乡情的优势和纽带作用，为推动两岸关系朝着和平稳定的方向尽自己最大的努力，为祖国的和平统一大业做出新的贡献。

【抓住时机举办“台湾形势报告会”】 6月27日，石家庄市台湾同胞联谊会举办了“2007年台海形势专题报告会”。报告会从国际形势、我国的国防现状和近一段时间以来的台湾岛内状况出发，结合陈水扁近期的“台独”行径和即将到来的年底“立委”选举和2008年“总统”大选，利用大量的第一手资料，详尽地分析了台海形势和两岸关系发展的趋势。由于近期台湾局势纷繁复杂、跌宕起伏，两岸关系发展面临新的挑战，正确认识和看待这一历史阶段的种种现象，拨开迷雾，把握大局，具有重要意义。石家庄市台湾同胞联谊会抓住这个时机及时组织了一场政治性、理论性和针对性很强的报告会，使石家庄市台胞更加清醒地认识到陈水扁的顽固“台独”分子的本质，也更加深刻地了解了我国政府的明确的态度，大家坚信，祖国大陆划时代的历史巨变从根本上决定了两岸未来的发展前景。2008年选举后无论哪个党、什么人上台，都无法改变两岸和平发展与和平统一的浩荡大势，搞“台独”注定要失败。

【召开庆祝香港回归十周年座谈会】 6月22日上午，市台联召集石家庄市部分台胞召开以“喜迎香港回归十周年，期盼祖国早日和平统一”为主题的座谈会。座谈会上，台胞们重温了温家宝总理在十届全国人大五次会议后答记者问时所作的关于香港回归十周年问题的重要讲话等。通过学习大家感触很深，一致认为，邓小平同志“一国两制”、“港人治港”的方针是一项伟大的创举，在台湾地区实施同样会取得良好的社会效果，对推动台湾地区的经济发展、提升台湾地区的世界影响力和提高人民的生活水平能够起到重要作用。这是全体中国人民包括台湾地区2300万人和全世界华人殷切的希望，也是我们奋斗的方向。陈水扁为首的台湾岛内一小撮“台独”分子不惜损害台湾同胞的根本利益，为其一己私利，大搞“台独”活动，分裂祖国的狼子野心昭然若揭。他们的罪恶行径损害了台湾民众的利益，阻碍了台湾经济的发展，是不得人心的，也决不能得逞。我们台胞要肩负起自己的责任，为推动两岸交流，推动两岸关系和平发展做出贡献。

【加强与岛内和海外台胞及社团的联系】 6月13日至15日，与市委统战部共同接待“台湾高雄县、市妇女基层干部参访团”一行40余人。在短短的两天时间里，安排客人参观了赵县柏林寺、赵州桥、正定隆兴寺以及市维生药业股份有限公司等有代表性的景点和企业，使她们对石家庄市有了一个初步的了解。7月份，接待了从日本回石探亲的已故省台联会长赖俊铭的夫人赖惠玉女士。9月28日，石家庄市台湾同胞联谊会与市委统战部协助省委统战部接待了全国台联国庆观光团一行80余人到革命圣地西柏坡参观。

【组织参观沕沕水爱国主义教育基地】 5月15日，组织老台胞10余人到我党第一座红色发电站——沕沕水爱国主义教育基地参观游览，老台胞们兴高采烈，高唱革命歌曲，老台胞潘琪为大家讲述了当年在晋察冀边区工作和学习的情况。通过这次游览，老台胞们深切体会革命前辈为新中国的成立历尽艰辛，更加珍惜今天的美好生活。

【举办春节联欢会】 2月12日，石家庄市台湾同胞联谊会举办2006年迎春联欢会，省台联副会长杨方若、秘书长游俊英、市委统战部副部长白兰怀出席了联欢会。会长徐胜美代表各级领导发表了新年致辞，简要回顾了一年来市台联的工作情况，鼓励广大台胞要为祖国的早日统一多做贡献。市委统战部副部长白兰怀也发表了热情洋溢的讲话。联欢会上，台胞们自编自演了丰富多彩的文艺节目，气氛十分热烈。青少年台胞表现非常踊跃，他们猜谜语、踢毽子，还有诗歌朗诵、唱流行歌曲等，年仅7岁的小台胞徐天阔还即兴为大家创作了“十二生肖闹新春”简笔画，充分展露了石家庄市小台胞的多才多艺和积极向上的精神面貌。会后，大家合影留念，依依不舍，共叙乡情友谊，展望石家庄市建设沿海经济强省龙头的美好蓝图。

【送温暖　关心困难台胞的生活】 石家庄市台胞大部分生活在市区，生活极端贫困的较少，正因如此，生活在辛集农村的台胞黄文玲一家，更是牵动着台联领导的心。黄文玲靠种田为生，没有其他收入来源，既要赡养没有劳动能力的公婆，还要供养有残疾的叔叔，尤其是去年年底次子遭遇不幸意外身亡，更是负债累累，生活艰难。听到这个消息，石家庄市台胞十分同情，踊跃捐款。2月1日，带着石家庄市台湾同胞联谊会组织的捐款4160元，带着全市台胞的爱心，会长徐胜美和秘书长陈英同志驱车到辛集市王口镇台胞黄文玲的家中，看望了刚刚丧子的黄文玲夫妇，安慰他们要坚强地走出痛苦的阴影，鼓励他们积极地生活下去。

【中青年台胞成为台联的骨干】 几年来，石家庄市台湾同胞联谊会一直十分重视中青年台胞的培养，收到了良好的效果。2月份，在省委组织部、统战部召开的河北省台湾同胞党员大会上，王爱鸽被推选为党的十七大代表候选人，光荣地出席了全国台湾同胞党员代表大会。12月，廖海鹰副会长被推选为第十一届全国人大代表候选人，参加了在北京召开的选举协商会议。11月，王爱鸽和廖海鹰均高票当选为河北省台联七届理事会副会长。徐胜美、陈英和李西克当选为省台联七届理事会理事。另外推荐了优秀青年台胞游艳红担任裕华区政协常委，陈英和徐纯分别担任长安区和桥东区政协委员；张宇慧和高大龙担任市青联委员。还推荐年轻台胞高大龙和房玮参加了共青团石家庄市第十五次代表大会。在今年市委统战部评选的“十佳百颗星”活动中，台胞王爱鸽、廖海鹰和陈英光荣当选，受到市委的表彰。

台湾青年来石考察交流

【举办纪念石家庄解放60周年大会暨画展】 为了纪念石家庄解放60周年，石家庄市台湾同胞联谊会与石家庄市关心下一代工作委员会、石家庄国际文化贸易交流协会等单位，于11月7日在石家庄市老干部活动中心隆重举办了“纪念石家庄解放60周年大会”暨画展，关心下一代工作委员会主任徐增厚作了重要讲话，石家庄市台湾同胞联谊会会长徐胜美发言，部分台胞的书画作品参展。

【举办中秋联谊座谈会】 9月18日，石家庄市台湾同胞联谊会与市政协台港澳侨委共同举办了“2007年中秋联谊座谈会”，市政协副主席张光大、市委统战部副部长郃存悦参加了座谈会。会上共有3名台胞代表发言，抒发了对台湾亲人的思念之情，也表达了为建设和谐石家庄做贡献的决心。

（陈 英）

石家庄市消费者协会

【概况】 2007年，石家庄市消费者协会坚持以“三个代表”重要思想和科学发展观为指导，认真贯彻党的十六届六中全会和党的十七大精神，紧紧围绕“消费和谐”年主题，积极宣传《消法》，认真受理消费者投诉，进一步加大对商品与服务的社会监督，切实加强“一会两站”建设，取得了显著成绩，为维护消费者合法权益及促进全市社会经济又快又好发展做出了新的贡献。

【开展纪念3·15宣传咨询】 为广泛深入宣传消费者合法权益的法律法规，切实维护广大消费者的合法权益，3月15日，全市各级消协都在当地比较繁华的地段或商场门前隆重举行了“3·15”国际消费者权益日咨询服务活动，据统计市消协系统接待咨询万余件，发放宣传材料33.91万余份，省会多家新闻单位对各县（市）区活动情况也进行了现场采访，通过新闻媒体揭露、批评损害消费者权益案件，今年现场投诉咨询的热点是：中介服务、电信服务（主要是资费和垃圾短信）、商品房、食品。同时，市消协编辑出版了《石家庄市2007年3·15消费专刊》，采用图文并茂的方式宣传《消法》及相关的法律法规、年主题及“一会两站”成果，发布消费警示、消费引导及典型案例，公告在保护消费者合法权益工作中做出贡献的先进单位和个人。

【采取措施 规范“一会两站”建设】 2007年，全市“一会两站”建设工作继续保持良好态势，为全市社会经济又快又好发展，维护消费者合法权益做出了新的贡献。为了表彰先进，鞭策落后，推动石家庄市消费者权益运动的健康发展，3月13日，在市政府第一招待处市消协组织召开了全市“一会两站”规范化建设工作表彰会，市政府副市长张殿奎、副秘书长汤化敏，省工商局处长张金文及省消协副会长袁均文、市工商局局长兰平信出席了会议。大会对2006年度在全市“一会两站”工作中取得突出成绩的7个先进单位，24个先进分会，50个优秀“两站”及100名先进个人予以通报表彰。5月份对“一会两站”工作人员进行了一次全面的、系统的培训。6～7月份对全市“一会两站”工作进行了全面检查和规范。通过走访群众、查看档案、查找存在的问题与不足，在检查中规范，在规范中发展，有效地推进石家庄市“一会两站”工作。10月份召开工作调度会及组织全系统参观邢台市“一会两站”工作，听取邢台市《一会两站“三联两评一考核”运行机制及考评办法》。通过参观学习先进经验，拓展了石家庄市做好“一会两站”规范化建设工作的新思路。

截至2007年底，全市已建立消协基层分会157个，建立两站4456个，聘请工作人员11075人。建立延伸站293个，受理消费者投诉14030件，为消费者挽回经济损失达719.38万元。桥东区率先在北国电器总店建立了省会首个数码家电行业“消费者投诉站和12315联络站”。晋州市针对“一会两站”工作中存在的“环节复杂，时效不高”等问题，建立了一套完整的“一会两站”网络办公系统，开拓了“一会两站”工作的新局面，以低成本的社会资源为“一会两站”建设提供了快捷、便利、高效率的服务。

【做好日常受理消费者投诉工作】 2007年，围绕“消费和谐”年主题，积极做好日常投诉工作，及时回复解答网上投诉，及时发布消费提示和消费警示118条，共受理投诉3140件，解决3084件，解决率为99%；使消费者免受经济损失477.61万余元；接待来访、接待咨询15020人次；收到表扬信44件。通过对全年投诉情况的分析，2007年度的投诉热点主要表现在：电动自行车、家庭装修、办卡消费、移动电话质量及售后服务、保健品、汽车消费投诉、物业管理、保险投诉。

**【加强社会监督 创造良好市场环

境】 一是为加强对石家庄市商品和服务的社会监督力度，建立了56个市级监督联络站，聘请了52名义务监督员，制定了《石家庄市消费者协会义务监督员管理办法》。二是在企业自愿申报，消协严格把关的基础上，顺利完成了第九届“消费者信得过单位”和第七届“消费者信得过产品”的评选和抽查验收工作。三是成功组织了对石家庄市电信行业的评议活动。通过体察活动调查了解经营者的服务质量，在调查了解的基础上，对发现的问题进行及时点评、评议，通过评议提高和规范了电信企业的服务质量，为消费者提供一个和谐的消费环境。

（李　哲）

石家庄市计划生育协会

【概况】 2007年，市计生协在市委、市政府的正确领导下，在省计生协的指导帮助下，坚持以“三个代表”重要思想为指导，以科学发展观为统领，紧紧围绕中共中央、国务院《关于全面加强人口和计划生育工作，统筹解决人口问题的决定》和中宣部等十部门联合下发的《关于广泛开展“生育关怀行动”通知》要求，紧紧围绕全市经济社会发展大局和人口计生工作总体部署，以全面实施“生育关怀行动”为主线，认真履行协会职能，打造品牌服务，增强协会活动能力，计生协在统筹解决人口问题中的生力军作用越来越突出。一年来，市计生协先后在中国计生协召开的上海、沈阳两次会议上从不同角度做了典型发言，在中国计生协第六届三次理事会上，市计生协再次荣获全国计划生育协会工作先进集体称号，成为河北省唯一受此殊荣的市级单位。

国家计生协常务副会长潘贵玉在副省长孙士彬陪同下来石考察

【开展生育关怀行动】 “生育关怀行动”是一项以科学发展观为指导，聚焦生育行动，造福于计划生育困难家庭的社会公益活动。这一行动是由中国计生协倡导，中宣部等10部门共同发起的。主要内容是关怀困难的计划生育家庭、关怀育龄群众生殖健康、关怀独生子女、关怀女孩健康成长、关怀基层计划生育工作者，通过紧急救助、经济帮扶、志愿者服务、亲情牵手、宣传倡导等方式实施。2007年，市计生协与市委宣传部等10个部门联合下发了文件，成立了领导小组，举行了启动仪式，抓了试点。在实施过程中，多次召开会议，汇集活动开展情况，分析发展进程，及时总结新经验，研究新问题，探索新思路，并召开了现场经验交流会，推广了经验。市计生协开展的生育关怀行动得到了国家、省计生协的充分肯定，在全国计生协工作会议做了典型发言。

基线调查。按照生育关怀行动的关怀原则对目标人群开展了深入的基线调查。确定独生子女夭亡、伤残；独生子女父母夭亡伤残等9种类型为重点关怀对象，共计11959户，在摸清底数的基础上，各基层单位区别情况，建立档案，市计生协建立独生子女夭亡家庭救助信息库，通过各级协会组织网络，进行经常性的数据统计和更新，及时向有关部门提供可靠信息，引起各级党和政府及社会各界对这些家庭的关注，逐步实施救助行动。

爱心捐助行动。各县（市）区计生协牢牢把握生育关怀行动的关键，调动全社会的积极性，通过多种途径筹措资金，为行动的开展奠定了物质基础。全市在生育关怀行动中共收到捐款308万元，以现金、保险、实物等方式，救助了4169户计生贫困家庭。

保险保障行动。8月15日，市委、市政府召开“全市生育关怀行动·保险保障大会”，利用企业捐款，为290户独生子女夭亡家庭和367个基层计生工作者投保五年期家庭意外伤害保险和团体意外伤害保险。市计生协通过培训、知识竞赛、外地考察学习、经验交流等多种形式推动保险保障行动开展，全年共为14.2万个计生家庭投保850万元，为2100多户出险家庭进行赔付，赔付金额近40万元，提高了计生家庭抵御风险的能力。

早期教育促进活动。市计生协与省计生协联合举办早期教育师资培训，聘请全国早期教育专家对138名“0岁方案”早期教育负责人和辅导员、幼儿园老师进行培训。还组织优秀早教工作者参加到江西省九江市中国幼儿特色教育研修班。市计生协利用市委宣传部、社科联“燕赵讲坛”宣讲13场，到社区、单位举办“0岁方案”讲座157场。

生殖健康援助行动。市计生协与河北现代女子医院组成专家服务团，辗转24个县（市）区举办26场女性生殖健康知识讲座，听课人数达到5800余人，对所有听课人员进行了生殖健康问卷调查，并发放《生殖健康手册》5万册，发放宣传纪念品6000余份，组织义诊咨询活动30多次。晋州市、新乐市、藁城市、桥东区四个国家“青春健康”和预防性病艾滋病项目拓展县，按照项目文本要求，针对广大青年学生、育龄群众、流动人口和农民工留守家属，开展个案辅导、小组工作、宣传咨询、家书寄情等多项宣传服务工作，尤其是新乐市承担的国家艾防办和中国计生协关于“农民工和留守家属预防艾滋病宣传项目”争取到国家项目资金10.5万元，按项目文本设计要求规范运作，达到预期宣传目标，收到好的社会效果。

项目扶贫行动。2007年，利用省政府贴息20万元新增行唐、平山两个“少生快富”项目县，与扶贫办合作，为347户计生家庭提供贷款337万元，用于发展投资少、见效快的种植、养殖、加工、运输等项目。赞皇县、晋州市、辛集市、元氏县利用“幸福工程捐款”，在6个项目点滚动运作，资助471名贫困母亲发展生产、脱贫致富。赞皇县脱贫母亲刘便芹被幸福工程组委会授予全国“幸福母亲”，到人民大会堂向国家领导和中直机关干部汇报脱贫经历，催人泪下。

关爱女孩行动。2007年，桥东区组织大学生和心理咨询师、临床医师等专家志愿者深入残病独生子女家庭，对残疾女孩进行康复指导，引导和帮助她们健康成长，晋州市计生协为258个贫困独生女、双女户女孩建立档案，关注成长。深泽县举办女童早教成果展。藁城市开展“消除性别歧视，关怀女孩健康成长”活动，为独生子女父母每月增加5元奖励。

关心基层计生干部行动。2007年，市计生协为全市乡（镇）办事处计生协秘书长投保了五年期人身意外伤害保险。新乐、栾城等县(市)为基层计生干部入保，鹿泉市为村级秘书长、会员小组长建立了就医、就业等多项优惠政策，增加补贴金额。晋州市将乡镇计生工作岗位津贴由每月60元提高到100元，会员小组长补贴由每月30元提高到50元。行唐县、赵县等对基层计生工作者和协会会员进行了慰问、表彰等活动。

志愿服务行动。2007年，灵寿、栾城、桥东、裕华、晋州、赵县、元氏等县（市）区利用“专家人才志愿者信息库”和“科技示范基地库”广泛开展“一帮一”、“一带一”志愿者服务活动。各级协会组织组成志愿者服务团3965支，经常开展慰问、走访、传帮带活动，志愿者与计生家庭亲情牵手、结对19230对，有的基层协会还建立了结对家庭和志愿者档案，为他们制作联系卡，配发背包、水壶等实物宣传品，以此温暖结对家庭，勉励志愿者。在市委宣传部、省会文明办、市志愿者协会召开的志愿者工作推进大会上，市计生协被评为“市志愿者行动十大杰出集体”，裕华区、栾城县、桥东区计生协专家志愿者服务队被授予“优秀志愿者服务集体”，8名志愿者获得“优秀志愿者”和“星级志愿者”称号。

【基层协会组织建设和业务培训】2007年，各级计生协利用村（居）两委换届之时，加强基层协会组织建设，选拔农、林、牧、水等行业能人充实到村计生协队伍中。推选补充有能力、有热情、有威望的群众能人担任副会长，致富能人、种养能手担任协会理事。动员有文化、懂技术、善经营、会管理的年轻人加入协会组织，提高了协会队伍的素质。进一步完善了会员学习培训制度、宣传服务制度、例会制度和档案资料管理制度，《计划生育协会工作纪实册》使用更加规范，有些协会为给会员群众有一个温馨的活动场所，积极改建整修房屋，购置先进电教设施，增加文体活动器材，进一步提高了阵地建设水平。全市4914个基层协会，优秀会员之家已达到40%以上。2007年，市计生协与市委组织部联合在市委党校举办了两期计生协干部培训班，深入学习讨论了中央《决定》以及进一步做好新时期计生协工作的方法和所肩负的责任，特邀了中国计生协国内工作部部长吴光华同志莅临讲话。市计生协还组织各县（市）区常务副会长、秘书长到外地学习考察。各县（市）区计生协对乡、村计生协工作人员进行了培训。通过强化培训，组织观摩交流和外出考察，计生协干部队伍素质有了明显提高，服务群众的能力和意识得到进一步增强。据统计，全市共组织各类培训19664期，培训人数达1107889人次。

【创新宣传载体】 2007年，各级计生协大力宣传中央《决定》，大力宣传“生育关怀工程”的重大意义，宣传计划生育法律法规、避孕节育知识以及学科技知识、“0岁方案”为主要内容早教知识、计生系列保险知识等。在不断丰富宣传教育内容的同时，注重宣传形式的多样性。一是发挥文艺宣传队伍作用，搞好形象直观宣传。5月份，全市开展了“生育关怀艺术节”活动，24个县（市）区组织基层志愿者文化宣传队编排歌舞、表演唱、相声、小品、快板等节目，组织巡回演出685场。二是发挥阵地作用，实施直面宣传。县、乡、村计生协充分发挥“会员之家”、“生育文化大院”、“悄悄话室”等宣传阵地的作用，大力倡导婚育新风、科技知识和先进生育文化。三是发挥节日优势，搞好集中宣传。在元旦、春节、母亲节、会员集中活动日和纪念日中，各级计生协组织力量，通过板报、宣传栏，出动宣传车、悬挂条幅，以及发放宣传单、明白纸、倡议书等形式，开展生动活泼、丰富多彩的宣传纪念活动。四是发挥媒体优势，搞好舆论宣传。各级计生协充分利用电视台、报刊、广播覆盖面广的优势，广泛宣传晚婚晚育、少生优生等新型生育观念。各级计生协还充分利用《人生》杂志开展群众性学刊用刊活动，扩大专业性、知识性宣传。

【发挥监督作用维护合法权益】 一是健全网络，做到“三推”。各基层协会建立了符合村（居）民自治要求的组织网络，积极推选村委会成员任协会副会长、理事，推选部分协会会员小组长和会员为村民代表，推荐协会会员为村民监督小组和民主理财小组成员。二是完善制度，广泛参与。各村依据有关法律法规，明确提出了计生协的权利、职责与义务。各村级计生协根据需要与可能，积极主动地参与有关的各种活动，在参与中发挥优势，实现自身价值。形成了“两委负总责，村民搞自治，协会当骨干，群众做主人”的工作局面。三是抓点带面，整体推进。各县（市）区在抓村（居）民自治中，都进行了科学分类、具体指导，分别抓了乡、村村民自治试点，开展了协会理事、会员提合理化建设活动，并在抓点带面中，边指导，边总结，边推广，边提高，有效地推动了计划生育村（居）民自治工作的健康深入开展。各级计生协参加决策会议12511次，提交书面建议17436条，被采纳16235条。

（邹　皓）

石家庄市工业经济联合会

【概况】 石家庄市工业经济联合会成立于1994年6月。2005年11月，更名为石家庄市工业经济联合会（经济团体联合会），简称市工经联（经团联），编制10人。市工经联（经团联）是石家庄市委、市政府领导和河北省工业经济联合会（河北省经济团体联合会）指导下的群众团体，是全市性经济类行业协会的业务主管单位，由市发展和改革委员会联系、指导。其主要职责是：对全市性经济类行业协会及县级工经联(经团联)进行组织、协调、指导；对行业协会和企业发展战略、体制创新和结构调整等重大问题进行调查研究；参与全市性经济类行业协会发展规划、行业协会有关法律法规的调研、起草、论证等工作；负责指导全市性经济类行业协会的思想政治工作和党的建设；负责全市性经济类行业协会筹备申请、成立登记、变更登记、注销登记前的审查和年度检查初审等工作；负责与境内外社会团体的联系；指导经济类行业协会帮助企业做好国际经济竞争中的应对工作，帮助企业进行反倾销、反垄断、反补贴等调查或向政府提出申请。市工经联（经团联）下属71个全市性经济行业协会（见附3：全市性经济行业协会名单）。

2007年，市工业经济联合会(经济团体联合会）认真贯彻十七大和国务院、省政府有关文件精神，紧紧围绕市委、市政府的总体工作部署，在履行全市经济类行业协会业务主管单位职责，推进行业协会建设与发展，深入开展调查研究，加强自身建设，履行服务职能等方面取得明显成效。为贯彻落实《河北省人民政府关于进一步加强行业协会建设的若干意见》(冀政[2007]108号）精神，推动全市经济类行业协会健康发展，组织召开了全市经济类行业协会工作会议。根据市政府办公厅（石政办函〔2006〕25号）文件精神，积极理顺全市经济类行业协会管理体制，年内有70%的协会完成了手续变更。加快培育发展石家庄市经济发展的服务支撑体系，指导成立了“中小企业发展总会”等8家协会，重点行业协会的组建工作也开始启动，开创了行业协会建设新局面。规范行业协会管理，指导其完善章程，健全制度，规范职能，制定印发了《全市经济类行业协会建设原则》等规范性文件，市企业家协会(市企业联合会)、市商业联合会、市装饰协会等，受到上级表彰。加快县级工经联（经团联）组织建设，全市17个县（市）中已有12个成立了工经联（经团联），该组织在促进县域经济发展中发挥了积极作用。围绕行业发展和中介组织作用发挥课题积极开展调研研究，《发挥联合组织优势与作用，促进县域经济发展》等调查报告得到市委、市政府领导的好评，并被《决策》杂志、河北经济日报分别刊发。积极组织全市企业参加“河北百强企业排序暨行业排头兵”评比活动，并组织企业参加了“河北首届品牌节”、“中澳经贸论坛”和“石家庄——珠三角经济技术合作洽谈会”等，在推进行业协会建设与发展，构建县级工经联（经团联）组织体系，促进经济社会和谐发展等方面的工作得到省工经联（经团联）的首肯，在全省工经联（经团联）事业发展中起到了领跑作用。

【行业协会建设与发展】 2007年，依照国务院办公厅《关于加快推进行业协会商会改革和发展的若干意见》和省政府《关于进一步加强全省行业协会建设的若干意见》指示精神，市政府召开全市经济类行业协会工作会议，对全市经济类行业协会改革建设与发展做出全面部署。市工经联认真协调相关部门，积极开展工作，全市行业协会建设取得新成绩。一是全市行业协会管理体制基本理顺。71家经济类协会中，已有近50家协会完成了手续变更，其他协会正在抓紧工作；二是协会建设取得新进展。针对全市行业协会发展存在的覆盖面小、重点行业少、新兴产业少等问题，行业协会业务主管单位积极指导中小企业、食品加工业、粮食、饲料、汽车流通、酒类、美容美发、收藏、婚庆、统计等行业筹备成立协会组织。2007年，“中小企业发展总会”、“粮食协会”、“汽车流通”、“酒类协会”和“收藏协会”等8家协会完成组建，协会数量有原来的71家发展到79家。按照市委、市政府加快发展主导产业、重点行业协会组织的要求，医药、纺织、装备制造、建材、化工、旅游等主导产业、重点行业协会的组建工作已经启动，全市行业协会布局结构正在发生新的变化。全市县级工经联组织建设也取得新进展，17个县（市）中有12个成立了工经联(经团联)，其余各县筹建工作也基本就绪。

三是协会管理逐步规范。按照上级有关政策要求，有关部门制定印发了《经济类行业协会建设原则》、《全市性经济类行业协会基本工作规程》、《全市性经济类行业协会制定和实施行规行约的工作意见》等，并指导有关协会规范章程、完善制度。市茶业协会、青年企业家协会、商业联合会等，按照规范要求顺利地进行了换届。有20多家协会健全了行规行约，完善了工作制度，建立了公共服务平台（网站、刊物等）。行业协会的监管方式更加科学，业务主管单位在规范协会管理发挥了积极作用。

【协会作用更加明显】 一是行业自律建设在加强。市商业联合会，先后制定实施了《零售商、服务商、供货商信用等级自律分类标准》、《石家庄市商业企业等级自律分类标准及其实施办法（试行）》、《石家庄市食品行业行规行约（试行）》等，促进了商业企业行业自律工作。市装饰协会，联合市环保监督检测中心和《燕赵晚报》开展了装饰行业各类环保品牌推介活动，并举办了“省会装饰行业2007年十大环保品牌评选新闻发布会”，促进了行业自律，提高了人们的环保意识。市再生资源回收协会，针对特殊行业的实际情况，积极参与制定《石家庄市再生资源回收利用管理条例》起草工作，市人大常委会已经通过，现已报省人大审批。二是中介组织的作用在发挥。市企业家协会（企业联合会），联合劳动和社会保障局、市总工会，积极开展了劳动关系三方机制协调工作，大力推进基层雇主组织建设，组织开展了“劳动关系和谐单位”创建活动，表彰了53个市AA级劳动关系和谐单位。市建筑协会，围绕行业热点、难点问题，经过深入调查，积极反映企业诉求，召开了建筑施工、设备安装、装饰装修、地基基础等35家企业参加的座谈会，就企业集中反映的中标价低、定额人工费用严重偏离市场实际和拖欠工程款，以及建筑施工企业各种收费名目繁多等问题，向省、市建设主管部门提出意见和建议，发挥了企业“代言人”和行业协调者的作用。三是特色服务在开展。市青年企业家协会，联合新闻媒体，组织开展了“青春创业大讲堂”活动，除了集中听报告外，还到市内各大院校去讲优秀企业家创业经历，听众达2万多人，大大激发了当代大学生的创业激情。市奶业协会，为降低奶农养殖风险，促进市奶业健康发展，进一步修订完善了《奶牛保险实施办法》，组织召开了“石家庄市奶牛互助保险工作会议”，使全市奶牛互助保险工作覆盖面由原6个县（市）、区覆盖到23个县（市）、区的标准化奶牛养殖小区。

县级工经联（经团联）积极开展工作。辛集市工经联（经团联）深入开展调查研究，撰写的《关于我市工业区建设的意见和建议》、《关于我市农民专业经济合作组织创立和运行的启示》等调查报告得到该市领导的重视。他们还积极参与《辛集市钢铁工业“十一五”规划》、《辛集市化工工业“十一五”规划》的编制工作，在推进区域经济协调发展，为经济发展保驾护航等方面发挥了积极作用。新乐市工经联（经团联），针对制约县域经济发展的突出矛盾和问题，深入企业调查研究，分析制约企业发展的不利因素，撰写了《关于促进工业经济发展的意见》、《关于规模以上工业企业检查、收费、罚款的规定》等报告，为本地党委、政府决策提供了依据和建议。赵县工经联（经团联），围绕该县淀粉、纺织、化工、纸制品等主要产业，积极进行县域行业协会组织建设，2007年完成了3家协会的组建，为更好的服务县域经济发展奠定了组织基础。他们还根据县委、县政府交办的招商引资任务，积极发挥工经联（经团联）联系面广的优势，使投资额8000万美元的河北加利福啤酒项目成功签约，落户赵县。

【调查研究与活动组织】 市工经联（经团联）积极履行调查研究职责，为市委、市政府决策提供参考依据，调研成果数量与质量有了新提高。同时围绕行业企业需求组织活动，为企业交流合作搭建平台，联合组织优势与作用得到明显发挥。一是围绕农村经济组织和服务组织作用发挥情况进行调研。赞皇县养蜂协会积极利用当地资源优势，促进农民转变经济发展方式，通过服务引导、产业拉动和技术培训等，使协会会员由当初的22户发展到1200户，养殖基地涉及11个乡、96个自然村，年销售额达到1000万元以上，许多农民通过养蜂走上了致富路。他们深入调研，撰写了《架蜂农致富金桥，促蜂业快速发展》的调研报告，《河北经济日报》对该协会的经验进行了宣传。对指导各县（市）加快经济类行业协会建设，构建县域经济发展的服务支撑体系，产生了积极影响。二是围绕县级工经联（经团联）组织建立后，如何在促进县域经济发展中找到自己准确定位课题进行调研。到辛集市工经联（经团联）进行调研，并广泛征求了有关政府部门、企业等方面的意见和建议，撰写了《发挥联合组织优势与作用，促进县域经济发展》的报告，并在各县（市）工经联（经团联）推广经验。三是围绕企业诚信经营课题进行调研。针对群众反映的卖假药、药价高等问题，到乐仁堂医药公司进行调研，充分听取医药流通企业对规范市场秩序，加强行业自律，实行行业评价的意见和建议，并总结了乐仁堂的经验，撰写了《以德经商、诚信立业》的调查报告，还商讨了在全市700多家医药零售业筹建协会组织的问题。以上调研报告，上报市委、市政府和有关部门后，有关领导均做了批示，市委办公厅在《情况交流》、《决策》杂志分别刊发。

活动组织富有成效。根据省工经联（经团联）部署，积极组织全市企业参加“河北百强企业排序暨行业排头兵”评比活动。2007年，石家庄市有22家企业入围“河北百强企业”；有38家入围“行业排头兵”。在全省，石家庄市六次蝉联上榜企业数第一名。组织企业参加了“河北首届品牌节”活动、“中澳经贸论坛”活动，“石家庄——珠三角经济技术合作洽谈会”，并积极参与筹备组织“环渤海项目对接会”，筛选全市200个经济技术项目，准备在2008年会议上发布。为提升协会工作人员业务素质，邀请北京师范大学教授和河北十佳律师讲课，对全市经济类行业协会和县级工经联（经团联）的会长、秘书长进行了业务及法律知识培训，四是组织市企业联合会、市商业联合会在全市经济类行业协会发出“诚信、自律、服务，为促进我市经济社会又好又快发展贡献力量”的倡议，行业协会在促进经济社会和谐发展中发挥了积极作用。

（焦　哲）

全。三是下力抓好倾向性问题治理。在作风转变上，通过开展感恩教育和“三个珍惜”教育，强化干部事业心、责任感。在工作指导实绩的考核上，通过实行党委机关下部队明确任务、时限、责任的办法，对蹲点干部采取从基层干部反馈中去了解工作指导情况，从蹲点结束后汇报中去听工作指导情况，从所蹲中队发展面貌上去观察工作指导情况，从包片领导对蹲点干部评价中去看工作指导情况；对领导则采用季度调换包片单位，从按纲建队考核排队与指导效果讲评挂钩的方式进行，使党委机关有效地形成科学的指导基层评价机制。

【后勤建设】 一是“四配套”建设全面加强。支队党委始终把基层“四项设施”配套建设，作为贯彻落实科学发展观的具体行动。在去年建设的基础上，今年争取资金近千万元，完成一大队所属营院及所有中队配套设施建设。二是后勤管理逐步规范化。按照党委当家、后勤理财、纪检审计监督的思路，以强化预算约束为基本途径，以严格开支审批为基本手段，坚持标准经费不超支，易超难管经费要控死，地方资助经费不乱花，做到季度对预算执行情况有分析、讲评，大宗开支、营房建设、物资采购实行公开招标。严格落实司务长每月培训日制度，组织军械员、炊事员培训，提高后勤人员的专业素质。三是后勤应急保障能力不断提高。根据形势任务需要，坚持从实战出发，进一步修订和完善后勤保障方案，严格落实战备制度，规范战备秩序。按照“保障精确化，训练专业化”的要求，组织车勤、卫勤人员、一大队应急保障分队进行拉动演练和野炊训练，提高后勤应急保障能力。

（侍考文）

人民防空

【概况】 2007年，在市委、市政府、警备区和上级人防部门的正确领导下，紧紧围绕反“台独”应急准备开展各项工作，按照河北省人民政府、河北省军区《关于做好人民防空应急准备工作的实施意见》，全办干部职工团结一致、扎实工作，突出人防指挥所建设、防空警报建设、疏散基地建设和“结建”审批工作。建立了人民防空应急指挥机构，完成了信息化建设、工程维护管理、专业队伍整组和训练、重要目标防护、宣传教育、行政执法、财务筹资、机关“准军事化”建设等各项工作任务。

【指挥体系建设】 建立了指挥机构。按照上级要求，拟制了《石家庄市人民防空指挥机构编成表》，已经市领导批准同意，并报省人防备案。成立了由市委、市政府、警备区领导和有关部门人员组成的人民防空指挥部，市辖17个县（市）和6个区、43个街道办事处均成立了人防指挥机构。指挥机构编成合理，职能与分工明确，指挥人员落实，并能做到熟悉职责和指挥程序。指挥所建设正紧锣密鼓进行。完成了“511工程”主体建设任务。为建设一流的机动指挥所，随省人防办领导到兄弟省市进行了考察、论证，进入集中采购阶段。对地下人防指挥所设施设备进行了完善，基本能够满足战时指挥的需要；完成了应急行动预案的制定。组织召开了由各县（市、区）、街道办事处和重要目标单位负责同志参加的修订人民防空应急行动预案工作会议，明确了任务，提出了要求。按照“一体化”和“实案化”的要求，完成了市本级预案的修订工作，经市国动委批准，已报省人防办。县（市）、区街道办事处、重要目标单位的应急行动预案基本完成。指挥手段实现了多样化。对已建人防指挥信息系统进行了进一步完善，安装了国家人防指挥信息化软件，建成了人防信息数据库，基本完成了重要目标、人防专业队伍、次生灾害和疏散地域等数据的采集、录入。在国防潜力调查方面。共完成重要目标、重点县（市）人防工程、疏散地域、指挥所、防空警报、人防专业队伍、人防机构和人员经费等共10个方面92项3.8万余个数据的收集、汇总、核对工作，为信息化建设提供了可靠的数据。经过招标采购、专业图层绘制等工作，完成了指挥室电子地图的制作和安装任务。

【信息保障体系】 机动指挥通信系统随机动指挥所建设同步进行。情报预警系统正在形成。确定了5个对空观察哨。防空警报建设实现新跨越。完成了防空警报试鸣任务。为突出实效性、实现广泛性，更好地提高广大群众的忧患意识，增强国防观念，经市委、市政府批准，防空警报试鸣时间由往年的“11月12日”改为“9月18日”。9月18日上午，市区和17个县（市）同步，成功地组织实施了防空警报试鸣，防空警报鸣响率达99.08%。为加大防空警报建设力度，实现市区警报音响全覆盖，将今年确定为第二个防空警报建设年，制定了防空警报建设方案，派有关人员到河南郑州等地进行了参观学习，完成了防空警报控制系统建设的论证、调研工作，购置了180台防空警报器，并完成了安装任务。

【人防专业队伍体系建设】 完成了人防专业队的整组和训练任务。整组了人防专业人员，制定了人防专业队战时扩编计划。积极与警备区协调解决人防专业队与民兵专业队重复编组和一兵多岗问题。与市公安局、建设局、信息产业局协调，探索组建引偏诱爆、伪装设障、信息防护等新型人防专业队伍。按照训练大纲要求，完成了市属人防专业队的训练任务。室内指挥程序演练顺利进行。组织机关和通信站人员参加了省人防办组织的“南导北演”、“北导南演”和“省市联演”。

【人口疏散体系建设】 根据河北省政府办公厅、河北省军区司令部《关于调整和加强人口疏散地域（基地）建设的指导意见》，印发了《关于加强疏散地域（基地）建设的通知》，进一步明确了疏散时机和疏散对象，以疏散地域初步达到“能行、能住、能吃、能医、能学、能通、能藏”为标准，为确保疏散地域“进得去、住得下、能就医、有学上”，有安置接收疏散人口的县重点抓了疏散地域建设。按照疏散基地建设要达到“能指挥、能工作、能防护”的目标。市本级和各区突出抓了疏散基地建设。

【重要目标防护体系建设】 年内完成了对重要目标的重新界定。对市行政区域内的重要目标重新进行了普查、界定，并协调有关部门成立了重要目标防护领导小组，已经市国防动员委员会批准，并报省人防办备案。制定了《石家庄市人民防空重要目标防护领导机构设置及职责》，市本级和各县（市）、区均成立了重要目标防护领导小组，市本级明确了重要目标的总体防护措施，各重要目标单位制定了自身的防护方案。着手建立监控系统。

【防护工程体系建设】 工程建设规划。完成了《石家庄市城市人防工程建设规划》文本，并通过了专家评审。工程建设。“结建”工作实现新突破。按照市政府《关于进一步加强和规范城建收费工作的通知》要求，在审批中，严把结合民用建筑修建防空地下室审批关，审批防空地下室建筑面积和竣工验收防空地下室面积均有成倍增长，超额完成了年度任务。收取防空地下室易地建设费7400万元。工程维护管理。把人防工程维护管理工作摆在突出位置，印发了《关于进一步加强人防工程维护管理工作的通知》，落实了工程巡查制度，完成了人防工程的维护管理工作，并对工程维护管理情况进行了考核，全市人防工程达标率达到了90%以上。突出了人防工程防汛。根据省人防办、市防汛抗旱指挥部的要求，印发了《石家庄市人防办关于做好2007年度防汛工作的通知》，召开了防汛工作会议，修订完善了防汛预案。为确保人防工程安全度汛，做到了组织到位、预案到位、物资到位、防汛预备队到位。汛期，共清理淤泥420立方米，抽水4000立方米，维修排污泵7台，圆满完成了防汛任务。积极搞好市政府“八个一”工程建设。配合有关部门认真做好影响市容和交通所涉及的人防工程的拆除和美化工作，鉴于人防早期工程孔口多，并建于道路两侧的实际，为做到既符合城市整体环境的美化，又保证工程的安全使用，较好地协调处理了拆除违章建筑与保留人防工程孔口和各类人员出入口的关系，完成了市政府“八个一”工程建设任务，为城市建设做出了应有的贡献。完成了人防工程普查。对全市人防工程进行了全面普查，并完成了建档，包括对人防工程主支干道进行测量、工程档案数字化以及档案管理软件的制作等。共普查人防工程889处，115.8万平方米，摸清了底数，为做好人防平战转换工作奠定了基础。平战结合取得新成果。实现工程利用面积58.65万平方米。创产值（营业额）3.57亿元；实现利润6920万元；上缴国家税金2420万元；收取人防工程使用费572万元；安置社会从业人员8851名。人防工程档案管理系统进一步完善。为提高人防工程档案的管理水平和使用效率，落实人防工程建设信息化要求，更好地为经济社会发展服务，对工程档案全部进行了数字化处理，人防工程档案管理进一步达到了规范、科学、实用。

【机关“准军事化”建设】 按照省人防办转发国家人防办关于对机关“准军事化”建设达标验收的通知要求，成立了以办党组书记、主任梁俊科为组长的达标验收领导小组，抽调人员对近年来我办的机关“准军事化”建设进行逐项自查，完善了各项制度，统一了办公着装，规范了办公秩序，美化了办公环境，在省人防办组织的查检验收中受到了好评。一是思想政治建设明显提高。按照市委统一部署，开展了以落实科学发展观为主要内容的解放思想大讨论，召开了动员大会，成立了学习教育活动领导小组，制定了实施计划，分阶段落实各项内容。做到以解放思想大讨论的开展，促进人防建设的快速发展。二是加强了党风廉政建设。以召开党组会、支部会和党小组会的形式，进行思想剖析，让勤勉干事成为主流，廉洁俭朴成为风尚，形成了团结共事、勤政为民的良好作风。制作了廉政建设警示牌，并在办公楼明显位置悬挂，起到了警示教育的作用。三是法制建设进一步深入。加大对执法人员培训力度，采取集中学习、岗位训练等方法，执法人员的整体素质有了明显提高。为确保防空地下室工程建设质量，防止擅自改变审批设计图纸等现象，制定了《结合民用建筑修建防空地下室建设审批、质监、备案程序》，进一步规范了“结建”防空地下室的审批和监督，提高了工程质量。2月到11月，执法队与结建办人员共同对2002年后审批的人防工程（包括验收归档、在建、停工或取消项目等）进行拉网式检查，共检查626项，建筑面积147.8万平方米；对违犯规定修建的防空地下室依法分别进行了处理。对12个擅自拆除、破坏和危害人防工程安全的单位给予了查处，下达停工、限期整改、行政处罚通知书22份，维护了人防法律的尊严。参加市纪委、市监察局组织的“行政效能阳光投诉”和“大街接访”活动共8次，均为零投诉。四是人防队伍建设进一步优化。根据人员变动，为做好工作的衔接，对班子成员分工进行了重新调整，明确了各自的职责任务。对机关中层干部进行了补充和增加，有力地调动了干部的工作积极性。五是积极开展日报告、周例会、月交流活动。明确专人负责，明确了重点报告内容。自开展活动以来，提高了机关工作效率，规范了正常的工作秩序，调动了工作积极性。六是宣传教育广泛深入。开展了以《河北省实施中华人民共和国人民防空法办法》和《河北省人民防空工程维护与使用管理条例》（以下简称《一办法一条例》）为重点的人防法律法规宣传活动。印发了《一办法一条例》宣传活动安排意见的通知。组织召开了人民防空《一办法一条例》宣讲报告会，市人大主任王长敏主持了报告会，省人大常委、原省人防办主任范红喜作了宣讲。省人防办主任庞连兴、市委常委、警备区司令员刘瑞新、市委常委、副市长蒋洪江出席了宣讲报告会，蒋洪江副市长做了重要讲话。各县（市）区人防办主任、各委、办、局、各人民团体负责人防工作的领导共计320余人参加了会议。按照省人防办《关于开展人防宣传教育“四进”试点工作的安排意见》要求，制定了《人防宣传教育进学校试点工作的实施方案》。在市以上报刊刊稿145篇，印制、发放各种宣传材料1.5万余册，举办人防宣传展览12场（次），受教育人数达203万余人次。完成了80所市区、34所县（市）初级中学和43个社区街道办事处（乡、镇）、162所高中等院校、172家大中型企业的防空知识教育工作。在市委党校、市行政学院举办培训班8期，科以上干部受教育人数达1536名。七是完成了《石家庄市防空志》初稿编纂工作。成立《石家庄市防空志》编纂工作领导小组，经过收集资料、认真查找、多方询问、反复修改，本着对历史、对个人负责的精神，历时1年多时间，完成了《石家庄市防空志》初稿编纂，待有关专家评审后正式出版。

【财务管理与筹资力度不断加大】 积极与市地税局联系，协调增加人防工程建设费的征收任务，收取工程建设费 180 万元；工程使用费 572 万元；落实市财政预算内拨款 40 万元；收取防空地下室易地建设费 7400 万元，保障各项业务工作的顺利开展。足额完成了 2006 年度“两费”8% 上缴省财政厅的任务。财务管理逐步规范。对各区、直属事业单位进行了财务检查，对发现的问题，及时进行了纠正。

【出台了《关于加快做好人民防空应急准备的实施意见》】 河北省政府、河北省军区下发《关于做好人民防空应急准备工作的实施意见》后，市政府、警备区联合印发了《关于做好人民防空应急准备工作的通知》，对各县（市）、区做好 2008 年前反“台独”人民防空应急准备工作进行了进一步明确，并提出了具体要求和完成时限。根据形势的发展和时间要求，专题研究了全市的人民防空应急准备工作。会议通过了《石家庄市人民政府 石家庄警备区关于加快做好人民防空应急准备实施意见》，进一步明确了在完成人民防空应急准备工作中政府各部门和有关企业、事业单位及人民团体所承担的责任和义务。

（刘有福）

政　法

政　法

公　安

【概况】 2007年是石家庄解放60周年，也是石家庄市公安局建局60周年。一年来，全市各级公安机关和广大公安民警在市委、市政府和上级公安机关的领导下，坚持以邓小平理论和“三个代表”重要思想为指导，深入贯彻落实科学发展观，紧紧围绕“争创全国一流治安环境，争创全国一流公安工作，争创全国一流公安队伍”这一奋斗目标，突出十七大保卫这一主线，以全面推进“三基”（抓基层、打基础、苦练基本功）工程建设为载体，深入开展严打整治专项斗争，大力实施农村和社区警务战略，狠抓科技强警和正规化建设，圆满完成各项公安保卫任务，业务工作和队伍建设取得了长足发展，有力地维护了省会治安大局的持续稳定，为建设繁荣、文明、和谐新石家庄做出了积极的贡献。全年，全市公安机关共有236个集体和2400名个人受到表彰奖励，其中，17个集体和14名个人受到部委级以上表彰；4个集体荣立集体二等功，6名同志荣立个人一等功，25名同志荣立个人二等功；55个集体和95名同志获得省级荣誉；两名民警被追认为革命烈士；15名民警光荣负伤。在省统计局2007年河北群众安全感调查中，石家庄市群众安全感、对社会治安状况的满意度、对公安部门的满意度，三项指标均居全省第一。

【国内安全保卫】 积极实施情报信息主导警务战略，组建了专职情报信息工作机构，研发开通了情报信息综合管理系统，围绕重点阵地和领域坚持开展经常性的基础调研，不断完善控制机制措施，彻底澄清底数，规范和完善台账建设和基本信息系统数据库建设，全面搜集掌握各类预警性信息，上报情报信息量和被采用量均列全省前茅。进一步加强组织协调、布局建设、机制建设，完善侦察措施和工作制度，建立了统一指挥、运行规范、制度完善、保障有力的国内安全保卫工作侦察系统。通过研究新形势下敌对势力、敌对分子活动方式和规律，严密防范和打击其颠覆、渗透活动。针对“法轮功”非法活动日益诡秘、频繁的特点，组织开展严密的防范控制和专项打击工作，有效打击了“法轮功”等邪教组织及有害功派非法活动的猖獗势头。密切关注各类舆情动态，及时发现、过滤、封堵和删除各类有害信息，有效抵制了有害信息的传播和蔓延。完成了十七大安全保卫、处置重大突发性治安事件模拟演练、省“利剑2号”反恐演习及多次重要警卫保卫任务，受到了省、市领导的表扬和好评。市公安特警支队被省委政法委评为维稳处突先进单位。国保支队取得全省“清仓行动”、“情报会战”双第一。网络警察分局监控、网侦、情报工作名列全省前茅。警卫处被评为全省警卫工作先进单位。桥西公安分局安全保卫工作被省公安厅荣记集体二等功。

【打击犯罪】 2007年是刑侦体制改革十周年。全国刑侦体制改革起源于石家庄，全市公安机关以此为契机，认真总结刑侦工作经验，制定了以建立打击犯罪新机制，强化刑侦信息和刑事技术工作为突破口的刑侦工作发展思路，刑侦部门攻坚破案能力显著增强，刑警综合素质逐年提升，刑侦工作由此驶上了高速发展的快车道。一是始终坚持严打方针不动摇，保持对各类违法犯罪的高压态势。特别是从6月份开始到十七大召开前，全市公安机关以严重暴力犯罪和多发性侵财犯罪为打击重点，相继组织开展了严打整治专项斗争、闪电行动等一系列专项打击行动，破大案、打团伙，牢牢把握了对敌斗争的主动权。侦查破案和人犯处理在2006年出现明显进步的基础上，又有较大幅度的提升，侦查破案、打掉犯罪团伙、处理犯罪嫌疑人绝对数均位居全省第一，为十七大胜利召开创造了良好的社会治安环境。二是践行“命案必破”理念，狠抓命案侦防工作。先后破获了赞皇“2003.9.12”系列强奸杀人案、长安区“5·25”绑架杀人案、新华区“2006.12.21”大学生被杀案、元氏县“5·4”儿童被杀案等一大批危害严重、影响恶劣的现行命案和命案积案。2007年现行命案破案率达到91.8%，创历史最高水平。藁城市公安局系列抢劫强奸杀人案专案组被省公安厅荣记集体二等功。三是深入开展打黑除恶斗争。对各类涉黑涉恶和严重团伙犯罪活动严厉打击，全力围剿，实施重创。先后打掉了高邑姚××、鹿泉梁××、辛集姜×等3个黑社会性质犯罪组织，打掉黑社会性质犯罪组织数量位居全省第一。四是创新追捕逃犯机制，实行分、县（市）局党委成员分包追逃责任制等措施，充分调动各警种和各部门的追逃积极性，全警追逃，形成追逃合力。先后组织开展了追逃“天网”行动和规劝在逃人员投案自首行动，推动了追逃工作深入开展。抓获网上逃犯总数、抓获外地逃犯数均创历史最高水平。五是建立多警联动的协调打击机制，组织开展打击“两抢一盗”（抢劫、抢夺、盗窃）犯罪、治理自行车被盗、“三车”（盗窃自行车、电动自行车、摩托车）、“三电”（打击盗窃破坏电力、电信、广播电视设施违法犯罪）专项治理等多个专项行动，多发性犯罪得到有效遏制，人民群众安全感进一步提升。六是以刑侦资源库为依托，进一步夯实刑侦工作基础。刑事科学技术工作发展迅猛，市局物证鉴定所整体通过实验室国家认可，成为全国公安系统第四家、省会城市第一家整体获得认可的法庭科学鉴定机构，其检验结果获得美国、英国、法国、德国、日本等46个国家和地区54个鉴定机构的承认。利用信息研判获取关键线索，成功破获了公安部、省公安厅督办的“2·14”特大盗车案，打掉了以犯罪嫌疑人王××、胡××、曲××等人为首的，专门针对高档轿车的盗窃、改造、销赃一条龙的特大犯罪团伙，追回各类被盗高档轿车61辆，涉案车辆总价值1400余万元。鹿泉市公安局盗销汽车犯罪团伙案专案组被省公安厅荣记集体二等功。七是发挥监管场所优势，努力深挖余罪，开辟打击犯罪“第二战场”，深挖战果连续在全省名列前茅。市局监所管理处被评为全省深挖犯罪工作第一名，市第二看守所、市强制戒毒所被评为全省“深挖破案集中会战”先进监所，晋州市看守所被省公安厅荣记集体二等功。八是先后组织开展春季扫毒和打击吸贩毒等专项斗争，侦破了“10·17”特大跨国贩毒案，市局禁毒处被评为全省禁吸毒战役先进单位。九是积极参与整顿和规范市场经济秩序工作，严厉打击各类严重经济犯罪活动，破获了一大批经济案件，挽回经济损失1.6亿元，经济犯罪侦察支队六项考核指标名列全省第一。

【侦破“10·17”特大跨国贩毒案】 2007年10月17日上午，市公安局接省公安厅缉毒总队案情通报，近期有人准备从境外购买大量毒品运至石家庄。接此通报后，市局领导高度重视，要求有关单位和部门密切协作，尽快破案，并迅速成立由主管局长亲自挂帅的专案组，全面开展侦查工作。10月18日，大量涉案信息反馈到专案组：安徽籍犯罪嫌疑人王×友（男，42岁）等人在境外购买2.66千克毒品吗啡，夹藏在进口的60箱水果中，通过云南省某物流公司托运到石市，其同伙负责接货。根据初步掌握的情况，专案组兵分三路，分赴安徽临泉、云南景洪和石市某托运站开展工作。10月27日，专案组接到情报，夹藏有毒品的60箱水果将于29日凌晨运抵。29日晚7时许，在主管领导的亲自指挥下，专案组民警在石市、安徽临泉两地同时展开抓捕行动。晚10时许，在石活动的犯罪嫌疑人王×云（男，36岁）、王×军（男，31岁）、陈××（男，32岁）被抓获，主要犯罪嫌疑人王×友在安徽临泉县被抓获。经突审，10月30日凌晨1时许，专案组在正定县某浴池起获了2.6613千克毒品吗啡。至此，省会迄今为止最大的跨国贩毒案成功告破。

【治安管理】 围绕创建平安省会总体目标，大力加强社会治安防控体系建设，精确指导、快速反应、整体防控格局初步形成。整合警力资源，发挥科技优势，全市公安机关整体防控能力和协同作战水平不断提高。建立了以指挥中心为龙头，110接报警、公安业务统计、敌社情动态信息为基础，刑侦、治安、交管、巡警、特警等各警种共同参与的社会治安形势分析、会商、研判和防控机制，实现了对社会面的有力控制。大力强化城乡社区警务工作，组织开展社区和农村警务工作建设月活动，采取交叉互查、相互观摩等方法，强力推进警务建设。全市已建成规范化警务室942个，配备社区和驻村民警1137名，基本实现了全覆盖，此项工作被评为“全国实施社区和农村警务战略先进单位”。治安信息化和科技创安建设稳步推进，全面完成了监控与报警系统“三年规划”的建设任务，全市共安装监控探头4.5万个，报警探头1.4万个，提前超额完成市委、市政府下达的任务指标，通过监控系统预防和控制各类案（事）件挽回经济损失1401万元。特行管理高效有序，对市区旅店业治安管理信息系统进行了改网扩建，全部实现了宽带连接。积极向洗浴行业推广旅店业管理模式，市区第一批60家洗浴场所已完成治安管理信息系统和电视监控系统建设，通过该系统已累计抓获网上逃犯317名，名列全省第一。积极参与整顿和规范市场经济秩序，严厉打击生产、销售假冒伪劣产品违法犯罪活动，配合有关部门开展专项打击行动40余次，挽回经济损失5600余万元，经济文化保卫分局被评为全省内保和金融保卫工作先进单位。以保稳定、保安全为目标，大力开展“治爆缉枪”和“涉爆隐患大排查攻坚战”专项行动，加强对危险化学品、民爆物品、枪支弹药和烟花爆竹的监督检查，全市18个民爆物品储存库软硬件达标建设100%通过达标验收，全年未发生重大事故，市局危管处被评为全国治爆缉枪先进集体。在全国、全省打击盗窃破坏电力、电信、广播电视设施违法犯罪专项斗争中，全市共查破各类“三电”案件567起（其中公安部督办案件3起），摧毁犯罪团伙45个，打处犯罪嫌疑人356名，为国家和集体挽回经济损失2000余万元。在全国治理自行车被盗问题专项行动中，全市公安机关以“打现行，破团伙，挖源头，断渠道，铲窝点”为重点，不断加大打击、整治、防范工作力度，共端掉52个黑窝点，打掉43个盗窃自行车犯罪团伙，取缔了11个非法自行车旧自行车交易市场，收缴涉案自行车1663辆，为促进省会社会和谐稳定做出了积极贡献。治安警察支队被评为全国治理自行车被盗问题专项行动先进集体、全国“三电”专项斗争先进集体。市局宣传处制作的自行车防盗招贴画被评为全国二等奖。维护校园及周边治安秩序工作得到进一步巩固和加强，治安混乱地区得到有效整治，对省公安厅挂帐督办的5处治安乱点和市局确定的71个治安混乱地区，已全部治理整顿完毕。市局巡警支队被评为全省巡警系统优秀支队。群防群治工作健康发展，社会治安志愿者、社区巡防队、专业保安达到了13.7万人。市保安服务公司保安队伍始终稳定在13000人以上，服务及驻勤领域覆盖全市党政机关、金融、企事业单位、重点要害部位及娱乐场所。在10月份举办的全国保安职业技能大赛河北选拔赛上，获得团体第一名并囊括所有单项前两名的好成绩。

【交通管理】 大力开展交通秩序综合整治活动，把日常执勤执法活动与专项整治行动相结合，科学安排警力，确定整治重点，依法从严查处交通违法行为，分阶段、有侧重地开展对客运车超载、农用车载人、酒后驾车、无证驾驶、机动车乱停乱放，非机动车闯信号、走机动车道，行人闯信号、不走人行横道、跨越中心隔离护栏等交通违法行为的专项治理。全年共教育警告1435108人次，处罚各类违法人员1903277人次。狠抓源头管控，全年共排查出公路危险路段68处，按照边排查、边整治的原则，加大组织协调工作力度，年内危险路段全部得到整治。在事故处理过程中，坚持以人为本，切实维护当事人合法权益，收到了良好的社会效果。严格车辆检验标准和驾驶人考试制度，有效减少了交通事故隐患，全面提升了车驾管业务水平。推出机动车自选车牌服务，满足了群众的个性化需要。广泛开展交通安全宣传教育，积极探索在客运车辆安装汽车行使记录仪的工作，努力提高道路交通管理和交通事故预防工作水平。市交管局连续第四年被中华全国总工会和国家安全生产监督管理总局评为全国“安康杯”竞赛优胜单位。完成ATC路面控制系统建设，利用城市道路基础建设世行资金，建设和改造城市交通信号控制系统，新装路面信号控制机130台，基本达到了面控、线控和点控一体化路面交通信号控制要求。完成交管指挥中心的升级改造，新增GIS地理信息、信息发布和综合布控三大系统，搭建了具有8大应用系统的指挥调度平台，初步实现了直接由控制中心快速、高效地处置交通疏导、重大活动警卫、治安突发事件等综合调度功能。在全省率先建立交警大队交通分控中心。完成出入市口警务室建设，所有警务室均实现了双向监控录像、机动车号牌自动识别报警等功能，综合治安防控打击力度初步显现。全年，全市共发生一般程序道路交通事故978起，造成339人死亡、1007人受伤、直接财产损失2287220元。全市道路交通事故在2006年全面下降20%的基础上，四项指标全部实现“零增长”。事故起数减少29起，下降2.88%；死亡人数减少5人，下降1.45%；受伤人数减少46人，下降4.37%；直接经济损失减少522065元，下降18.58%。

【消防管理】 全市建成社区消防大队6个、社区消防中队62个、社区消防工作站298个，社区消防队员达到1202人，覆盖了全市75%的成规模社区。投资1455万余元，用于消防装备的建设，先后购置消防灭火机器人、高喷、云梯及大吨位水罐等消防主战车辆25部，使消防执勤车辆总数达到了90部。购置电动移动摇控炮、雷达生命探测仪、三眼蛇眼探测仪等高、精、尖特勤装备。购置了上千余件（套）个人和特种防护装备，配备一线执勤中队。全市所有现役消防中队的车辆配备、特勤中队及80%的普通消防中队的特勤器材配备全部达到了《城市消防站建设标准》。所有一线指战员的11种常规个人防护装备全部配备齐全，实现了消防装备建设质的飞跃。新增1292个市政消火栓，基本形成了覆盖城乡的专业灭火救援体系，防控火灾能力得到进一步加强。制定了《社区消防硬件设施和档案建设细化标准》，组织开展对各公安派出所主管领导、社区消防工作站站长进行档案建设、宣传阵地建设、日常防火巡查组织实施、扑救家庭常见初期火灾等项工作的系统培训，确保了社区消防队伍建设的科学化、合理化、规范化和制度化。制作消防宣传展牌以及各级社区消防机构的门牌、标志牌，购置灭火器，配备至各个社区消防工作站，使298个建有社区消防工作站的社区全部达到了《河北省城市社区消防建设标准》的要求。4月，省政府在全省消防工作会议上推广了省会社区消防队伍建设的先进经验。中央综治委、公安部、民政部决定在石召开全国城市社区消防工作经验交流现场会。先后集中开展了10余次的消防安全大检查和专项治理活动，有力净化了全市的消防安全环境。全年，全市共发生火灾616起，死3人，伤1人，直接财产损失1751319元，未发生重、特大火灾事故。与去年相比，火灾起数下降45.4%，死亡人数下降50%，受伤人数持平，直接财产损失下降23.8%。

【公安行政管理】 按照“关注民生、服务民生”和“为民、务实、高效”的原则，不断探索加强公安行政管理，提高服务水平的新路子和新方法。以开展社区、驻村民警大练兵活动为依托，建立了流动人口经营地与暂住地、流出地与流入地双向管理等八项长效管理机制，全省流动人口管理服务工作现场会在石家庄市召开。成功举行社区警务技能比武竞赛，全市共入户登统各类居（村）民264.1万户、932.7万人，流动人口11.6万户、38.4万人，各类单位14万家，租赁房屋9.8万户，补办、续办、新办暂住证49.5万个，从中发现违法犯罪线索2803条，破获刑事案件3133起，抓获各类犯罪嫌疑人2337名，为流动人口做好事、办实事5859件。流动人口管理处在全省信息采用情况考核中名列第一。落实便民服务措施，建成标准版人口信息管理系统，实现了户口迁移“一站式”服务、户口项目网上审批。推出集体户口管理工作规范、居民个人赴港澳游、下放出国（境）受理权等一批便民利民措施。年内，共为群众办理户口迁移15.7万人次，办理出国（境）证照5万人次，办理境外人员签证证件1360人次。出入境管理处顺利通过了公安部全国文明窗口的等级验收，被评为全国文明窗口。在全省率先成立国土资源治安办公室、通信治安办公室、石环公路治安办公室，配合相关部门积极维护行业及地区治安秩序。围绕工业“5+3”企业，制定出台了一系列安保服务措施，倾力打造服务经济发展软环境，收到良好的社会效果。法制处被市政府评为依法行政先进单位。

【公安基础工作】 在2006年的基础上，继续深化“三基”工程建设，狠抓重点项目推进，全市公安机关的软硬件水平再上新台阶。市局机关和交管局机关整体通过了ISO9001国际质量体系认证。市公安指挥大楼胜利竣工，市局机关于石家庄解放60周年和建局60周年前夕正式迁入新址办公。以“三考”促“三基”，组织全体民警开展了以专业法律知识考试、执法办案卷宗考评、信访工作考查为主要内容的“三考”活动，广大民警的法律知识和业务素质普遍提高，在全国城市公安机关“三基”工程建设座谈会和华北片座谈会上做了典型发言，被公安部向全国推广。社区驻村民警大练兵活动收效显著。后勤保障部被评为全省装备财务建设先进单位。刑警支队在全省刑侦系统大比武中名列第一。刑科所在全国省会市公安机关，首家通过试验室国家认可。在全国技术室等级评定中，有9个技术室一次性达到一级示范水平，居全国之首。市警察训练学校在“民警训练基地建设考核评估”中获全省第一。行政拘留所被评为全省“双先教育”先进单位。警犬训练基地被省公安厅推荐参评全国先进警犬基地。

【正规化建设】 以全国示范公安局正规化建设水平评估为契机，按照“一抓实、二优化、三推进”的思路，加快全市公安机关正规化建设。全市24个分、县（市）局全部完成了机构改革设置任务。严格编制管理，抓实警力下沉，确保全市公安机关综合部门人员三年之内“零增长”，基层一线警力达到县级公安机关总警力的93%，大大超过了公安部规定的标准。以实施“铸剑工程”为抓手，加强市警察训练学校建设，着力打造一流的训练基地，县级公安机关依托当地武装部民兵训练基地，扎实开展共建活动，24个分、县（市）局全部建成了民警训练基地。从市警察训练学校、基层一线部门领导、业务骨干中共聘请专兼职教官358名，建立了覆盖市局、县级公安机关、基层所队三级教官体系。坚持三个必训（新警必训、晋衔必训、任职必训），落实培训制度。全年共举办新警初任训练班3期、集训1453人；举办各层次警衔晋升实战训练班4期、集训2649人；举办基层所队长任职培训班4期，集训686人。以轮值轮训的形式举办基层一线民警实战训练班178期，集训11527人次。抓好警务技能训练，开展“送教”一线活动，对2000多名一线民警进行了实战培训；组织28名2006年以来违纪、违规民警，开展了为期10天的素质培训；组织全市各级公安机关选送的52名民警开展了警容警姿和礼仪教官培训；分3期对全市454名派出所长、教导员进行了任职资格培训，并通过了省厅组织的任职资格考试。依托各警种、各部门，共组织岗位业务培训53期，培训民警12000余人次。抓实“三考”工作，提高执法质量，市局作为公安部“三考”试点单位，在全省联查中取得总分第一，单项评分第一的好成绩。全市有8571名民警获得了执法资格证、968名领导获得了审签资格证，县级公安机关行政复议案件和行政诉讼案件的维持率达到了80%以上，抓获的犯罪嫌疑人按批捕人数计算，平均起诉率达到了97%以上，全年没有一起诉讼败诉案件，没有一起国家赔偿案件。规范全市各级公安机关的内务设置，强化日常养成，严格工作秩序，强化检查督导，推进了公安机关办公环境的统一化、标准化、规范化。加强民警礼节、礼仪等细节方面的教育，引导民警树立“人人是窗口，个个是形象”的思想观念，完善了便民设施和举措，树立了热情待人、周到办事、文明服务的窗口形象，人民群众对公安工作的满意度得到了大幅提升。落实规章制度，强化监督制约，全市共邀请359名特邀执法监督员，收到了良好的社会效果。建立重大刑事、治安案件倒查制度，建全案件倒查台账，开展针对性复查工作，制定执法规范，落实责任追究。实行财务公开制度，会同纪检、审计等部门进行财务监督，实现了涉案财物管理规范，防止了财务违规行为。加强信访工作，建立并落实局长信访接待日制度，通过与信访群众面对面交流，体察了社情民意、加强了法制宣传、掌握了队伍中存在的问题，千方百计解决群众的合理诉求，实现了法律效果和社会效果的双促进、双提高。

【科技强警】 以物证鉴定所通过实验室国家认可为契机，将每年的12月30日设立为科技强警纪念日，进一步推进科技强警工作。积极争取党委、政府和社会各界的支持，募集资金近亿元，39个建设项目全部启动，进展顺利。完成覆盖全市政法系统186个接入点的政法光纤网的升级改造，市局与检、法、司及市内各分局之间实现了千兆连接，与各县（市）公安局实现了622兆连接，市内公安接入网带宽实现了百兆连接。强力推进接入网计算机普及，民警计算机拥有率市区达到100%、县（市）达到了80%以上，民警PKI数字身份证书持证率达100%，完成公安信息网主要业务应用查询系统与PKI/PMI平台的衔接改造。进一步加强联网计算机注册管理和安全监控工作，在全网重要节点部署防火墙、入侵检测、漏洞扫描、病毒网关等系统，100%完成上网计算机的防病毒软件安装工作，入网设备注册率达到100%，监控系统运行正常率达99%以上。350兆警用无线通信系统在原有3座基站、24个信道的基础上，又先后投资850万元，建设10座基站、84个信道，实现全市无盲点覆盖。交、巡、特警手持对讲机拥有率达到100%。整合警务信息查询、指挥调度信息和总机电话接转三大功能，建立综合警务工作平台，实现三台合一。研发社会危险人员防控系统（“天健”工程），为构建社会危险人员自动比对、自动报警、社会联动的防控体系打下基础。智能化交通指挥中心控制系统等项目基本建设完成。

【队伍建设】 坚持政治建警方针不动摇，按照“整体推进、全面提高，突出特色、打造品牌”的思路，全面加强公安队伍建设，全市公安队伍政治素质显著提高。在市委、市政府的大力支持下，以地方政府换届为契机，8名县（市）级公安局长由同级党委常委或政府副职兼任。深化“万名民警进万家”活动，共帮扶下岗职工、孤寡老人、低保户等不同类别的困难群众10672人，帮扶614名失、辍学儿童返校，帮助913名无业人员创业、就业；提供法律咨询3830次；联系各界群众和治安积极分子36825人；累计捐款32.89万元，捐物折合人民币53.25万元。组织策划纪念刑侦体制改革十周年、警民相约警务室、真情爱蕾、警察故事电影周、纪念石家庄解放暨市公安局建局六十周年主题文艺晚会和汇报演练等一系列文化活动，受到各级领导和社会各界的广泛赞誉。开展“岗位示范标兵”选树活动，经过层层选拔、级级把关、考核公示，评选出100名岗位示范标兵，并着力提高先进典型的政治待遇和生活待遇，在全市公安机关掀起学先进、赶先进、当先进的热潮。市局纪委监察室预防机制建设经验被公安部纪委转发。政治部教育训练处被省公安厅评为民警健康年活动先进单位。桥西公安分局被评为全省优秀公安局。人事处被市委评为军转干部安置工作先进单位。审计处被省审计厅评为“双优”先进单位。指挥部秘书处被市委、市政府评为办公厅系统先进单位。老干部处被市委评为老干部工作先进单位。

此外，信息调研、机要保密、档案管理等各项工作也都取得了明显进步。

（冯朝勇）

检　察

【概况】 2007年，石家庄市检察院在市委和省检察院的正确领导下，坚持以邓小平理论、“三个代表”重要思想和科学发展观为指导，认真学习贯彻党的十七大精神和各级政法会议、检察长会议精神，紧紧围绕构建社会主义和谐社会，以开展社会主义法治理念教育活动为契机，认真履行法律监督职责，不断加大践行检察工作主题和总体要求的力度，努力提高执法水平和办案质量，各项检察工作都取得了新成绩。

【依法打击各类刑事犯罪】 全市检察机关坚定不移地贯彻“严打”方针，突出打击严重暴力犯罪、严重破坏市场经济秩序犯罪、严重危害人民群众利益和生命财产安全的犯罪。全年共批准和决定逮捕8043人，提起公诉9424人。认真贯彻落实“打黑除恶”专项斗争电视电话会议精神，与公安、法院等部门密切协作，充分发挥检察职能作用，严厉打击黑恶势力犯罪。特别是加大对挂帐督办的黑恶势力及“保护伞”案件督办参办力度，共批准逮捕黑恶势力团伙案件14起，涉及犯罪嫌疑人206人，批准逮捕191人，提起公诉8件172人。依法严厉打击严重影响社会治安秩序的犯罪，共办理暴力犯罪案件611件，“两抢一盗”等多发性侵财犯罪案件698件。特别是市院办理的张宝义、高跃辉等99人涉嫌组织、领导、参加黑社会性质组织罪案、桥西院办理的全省首例侵犯商业秘密犯罪案和赞皇县五少女失踪案等一批案件，都收到了良好的法律效果和社会效果，增强了人民群众的安全感。坚持区别对待、宽严相济，认真落实宽严相济刑事司法政策。探索实行刑事犯罪案件分类处理工作机制，建立了快速处理轻微刑事案件工作机制，完善办理未成年人案件工作机制。尝试建立“刑事和解”机制，通过对轻伤害、交通肇事等案件进行调解，化解矛盾，促进和谐；不批捕的案件，均向公安机关说明不批准逮捕理由，减少了被害人不明情况的上访。认真落实社会治安综合治理各项措施，积极参与社会治安防控体系建设和平安创建活动，协调有关部门开展了对突出治安问题和治安混乱地区的整治，有力维护了社会治安稳定。

【加大查办和预防职务犯罪工作力度】 全市检察机关坚持把大案要案、社会关注的行业和领域发生的案件、损害人民群众切身利益的案件、造成国有资产流失的案件作为查办职务犯罪的重点，积极推行侦查一体化机制，实行全程同步录音录像，加大工作力度，强化工作措施，提高了办案质量和工作效率。全年全市共立案查办贪污贿赂职务犯罪案件203人，提起公诉166人，公诉大案77件，公诉要案22人，有罪判决147人；查办渎职侵权犯罪案件43件89人，有罪判决21件32人。通过办案，为国家挽回经济损失6000万元，收到较好的法律效果和社会效果。同时，注重加强职务犯罪预防工作，举办了法制宣传和警示教育19场，受教育人数达4000余人。利用新闻媒体、公益广告、图片展览、法律咨询等多种形式，广泛开展了以“反贪污、反侵权”为主题的举报宣传月活动。积极与市纪检委沟通，联合市直有关部门，制订了在建设工程领域和政府采购工作中实行“廉政准入”制度的规定。在河北白沙烟草有限责任公司异地搬迁技改、54所信息产业园等的重点建设工程，采取开工先开课、参加招标会议、召开联席会、开展法制教育和廉政教育等一系列举措，实现了同步监督和全程预防，受到省检察院的肯定和推广。

【进一步强化诉讼监督工作】 全市检察机关不断强化监督意识，针对诉讼监督工作中存在的问题和薄弱环节，以解决执法不公为重点，着力提高敢于监督、善于监督、依法监督的能力，努力做到有罪追究、无罪保护、严格依法、客观公正。监督公安机关立案304件，纠正漏捕117人，追诉漏犯168人，不批捕395人，提出纠正违法意见233件次。依法提出刑事抗诉27件，已改判和发回重审18件，提请省检察院抗诉15件，省院支持13件。加大民事、行政审判监督力度，提出抗诉58件，提请抗诉23件，已改判或调解44件。提出再审检察建议101件，采纳78件。立案查处监管干警职务犯罪4人，认真开展核查纠正监外执行罪犯脱管、漏管专项行动，保持了石家庄市羁押场所无超期羁押。

【突出做好涉检信访工作】 全市检察机关坚持把涉检信访工作做为重中之重，突出抓好解决问题和督办处理环节，依法妥善处理了一批涉检信访案件，确保了“两会”和“十七大”期间未发生进京、赴省和大规模群体性突发事件。共受理举报线索309件，受理来信来访670件，排查调处纠纷43起，上级交办、督办的32件案件全部办结，受到省委政法委督导组的肯定。灵寿县院因三起案件被省综治办否决预警，在市院协调督办下，短期内迅速办结，实现息诉罢访，受到省政法委王其江书记和省院领导的肯定。经过市院积极推动，石家庄市在全省率先建立了国家赔偿专项基金，每年市级财政预算200万元，县级财政预算30万元。同时，以行唐等六个院为试点，建立了涉检访补偿基金，对通过司法途径不能解决、生活特别困难的案件当事人给予了司法救济。行唐县院利用涉检访补偿基金，平息了历时三年的康某等9人集体访案件。

【围绕发展大局提供优质法律

服务】 全市检察机关紧紧围绕发展大局，以开展服务“三百”（服务“百个新农村”、服务“百家企业”、服务“百项工程”）活动为牵引，扎实工作，主动服务，为经济社会发展提供了法律保障。一是服务“百个新农村”。全市已在155个乡镇建立了检察官法律服务站，对村支书、村主任进行集中法制教育培训，为新农村建设提供了有力的法律支持。行唐县院制定了服务社会主义新农村建设的《实施意见》，设立了服务示范点，以点带面，全面铺开。鹿泉市院在全市各乡镇成立了预防机构，把预防领域延伸到了农村。井陉县院在乡村建立联络员网络，开展预防和法律服务活动，形成了全方位、立体化网络预防服务体系。二是服务“百项工程”。把全市110个省市重点工程作为服务重点，开展专项服务，协助建立完善联席会议制度、同步预防监督制度、警示教育制度，受到工程建设单位的欢迎。通过建立和实行“全国行贿档案查询系统”，从工程建设的招投标抓起，遏止工程建设领域职务犯罪多发的势头，保障了重点工程建设顺利进行。市院针对石环路扩建工程提出了合理化建议，工程指挥部予以采纳；正定县院在南水北调工程中涉及21个行政村的1.05亿元土地补偿款使用问题，向南水北调办公室提出专项检察建议被采纳，均收到较好的社会效果。三是服务“百家企业”。在2006年开展服务工业50强活动的基础上，2007年又确定100家市县纳税大户为服务对象，在企业建立法律服务室，主动上门提供法律服务，帮助企业解决经营发展中遇到的实际困难和问题。长安区院针对查办的国有企业私分国有资产案件，制作了预防国企国有资产流失专题节目在省电视台《反腐警示》连续播出，收到了良好的社会效果。

【全面加强队伍建设】 全市检察机关紧紧围绕提高法律监督努力，进一步强化队伍建设的各项措施，下大力抓了检察机关的自身建设，有效地提高了队伍的政治素质和业务素质。一是深化社会主义法治理念教育活动，促进队伍思想建设。在2006年开展社会主义法治理念教育活动的基础上，按照上级要求进行了集中教育“回头看”，开展了演讲会、座谈会等形式多样的配合活动，两级院班子成员在分管部门做了宣讲报告，对新进入检察系统的大学生和转业干部进行集中培训，组织开展向全国十佳基层检察院长安区院学习活动，做到了教育活动和业务工作“两不误，双促进”，收到良好的教育效果。二是加强领导班子建设，充分发挥领导干部表率作用。加强对下级院领导班子的监督，强化领导班子内部的互相监督，强化群众对领导干部的监督。积极开展“为民、务实、清廉”主题教育活动和廉政文化建设活动，举办了征集警言警句、廉政建设演讲比赛等活动，促进教育活动的深入开展。加大干部协管力度，在换届选举中，积极配合党委选好配强基层院领导班子，确保了换届工作的顺利进行。全市24个基层院检察长中有14人连任，6人交流任职，新提拔4人。配齐配强中层干部，市院机关和部分基层院通过竞争上岗的方式对中层干部进行了调整，市院机关还通过民主推荐的方式对部分干警进行了职级晋升。三是广泛开展岗位业务培训和技能练兵，提高队伍业务能力。继续开展了“争创学习型检察院、争当学者型检察官”活动和评选“百佳标兵”活动。市院和各基层院结合工作实际，组织开展了各种形式的业务培训班、专题讲座和技能练兵比武。市院组织干警到石家庄信息工程学院进行网络知识培训，组织干警参加全国计算机等级考试，153名参考干警均通过了考试；组织125名干警报名参加了全国司法考试。通过培训学习，干警的业务素质、工作能力有了明显提高。四是不断强化机关内部管理措施，提高队伍管理水平。在2006年市院机关和长安区院完成ISO9001质量管理体系认证工作的基础上，加大在基层院推广工作的指导和帮助力度。2007年，全市24个基层院已全部通过ISO9001质量管理体系认证，初步建立起了具有检察工作特色的质量管理体系。

【全面加强基层基础建设】 全面贯彻落实高检院《人民检察院基层建设纲要》，坚持分类指导、分类考核、定点联系、重点帮扶，不断提高全市检察机关基层基础建设整体水平。全市基层院一类院由7个上升为18个，二类院由3个上升为6个，消灭了三类院和四类院。长安区院被确定为“全国基层检察院规范化建设示范院”，8个院被评为省级“先进检察院”。积极争取党委和政府的支持，各基层院“两房”和信息化建设及装备保障水平得到进一步改善。全市已有13个院完成“两房”建设，5个院主体完工，2个院开工建设，其他4个院正在加紧办理各种手续。

（回振合）

审 判

【概况】 2007年，全市法院在市委领导、人大监督和政府、政协支持下，坚持以党的十六大和十七大精神为指导，深入贯彻落实科学发展观，坚持“公正司法、一心为民”的根本宗旨，围绕“公正与效率”工作主题，不断增强司法能力建设，充分发挥审判职能作用，为构建社会主义和谐社会提供司法保障和服务。全年共受理刑事、民事、行政、执行等各类案件59555件，审（执）结52685件；其中，中院受理各类案件6438件，审（执）结4707件。

【严厉打击刑事犯罪】 坚持依法从重从快的“严打”方针不动摇，始终保持对刑事犯罪的高压态势。依法严惩危害国家安全犯罪和危害公共安全犯罪，巩固党的执政地位和执政基础；加大对杀人、伤害、抢劫、绑架等严重刑事犯罪的打击力度，保护人民生命财产安全；依法审理各类破坏市场经济秩序犯罪案件，保障市场经济健康发展；严惩贪污贿赂犯罪，推动反腐败斗争深入开展；依法惩处组织、利用“法轮功”等邪教组织破坏法律实施犯罪，维护正常的社会管理秩序。严格贯彻宽严相济的刑事政策，切实加强刑事司法领域的人权保障，严把案件事实关、证据关、程序关和适用法律关，罚当其罪，不枉不纵。对构成犯罪的未成年人，坚持教育、感化、挽救的方针，寓教于审，惩教结合，促进未成年犯及时得到矫治。年初，依法审理了张宝义等99名被告人涉黑犯罪案，对犯罪分子依法判处刑罚，有力地震慑了犯罪，保障社会稳定和人民安居乐业，社会反响良好。全年，共审结刑事一审案件6363件，刑事二审案件663件。判决已发生法律效力的人犯7967人，其中判处死刑（含死缓）、无期徒刑153人；判处有期徒刑3112人；判处管制、拘役、缓刑、免予刑事处罚4404人；单处罚金287人；单处剥夺政治权利1人；宣告无罪10人。

【依法调节社会经济关系】 2007年，根据社会转型期民商事案件的特点，充分运用司法手段，大力化解民事纠纷。加强婚姻家庭、相邻关系等案件的审理，倡导社会主义道德新风尚，促进家庭和睦、邻里融洽；妥善处理劳动争议案件，维护用人单位和劳动者双方的合法权益；贯彻平等保护原则，依法保护不同所有制经济主体的合法权益，构建公平竞争的市场经济秩序；依法制裁违约和侵权行为，促进社会诚信体系的建立；加强企业改制纠纷案件的审理，依法保障国有企业改革，促进现代企业制度的建立；认真审理金融证券纠纷案件，推动资本市场的健康发展；重视涉及农村、农业、农民案件的审理，促进社会主义新农村建设。全年，全市共受理民商事一、二审案件36552件，审结33500件。

【强化行政审判职能作用】 依法审理各类行政案件，充分发挥行政审判在化解行政争议、促进依法行政方面的重要作用。不仅监督支持行政机关依法行政，而且保障公民和其他组织的合法权益，更重要的是维护了良好的行政管理秩序，增进了人民群众和行政机关的相互理解和信任。全年，两级法院共受理行政一、二审案件696件，审结667件；执结非诉行政执行案件1217件；办理国家赔偿案件4件。

【加大执行工作力度】 按照中央和省、市各级关于解决执行难问题的要求，进一步加强了执行工作。两级法院均成立了执行局，实行了执行裁判权与执行实施权两权分离，建立了执行案件信息管理系统，实行了执行听证制度。普遍在乡镇、街道及大型企业建立了协助执行网络，将执行工作纳入了社会治安综合考评体系。理顺了拒执罪刑事追究机制，依法制裁抗拒执行和拒不履行协助执行义务的行为。开展多种形式的专项执行活动，清理了大量执行积案。全年，全市法院共执结各类案件11187件，执结率77.6%，执行标的额45.8亿元。

【积极参与社会治安综合治理】 积极参与社会治安防控体系和平安创建活动。结合审判工作，大力开展法制宣传活动，促进公民法律意识的提高。根据在审判工作中发现的治安防范和社会管理中存在的问题，及时向有关部门提出司法建议。依法办理减刑、假释案件，有效促进了犯罪分子的改造自新。中院开办了蓝天职业培训中心，切实抓好对刑释解教人员的法制教育和再就业技能培训工作。全年，共培训刑释解教人员3期59人，对于消除社会治安隐患，预防和减少重新犯罪，发挥了重要作用。中央综治委对蓝天职业培训中心的工作给予高度肯定和赞扬，中央政法委书记周永康专门批示向全国推广。

【加强思想政治和作风建设】 认真开展党的十七大精神的学习和“社会主义法治理念”教育等一系列教育活动，联系思想和工作实际，积极开展“解放思想大讨论”活动，在深入调研分析的基础上，先后印发了500份《解放思想大讨论活动征求意见函》和150份《解放思想大讨论活动征求意见卡》，广泛征求人大代表、政协委员、当事人和普通群众以及全体干警对法院各项工作的意见和建议，查找在思想观念、工作思路、工作举措、领导方法和工作方法上存在的突出问题，并有针对性地制定整改措施，狠抓落实，使干警的思想和观念都统一到“依法治国、执法为民、公平正义、服务大局、党的领导”的指导方针上来，真正做到用正确的司法理念指导司法活动，为人民掌好、用好审判权、执行权。

【加强教育培训工作】 组织干警参加多种形式的业余学习，在提高层次上下功夫。选派优秀审判人员进行深造，培养高素质法律人才。认真抓好在职法官的继续教育，广泛开展岗位练兵、岗位竞赛，不断增强实际工作能力。加强了人民陪审员的选任、培训工作，为推进司法民主，扩大群众参与审判活动奠定了良好的基础。通过努力，队伍建设取得了新成绩。全市法院2218名干警中，拥有大专学历的602人，占27.1%，拥有本科学历的1447人，占65.2%；拥有硕士学位的89人，占4%。队伍的知识结构和专业结构进一步优化，整体素质得到提高。2007年，一批成绩突出的先进集体和个人受到上级表彰。省法院为中院荣记集体二等功，为桥西区法院、平山县法院荣记集体一等功，为辛集市、新乐市等基层法院和庭（室、局）共6个单位或部门荣记集体二等功。中院张淑秀被全国妇联授予全国“巾国建功标兵”荣誉称号，陈萌楠同志被最高法院评为“全国法院涉诉信访工作先进个人”，全市法院10名同志荣立个人二等功，10名法官被市委政法委授予“十大法官标兵”荣誉称号。

【依法推进法院改革】 按照最高法院《五年改革纲要》的规划，坚持自上而下、依法改革的原则，不断创新审判工作机制，促进法院整体工作水平的提高。健全完善了审判流程管理制度，建立了案件质量评估体系，实行了司法档案制度，成立了专家咨询委员会，有力地促进了审判质量和效率。设立了未成年人案件综合审判庭、城市建设综合审判庭和国家赔偿委员会办公室，使审判机构的设置更加符合法律规定和实际工作需要。成立了监督委员会，建立了案件质量“三查”制度，使审判监督工作进一步制度化、规范化。

【深化“三位一体”大调解机制】 认真贯彻“能调则调、当判则判、调判结合、案结事了”的指导原则，以定纷止争为目标，进一步加强了民事案件调解工作，加强执行和解工作，积极探索行政案件协调新思路以及刑事自诉案件、刑事附带民事案件调解解决新模式，鼓励当事人选择调解的方式解决纠纷。强化了指导和支持人民调解组织开展工作。加强了诉讼调解与人民调解、行政调解的配合，有效整合调解资源，共同做好矛盾纠纷的化解工作。全年，全市法院民事案件调解率达到38.2%，刑事自诉案件调解率达到43.6%，执行和解率达到30.7%；通过积极进行协调，行政案件撤诉率达到27.8%。

【建立涉诉信访工作长效机制】 2007年，针对涉诉信访工作新形势，不断加大解决涉诉信访工作力度。实行了领导包案制、合议庭和审委会议访制、信访案件登统通报制、信访案件责任倒查制、排查立案责任制、把产生信访和解决信访的情况纳入干警考核使用机制和充分发挥“三位一体”大调解机制共七项解决涉诉信访问题的长效机制，综合运用政治、法律、经济、行政等各种办法，通过努力，大量涉诉上访案件息诉罢访。2007年，中院共受理各类信访申诉案件1365件，办结1253件，结案率91.8%。

【积极落实司法为民各项措施】 全市各法院均设立了“一站式”立案大厅，实行了人民法庭直接立案制度，开办了网上远程立案业务，认真解决群众告状难问题。实行了诉讼风险提示制度，开办了司法专递业务，加强巡回审理工作，努力为群众参与诉讼活动创造便利条件。积极开展司法救助工作，切实解决经济困难群众打官司难问题。全年，办理司法救助316件，减缓免诉讼费131万元。

【加强基层基础建设】 按照全国法院基层建设工作会议精神和省委关于加强人民法院基层建设五条决定的要求，进一步加强基层基础建设，为审判工作提供有力的保障。一是加强人民法庭建设。努力改善人民法庭的物质装备和办公、办案条件。二是在市委、市政府的支持下，中院购建了5070平方米的立案大厅，建立了法庭直播系统，引进了ISO质量管理体系，进一步提高了规范化管理水平。三是努力提高办公现代化水平，中院和部分基层法院已实现微机联网，提高了工作效率。四是积极开展审判调研工作，为科学决策提供依据。

【自觉接受人大和社会各界监督】 全市法院坚持把接受人大监督作为做好法院工作的重要保障，坚决贯彻落实《各级人民代表大会常务委员会监督法》，认真负责地向人大报告工作，加强同代表的联系，邀请人大代表视察法院工作、旁听庭审、参加听证，主动征求对法院工作的意见和建议并及时答复。全年，共办理人大议案、代表建议6件，办理人大交办、督办案件23件。通过自觉、主动地接受市人大监督，有力地促进了全市法院的工作。

（薛金来）

司法行政

【概况】 2007年，司法行政工作在市委、市政府的领导下，全系统团结奋进，紧紧围绕服务全市经济，社会发展大局和市委、市政府中心工作，坚持思路创新，观念创新，工作方法创新，整体工作得到全面推进，取得了明显成效。重点工作取得突破性进展。农民工法律援助中心被司法部命名为先进集体，行唐县村级调委会被司法部评为先进基层调委会，石家庄市太行公证处被省司法厅荣记集体二等功。市司法局被省委宣传部等五部门评为“保护生命、平安出行”、“交通安全宣传教育工程标兵单位”，被市委、市政府评为信访工作实绩突出单位，被市纪委评为效能建设先进单位，局团总支被共青团市直工委评为先进基层团组织，局妇联被市妇联和市直机关评为“巾帼建功”先进单位。被河北省司法厅评为实绩突出单位。各级新闻媒体和信息刊物刊登市司法局的经验和做法达200多次。河北省委常委、石家庄市委书记吴显国、市长冀纯堂对石家庄市司法行政工作取得的成绩分别批示表扬。中央、省、其他领导12次批示，对石家庄市司法行政工作予以肯定和表扬。

【“三位一体”大调解工作继续深化】 (1)“以“村村行”活动为载体的矛盾纠纷排查调处工作取得显著成效。全市广大司法行政干警和法律服务工作者对5040个村、居进行了走访，共排查矛盾纠纷49562起，成功调处48929起。省司法厅简报刊发了石家庄市的做法。(2)人民调解组织网络得到了进一步拓展。全市有19个县（市）区已建立县级调解中心，2007年在全市新型经济组织和社会组织新建调委会1081个，人民调解员总数达到170800名，建立了市、县、乡三级培训制度，继续实行了民调员考试和持证上岗制度。对全市6.5万名民调员进行了统一考试，评选了全市“十佳民调员”，并予以颁证或晋级。(3)县级疑难矛盾纠纷调处中心得到了进一步健全。认真总结推广鹿泉市、正定县、行唐县建立县级重大疑难矛盾纠纷调处中心和城区调委会的做法，年内全市建立县级疑难矛盾纠纷调处中心21个。行唐县城区疑难矛盾纠纷调委会被命名为全国优秀调委会。(4)人民调解专项经费、人民调解员补贴和人民调解工作奖励经费得到了较好落实。23个县（市）区共落实人民调解经费462.05万元，其中人民调解专项经费128万元，人民调解员报酬补贴254.55万元，防激化奖励经费79.5万元。(5)国债资金建设司法所工作得到较好落实。三批141个建设项目全部完成。其中第一批建设项目39个，第二批建设项目77个，第三批建设项目25个。完成建筑面积18041平方米。共落实配套资金323万元。司法所现有正式人员886人。2006年至2007年对全市司法所人员进行了培训，业务素质进一步提高。全市277个乡镇（街道），全部建立规范化司法所，达标率100%。共配备电话277部，微机278台，汽车85辆，摩托车153辆，拥有法律书籍1.7万册。(6)社区矫正试点工作正式启动。确定了正定、平山、鹿泉、辛集、藁城、栾城、长安等7个县（市）区为社区矫正工作试点。完成了社区矫正正式启动前的各项准备工作。成立了领导小组；起草了社区矫正意见、实施方案、工作制度等10多个文件；编辑了社区矫正培训教材；抽调部分劳教所干警，组成了社区矫正试点工作专业队伍；举办了社区矫正工作培训。

【法律八进宣传上台阶】 加强对公务员的培训，提高普法骨干的法律素质，石家庄市司法局在2007年7月举办了两期市直、各县（市）区“五五”普法骨干培训班，共培训公务员系统中的普法骨干320人。推广了市政府常务会会前学法制度和行唐县政府周一学法、隔周考法的做法。举办了全市中小学生法制漫画大赛。积极探索流动人口法制教育的新方法、新载体，全市建立了流动人口法制学校288所，印制了3万册《流动人口权利义务掌中宝》，免费发放到流动人口手中。在全市范围内开展以子牙河流域环境整治为主要内容的环境保护法律法规集中宣传活动。组织专职人员编辑宣传材料，保持法制公园、法制宣传长廊内容常换常新。

召开了全市“法律八进”（即：进机关、进单位、进企业、进学校、进市场、进社区、进农村、进家庭）活动调度会。对“法律八进”任务进行了分解，落实到每一个具体单位。各县（市）区对“法律八进”活动也进行了相应分解，落实到各责任部门。市直七个责任单位结合部门实际分别成立了“法律八进”领导小组，确定了阶段工作重点，分解了年度指标，落实了具体分管部门和责任人。各县（市）区对“法律八进”活动也进行了相应分解，落实到各责任部门。在法律进家庭活动中，市妇联建立了7个省级妇女法制宣传教育示范点，在全市命名了100个“法律进家庭”示范户和100名家庭学法明白人。“力推‘法律八进’活动，促进构建和谐省会”的经验做法被省法制宣传教育领导小组办公室向全省推广。

【创新法律服务 提高服务质量】 一是组建了由100名律师和65名公证员组成的“律师、公证员服务重点工程建设工作团”，为改善石家庄市的投资软环境提供优质高效的法律服务。佳诚、新业、泰平、中宇、燕赵众诚等一批律师事务所与重点工程建设入驻企业、单位开展了“一对一法律服务牵手”活动。受到市领导批文肯定。二是律师参与办理疑难涉法涉诉信访案件工作取得了明显成效。2007年，市委政法委向全市司法行政系统交办了101件疑难涉法涉诉信访案件。截至年底，市局直接承办的30件疑难涉法涉诉信访案件全部办结，县（市）区司法局承办的70起案件，也有了圆满的结果。11月份，市委常委、市政法委书记栗进路对该局组织律师办理疑难涉法涉诉案件工作做出批示，“此项工作司法局认真负责，及时调度，各参加律师积极工作，为解决上访案件起到很好作用，应给予肯定和表扬。”三是认真开展“法律服务和法律援助工作为构建社会主义和谐社会服务”主题实践活动，进一步开创了司法行政工作的新局面。自2007年6月开始，组织动员全市律师、公证、法律援助、司法鉴定和基层法律服务五支队伍，在全市开展了“法律服务和法律援助工作为构建社会主义和谐社会服务”主题实践活动。活动期间，全系统围绕经济、社会、民生和服务基层办实事800多件。6月11日，司法部部长吴爱英到石家庄市视察调研，对石家庄市主题实践活动给予了高度评价。四是律师队伍规范化建设得到进一步加强。确定10个律师事务所先行试点，导入ISO9001质量管理体系。使律师所管理向程序化、规范化、标准化迈进了一大步。

【圆满完成了市区公证改革任务】 2005年8月，《公证法》正式生效，按照《公证法》的规定和全省的统一部署，石家庄市司法局依法对原来在市区内省、市、区三级公证机构，调整为在市区只有市级公证机构，即将原来市区内的一个省属公证处、3个市属公证处、5个区属公证处整合为4个市级公证处。2007年11月20日，石家庄市司法局举行了市级公证机构成立揭牌仪式，同时新组建的燕赵、太行、平安、国信公证处正式挂牌执业。全市公证机构以这次改革为契机创新了机制，理顺了体制，在城市拆迁工作中推行了公证法律服务，《石家庄日报》等新闻媒体和新浪等7家网站刊登了石家庄市司法局与石家庄市建设局关于公证为城市拆迁服务的做法。平安公证处积极为长安区南翟营村的村委会换届选举提供服务的经验和行唐县、鹿泉市积极构建乡（镇）村公证网络的做法被省厅予以推广。石家庄市的公证工作经验在全省法律服务工作电视电话会上作了典型发言。2007年，全市各公证机构共办理各类公证事项34270件，收费720万余元。办证总数与去年相比增加了12000余件；收费总数与去年相比增加了200余万元。全市公证机构共为下岗职工、农民工、工伤病残人员等弱势群体提供公证法律援助206件，减免收费达37万余元；拒办不法经济合同、协议87件，涉及金额3.4亿元；为医学捐献、帮困济贫、捐资助学等社会公益活动免费公证18场（次）；开展公证宣传11场（次）。

【法律援助在维护弱势群体利益中发挥积极作用】 在23个县（市）区建立了农民工法律援助中心，在277个乡（镇）、街道办事处建立了农民工法律援助工作站，打造了“半小时法律援助服务圈”。市局为县、乡两级法律援助中心、工作站制作牌匾300块。全年各级法律援助机构和人员共提供法律咨询16370人次，办理法律援助案件2980件，为当事人挽回经济损失1370万元，免收当事人诉讼费用340多万元。其中市农民工法律援助中心办理案件669件，为农民工追讨欠薪850余万元。

抓县级农民工法律援助中心与乡镇法律援助站建设，促进全市县级法律援助机构规范化。实行了全市一体化格局，即标牌统一、规章制度统一、卷宗归档步骤统一。以县级农民工中心和乡镇工作站建设为契机，全面促进县级法律援助中心的规范化建设。2007年，市县两级法律援助中心实行了诚信档案管理制度，将市县24个法律援助机构的基本情况、业绩信息、获奖信息、良好记录、被投诉记录及每个法律援助执业者个人的信息资料均录入了数据库，并在局域网或政府网上公开，进一步方便了求助群众和群众监督。

【司法鉴定工作得到稳步推进】 为开创司法鉴定管理工作局面，制定了《关于加强全市司法鉴定管理工作的意见》，并以文件形式下发各县（市），对全市司法鉴定管理重点工作进行了安排。在主题实践活动和主题教育活动中，为方便办案机关和当事人，制定了《司法鉴定须知》并以通知形式印发各县（市）局及鉴定中心。市、县两级司法鉴定机构全年共办理鉴定案件6882件，无假鉴错鉴。

【加强法律服务业诚信体系建设】 建立了全市司法行政系统法律服务业信用信息电子档案、法律服务机构和人员信用信息社会查询系统，满足了广大群众对法律服务信用的需求。一是圆满完成了法律服务业诚信体系建设的各项任务，实现了法律服务业机构、人员信息网上查询。建立了法律服务业机构和个人的纸制档案。全市法律服务机构234个，法律服务人员1629人全部建立了单位和个人档案。二是积极做好信访接待和信访处理工作。全年共接待来访群众116人次，解决信访事项58件；来信43件，处理42件。

【国家司法考试与法学教育】 国家司法考试工作。坚持以“树立品牌意识，发扬团队精神，规范考试程序，确保工作一流”为工作目标，以“组织严密，程序严谨，标准严格，纪律严明”为标准，按照把国家司法考试办成“最权威，最规范，最严格，最廉洁”的考试要求，圆满完成了2007年国家司法考试工作。2007年全市共有4484人报考司法考试。通过司法考试的有701人(含贫困县36人)，通过率15.6%，比2006年提高了2.8%。对2007年通过司法考试的701人申请《法律执业资格证书》的材料进行了审查。进一步完善了取得《法律职业资格证书》人员的个人档案。法学教育工作。法学教育中心自学考试共开设法律、律师和国际经济法三个专业及一个代为管理的监所管理专业。现有在册考生5800多人，全年有482人获得毕业，320人取得法学学士学位。

【安置帮教工作】 刑释解教人员安置帮教工作进一步加强和改进，建立了软件管理系统，对全市刑释解教人员全部实行微机联网管理。建立了同监狱、劳教所的互动机制，从根本上解决了刑释解教人员的脱管问题。逐级落实了安置帮教责任和“一帮一”的帮教措施。截止到目前，全市共有刑释解教人员7350人，落实帮教措施7217人，帮教率98.6%；安置就业7093人，安置率96.9%；重新犯罪率1.1%。落实帮教措施，严防重新犯罪，采取了三项措施，一是落实了分类分级帮教责任；二是坚持了“三必访”，即帮教对象有思想问题必访，有异常活动必访，有实际困难必访；三是开展了对有重新犯罪倾向刑释解教人员重点帮教活动。同时，充分发挥蓝天职业培训中心作用，促进刑释解教人员回归主流社会。2007年以来，市“蓝天职业培训中心”培训刑释解教人员57名。推荐就业的有427名，依靠社区安置751人。自谋职业的有1266人，落实责任田的有1779人。2007年5月16日，《人民日报》以“石家庄每年斥资100万元培训刑释解教人员”为题进行了报道。原中央政治局委员、公安部长周永康在《人民日报情况汇编》上做出了“把成果向全国推广”的批示。

【劳教管理工作】 石家庄市劳教所，以党的十六届六中全会和十七大精神为指针，以维护场所安全稳定为首任，以提高教育挽救质量为中心，以加强队伍建设为根本，以正规化建设为重点，以创建部级现代化文明劳教所为目标，实现了全年“四防”安全无事故和各项工作的全面发展。劳教所基础设施建设和工作制度有新发展和新措施。所机关开展了“执法为民树形象”、社会主义法治理念教育、岗位练兵等多种教育活动，通过了ISO9001质量管理体系认证，教育挽救质量和队伍整体素质得到进一步提高。在管教工作方面，一是认真抓好干警直接管理。二是抓好劳教人员基础簿册规范化管理。三是完善了劳教所安全隐患排查制度。四是落实了对大队安全隐患排查、思想动态分析、干警直接管理等制度进行督导检查责任制。五是制定了八项处置突发事件预案。六是落实了安全稳定工作领导分工负责制。七是开展了“百日安全竞赛”和“专项整治”活动。

【安全稳定工作】 重点抓了制度建设和制度落实。在加大排查工作力度的同时，全面建立了一系列相配套的预警预案，建立和完善了各项规章制度，对租赁、承包生产的单位进行了重点整顿，严格生产许可审查，严格生产场所规范，严格生产安全措施，严格生产安全责任。安全生产常抓不懈，措施到位，效果显著，在全省劳教系统安全生产大联查中获得好评。劳教所实现18年安全生产无事故。人员、场所安全连续三年实现“四无”。

【流浪儿童及服刑人员未成年子女的保护教育】 2007年，对少保中心办学方向的调整，逐渐由单纯接收流浪儿童向以接收服刑人员未成年子女为主，兼收流浪儿童转变。制定了接受服刑人员未成年子女的有关规章制度，并对石家庄籍服刑人员情况进行了摸底调查，同时对平山、灵寿、赞皇等经济欠发达县服刑人员未成年子女的情况进行调查研究，为今后进一步接收服刑人员未成年子女奠定了基础，做好了准备；为进一步加强对服刑人员未成年子女保护教育的研究工作，成立了服刑人员未成年子女保护教育研究会，对服刑人员未成年子女的生理、心理特点进行了研究，取得了一批学术成果；为了提高少保中心文化课教学质量，与省示范性小学机场路第一小学初步达成合作意向。由机场路第一小学派出部分教师负责少保中心学生的文化课教

水水源地环境保护工作的通知》，组织相关部门对市区水源保护区和各县（市）区的集中饮用水源地进行调整和重新划分。参照《石家庄市市区生活饮用水地下水源保护区污染防治条例》的管理要求，对市区饮用水源地二级水源地排污单位摸底排查，取缔了引用水源地保护区的208个排污口。按照排污许可证发放要求，对690家单位进行了排污许可证审核，对569家单位核发排污许可证。四是加大了对造纸行业的检查力度。根据河北省环保局《关于切实做好我省造纸行业环保专项督查工作的紧急通知》要求，市环保局制定了《石家庄市造纸行业环保专项整治工作方案》。共检查造纸企业95家，其中，关停取缔企业40家，停产整治企业8家，限期治理造纸企业7家，对4家无环保审批手续的造纸企业依法查处。五是加大了对重点流域水污染问题的查处力度。针对国家环保总局和省环保局几次对石家庄市重点流域明察暗访中查出的问题，采取强制措施，加大整改力度，开展了6次水污染防治专项行动，取缔关停污染企业236家，停产治理456家，限期治理85家，行政处罚148家。对国家环保总局7月份挂牌督办的5家企业和要求核查整治的26家重点企业全部采取了取缔、关停、停产治理和限期治理等措施。被国家环保总局挂牌督办的辛集市制革区第三污水处理厂和城市污水处理中心经过治理，已由国家环保总局“摘牌”。石家庄高新区污水处理厂、深泽县皂业集中区东区污水处理厂和深泽县万顺洗涤日化厂正在抓紧整改，力争早日申请国家环保总局“解限”。针对滹沱河水质严重超标问题，对全市“三河两渠一沟”进行了拉网式检查。在全市开展重点流域水污染防治专项行动，对不符合区域政策、不能达标排放、长期偷排偷放的以及国家明令禁止却私自开工生产的企业，进行归纳统计，对市属和县属企业下达停产取缔通知，对省属以上企业向省环保局提出限产限排建议。

【加强固体废物管理】 2007年，对全市工业危险废物及产生源进行了专项调查，确定石家庄市危险废物重点监管企业20家，并分期分批完成企业危险废物规范管理实施方案的制定和审查工作。落实省局进口废五金电器、废电线电缆和废电机定点加工利用企业规范化管理现场会会议精神，加强了对危险废物经营许可证的管理，开展POPS二恶英类危险废物调查，完成了照相废液管理试点。石家庄市工业固体废物产生总量为1236.56万吨，综合利用量1193.64万吨，综合利用率为95.47%。工业危险废物综合利用量15.33万吨；市区全年产生生活垃圾90.10万吨，无害化处理76.75万吨，处理率为85.07%；市区全年产生医疗垃圾980吨，无害化处理100%。

【机动车排气污染治理】 2007年，完成机动车尾气年检102081辆，合格95477辆，合格率为93.53%。对监测不合格的车辆要求限期整改，整改后监测仍不达标的车辆禁止上路行驶。同时，市环保局对市区、辛集市、新乐市、藁城市、鹿泉市、晋州市（中石油、中石化系统以外）建成区内的油罐车、储油库、加油站逐家建立了统计台账，并逐一下达了油气回收限期治理通知书。

【大气污染专项检查和整治】 一是抓好施工现场扬尘治理。市环保局按照《石家庄市扬尘粉尘污染综合治理工作实施方案》，严格落实扬尘防治措施，全年累计对全市施工现场进行4500余场次扬尘污染综合检查，下发整改通知书386份，对37个施工现场进行了行政处罚，罚款金额48万元。二是组织市区及周边四县（市）开展了4次较大规模的大气污染突击检查，出动检查人员344人次，执法车辆100台次，检查单位423家，查处环境违法企业30家，对26家企业下达限期整改要求，对4家企业进行了经济处罚。三是组织市区各分局、市区周边四县（市）环保局、监察支队、稽查大队开展了5次异味专项行动。对可能产生异味的医药、养殖等行业的492家企业进行了认真排查，其中对42家违法企业下达限期整改要求。四是会同市委督查室、市政府督查室、市监察局、市城管局对市内六区的露天烧烤进行了考核抽查，共发现露天烧烤103家，并将检查结果对各区政府进行了通报。五是制定《石家庄市排气烟囱综合整治实施意见》和《石家庄市奥运会空气质量保障方案》，对全市94家排气烟囱不达标企业下达了限期治理任务。

【加大环保舆论宣传力度】 石家庄市环保局围绕中心工作，实现宣传突破，与多家媒体进行了高密度、全方位、多层次、多角度的报道。2007 年 1 ～ 9 月，结合各阶段工作重点，先后在国家、省、市各级媒体刊发了《天蓝气爽艳阳高照》、《石家庄绿色 GDP 研究出成果》、《石家庄市今年环保工作目标确定“主要污染物排放总量削减 4% 以上”》、《石家庄整治重点流域污染》、《石市“十一五”环保投资 144 亿元》、《石家庄全面实施节能减排工程》等，对全市环保和污染治理工作进行了连续报道。10 月至年底，紧密结合重点流域水污染防治工作，进一步加大新闻宣传工作力度，组织省、市新闻单位对市环保局开展的一系列专项检查行动进行了宣传报道，共播发新闻稿件 100 余篇（条）。并组织协调《燕赵都市报》、《燕赵晚报》等媒体，对局领导进行了年终专访，整版刊发了《向百姓述职》、《环保局长接听百姓热线》等。同时，积极组织协调国家及省、市电视台、电台以《河北石家庄搬出的高效益》为题，对石家庄市环保工作进行宣传报道。全年共播发各类环保新闻稿件 610 篇（条），其中国家级报刊、电视台、电台 24 篇（条），省级报刊、电视台、电台 225 篇（条），市级报刊、电视台、电台 361 篇（条）。在社会各界引起了强烈反响，起到了良好的宣传效果。

【扎实推进“十百千”环境宣传教育工程试点工作】 根据省环保局的总体部署和要求，2007 年，确定了鹿泉市为石家庄市第二批试点县（市），市内五区、高新区及鹿泉、栾城、藁城、正定的 10 个乡镇（办事处）、近百个村（居委会）为试点乡镇、村，按照“九个一”的工作要求，认真开展了第二批试点工作。在有计划、有针对性地开展经常性活动的同时，注意利用有利时机，抓好声势大、影响广的大型集中活动。2007 年 9 月，在鹿泉市召开了“十百千”宣教工作动员大会暨环保志愿者签名活动。会上，省环保局副局长杨智明做了重要讲话，对石家庄市在环境保护“十百千”宣传教育活动及环境宣传教育工作给予了充分肯定，与会领导及各界代表在“环保志愿者”条幅上签了名，并参观了“环境污染警示教育”图片展。12 月，会同高新区管委会、高新区环保分局，在该区留村乡小西帐村举办了形式新颖、内容丰富的环境保护“十百千”文艺演出宣传教育活动，向观众发放环境保护知识手册 800 余册，发放环保知识宣传单 600 余份，悬挂宣传条幅 12 条，设置环保知识宣传展板 18 块。通过进村入户的文艺演出活动，以现实生动的题材，把环保政策、法律法规及环保知识寓娱乐之中，使环保宣传更加贴近农村实际，更加符合了农民群众的需要。

【环保信访工作】 全年共承接和受理各类环境污染举报 3746 件，其中省环保局交办 326 件，市政府交办 820 件，石家庄市环保局接报 2600 件，重复举报 243 件，不属市环保局管理权限的 251 件，按举报内容分：反映大气污染的 1683 件、噪声污染的 907 件、水污染的 1187 件、固废污染 23 件、建设项目污染 26 件、辐射污染 3 件，其中部分案件为多重性质的污染。以上案件属于市环保局权限范围内的均及时交给有关部门进行调查处理，结案率为 98% 以上。

【城市空气质量再创历史新高】 2007 年，石家庄市城区环境空气呈现“煤烟型”污染特征，城区环境空气综合污染指数为 0.67，污染等级为轻污染，主要污染物为可吸入颗粒物和二氧化硫。可吸入颗粒物、二氧化硫和二氧化氮的年日均值为 0.128 毫克／标立方米、0.043 毫克／标立方米、0.035 毫克／标立方米，同比上年二氧化硫基本持平，可吸入颗粒物和二氧化氮分别下降了 6.6% 和 7.9%。2007 年环境空气质量处于 II 级及优于 II 级的天数为 289 天，占总天数的 79.18%，其中，一级天数为 25 天，占总天数的 6.85%；二级天数为 264 天，占总天数的 72.3%；三级天数为 72 天，占总天数的 19.7%；四级天数为 4 天，占总天数的 1.10%。优良天数同与 2006 年增加了 2 天，其中 I 级增加 17 天，II 级减少了 15 天。

2007 年石家庄市区空气污染指数为 2.44，位居全国 47 个环保重点城市的倒数第十一位。其中可吸入颗粒物、二氧化硫污染指数分别达 1.28、0.72，两者的污染负荷分别占 52.5%、29.5%，可吸入颗粒物所占污染负荷最高。石家庄市区大气污染物浓度呈现“晨峰午谷”

及“冬重夏轻”的污染变化规律。一天中，污染物小时浓度值的最高值常出现于清晨，最低浓度多出现在午后；污染最严重的月份为12月，污染最轻的月份为8月；全年四个季度中，一、四季度污染最重，三季度污染最轻。2007年市区总体环境空气质量状况较2006年有所改善，污染等级为轻污染。主要大气污染物浓度时空分布特征显著。

【环境空气污染状况分析】 2007年，石家庄市环境监测中心对城区空气中的可吸入颗粒物、二氧化硫、二氧化氮、硫酸盐化速率、降尘、一氧化碳、臭氧和降水等指标进行了例行监测。监测结果表明，2007年城区环境空气中可吸入颗粒物年均浓度值为0.134毫克／标立方米，为二级标准值的1.34倍，而二氧化硫、二氧化氮的年均浓度值分别为0.055毫克／标立方米和0.041毫克／标立方米，达到了国家二级标准。

表 1　　2007年大气污染物监测数据统计

浓度单位：毫克／标立方米

项　　目	浓度值范围	年均浓度	超标率(%)	二级标准
可吸入颗粒物	0.017—0.681	0.128	29.5	0.10
二氧化硫	0.002—0.175	0.043	0.1	0.06
二氧化氮	0.002—0.107	0.035	0.0	0.08
降　　尘	9.87—15.40	12.40	0.0	19.00
硫酸盐化速率	0.926—1.680	1.209	/	/
一氧化碳	0.466—11.094	3.701	0.31	4.00
臭　　氧	0.003—0.136	0.037	0	0.16

* 降尘浓度单位：吨／平方公里·30天，硫酸盐化速率浓度单位：毫克SO_3/100平方厘米碱片·日，臭氧为小时均值

2007年度石家庄城区环境空气中各项主要污染物的污染状况如下：

可吸入颗粒物 2007年石家庄市城区环境空气中可吸入颗粒物年日均值为0.128毫克／标立方米，超过国家二级标准0.028毫克／立方米，全年日均值超标率为29.5%，年日均浓度与上年同期相比下降了6.6%。

2007年城区可吸入颗粒物污染程度由高到低的排序为：四季度＞一季度＞二季度＞三季度。

二氧化硫 2007年石家庄城区环境空气中二氧化硫年平均值为0.043毫克／标立方米，低于国家二级标准0.017毫克／立方米，全年日均值超标率为0.1%，年日均浓度与上年相比基本持平。

2007年城区二氧化硫污染程度由高到低的季节排序为：一季度＞四季度＞二季度＞三季度。

二氧化氮 2007年石家庄城区环境空气中二氧化氮年日均值为0.035毫克／标立方米，全年日均值超标率为0，年日均浓度与年同期相比下降了7.9%。

2007年城区二氧化氮污染程度由高到低的季度排序为：一季度＞四季度＞二季度＞三季度。

降尘 2007年石家庄城区降尘年月均值为12.40吨／平方公里·30天，与2006年相比增长5.71%。月均值最大值出现在交通区，监测值为12.58吨／平方公里·30天，各功能区污染程度由高到低的排序为：交通区＞商业区＞工业区＞居民区；全年四个季度降尘量由高到低的排序为：一季度＞四季度＞二季度＞三季度。

硫酸盐化速率 2007年石家庄城区硫酸盐化速率月均值为1.209毫克SO_3/100平方厘米碱片·日，与2006年相比上升了6.2%；月均值最大值出现在居民区，监测值为1.224吨／平方公里·30天，各功能区污染程度由高到低的排序为：居民区＞工业区＞商业区＞交通区＞文教区。全年四个季度污染程度排序为：四季度＞一季度＞二季度＞三季度。

一氧化碳 2007年石家庄市城区一氧化碳年均值为3.701毫克/标立方米，与2006年相比上升了19.5%。全年四个季度一氧化碳污染程度排序为：一季度＞四季度＞三季度＞二季度。

臭氧 2007年石家庄城区臭氧年均小时值为0.037毫克/标立方米，与2006年相比下降了2.63%。全年四个季度臭氧浓度由高到低的排序为：三季度＞二季度＞四季度＞一季度。

【大气污染物时空变化分析】 石家庄市城区主要大气污染物的浓度变化具有明显的季节特征，总体上呈现"采暖期重于非采暖期"和"冬重夏轻"的污染特征。2007年石家庄市共获取降水样品102个，酸雨样品为6个，酸雨频率为5.88%，降水pH最小值为4.36。

受采暖期燃煤量增大影响，采暖期空气中可吸入颗粒物、二氧化硫及二氧化氮浓度均大于非采暖期。可吸入颗粒物采暖期浓度(0.148毫克/标立方米)为非采暖期的1.26倍，二氧化硫采暖期浓度(0.06毫克/标立方米)为非采暖期的1.72倍，而二氧化氮采暖期浓度(0.042毫克/标立方米)为非采暖期的1.33倍。

受气候变化和气象因素的影响，春、冬季尘污染严重，空气中可吸入颗粒物明显增高。春冬季(11～3月)与夏秋季(6～10月)相比，可吸入颗粒物、二氧化硫、二氧化氮三项污染物分别高0.33倍、0.70倍和0.35倍。秋季是一年中空气污染最轻的季节，污染物降低幅度明显。

石家庄市区大气污染物浓度日变化呈现"晨峰午谷"的污染规律。一天中污染物小时浓度值最高值常出现于清晨，最低浓度多出现在午后。

污染物的空间分布与污染源的分布情况、城市气象条件、城市建筑结构、城市布局及污染物的迁移扩散特征有密切关系。二氧化硫和二氧化氮的空间分布受工业污染源和生活污染源的局部影响很大。

数据分析表明，可吸入颗粒物的污染程度分布为：平安电站＞西北水源＞高新区＞五十四所＞化工学校＞监测中心＞西南高教；二氧化硫污染程度分布为：平安电站＞监测中心＞化工学校＞五十四所＞西南高教＞西北水源＞高新区；二氧化氮的污染程度分布为：五十四所＞化工学校＞西南高教＞监测中心＞高新区＞西北水源＞平安电站。

2007年各县(市)、区环境空气综合污染指数最大的为矿区，可吸入颗粒物污染最重的为井陉和行唐，二氧化硫污染最重的为辛集，二氧化氮污染最重的为辛集。

【降水情况】 2007年石家庄市共获取降水样品102个，酸雨样品为6个，酸雨频率为5.88%，降水pH最小值为4.36。

【大气环境质量国内、省内排名】 国内排名：尽管2007年度石家庄市环境空气质量较上年度有一定好转，但与其它城市相比，石家庄市依属于大气污染较重的城市，污染综合指数在全国47个重点城市排位中倒数第十八位，优良天数在全国47个重点城市中大气污染排位倒数第六位；省内排名：2007年度石家庄市环境空气质量在省内11个城市中处于较差水平，空气综合污染指数石家庄市处于全省第六位，优良天数排位倒数第一位。

【水环境质量无明显变化趋势】 石家庄市域内地表水体总体呈"有机污染型"，各地表河流受沿途工业污染源污染较重，城市(镇)下游河段水质多超过地表水功能区划标准，出境断面控制指标多难以达标，污染等级为中度污染以上。城市地下水环境质量不容乐观，总硬度超标较重，浓度值呈现由西北向东南逐渐增加的分布特征，其它污染物受地面污染物垂直渗透影响，呈现"点状"或"片状"分布特征；地下水采补失衡，水位降落漏斗面积逐年增大，向西、向北逐年扩展。地下水质量总体变化不大。

【地下水环境现状】 2007年市环境监测中心对市区26眼地下水井的27项指标进行了监测，结果表明，总硬度、硫酸盐、氨氮、氯化物、硝酸盐、六价铬、细菌总数、溶解性总固体、总铬等指标均有检出，详见下表。

表 2　　石家庄市 2007 年度地下水监测结果统计

单位：毫克／升(PH 除外) 总汞：微克／升

项　目	统计量(个)	最大值	最小值	平均值	检出井次	超标井次	检出率(%)	超标率(%)
PH	110	8.14	6.84	7.45	110	0	100	0
总硬度	110	1037	214	439.6	110	43	100	39
硫酸盐	110	418	62	145.47	110	4	100	4
高锰酸盐指数	110	2.22	0.2	0.977	104	0	95	0
氨氮	110	0.26	0.01	0.038	54	2	49	2
氯化物	110	4650	18.7	186.72	110	14	100	13
氟化物	110	0.52	0.19	0.326	110	0	100	0
总大肠菌群	110	<3	<3	<3	110	0	0	0
挥发酚	110	0.001	0.001	0.001	0	0	0	0
硝酸盐	110	39.77	0.93	12.95	110	17	100	15
亚硝酸盐	110	0.049	0.002	0.004	55	0	50	0
铁	110	0.02	0.02	0.02	0	0	0	0
锰	110	0.005	0.005	0.005	0	0	0	0
阴离子洗涤剂	110	0.025	0.025	0.025	0	0	0	0
氰化物	110	0.002	0.002	0.002	0	0	0	0
汞	110	0.00004	0.00004	0.00004	0	0	0	0
砷	110	0.00004	0.00004	0.00004	0	0	0	0
镉	110	0.00005	0.00005	0.00005	0	0	0	0
六价铬	110	0.129	0.002	0.004	4	1	4	1
铅	110	0.0005	0.0005	0.0005	0	0	0	0
细菌总数	102	286	1	36.02	102	6	100	6
水温	110	33	12	17.60	110		100	0
浊度	110	<3	<3	<3	110	0	100	0
溶解性总固体	110	6760	318	892.21	110	21	100	19
总铬	110	0.317	0.002	0.010	39	1	36	1

地下水质中超标较重的指标为总硬度(39%)，溶解性总固体(19%)，硝酸盐氮(15%)，氯化物(13%)，其余指标超标率低于10%。采用《地下水环境质量标准》(GB/T14848－93)中推荐的综合污染指数法，并参照污染等级划分标准对石家庄市区地下水质进行评价及污染程度分级。在监测的26眼井中地下水质量较好的井数为4眼，占15.4%；地下水质量较好井数为11眼，占42.3%；地下水质量良好井数为4眼，占15.4%；地下水质量较差井数为4眼，占15.4%，地下水质量极差井数为3眼，占11.5%。

【城市饮用水源地水环境质量】 城市饮用水源地水质状况良好。岗南水库、黄壁庄水库中除总磷、总氮、化学需氧量、氨氮外，其余指标均符合《地表水环境质量标准》II类标准。

岗南水库　受总磷、总氮两

项监测指标的影响，2007年度岗南水库全年水质类别为劣Ⅴ类。岗南水库进水区污染相对较重，出水区污染相对较轻，采用相关趋势分析法分析岗南水库的水质，污染变化趋势不显著。该水库水质监测自动站始建于2000年7月，主要对岗南水库出水进行日常监控。2001年6月4日正式向中国环境监测总站上报水质周报。2007年共报出水质周报52期，四项评价指标（pH值、溶解氧、高锰酸盐指数、氨氮）测定结果均符合《地表水环境质量标准》（GB3878-2002）Ⅰ类标准。

黄壁庄水库 受总磷、总氮两项监测指标的影响，2007年度黄壁庄水库全年水质类别为劣Ⅴ类。黄壁庄水库进水区污染相对较重，中心区、出水区污染相对较轻。经采用相关趋势分析法分析，黄壁庄水库水质污染变化趋势不显著。2007年岗南水库除总磷、总氮、化学需氧量外，黄壁庄水库除总磷、总氮、化学需氧量、氨氮外，其余评价指标都达标。黄壁庄、岗南两水库均以总氮为首要污染物，两水库总磷、总氮污染程度较2007年均有所减轻。

【河流水环境质量】 2007年市域内被监测河流有绵—冶河、石津渠、洨河、磁河、滹沱河、汪洋沟等，总控制长度达220多公里，占市域内河流长度的95%以上。

绵—冶河 2007年度绵－冶河水体水质属Ⅳ类，水体综合污染指数为11.04，绵－冶河各断面污染程度排序为岩峰＞地都＞平山桥。首要污染断面为岩峰断面，其污染分担率占到37.52%，其次为地都断面，其污染负荷为37.41%；平山桥断面污染较轻，污染负荷为25.05%。绵－冶河主要污染物及其污染分担率分别为石油类34.3%、化学需氧量21.37%、生化需氧量9.09%、氨氮13.16%等。

石津渠 2007年石津渠水体水质为劣Ⅴ类，水体综合污染指数为5.24。石津渠市区段上游的监控断面的污染程度变化不大，而市区下游则污染程度较重。石津渠各断面污染程度排序为杜北＞兆通＞黄壁庄桥＞运河桥＞南张村。首要污染断面杜北断面，污染负荷为26.98%，其次为兆通断面，污染负荷为23.03%。2007年度石津渠主要污染物为石油类、化学需氧量、氟化物、生化需氧量、高锰酸盐指数，其污染分担率分别为37.31%、17.47%、10.91%、8.56%、7.03%。石津渠出境断面——南张村的化学需氧量年均值为19.6毫克／升，低于2006年均值（34.9毫克／升），达到了Ⅲ类标准（20毫克／升）。

洨 河 河全程污染严重，水质为劣Ⅴ类，水体综合污染指数为218.5。洨河各断面污染程度排序为总退水渠口＞石板桥＞大石桥。首要污染断面为总退水口，污染负荷为35.17%；其次为大石桥断面，污染负荷为34.37%；石板桥断面污染负荷为30.46%。2007年度洨河水体主要污染物依次为氨氮、生化需氧量、化学需氧量、高锰酸盐指数、挥发酚，其污染分担率分别为47.01%、19.27%、14.86%、7.69%、5.40%。主要考核断面大石桥的化学需氧量年均值为445毫克／升，较2006年均值（551毫克／升）有所下降，但仍不能满足考核指标（250毫克／升）要求。

磁 河 磁河全程污染严重，2007年度磁河水体水质为劣Ⅴ类，水体综合污染指数为63.65。水体首要污染物为氨氮和化学需氧量，两项指标污染分担率占48.08%。2007年度磁河主要考核断面段家庄的化学需氧量年均值为517毫克／升，较2006年均值（555毫克／升）略有下降，但仍不能满足考核指标（200毫克／升）要求。

滹沱河 2007年度滹沱河水体水质为劣Ⅴ类，水体综合污染指数为476.67。水体主要污染物依次为挥发酚、氨氮、高锰酸盐指数、生化需氧量、化学需氧量，其污染分担率分别为41.23%、16.65%、14.26%、12.53%、12.89%。2007年度滹沱河主要考核断面枣营的化学需氧量年均值为1075毫克／升，低于2006年均值（1319毫克／升），但仍不能满足考核指标（250毫克／升）要求。

汪洋沟 2007年度汪洋沟水体水质为劣Ⅴ类。水体中主要污染物为氨氮、生化需氧量、化学需氧量、高锰酸盐指数、挥发酚，污染分担率分别占45.28%、21.30%、14.20%、9.37%、7.25%。2007年度汪洋沟主要考核断面——高庄的化学需氧量年均值为447毫克／升，低于2006年均值（589毫克／升），但仍不能满足考核指标（250毫克／升）要求。

【城市噪声有所好转】 2007年，根据《中华人民共和国环境噪声污染防治法》，市环保局重新对市区噪声区域进行划分。并在此基础上，按照《环境噪声达标区建设管理规范》要求，建设噪声达标区14片，噪声达标区面积为127.66平方公里，噪声达标区覆盖率为82.4%。

功能区噪声 按照石家庄市区不同区域的功能特点，将噪声功能区划为四类。2007年度不同功能区噪声监测结果统计见下表。

表3 2007年功能区噪声监测数据统计

单位：dB(A)

季度＼分区	1类区			2类区			3类区			4类区		
	Ld	Ln	Ldn	Ld	Ln	Ldn	Ld	Ln	Ldn	Ld	Ln	Ldn
一季度	51.7	42.7	52.1	58.9	49.4	59.4	60.9	58.5	65.1	66.2	61.7	68.9
二季度	54.5	43.5	54.3	58.9	45.1	58.8	58.3	58.6	64.7	65.9	62.7	69.7
三季度	52.6	45.3	53.8	58.6	48.2	58.8	62.5	56.9	64.6	64.6	61.7	68.6
四季度	54.8	46.9	55.8	58.8	48.4	58.9	60.4	57.7	64.5	65	61.1	68.2
全　年	53.4	44.6	54.0	58.8	47.8	59.0	60.5	57.9	64.7	65.4	61.8	68.9
标准值	55	45		60	50		65	55		70	55	
测点数	3			3			2			4		

监测结果表明，1、2类区昼间、夜间噪声平均等效声级值均达标；3、4类区昼间噪声平均等效声级值均达标，夜间噪声平均等效声级值超标。各测点年平均昼间等效声级值的最大值为69.7分贝，夜间平均等效声级值的最小值为42.7分贝。

表4 功能区噪声年均值比较

单位：dB(A)

时间	年份	1类区	2类区	3类区	4类区	全市
昼间	2006	54.6	58.2	61.2	65.3	59.8
	2007	53.4	58.8	60.5	65.4	59.5
夜间	2006	44.4	51.5	57.9	63.1	54.2
	2007	44.6	47.8	57.9	61.8	53.0
昼夜	2006	54.7	60	64.7	69.6	62.3
	2007	54.0	59.0	64.7	68.9	61.6

比较2007年和2006年功能区噪声年均值，2007年市区平均等效声级值较2006年有所下降，其中昼间等效声级值下降0.3分贝，夜间等效声级值下降1.2分贝，昼夜等效声级值下降0.7分贝。

道路交通噪声 2007年石家庄市环境监测中心在市区8条主干线，23条次干线，37条支路，其他道路129条，合计197个路段，总长363.9公里的道路上共布设了357个道路交通噪声监测点位，测试结果显示，市区的道路交通噪声值为47.6～81.8分贝，平均等效声级为67.1分贝，同比2006年上升了0.7分贝。

由于道路交通噪声监测点位进行了调整，监测点位由178个增加到357个，因此本年度平均车流量为1285辆／小时，较2006年2390辆／小时有明显下降。

表 5　　2007 年暴露在不同等效声级下路段分布情况

声级范围 dB (A)	55 以下	56 ～ 60	61 ～ 65	66 ～ 70	71 ～ 75	76 ～ 80	81 以上	超过 70 分贝的干线
路段长度(公里)	7.075	20.19	79.69	145.60	103.80	6.84	0.75	8.0
占交通干线总长度的 %	1.94	5.55	21.90	40.01	28.52	1.88	0.21	2.20

2007 年与 2006 年相比，超过 70 分贝的干线长度上升由 9.95% 下降为 2.20%，但低噪声声级值段 65 分贝以下所占路段百分比 2006 年有所上升。

区域环境噪声　经统计，2007 年度区域环境噪声值变化范围为 37.9 ～ 64.7 分贝，平均等效声级为 50.3 分贝，同比 2006 年下降 3.5 分贝。

表 6　　2007 年区域环境噪声数据统计

网格大小（米 × 米）	网格（测点）总数	网格覆盖人口数（人）	Leq		L10		L50		L90	
			平均	σ	平均	σ	平均	σ	平均	σ
1000 × 1000	400	2377300	50.3	2.0	52.3	2.3	48.6	1.2	46.2	0.1

表 7　　2007 年暴露在不同等效声级下的面积和人口分布状况

声级范围 dB(A)	36 ～ 40	41 ～ 45	46 ～ 50	51 ～ 55	56 ～ 60	61 ～ 65	66 ～ 70	71 ～ 75	76 ～ 80	81 ～ 85
声级覆盖面积（公里 ^{2}）	3	62	123	153	51	8	/	/	/	/
占总网格面积的 %	0.75	15.50	30.75	38.25	12.75	2.00	/	/		/
声级覆盖人口（万人）	1.7830	36.8482	73.1020	90.9317	30.3106	4.7546	/	/	/	/
占总网格人口的 %	0.75	15.50	30.75	38.25	12.75	2.00	/	/	/	/

区域环境噪声值集中分布于 51 ～ 60dB(A) 声级值段，占总网格面积的 51%。66 分贝以上声级覆盖区域没有出现。由于区域环境噪声监测点位进行了调整，监测点位由 240 个增加到 400 个，暴露在不同等效声级下的面积和人口分布状况比例较上年有所变化。

2007 年城市内的声源构成为交通运输、日常生活、工业噪声、建筑施工及其它噪声，以交通噪声和生活噪声为主。交通噪声、工业噪声所占比例较上年明显上升，生活噪声、其他噪声所占比例较上年明显下降，施工噪声所占比例较上年有所上升。

表 8　　石家庄市区域环境噪声源构成

噪声源分类		交通	工业	施工	生活	其它
影响的测点数		275	47	18	53	6
噪声源构成比 %		68.92	11.78	4.51	13.28	1.50
L10	平　均	51.7	53.4	54.5	53.4	53.7
	σ	0.2	9.2	7.1	0.4	4.6
L50	平　均	48.0	50.0	51.0	49.1	49.5
	σ	1.0	9.5	8.4	1.4	5.0

（续表）

噪声源分类		交通	工业	施工	生活	其它
L90	平　均	45.7	47.8	48.5	46.5	46.8
	σ	2.1	10.1	9.0	0.8	4.8
Leq	平　均	49.7	51.2	52.2	51.9	51.5
	σ	0.0	9.2	7.2	0.3	4.5

【第一次污染源普查】 石家庄市按照河北省环保局要求，成立了以常务副市长为组长，市宣传部、市发改委、市财政局、市农业局、市工商局、市环保局等 11 个相关部门领导为成员的普查工作领导小组，统一组织领导实施污染源普查工作。与石家庄市委宣传部联合发出《关于印发石家庄市污染源普查宣传工作方案的通知》，在人口密集地方张贴宣传教育画 450 多张，在乡镇所在地和工业企业集中地张贴宣传教育画 320 张，悬挂张贴宣传标语 320 条，提高了全民的环境意识。召开全市和环保系统污染源普查工作协调会，申请工作启动费用，编制《第一次污染源普查预算资金项目建议书》，结合石家庄市实际情况，拟定《石家庄市第一次污染源普查方案》，将全市 100 家国控重点污染源（大气污染源 20 家，水污染源 80 家）和 10 家污水处理厂纳入监控范围之内。普查监测每季度一次，一年 4 次。

【"点状监督，量化管理"工作】 2007 年，市环保局加大了对占全市污染负荷 80% 以上的 332 家重点企业的监管力度，按照"一厂一案"、"一厂一册"、"一厂一单"的标准，对"量化管理"档案做了进一步完善。采取"五查"措施加大对纳入"点状监督，量化管理"范围企业的监管力度，即：对非重点污染源定期查，坚持每季至少现场监察一次；对化工、制药、热电、印染等比较特殊的污染源重点查，坚持每月现场监察 2 次以上；对金石化肥、石钢集团、河北中润、华北制药、威远生化、河北华电、焦化厂等 7 家重点企业反复查，作为监察工作的重中之重，采取派驻厂巡查员措施，坚持每周监察 2 次；对主要区域突击查。对污染较重、群众反映较多的洨河、汪洋沟流域的污染源和一级饮用水源地保护区的污染源，坚持集中力量进行突击性排查。全年现场检查重点企业 1864 家（次），填写检查记录 6170 份，对 298 家企业提出整改措施，对 97 起违法排污行为（如金石化肥有限公司的暗管偷排，热电四厂、第二印染厂、良村热电厂的烟囱冒黑烟等问题）进行了查处。

【污染源自动监控系统实行第三方运营】 烟尘和二氧化硫自动监控系统第三方运营管理工作是环保监察 2007 年的重点工作之一。为使石家庄市安装的众多自动监控设备在环境管理工作中充分发挥作用，实行第三方运营管理模式已在全市自动监控设备的管理工作中全面展开。截至 12 月底，有 24 家 COD 自动监控设备使用单位参加了第三方运营，占全市总数的60%左右；8 家烟尘和二氧化硫自动监控设备使用单位参加了第三方运营，占全市总数的 40% 左右。

【全面强化环境日常监管工作】 一是强化项目监管。市环保局、监察局、发改委等 9 部门联合下发了《关于进一步加强建设项目环境保护监督管理的通知》，强化对建设项目的联合监督管理。2007 年共审批 251 个建设项目，验收 142 个建设项目，否决了 139 个。对 2000 年以来审批的 998 个重点建设项目进行了跟踪检查，并且对未落实"三同时"的 155 个项目立案查处，对 66 个建设项目下发了限期整改通知，对 60 个建设项目下发了责令停产整改通知。二是强化日常执法。先后组织 60 余次专项执法行动，出动执法人员 12840 余人次，车辆 3100 余台次，对 3870 余家企业进行了检查，取缔关停企业 582 家，对 809 件环境违法案件进行了立案查处，移交市法院强制执行 14 件。三是强化应急能力建设。为应对各种突发性环境污染事件，市环保局下达了《石家庄市环保局关于开展环境安全隐患排查的紧急通知》，成立了由 30 人组成的环境应急分队，组织开展了4次处置环境突发事件应急演练。2007年，市环保局快速启动应急预案，对石家庄市达胜精细化工厂、赞皇县南邢郭村小学、鹿泉市铜冶镇工业区污染突发事件进行了妥善处置。四是强化环境举报件处理。建成了12369环境投诉应急中心，先后接到群众投诉和领导批办件3393件，按期结案率达98%。

（严 健）

建 筑 业

【概况】 2007年全市完成建筑业总产值 408.78亿元，比上年增长56.7%；从业人数22.75万人，比上年降低8.7%；劳动生产率17.97万元／人，比上年增长71.6%；房屋施工面积4252.09万平方米，比上年降低5.6%，其中新开房屋施工面积1917.86万平方米，增长15.89%，住宅施工面积2114.06万平方米，增长10.45%，住宅新开面积1073.7万平方米，增长4.9%，住宅竣工面积992.28万平方米，增长9.1%，市区住宅竣工面积501.51万平方米，比上年增长9.2%。

【建筑市场管理】 进一步推行工程量清单招标、合理低价中标和工程担保制度，加强招投标监督管理，规范了招标代理活动。全年完成招标工程308项，造价44.7亿元。在搞好日常管理工作的同时，加大建筑市场稽查工作力度。共稽查市区在建工程1633个，建筑面积1347.47万平方米，工程造价139.04亿元。查处违章工程142个。2007年还加大了对各县（市）建筑市场交易中心建设的督导、协调，通过努力，提前并超额完成了“在全市80%以上的县（市）区建立交易中心或分中心”的工作任务。

【工程质量和安全生产、文明施工管理】 工程质量管理方面：全年共监督建筑工程1779个，建筑面积1472.23万平方米，办理竣工验收备案249项，建筑面积199.6万平方米。石家庄市有1项工程获得国家鲁班奖，39项工程获得“安济杯”（省优）工程奖，90项工程被命名为“兴石杯”（市优）工程。安全生产、文明施工管理方面：市建设部门与各县（市）、区建设局局长签订了《石家庄市2007年建设工程安全生产目标责任书》，开展了迎接建设部和省建设厅安全检查，安全生产专项整治和安全生产月活动。2007年，全市施工现场共发生安全事故6起，死亡6人，全部调查处理完毕。与上年相比，事故起数减少3起，死亡人数减少5人，安全生产总体形势进一步好转。结合“八个一”活动开展创建文明工地活动取得新成绩。组织了大型观摩会，加大了施工现场扬尘污染治理工作力度，共检查建设工地4200余场次，下发责令整改通知书384份，处罚造成扬尘污染严重的工程建设项目27个，罚款34.5万元。通过整治，全市建筑施工现场环境面貌焕然一新。

【清理拖欠工程款和农民工工资工作】 共协调解决拖欠工程款和农民工工资投诉、上访23件，召开协调会102次，清理拖欠工程款2.2亿元。在国务院组织的检查中，检查组充分肯定了石家庄市建立的预防拖欠的长效机制，对清欠工作给予了高度评价。

（陈 涛）

房 产 业

【概况】 2007年，石家庄市住房保障和房产管理局工作按照市委、市政府的统一部署，积极贯彻国家宏观调控政策，紧紧围绕全市重点工作，联系全市房地产业实际，制定规划，完善政策，顽强拼搏，锐意进取，为确保全市房地产市场的健康持续发展。2007年，石家庄市住房保障和房产管理局被国家人事部、建设部表彰为全国建设系统先进集体，被省建设厅评为全省建设系统物业管理工作先进单位、住房保障与房改工作先进单位和法制工作先进单位。

【强化房地产市场管理】 2007年，全市房地产投资额稳步增长，达到100亿元，较上年增长14.9%。一是市建设局加强了房地产开发企业资质管理，坚持现场踏勘与原件审核相结合，严把入关口。共受理申报开发企业217家，办理法人变更和企业名称变更业务50家，核定资质等级353家，办理资质升级23家。加强了《房地产开发项目手册》管理，共办理《项目手册》56宗。全市在建项目中有159个开发项目办理了《项目手册》。二是加大了法律法规培训力度，引导开发商守法诚信经营。分两期对700余家房地产开发企业进行了法律法规培训。在全行业开展了诚信企业评定工作，对2006年度依法开发、信守合同履约践诺的11家房地产开发企业进行了表彰，授予"2006年度房地产开发诚信企业"荣誉称号，并作为优良记录记入企业诚信档案。三是下大力抓了房地产市场秩序整顿。牵头对全市违规村民住宅建设情况进行督查，加大对违规村民住宅建设的监管力度，使违法建设现象得到有效遏制。四是以迎接建设部"拆迁管理规范化专项检查"为契机，深入各县（市）摸底调查，并对各县（市）拆迁工作进行了政策指导。2007年共审核办理拆迁许可证15个，上报拆除建筑面积54.6万平方米，拆迁腾地1571.59亩，搬迁居民6658户，监控拆迁补偿资金3.3亿元。组织召开了45次各类听证会，稽查违规拆迁23次，对2家单位提出了通报批评。受理行政裁决申请113份，作出裁决63份，向政府申请强制拆迁14份，执行强迁8户。五是认真处理投诉。共受理群众投诉事件和信访接待31件，协调解决了供暖、供水，个别开发商违约等与群众生活密切相关的一些实际问题，避免了多起过激行为发生。六是继续抓好城中村改造工作。办理城中村改造遗留问题备案7件。加强了政策研究，召开各区、城中村、市直有关部门及律师、专家参加的座谈会10次，对城中村改造中存在的诸如土地、拆迁等热点难点问题深入座谈。完成了城中村改造新的政策征求意见稿并提交政府。

（陈　涛）

【住房保障工作稳步推进】 市房管部门根据全国、全省城市住房工作会议要求，扎实做好经济适用住房和廉租住房制度保障工作，对申请并符合条件的最低收入家庭实现了应保尽保。制定下发了《石家庄市人民政府关于完善和落实城市住房保障制度切实解决低收入家庭住房问题的实施意见》，以及相配套的《石家庄市城市低收入家庭廉租住房申请、审批、公示及退出管理规定》、《石家庄市城市低收入家庭购买经济适用住房申请、审批和公示管理规定》等相关政策措施。完成石家庄市住房保障和房产管理局的更名和石家庄市廉租住房和经济适用住房管理中心组建工作。开展全市低收入家庭住房状况调查，进一步摸清低收入家庭住房状况的底数，制定了住房保障三年规划。编制低收入家庭住房和廉租住房档案管理软件，形成石家庄市低收入家庭住房电子档案，实现了动态管理。2007年全市共发放廉租补贴1432户，补贴面积4.6万平方米，发放补贴资金190.3万元。其中市内五区共补贴1030户，补贴面积3.5万平方米，发放补贴资金172.7万元；18个县（市）和矿区共补贴402户，补贴面积1.1万平方米，发放补贴资金17.6万元。租金核减9户，年核减租金6564元。全年市区经济适用住房（含单位集资建房）完成56万平方米，圆满完成省建设厅下达的完成经济适用住房55万平方米的建设任务。同时，加大对经济适用住房违规行为的查处力度，先后对6个在建集资建房项目进行了检查，对两处擅自开工建设和违规销售行为进行了查处。组织市内各区按照有关规定程序，对安苑小区一期和柳阳佳园进行公开销售，充分体现了公平、公正、公开的原则。柳阳佳园和安苑小区（一期）已交付使用，购房户已顺利入住。由于住房保障各项工作落实到位，受到了国家监察部和省政府住房保障工作检查考核组的充分肯定。

【房地产市场秩序进一步规范】 2007年，石家庄市住房保障和房

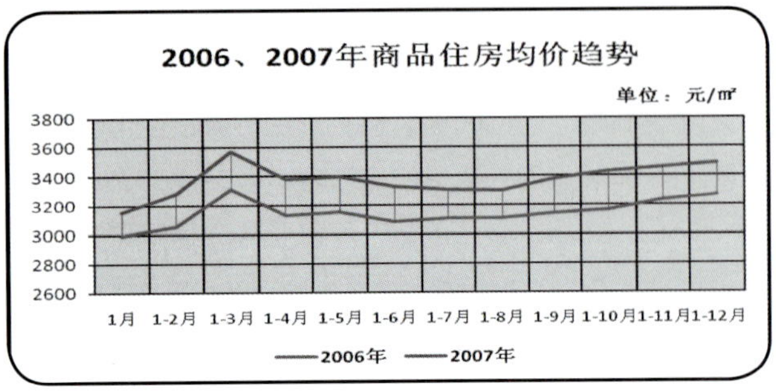

产管理局继续贯彻落实国家和河北省关于房地产监管的指示精神，严格落实了商品房预（销）售网上签约、网上备案、网上公示；严格执行新的税收政策，遏制了投机炒房行为；健全房地产市场信息系统，增强了房地产市场信息的透明度；保持了房地产市场的健康稳定发展。全年市区共批准商品住房预售面积247万平方米，同比增长3.40%；商品住房实际登记销售面积257万平方米，同比增长57.0%，市场供求基本平衡；市区商品住房平均销售价格每方米3488元，同比上涨6.88%。根据国家建设部和省建设厅有关要求，认真开展房地产市场专项整治活动，对2006年6月1日以来的房地产项目预售审批、预售备案及确权办证等情况进行了自查自纠。会同市有关部门先后对87家次房地产开发企业和121家次中介机构进行了重点检查和查处，立案、结案21件，罚款15万元，并将违规行为记入了诚信档案。完善和巩固程序化办公运行模式，进一步缩短办证时限；积极开展预测绘和基础测绘，将测绘工作前置，使测绘工作更好地为权属登记工作服务，逐步做到“以图管房、以图管档”；进一步健全数字房产系统，完善集体土地、经济适用住房、商品房等业务功能，对存量房转移和抵押增加了身份证识别功能，极大地提高了工作效率。

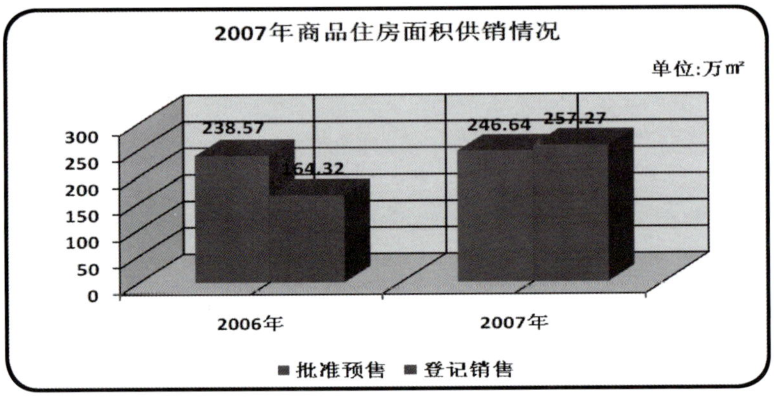

商品住房市场供应销售情况

单位：万平方米

区分	2006年		2007年	
	批准预售	登记销售	批准预售	登记销售
商品住房	238.57	164.32	246.64	257.27

【住宅小区物业服务水平全面提升】 2007年，石家庄市委、市政府将“全面推行住宅小区物业规范化管理”列为为民办的40件实事之一。通过深入调研、广泛论证，出台《关于加强石家庄市住宅区物业管理工作的意见》、《石家庄市住宅区业主大会规则》和《石家庄市新建住宅交付使用管理办法》等规范性文件。同时，制定了《住宅小区物业规范化管理实施方案》，编制印发了《物业管理资料汇编》、《石家庄市物业管理宣传手册》，召开新闻发布会，通过电视、报纸等新闻媒体，大力宣传物业管理规范化的意义和作用。组织市内区主管部门、有关办事处、社区居委会270余人开办了物业管理企业规范化管理培训班。截至2007年底，市内各区都将物业管理纳入了社区管理的范围，建立了四级监管网络体系，物业服务质量不断提高，小区纠纷逐步减少。年内完成国家级物业管理示范小区1个、省级物业管理示范小区4个、市级物业管理示范小区8个。同时，完成306家物业管理企业资质的年检，对17家规模小、服务差的物业企业的资质予以注销，进一步净化了物业管理市场。

【依法行政水平不断提高】 行政许可窗口严格实行一次性告知、AB

角工作制度和限时办结制，全年共受理行政许可356件，办结344件，在办4件，未予许可8件。对社会宣讲房地产相关法律知识十余次，发放宣传材料3000余份，接受咨询50余人次。严格执行了重大行政案件督查、重大行政处罚案件备案等制度，落实了行政执法责任制和依法行政评议考核。先后对卓达房地产集团、新源发房地产开发公司、恒都房地产公司等6起房地产公司的违法违规行为进行了处罚。

【房地产信息系统和诚信体系建设逐步完善】 按照建设部《房地产市场信息系统建设工作纲要》的要求，对商品房预售备案系统进行了再开发，解决了部分数据不全的问题，实现了预售合同网上联机及时备案；建立了石家庄市地理信息库，实现全市全要素无缝电子版地形图，使市区52万份房产档案、7983万平方米房产，实现数字化管理；组织研发住宅维修资金综合管理系统，与数字房产挂接，并于是年5月底实现试运行，进一步优化了传递程序，提高了工作效率。完成监管企业管理软件的开发，将企业纸质诚信档案全部录入到程序中，形成了电子诚信档案。截至年底，已建立各类诚信档案2500份，录入信息16万余条。为加强对企业的监管，在“石房网”设立了失信企业“曝光台”和被处罚企业“黑名单”，对存在失信及违规行为的企业在网上进行了公开曝光，积极引导企业诚信经营。

【房屋安全管理和住宅产业化推广力度继续加大】 组织各县（市）区对危旧房屋安全进行了大检查，查出各类危旧房屋750栋、约150万平方米，发出《房屋隐患通知书》120份。年内完成鉴定项目10个、3.04万平方米；审查批准3个危改项目，拆除危房5.29万平方米，有力地保障了居民的居住安全。为加大危险住宅改造力度，对全市危险住房进行摸底调查，建立了危险住房档案，并结合实际，以市政府名义制定出台了《关于加快城区危险住房改造的实施意见》，为危险住房改造提供了依据。同时，按照市政府《关于整顿和规范市场经济秩序工作要点》，对全市家装市场不规范施工和欺诈等不良行为进行了整治，有力地消除了住宅室内装饰装修隐患，提高了居民的居住质量。

（苑志杰　楚　臣）

区划地名

【概况】 2007年区划地名工作坚持以服务社会、方便群众为方向，以依法行政、规范管理为目标，以以人为本、构建和谐为原则，以城区为重点，辐射拉动农村县域同步发展为基本方法，精心谋划，分步推进，持续发展，市区街路标志得到补充完善，县乡、镇、村地名标准化开始启动，各类地名命名趋于法定程序，边界管理和撤乡改镇工作推动县域稳定和经济发展。

【地名命名更名】 2007年，市地名办继续按照逐级申报、公开征名、政府审批、公告公示的程序，审核备案标志性建筑物6座、审批命名生活小区29个、审批更改名称2个，审批命名街路名称5个。其中命名的大型建筑名称6个，分别是富邦大厦、盛博商务楼、和平路装饰建材广场、锦茂大厦、泰丰大厦、美华大厦；命名的居住区名称29个，分别是礼域尚城、恒泰德钰名邸、华域城、环岛豪庭、丽晴城、明珠花苑、尊园小区、香林庭院、怡中苑、尚乘源小区、玉清园、玉泉花苑、兴凯颐园、农馨园、庄泰华庭、高远丽都、旭日蓝天公寓、茗秀园、清晖园、依水苑、在水一方佳人苑、乔安居、祥安花园、祥和花园、美景小区、大明公寓、清水居、冠诚苑、尚都公寓；更改生活居住区名称1个，“新浩城北区”更名为“八家庄怡园”；更改建筑物名称1个，“金地时代中心”更名为“东模大厦”；命名的街路名称5个，分别是坤桥街、高华路、槐建路、裕德巷、裕苑巷。

【启动县、乡、镇、村地名设标】 地名标志是城乡建设的基础设施，随着全市城镇化战略实施和文明生态村建设的发展，农村地名标准化管理成为必然趋势。按照国家民政部、交通部、工商总局、质检总局四部局关于“启动全国县、乡、镇地名设标的通知”精神，根据全市各县经济发展不同，群众认可程度不同，审时度势，分步实施，扎实推进，在全市农村县域开展了地名标志设置工作。启动之初，抓了先行试点。栾城县把地名标志设置与创建生态文明村相结合，在规划较好、文明环境较好的三个村庄统一规范村名、统一制定街标、村标、巷牌门牌，受到群众欢迎，通过市、县两级帮扶，成为先进典型。2007年4月在栾城召开全市县、乡、镇设标现场会，观摩学习。会上对全市完成县、乡、镇设标工作进行部署，并分别要求完成时限。同时借助各县申报撤乡建镇的时机，解决设标经费问题，推进设标开展。开发区、晋州市结合撤乡建办事处和撤乡建镇，完成了城区街路标志设置，平山县717个村庄都设置了统一的村标。到2007年底，平山、正定、赵县、井陉、深泽、藁城、赞皇、栾城、晋州等9个县（市）全部完成县城区地名标志设置，行唐县每个村设置了立柱式村标，中国社会报发图片新闻予以报道。

【行政区划管理】 为适应全市经济发展和城镇化战略的实施，2007年区划地名办公室依照法定程序分别对市经济技术开发区、高邑县和晋州市进行撤乡建办事处、增设办事处和撤乡建镇的调查、审查、审批、督办的区划调整工作。具体调整为：市经济技术开发区所代管的裕华区留村乡撤乡改设长江街道办事处；市经济技术开发区由于发展需要增设1个街道办事处——太行街道办事处；高邑县撤销大营乡改设大营镇建制；高邑县撤销西富村乡改设富村镇建制；晋州市撤销东里庄乡改设东里庄镇建制。此次调整后全市辖6个行政区（含矿区）、5个县级市、12个县、1个经济开发区。全市共辖99个乡、123个镇、51个街道办事处，4419个行政村。

（刘平刚）

农 业

农　业

概　述

2007年，农业农村工作认真贯彻落实中央1号文件和市委八次党代会精神，以新农村建设统揽全局，创新机制，深化改革，突出重点，全面推进了全市农业农村工作又好又快发展。

农业综合生产能力稳步增长。一是全市粮食、瓜菜、奶类等大宗农产品产量，保持了平稳增长态势。2007年，粮食总产达到494.5万吨，平均亩产447公斤，分别比上年增9.3万吨和8公斤，单产、总产均创历史新高。其中，小麦573.7万亩，亩产448公斤；玉米479.8万亩，亩产483公斤，均是历史最好水平。油料作物种植面积95.7万亩，亩产230公斤，比上年增4公斤；总产24.2万吨，比上年增1万吨。棉花面积26.4万亩，亩产81公斤，比上年增10公斤；总产量1830万公斤，比上年增160万公斤，经济作物在种植业中的比重明显增加。果品生产喜获丰收，全市果品产量突破200万吨大关，达到205.19万吨，比上年增长5.04%。其中，梨果产量达到125.6万吨，增幅达4.88%；苹果、大枣产量分别达到20.5万吨和21.95万吨。瓜菜种植面积248.9万亩，总产1360万吨，与上年基本持平。肉、蛋、奶、水产品产量分别达到65.1万吨、92.8万吨、100.1万吨和3.1万吨，分别比上年减少2.86%和增长3.79%、17.40%和4.12%。二是农业基础设施建设进展顺利。白草坪水库除险加固工程竣工并通过验收，红领巾水库除险加固主体工程完工，具备蓄水条件；全年完成10座小型水库的除险加固，占建设任务的100%；建设饮水工程78处，解决了6.56万人的饮水安全问题，占建设任务的164%；治理水土流失面积157平方公里，占建设任务的104%；整治河道堤防26.2公里，占建设任务的130%；发展节水灌溉面积31万亩，占建设任务的100%。三是养殖业效益显著增加。猪、禽、牛、羊等主要畜禽的存、出栏和水产养殖面积与上年同期基本持平，但随着市场供需矛盾的调节，全市养殖业形势非常好，效益普遍提高。生猪效益创历史新高，每头生猪纯收入达到500～700元，为历年之最。蛋鸡年纯收益达到15元/只以上，比上年增5元/只。特别是随着收奶价格的提高，奶业结束了近两年的低迷状态，每头奶牛年收益达到3000元，比上年提高1000元以上。牛、羊肉和水产品也保持了较高的收益水平。四是特色优势产业布局进一步优化。全市优质专用小麦面积410.8万亩，比上年增4.8万亩，占小麦总面积的79%，且逐步向优势区域集中；优质专用玉米面积415万亩，占玉米总面积的88.1%，与上年基本持平；优质杂粮面积78.5万亩，比上年增1万亩，其中品牌化生产面积达到35万亩，占优质杂粮生产面积的45%。京广、石德公路沿线瓜菜集中生产面积达到110万亩，占全市瓜菜总面积的72%。环省会都市农业区面积达到50万亩。“四区两带一环”的种植业结构布局日益凸显。五是农业标准化建设稳步推进。全市按照“坚持制标、宣标、贯标一起抓”的方针，新制修订农业地方标准10项，推广应用标准化生产技术面积520万亩，蔬菜按标生产率达到100%。全市标准化养殖小区发展到355个，其中奶牛小区245个，奶牛、猪、鸡的规模化饲养水平分别达到40%、45%和85%。六是农业产业化经营发展势头良好。全市农业产业化经营总量达到550亿元，比上年增加60多亿元。全市规划建设农业产业化项目325个，其中投资亿元以上的项目达31个。项目建设完成投资突破40亿元，竣工项目达240个。全市172家入统龙头企业全年实现销售收入360亿元，利税40亿元，同比增长20%

和13%。投资规模与新上项目数量，均是近年来最多的一年。农业产业化经营率达到60%以上，继续保持全省领先地位。

在推进农业产业化进程中，首先对列入市、县的标志性项目，实行了动态跟踪监测，每季一调度。组织开展了农业产业化工作“看、比、学”活动，加强了对接，促进了发展。全年开工建设项目193个，基本竣工113个，投资总额突破40亿元，比上年增长10亿元。无论投资规模，还是新上项目数量，均是近年来最多的一年。其次加强龙头组织建设。修订完善了扶持政策，认定了一批市级先进龙头组织典型，加大了扶持力度，推进了龙头项目做强做大。加快了龙头企业品牌化建设，全市172家入统企业中，有13家企业获中国名牌或驰名商标，31家企业产品获省名牌产品和著名商标。全年全市入统企业实现销售收入达到360亿元，利税40亿元，同比分别增长20%和13%。藁城、鹿泉、栾城3个县（市）跻身全省20个农产品加工示范基地县之列，数量位居全省第一。另外，引导和发展“一村一品”产业。实施了龙头企业牵动、优势项目促动、合作组织推动、品牌带动等一系列措施，加快推进“一村一品”产业的发展。到年底，全市“一村一品”专业村达到394个，专业乡镇达到23个。全市12个县（市）区的2类（果品、粮油）8个特色产品，被列入《全国特色农产品区域布局规划》中重点发展的特色农产品。

新农村建设扎实推进。按照“规划先行、试点带动、城乡互动、协调发展”的思路，精心组织，统筹安排，扎实推进，取得了显著成效。石家庄市被省评为新农村建设工作先进单位。一是基本完成了县、乡两级规划编制工作。出台了《石家庄市社会主义新农村建设规划纲要》，指导各县（市）、区分别制定了本县（市）区《指导意见》或《规划》，90%的乡村完成了新农村建设规划的编制工作。二是新农村建设试点工作成效明显。20个新农村建设示范乡镇、105个示范村以及50个不同产业的特色专业村示范带动作用明显。105个试点村中，农民人均纯收入平均达到5300元，农村公益事业建设年内总投资额超过1亿元，各村均超过100万元；试点村98%建立了规范的村民活动中心，70%实行了村民养老保险制度，所有试点村实行了最低生活保障制度。三是加快推进城乡互动。制定了《推进新农村建设任务目标分解实施方案》和《关于支持新农村建设的指导意见》，市直有关部门也出台相关的配套措施，支持新农村建设。继续推进帮带工程实施，100个市直部门和单位对口帮扶105个新农村建设试点村，共落实帮扶资金物资400多万元。四是启动了“四个一批”建设。对全市农村发展现状进行了全面调查，摸清了底数，确定了各个批次的建设内容。其中列入转变一批628个村、提升一批971个村、改善一批2806个村、迁建一批71个村。五是党在农村的各项政策得到落实。认真落实党在农村的各项政策，特别是加大对支农惠农政策落实力度，极大地调动了农民发展农业农村经济的积极性。全年落实粮食直补资金2950万元，农机购置补贴资金1620万元，生猪母猪补贴、规模场补贴和生猪生产大县补贴资金达到7917.86万元，加上其它各类补贴，全年累计补贴资金超过1.2亿元。

村级财富积累机制建设深入推进。全市18个农村县（市）区的4348个村建立起村级财富积累机制，占到农村总数的99%。共清理规范合同7.99万份，收取集体资产有偿使用费4.55亿元，可盘活资产村村均收入12.7万元，抵顶和化解村级小额债务1894万元，涉及农户1.38万户。一是强化工作调度和核查。按照“月初挂帐、月中查帐、月底交帐”的要求，每月一要帐。同时还组织召开了三次村级财富积累机制建设工作调度会和三次大规模检查核实活动。二是深化村级财富积累机制改革。启动了利用集体资产抵押贷款发展农村公益事业试点工作，6个试点村完成公司注册，协调贷款490万元，吸收其它企业和大户资金250万。在总结6个试点村经验的基础上，开展了以集体资产质押贷款发展公益事业、以集体资产质押贷款发展集体经济项目、无集体资产村通过发展特色产业增加集体收入等三类试点，并不断扩大。省政府在正定县召开现场会推广石家庄市经验，国家、省级新闻媒体报道达到26次，《人民日报》头版头条进行了报道，中央电视台《朝闻天下》栏目进行了播报，10多家网站进行了转载，在全国引起强烈反响。

基层民主政治建设更加完善。一是村务公开水平得到提高。坚持了每季度检查、评比、排队、通报，组织开展了两次大规模的抽查活动，现场督导，限期要帐。同时，组织召开了现场观摩会，学习典型经验，完善硬件建设，充实公开内容，创新公开形式，提高公开质量和水平。全市村务公开“五规范一满意”的村达到95%以上。鹿泉市编制村务公开目录的做法，省村务公开办公室给予充分肯定并组织召开现场会在全省推广。二是民主议政活动成效明显。组织了两次大规模的民主议政日活动，参加人数达到63万人次，提出意见和问题4.87万条，现场答复2.8万条；群众提出各类合理化建议2万多条，被采纳1.8万条，消除农村上访隐患4191起。三是“两会”制度更加规范完善。组织开展了村民会议和村民代表会议制度规范完善月活动，全市共纠正违规决策事项136项，村民会议制度比较健全的村达到4147个、村民代表会议制度比较健全的村达到4211个，分别占总村数的92.9%和94.3%，分别比活动前增加了372个村和267个村。

乡镇工作取得突破性进展。按照市委“抓细、抓实、抓具体”和“把落实进行到底”的要求，先后组织开展了乡镇机关大院整治大检查、落实市三级干部会精神“2007·60”天督查活动和2007年农业农村工作“四个方面14件事”大检查，有力地促进了工作落实。一是乡镇各项工作制度规范建设。“周例会、月交流、日报告”制度在乡镇得到较好地落实，各乡镇建立完善了机关工作制度、财务管理制度、学习制度，目标责任制等各项制度30多项，乡镇工作逐步走向规范化、制度化。二是乡镇机关大院整治效果明显。全市各乡镇更换牌匾5000余块，美化、绿化道路2500千米，粉刷墙面45万平方米，乡镇机关面貌发生了巨大变化，全市95%的乡镇机关达到了绿化、美化、亮化、净化标准。三是《乡镇工作简报》成效突出。全年出刊46期，其中刊出调研文章40篇，乡镇工作交流文章230篇，农业农村信息100多条，外地经验30多篇，农村政策40多项，成为宣传农村政策、乡镇交流工作经验的重要平台。四是为群众办实事落实到实处。建立了乡镇村为民办实事台帐，加强督查和调度，全市252个乡镇（办事处）为农民办实事达2500多件，解决了一大批群众关心关注的道路修建、饮水困难、扶贫帮困等方面的难题，融洽了干群关系，为构建和谐农村打下了基础。

（张联平　周宏亮）

种　植　业

【概况】 2007年，在市委、市政府的正确领导下，按照全市工作部署，紧紧围绕积极发展现代农业、扎实推进新农村建设这一中心，以科学发展观为指导，以结构调整为主线，以农业产业化为路径，以科技进步为支撑，以粮食稳定增产、农业持续增效、农民持续增收为目标，经过全局系统的共同努力，圆满完成了全年各项任务，全市农业经济运行平稳，发展态势良好。粮食生产再创新高。主要表现在粮食面积增、总产增、单产实现新突破。全年粮食作物播种面积1146.73万亩，比上年减少0.43%；总产粮食作物494.5万吨，同比增长8.8万吨；平均亩产447公斤，创历史最好水平。其中小麦面积573.7万亩，同比增长0.45%；亩产448公斤，比历史最高的2005年增2公斤，连续13年稳定在400公斤以上；总产241.2万吨，同比增长1.3%。玉米面积479.8万亩，同比减少0.01%；亩产483公斤，比上年增11公斤；总产226万吨，同比增长3.7%，是粮食生产史上的又一个丰收年。经济作物稳中有增。全市瓜菜种植面积248.9万亩，总产1360万吨，与上年基本持平，但由于市场价格提升，菜农收入增加。油料作物种植面积95.7万亩，同比增长5.27万亩；亩产230公斤，比上年增4公斤；总产22.4万吨，同比增长6.94%。棉花种植面积26.4万亩，与上年基本持平；亩产81公斤，比上年增10公斤；总产量1.87万吨，同比下降1.49%，经济作物在种植业中的比重明显增加。

【农业优势产业进一步壮大】 一是引导农民优化种植结构，发展壮大特色主导产业。按照“四区两带一环”种植业结构调整规划，着力抓好东部平原优质小麦产业带、东北部优质饲用玉米和东南部优质药用玉米产业带以及京广、沧石沿线两条优质瓜菜生产带建设，进一步优化了品种和品质结构。全市优质专用小麦面积达到410.8万亩，比上年增4.8万亩，占小麦总面积的79%，被农业部列为全国北方优质专用小麦集中产区。优质专用玉米面积达到415万亩，占玉米总面积的88.1%。蔬菜生产基本上实现了标准化、优质化、生态化，全市无公害蔬菜生产监管覆盖率和按标生产率均达到100%，并且实现了周年供应,保证广大消费者吃上了“四季菜”、“新鲜菜”、“放心菜”。二是实施品牌化带动战略，培育了一批优势特色农产品。按照“一乡一业、一村一品”的思路，重点实施了“5111”工程。即：抓50个特色乡、100个特色村，重点培植了“碧青”牌蔬菜、“灵洁”牌食用菌等10个品牌和强筋专用小麦、无公害蔬菜、食用菌等10个特色优势农产品基地，变资源优势为产品优势、市场优势、产业优势，推动了县域特色经济发展。在第十一届中国（廊坊）农产品交易会上，石家庄市种植业被评选认定的名优农产品达到17个，占参展种植业名优农产品总数的17.4%。

【四大科技兴粮工程实施顺利】 一是粮田“亩增百元”工程。工程落实面积332万亩，比上年增加8.5万亩，通过大力推广高产节本增效十项技术，项目区小麦、玉米两茬合计亩增收102.9元，总节本增收3.42亿元。二是农田节水工程。抓住小麦田间节水这一关键环节，着力推广了节水品种石麦15号及其配套技术。全市小麦节水技术推广面积330万亩，平均每亩比一般麦田少浇2水，亩节水100方、节约浇水成本约60元，总节水约3.3亿方，总节本增效1.98亿元。三是小麦测土配方施肥工程。推广小麦测土配方施肥320万亩，为农民免费化验土样10602个，配制推广小麦配方肥7.1吨，实现亩均节肥3.3公斤，节约成本13.3元，总节本增效2亿元。四是农业科技入户示范工程。石家庄市是全国农业科技入户小麦示范工程五个整体推进市之一。年内重点在辛集、无极、赵县等7个县（市）选聘350名技术指导员，遴选了3500名科技示范户，建立了15块节水高产示范方，围绕确定的8个小麦主推品种和6项主推技术，节本增产效果明显，顺利通过了省农业厅专家组检查验收。

【科技创新能力不断提升】 以提高农业科技原始创新、吸收创新、转化创新为核心，促进农业经济增长方式转变，坚持做到“四抓”，一是抓科研，不断提高自主创新能力。按照“自育与引进并重，科研与开发并举”的原则，积极开展了小麦、玉米、转基因抗虫棉、大豆、蔬菜等优质专用新品种的选育、引进、试验、示范，引试农作物新品种20余个，全市主要农作物优种覆盖率达到98%，通过国家、省审定的农作物新品种5个，获奖科技成果4项，其中，玉米新品种石玉7号、小麦新品种石家庄8号获第十七届全国发明博览会金奖；玉米新品种“石玉8号”获第十七届全国发明博览会银奖；棉花新品种“晋棉26”获市科技进步二等奖、河北省技术发明三等奖；“优质多抗夏玉米新品种选育及应用”获市科技进步一等奖。年内具有自主知识产权的“石麦15”在国家粮食丰产科技工程赵县试验区现场，经专家实打实收，6.89亩“石麦15”在浇一水的条件下亩产达646.7公斤，创全省小麦单产最高纪录。5月28日，宋恩华副省长视察市马兰小麦试验田后，对石家庄市农业科研工作给予了高度评价。二是抓推广，努力加快农业科技成果转化。建设了市农科院农业科技信息网、40多个农业科技传播站，28个“农业科技示范村”和472块示范田。组织实施了市院农业科技新成果转化基地共建项目，重点抓好灵寿、元氏两个重点县和10个市院共建示范基地建设，引进优质杂粮等7大类、28项新成果，初步构建了农业科技成果转化的长效机制，有效解决了科技成果到田最后“一道坎”。2007年，石家庄市选育的节水系列新品种石家庄8号、石麦14号、石麦15号等在冀中南黑龙港流域、山东中南部、山西南部、河南西北部的水浇地和半干旱地大面积推广应用，面积达1100多万亩，增产小麦2.2亿公斤，节约水资源3.2亿立方米，新增社会经济效益3.3亿元。三是抓示范，积极推进农业科技园区建设。按“一县一业一园”总体部署，各县（市）结合当地主导产业，重新确定不同类型、不同形式的农业科技园区18个，累计投资达到2.03亿元，中心区面积1.75万亩，辐射区面积67.7万亩。市农科院在园区内新建550m^{2}日光温室两座，引进新品种30多个，精心打造“珍奇瓜果园”。藁城市充分发挥农业科技园区的人才、技术优势，顺应市场变化，大力推广蒜苗市场化智能栽培，把大蒜育成蒜苗，亩获纯效益1.7万元以上。年内市农科院和藁城市两个重点园区共展示农作物新品种60余个，新技术30余项，有效发挥了现代农业示范样板作用。四是抓培训，着力提升农民科技素质。全年市农业系统先后选派120名农业科技人员入乡进村开展“进万村兴百业”活动。在组织科技下乡、集日咨询、《农技电波》宣传等常规农业科技培训的基础上，结合农事季节，组织农业专家讲师团，深入到农业生产第一线，宣传培训农民100万人次。积极组织了“阳光培训”、“绿证培训”和新型农民科技培训，培训新型农民技术骨干1.2万人。

【农产品质量安全生产水平进一步提高】 全市以农业标准化为方向，以优质专用小麦、优质专用玉米和无公害蔬菜生产为重点，坚持抓源头，建基地；抓检测，把关口；抓认证，严准入；抓执法，净市场，深入推进农业标准化工作，着力抓了四项建设：一是农业标准化体系建设。坚持制标、宣标、贯标一起抓的方针，新制修订农业地方标准19项，全市推广应用标准化生产技术面积790万亩，蔬菜按标生产率达到100%。二是农产品检测体系建设。按照“提高完善市级、强化规范县级、鼓励基地自检”的思路和属地管理原则，把县级农产品质量检测站作为建设重点，延伸监测区域，扩大监测范围，投资300万元为15个县（市）配备了蔬菜农药残留速测仪，为12个县（市）配备了气相色普检测仪，市农产品质量检测中心、县级监测站、基地检测点三级一网的质量检测体系日趋完善，检测能力不断增强。全年共检测各类样品2739个，比上年增加1238个，检测量增加82%。其中蔬菜28种1484个，平均合格率达97.9%。三是农产品质量认证体系建设。年内全市无公害农产品生产基地环评认定51个单元、40多万亩，16个农产品通过了农业部无公害农产品认证，全市获得国家级无公害农产品认证的产品数量达到42个；14个产品申请了国家绿色食品中心认证，无公害农产品质量认证和绿色农产品申报工作均取得新进展。四是农业标准化制度体系建设。调整充实了市无公害蔬菜质量安全生产管理领导小组，实行了“双一工程”（一把手工程、一号工程），制定了“双会制度”（县市区调度会制度、例会制度），开展了“双向监管”（分别与农药生产企业和经销网点签定责任书），先后组织召开调度会20余次，下发相关文件8个，为农业标准化工作提供了组织保障。开展了两项活动：一是市级基地达标创建活动。大力推广藁城市“一定、二约、三健全”的模式，在标准化村设立农用投入品质量监管员，抓好标准化技术措施的推广和农用投入品的管理，在基地实行环境评价认证制度和定期复检制度，推进了全市农业标准化生产。二是农产品质量安全专项治理行动。以查处禁用农药、推行标准化生产为重点，从9月份开始，在全市集中开展了农产品质量安全专项治理行动，召开调度会8次，各县（市）区累计自查150余次，集中联查12次，有力提升了农产品质量安全水平。国家农业部抽检石家庄市4次，共抽检样品345个，平均合格率91.3%，其中，基地抽检样品90个，合格率为97.8%，比上年提高5.54个百分点，在全国37个主要城市抽检排位中实现了较大前移。4月23日，全国蔬菜集约化育苗与新技术推广会议在藁城召开，推广了石家庄市集约化育苗和无公害蔬菜生产的做法和经验。

【农业信息化水平不断提高】 按照“搭建一个平台，建设一个网络，构建一个体系”的思路，强力推进农业服务“快易通”网络工程，不断提升全市农业科技信息服务水平，努力破解信息入户“最后一公里”、科技到田“最后一道坎”两大难题。一是市级进一步完善了农业服务“快易通”网络中心建设。制定了《农业科技进村服务站管理办法》，开发了农业服务“快易通”远程办公、“面对面”农技服务等软件系统，初步实现了对县、乡、村农业服务“快易通”网络的有效管理。二是县级充分发挥了“三电一厅”服务功能。进一步做好热线电话值班和专家轮流“坐诊”，随时解答农民咨询的农业问题。止年末，接受电话热线咨询达12万人次，出动“快易通”流动服务车500多辆次，为农民解决生产中的实际问题2600余个。三是乡、村级农业科技进村服务站提高了辐射带动功能。新建乡、村级农业科技进村服务站100个；在乡村农业科技进村服务站开展“一带百”活动，即1个乡村农业科技进村服务站辐射100个农户，免费提供科技信息、技术咨询和优质优价农资。全年共举办不同类型的农业技术培训班600余期，发布信息6400条，发放明白纸15万份，为农民提供农资3000余吨。

【农机社会化服务水平得到提高】 一是农作物机械化作业水平显著提高。“三夏”期间，共出动各类农机具13.5万台（套），完成小麦机收面积504.3万亩，占小麦种植面积的97%，投入玉米免耕播种机1.14万台，完成铁茬播种面积333.5万亩。“三秋”作业中，投入各类农机具25万台（套），完成玉米收获469万亩，约占玉米种植面积的7.9%；完成玉米秸秆还田310万亩，青贮120万亩，玉米秸秆贮藏10万亩；机械耕整地520万亩；小麦机播527万亩，其中小麦免耕播种36万亩，是全市投入和引进联合收割机最多、收割时间最短、联合收获水平最高的一年。二是农机跨区作业工作实现新突破。“三夏”期间，共组织4000余台小麦联合收割机先后2次赴外跨区作业，为农民增收近亿元。“三秋”期间，共组织各类跨区作业机具1000余台奔赴河南以及省内邯郸、邢台等地作业，为农民增收2100万元。农机跨区作业工作在全国继续保持了领先地位。三是秸秆综合利用工作取得新进展。全市新增小麦秸秆打捆机65台，切抛机594台，玉米秸秆还田机620台，青贮机10台，压块机7台，铡草机227台。完成小麦秸秆收集打捆30万亩，切抛还田作业390万亩，玉米秸秆还田304万亩，青贮、微贮310万吨，全市秸秆综合利用率达到100%，综合利用技术不断提高。四是保护性耕作技术示范推广提高到新水平。大力推广免耕播种机，争取各级补贴资金58.75万元，实现作业面积36万亩。年内免耕播种小麦比常规播种亩增产29.75公斤，亩均节本增收90元，共计为农民增收节支2700万元，取得了良好的经济和社会效益。2007年，全市小麦机械化保护性耕作机具推广、推广面积和经济效益均居全国首位。6月2日，全省保护性耕作现场经验交流会在藁城市召开，推广了石家庄市保护性耕作项目的先进经验。

【农业产业化经营取得新进展】 按照“壮大龙头，优化机制，延长链条，规模发展”的思路，围绕农业主导产业和优势产品，重点抓好科技型龙头企业和农民合作组织建设。一是培强育大科技型龙头企业。在抓好大地种业、河北创世纪、燕赵种业、藁城科炬优质麦种业公司全市四大科技型龙头企业的同时，积极引导扶持培育新型的农业产业化龙头企业，努力增加种植业产业化经营率。全年新增种植业产值100万元以上的农业产业化龙头企业9家，其中，粮食7家，蔬菜2家；全市种植业龙头经济组织达到270个，各类龙头经营组织年经营额达到180亿元，辐射带动农户45万多户。二是加快推进农民专业合作经济组织建设。以藁城、辛集优质专用小麦协会，无极、栾城无公害蔬菜协会和灵寿食用菌协会五大专业协会为重点，加以规范和引导，带动了全市农民专业合作经济组织建设。7月1日，《中华人民共和国农民专业合作社法》颁布实施后，全市新登记注册的农民专业合作社达到267家，占全省登记总数的59%；社员总数达到1.5万人，辐射带动农户30多万户，带动基地面积100万亩。通过引导扶持，多层次、多领域推进龙头经营组织和农民专业合作组织建设，组织总量迅速膨胀，规范化程度进一步提高，辐射带动作用明显增强。

【农业可持续发展能力不断增强】 按照谋划一批、包装一批、跑办一批、实施一批的思路，通过优势产业引项目，扩大外联争项目，利用会展拉项目，建好项目带项目。重点抓了三个方面的工作，一是抓项目谋划和争引。在完善建设农业项目库的基础上，积极向国家发改委、农业部、省农业厅申报农业项目。截止年底，共跑办、争引国家项目4个，省级项目10个，争取资金11741.42万元。二是用好管好项目资金。在完善资金拨付制度的同时，加大了对项目资金的审计、监督力度，确保项目建设质量，提高建设资金使用效益。三是积极开展了农业对外技术合作。市农科院和中科院遗传与发育生物学研究所、省农林科学院签订了共同建设“中科院遗传与发育生物学研究所—石家庄植物分子育种中心”的合作协议，与澳大利亚在优质专用小麦育种方面达成合作意向，与韩国生命工程研究所合作开展了“应用于葱蒜类蔬菜专用肥的研制”项目；藁城市与5个国家签订了长期引种协议；市蔬菜花卉研究所与荷兰、比利时合作研究开发高山杜鹃等10余个中长期合作项目取得新进展，农业对外合作领域不断拓宽。

【落实各级农业政策 依法治农、执法护农】 一是惠农补贴政策得到落实。2007年，石家庄市承担农业部农作物良种补贴示范项目295万亩，每亩按10元标准补贴，补贴资金2950万元。实际落实玉米良种补贴40.26万亩，涉及14.7万农户，补贴资金401.4万元；落实小麦良种补贴255.1万亩，涉及13.8万农户，补贴资金258.8万元，超额完成了任务指标。争取农机补贴资金1620万元，新增机具1920台，广大农民从国家的惠农支农政策中得到了更多的实惠。二是不断强化农民负担监督管理和农村集体资产管理。全年查处“三乱”案件26起；全市18个农业县（市）区4351个村，有3698个村建起了村级财富积累机制，累计积累资金3.1亿元，抵顶和化解债务1662万元，涉及农户1.7万户。三是认真开展农村土地突出问题专项治理。以维护农民土地权益为重点，通过抓基础，规范土地承包合同管理；抓仲裁，妥善处理土地承包经营权纠纷；抓流转，健全维护农民土地权益工作机制；抓治理，开展农村土地突出问题督导检查，全市100%的乡镇、98%的村实现了“一组一卷、一村一档、一乡一柜”；办结群众来信来访376件，结案率98.4%；完成土地流转22.35万亩，涉及农户6.8万户，签定流转合同2.9万份。四是努力提高依法行政能力和执法水平。突出抓好县级农业行政综合执法大队建设，全市经编办部门批准成立的县级农业综合执法大队达到17个，农业执法队伍达到358人，成为全省县级综合执法机构编批率实现100%的三个地市之一。率先在全省开办了《石家庄农业法制网》，年点击率超7万人次。举办法制培训班2期，对市县两级农业综合执法人员进行了集中培训。以种子、农药、肥料及农产品质量安全监管为重点，在全市开展了打假劣、净市场、保质量的“春季行动”、“秋季行动”，共出动农业检查执法人员1万余人次，立案查处各类假劣农资违法案件669起，捣毁农资制假售假窝点6个，查获各类假劣农资产品100多吨，罚款108.3万元，为农民挽回经济损失300多万元，依法保护了农民利益。2007年，市农业局被农业部列为全国农业综合执法规范化建设示范单位。

（常国辉）

畜牧·水产业

【概况】 2007年，全市牧渔业围绕奶业、禽蛋、优质猪三大特色主导产业，着力实施牧渔产品质量安全和牧渔增效两大战略，努力强化质量安全、疫病防控、良种繁育、饲草饲料、科技推广和风险保障六大体系建设，牧渔业保持了持续、健康、快速发展。到年底，全市肉、蛋、奶、水产品产量分别达到65.1万吨、92.8万吨、100.1万吨和3.1万吨，分别比上年减少2.86%和增长3.79%、17.40%和4.12%。猪、禽、牛、羊等主要畜禽的存、出栏和水产养殖面积与上年同期基本持平。奶牛及改良乳牛存栏54.63万头，同比增长10.9%。

【养殖效益】 2007年，全市畜禽养殖形势非常好，各类畜禽和水产养殖的效益普遍提高。生猪效益创历史新高，每出栏一头生猪纯收入达到500～700元，为历年之最；蛋鸡继续保持好效益，每只蛋鸡年纯收益达到15元以上，比上年增加5元；特别是下半年，随着收奶价格的提高，结束了奶业近两年的低迷状态，奶牛养殖开始升温，每头奶牛年效益达到3000元，比上年提高1000元以上。肉牛、肉羊和水产品也一直保持较高效益水平。全年全市来自牧业的人均纯收入为404元，同比增长18.78%。

【惠牧、惠渔政策力度前所未有】 2007年，国务院先后出台了《关于促进畜牧业持续健康发展的意见》（国发〔2007〕4号）、《关于促进生猪生产发展稳定市场供应的意见》（国发〔2007〕22号）、《关于促进奶业持续健康发展的意见》（国发〔2007〕31号）等三个惠牧政策的文件；相关部门也出台了一系列落实政策的文件。中国保监会、农业部下发了《关于做好生猪保险和防疫工作通知》（保监发〔2007〕22号）、国土资源部、农业部下发了《关于促进规模化畜禽养殖有关用地政策的通知》(国土资发〔2007〕220号)，在畜牧政策性保险和养殖占地认定上实现了历史性突破。另外，河北省财政厅、农业厅也下发了一系列有关疫苗补助、良种繁育、规模化小区建设等扶持政策。仅生猪母猪补贴、规模场补贴和生猪生产大县补贴三项，全市就落实补贴资金7917.86万元，其中能繁母猪补贴1674.86万元，补贴母猪33.4972万头；生猪标准化规模场补贴3370万元，补贴场家109个；生猪生产大县补贴2873万元，补贴藁城（735万）、正定（578万）、新乐（572万）、辛集（501万）、鹿泉（487万）等五县市，再加上疫苗补贴、冻精补贴、胚胎移植补贴、母猪保险补贴及全市开展的规模化养殖小区（场）补贴等各类补贴，全年累计补贴资金超过1亿元；渔业方面，全市共落实燃油直补、新品种引进、水产品质量监测费、渔业资源增殖等各种资金810万元，扶持力度前所未有。

【动物防疫体系不断得到健全和完善】 在市、县、乡、村四级动物防疫体系框架基本建成的基础上，以提高人员素质、规范运转机制、提高工作能力为重点，强力推进县级兽医实验室和基层分站的标准化建设。到年底，全市18个县级兽医实验室、174个基层动检分站均已通过标准化验收。同时启动了动物防疫监督人员素质培训工程，市动物防疫监督总站与市农校联合举办了基层分站人员学历大专班，三年内全部取得大专学历。在不断完善动物防疫体系的同时，重大动物疫病防控工作也取得好成绩。年内按照全省统一要求，圆满完成了春、秋两季动物防疫专项行动，对高致病性禽流感、高致病性猪蓝耳病、牲畜口蹄疫、猪瘟、鸡新城疫、布病、狂犬病等七个病种实行强制免疫。全市共免疫猪630万头次、牛156万头次、羊217万只次、鸡3.6亿只次，应免畜禽的免疫率、耳标佩戴率、免疫证发放率、动物防疫档案率全部达到100%。在养殖规模大、密度高、防疫基础条件差、控制难度大等不利情况下，石家庄市继续保持了重大动物疫病清静状态。

全市基层动物防疫体系建设暨春季防疫工作会议

【牧渔产品质量安全监管工作力度大】 全年把牧渔产品质量安全监管工作作为全市牧渔工作的主线来抓。投资1000万元的市畜产品质量监测中心于5月正式投入使用。全市制定下发了《关于做好2007年牧渔产品质量安全工作的意见》，对任务目标和责任进行了分解，与各县（市）区畜牧主管部门签定了责任状，明确了责任。全市在组织开展“瘦肉精”等违禁品专项检查行动、生鲜牛奶专项治理行动、节日期间畜产品质量安全专项检查行动、肉品专项治理活动的基础上，为配合全国统一开展的产品质量和食品安全专项整治行动，全力组织开展了为期4个月的牧渔产品质量安全专项整治行动。此次专项整治行动主要围绕重点环节、重点投入品和重点单位3个重点，组织开展了畜禽养殖、水产品养殖、秋季动物防疫、兽药生产经营、饲料和饲料添加剂生产经营、动物检疫监督和牧渔产品质量监测等7个专项整治行动。先后召开了由各县(市)区畜牧水产主管局一把手参加的动员会、调度会和现场会，印发了《石家庄市牧渔产品质量安全专项整治行动方案》、《关于做好牧渔产品质量安全专项整治行动督导工作的通知》、《关于进一步做好牧渔产品生产基地及批发市场监测工作的通知》，把138个牧渔产品生产基地（12个水产品生产基地）、49个发证种畜禽场、90个GMP认证兽药生产企业、57个饲料添加剂生产企业和6个牧渔产品批发市场(3个水产品批发市场）列为重点整治范围，派出6个督导组加强督导，实行每周四报告制度，有力保证了专项整治行动的有效开展。全年全市共举办各类培训班134期，印发宣传材料15万余份，出动执法人员14557人次，出动车辆5592辆次，查处违法案件51起，涉案金额60多万元。同时，生产基地和批发市场的监测率达到100%，兽药、饲料、种畜禽生产企业检查率达到100%。

【牧渔标准化、规模化、品牌化步伐加快】 继续把标准化、规模化、品牌化生产做为促进牧渔业增长方式转变的突破口。一是不断完善标准体系。年内共制订地方标准10项，都已完成预审工作，并召开专家审定会进行了审定（三年累计制订地方标准35项、省级标准6项）。二是推进无公害产地认定和产品认证工作。全年全市向省局申报无公害畜产品产地认定单位120个，到年底已验收70家，其中45家通过了认定；有1个水产品生产基地通过无公害认定；有4个牧渔产品通过无公害以上级认证。累计无公害以上级产品认证94个（水产品8个)，其中32个产品通过无公害认证，60个产品通过绿色产品认证，2个产品通过有机产品认证。牛奶、禽蛋、生猪的品牌化生产率分别达到了95%、50%和40%。三是推进标准化养殖小区（场）建设。2005年市政府下发了《加快标准化规模养殖小区（场）建设的意见》，在全市推行奶牛小区“八有四分开”和规模猪鸡场“四有两分”的建设标准和技术管理规范，同时，对标准化规模养殖小区(场)的基础设施建设和新购进TMR（全混合日粮）搅拌机及乳质速测仪的实行补贴政策，年内是补贴的第三年，共对72个符合条件的新建标准化规模奶牛、生猪、蛋鸡养殖小区（场）落实补贴资金400万元（三年累计对210个养殖小区补贴资金1600万元)。截止年底，全市养殖小区已发展到355个，其中奶牛小区245个，奶牛、猪、鸡的规模化饲养水平分别达到40%、45%和85%。

【以推行良种、良料为重点的科技进步稳步推进】 加大良种推广力度。认真实施奶牛优质冻精补贴项目和胚胎移植项目，奶牛良种繁育项目实现了全覆盖。奶牛冻精补贴项目，全市统一供精47.5万支，补贴资金750万元。2007年度，正定、栾城、行唐、藁城、鹿泉、平山等6县市承担了农业部奶牛良种补贴项目，长安区、晋州、新乐、元氏、辛集、灵寿、无极、赵县、深泽9县(市)区承担了省奶牛冻精项目，其余县（市）区列入市奶牛冻精补贴项目，每支冻精统一补助15元。奶牛胚胎移植项目完成375例性鉴母胚准胎任务。优质种禽、种猪存栏数量和供种能力不断提高。全市发证种禽和种猪企业已达44家，其中种禽企业13家，存栏种禽78万套（其中存栏祖代禽10万套）和种猪0.5万头（其中祖代猪原种猪0.1万头)，分别比上年提高3%和4%，年供种禽1000万套、种猪7.5万头，分别比上年提高4%和3%，年供商品禽1亿只和商品猪10万头，分别比上年提高6%和5%。石家庄市已成为全国最大的种禽生产基地和北方重要种猪生产基地。水产良种引进与繁育稳步进行，年内新引进白斑狗鱼和江鳕鱼两个新品种，并繁育成功；康泰中华鳖省级良种场争取农业部140万元进行了扩建，养殖面积由150亩扩大到300亩，已申报国家级良种场。饲草饲料方面，在不断普及秸秆青贮和配方饲料的基础上，重点推广了带穗青贮和全混合日粮饲喂技术（TMR)，共完成带穗青贮30万吨，比上年提高30%；还新增

TMR 搅拌车 5 台，累计达到 12 台。

【机关正规化建设再上新台阶】 加强机关队伍建设，提高牧渔行政执法能力。撤消奶类项目管理中心，成立了畜牧综合执法支队（市编办〔2007〕126 号），并对各县（市）的执法人员进行了专业培训，执法水平进一步提升，做到了严格执法程序，不失职、不越权，树立了畜牧部门依法行政的良好形象。还将市畜牧兽医检验站与市畜禽疫病防治站合并成立了市动物疫病预防控制中心（市编办〔2007〕26 号），投资 4300 万元的中心大楼建设项目开工建设。机关的信息化建设取得长足进步，对市局门户网站和信息网站进行改版，开通了办公自动化平台，实现了市、县畜牧部门的联通和无纸化办公。同时利用办公自动化平台建立了畜禽生产和市场信息定点调查制度和畜牧统计网上报表制度，建立了工作人员网上“日报告”和签到签退制度，机关正规化建设迈上了新的台阶。

【“禽用高效喷射杀虫技术的研究”项目通过专家鉴定】 1 月 10 日，石家庄市畜牧兽医服务公司畜禽疫病防治医院和河北省畜牧兽医研究所共同承担的“禽用高效喷射杀虫技术的研究”项目通过专家鉴定。项目通过实验研究，筛选出适合阿维菌素喷射杀虫剂的复合溶媒、增效剂和乳化剂，并确定了适宜的配制比例。研制出的“禽用阿维菌素杀虫喷射剂（乳油）”属国内首创，项目总体达国际先进水平，具有药物使用浓度低、成本低、疗效高、使用安全方便等特点，未来将产生较高的经济和社会效益，应用前景十分广阔。

【魏春儒等 5 人荣获“石家庄市有突出贡献的中青年专家”称号】 1 月，经市政府第 58 次常务会议研究同意，批准 49 名同志为 2006 年度石家庄市有突出贡献的中青年专家，其中石家庄市畜牧水产局系统石家庄市牧工商开发总公司魏春儒、石家庄市动物防疫监督总站张德全、石家庄市畜牧兽医检验站强慧勤三位同志获此殊荣。根据《关于印发石家庄市有突出贡献的中青年专家选拔管理实施意见的通知》（石政发〔2004〕67 号），此批有突出贡献的中青年专家实行四年制动态管理，管理期内每人每月享受 300 元市政府津贴（免征个人所得税）。11 月，经市政府第 69 次常务会议研究同意，批准 40 名同志为 2007 年度石家庄市有突出贡献的中青年专家，石家庄市畜牧水产局所属市牧工商开发总公司张涛、市畜产品质量监测中心邱建琴二位同志荣获此项殊荣。此批市级有突出贡献的中青年专家管理期限自 2008 年 1 月 1 日至 2011 年 12 月 31 日。

举办畜牧兽医法律法规培训班

【市畜牧水产系统三位同志入选第二届“石家庄百名优秀青年工程师”】 1 月，中共石家庄市委组织部，石家庄市科学技术协会联合下发《关于表彰第二届“石家庄百名优秀青年工程师”的决定》，石家庄市畜牧水产局系统石家庄市畜牧技术推广站褚素乔、石家庄市动物防疫监督总站桥西动物防疫监督站董毅、石家庄市牧工商开发总公司李爱　三位同志入选。“石家庄市百名优秀青年工程师”是由中共石家庄市委组织部、石家庄市科学技术协会联合设立的针对青年科技人员的奖项，旨在促进企业科技进步，调动广大青年科技人员的积极性和创造性，促进优秀青年科技人员成长，使青年科技人才脱颖而出，为企业技术进步贡献聪明才智。

【石家庄市召开中华鳖养殖座谈会】 1 月，石家庄市召开中华鳖养殖座谈会。全市养鳖县的主管局长、站长和 70 多家中华鳖养殖企业共 90 余人参加了会议。山东省淡水水产研究所的张家国、朱永安副所长应邀莅会，进行了甲鱼健康养殖技术讲座；石家庄市水产管理处田彦强处长做了《关于全国中华鳖养殖形势》的报告，并针对石家庄市存在的养殖规模有限、发展不平衡、经营理念保守、经济组织有待完善和缺乏专业经纪人等诸多问题进行了剖析，并提出了发展和努力的方向：一要抓好现有企业的经营和效益；二要继续深入普及养鳖技术，提高技术和管理水平；三要进一步优化品种，提高质量，提倡健康养殖；四要重点发展可控养殖，准确按操作规范执行，严格控制投入品；五要完善专业经济合作组织，迈大产业化脚步；六要注意培养经纪人、企业家。

【农业部奶业调研座谈会在栾城县召开】 1月25日，农业部畜牧处张庆东、全国畜牧总站牧业发展处处长刘长春在省畜牧兽医局李保生和市畜牧水产局副局长刘海生、市奶业办公室主任刘英虎的陪同下，到石家庄市栾城县调研奶业发展情况。栾城县副县长徐龙蛟首先汇报了奶牛养殖业现状以及县政府近年来在发展奶牛养殖业方面所做的具体工作；石家庄市副局长刘海生介绍了全市奶业发展现状和奶牛互助保险工作进展情况；县奶业协会会长杨云乐介绍了国富盛邦公司奶牛小区的发展情况和小区成长过程中积累的经验，并分析了当前奶牛养殖业发展存在的主要问题；奶牛小区和饲料厂负责人冯玉金和赵增贵等也先后作了发言。调研组一行在听取了汇报和发言后，和与会人员进行了长时间的交谈，在详细了解了奶牛市场行情、饲料饲草供应、奶牛品质、产奶量、养殖效益等情况后，对栾城县在奶牛养殖业上取得的成绩给予了充分肯定，并建议：一是要进一步搞好奶牛品种改良，改变遗传基因，提高奶牛良种覆盖率；二是要加强饲养管理，提高产奶量，增加经济效益；三是要引进高新科学技术，提高奶牛养殖业科技含量；四是要在市场经济条件下，充分发挥奶牛养殖户的自身优势，将奶业进一步做大做强；五是要通过这次调研认真分析奶业发展存在的问题，积极向农业部献言献策，出台相关扶持奶业发展的优惠政策，从而保持奶业健康、持续和快速发展。

【市畜牧水产系统十项工作获省农业厅2006年度专项工作先进称号】 1月，河北省农业厅印发了《关于表彰2006年度有关专项工作先进单位的通报》（冀农办发〔2007〕1号），石家庄市畜牧水产局系统十项工作因成绩突出荣获先进单位称号。其中，石家庄市分别荣获畜牧标准化工作先进单位、畜牧兽医信息工作先进单位、畜牧生产管理工作先进单位、实施千万吨奶工程先进单位、重大动物疫病防控工作先进单位、秸秆开发利用工作先进单位、畜牧宣传工作先进单位；石家庄市水产管理处分别荣获水产健康养殖示范区建设工作先进单位、渔业统计工作先进单位；石家庄市渔政监督管理处荣获渔业资源与环境保护工作先进单位。

【石家庄市首家渔业合作社成立】 1月25日，灵寿县河源渔业合作社经该县工商局注册登记后，正式成立。这是石家庄市第一家渔民专业合作社，共吸纳了17户水库渔民参加，同时注册了“横山湖”牌产品商标，主要经营鱼类产品的养殖销售。

几年前，当地库区五位渔民合伙入股、联合承包了灵寿县横山岭水库，一开始就显现出农民专业合作的强大生命力，水库渔业产量和效益连年增长。资源增殖捕捞与网箱养殖迅速发展，水库渔业产量达到3000多吨，年产值达到2000多万元。库区移民村每年有200余人从事渔业工作，每户通过渔业每年可净增收14000多元。合作社的成立，将会使横山岭水库渔民专业合作形式更加规范，渔业发展能力更为强劲。

【全国人大到石家庄市开展《动物防疫法（修订草案）》立法调研】 4月1日，全国人大农业与农村委员会副主任委员万宝瑞同志一行八人，在省人大农经委副主任李广恩、省畜牧兽医局副局长郑文波和有关同志的陪同下，到石家庄市开展了为期三天的《动物防疫法（修订草案）》立法调研。调研组先后听取了石家庄市政府关于《动物防疫法》贯彻落实情况的汇报，征求了对《动物防疫法（修订草案）》的意见，实地考察了石家庄市双鸽集团肉联厂和藁城市诚鑫奶牛场、藁城市动物防疫监督站南孟分站。调研组对石家庄市认真贯彻落实《动物防疫法》，依法落实动物防疫责任，积极推进动物防疫体系建设，强化重大动物疫病防控，确保全市连续多年无重大动物疫病发生，给予了充分肯定。市人大副主任许昆峥、市政府副市长马玉文、市人大农经委主任郭凤彦、市畜牧水产局局长孙任虎、副局长贾建平和藁城市人大、政府、相关部门的领导同志陪同进行了调研。

【石家庄市畜牧系统17家龙头企业、13家农民专业合作组织受市委、市政府表彰】 2007年，石家庄市畜牧产业化工作以建设标志性项目、培育行业龙头为重点，做大做强龙头企业，加快发展农民专业合作组织，涌现出了一批畜牧工作产业化先进龙头企业和农民专业合作组织。石家庄市委《关于表彰2006年度农业产业化工作先进县（市）区、先进龙头企业和农民专业合作组织的决定》受表彰的88个单位中，石家庄市畜牧系统17家龙头企业、13家农民专业合作组织榜上有名。河北飞龙家禽育种有限公司获升级奖，获得扶持资金50万元；石家庄三鹿集团股份有限公司、石家庄双鸽食品有限公司、河北天天乳业集团有限公司、河北凯隆达食品有限公司、石家庄三鹿饮品有限公司、石家庄市绿牧生态农业有限公司、石家庄三鹿乳品有限公司、石家庄市广威农牧有限公司、石家庄金光饲料有限公司、河北五福牛养殖有限公司、石家庄市故元乳业有限公司获进位奖，分别获得扶持资金30～10万元；石家庄宝城乳业有限公司、石家庄希望饲料有限公司、正定兴达饲料有限公司、石家庄三鹿太行乳业有限公司获项目奖，分别获得扶持资金10万元；石家庄华牧牧业有限公司获表彰鼓励。鹿泉市栈道红柴鸡养殖合作社、栾城县奶业协会、高邑县养鸡协会、藁城市养猪协会、晋州市肉羊产业合作社、正定县西平乐乡肉鸡养殖协会、元氏县杨寨养猪协会、井陉县南峪镇综合养殖协会、高邑县王同庄乡奶牛协会、井陉县农民经纪人（养猪）协会、无极县养猪协会获表彰扶持，分别获得扶持资金5～2万元；晋州市三鑫禽业合作社、深泽县宋家庄养猪协会获表彰鼓励。

【石家庄市养猪协会召开一届二次理事会】 7月24日，市养猪协会召开一届二次理事会，会上市畜牧水产局副局长刘海生为协会会长单位、副会长单位颁发了铜牌，与会的理事听取并审议了协会秘书处所做的关于协会工作及财务情况的报告，听取了各位理事对协会工作的建议，专题研究了石家庄市健康养猪的相关工作，明确了组团参加2007年中国猪业发展大会的有关事宜。

【石家庄市动物防疫监督总站被评为“民主行风评议先进单位”和“优秀基层党组织”】 石家庄市动物防疫监督总站长期以来一直把党风、政风、行风、精神文明建设贯彻于日常工作的各个环节，充分发挥党总支、党支部的先锋作用，唱响精神文明的主旋律，开展“增强组织纪律、塑造执法形象、优化执法环境、树立行业新风”活动，精神文明建设再次取得丰硕成果，2006年又被市纪检委评为“民主行风评议先进单位”，分别被市委、市农工委、市局评为“优秀基层党组织”。

【石家庄市畜牧水产局在2006年全市依法行政评议考核中取得好成绩】 2006年，根据《石家庄市行政执法机关依法评议考核实施办法》的有关规定，市行政执法机关依法行政评议考核组对全市49个行政执法部门依法行政工作进行了评议考核，石家庄市畜牧水产局在第一类行政执法部门（既有行政处罚又有行政许可的）中位列第三名，被市政府通报表彰。

【农业部生猪生产督导组到藁城市督导生猪生产工作】 5月31日，为贯彻落实国务院领导关于促进生猪生产的重要指示，督促并指导生猪生产大省大力发展生猪生产，以农业部全国畜牧兽医总站站长谷继承为组长的农业部第六督导组到藁城市进行督导。督导组首先召开了由生猪养殖场、户、生猪屠宰厂、乡镇动物防疫监督分站负责人参加的生猪生产情况座谈会，听取了各养猪场、屠宰厂负责人情况汇报，并就生猪生产中存在的困难和问题以及发展生猪生产、保证市场供应的相关政策和措施征求了意见。会后督导组一行到藁城市西凝仁北方种猪场实地调查了解了生猪生产情况，特别是生猪存、出栏、仔猪补栏情况，规模养猪场（户）、种猪场和散养户生产、猪肉价格及市场供应情况以及生猪疫病防控情况。省畜牧兽医局副局长刘肇清、市人大副主任刘军良、石家庄市畜牧水产局副局长刘海生等领导陪同进行了考察。

【石家庄市举办第十次“世界牛奶日”暨“全国乳品营养周”公益活动】 为向广大消费者宣传和普及牛奶营养健康知识，培养和树立全民饮奶意识，倡导天天喝奶、营养健康的理念，6月1日，河北省奶业协会、石家庄市奶业协会和三鹿集团围绕“乳品营养与健康”这个主题，在石家庄市文化广场举办了丰富多彩的公益活动，以此宣传6月1日的“世界牛奶日”和6月6～10日的“全国乳品营养周”。在活动现场，乳品专家解答市民和消费者的咨询近5000人次，工作人员发放刊有“奶与健康”专版的《三鹿人》报纸3000多份。期间，还举办了牛奶知识有奖问答、免费品尝样品、促销等一系列丰富多彩宣传活动。

【石家庄市双鸽集团通过ISO2002体系认证】 6月，石家庄市双鸽集团申请并通过了国家认可认证中心的ISO2002体系认证。此次体系认证工作充分体现了石家庄市各级畜牧部门为做大、做强、做优企业提供了全面良好的服务，也突显出石家庄市畜牧业各个产业层次和综合竞争实力。

【太行肉联厂通过国家HACCP认证】 HACCP是一种全新的食品安全控制体系，是将食品安全融入到食品生产设计的全过程中。传统的食品安全控制流程一般建立在集中视察、最终产品测试等方面，通过“望、闻、切”的方法去寻找潜在的危害，而不是采取预防的方式，存在一定的局限性。而HACCP体系能提供一种能起到预防作用的体系，因此更能经济地保障食品的安全。6月，太行肉联厂通过了国家HACCP认证，率先获得了国家《食品安全管理体系认证书》，为进一步提高肉品质量，提升企业形象打下了坚实的基础。

【石家庄市畜产品质量监测中心乔迁揭牌】 石家庄市畜产品质量监测中心综合实验楼于2007年4月底竣工，实验楼共六层，建筑面积近4500平米，设有样品收样室、办公室及兽药、饲料、畜产品检验检测室，拥有各种仪器设备70余种，能够开展兽药、饲料成分检验、畜禽产品药物残留、瘦肉精、重金属、乳成分的检测工作。6月27日，石家庄市畜产品质量监测中心乔迁揭牌仪式隆重举行。

【藁城市被中国农业科学院确定为全国首个“畜禽健康养殖科技行动示范基地”】 6月29日，中国农业科学院北京畜牧兽医研究所开展的“畜禽健康养殖科技行动”启动仪式在藁城市举行，并确定藁城市为全国首个“畜禽健康养殖科技行动示范基地”。中国农业科学院科技管理局袁学志局长、北京畜牧兽医研究所时建忠所长、农业部科技入户示范工程奶牛首席专家王加启副所长、农业部科技入户示范工程生猪首席专家王立贤研究员等12位专家教授参加了启动仪式并对有关人员进行了培训。藁城市畜牧水产局有关人员、生猪科技入户示范工程项目全体技术指导员、畜禽养殖户代表共150余人参加了启动仪式。会上，中国农业科学院科技管理局袁学志局长代表中国农业科学院、藁城市人民政府副市长王振华代表该市政府就共建“畜禽健康养殖科技行动示范基地”签定了协议。河北省畜牧兽医局有关领导到会祝贺。

【冀晋两省毗邻县重大动物疫病联防会在平山县召开】 7月5日，冀、晋两省毗邻县防治重大动物疫病第五联防组工作会议在石家庄市平山县召开。石家庄市和山西省阳泉市及平山、井陉、灵寿、赞皇、平定、盂县两市三县的主管重大动物疫病负责人参加了会议。会上，石家庄市兽医处处长武瑞栓、山西省阳泉市农业局副局长李巨海分别介绍了两市的重大动物疫病防治机构设置、经费投入、工作机制等情况。平山、井陉、灵寿、赞皇、平定、盂县六个县汇报了各县重大动物疫病防治工作开展情况，并就如何加强重大动物疫病防治工作进行了交流。两市六县的参会人员一致认为今后要加强协调，相互配合，共同促进，把冀晋两市的重大动物疫病防控工作搞好。

【农业部饲料法规调研组到石家庄市调研】 7月9～11日，由农业部饲料处李大鹏处长带领的饲料法规调研组一行四人到石家庄市进行调研。此次调研是为拟起草的饲料法规做前期准备工作。调研组一行在省畜牧兽医局副局长张强、市畜牧水产局副局长王玉坤的陪同下深入到无极华源蛋白饲料厂、正定海天饲料厂全面了解饲料生产经营情况，并分别与石家庄市及正定县、无极县饲料管理部门和部分饲料企业负责人进行了座谈。

【9 家牧渔企业荣获全省“放心农资企业”称号】 7 月，省农业厅公布河北省第二批放心农资企业名单，石家庄市 9 家牧渔类企业榜上有名。其中畜牧类企业 6 家，分别为：石家庄希望饲料有限公司、辛集市华辛饲料有限公司、石家庄市牧工商开发有限公司、河北飞龙家禽育种有限公司、石家庄广威农牧有限公司、石家庄曙光农牧业发展有限公司，占全省畜牧类放心农资企业的比例为 50%；水产类企业 3 家，分别为：平山县东冶甲鱼养殖场、赞皇县正和水产良种场、井陉县鱼泉冷水鱼开发有限公司，占全省水产类放心农资企业的比例为 100%。此次评选是省农业厅为鼓励农资企业诚信经营，进一步做好全省放心农资下乡进村活动，依据《河北省放心农资企业管理办法(暂行)》,经过企业自愿申请,各县(市)区农业行政主管部门推荐，市级农业、畜牧、水产、农机主管部门初步评选，省农业厅严格评定，共 6 大类 45 家企业。

【灵寿县“横山湖”牌水产品取得国家有机产品认证】 7 月，灵寿县河源渔业合作社生产的“横山湖”牌水产品通过了国家有机产品认证。认证面积 560 公顷，认证品种有：花鲢、鲤鱼、白鲢、草鱼、武昌鱼、鲫鱼、白条、河虾 8 个品种，成为全省首家淡水养殖取得国家有机产品认证的水产企业。年内该合作社在省、市、县水产部门的帮助支持下，积极实施健康生态养殖技术和渔业标准化生产，产品质量得到了显著提高。

【石家庄市首家注册农民专业合作社成立】 8 月 23 日，晋州市农惠养猪专业合作社正式成立。是自 7 月 1 日《农民专业合作社法》正式实施后，石家庄市第一家在当地工商行政部门注册并取得法人营业执照的农民专业合作组织。该合作社以农民参股的形式组建经营，利益共享，风险共担，现有股份 160 多个，注册资金 16.2 万元，吸纳会员 230 多个，母猪存栏约 5800 头，育肥猪存栏 5 万多头。合作社具有独立法人资格，采用统一采购、统一防疫、统一销售等经营活动，仅此一项养猪户的饲料成本就可下降 15%，兽药投入下降 20%，一头育肥猪还能多卖 40 元钱，实现了养猪户投入降低,防范风险能力增强，养殖效益提高的目标。

【河北省生猪生产高层论坛在石家庄市矿区举行】 8 月 22 日，由河北省畜牧兽医局主办，河北省养猪业协会承办，石家庄清凉山原种猪场等 6 家单位协办的 2007 年“河北省生猪生产高层论坛”及河北省养猪业协会常务理事会议在石家庄市矿区举行。河北省农业厅副厅长、畜牧兽医局局长李忠文，石家庄市人民政府副市长马玉文，省畜牧兽医局副局长刘肇清，市畜牧水产局局长孙任虎、矿区区委书记贾连海等省、市领导出席会议，来自全省各市、县养猪协会会长、畜牧部门负责人及大、中型规模养猪场代表等 300 余人参加了会议。中国畜牧业协会猪业分会常务副秘书长荆继忠、中国农业大学杨汉春教授、河北农业大学李同洲教授分别在会中做了专题报告。同时，市牧工商开发总公司魏春儒同志、北京慧怡公司、保定旺盛敏达公司的代表等 7 名同志分别就养猪业存在的问题、规模化生猪养殖管理做了学术性报告。河北省畜牧兽医局畜牧草原处顾传学处长就国家出台的 6 项支持生猪业发展的政策及落实情况进行了分析解读和通报。参加会议的规模种猪场的代表还就养猪业发展进行了交流。

【第十六届全国大城市(兵团)畜牧经济协作年会在石家庄和济南召开】 由石家庄市和济南市共同举办的第十六届全国大城市(兵团)畜牧经济协作年会于 9 月 11 ～ 16 日召开。来自北京、上海、长春、郑州、哈尔滨、沈阳、成都、合肥、杭州、呼和浩特、南京、武汉、青岛、济南等地 46 名代表参加了会议。9 月 11 ～ 13 日在石家庄召开，会议由石家庄市畜牧水产局局长孙任虎主持。市政府副市长王刚、省畜牧兽医局副局长仇拉庭分别致辞。与会代表先后听取了石家庄市和济南市畜牧业和畜牧兽医工作经验介绍，并参观了三鹿集团和鹿泉市动监站大河分站。本届年会，代表们做到了相互了解和沟通，进一步提高了石家庄市畜牧业在全国的知名度，还就畜牧业当前普遍存在的畜产品质量安全监管、畜牧管理机构的设并等焦点问题相互交流了经验和看法，为各省市畜牧业的发展提供了借鉴，达到了会议的预期目的。

【双鸽冰鲜食品交易中心启动中英合资猪场建设项目签约】 9月28日，双鸽冰鲜食品交易中心启动暨中英合资猪场建设项目签约庆典仪式，在冰鲜食品交易中心门前盛大举行。省、市有关领导出席了签约仪式，石家庄市畜牧水产局孙任虎局长出席签约庆典。石家庄双鸽集团是河北省最大的集生猪良种繁育、商品猪育肥、饲料加工、屠宰加工、预冷分割、熟制品加工、冷却冷藏、铁路运输、连锁销售为一体的现代化食品生产经营企业。集团拥有河北省最大的现代化生猪繁养殖基地和新美系原种猪场，是河北省无公害生猪产地和国家级生猪活体储备基地。在省内首家引进世界一流生产线和国内一流的预冷分割流水线，是河北省唯一一家绿色猪肉生产厂家。双鸽冰鲜食品交易中心是商务部全国百家大型流通企业重点项目之一。一期工程占地25万平方米，总投资6500万元，冷冻冷藏容量3万吨，从高温冷藏到低温冷冻，从零上4度到零下50度，具有自动测温和安全监控系统，是河北省面积最大、冷藏品种最多、功能最齐全的现代化冰鲜食品交易中心，其规模居全国第三。石家庄双鸽集团与英国ACMC公司合资种猪繁育基地项目规划占地1000亩，总投资1亿元，开展种猪优选、繁育、销售等经营活动。基地将引入英方领先世界水平30年的具有8对母乳的优质种猪（一般母猪最多有7对母乳），具有肢体强壮、产仔率高、成活率高、仔猪体重均匀、瘦肉率高、生长效率高、抗病力强等众多显著优势。建成后达到年种猪存栏量22000头，年销售量44万头。

【塞拉里昂、加蓬、斯里兰卡3国农业官员参观石家庄市渔业】 10月18日，经农业部对外经济合作中心安排，由塞拉里昂、加蓬、斯里兰卡三国农业部从事农业合作的官员一行11人，赴石家庄鹿泉市池塘养殖基地进行了参观考察。并对石家庄市池塘养殖的开发建设、生产过程、投入效益情况及家庭承包责任制和渔业产业化组织合作形式等进行了深入了解，特别是对混养套养、轮放轮捕、机械增氧、机械投饵、配合饲料等高产技术表现出了很高的兴趣，认为值得借鉴和学习。

【市奶业协会召开奶业形势研讨会暨奶业协会二届四次理事会】 10月26日，市奶业协会在军安宾馆召开奶业形势研讨会暨奶业协会二届四次理事会。市奶业协会理事长、副理事长及部分理事以及各县的奶协联系员参加了会议。栾城、鹿泉等县（市）的代表就如何提高奶牛小区养殖效益、做好TMR技术的应用推广工作、推动奶牛养殖规模养殖场发展、鲜奶专业合作社的建立、奶牛养殖业发展存在的问题及对策、乳品加工企业在奶牛养殖的作用等方面做了探讨性发言；市奶牛互助保险办公室负责人就全市奶牛互助保险开展一年的情况向与会人员做了情况介绍；会上还组织学习了《国务院关于促进奶业持续健康发展的意见》、农业部关于贯彻《国务院关于促进奶业持续健康发展的意见》的通知和《农民专业合作社登记管理条例》。

【石家庄市启动畜禽水产养殖业污染源普查工作】 为落实《河北省人民政府办公厅关于印发河北省第一次污染源普查方案的通知》以及《农业部办公厅关于做好第一次全国污染源普查工作的通知》精神，切实抓好全市畜禽水产污染源普查工作，12月6日，石家庄市畜牧水产局在北方大厦召开了第一次石家庄市畜禽水产养殖业污染源普查工作启动会议。会上成立了石家庄市畜禽水产养殖业污染源普查领导小组，领导小组下设办公室。领导小组编制了第一次石家庄市畜禽水产养殖业污染源普查工作方案。

【平山县创建省级养殖水域滩涂规划示范县工作通过验收】 年初，平山县被河北省水产局预选为省级创建养殖水域滩涂规划示范县。在创建工作中，该县制定工作方案、建立健全创建工作领导机构，并按照省水产局创建工作的要求，公示了由县渔业主管部门编制的全县养殖水域滩涂规划，还结合该规划编制了平山县近期渔业发展规划，较好的完成了各项创建工作。11月27日，平山县创建省级养殖水域滩涂规划示范县工作接受了省水产局的验收。验收组通过听取创建工作汇报、现场查验、审核创建工作上报材料等验收程序，认为该县创建思路清楚，工作认真扎实，上报材料详实、完整，达到了验收标准。

【华牧行唐20万套父母代种鸡场开工建设】 12月19日，石家庄华牧牧业有限责任公司投资的华牧行唐20万套父母代种鸡场在行唐县上方乡许由村开工建设，副市长马玉文、政协副主席李屏东、省农业厅副厅长刘立明等领导出席开工庆典，市畜牧水产局局长孙任虎致祝贺辞。华牧行唐20万套父母代种鸡场占地面积172亩，建筑面积20090平方米，总投资5600万元。计划建成后，年产种蛋4000万枚，年可提供商品代母雏1400万只。该种鸡场集成了行业领先的“全进全出”、“同步消毒”等新工艺，将成为国内单场规模最大、最现代化的父母代种鸡场。

【石家庄市畜牧技术推广站被评为奶牛生产性能测定优秀单位】 在12月25日河北省畜牧兽医局召开的奶牛生产性能测定DHI（Dariy Herd Improvement）培训表彰会上，石家庄市畜牧技术推广站被评为奶牛生产性能测定优秀单位，全省共有三家单位获此项殊荣；石家庄市7名同志被授予奶牛生产性能测定先进个人称号；石家庄3502奶牛场、晋州市周家庄奶牛场、河北冀丰动物营养公司3家奶牛养殖场获得2007年度河北省优秀奶牛场称号。

【省级水产健康养殖示范县（场）顺利通过验收】 健康养殖示范工作逐步推进。自灵寿县和鹿泉市被农业部确定为实施养殖证制度示范县和无公害健康养殖示范区以后，2006年平山县被河北省水产局确定为省级滩涂养殖规划示范县，赞皇县正和水产良种场被确定为省级健康养殖示范区，通过成立领导机构、制定实施方案，经过深入基层进行技术指导等大量细致扎实的工作，到2007年底顺利通过省级验收。

【发展工厂化中华鳖养殖】 中华鳖养殖具有地方品系特征明显、品种优势突出、养殖规模大、经济效益显著、产业化发展条件成熟的特点。为了发挥产业优势，通过抓种质保护、规范标准、推广模式、打造品牌、发展产业组织等五项工作，全市促进了中华鳖产业的健康、持续发展，中华鳖养殖面积达到3200多亩，温室110万平方米，年产鳖种1000多万只，商品鳖1500多吨。

【开发冷水鱼繁育基地】 全市拥有丰富的冷水资源，多年来一直未得到合理和充分的利用。通过抓项目引进、充实备养品种、搞好技术协作，确定产区管理制度等措施，促进了冷水鱼产业的发展。以赞皇县正和水产良种场、井陉县鱼泉水产良种公司为冷水鱼繁育基地，在赞皇白草坪、灵寿横山岭、行唐米家庄水库大力发展池塘单、套养白斑狗鱼、网箱鲟鱼养殖。年末全市流水养殖面积达到6.2万平方米，冷水鱼养殖企业20多家，年产量610多吨。

【池塘养殖品种新　效益高】 池塘养殖把品种更新换代作为主攻方向，坚持积极引进、稳步推进、服务到位、苗种跟进的主导思想，新引进白斑狗鱼、江鳕、匙吻鲟、太湖短吻银鱼4个新品种，并进行了培育养殖试验。养殖品种的更新创造了养殖的高效益。特别是白斑狗鱼池塘单养成为2007年一大特色，全市池塘单、套养养殖面积达到1200多亩，亩效益达到2万元，是普通草鱼养殖的5倍多。同时，从新疆额尔齐斯河特种鱼类救护中心，引进江鳕鱼苗，进行产地外全国首家从水花养至成鱼的技术研究。

【水库资源增殖优势突出】 全市拥有大中水库12座，小型水库170余座，水库可养殖水面21万多亩，仅岗南、黄壁庄两座水库就占17万亩。水库渔业一直占有较大比重，也是全市渔业再发展的突破口之一。自1997年因保护城市生活饮用水源地而取消网箱养鱼后，两大水库转向以资源增殖为主的生态渔业。紧紧抓住这一优势，探索调整增殖品种，积极组织招商引资，理顺水库管理体制，并解决好移民利益分配机制，收到了良好的效果。年内在河北省水产局的支持下，继续在岗南、黄壁庄、横山岭水库进行了渔业资源增殖放流活动。共放流鲢、鳙、草鱼等鱼种4.67万公斤，小银鱼受精卵1000万粒。通过资源增殖，提高了渔民的收入，净化了水库水质，保证了库区渔业的持续发展。

【休闲渔业发展迅速】 止年末，观赏鱼养殖涉及到全市9个县市区，养殖面积达到1200亩，年生产各种观赏鱼苗种2083万尾。垂钓场点扩大升级，据不完全统计全市垂钓场已达到300多场、点。一些园林型、观光娱乐型高档垂钓场所开始出现。

（王荣申　韩希普　于守贵　黄　滨　李亚敏　尚　琪　李　跃　马丽荣　刘小静　曹　莉）

林　业

【概况】 2007年石家庄市以“打造绿色省会、建设生态石家庄”为宗旨，继续加大对林业的投资力度，林业出现强劲发展势头。全市完成人工造林15.6万亩，飞播造林5万亩，封山育林65万亩，零星（四旁）植树1902万株。果品产量41.5亿斤，其中苹果30.2万吨，梨12.56万吨，葡萄10万吨，红枣22万吨，桃9万吨，柿子3.8万吨，杏1.16万吨，红果0.08万吨，猕猴桃0.57万吨，核桃1.8万吨，板栗0.59万吨，杏扁0.05万吨，山杏仁0.19万吨，花椒0.35万吨。花卉种植面积4.5万亩。木材产量2.0万立方米。人造板产量428.89万立方米。林业产业总值55.4亿元，其中第一产业39.4亿元，第二产业14.2亿元，第三产业1.9亿元。全年完成固定资产投资18970万元，其中中央投资8277万元，省投资1692万元，市财政投资1585万元。

【林业建设】 3月9日，市政府召开全市造林绿化暨森林防火工作会议。各县（市）区主管县（市）区长，林业局长、主管造林和森林防火的副局长，农办主任，绿办主任，防火办主任，市绿委全体成员，市森林防火指挥部全体成员单位负责同志以及省会新闻记者约160余人出席了会议。市绿委主任、市长冀纯堂、副市长马玉文、石家庄警备区政治部主任郭四平分别出席会议并讲话；3月份植树节期间，省会党政机关、企事业单位、驻石部队、青年学生及社会各界人士分别在动物园、高新区、小壁林区、滹沱河等地开展了义务植树活动。组织营造了“公仆林”、“省市党政军领导纪念林”、“省直厅局级领导纪念林”、“国防林”、“青年林”、“国企林”、“志愿者林”、“感动省城林”等各种纪念林。省市主要领导白克明、郭庚茂、吴显国、冀纯堂等参加了义务植树活动；7月6日经市政府常务会议研究审议通过了《石家庄市“5528”绿化工程实施方案》，确定2008～2010年全市植树1000万株。重点对5环（主城区与鹿泉、藁城、正定、栾城4个县城周边）、5河（即流经全市的滹沱河、大沙河、木刀沟、槐河、洨河）、2山（省会西部的西山、封龙山）、8带（贯穿省会的京珠高速、石太高速、石黄高速、青银高速4条高速公路和107线、307线、308线三条国道及南水北调工程两侧）营造防护林带，并列入市委市政府确定的“八个一”工程的一部分。确定2008～2010年全市植树1000万株；在10月份召开的全市第五次三级干部会上，市委书记吴显国明确提出了“创建全国绿化模范城市”的目标。同时16个农村县(市)分别提出打造“绿色”、“生态”、“构建绿色屏障”、“建设森林城市”、“建设园林县（市）”等目标；11月8日，河北省绿化委员会和石家庄市绿化委员会在石家庄市召开省会义务植树基地暨“5528”绿化工程建设动员大会。省绿委副主任、省林业局局长武国堂，市绿委主任、市长冀纯堂出席会议并分别讲话。会议决定在鹿泉市西山和封龙山建立总面积达2.17万亩的省会义务植树基地；11月16日进入秋冬季后，省、石家庄市的党委、人大、政府、政协等部门办公厅及省、石家庄市、鹿泉市林业局机关的2600多名干部职工及驻石部队1000多名官兵分别在鹿泉市境内的山前大道省会义务植树基地参加植树活动。

【造林绿化成效显著】 年内全市相继实施了退耕还林工程、太行山绿化工程、“5528”绿化工程、平原农田林网建设工程、双百万亩封山育林示范工程。“5528”绿化工程总计完成植树307万株。市交通局在石环公路良村立交桥至田庄桥路段两侧路肩栽植法桐、白皮松、紫叶樱桃、柳树等 0.6 万株；市水利局在引岗渠和源泉渠工程占地外围内栽植速生杨、火炬、紫穗槐等 7.3 万株；藁城市环城林带完成植树 12 万株；5 河绿化完成绿化 2.2 万亩，植树 120 万株；"2 山"绿化在鹿泉山前大道栽植经济林 1500 亩，植树 8.2 万株，山场植苗造林 1 万亩，直播造林 1.02 万亩。同时，正定、无极、高邑、藁城、赵县、栾城等县积极开展农田林网建设，完成农田林网 860 公里，建成 5 个 1000 亩以上农田林网示范方。无极、高邑两县被评为"全省农田林网建设先进单位"。国家林业局场圃总站、市林业局及各县林业局分别对主要造林树种苗木进行了抽查，均符合造林用苗质量标准。

【果品产业】 截止年底，全市经注册、具有一定规模、运行规范的果品专业农民经合组织达到 56 个，入会会员共计 11500 人，带动农户 96172 户，拉动果品基地 60 万亩，年经营额达 21150 万元。形成了辛集市冠玉梨果合作社、辛集市依托河北天华实业有限公司优质果品产业协会、赵县梨果产业协会、石家庄市昊源优质果品协会等一批知名产业协会组织。全市具有一定规模和实力的果品龙头企业达到 54 家，年产值千万元以上的企业有 27 家。果品企业年营销、加工转化果品量达到 8 亿斤，占总产量的 20.25%，总产值达 11.5 亿元。2006 年全市有 13 家企业被省局评为"河北省林果重点龙头企业"。辛集市天华、裕隆两个果品龙头企业通过了国际 HACCP 食品安全认证，赞皇县川奇工贸有限公司生产的蜜枣通过食品安全"QS"认证。晋州市鲜鲜农产有限公司的梨果通过了欧洲农业良好操作规范（EUREPGAP）认证。赞皇大枣被中国绿色食品中心认定为 A 级绿色产品，获得了绿色食品标志商标的文字、图形及组合使用权。果品生产水平不断提高。新发展果树 4 万亩，完成树体改造 28.7 万亩，继续推广"树开心、枝拉平、精细管、肥平衡、无公害、质先行"，以及限产提质、果实套袋、摘叶转果、铺反光膜、增施有机肥、控氮、控水、无公害生产技术。赞皇、元氏、平山、灵寿开展核桃良种嫁接改造 1 万亩，建设千亩以上核桃标准管理示范点 3 个。新建元氏西岭底、灵寿南堤下等市级果树标准化园 26 个，新完成无公害产地认证 5.3 万亩。

【森林防火力度加大】 全市各级领导高度重视防火工作，市政府及山区 8 县主要领导亲自抓，实行了市、县（市）区、乡（镇）、村"四长"负责制，各级政府层层签订了责任状，制定了《关于森林防火目标管理奖惩办法》，对防火工作完成较好的平山、灵寿、赞皇等 7 县（市）77 个乡（镇）进行了奖励。建立了 8 座 960 平方米森林防火物资储备库。对防火扑火队、市级卫星监测中心、防火宣传等进行了重点扶持。全年共发生森林火警 9 起，过火面积 31.38 公顷，未发生一般森林火灾。

【森林资源保护管理工作加强】 年内集中开展了"严禁乱扒滥采柏树枝的专项行动"、"打击野外非法用火专项行动"、"禁种铲毒行动"和"绿盾二号"等专项严打整治行动，严厉打击涉林违法犯罪案件。到年底，全市共发生涉林案件 354 起，行政处罚违法人员 358 次，追究刑事责任 19 人。全市发放采伐许可证 347 份，批准采伐林木 12874 立方米，占采伐计划的 35%。审批征占用林地 4 宗，占用林地 165 亩。发放省内外木材运输证 1500 余份，13000 立方米。组织开展了"五一爱鸟周"和"野生动物保护宣传月"活动，救护秃鹫、雀鹰、环颈雉等野生动物 8 起。

【森林病虫害防治成效显著】 全年林业有害生物发生面积 59.44 万亩，成灾面积 0.04 万亩。发生和防治重点主要是美国白蛾、高速公路两侧林带、松阿扁叶锋、杨树病虫害、红脂大小蠹、松毛虫等。美国白蛾发生面积 3.85 万亩，涉及新乐、正定、行唐 3 个县（市）15 个乡镇、66 个村，新增疫点村 19 个。全市为加大对美国白蛾疫情的监控，在每个疫点村设 2 名查访员，其他重点监控区设 1 名查访员，外围县每乡 1 名查访员，共计设立查访员 1137 名，实行定点、定人、定时监测。还采取了挖蛹、幼虫灯诱杀、摘除卵块、剪除网目、药物防治、生物防治等措施，防治面积 3.85 万亩，防止作业面积 7.28 万亩（次），发放周氏啮小蜂 1 亿头。同时井陉、平山两县飞播油松林发生了松叶蜂危害，采取了喷药、释放烟雾剂等防治措施，防治面积 7.5 万亩（次）。藁城、无极、鹿泉等地局部杨扇舟蛾危害严重，个别地块树叶被吃光，各地进行了积极防治，防治面积23.11万亩(次)。全年检疫种子29.6吨，苗木1.86吨，花卉737万株，木材88万立方米、果品736万吨。

【石家庄市开展新一轮集体林权制度改革】 按照《河北省人民政府关于进一步推进集体林业产权制度改革的意见》，石家庄市开展了新一轮集体林业产权制度改革。改革的核心内容是进一步明晰集体林产权，完成林权登记发证，落实林业政策。改革的重点是仍由农村集体经济组织经营的宜林地，已划定的国家重点生态公益林和自然保护区的森林、林木和林地暂不列入改革范围。2006年首先在平山进行集体林权制度改革试点，2007年在石家庄市全面推开。为做好此项工作，石家庄市政府多次召开各县（市）区长参加的全市集体林权制度改革工作动员会议，陆续进行了培训、调度、督导、检查等项工作。到年底，除市内五区外，18个农村县（市）区基本完成了林改工作。规划林业用地758.1万亩，其中国有7.7万亩，集体所有750.4万亩。新划定到个人（或合股、合伙）使用的林地426.3万亩，其中个人16.8万亩，合作（合股）经营243.1万亩。个人或合股(合作)经营面积达到608.1万亩。新发放林权证48778份，发证面积585.9万亩。

【各县（市）区完成县级林地保护利用规划】 按照集体林权制度改革安排，各县（市、区）林业部门依据近年河北省森林资源调查成果，分山区、丘陵、平原地区森林覆盖率分别不能低于50%、30%、12%的目标，编制了《县级林地保护利用规划》。全市规划林业用地758.1万亩，其中国有7.7万亩，集体所有750.4万亩。还确定了林地保护的规模、结构、布局以及保护利用措施，绘制了林地现状图，发放了林地使用证，建立了档案，实现了林地地籍管理。规划方案通过土地、农牧、水务、交通等有关部门的论证，协调了相关部门土地利用规划的矛盾，并通过县（市）区政府常务会议的审批。规划的实施有利于依法加强林地管理，防止随意占用林地、改变林地使用性质等行为。

【石家庄市林木种质资源普查工作结束】 按照河北省林业局的统一安排部署，石家庄市林业局自2006年12月开始，组织各县（市）区林业局对全市林木种质资源开展普查工作。基本查清了全市主栽用材林、经济林树种（品种）资源的栽培年限、栽培面积、主要分布范围、生长与结实状况、抗逆性表现、应用前景等情况。根据调查结果，全市共有主栽树种品种103个、品种269个，涉及51科、72属。有优良单株1691株，引进（或新选育）树种1494种，珍稀树种34个，濒危树种1160株，野生树种32种，古树名木26个种群，26411株。珍稀树种有椴树、软枣猕猴桃（软枣子）、漆树、香椿、野草梅、黄连木、迎红杜鹃（篮荊子）、栓皮栎、光叶黄栌、核桃楸（胡桃楸）、黑黄檀、黄檀、青檀、青海云杉、山梧桐、野生葡萄、野板栗、野山楂、暴马丁香、山梧桐、华北紫丁香、刺五加、黄蘗（黄柏、黄波罗）、青海云杉、茶（茶叶树）。濒危树种有野生柿树、榛（榛子）、楝树（苦楝）、椴树。

【多个单位或个人获荣誉称号】 晋州市荣获全国绿化模范县；赞皇县被中宣部、中央文明办、全国绿委会、国家林业局联合授予全国“绿色小康县”称号，赞皇县清河乡九龙关村、土门乡秦家庄村、张楞乡西竹村、寺峪村4个村、35户被授予“绿色小康村”、“绿色小康户”；赞皇县林业局局长吕爱文被国家人事部、国家林业局评为“全国林业系统先进工作者”；辛集、赞皇两县（市）被国家林业局确定为“经济林产业示范县”；经国家林业局批准平山县驼梁晋升为国家级森林公园。

【多项林果产品获奖】 自2006年开始，全市有高邑新世纪公司的安哥诺李子、辛集市“益康”牌皇冠梨、矿区天户峪“昊源”牌红富士苹果、赵县雪花梨被评为“奥运推荐果品”一等奖，另有7产品获二、三等奖。在“2007中国国际林业博览会”上，赞皇县赞红枣业有限公司的赞皇大枣、赵县梨果购销中心的雪花梨、辛集市天天果品专业合作社的黄金梨等获得金奖，矿区昊源林果场红富士苹果等5个果品获银奖。辛集市河北天华实业有限公司的“天华”牌皇冠梨和裕隆保鲜实业有限公司的“天宇”牌鸭梨被中国流通协会评为中华名果。矿区天户峪牌红星苹果在第十一届中国（廊坊）农产品交易会被评为果王。在2007年1月举办的“河北省首届名优果品展销会”上，石家庄市23家企业选送的干鲜果品及加工制品，荣获奖牌27个。

【各县（市）区完成基层林业科技推广机构核员定编工作】 2006年国务院出台了《关于深化改革加强基层农业技术推广体系建设的意见》（国发〔2006〕30号），省政府及省人事、农业、水利、林业等单位也出台了相应文件。年内全市重点做好了基层林业科技推广机构核员定编工作，并经县（市）区政府批准，市人事局核定，18个农村县（市）区成立了县级林业技术推广机构，共核定编制215名，成立乡级林业工作站433名。

【河北国投中鲁公司在辛集投资1.2亿建果蔬汁加工项目】 河北国投中鲁果蔬汁有限公司投入的果蔬加工项目于4月13日在辛集市新垒头工业区开工建设，8月中旬投入试生产。项目总投资1.2亿元，占地70亩，总建筑面积2万平方米，建有果汁加工车间、低温贮藏库、污水处理厂、库房、办公楼、工人宿舍楼等。主要生产浓缩梨汁、浓缩苹果汁、浓缩红薯汁等产品。项目投产后，年生产各类果蔬汁1.2万吨，年产值高达1.2亿元；公司年上缴利税480余万元，新增就业岗位200多个。

（乔建勇）

水利

【概况】 2007年，全市水利系统认真贯彻落实科学发展观，坚持把建设可持续发展水利作为首要任务，把水利安全作为永恒主题，把人水和谐作为最高追求的工作思路；坚持生活用水抓安全、生产用水抓节约、生态用水抓增量，改造传统水利、发展现代水利、建设和谐水利的工作重点；坚持突出重点，攻克难点，打造亮点，以点带面的工作方法。围绕中心，服务大局，凝心聚力，狠抓落实，水利事业呈现了建设加快、管理增强、改革深化、关注民生的良好态势。全年完成11座小型水库的除险加固，整治河道堤防26.2公里，治理水土流失面积157平方公里，解决了6.56万人的饮水安全问题，新增节水灌溉面积31.8万亩。

【水利工程建设】 防洪保安方面，滹沱河防洪综合整治工程开工建设，完成11座中小型水库的除险加固，全市中型水库除险加固任务基本完成，整治河道堤防26.2公里。新农村水利方面，建设饮水工程78处，解决了6.56万人的饮水安全问题，抗旱浇地263万亩次，治理水土流失面积157平方公里，建成景庄等三座小水电站，元氏、赞皇两县获省“海河杯”竞赛先进单位称号。城镇供水方面，南水北调工程建设加紧进行，元氏县工业供水工程、深泽县城水厂建成通水，

汛期水库安全检查

市循环经济化工基地、赵县水厂开工建设，改造供水管网4万米，新增供水量240万立方米。

【节水型社会建设进入新阶段】 年内《石家庄市节水型社会建设试点规划》通过上级审批。为全面推进节水型社会建设，市政府出台了《关于加强农业节水工作的指导意见》，加大了资金投入和工作力度，共发展节水灌溉面积31.8万亩。全市年耗水30万吨以上的150家企业建立了节水降耗档案，25家企业完成水平衡测试，对华北制药集团等22家用水大户进行节水技术改造，在河北科技大学等6家企事业单位建设实施了中水回用工程。年末全市万元工业增加值取水量降至64立方米。

【现代水利建设迈出新步伐】 全市建成覆盖18个县（市）区，集视频会议、数据传输、语音通信、远程监视、雨水自动测报“五位一体”的防汛抗旱指挥系统，防汛抗旱工作初步实现信息化，石家庄市被评为全国防汛抗旱先进单位。开展水资源实时监控系统建设，年取水万方以上非农用户收费实现智能化管理，对市区自备井远程实时监测系统进行升级改造，市区自备井取水管理初步实现数字化。开展灌区管理系统建设，冶河灌区列入水利部信息化试点灌区，冶河枢纽量测水自动化系统投入使用。制定了都市区“1+4”组团水系拓展规划，三年新增水面1000万平方米，利用冶河枢纽工程为市区生态供水1400万立方米。滹沱河地下水库、雨洪资源利用等课题研究取得阶段性成果。

【水利改革实现新突破】 年内市水利部门加强与有关部门沟通联系，突出抓好“两定”测算和核定编制两个关键环节，基本完成全市水管体制改革任务。市政府还下发了《关于横山岭、口头水库上划市水利局管理的通知》，正在办理移交手续。积极推行“一事一议”和农民用水户协会，开展了小农水“民办公助”试点建设，全市农民用水户协会达到467个，“自我投资、自我建设、自我经营、自我管理”的小型水利发展机制初步形成。认真落实水库移民后期扶持政策，核定了后期扶持人数，确定了扶持方式，资金直补兑现工作基本完成，水库移民生活、生产条件得到进一步改善，库区和移民安置区社会总体稳定。

【水利管理】 水资源方面，组织开展“世界水日”宣传活动，增强全社会的水法律意识。落实水资源论证和取水许可制度，完成17个建设项目的水资源论证，制定了水功能区纳污能力及限排污总量意见，加强水质监测，严格入河排污口的审批和管理，防止水污染事件的发生。河道方面，建立了巡查巡防和部门联席会制度，全天监控和突击巡查、专项整治和群防群治、部门执法和联合执法相结合，严厉打击河道内非法采砂、采铁和乱倒垃圾行为，严格涉河建设项目审批，河道秩序进一步规范。水保方面，制定了《石家庄市水保方案编报审批管理办法》，认真落实水保方案“三同时”制度，开展水保监督执法专项行动，审批水保方案34个，实施水保恢复治理工程78处，有效地控制了人为造成的水土流失。

（刘栋涛）

农业机械

【概况】 2007年，全市农机系统以农民增收和新农村建设为中心，坚持科学发展观，大力促进农民增收，努力提高农机综合经济效益，农机化事业全面发展。止年底，全市拥有农业机械总动力1900.18万千瓦，主要农业机械拖拉机20.055万台（其中大中拖2.102万台），联合收获机1.658万台（其中玉米联合收获机0.071万台），玉米联合收获机数量显著增加，居全省领先水平。全市完成机耕面积492.68千公顷，机播面积604.58千公顷，机收面积367.18千公顷。免耕播种技术、玉米联合收获技术、玉米秸秆青贮技术及小麦秸秆打捆技术、节水精播技术的推广应用进一步加快，共完成小麦免耕播种36万亩，玉米联合收获37万亩，玉米秸秆青贮120万亩，小麦秸秆打捆30万亩。为促进农民增收，农机部门大力开拓农机作业市场，开展农机社会化服务。年内继续抓好小麦联合收获机统调和跨区作业工作，保证了小麦收获作业的顺利完成；“三秋”期间继续组织农机具秋季跨区作业，确保了全市秸秆综合利用工作的顺利实施。全年农业机械化在促进农民增收中的重要作用进一步增强。

【认真抓好“三夏”“三秋”农机工作和农机跨区作业】 一是做好“三夏”机具作业前维修工作。全年小麦联合收割机保有量1.7万台。为保证全部机具以良好的技术状态投入“三夏”作业，充分发挥各级农机维修网点的作用，调动收割机专业修理厂和维修专业户的积极性，提高维修质量，降低维修成本，市农机部门抽调技术人员组成农机维修服务队，深入农户家中及维修现场对存在的问题进行现场分析和排解，提供高水平的技术咨询服务。三夏前，全市检修小麦联合收割机1.5万台，检修拖拉机、切抛机、铁茬播种机等其他各类机具13万台（套）。二是做好农机培训工作，提高机手素质。全市将先进的电化教学和灵活的培训方式结合起来，努力提高培训质量，扩大培训范围。共新训联合收割机手800人、复训6000人次，培训其他农机操作人员2万人次。三是根据全市小麦联合收割机保有量大，发展不平衡，分布不均匀的特点，既搞好本地联合收割机的统调，又抓好外地机具的引进和管理，抓好县域范围的协调和全市范围的统调，提高小麦联合收割机的利用率。根据各县（市）、区联合收割机的分布及地理情况，按照就近原则进行“调余补缺”，结成互助对子，并要求机具不能满足作业的县（市）及早提出需求计划，由市农机处负责进行调剂，实现全市的统一调度、统一安排、统一部署。“三夏”期间，各县（市）区设立了“三夏”农机作业指挥中心，开通和公布了服务热线，实行24小时值班。市农机处和各县（市）、区农机部门保持热线联系，及时沟通信息，形成上下贯通、协调联动的整体。

为保证“三秋”工作的顺利进行，一是充分发挥各级农机维修网点的作用，以服务机手为宗旨，对投入“三秋”作业的机具进行检修，确保“三秋”作业的各种农机具处于良好的技术状态。二是采取各种形式进行技术培训。三是做好后勤保障工作。“三秋”期间，各级农机部门积极与生产厂家联系，切实做好农机产品的“三包”服务工作，多方筹措资金，备足各类农机零配件，较好满足了三秋农机作业的需要。四是结合农机维修执法，严厉打击制售假冒伪劣农机配件的行为，净化农机维修市场，规范农机市场秩序，维护农机生产经营者和使用者的合法权益。“三秋”期间，全市共出动农机执法人员120人次，出动车辆80台次，检查和整顿农机维修厂点142个，发放技术材料5000份。

“三夏”期间，共组织3000余台小麦联合收割机赴河南进行跨区作业，为农民增收近7000万元。“三秋”期间，全市组织秸秆还田机和玉米联合收割机等各类秋季跨区作业机具1000余台奔赴河南以及本省的邯郸、邢台等地作业，为农民增收2100万元。

【秸秆综合利用】 为搞好秸秆综合利用，全市以“三个强化”促进工作向纵深发展。一是强化舆论宣传。充分利用广播、电视、标语、宣传车等宣传工具，广泛开展秸秆综合利用宣传，鼓励群众合理利用秸秆资源。二是强化技术推广。积极争取项目资金，加快玉米青贮机、压块机、小麦秸秆打捆机、切抛机、秸秆还田机等秸秆综合利用机具的推广。建立了连片秸秆综合利用示范区，实行统一收获、统一还田、统一播种；建成了秸秆青贮示范小区和加工示范户，带动了全市秸秆综合利用工作的深入开展。三是强化监督检查。深入县（市）区对购机补贴落实情况及档案管理进行检查，核实国补机具落实到户情况，及时解决存在的问题。年内全市共新增小麦秸秆打捆机65台，切抛机594台，玉米秸秆还田机620台，青贮机10台，压块机7台，铡草机227台，完成小麦秸秆收集打捆30万亩，切抛还田作业390万亩，秸秆还田304万亩，青贮、微贮310万吨，有效的抑制了焚烧秸秆现象的发生，取得了良好的社会效益和经济效益。

【大力推广玉米联合收获和小麦机械化保护性耕作等新技术】 为大力推进玉米收获机械化进程，调动广大农民使用购买玉米收获机的积极性，年内全市利用部省市级补贴资金共计490余万元推广玉米联合收获机，实现作业面积37万亩，农机作业收入2100万元，玉米收获机械发展呈现出“一队、双赢、三高”的可喜局面。“一队”即元氏等县（市）组织了以玉米机械化收获为主的作业队赴邢台、衡水、邯郸开展秋季农机跨区作业，有效提高了机具利用率和作业效益，增加了机手收入。“双赢”即农民以机械化收获代替人工收获，从繁重的体力劳动中解脱出来，从事第二、三产业，增加了收入；玉米收获机械化有力促进了农机户增收和种植户的节支增效，实现了农民和农机手的双方赢利增收。“三高”即一是推广数量大幅提高。比上年增长60.1%，保有量达到805台。二是农民购机用机热情和作业效率进一步提高。应用推广达 15个县（市），玉米收获机械化作业面积达37万亩，呈现出“过去机手找地块，现在农民找机手”的新局面。三是机手作业收益进一步提高。随着机具性能的提高和作业面积的增加，全市玉米机收为农民增收已达到1200万元以上，成为秋季农民增收和农机化发展的新亮点。

为搞好机械化保护性耕作示范推广工作，全市认真制订了《机械化保护性耕作实施方案》，争取各级补贴资金58.75万元用于推广免耕播种机，实现作业面积36万亩。2007年采用免耕播种技术而收获的小麦比常规播种亩增产29.75公斤，亩均节本增收90元，共计为农民增收节支2700万元，取得了良好的经济和社会效益。年内石家庄市机具推广、推广面积和经济效益均居全国首位。

【农机安全生产管理】 根据冀政办函〔2007〕33号文，农机监理部门部分业务向公安部门移交，农机业务指标变化较大。2007年，市农机部门新核发农业机械牌证2040副，新办农机驾驶证2672个，年检农业机械30676台，安全教育36732人，新挂收割机牌照506副，年检收割机1298台，职业技能鉴定220人。进一步加大农机执法力度。全市整顿了农机维修供应网点，严厉打击了制售假冒农机产品、农机生产许可证和推广许可证的违法活动。大力抓好农机安全生产。“三夏”、“三秋”是农机事故的多发期，一是对机具进行检修和保养，确保机车技术状态完好；二是对机手进行安全教育，提高安全生产意识；三是要求操作人员严格按照作业质量标准及安全生产要求进行作业，严禁疲劳作业，消除各种事故隐患，确保了安全生产。

石家庄市农业机械化管理处
处　长：康彦军
书　记：徐　峰
副处长：鲍明年　李伯男　李新平

（李君强）

农业综合开发

【概况】 2007年，石家庄市农业综合开发在市委、市政府的正确领导和省办的关心支持下，紧紧围绕发展现代农业、建设新农村、构建和谐社会的目标要求，着力改善农业生产条件，提高农业综合生产能力；着力完善产业化经营方式，进一步促进农民增收，圆满完成了农业综合开发各项工作任务。全年农业综合开发整体工作水平全面提高，项目区农业综合生产能力建设稳步加强，农业产业化进程不断加快，项目和资金管理更加规范，各项工作有了新突破。

【项目建设标准顺利通过省级验收】 按照省办下达的计划任务，全市2006年度土地治理项目改造中低产田3.16万亩，生态建设2.8万亩；建设产业化经营项目5个，世行三期灌溉项目改造中低产田10.6万亩。三类项目总投资8440万元，其中各级财政资金5566万元。截止4月底，各项工程均完成计划的100%，各级财政投资完成计划的100%。5月26～29日，省农开办验收组对全市2006年度土地治理项目和产业化项目进行了检查验收；12月8日对2006年度和2007年度世行三期灌溉项目进行了检查验收，三大类项目顺利通过。藁城市获全省土地治理项目“红旗县”，辛集市获全省世行三期项目先进县，为石家庄农业综合开发争了光。

【项目投资规模创历史最高】 年内

农业综合开发项目申报工作，突出重点，认真考察，严格筛选，择优立项，精心编写项目可研报告，并组织有关专家评审论证，项目申报一次通过。省批复全市农业综合开发各级财政资金7299万元，比上年增加1733万元，增长31%，财政投资规模创历史最高。主要建设任务是：土地治理改造中低产田4.1万亩，生态建设1.76万亩；新建产业化经营项目4个；世行三期灌溉项目改造中低产田9.4万亩。积极申报亚行项目。按照河北省农业开发办公室的统一要求，4月底完成了《石家庄市利用亚洲银行贷款发展现代农业项目建议书》初稿，项目总投资规模为14632万元，其中各级财政资金10404万元，项目改造中低产田18.1万亩，涉及晋州、无极、正定、辛集四个县（市）的10个乡镇62个村。

【高起点、高标准建设项目工程】 按照“创一流业绩”的工作目标，市农开办年初提出在7个方面实现新突破的具体要求，各项目县（市）创新思路，苦干巧干，创造性地谋划和实施各类项目建设，整个项目工程呈现出标准高、进度快、效果好的特点。截止年底，全市土地治理项目完成计划的80%，主体工程全部完工；产业化经营项目财政资金和自筹资金全部到位，土建工程完成90%，设备完成60%；世行三期灌溉项目，完成80%以上。11月25日，省办组织各地市到藁城、平山进行了现场观摩，宏大的开发气势以及“砂石路、机井房，300米地块搞管网，地里种植优质麦，路边种植速生扬，综合服务全跟上”的藁城开发模式，得到了各地市的一致称赞。

【信息宣传工作】 年内是全国大规模实施农业综合开发20年，以此为契机，全市大力宣传农业综合开发的成效及各县（市）农业开发典型。9月25日，《石家庄日报》以“积极推进农业综合开发，为新农村建设助力”为题，对全市二十年来的开发历程、开发成果和成功经验进行了宣传报道。11月2日、7日和9日，《河北经济日报》连续3个专版对全市农业综合开发取得的成效进行了全方位的宣传报道。9月28日，在藁城举办了全市“农业开发二十年，再创农村新天地”农业开发文艺汇演，热情讴歌党的惠农政策，用歌声表达全市农业开发干部职工对农业开发事业的热爱之情，起到了良好的宣传作用。2007年，市农业开发信息宣传工作在全省农业开发系统考核优秀，并被评为先进单位。

石家庄市农业综合开发办公室
主　任：杜占贞
副主任：石文更、戚忠奎、韩文波
（陈艳萍）

农业科技

【概况】 2007年，全市农业与农村科技工作以建设社会主义新农村、推进现代农业为主线，坚持产学研结合，实施农业科技创新，促进农业增效农民增收，各项工作都取得了新进展。农业科研工作以项目带动农业科技进步，有力提高了农业技术创新能力。年内全市共争取国家项目6项，经费1170万元。列入省级计划项目10项，经费608万元。安排市级计划项目29项，落实经费470万元。通过项目的实施，共培育农作物新品种（系）31个，通过国家、省级审定的品种6个，引进动植物新品种、新技术528项，广泛应用于农业生产，并在生产中不断改进和创新，为优化农业种植养殖结构调整提供了强有力的技术支撑。同时重点在农业节水技术的研究与应用、畜产品安全生产、动物重大疫病防疫、农产品精深加工技术的引进与示范、生物技术信息技术在农业生产中的应用等方面进行集成攻关和引进消化吸收创新，取得了一批具有产业化开发潜力的技术成果。止年底，全市农业新技术推广率达85%左右，优良品种覆盖率达95%强，实现农业纯增收41亿余元。

【粮食丰产科技工程】 粮食丰产科技工程“十一五”期间的工作正式启动，年初省政府在藁城市举行了启动仪式。藁城、辛集、正定、赵县4个县继“十五”后继续成为示范县。年内夏季，小麦生产4

个示范县攻关田亩产都超过了600公斤，其中赵县攻关田亩产突破了646.7公斤，是继2005年藁城、2006年正定之后第三次突破河北小麦亩产记录。核心区、示范区亩产都在500公斤以上，都超过了计划制定的目标。秋季玉米生产喜获丰产，藁城玉米攻关田实收平均亩产738.9公斤，是继2005年玉米高产攻关田实现700.5公斤之后的又一新突破。

【农业科技成果转化工作取得历史性突破】 石家庄大地种业有限公司承担的“节水高产冬小麦新品种石麦15号中试与示范”及河北康利动物药业有限公司承担的“抗球虫中药口服液－球克的中试”2个项目获得国家农业科技成果转化资金支持，分别落实资金100万元和50万元。河北新华科技兽药有限公司承担的“环保型多功能畜禽养殖消毒制剂‘单组分固体二氧化氯’的中试与示范”项目获得河北省农业科技成果转化资金支持，落实经费40万元。石家庄市农科院承担的2005年国家农业科技成果转化资金项目“糯玉米新品种石彩糯1号中试与示范”顺利通过验收。项目实施过程中，制定了以提高糯玉米鲜穗产量和商品品质为主要内容的石彩糯1号的标准化栽培技术规程，建立与完善了良种繁育、栽培技术、产品加工和产品质量监控体系，同时与加工企业合作开发的石彩糯1号速冻和真空保鲜果穗技术产品已投放市场。本项目的实施带动了种子产业、食品加工业等相关行业的发展，促进了农民增收，社会、生态效益显著。还与市财政局联合，正式设立了市级农业科技成果转化资金项目，对促进农村科技进步具有重要的现实和历史意义。本年度共安排14个市级农转资金项目，落实经费140万元。

【一县一业一园农业科技示范工程】 年内市农业部门按照省厅的具体要求，进一步修改完善了《石家庄市一县一业一园现代农业科技示范工程实施方案》，指导并督促各县(市)区把握优势，突出特色，避免重复和盲目模仿，真正做到依靠科技提升一个特色产业振兴一方经济。同时，每季度召开一次相关县（市）区和示范县建设相关单位和人员参加的协调会，重点检查省级示范县工程实施及进展情况，协调解决实施中出现的各种问题。坚持工程建设和市级重大项目有机结合，在市级项目筛选和立项过程中坚持同等条件下示范县优先的原则，在一定程度上支持了示范县的建设，并促进了市级项目的健康顺利实施。止年底，全市建成省级示范县6个[栾城县（奶牛）、正定县（蔬菜加工）、辛集市（鸭梨）、行唐县（奶牛）、赞皇县（大枣）、藁城市（优质小麦]，市级示范县6个[赵县(玉米)、无极县(设施蔬菜)、高邑县(林果)、井陉矿区（苹果)、藁城市（蔬菜)、行唐县（奶业)]。全市建立高标准产业科技示范园12个，核心区面积6万多亩，辐射200多万亩，开发引进新品种10多个，新技术70多项，承担实施县以上科技项目50多项，培训农民30多万人次。各示范县政府投入明显增加，省级示范县及行业部门配套资金7300多万元，吸引企业、社会投入约9000多万元，为县域主导产业的健康快速发展奠定了坚实的物质和技术基础。年内石家庄市被认定为省级一县一业一园农业科技示范工程示范市，并于年底通过省政府组织的中期评估。市级示范县认定工作业已着手。

【农业科技特派员制度全面启动】 年内市政府出台下发了《关于推行农业科技特派员制度的实施意见》，市委、市政府召开了全市农业科技特派员选派工作动员大会。全年共派出123名个人特派员和7名法人特派员深入到17个县（市）农业生产第一线开展服务。130名农业科技特派员分别为省、市属事业单位、农业科研院所、农业大专院校的科研人员，专业管理机构的技术人员，涉农大中型企业的科研、经营管理人员，独立经济技术服务组织的科技人员等，法人农业科技特派员为农业科研单位、涉农大中型企业、农业龙头企业、专业管理法人机构等；派驻单位包括了多个乡（镇）村、涉农中小企业、农业科技园区、科技示范基地、农业科技服务推广组织、农业科技龙头企业等。第一批农业科技特派员的选派成功标志着石家庄市农业科技特派员的科技创业、科技服务进入到实质性工作阶段。

（张丽萍）

中小企业

【概况】 2007年，全市中小企业积极应对国家宏观调控政策带来的种种变化，优化产业结构，提高产品档次，淘汰落后的生产工艺，运行质量进一步提高。尤其是中小企业中的骨干企业，更是起到了龙头、示范带动作用，并在环保、节能减排以及安排剩余劳动力方面做出了重要贡献。全年全市民营经济实现增加值1680亿元，同比增长22%，上缴税金116亿元，同比增长25.5%。出口创汇企业998家，具有自营出口权企业450家。创汇108.63亿元，同比增长20.7%。全市民营企业从业人员达到293万人。重点项目全市中小企业建设项目4280个，其中，1000万元以上项目100个，固定资产投入85亿元；投入亿元以上项目26个，投入资金40亿元。其中，投资8亿元的栾城楼底镇南郊电厂，投资22亿元的井径矿区丰达200万吨中厚钢板等都已列入省、市级重点建设项目。全市中小企业全年实现固定资产总投入135亿元。这些项目中，一批能够带动产业结构升级，区域竞争力提高的重大项目成为各县市（区）的投资热点，符合国家产业政策的技术改造项目和环保改造项目也成为投资重点。像藁城光明纸业有限公司投资6000万元的碱回收技术改造项目，吉藁化纤公司投资1500万元的环保改造项目，已完成投资1560万元，项目全部完工，达到预期治理效果。长安区华药新药研究开发有限公司等2家公司项目列入省科技发展计划，争取资金支持135万元。威远生物化工股份公司、石德棉纺公司等15个项目列入市级科技发展计划，争取资金支持585万元。

【担保业务】 按照“一手抓发展，一手抓规范”的思路，着力抓好担保机构的增资扩股和规范运营。全年新增担保机构2家，全市担保机构达到46家，注册资本金累计11.09亿元，其中，上年新增注册资本金2.56亿元，超额完成市政府分解的1亿元目标任务和省局下达的2.1亿元任务目标。全市担保机构开展担保业务累计1626笔，(其中上年503笔)；累计担保金额16.4亿元（其中上年5.98亿元）；累计增加就业8744人（其中上年增加2236人），累计增加销售收入14.9亿元（其中上年增加1.46亿元）；累计增加税收1.75亿元（其中上年增加1032万元）。还新增加了一家注册资本金超亿元的担保公司，为未来担保业务做大做强奠定了良好的发展基础。

【创业辅导基地与产业集群】 年内全市共建成创业辅导基地21家(其中新增7家)，建成省级示范基地2家（卓达创业辅导基地、新华区(西三庄）创业辅导基地)。另有4家新建省级示范基地等待验收。基地累计投资25.6亿元，其中政府投资0.4亿元，其它投资25.2亿元，建设面积300万平方米，入驻企业718家，新增就业岗位46369个，创业培训423次，法律服务338次，孵化企业361家。此外，按照国家发改委和省中小企业局的要求，编制了2007～2010年全市重点产业集群及公共服务平台建设规划。重点指导了无极皮革业技术研发中心、正定阳光牧业技术研发中心、藁城市宫灯业技术研发中心、井陉县钙镁技术研发中心等4个扩建项目的建设工作，其中，3个扩建项目获得了省中小企业发展专项资金45万元的支持。辛集皮革生产力促进中心扩建项目获国家发改委同意并给予资金支持280万元。

【小巨人工程与教育培训】 2007年，市中小企业主管部门与市商业银行、市金融办联合，深入开展“小巨人”企业培育工程活动，安排信贷专项资金，在全市范围内筛选了一批有市场竞争力、发展前景好、资信良好、管理规范、符合金融政策的成长型优质小企业给予信贷支持，并做好相关服务。全年有96家企业得到了信贷支持，授信额度总计8.6亿元。全市中小企业职工培训总数累计达到32.1万人次。参加省中小企业人才招聘会企业18个，发布信息172项，有128人签订了协议。在全国网上百日招聘活动中，全市有173个企业参与，共发布招聘职位673个，签订协议900份。同时，加大教育基地建设力度，新增远程教育基地15个。还着力加强了民营企业人才队伍结构建设工作，全市完成人才技能鉴定700人次。裕华区在2006年东明家具被授予清华企业远程教育受赠单位后，年内又有长通电器、金环包装、保龙仓等3家企业被省局和清华大学授予远程教育受赠单位，占全市总量的1/7，受到了市局的肯定和企业的好评。在抓好人才招聘工作方面，积极帮助企业搭建人才引进平台，组织16家民营企业参加了全国中小企业网上百日招聘和省组织的军转干部人才招聘等活动，共发布招聘岗位96个，华燕纸制品、长通电器、华北蓄电池等单位的招聘工作取得较好效果。

【银企对接工作】 年内市中小企业局与市金融办共同筛选了200家企业同工商、建行、华夏、民生等10家金融机构进行了多次银企对接洽谈会，有56个项目和银行达成了签约合同，帮助企业取得贷款金额28亿元，超额完成全年21亿元目标任务。各县（市）区也积极开展了银企对接活动，晋州市开展银企对接会3次，签订贷款额1.2亿元，实际到位1.03亿元；正定县开展了2次银企洽谈会，共有80余家企业参会，形成协议贷款1.8亿元，落实贷款1.1亿元。灵寿县组织了4次银企对接活动，签订贷款金额4860万元，实际到位2864万元。

【集体企业改制】 根据市政府要求，市中小企业局抽调10名骨干力量成立了市内五区市属集体企业调研组，对市内五区市属集体企业的基本情况、改制情况、搬迁情况、污染情况进行了较为全面的调查，摸清了集体企业底数、发展状况与存在的问题。止年末，市内五区市属集体企业共75家，已改制52家，未改制17家，已在改制16家；已搬迁5家，已在搬迁3家；已停产30家，基本停产15家；赢利企业25家，亏损企业50家。根据调研情况起草了《关于市内五区市属集体企业的调研报告》，上报市政府，为市领导决策市属集体企业发展提供了参考依据。全年市属集体企业实现销售收入3.7亿元，同比增长5.6%；实现利润累计完成520万元，较上年同期实现扭亏为赢；利税总计3900万元，较上年同期增长14%。

【新产品开发与名牌产品】 年内全市中小企业在增强企业自身素质的基础上，不断拓宽新产品的开发渠道，积极实施品牌战略，以良好的品牌形象参与市场竞争。石家庄长通电器有限公司新开发的智能漏电保护器，三相多用户预付费农田浇灌表2个产品通过了省、市有关部门的新产品开发鉴定。华燕纸制品、金环包装、东华化工等11家企业通过了ISO9000质量体系认证，北田化工、天工化工机构制造等3家企业通过了ISO14000环保体系认证。“华北牌”蓄电池，“石通牌”电能表等4个产品被评为省名牌产品。晋州市安达汽车配件有限公司开发的BEEP/PA12复合燃油管项目获得了省科技成果证书。仅桥西区全年就开发新项目、新产品73项，列入省市科技计划20项，组织申报2008年市级科技计划48项，申请专利2300余件，获省市科技进步奖各1项。止年末，全市有30多家民营企业积极申报了省级名牌产品和中小企业名牌产品。河北东明实业集团有限公司DONGMING皮衣、辛集市物资开发有限公司依鹿奇皮衣、河北辛集东兰集团有限公司东兰皮衣、河北久强建材有限公司久强高效减水剂等4个产品晋升为中国名牌产品，石家庄三鹿集团股份有限公司的三鹿牌乳粉等14个产品晋升为2007年河北省名牌产品。全年全市共新增省级名牌产品8个，省中小企业名牌产品24个。

【调研督导工作】 全年针对全市民营经济发展中出现的新情况、新问题，开展了一系列调查研究活动。其中有配合省长郭庚茂、副省长张和来石家庄市调研和市人大调研的相关课题；也有与市委宣传部、市政协办公厅等单位联合组织的企业文化建设、二环内及石环内污染企业情况等方面的调研；通过调研活动形成了一批具有决策参考价值的调研报告，其中《强化服务搭建平台促进民营经济更快更好发展》经冀纯堂市长两次重要批示，市委办公厅给予全文转发，省委办公厅也做了摘要转发；《关于市内五区市属集体企业的调研报告》向主管市领导作了专题汇报，也得到了肯定；《民营企业人才状况的调查与思考》的调研文章在省、市多家刊物全文发表，并被收录到国家级出版物《中国经济发展与建设》一书。与市政协联合主办了石家庄市民营经济发展研讨会，市委、市政府领导到会进行了有力指导，为全市民营经济发展创造了良好的舆论氛围。还根据《河北省鼓励全民创业活动决定》意见，起草了石家庄市《关于石家庄市鼓励全民创业活动的决定》，市政府已研究讨论通过。

（王雅虹）

石家庄年鉴 Industry

工 业

工　业

概　述

2007年，石家庄市工业系统坚持以科学发展观为指导，紧紧围绕年度工业经济调控目标，大力实施市委市政府确定的工业50强发展带动战略，加大工业经济运行的协调力度，全市工业经济呈现了既好又快的发展趋势，生产和效益增速在全省排位双双跃升三个位次。以全市规模以上工业主营业务收入突破3000亿、利税突破300亿、利润突破200亿元大关。全市规模以上工业企业完成增加值909.32亿元，同比增长20.40%；实现主营业务收入3293.73亿元，同比增长28.63%；实现利税352.68亿元，同比增长38.13；实现利润221.66亿元，同比增长49.2%；工业产品销售率98.07%，同比降低0.13个百分点；规模以上工业企业亏损136家，亏损企业亏损额为17.18亿元，同比减少32.36%。圆满完成市政府年初确定的调控目标。

与省内各地（市）比较，2007年石家庄市工业增加值、利税、利润增速分别高于全省1.53个、2.28个和8.57个百分点，增加值增速由上年的第6位跃升至第3位，利税增速由上午的第7位跃升至第4位，利润增速由上年的第9位跃升至第3位，均为5年以来的最好位次；经济效益综合指数为257.6，同比提高40个点，高于全省21.6个点。

同全国中心城市（2007年11月份数据，45个城市参加汇总）工业主要指标相比较，石家庄市入统工业实现销售收入总量居第17位；工业增加值总量居第18位；利税总量居第16位；利润总量居第16位；流动资产周转率居第1位；资金利税率居第3位；成本费用利润率居第13位，资产负债率从小到大居第20位。

到2007年底，全市规模以上工业企业达到2127家。其中大型企业22家、中小型企业2125家。全部从业人员年均达到55.82万人，总资产为1809.27亿元，固定资产净值平均余额788.61亿元，资产负债率为60.21%；全市国有及国有控股企业447户，从业人员平均人数24.84万人，总资产为1042.22亿元。全部工业实现工业增加值1030.1亿元，占全市GDP的43.05%。规模以上轻、重工业增加值比重为46.5 ∶ 53.5；将国家确定的39个国民经济工业行业在全市划分到11个大工业门类中，各门类所占比重分别为（按工业总产值）：石油化工16.27%，轻工15.08%，装备制造13.18%，食品12.15%，冶金11.43%，纺织8.47%，建材7.05%，医药6.69%，热力电力燃气水的生产和供应6.62%，电子0.66%，另有采掘业占2.41%。39个国民经济工业行业（石家庄市无石油及天然气开采业和其它矿业，为37个大类）全市排位比较靠前的依次为（按工业总产值）：黑色金属冶炼及压延加工业、化学原料及化学制品制造业、皮革毛皮羽毛绒及其制品业、非金属矿物制品业、医药制造业、电力热力的生产及供应业、农副食品加工业、纺织业、石油加工及炼焦业、食品制造业等，上述10个国民经济工业行业工业总产值占全市规模以上工业企业的74.41%。

2007年，全市142种工业产品中（按统计局目录统计），103种产品产量实现增长，占72.54%，其中39种产品产量增长超过30%。全市主要工业产品中产量占全省30%以上的主要有：化学原料药29.0万吨，同比降低5.92%，占全省的51.4%；皮革服装1174.2万件，同比增长29.18%，占全省的98%；印染布11.3亿米，同比增长37.29%，占全省的81.2%；布13.57亿米，同比增长16.45%，占全省的51.8%；乳制品105.9万吨，同比增长5.54%，占全省的38.4%；原油加工量334.7万吨，同比降低14.75%，占全省的31.8%；化肥（折纯）66.2万吨，同比增长0.21%，占全省的30.5%，；化学农药（折100%）10682吨，同比降低6.59%，占全省的30%；精甲醇38.1万吨，同比增长26.25%，占全省的58.7%；瓷质砖9092.8万平方米，同比增长16.16%，占全省的81.5%；人造板428.9万立方米，同比增长38.38%，占全省的78.8%；水泥2807.4万吨，同比增长11.86%，占全省的30%。占全省15%～30%之间的有：卷烟200.25亿支，同比增长12.17%，占全省的29.2%；纱26.53万吨，同比增长8.97%，占全省28.5%；塑料制品36.2万吨，同比增长32.54%，占全省的26.3%；服装9087万件，同比下降1.27%，占全省的22.3%；中成药8201吨，同比增长14.06%，占全省的19.8%；发电量285.8亿千瓦小时，同比增长10.25%，占全省的18%；纯碱33万吨，同比增长12.88%，占全省16.1%。河北省产量较大、全市相对占比较小的有：钢材603.3万吨，同比增长31.38%，占全省5.8%；生铁615.7万吨，同比增长14.27%，占全省的5.9%。

2007年，17个县（市）共完成工业总产值2142.73亿元，占全市的64.88%，增长39.02%，高于全市平均增幅10.36个百分点；实现利税247.45亿元，占全市的69.96%，增长39.0%；实现利润178.62亿元，占全市的80.34%，增长40.55%。全市实现销售收入过百亿元的企业4家，分别是石炼化、敬业集团、供电公司、三鹿集团；过10亿元的企业33家。实现利税超亿元的企业共有41家，其中超10亿元的企业2家，分别是河北白沙烟草、敬业集团；利税2亿元～10亿元的企业18家，依次是供电公司、石药集团、石钢公司、神威药业、西柏坡第二发电公司、三鹿集团、华能上安电厂、辛集澳森、华药集团、西柏坡发电公司、新乐市胶合板集团、焦化集团、印钞厂、曲寨集团、河北诚信、常山股份、以岭药业、新乐市石业集团；实现利税1亿元至2亿元企业的有21家，5000万元至1亿元的企业有64家。

2007年，规划的“十一五”期间全市工业50强企业完成销售收入1135.58亿元，同比增长21.39%，占全市的35.7%，同比加快8.66个百分点；实现利税119.05亿元，增长30.15%；实现利润59.43亿元，增长56.54%。按主营业务收入计算，工业50强企业平均规模是全市规模以上工业企业平均规模的14.9倍。9月3日，中国企业联合会、中国企业家协会公布2007中国企业500强名单中，石家庄市2家企业进入中国企业500强综合排名，分别是河北敬业集团（排名293）、石家庄三鹿集团股份有限公司（排名427）；6家企业进入了中国制造业企业500强，分别是河北敬业企业集团（排名157）、石家庄三鹿集团股份有限公司（排名239）、石家庄钢铁有限责任公司（排名311）、石家庄制药集团有限公司（排名313）、华北制药集团有限责任公司（排名327）、石家庄常山纺织集团有限责任公司（排名459）。

全市共有中国名牌产品（三年有效期）11个，其中，2005年3个分别是石家庄三鹿集团股份有限公司的“三鹿系列奶粉”、石家庄三鹿集团股份有限公司的“液体奶”、河北大羽羽绒制衣有限公司的“大羽羽绒服装”；2006年3个分别是石家庄珍极酿造集团有限责任公司的“酱油”、石家庄珍极酿造集团有限责任公司的“醋”、河北电机股份有限公司的“690伏以下及以下中小型电机”；2007年5个分别是河北东明皮革有限公司的“皮衣”、河北辛集束兰皮革有限公司的“皮衣”、辛集物资开发有限公司的“皮衣”、河北九强建材有限公司的“高效减水剂”、常山纺织集团的“精梳纱线”。有中国驰名商标9个，分别是河北双吉化工有限公司的“双吉”商标、石家庄三鹿乳品有限公司的“三鹿”商标、石家庄制药集团有限公司的“石药（图形）”商标、华北制药集团有限责任公司的“华北牌”商标、石家庄珍极酿造集团有限责任公司的“珍极”商标、神威药业有限公司的“神威”商标、石家庄博深工具集团有限公司的“博深”商标、河北苹乐面粉机械集团有限公司的“苹乐”商标、中昊·河北辛集化工集团有限责任公司的“五洲”商标。（以上有关数据均来源于2007年统计快报数据）

【石家庄市工业50强名单】 为强力推进全市工业经济发展，2006年，市政府制定出台了《石家庄市十一五期间支持工业50强加快发展的六条意见》，并确定了50强企业名单。在此基础上，为充分调动工业50强发展的主观能动性，市政府又确定了“对工业50强企业实行动态调整管理”的工作方针。据此，每年市政府对工业50强进行综合实力测评，凡各项指标仍继续位居全市工业前50位的予以保留，否则淘汰出50强之外。按照2006年工业企业统计考核，石家庄欧意药业有限公司、河北威远生物化工股份有限公司、石家庄永生华清液晶有限公司（含开发区永生华清液晶有限公司）、河北金能机械装备有限公司等4家企业进入工业50强。

按照《石家庄市工业“5+3”企业层级递进办法》，依据2006年度对工业50强企业的综合实力测评，2007年5月，市工业50强领导小组办公室对工业“5+3”企业进行了调整并正式对外公布了新的企业名单。调整后的工业50强企业名单是：河北白沙烟草有限责任公司、河北敬业集团、石家庄炼油化工股份有限公司、石家庄钢铁有限责任公司、华能上安电厂、石家庄三鹿集团、华北制药集团、石家庄制药集团、石家庄化纤有限责任公司；河北西柏坡发电有限责任公司、神威药业有限公司、石家庄四药有限公司、石家庄双环汽车有限公司、东方久乐汽车安全气囊有限公司、辛集市澳森钢铁有限公司、河北省高营企业集团公司、石家庄焦化集团、石家庄常山纺织股份公司、河北诚信有限责任公司、河北正元化工有限责任公司、河北华电石家庄热电有限公司、中昊·河北辛集化工集团、石家庄鸿锐集团、河北以岭医药集团、石家庄印钞厂、石家庄东方热电集团、石家庄金石化肥有限责任公司、河北新化股份有限公司、河北冀凯实业集团有限公司、石家庄新宇三阳实业有限公司、河北金源化工股份有限公司、河北电机股份有限公司、河北东华化工集团公司、河北吉藁化纤有限责任公司、河北赵州利民淀粉企业集团、河北东明皮革有限公司、鹿泉东方鼎鑫水泥有限公司、河冶科技股份有限公司、石家庄联碱化工有限责任公司、石家庄安瑞科气体机械有限公司、河北银港人造板有限公司、河北太行机械工业有限公司、石家庄博深工具集团、石家庄三环阀门股份有限公司、石家庄嘉禾啤酒有限责任公司、中国南车集团石家庄车辆厂、石家庄欧意药业有限公司、河北威远生物化工股份有限公司、石家庄永生华清液晶有限公司、河北金能机械装备有限公司。

（王惠茹）

医药工业

【概况】 2007年是石家庄医药工业快速发展的一年，中国药都建设进一步推进，医药工业园区建设取得实质性进展，入园企业迅猛增加，石家庄市被列为国家级生物制药基地。2007年全市规模以上医药企业61家，工业总产值219.87亿元，工业增加值64亿元，医药制造业利税总额29.58亿元，利润总额20多亿元。新药研制取得显著成绩，河北医科大学制药厂获得了具有自主知识产权的一类新药临床证书，其它尚有一批具有一定创新性的新成果，体制改革全面展开，石药集团控股权受让于联想集团，为石药的进一步发展打下了坚实基础。国有比重大比例下降，企业资产质量明显提升，四药股份在香港上市。其它一些企业正在冲制上市做准备，医药工业生产能力、技术水平不断提高，经济效益大幅度提高，全市抗生素和抗生素产能居世界第一位。石药集团全年出口额达2亿多美元，业务范围主要包括北美、东南亚、中亚、欧盟、非洲等国家。发酵工业生产能力和规模生产技术居世界前列，澳星药业集团成功跻身全国麻醉药品定点基地，生产全面开展。全年共完成销售收入300亿元，利税35亿元，利润25亿元。神威入选福布斯2007年度亚洲最佳企业、中国最有价值商标500强，生物医药基地获国家创新基地称号。

【石家庄建设三大生物医药工业园】 2007年，石家庄市“国家生物医药产业基地”初步形成了以生物制造、生物农业、生物能源、生物环保为一体的生物产业体系。为实现生物产业更好发展，以园区龙头带动配套企业集聚，促进企业分工协作和产业深度整合，经过前期一年多的规划、设计、论证，确定了以国内著名企业为依托，建设华北制药工业园、石家庄制药工业园、神威现代中药工业园三大重点生物医药项目。2007年6月三大园区均完成前期准备工作。其中占地3000亩的华北制药工业园总投资44亿元，重点发展降血脂及心脑血管药物、抗癌药物、免疫制剂药物、营养保健品等12个项目，项目投产后年销售收入可达180亿元；石家庄制药工业园占地1500亩，总投资22亿元，重点建设研发中心、四代头孢、抗生素等17个项目；神威现代中药产业园重点发展软胶囊、中药冻干粉、注射液等5个项目，总投资7亿元，年销售收入可达30亿元。三大园区项目投产后，石家庄市生物医药产业的品种、技术和规模优势将得到有效提升，在巩固生物发酵核心竞争力基础上，实现由原料药为主向原料药与生物制剂并重、由抗生素类产品为主向抗生素与非抗生素类产品并重、由内销为主向内销与出口并重转移。

【石家庄市举办第一届中国生物产业大会】 2007年6月16～19日，石家庄人民会堂举办了为期三天的第一届生物产业大会。16日上午全国政协副主席李蒙、国家发改委主任张晓强等以及省市领导白克明、郭庚茂、付志方、吴显国、冀纯堂等出席了开幕式。本次大会参会代表共1285名，其中国家级领导1人，省部委领导12名，特邀院士专家46名，33个省、市以政府名义组团参会，有美国、韩国、加拿大、瑞典和日本等6个国家的38名代表参会。本次大会展示形式新颖、规模宏大。“生物产业成果展”展览面积达10500平方米，共设标准展位410个，有21个省、市参展，其中12个国家生物产业基地和申报城市天津进行了特装，集体展示了国家生物产业基地的水平、实力和形象。17个省、市政府组团参展，参展企业达130家，参展代表1200余人。国大集团在国大医药物流园区设立分会场，举办了极具特色的“中草药生物技术”展览。吸引了众多专业客商前来洽谈，参观人员达1.5余人。项目洽谈踊跃、成果丰硕。此次大会期间签订的银企、院企合作协议和贷款合同，包括国家开发银行与中国生物工程学会签订的《开发性金融合作协议》；华药集团与中国科学院微生物研究所签订的《战略合作框架协议》等6项。大会共发布生物产业经济合作项目80项，总投资156亿元，技术需求项目28项。共签订生物产业经济技术合作协议20余项，其中，石家庄市签约19项，总投资15.5亿元。石家庄市政府与联想控股有限公司签署了石药集团国有股权转让战略合作协议。此外，大会期间还举办了生物产业发展高层论坛和5个生物产业发展主题论坛，与会领导、专家、学者共作报告93个，参会人员达4000余人次。成功举办了院士专家咨询恳谈会。杨胜利等16名生物领域权威院士专家与石药、华药、神威等国内39家企业代表，就组建中国抗生素技术创新战略联盟、生物质能源的发展趋势等19个生物产业领域的疑难问题进行探讨，提出了指导性意见，建立了联系机制。

【“石药”国有产权整体转让“联想”】 2007年6月16日，石家庄市在亚太大酒店举行石药集团有限公司100%国有产权转让的签字仪式，市政府国有资产监督管理委员会、联想控股有限公司分别在转让合同上签字。国家发改委副主任张晓强，科技部副部长刘燕华，中科院副院长陈竺，河北省人民政府省长郭庚茂，常务副省长付志方，省委常委、石家庄市委书记吴显国，全国工商联副主席、联想控股有限公司总裁柳传志，省长助理、省国资委主任赵世洪，省发改委主任沈小平，省科技厅厅长贾红星，石家庄市人民政府市长冀纯堂，市委常委、常务副市长朱浩文，市政协副主席、政府秘书长李天印及市政府有关部门的负责人和联想集团、石药集团有关负责人出席了签字仪式。石药集团有限公司是中国最大的化学原料药生产基地和综合制剂生产基地之一，2006年实现含税销售收入60亿元，位列中国化学制药行业前列。由于受行业环境等多方面影响，加之民营资本、外资大举进军中国医药行业，使得企业经营面临严峻形势。为了使石药集团有限公司调整产品结构、抢占国际高端医药市场、提高创新能力，实现国内一流、进军世界500强的战略目标，市委、市政府决定引入战略投资者，将石药集团打造成产品结构趋于合理、科技水平行业领先、经营理念先进、品牌国际知名、极具竞争力的综合性制药公司，进而保证石家庄市“药都”建设的顺利实施，以带动全市工业经济的整体、快速发展。为实现上述规划，石家庄市委、市政府就引入战略投资者的方式进行了多方探讨和比较，最终决定通过对外转让石药集团有限公司100%的全部国有产权的形式公开征集实力雄厚且以石药集团为平台发展医药产业的战略投资者。经过近一年的筹备工作，2007年4月28日，石家庄市人民政府正式批准石药集团有限公司100%国有产权实施整体转让；2007年5月8日至6月4日，石药集团有限公司100%国有产权转让公告在河北省产权交易中心发布，公开征集战略投资者，至公告截止日，符合意向受让方资格的仅有联想控股有限公司一家。联想控股有限公司是一家在IT产业中拥有国际影响力的领先企业。2006年，联想控股有限公司实现营业额为1389亿元人民币。近年来、联想控股积极在其他行业寻找发展机会，并以资本运作和行业整合的方式，着力在新领域培育骨干优势企业。联想控股有限公司非常看好中国医药行业的发展前景，并清晰认识到石家庄市作为医药产业基地突出的区位优势。联想控股有限公司在受让石药集团有限公司100%国有产权后，将以石药集团有限公司作为其医药产业平台，积极参与石家庄市“药都”建设，在未来5年内拟计划投资50亿元人民币，把石药集团有限公司打造成在世界上具有一定影响力的大型制药企业，使其新增销售收人150亿元，利税25亿元，以实现联想全面发展生物医药产业的重大战略目标。

【石药主导产品出口居行业前列】 2007年3月，中国医药保健品进出口商会公布了2006年中国西药制剂出口企业前十强、中国原料药出口企业前十强。石药集团名列原料药出口企业十强榜的第3位，以及西药制剂出口十强榜单的第8位。入榜企业包括医药生产企业和医药外贸公司，占据西药制剂出口企业十强榜的绝大部分企业是外资或合资制药公司。石药集团以原料药产品为主，2006年石药集团全年出口额2.1亿美元，业务范围主要包括北美、东南亚、中亚、欧盟、非洲等国家，市场主要为中低端市场。

（吴晓华）

【深化农村药品“两网”建设】 2007年，石家庄市深化农民群众用药安全的农村药品“两网”（供应网和监督网）建设，引导和鼓励多种主体在农村开办零售药店或在偏远地区开办OTC（非处方药）药店，因地制宜地推广直配式、转配式和代购配送式等农村药品供应模式。同时将“新农合”定点医疗机构纳入药品供应网络，将质量好、信誉高的药品经营企业纳入“新农合”报销范围。实行农村药品供应网点首营企业、首营品种的审核备案制度和药品购进渠道定期申报制度，最大限度地减少药品质量问题。同时，努力建立监管人员、协管员和信息员三位一体、上下互动、全面覆盖的农村药品监督网络，彻底消除农村监管盲点和盲区。

【华药金坦公司成为全国第三大乙肝疫苗供应商】 疫苗产业是国际上公认的朝阳产业，年销售额增长在15%以上，是国际和国内众多生产厂商看好的市场。2007年，金坦公司加大技术创新力度，乙肝疫苗生产能力达到1000万人份。同时，该公司还通过多种渠道宣传与推广，“华北”牌乙肝疫苗已销往全国，市场销售位居全国第三。

【神威产品在美国上市销售】 2007年4月，神威药业有限公司自主研发生产的降脂通络软胶囊成功在美国费城上市销售。这是该产品首次出口到欧美市场，也是神威药业首次试水欧美市场。降脂通络软胶囊是国家级新药，具有活血行气、降脂祛浊之功效，适用于高脂血症，能降低血清和肝脏中的脂质含量，还具有抗脂质过氧化作用。该产品入选国家高新技术研究发展计划（863）项目、国家“十五”重大科技专项“创新药物和中药现代化’，课题，被评为高技术产业化示范工程和国家重点新产品。该产品与同类西药相比无毒副作用，且具有保肝、护肝的功能。降脂通络软胶囊在美国成功上市表明该产品的高科技含量和广阔的市场前景。

【华药一新产品通过欧洲COS认证】 2007年5月，华药华日公司收到EDAM（欧盟药品质最指导委员会）颁发的无菌药品GMP符合性证明，华日公司成为中国首家通过欧洲COS无菌药品认证的本土企业。通过欧洲COS认证，标志着华北制药华日公司主导产品无菌普鲁卡因青霉素原料药产品符合了所有欧盟国家的 GMP 要求，产品可以直接销售给欧盟成员国的任何厂商直接使用。COS 认证是中国原料药合法地被欧盟的最终用户使用的最佳最简便的注册方式，也是欧盟保护本国企业，设置国际关贸壁垒的一种方式，通过难度较大。截至 2007 年中国只有 30 余家企业的 86 个非无菌产品和中间体通过 COS 认证，无菌产品只有“Antibiao 公司”（中意合资）通过了认证。华日公司是欧洲 EDQM 给中国本土企业颁发的第一张欧盟无菌药品市场“认门证”，产品可以直接销售给欧盟制剂厂商分装生产。作为全国大型化学制药企业的华北制药不断加大投入，加快国际认证步伐，提高集团管理水平，与国际接轨，冲击国际高端市场。截至 2007 年已有依维菌素、盐酸林可霉素、两性霉素 B3 个产品通过美国 FDA 认证，硫酸链霉素、双氢链霉素、普鲁卡因青霉素、依维菌素 4 个产品获得欧洲 COS 证书。国际认证步伐的加快，直接带动了产品的销售市场。到 2007 年 8 月底，华药出口创汇总额就已完成均衡计划的 125%，同比增长 39%，出口市场已分布到 50 多个国家和地区。

【国大医药物流园已入驻近千家厂商】 2007 年，石家庄国家生物产业基地特色园区—中国药都健康城首期建设进展顺利，国大医药物流园是中国药都健康城一期重点核心建设项目。中国药都健康城规划用地 3810 亩，围绕国家生物产业基地建设，规划打造的流通服务产业集群的十大功能项目有医药物流交易园、药博会展中心园、药博信息商务园、医药科技总部园、医疗康复园、药用植物观赏园、老年养生康复园、养生文化商业园、药食加工园和配套备用园等。中国药都健康城项目建成后将吸纳 2200 家企业入园，入园企业年经营额约 300 亿元，每年提供各项税金约 8 亿元，提供就业人数 10 万余人。到年底国大医药物流园 3 万平方米经营设施建成并投入使用，已有近千家医药、保健品厂商入园经营，形成了华北最大的医药保健品物流中心。

【石药工业园开工建设】 2007 年 11 月 2 日上午，石药集团国家重大创新药物产业化及药物制剂国际化基地项目暨石药工业园项目开工仪式在石家庄经济技术开发区举行。该项目为石市正在建设的“国家生物产业基地”的重要支撑项目。总投资 55 亿元的石药工业园项目建设地点位于石家庄经济技术开发区和石家庄高新技术产业开发区，总占地面积 2500 亩。建设内容主要包括：创新药物发展、优势产业升级与延伸、特色原料药与国际制剂深加工向国际高端迈进等四个领域的 20 余个子项目。项目实施后，工业园项目将新增 150 亿元的销售收入和 25 亿元的利税，使企业实现由规模驱动向创新驱动、原料药向制剂药的转型，成为中国领先、并在全球有一定影响力的国际化制药企业，为石药集团进军全球制药企业 100 强打下坚实基础。该工业园项目整体计划分为四期进行，一期工程总投资 15 亿元。在石家庄经济技术开发区已完成征地 400 亩，建成了国家一类新药丁苯酞高技术产业化示范工程、羟邓盐搬迁扩产两个项目。继制剂辅料羟丙基－β－环糊精产业化项目和手性工程中心项目开槽动工后，石药集团制剂国际化生产中心项目和研发中心项目也将相继开工。

（范玉蕾）

【神威药业设立博士后科研工作站】 2007 年 2 月，神威药业被国家人事部批准设立博士后科研工作站，开展博士后工作。神威药业博士后科研工作站将围绕企业新药研究、技术开发、技术引进、技术改造、企业战略决策等方面开展工作。该工作站的设立，将增强神威药业人才竞争优势，加速培养造就一批高层次医药科技人才队伍，加速神威医药科研产业化进程，进一步促进神威药业科研、生产和经营管理达到世界先进水平，带动和培养一批学科技术带头人和技术骨干，对该公司开发新产品、加速自主创新步伐具有重大意义。

（焦莉莉　董子凝）

【微生物药物国家工程研究中心落户华药】 2007 年 5 月，华北制药集团新药研发公司承建的微生物药物国家工程研究中心项目通过省发改委组织的验收，标志着微生物药物国家工程研究中心正式落户华药。微生物药物国家工程研究中心 2004 年经国家发改委批准建设，总投资约 1.4 亿元，是“十五”期间国家重点建设的 23 个国家工程研究中心之一，是微生物药物方面唯一由国家命名的工程研究中心。

按照国家对国家级工程研究中心的定位，国家工程研究中心是代表全国相关领域内国家水平的专业性研究开发机构，具备原始创新、集成创新、对引进技术消化吸收和再创新的能力，形成从产品源头开发、中试到产业化的一整套技术体系。该中心依托于华北制药集团新药研究开发公司，采用基因工程等现代生物技术，开展微生物菌种的选育、发酵、提取分离等方面的工艺研究，为微生物制药产业发展提供技术保障。该中心建成了27000株菌的微生物菌种资源库，54000种微生物产物的化合物库，微生物药物高通量筛选及活性评价技术平台、菌种选育技术平台、微生物药物工程化生产验证平台等，形成了规范化、专业化的微生物药物研发和工程化验证技术体系。建设期间，成功开发了9个微生物药物新产品，完成了柔性系统集成技术验证，初步具备了向行业转移相关技术的能力。截至2007年，华北制药已经成为河北省唯一拥有国家级企业技术中心、国家863高技术成果产业化基地才、国家工程研究中心三个国家级重要称号的单位。

（范玉蕾　焦莉莉）

【神威大药房入选连锁药店百强】 由《中国药店》杂志组织评选的"2007年中国连锁药店百强榜"于2007年5月出炉，在其发布的中国连锁药店"直营店数量"、"销售额"和"单店销售额"三份排行榜中，神威大药房均榜上有名。"中国连锁药店百强榜"是中国连锁药店行业最早的一份榜单，已经连续发布7年，标准清晰，数据丰富，是中国连锁药店行业权威的榜单。神威大药房以46家直营店，9800万元的年销售额以及中华店1280万元的销售额分别人围2007年三个榜单的百强之列。

【神威药业获得一项国家技术专利】 2007年5月，神威药业"一种用于治疗慢性肾炎的药物及制备方法"获得国家专利授权，专利申请号为200410092419.0，公开（公告）号为CN1795890。神威药业此项发明公开了一种用于治疗慢性肾炎的药物及其制备方法。它阐述了一定重量份比的积雪草、黄芪、川芎提取加工制备成药物制剂的过程和方法。该发明具有清热利湿、益气健脾、活血化淤的显著功效，可有效降低尿蛋白、血肌酔、尿素氮，提高血浆蛋白，改善肾功能。本发明为纯中药制剂，大量实验表明该药物可有效预防和治疗慢性肾炎，而且未发现毒副作用。神威药业此项技术专利权的获得，赢得了知识产权保护的先机，为该技术向更深、更高发展铺平了道路，该药上市后将成为企业另一个新的经济增长点。

【神威药业7种药被认定为省高新技术产品】 2007年5月，河北省科学技术厅下发《关于河北省2007年度第一批高新技术企业和产品认定的批复》文件，神威药业再度被认定为河北省高新技术企业，7个产品被认定为河北省高新技术产品。据《河北省高新技术企业产品认定实施细则》，高新技术企业认定需满足产品的主导技术属于划定高新技术范围；具有大专以上学历的科技人员占企业职工总数的30%以上，其中从事高新技术产品研究的科技人员应占企业职工总数的10%以上；企业每年用于高新技术及其产品研究开发的经费应占本企业当年总销售额的5%以上；技术性收入与高新技术产品销售收人的总和应占本企业当年总收人的60%以上等条件。神威药业此次被认定为高新技术产品的有清开灵注射液、黄芪注射液、舒血宁注射液、心脑清软胶囊、藿香正气软胶囊、舒筋通络颗粒、降脂通络软胶囊，有效期至2008年底。

（冯进茂）

【神威药业荣登"百姓放心药"企业榜首】 2007年6月28日，神威药业第三届"百姓放心药"调查结果在成都发布，荣登"百姓放心药"企业榜首。本次调查活动是由国家卫生部主管的《健康报》及《健康文摘报》、(中国卫生》杂志、《大众健康》杂志社，在成功举办了两届"百姓安全用药"调查评选活动的基础上，今年专门推出对中药注射剂的调查评选活动。作为国内最大的中药注射剂生产企业．神威药业旗下的清开灵注射液、参麦注射液、舒血宁注射液三款产品也成为"百姓放心药"品牌，占12个获奖品牌的三席。神威药业注射液制剂项目被国家发改委认定为中药提取制剂高技术产业化示范工程，中药注射剂生产能力和技术水平都位居全国第一，年产销量在12亿支以上，其中清开灵注射液、参麦注射液市场份额已经超过50%。

（范玉蕾 冯进茂）

【九派制药麻醉药产量居全国之首】 2007年，位于石家庄经济开发区内的九派制药，严格按照GMP规范，采用TQC全面质量管理模式，拥有安捷伦高效液相色谱、岛津气相、红外紫外色谱、梅特勒水分测定义、塞多利斯天平等精密仪器和完整的文件系统作保障，进行现代化工业生产。年产麻醉药恩氟烷和异氟烷8万瓶和3万瓶，分别占国内市场的60%和30%，市场上的恩氟烷除部分进口外全部产自九派制药，成为同类药品市场占有率最高、医疗手术麻醉使用最多的药品。九派制药作为国内麻醉用药专业生产企业，河北九派制药有限公司不断加大技改投入力度，生产能力逐年提高，该企业麻醉药产量已居全国之首。

【"以岭医药"技术中心获国家认定】 2007年10月，国家发改委公布了第十四批国家认定企业（集团）技术中心名单，河北以岭医药集团有限公司技术中心名列其中，这是石家庄市继华药、石药、常山、三鹿技术中心之后第五家国家认定企业技术中心，标志着石家庄市医药产业技术创新能力跃上新台阶，为建设好国家生物产业基地提供了强力支撑。河北以岭医药集团有限公司是集科研、教学、临床、生产、营销为一体的现代医药高新技术产业集团。该集团一直重视技术创新工作，每年研发投人占销售收人的比例高达6%～8%。该企业技术中心现有博士后3人、博士15人、硕士74人，各类中、高级专业技术人员占技术中心总人数比例高达65%，是国家人事部批准的博士后科研工作站。现已自主研制国家级新药9个，其中以络病理论为指导的有6个。拥有国家发明专利14项。通心络胶囊获2000年国家科技进步二等奖，络病理论及其应用研究获2006年国家科技进步二等奖；虫类药超微粉碎（微米）技术及应用已通过2007年度国家技术发明奖的答辩。截至2007年底，石家庄市经认定的市级以上企业技术中心共53家，其中国家企业技术中心5家，省级企业技术中心22家，市级企业技术中心26家。各级企业技术中心是全市企业自主创新的主力军，为产业产品结构调整和产业升级发挥着巨大作用。

（邓书恒）

纺织工业

【概况】 2007年，全市262家规模以上纺织工业企业共完成总产值279.5亿元，实现主营业务收入267.8亿元、利税24.8亿元、利润15.7亿元，同比分别增长29.4%、34.45%、32.9%和42.4%。完成棉纱产量26.5万吨、坯布13.57亿米、印染布11.3亿米，同比分别增长8.97%、16.45%、37.29%。纺织产品结构得到进一步优化，2007年石家庄市主要纺织企业——常山集团开发试织新产品、新品种900多个，批量生产593个，其中有新型纤维利用产品、高支高密面料、不同纱线交织面料等增幅明显。在原来的基础上继续巩固、拓展各个系列的产品，研制开发了天丝、竹原纤维等棉混纺织物、100*100高支高密缎纹、各种花色的大小提花织物、双层织物、双喷（多喷）织物、双织轴织物、竹节纱织物等规格繁多、工艺复杂的新品种。棉一分公司"J80高档紧密缎"和"天然彩棉产品开发"两个科技项目通过市科技局的新产品鉴定；同期棉四研制开发的高密混纺织物天丝新品种也通过了市科技局的新产品鉴定，填补了省内空白；化工化纤公司"涤纶长丝设备改造纺锦纶长丝"科研课题、"纺丝级高性能聚酰胺6切片"项目通过市科技局验收，达到了国内同类研究领先水平。尤其是常山纺织股份纺织有限公司致力创造产品结构的差异化优势，常山恒新精梳纱比例达100%，大大高于全国30%的平均水平，生产的"翠竹"牌精梳纱于9月6日被国家质量监督检验检疫总局授予"中国名牌产品"，有效地回避了纺织品市场的同质化竞争，已成为全市纺织行业新的经济增长点。

【恒新二期项目全面启动】 2007年，恒新经编项目完成投资3482万元，按计划进度完成了新厂房建设，并实施了搬迁和恢复生产；恒新绿色环保新型纤维纱线生产线技术改造项目完成投资1658万元，车间四层主体全部竣工，招标购置精梳机4台，条卷机1台，并纱机3台，倍捻机10台，正在抓紧项目实施。年化工化纤公司对聚乙烯醇生产线进行技术改造，2007年醋酸乙烯产量同比增长8000吨，经济效益明显提高。棉三引进喷气织机开发高档新型服装面料项目，完成投资2789万元，淘汰落后设备200台（套）。

（路佩珍）

【石家庄纺织服装基地暨常山股份项目开工建设】 纺织行业作为石家庄市的传统支柱性产业，市委、市政府一直高度重视。2003年，石家庄市确定了纺织行业龙头企业常山纺织集团的发展方向和战略，经过两年多的考察调研、可行性反复论证和选址，制定了常山股份公司整体搬迁改造、优化升级项目总体规划和具体方案，该方案2007年7月通过了专家论证。2007年9月，该项目被列入省第二批重点产业支撑项目。11月26日，石家庄纺织服装基地暨常山股份首期项目开工奠基仪式在正定县举行，国家纺织工业协会会长杜钰洲，省、市领导吴显国、张和、冀纯堂、李宏英、朱浩文、张振东、张发旺、李天印等出席了开工奠基仪式。

常山股份整体搬迁改造、优化升级项目，位于石家庄市“1+4”城市组团的国家级历史文化名城——正定县东城区内。基地起步区内已修好三条“H”型主干道，总长度5500米，总投资5000万元，形成了环状通行格局。基地内将建有变电站、热电厂，可满足企业用电用热需求。基地还紧邻正定国际小商品市场和石家庄北方国际仓储物流园区，可为企业提供商品销售平台和便捷的运输服务。常山纺织整体搬迁改造、优化升级项目依托正定纺织服装基地，总投资58亿元，规划占地160余公顷，建筑面积130万平方米。项目总体完成后，将形成纱锭80万枚、无梭织机4100台、针织圆机200台的生产规模，装备水平达到国内先进水平，“三无一精”的比重全部达到100%，年产各种高档纱线9.5万吨，高档服装面料1.5亿米，装饰面料2000万米，功能性和产业用布2200万米，针织服装面料9000吨。整个项目从2007年12月开始分4期实施，计划在5年内投资58亿元打造一个全新的现代化的纺织工业园区。首期项目投资14.2亿元，建设期1年，将形成20万纱锭、806台无梭织机的生产规模。常山纺织股份有限公司作为石家庄纺织产业的领军企业，以其精细的管理、过硬的质量，创造了常山纺织这个知名品牌，此次常山股份整体搬迁改造、优化升级项目符合全国“十一五”期间落实科学发展观的产业政策，该公司做优做强对全国棉纺织行业也具有带动作用。石家庄纺织服装基地暨常山股份首期项目开工奠基，是石家庄经济发展史上的大事，它标志着石家庄纺织业即将进入一个崭新的阶段。

【棉四公司自主研发新品获全国优秀设计奖】 2007年8月29日，常山股份棉四分公司自主研发的“竹涤弹力斜纹”新产品在“2007年全国棉纺织、色织、印染产品开发年会”产品评比中荣获“优秀设计奖”。常山股份棉四分公司根据市场需求和客户要求，加大自主研发新产品的力度，累计研制成功30多种包括“竹涤弹力斜纹”在内的新产品。此次在“2007年全国棉纺织、色织、印染产品开发年会”产品评比中荣获棉纺织品类别“优秀设计奖”的竹涤弹力斜纹和涤纶纱混纺生产，利用斜纹组织并加入不同的纬纱，加工后，布面具有弹性，透气舒适，由于竹纤维还具有抗菌性，很适合服装面料，市场前景非常广阔。该公司已具备了“竹涤弹力斜纹”产品生产能力，可以根据客户需求组织生产。

（范玉蕾）

【棉一订单生产比例已达60%】 随着自动穿箱机和进口先进织机的配套引进到位，以及技术队伍、员工素质的提升，石家庄棉一基本形成快速接单机制，使接订单成功率、订单生产率和返单率逐年提高。2007年，该企业的订单生产比例已达到了60%以上。这套快速接单机制体现了品种分析快、报价快、打样快、做大货交期快的特点。需要布样分析的品种基本上当天可以报价，不需要分析的品种10分钟内即可报价。

（潘东巍）

【“常山高支高密纯棉坯布”获评河北畅销品牌】 常山股份恒新公司

建成投产3年来，积极研发科学技术含量高、经济效益好的高档产品，使产品成功跻身于国内纺织高端市场。年初，恒新公司4个产品被中国纺织行业协会、中国针织工业协会评选为用户信得过优等产品，占全国获此殊荣的1/4。5月，恒新生产的国际最高端纱线产品——紧密纺纱实现了首次出口，恒新已经成为常山股份最强劲的效益增长点，在上年销售收入、利税等主要指标比上年翻一番的基础上，上半年恒新销售收入比上年同期又提高了三成，利税增长了50%以上。8月，常山股份公司生产的“常山高支高密纯棉坯布”被河北省商务厅自主品牌评选委员会评为“2006年度河北畅销品牌(商品品牌类)”商品。

【常山股份技术中心实验室通过国家级实验室认可】 2007年，石家庄常山纺织股份有限公司技术中心实验室获得了中国合格评定国家认可委员会（简称CNAS ）颁发的实验室认可证书。中国合格评定国家认可委员会是国家认可机构，统一负责对认证机构、实验室和检查机构等相关机构的认可工作。中国合格评定国家认可制度已经融入国际认可互认体系，全国已与其他37个国家和地区的质量管理体系认证和环境管理体系认证的认可机构签署了互认协议，与其他国家和地区的57个实验室认可机构签署了互认协议。获得国家级实验室的认可，大大提升了常山股份技术中心实验室的权威。该实验室在为企业技术和产品创新提供有力保障的同时，还具备了在国际互认协议集团成员国家和地区间开展棉花及纱线认证服务的能力；可参与国际和区域间合格评定机构双边、多边合作交流；可在获准认可的纺织品检测范围内使用CNAS国家认可标志和国际互认(ILAC-MRA/CNAS)标志。国家级实验室的认可，为常山股份更快、更多地研发具有国际水准的纺织品打下了坚实基础。

（邵光毅　安东利）

【常山纺织集团荣获全国“守合同重信用”单位称号】 2007年，省、市工商局向石家庄常山纺织集团有限责任公司颁发了全国“守合同重信用”单位牌匾和国家工商行政管理局相关文件，这是全市首家获此殊荣的工业企业。2006年，常山纺织集团该集团共签订各类经济合同千余份，签约率和履约率均达100%。签订的所有合同无一因该集团一方责任而变更或引起诉讼。良好的信誉赢得了社会的广泛认同，也提升了企业竞争力。2002年至2006年，常山纺织集团连续5年被评为河北省守合同重信用企业。2004年至2006年连续三年跻身中国棉（色）纺织行业综合竞争力前二十强企业、中国制造业500强企业。

（张　磊　史海林）

食品工业

【概况】 石家庄是全国重点的农副产品产区和食品生产、加工贸易基地，食品工业是全市的主导产业之一。全市食品行业经过体制改革，主要以民营、股份制为主，吸引了国际知名企业参股投资。2007年，经过市场整顿和准入政策的实施，市场环境得到进一步净化，创造了一批优秀企业，产生了一批代表性企业，如三鹿、珍极等。主要经济指标完成良好，发展速度较快，增幅较大。石家庄卷烟厂完成卷烟200亿支，同比增长12.4%；实现利税18.5亿元，增幅达25.5%；利润4.5亿元，同比增长25%。三鹿乳制品产量为91万吨，同比增长3%；利税5.4亿元，同比下降32%；利润2.4亿元，同比下降45%。

（吴晓华）

【珍极酱油通过绿色食品认证】 2007年初，“珍极酱油”、“珍极活力铁酱油”、“珍极浓色酱油”、“珍极淡色酱油”等系列酱油产品通过中国绿色发展中心审核，被认定为绿色食品A级产品。这是河北省调味品行业唯一获此殊荣的产品。珍极集团于2006年9月正式向中国绿色食品发展中心提出绿色食品认证申请，经过该中心的文审、现场检查、产品抽样、产品检测、认证审核、认证评审等一系列复杂程序，最终一次性通过评审，获得了绿色食品证书。

（边丽娟）

【13类食品严禁无证生产销售】 根据国家质检总局的统一部署，从2007年开始，河北省启动了对糖果制品等13类食品的无证生产查处工作。未取得食品生产许可证的这13类食品，将严禁生产和销售。13类食品包括糖果制品、茶叶（含边销茶）、葡萄酒、啤酒、黄酒、酱腌菜、蜜饯、炒货、蛋制品、可可制品、焙炒咖啡、水产加工品、淀粉及淀粉制品。查处的重点是未取得13类食品生产许可证仍然从事生产销售的企业。通过查处无证生产销售行为，严禁不具备保证食品质量安全必备条件的企业继续生产销售；督促并帮助未取证但有一定基础的企业完善生产条件，早日完成取证；保障市场销售的13类食品质量安全，为消费者创造放心满意的消费环境。2007年1月1日以前生产的13类食品(以生产日期为准)，无论是否加印(贴) QS标志，不在无证查处范围内，允许合格产品在保质期内继续销售。

（刘宝芝　祁建平）

【三鹿集团四项科研成果通过验收】 2007年，由三鹿集团完成的“U＋系列婴幼儿配方奶粉的研制”、“系列早餐奶”、“系列莫扎雷拉干酪的研究与产品开发”三个项目，以及三鹿与河北科技大学共同完成的石家庄市科技计划项目“核苷酸生产的关键技术及其在乳制品中的应用于研究”等四个项目通过由河北省科技厅组织、委托市科技局主持的专家验收委员会的验收。各课题组提交的技术资料齐全、完整、实验数据真实可靠；各项目选题方向正确，研究方案设计合理，试验方法先进，工艺路线合理可行，符合鉴定要求。“U＋系列婴幼儿配方奶粉的研制”和“核苷酸生产的关键技术及其在乳制品中的应用于研究”技术达到了国际先进水平；“系列早餐奶”和“系列莫扎雷拉干酪的研究与产品开发”技术达到了国内领先水平。

（张　亮　苗万福）

【三鹿入选“最具市场竞争力品牌”】 2007年2月，国家商务部公布了2006年度“最具市场竞争力品牌”名单，“三鹿”品牌获“最具市场竞争力品牌”(原中国畅销品牌)。此前“三鹿”商标被国家工商总局认定为“中国驰名商标”，三鹿奶粉、液体奶被国家质量监督检验检疫总局认定为国家免检产品、“中国名牌产品”称号。 国家商务部组织的这次评选活动范围覆盖全国35个省、自治区、直辖市和计划单列市，26个全国性的行业商(协)会向商务部推荐了677家企业，共计736个品牌。经过各相关行业专家综合评审，消费者市场调查和社会公示，共有19个大类，220个品牌入选“最具市场竞争力品牌”。

（智　婵）

【平山“绿色食品”走进北京天津大型超市】 2007年初，平山县柏坡湖绿色食品有限公司的“绿色食品”打入京、津、唐和省会等10个大中城市的150多家大型超市，年销售量达到了2万多吨。随着近年来城里人对绿色食品的喜爱，平山县开始大力发展绿色食品产业。该县是山区大县，优良的生态环境和富余的农村劳动力等优势，均为发展绿色食品提供了优厚的条件。从2001年起，该县将绿色食品确定为三大主导产业之一。并实行“政府推动、企业带动、部门服务”的运行机制，先后出资100多万元，认证了红小豆、小米、散养鸡等品种的绿标使用权，统一注册了“柏坡湖”、“老房东”绿色食品商标，依靠品牌闯市场。全县形成了以岗南水库为中心，辐射全县23个乡镇的产业格局。到上年年底，全县绿色食品生产基地认证面积达到了25万亩，年产量达到了12.7万吨，全县从事绿色食品加工的企业有50余家，涵盖杂粮、饮料、肉食等品种，年产值6.8亿元。全县绿色食品认证数量达到14个，位居全省第一。为保持绿色食品产业的发展强势，该县质量技术监督局等多个部门，结合《核桃栽培技术规程》等6项省级地方标准和《小杂粮》等29项企业标准，拉网检查了全县的绿色食品经销门市、生产企业，对假冒“柏坡湖”等绿色食品标志产品的经营者，一律没收了其非法所得，并封存和销毁了假冒伪劣产品。同时，各乡镇的绿色食品服务中心、绿色食品标志监管员和绿色食品检查员，还加强了认证产品的生产、加工、包装和运输的全程监控。同时该县大力培育龙头企业,推行“公司＋农户＋基地”的发展模式，订单生产、订单收购的做法，既解除了农民种地的后顾之忧，调动了农民种粮的积极性，也增强了平山绿色食品产业整体发展实力。柏坡湖绿色食品有限公司、老区人绿色食品有限公司等一大批企业成了该县绿色食品进军省内外市场的中转站和桥头堡。平山的绿色食品已打入京、津、唐和省会等10个大中城市的150多家大型超市。全县3.6万从事绿色食品生产的农户从中尝到了甜头，户均增收达千元以上。"绿色食品"正成为该县农民增收的主导产业。

（刘宝芝　曹永刚）

【太行食品公司通过HACCP认证】 2007年5月，石家庄市太行食品有限责任公司通过了HACCP认证，在省会生猪定点屠宰厂中，率先获得了《食品安全管理体系认证书》。石家庄市太行食品有限责任公司是市政府定点屠宰单位，承担着省会市场的肉品供应任务，曾先后多次荣获省、市畜禽定点屠宰先进单位荣誉称号。该公司为加强企业食品安全管理，满足市场需求，提高产品档次，2004年承接了市科技局《冷却猪肉综合配套技术研究》项目的研究课题，并于2005年底取得成功，通过国家、省、市专家鉴定，并进一步完善食品安全管理体系。

（刘宝芝）

【辛集两果品企业通过HACCP食品安全认证】 2007年，瑞士SGS通标认证公司向辛集市天华、裕隆两个果品龙头企业发放了国际公认的HACCP食品安全认证，为该市优质果品走向欧美市场铺平了道路。HACCP食品安全认证是鉴别、评价和控制对食品安全至关重要的一个标准，被欧美一致认为是保障食品安全最有效的管理体系。我国食品要进入欧洲、北美市场，必须首先通过HACCP标准认证。天华、裕隆果品公司是河北省重点果品龙头企业。天华公司上年出口梨果1.7万吨，主要销往东南亚、欧洲、北美等地区，其中东南亚销量占70%，通过HACCP认证以后，出口欧美的通路将更加顺畅，预计今年出口能力可达到2万吨，其中欧美方面定单同比增加1成以上；裕隆公司近年来年出口能力均在1万吨左右，产品主要销往东南亚国家，通过HACCP认证后，出口欧洲、北美洲能力大幅提高，预计今年仅欧洲一项出口能力同比提高1至2成。

（潘双清）

【三鹿入围河北大企业50强】 2007年，石家庄三鹿集团入围河北大企业集团50强，按营业收入、资产总　计和利润总额排名，三鹿均位居50强前列，是前10强中唯一的食品制造业。河北调查总队统计监测处相关负责人表示，上年在全省246家企业集团中，大企业集团营业收入平稳增长，经营规模逐渐扩大，企业效益大幅增长，主导产业发展势头良好。50强大企业集团龙头支柱作用突出，是支撑全省经济增长的主导力量。石家庄三鹿集团始建于1956年，是中国食品工业百强、连续5次入围中国企业500强，农业产业化国家重点龙头企业，也是河北省重点支持的企业集团。在上年《福布斯》中文版首次推出的"中国顶尖企业百强"排行榜中，石家庄三鹿集团居中国乳品业第一位。

（贾静雪）

【"千万吨奶工程"支撑技术项目启动】 作为河北省重大技术创新专项项目，河北省"千万吨奶工程"支撑技术项目于7月30日在三鹿集团启动。项目的实施旨在解决影响、制约我省奶业整个链条发展的瓶颈。项目完成后，将在华北农区建立15万头以上的成母牛示范区进行产业化技术集成与示范，示范区成母牛平均单产提高到6800千克以上；选育核心群成母牛存栏4万头，年均单产8000千克以上；建立原料奶和乳制品质量安全快速检测技术体系；实现示范区奶牛场粪污无害化处理。配合饲料入户率达95%；主要疾病发病率降低到8%以内，死亡率3%以内；机械化挤奶比例达95%以上；开发新型乳制品8种。这将推动传统奶业向现代奶业转变，提高奶业的整体技术水平和创新能力，保障奶业健康持续发展，满足多品种乳制品市场的需求。

（范玉蕾　魏　鹏）

【首批8家区级食品规范经营示范店授牌】 2007年8月29日，石家庄市首批8家区级食品规范经营示范店在桥西区工商分局东里工商所接受牌匾。桥西区工商分局根据今年7月25日《国务院关于加强食品等产品安全监督管理的特别规定》有关条款，制定了评定食品规范经营示范店的标准，并评出北人集团益友超市、天元发展有限公司新兴便利店、河北维明工贸有限公司、好利来食品有限公司红旗店、米莎贝尔食品专卖店、桥西区五羊皇冠蛋糕屋、桥西区顶好面包房和河北．国大连锁商业有限公司国大便利店建国店等8家首批食品规范经营示范店。

（王 巍）

【保定会馆获“中国冀菜研发基地”称号】 2007年保定会馆获得中国饭店协会授予的“中国冀菜研发基地”称号。经过政府相关部门和餐饮行业的共同努力，冀菜成为“第九大菜系”。保定会馆是一家具有20年历史的餐饮企业，在挖掘和创新冀菜方面走 过了艰辛的道路，特别是对直隶官府菜的传承使冀菜走上了一个新的历史高度。保定会馆不仅在保定、石家庄、北京拥有众多大型餐饮店，同时还拥有直隶官府菜研究会、民俗文化研究会及厨师技能培训学校，拥有一套对菜系可进行完整研发、实践、推广的架构体系，建立了完善的理论与市场相结合的支撑 体系职能，在国内餐饮界是绝无仅有的。

（刘宝芝）

机械工业

【概况】 石家庄市机械工业经过多年的调整发展，行业面貌发生了显著变化，形成了产品门类比较齐全、具备一定规模和实力的制造体系。2007年全市机械系统实现利税超千万元的企业有30多户，金能机械公司、冀凯集团公司、河北太行机械公司、河北电机公司、石家庄车辆厂等企业生产运行良好，大部分企业生产销售收入、利税等指标增幅均在30%以上。全市机械行业受主要原材料钢铁大幅涨价的影响，增产不增效的问题比较突出，全年“5+3”重点企业销售收入增长25.27%，实现利税增长的9家。冀凯集团实现利税2.85亿元，增长311.67%。石家庄车辆厂、金能机械公司努力克服原材料大幅涨价等困难，努力扩大销售，效益实现大幅增长，利税分别增长134.22%和51.07%。其他企业受原材料涨价等市场因素的影响，效益下降甚至亏损，如华北柴油集团受原材料大幅涨价及集团母公司生产计划的影响，虽然产值增长了15.24%，但仍亏损1464万元（上年同期利润为321万元）；强大泵业亏损123万元，主要是受搬迁的影响，未恢复正常生产。石家庄煤矿机械公司近年来依靠自主创新，不断开发新品种，采用新技术提高性能，凭着优异的质量、产品的销量和市场占有率保持了同行业产品前列。随车起重机是石煤机公司的主导产品，曾经荣获过全国用户满意产品、河北省地销最畅销产品、两度获得省名牌产品。2007年初，该公司生产的20台随车起重机销售到俄罗斯，扩大了国内随车起重机产品的国际影响。

（张振华）

【石煤机公司新产品研发取得重大突破】 一是随车吊机填补大型吊机空白，2007年2月，河北金能石家庄煤矿机械有限责任公司最新开发研制的QYS-10 Ⅲ型10吨随车起重运输车试车成功并正式交付用户使用。石家庄煤机公司是国内最大的直臂随车吊机生产厂家，有着近30年的吊机生产历史，10吨直臂吊机是该公司继12吨直臂吊机之后的又一大吨位吊机，弥补了8吨和12吨直臂吊机之间的空白，至此该公司的直臂式随车起重机从2吨到12吨之间的各个系列已经全部研制成功。二是国内首台林业专用随车起重运输机下线，石煤牌随车起重机是河北金能石煤机公司的主导产品。金能石煤机公司自上世纪八十年代开发随车起重机，依靠自主创新，先后开发出了直臂、折臂两个系列二十多个品种产品。这些产品被广泛应用于建筑业、电力、运输、铁路、船舶等行业领域。金能石煤机公司组织专门技术人员，自主设计开发了5吨1节折臂林业专用随车起重机。该产品吸取了其他吊机的优点，并根据林业行业特点选择车型设计结构，产品质量达到国际先进水平。2007年8月，首台林业专用随车起重运输机正式下线，填补了国内随车起重运输机系列产品中的一项空白。三是两种掘进机锚杆钻机装置获国家专利，河北金能石家庄煤机公司自主设计开发的两种掘进机机载锚杆钻机装置同时获得国家知识产权局颁发的实用新型专利证书，为该公司打造拥有自主知识产权和实用创新技术的国内系列掘进机产品再添“新翼”。针对煤矿井下掘进与锚护分别作业，使得掘锚生产工序繁琐，生产效率低，以及低隧道的顶板支护及边坡支护作业质量难掌握的问题，石煤机公司于2006年自主研发生产了国内第一台掘进机机载锚杆钻机装置和可旋转作业的掘进机机载锚杆钻机装置，并申报了国家专利。两种装置的创新点是在掘进机的工作臂上安装支架，支架上安装锚杆钻机和临时支护装置，通过掘进机控制系统进行掘进及锚护作业，两种装置可分别同时打2个和4个锚杆孔。其中两臂机载锚杆钻机装置可进行旋转作业，实现顶板、侧帮的全方位、多角度锚护作业。两种装置的研制成功使掘锚工序更趋于合理，在减少作业人员的同时还具有较高安全保障性，能有效提高井下掘锚工作效率。

（李昕泉　邓书恒　杨颖敏）

【国内首台矿井水平转弯架空乘人装置问世】 2007年底，拥有全部知识产权的国内首套煤矿水平转弯连续运输高速架空乘人装置，由金能石家庄煤机公司、兴隆庄煤矿研制成功并投人运行。该装置可在煤矿交叉巷道实现大角度拐弯、高速载人连续运输，从而改变过去煤矿工人在交叉巷道中途换乘、劳动强度大、工作效率低的问题。该设备具有安全可靠、适应性强、维护成本低等特点，各项技术性能处于国际领先水平，填补了国内使用架空乘人装置在交叉巷道实现人员连续运输的空白。

（邓书恒　李昕泉）

化工工业

【概况】 石油化工行业是石家庄市工业经济发展的重要支撑产业之一，2007年，全市石油化学工业共有规模以上企业301家，总资产243亿元。全年完成工业总产值536.8亿元，销售收入511.1亿元，实现利税37.8亿元，比上年同期分别增长为18.3%、17.9%和82.1%，从业人员近7万人。除石家庄炼油化工集团受俄罗斯原油中断的影响，导致2007年原油加工量较上年减幅为14.8%，以及原油价格上涨，全年累计亏损9.62亿元外，化工原料和农用化肥产品保持了较快增长。全市化工企业生产和效益稳步增长，主要产品大类有石油化学品、基本化学原料、有机化学品、化学肥料、化学农药及生物农药、橡胶制品、化工设备等。主要产品年生产能力为碳酸钡5万吨，碳酸锶4万吨，“五洲”牌钡盐为中国驰名商标，生产能力居世界前两位，是全国主要钡锶盐生产出口基地；药用丁基胶塞12亿只，居国内第一位；液体氰化钠25万吨，居国内第一位；阿维菌素200吨，居国内前三位；邻法苯酐6万吨，生产设备国产化程度最高，消耗、能耗在全国同行业最低；原油加工能力500万吨，焦油6万吨；年产己内酰胺6.5万吨、聚乙烯醇1万吨、氯化铵18万吨；合成氨135万吨、尿素60万吨、烧碱6万吨，纯碱33万吨，“双联”牌纯碱和“金鱼”牌油漆为省名牌产品。

（屈子义）

【石焦集团公司取得较好经济效益】 2007年，石家庄焦化集团公司通过加强企业管理，不断增强全体员工的市场和改革意识，取得了良好的社会效益和经济效益。公司重大项目10万吨／年环己酮项目自2006年底举行奠基仪式后取得阶段性成果，2007年启动2.15亿元项目建设资金，项目完成了详细设计，并与石化纤签订环己酮产品供需协议。土建工作自2007年9月份正式开工，至年底项目已完成投资2.7亿元。全年主要生产经营指标完成主要产品有焦炭104.87万吨，同比增长4.69%；商品煤气1.61亿立方米，同比增长32.26%；轻苯加工量56880吨，同比增长12.79%；焦油加工量59716吨，同比减少2.95%。全年实现销售收入17.68亿元，同比增长29.02%；实现利税总额2.91亿元，比计划指标1.93亿元增长50%，比2006年同期的1.24亿元增长135.21%；实现

信息产业

信息产业

概　述

2007年，石家庄市电子信息产业实现继续平稳较快发展，鹿泉新型电子材料有限公司与深圳金泰微电子有限公司合作的年产36万标盒液晶显示器和河北迈尔斯通电子材料公司液晶材料产业化两个大项目建成建成投产；电子信息产业行业完成主营业务收入106亿元，同比增长45%；完成工业增加值26亿元，同比增长52%；实现利税11亿元，同比增长36%。信息化建设继续推进。电子政务建设成效明显，“中国·石家庄”门户网站在政府网站绩效评估中位居华北地区地级市第一，农业信息化成为全国示范点，数字社区建设列为国家民政部示范项目推广，企业信息化取得新成效，51%以上的重点企业实施了企业资源计划（ERP），61%以上的装备制造业应用计算机辅助设计、制造（CAD、CAM），流程性企业主要装置61%以上实现集散控制系统（DCS），81%以上的大、中型企业在互联网上建立了网站，70%以上规模以上的企业建立了局域网。在2007年全省信息化水平测评中，石家庄市以85.09分的总成绩，名列全省第一，遥遥领先于其它地市，特别是信息化应用、利用信息技术改造提升传统产业、电子政务建设方面，在全省的示范作用明显。通信业保障作用增强。全年全市新增电话用户131.54万户，电话用户总数达到836万户（含小灵通），电话普及率达到88%，高出全省16个百分点；全市城域网出口带宽达到了63G，互联网用户总数达到136万户，同比增长15%；通信业完成业务总量158.92亿元，同比增长39.85%。

城市信息化建设

【全力推进石家庄信息产业基地建设】 2007年，按照市政府年初对全市180项重点工作责任分解要求，对石家庄信息产业基地建设情况实行月报制度，信息产业局及时掌握进展情况及存在的问题，进一步引导信息产业基地管委会完善信息产业基地基础设施，强化信息产业招商工作，努力培育、延长、拓宽产业链，着力推进产业集群建设，收到了良好效果。截至2007年12月底，石家庄信息产业基地累计完成投资7.53亿元，基地建筑面积达到16.4万平方米（其中产业用建筑面积9.4万平方米）；硅外延材料产业化、高档晶体振荡（谐振）器等一期工程建设的7个项目累计完成销售收入6.3亿元，工业增加值2.6亿元，实现利税9730万元（其中13所硅外延材料产业化、微波混合集成电路两个项目累计完成销售收入3.8亿元，工业增加值1.3亿元，实现利税6253万元；54所高档晶体谐振器（振荡器）产业化等5个项目完成销售收入2.5亿元，工业增加值1.3亿元，实现利税3477万元）；基地二期工程半导体照明产品产业化项目已累计完成投资1.67亿元，芯片厂房和封装厂房土建已基本竣工，铺设室外各种管线、设备安装和设备招标正在有序的进行；二代卫星导航项目主体工程正在建设中；基地已建成国内最高级别、最大规模的硅外延净化厂房、国内最大的硅外延片供应基地；市信息产业局会同市直有关部门共同协助中国电子科技集团第五十四所成功申报了“河北省卫星导

石家庄移动希望之星营业厅揭幕

航技术与装备工程技术研究中心"，推动《河北省卫星导航产业发展规划》编制，通过信息产业部科学技术司向国家认监委提出了依托54所筹备建立国家卫星导航认证中心的建议；信息产业基地基础设施建设正在逐步改善，已完成基地泄洪渠、供水管网简易改造工程，基地道路初步具备了通行条件。另外，省信息产业投资公司石家庄信息技术转化项目、向阳电子器件集团生产研发基地项目等5个拟进基地项目正在推进。

【全力抓好电子信息产业经济运行工作】 2007年，市信息产业局本着盘活存量与扩大增量相结合的原则，为确保完成年度主要经济指标，通过不断拓展入统企业数量，发掘新的经济增长点，对重点企业实行重点监控，及时了解企业主要经济运行情况。全市电子信息产业经济运行保持了较好态势，从整体上看多数企业主要经济指标有了较快增长，特别是中国电子科技集团第五十四所、河北普兴电子科技股份有限公司、河北冀雅电子有限公司、河北四方通信设备集团有限公司等企业主要经济指标都有较大幅度增长，带动了整体水平的增长。（四方通信公司成功实现了海外融资，2008年准备上市。）积极创造条件，争取国家、河北省资金支持。2007年石家庄市煜原科技公司获得国家信息产业发展资金100万元；石家庄永生华清液晶有限公司TFT-LCD用液晶材料产业化等3个项目得到2007省级信息产业专项资金90万元支持。推荐石家庄东方信联通信设备有限公司的TD-SCDMA网络优化延伸覆盖系列设备产业化等25个信息产业项目和河北苹乐面粉机械集团有限公司的制造业信息化建设等4个信息化项目申报了2007年河北省信息产业发展计划。其中，25个信息产业项目总投资12.35亿元，项目全部建成后将实现销售收入27.45亿元，利税3.9亿元。

【大力引导推动信息产业集群化发展】 为引导推进产业集群化发展，形成几个各具特色的信息产业聚集地，优化信息产业发展环境，打造信息产业招商引资平台，加快信息产业发展步伐，更好地争得河北省信息产业厅及省有关部门的支持，市信息产业局根据《河北省信息产业基地和园区认定管理办法》，认真组织高新区、鹿泉市、辛集市、晋州市、新乐市等信息产业有一定基础的重点县（市）区开展了省级信息产业园区、示范园的申报工作，因准备充分，均通过了省信息产业厅组织的答辩，石家庄市已正式被河北省信息产业厅认定为首批省级信息产业基地，石家庄高新技术产业开发区为"河北省数字通讯与现代显示产业园区"，河北鹿泉经济开发区为"河北省通讯与微电子产业园区"，辛集、晋州被认定为河北省县域信息产业示范园。为促使全市信息产业产业集聚，发挥规模效益，市信息产业局提出"建设省会西部信息产业聚集带"的建议，得到市委有关领导的充分肯定。为落实市委"详细编制规划、放大规模，优化发展环境，提高服务效率，引进高新项目，扩大投资规模，努力打造省会西部信息产业带"的指示精神，信息产业局结合产业发展实际，就制定省会西部信息产业带规划的有关问题，多次与鹿泉市政府沟通，形成合力推动省会西部信息产业带规划编制（已形成了规划初步方案）。结合省会西部信息产业带规划编制，市局正积极推进筹备建设河北(石家庄)软件园产业园区和动漫产业基地建设的前期工作。

【企业信息化建设逐步改善】 2007年，河北电机、华北制药、四药股份入围国家“倍增计划”；“中国药都网”、“裕龙铸造”等四家网站被省列为“特色示范网站”；国大36524和顺邦电子公司分别被省商务厅和省信息办确定为河北省电子商务示范和试点企业。2007年6月，全市召开企业信息化现场会，省信息产业厅和市政府有关领导出席会议并讲话，市直有关部门及全市工业50强、30家后备企业的负责人参加了会议，会上石药集团等17家信息化建设成效突出的企业被命名为“企业信息化示范单位”，博深工具等5家企业做了经验介绍，有力地推动了全市企业信息化建设。到2007年底，全市 51%以上的重点企业实施了企业资源计划(ERP)，61%以上的装备制造业应用了计算机辅助设计（CAD)，流程性企业主要装置61%以上实现集散控制系统（DCS)，81%以上的大、中型企业在互联网上建立了网站，70%以上的大中型规模企业建立了局域网。

【社区信息化建设取得新突破】 2007年，桥东电子社区被民政部、中残联列为示范项目，得到国信办、信息产业部的充分肯定，并在中央电视台《新闻联播》中两次播出，河北省电视台的“阳光访谈”栏目也做了专访。“石家庄市桥东区社区服务综合呼叫中心”项目被列为河北省信息化试点示范项目。国家信息化工作办公室副主任杨学山一行2007年3月来石家庄市调研，对桥东区数字社区建设给予了高度评价，尤其对以信息化提高社区残疾人服务和管理水平的做法给予充分肯定。为保障桥东区的社区信息化建设具有更强的前瞻性和科学性，市信息产业局积极借鉴南方一些好的社区建设的经验和做法，进一步指导、促进其向深层次、多领域拓展。

【大力发展县域经济特色网站】 2007年，借助农业网、政务网、教育网、计生网和有线电视村村通工程建设，加快了农业信息网络向乡镇、村、企业和农户的延伸。在开展建设100个村务管理信息化试点村和100个农业信息应用示范点的农业信息应用“双百工程”中，建成村务管理信息化试点村105个、市级农业信息应用示范点125个，有效解决了信息传递“最后一公里”和科技进村入户“最后一道坎”两大难题,农业服务“快易通”工程得以快速推进；大力推进供销社系统信息化建设，对市供销社系统信息化建设给予了多方面的指导和帮助，受到了欢迎和好评。

【着力推进信息化重点项目建设】 2007年，石家庄市“一卡通”项目在非公交领域应用已达到国内领先水平，先后有吉林、福建、北京、大连、厦门、沧州等省市的“一卡通”运营公司来石家庄市调研。全市“一卡通”在出租车领域安装刷卡机具600余台，依托“一卡通”运营平台，完成了缴费公共平台项目的设计，并报市发改委审批；“中国药都网”项目取得成效。利用2007年首届中国生物产业大会在石家庄召开的难得机遇，同华药联手，与长春、太原、济南、中经网等九大网络联动，高效适时地推出了网上展会，为药品生产、经营企业展示产品、开拓市场，提供了全新的网络平台。适时举办“中国药都网网上展会开展式暨新闻发布会”，得到常务副市长朱浩文、省信息产业厅副厅长王福强、省药监局副局长刘骁悍等领导的认可；积极推进数字石家庄信息亭的合理布点，在市政府的支持与市城管局的配合下，首批87台信息亭亭体位置已确定，已协调11个政府部门，以数字石家庄信息亭为载体，公开公共服务信息，提供便民服务。

【招商引资工作取得新进展】 充分发挥《石家庄信息产业发展战略》的指导作用，以培育形成产业链，实现产业集聚为目标，加强对国内电子信息百强企业、世界500强IT企业战略布局意向的摸查，在综合分析、反复比对的基础上，初步筛选确定了42家台商企业和36家电子信息百强企业名单。多次召开行业招商专题动员会，组织指导石家庄国家高新技术产业开发区、河北鹿泉经济开发区、辛集府东工业区、晋州市电缆工业园加大对信息产业项目的招商力度，建立信息产业重点区域招商信息沟通机制，为整合资源，强化行业招商活动打下了基础。把服务行业大项目建设放在第一位，年内推动落实了全国电子信息百强企业晶龙实业集团投资4.3亿、年产3600万片大直径、低氧碳超薄单晶硅片项目一期建设用地指标100亩，实现石家庄市电子信息产业引入全国电子百强企业历史性突破；通过牵线搭桥，石家庄开发区新谋新科技开发有限公司与宁晋县晶龙科技投资有限公司合作，组建了河北晶鑫科技有限公司，在石家庄市实施射频法工艺生产小丝束高模碳纤维项目，引入资金6500万（该产品产业化一期投资2个亿，建设10条生产线，2010年预期可实现销售收入6.3亿，利税2.3亿）；利用“石洽会”国际经贸合作项目恳谈会、科技新成果发布会，对外推介发布信息产业项目17项，组织16家行业重点企业参加网上展会，通过中小企业国际交流协会邀请13名香港客商来石参会，组织十三所、五十四所、福达科技等10家单位与香港财经（国际）控股有限公司等公司开展洽谈，共达成天林石无二与韩国CK工程公司合作建设IGBT芯片生产线建设项目、美国中联集团与鹿泉开发区合作建设中小功率电力电子项目、福达科技外资收购3项合作意向，并安排北京台资IT企业代表团一行18人考察了信息产业基地，集中推介石家庄市信息产业发展环境，为增进了解、开展合作打下了基础。

【积极引导企业开展科技创新活动】 2007年，市信息产业局组织行业企业开展了网上科普宣传周、“科普知识伴我行”暨科技创新两项主题活动，鼓励和支持信息产业企业进一步加大科研开发投入，增强技术创新、市场竞争的综合实力。期间网上宣传信息产业、信息化科学知识17篇，累计点击率1万余次，全行业参与活动人数逾3000人，支出经费1.1万元，技术诊断35项，举办科技培训暨科技报告会28场（次），制作展板8块。市信息产业局、冀雅电子、旭辉电气荣获石家庄市科技活动周先进单位。补充推荐四方通信、永生华清、惠利电子、远东通信4家申报2007年重大技术创新课题；组织数字存储示波器、高频化软开关逆变器、基站GPS中继放大器等5个课题申报2008年市科学技术与研究课题；协助54所、市无线电四厂分别申报“河北省卫星导航技术与装备工程技术研究中心”和“石家庄数字化测试仪器工程技术中心”。按照市政府协调会要求，对半导体照明企业的情况进行调研，掌握全市LED产业链骨干企业最新情况，向市科技局提供了LED产业相关材料，与市科技局一起做好迎查工作的相关准备，并顺利通过国家LED专家组专家论证和科技部关于“石家庄国家半导体照明产业化基地”的认证。另外，还配合省信息产业厅专家组对华阳电器、无线电二厂和神舟卫通3家军工企业贯彻落实信部军〔2006〕658号和信部军〔2007〕52号文件的情况进行了检查验收，促进了军工企业产品质量管理工作。

【强化信息技术行业管理】 为营造良好的行业发展政策环境，市信息产业局印发了《关于加快发展信息产业的意见》和《关于加强信息化工程建设项目管理的意见》。制订《石家庄市信息化建设条例》，积极争列全市2008年立法计划。全力做好全市移动电话机售后服务市场专项检查的准备工作，成立石家庄市手机售后服务市场专项检查工作协调小组及办公室，制定《石家庄市移动电话机售后服务市场专项检查工作方案》，并与市工商局会签下发各县（市）区，安排部署石家庄市手机售后服务市场专项检查工作。同时，参与完成了打击网络侵权盗版、打击传销、打黑除恶、打击破坏盗窃电力电信电缆广播电视、打击邪教组织、打击黑网吧等多个专项整治任务。认真做好“双软”（软件企业和软件产品）认定和年审工作，大力推进“计算机信息系统集成资质”年检，指导50家行业企业完成了年审材料，安排28家企业换发了信息系统集成资质企业新版证书。进一步做好普法宣传工作，制发了《2007年全市信息化及信息产业普法教育工作计划》，并在市直机关工委进行备案。组织参与4.26全市保护知识产权大型广场集中宣传活动，向相关部门和过往群众发放自行编撰的法规汇编50多套、资料200多份。扎实做好网络信息安全工作，印发《石家庄网络信息安全协调小组联络员会议制度》和《关于开展网络与信息安全专项检查的通知》，组织企业进行自查和培训，市地税局被列为全省唯一的地市级网络信息安全风险评估试点单位。完成全市国防信息动员潜力调查，协调国防动员委员会指挥大楼的手机信号屏蔽工作，成立了河北科技大学、石家庄信息工程职业学院、石家庄经济学院、河北网讯网络实训基地4个人才储备基地。

（冯江平）

电子政务建设

【概况】 2007年，市信息中心按照年初确定的工作目标，建立健全各项制度，认真做好网站安全管理，不断加强政府网站群建设和完善工作，确保体系日趋完整；完成政务系统升级改造，充分利用政府门户网站互动交流功能，积极开展公众参与应用；做好政府网站升级项目系统的培训和应用工作，组织全市部门进行电子邮件系统和政务信息系统培训；全年共编发《电子政务》10期，《政务参阅》112期，已成为市领导提供信息服务的重要载体。在2007年度全国333个地级城市网站（含副省级城市）绩效评估评比中市政府网站位居第16位（比2006年前移4位）。市政府英文网站进入全国省会城市和计划单列市前五名。在中国品牌学会、人民日报、中国联合商报等8家单位联合组织的第九届（2007年度）中国十大影响力品牌推选活动中，被评为中国城市政府门户网站十大影响力品牌，网站处处长王梅林同志荣获2007年度十大影响力品牌贡献奖。

【建立健全市政府网站群管理制度】 2007年，为进一步提高市政府网站群的管理水平，确保政府网站群信息维护及时、系统稳定运行，市信息中心强化了制度建设。一是借鉴外地先进城市政府网站管理经验，结合本市实际，起草制订了《石家庄市政府门户网站信息维护制度》、《石家庄市政府网站群数据备份和恢复工作制度》、《石家庄市政府网站建设和管理规范》和《石家庄市政府网站维护工作制度》，有效地保障了政府门户网站信息的可靠性、及时性和权威性。二是加强政府网站群考评工作，组织有关专家参照2004年制订的《石家庄市政府网站群评比标准》和《石家庄市政府网站群评分细则》，对全市政府各部门网站和各县（市）、区网站进行了综合测评，根据测评结果，召开全市电子政务大会表彰了优秀县（市）、区政府网站和市政府部门、单位网站，有效地促进了政府网站群整体水平的提高。

【进一步完善各级政府网站功能】 一是较好地完成了市政府门户网站栏目的调整和完善工作。根据政府网站发展的发展趋势和公众的需求，不断调整、优化和完善政府门户网站栏目，市信息中心在搞好调查研究，并吸收先进城市政府门户网站经验的基础上，于9月中旬制订了《2007年市政府门户网站栏目调整和完善方案》，利用两个月时间，共调整一、二、三级栏目共计200多个，增加栏目共计400多个，组织新的信息资源100多万字，图片200多张，极大的丰富和完善了政府门户网站。二是指导、帮助政府部门进行网站改版。针对部分政府部门网站信息内容少、栏目设置不科学，网上办事和互动交流应用还相对薄弱的问题，市信息中心加大了指导力度，派出得力技术骨干，指导和帮助妇儿工委、交通局、卫生局、法制局、人防办、畜牧水产局等部门较好地完成了网站的改版和完善工作。三是指导县（市）区建立和完善政府网站。起草下发了《关于认真做好政府网站信息维护工作的通知》，指导和督促政府部门网站进一步做好信息的维护、管理工作。加强县（市）、区政府网站的建设和指导工作，对已建网站的县（市）、区政府网站进行专业指导，不断提高网站建设和管理水平。指导和帮助未建网站井陉县建成政府网站。至2007年底，辛集市、新乐市、正定县、赵县、栾城县政府网站在以往基础上进行了较大规模的改版，网站栏目设置更趋合理，信息内容日益丰富，在线办事服务和公众参与应用逐渐增多。藁城市、正定县、辛集市网站进入全国县级网站百强，其中藁城、正定位居全省前两名。另还有6个县（市）区未建成政府网站。

【积极推进网上办事服务应用】 网上办事服务应用是政府网站的重点应用，对于提高行政效率，改进政府管理，服务公众具有重要意义。2007年，市信息中心积极开展网站办事服务的组织和推动工作，先后下发了《关于进一步丰富网上政务信息和增强网上办事服务的通知》，具有行政审批职能的部门参加召开了网上办事应用方面的协调调度会议。为进一步规范和丰富网上办事信息内容，实施了“整合部门办事窗口工程”，实现部分业务审批事项的网上提交和办事指南、办事表格及办理状态和结果的网上查询，使政府门户网站对社会办事服务功能进一步增强。积极做好政府网站互动交流栏目的维护工作，加强政府门户网站互动交流栏目的管理，认真做好视频交流系统、在线访谈系统、政府网站论坛系统的完善、调试和安装工作，不断完善政府网站互动交流应用功能，推进网上互动交流应用的开展，有效提高政府网站的服务水平。

【全力做好“百件实事网上办”工作】 9月份，根据省信息办《关于在全省政府网站开展“百件实事网上办”活动的通知》要求和市政府领导的批示精神，组织有关人员集中突击，全力做好“百件实事网上办”实施工作，先后七次召开由有关部门参加的“百件实事网上办”调度会，对“百件实事网上办”服务事项内容逐项研究，细化分解，明确各有关部门、单位任务责任、工作时限、标准要求，组织、协调、督促各部门、单位开展各项工作。要求各部门按业务所属，将“百件实事”相关信息与应用在规定时限内全部在各自网站发布和开通应用。市政府门户网站通过整合汇聚各部门信息资源与应用，建设“百件实事网上办”专题，形成为市民服务的统一窗口。相关处室人员放弃“十一”假期休息，使“百件实事网上办”在门户网站和部门网站如期上网发布。“百件实事网上办”专题页面简洁，栏目清晰，内容丰富，查找方便。涉及教育、公用事业、劳动与社会保障、交通出行、医疗卫生等方面信息资源4000多万字、图片3800多张、展示网页3000多个；劳动、公安、交通、医保、社保、住房、民政、卫生等方面的在线查询系统和部分网上申请应用系统20多项，极大地方便了公众和企业上网查阅相关信息，办理相关事项。

【狠抓网络安全管理和各项规章制度建设】 根据网络的技术特性，针对入网产品 的安全标准、网络运行的安全规范和信息传输的安全管理规则，制定了网络运行管理制度、系统运行安全制度、设备管理制度、值班制度、系统变更管理制度、机房管理办法、网络安全岗位职责和操作规程等一系列管理制度。积极规划并监督协调网内各单位合理布局，优化和完善网络结构，并通过资源配置、许可规定、入网备案等多种手段加大了管理力度，保证了网络与信息的安全畅通。对中心机房UPS电源系统扩容、对交换机、服务器等设备进行了更新或补充。根据工作需要及时连通了“四个中心”、法院等单位的网络，支持工作应用，利用网络平台运行的业务已有党政办公、网站群、电子商务、档案管理、审计、国土、计生、水利、住房公积金、综合治税、医保、社保、诚信等业务系统。此外，借助外网平台还运行了60多个各具特色的部门业务系统。

【政府网络化办公步伐加快】 2007年，为了满足市县两级政府部门的办公需要，市信息中心经过深入调研，按照“大集群、多功能、多用户、低成本”的思路，利用1年时间对办公系统进行了升级改造。改造后的系统已具有公文管理、传阅件管理、督查管理、日程管理、通知管理、提案管理、信息采编、新闻视频、电子公文交换，以及短信平台、工作日报和内网门户等十二项功能，而且实现了内网门户系统和各办公功能系统后台一体化。这一系统在网络中心部署，各部门均能使用，并支持横向部门与部门之间，纵向市县两级对口及非对口部门之间互联互通，同时系统用户不受限制，可迅速便捷地填加。该系统技术含量已达到国内领先水平，改造投资不足100万元。省政府办公厅最近来石家庄市调研后，对此项工程给予了肯定。同时要求石家庄市继续做好政府系统省、市、县三级电子公文交换试点工作。

【诚信数据库系统建设取得重要进展】 自2006年四季度以来，市信息中心与诚信办配合，按照“一总库、多分库”的架构，依托现有网络，兼顾相关应用需要，组织编制了技术方案，并邀请国信办、国家信用办等专家进行论证。根据年度资金计划和工作安排，严密组织了建设任务的招标工作。确定规划、国土、园林、房管、建设、交通、工商、财政、税务、质监、法院、统计等18个部门为参建单位。承建方配合诚信办、信息中心，依据国家对上述部门的信息资源规划成果，借鉴上海、深圳、杭州、成都、长沙等市的实践经验，结合石家庄市各部门的“三定”方案，经过各部门内部研究、部门间多次沟通和督导协调，确定18个参建部门的企业信用信息包括基础、资质、业绩、良好、警示以及政府关联事项等六类，共1711个信息指标项，其中跨部门在线定向交换信息490多项。12月中旬，总库与18个分库已上线运行并一次联调成功。入库企业达到12万多家，入库信息近400万条，其中企业基础信息280万条，业绩信息3.9万条、良好信息1.3万条，提示和警示信息16.7万条，部门日常监管审批类信息43万条，政府关联事项信息33.6万条。使分散封闭的监管信息向整合共享转变，有利于堵塞因信息不对称形成的管理漏洞，为协同监管和促进企业诚实守信提供了信息平台。

石家庄市信息中心

主　任：范宪林

副主任：安才良　黄德伟

总工程师：于　惠（女，7月任）

（韩　勇）

无线电管理

【概况】 2007年，石家庄无线电管理分局认真贯彻执行省信息产业厅、省无线电管理局和市政府办公厅直属单位党委的工作部署，坚持科学发展观，紧紧围绕管好频率、管好台站和维护好空中电波秩序三项中心工作，着力提高无线电管理水平，依法行政，圆满完成了全年工作任务。全年共收取频占费132.64万元，涉及用户184家。指配频率23个，办理新设超短波电台1652部；收回频率2个、撤销电台40部；年检执照3947份；办理业余台485部。2007年，台站管理数据库管理着169家设台单位、234个通信网、7342个台站的技术资料。

【加强经常性检测和监督工作】 石家庄无线电监测站坚持做好日常的监听监测工作，认真开展对设台用户在用设备的检测工作，通过实地测试与送检相结合的办法，对26家设台单位的560部超短波设备进行了测试、检测。全年共查处11起干扰案例，查处违章设备252部。通过对违章设台的查处，净化了电磁环境，维护了电波秩序，保护了广大合法设台用户的权益。

【加强自身建设】 全年举行4次专管员培训，共培训专管员182人次。重视和加强信息工作，上报信息53篇，被上级采用44篇，9月被河北省信息产业厅授予“2006～2007年度政务信息工作优秀单位”的称号。为了进一步培养和增强团队精神，提高干部职工的整体素质，4月份与省无线电管理局联合组织了一次干部职工无线电测向比赛，通过比赛，磨练了意志，锻炼了体魄，培养了团队精神，形成了大家爱学习、勤学习、肯学习的良好风气。

石家庄无线电管理分局

局　长：李长征

副局长：常锡文　刘兰萍

（王　勇）

邮　政

【概况】 2007年，石家庄市邮政局按照集团公司、省公司总体工作部署，坚持以“进位工程”和“3+2”（所谓“3”就是“三个面向”，即在科学发展观和省局“进位工程”的统领下，面向全国、面向市场、面向基层开展工作；“2”就是“两个并驾齐驱”，即在全面发展的基础上，县区业务发展与市区发展并驾齐驱，邮储业务发展与函件、速递、物流三项突破性业务并驾齐驱。）战略统领全局，按照

纪念中国共产党第十七次全国代表大会邮票首发仪式

现代企业管理基本原则，将“创建具有现代经营理念的和谐企业”的奋斗目标确定为本届领导班子的使命，全面实施“3+2”战略，企业通信生产建设向着又好又快的方向发展。全局全年实现收入6.53亿元，较上年同比增长26.75%，完成计划的113.87%。实现收支差额5088.13万元，完成计划的100.21%。现金运营指数达到1.04，完成省局考核指标。总资产报酬率达到14.75%，较上年增长4.24个百分点。新增收入贡献率达到26.67%，较上年增长4.48个百分点。全员劳产率达12.61万元，较上年同比增长16%。“3+2”战略取得新进展，邮储与三项突破性专业比重，分别较上年同期提高了1.07%和1.85%；部分重点专业在县局的收入比重增长迅速，其中函件增长4%、集邮增长1.95%、物流增长26.26%。

【邮政业务发展呈现新局面】 2007年，围绕“3+2”战略，全局上下面向市场狠抓经营，各项业务呈现持续稳定增长良好局面，夯实了企业和谐发展的基础。邮务类业务收入累计完成14381.21万元，同比增长12.07%，完成省公司计划的100.32%。函件专业实现收入6003.41万元，同比增长22.91%，收入比重9.36%，其中市区收入占75.03%，县区收入占24.97%。尤其是县局函件增幅达到46.39%，全面完成了2000万元的奋斗目标。邮政贺卡项目营销实现新的突破，其中辛集、正定两个县局贺卡收入在全省率先突破100万元，共有4个县局贺卡收入突破100万元，8个县局贺卡收入突破50万元。对石家庄局贺卡突破2000万，集团公司李国华副总经理还发来贺电。速递专业实现收入1.04亿元，同比增长49.3%，收入绝对值、形象进度和增幅在第二协作区周边省会局中位居前列。2007年12月20日该局速递业务收入突破亿元大关，国家邮政局马军胜局长、省公司专门电贺石家庄局成为全省首个速递过亿的市局。重点实施了市县一体化改革，将县区营销和揽收人员扩充到120人，并选派21名业务骨干赴各县进行业务轮训，组织县速递部主任跟班学习，建立了速递局、区域经理、县速递部三级管理模式。物流专业，实现收入1366.95万元，同比增长12.62%。其中，全区销售化肥1.7万吨，种子368.79吨；酒水分销15.46万件，实现收入485.88万元，分销洗涤品21.29万件，实现收入176.34万元；销售“宁夏红”系列果酒1.1万件，实现销售额78.73万元，洗涤品、酒水分销业务量均居全省首位。重点推动了“农邮乐”品牌战略发展，通过不断提升邮政“服务三农”的知名度，带动农资分销跨越式发展。金融类业务收入累计完成38042.97万元，同比增长29.35%，完成省公司计划的119.18%。邮政储蓄全年净增余额24.9亿元，累计余额一季度末突破200亿。实现收入37194.31万元，同比增长29.17%。

【企业基础建设进一步夯实】 2007年，石家庄局积极应用现代化的管理方法，应用先进的思想理念抓管理增效益，引导企业不断推陈出新，使企业管理向着科学化迈进。人力资源管理严格到位。优化中层领导结构，考核提拔干部16人，调整交流干部15人，任命了24名局长（主任）助理，充实了30名后备干部，其中

职工文艺晚会

大专及以上学历占85.09%，干部队伍结构更趋于合理化、科学化；财务管理科学严谨。加大对生产性项目的成本支撑，深化财务集中管理，控制经营风险，以损益核算为核心，逐步构建邮政企业管理会计体系；始终把提高服务质量作为一项重点工作，从自身内部建设着眼，建立了一套行之有效的内部运行质量管理体系，着力提高科技支撑确保通信生产建设的顺利进行和对外优质服务，为提高服务质量发挥了全方位的保障作用，邮政服务质量不断得到提升，全系统服务质量得到了广大顾客的认可，石家庄局社会满意度达98.34分，居全省首位。

石家庄市邮政局

局　长：李陕川

副局长：刘景春　张彦石　刘海山　张英芳　赵　斌

（王　健）

电　　信

【概况】 2007年，石家庄网通、联通、移动公司在激烈的市场竞争中，进一步增强企业可持续发展能力，各项经营指标实现良性运行。中国网通石家庄市分公司全面贯彻集团公司、省公司的战略转型部署和市委市政府的工作要求，紧紧围绕“创新发展年”主题，深入践行“宽带通信和多媒体服务提供商”的企业定位，全力抓好省公司明确的“四个意识、六个观念、八个创新”和2007年十个方面的重点工作。以市场为导向、以客户为中心、以价值链为主线，在“基”字上下工夫，在“实”字上做文章，在“通”字上寻超越，在“宽”字上求效益，在“转”字上求突破，发挥市场驱动和技术驱动双核驱动的效能，公司全年整体运营状况得到稳步提升。中国联通石家庄分公司认真贯彻省公司“争创新优势、开创新局面”的要求和部署，全面落实公司制定的的年度工作目标，重视客户感知，强化责任意识，倾力打造领先团队，确保公司实现健康、快速、有效、可持续发展，各项业务保持稳定发展态势。G网放号同比

市委书记吴显国（右三）、市长冀纯堂（右四）到公司视察

增长约 60%；C 网放号同比增长约 50%。全年公司主营业务收入同比增长约 13%；利润同比增长约 29%。绩效考核在全省同行业中名列第 1 名。总经理姚荣智被联通总部授予"劳动模范"光荣称号；公司连续四年被市委、市政府评为"民主评议工作先进单位"；连续两年被市委、市政府授予"消费者信得过单位 "及"文明单位"；被市国资委和省公司评为"先进基层党委"；客服营业中心、基础网络中心等 7 个部门被分别授予国家、省、市级"青年文明号"。 网优维护中心获联通总部"先进集体"称号；客服部营业中心在参加总部开展的"万人比武迎奥运、营业服务树标兵"营业知识竞赛中，取得全省团体第三名的好成绩。中国移动石家庄分公司以科学发展观统领全局，以助力"沿海经济社会发展强省"及"和谐河北"建设为己任，以实现"移动信息专家"转型和"从优秀到卓越"新跨越战略为目标，加大基础网络建设步伐，以优质网络赢得市场发展。进一步加大网络广度覆盖、加大新增基站力度，做好网络优化，开展高校小区和动车组沿线网络专项优化工程。加强农村网络维护，缩小农村网络和城市网络质量的差距；加强网络代维管理，使之日益规范。圆满完成了十七大、纪念石家庄解放六十周年活动及重要节假日通信保障任务，聚焦"做大农村市场、做强信息服务、筑建卓越企业"三大核心发展策略，实现了又好又快发展。全年净增客户 159 万多户，网上客户数达到 523 万多户，运营收入、通话客户市场占有率均居行业领先地位。公司被市委、市政府授予"民主评议优秀单位"、"行风优秀单位"等称号。

【转型业务得到快速发展】 2007 年，网通石家庄市分公司坚持以应用促发展，跨越式发展宽带业务；以传统业务为基础，发挥企业资源优势，持续优化成熟产品，拓展组合产品，大力保有固话业务；大力推广增值类产品，进一步提升收入占比；以宽带业务为基础，以信息产品为核心，通过产品融合和组合营销提高基础产品粘合度，提升转型产品渗透率。一是全力以赴保有传统业务。加大组合营销力度，面向公众客户，通过开展双产品客户营销、装宽带回请固话、大力推广超级无绳，宣传"乐翻天"语音业务、推广村虚拟网并免费发放"乡情号簿"等组合营销策略，使亲情 1+ 和大众电话品牌概念深入人心。大力开展专项营销活动，针对公众客户启动实施"百家社区网通行"系列营销服务活动。重点营销"亲情 1 +"、"宽带嘉年华"、"电话导航"、"同号"、悦铃、移机不改号等业务。针对学生群体开展"阳光新锐"校园营销品牌提升计划。针对公话业务开展了公话客户感恩回馈活动、校园网公话零次户激活活动，巩固了公话业务的发展成果。在农村地区开展了"新农村 新通信"营销活动，大众电话签约率达到 98%。二是跨越式发展宽带业务。2007 年，市分公司坚持"速度、力度、质量"的发展原则，以"早、快、借、准、精"五大策略推动宽带跨越式发展，成为拉动收入增长的有效手段。在业务发展黄金时期，持续开展了学生假期营销、宽带捆绑电脑、宽带嘉年华等针对性营销活动。结合"一号行动"的开展，紧跟县区信息化、政府信息化建设带动宽带接入发展。"二号行动"的启动，进一步深化了与计算机终端捆绑销售的力度。三是转型业务发展成效显著。在市区开发了市区号簿、校园号簿、专业市场号簿和社区号簿；在县区，根据区域特点推广"乡情号簿"、"一村一品"、"一镇一业"等产品。并以广告招商会为契机，树立"网通传媒"品牌，拓宽黄页业务知名度。多渠道搜集信息，不断完善信息库内容，发展"品牌报号"和"多名称注册"业务。宽视界业务在平安矿区、平安无极、平安平山、平安正定项目已取得了初步成效。积极拓展 ICT、IDC 业务，加强 4006 业务的营销力度，结合区域信息化"一号行动"和"魅力激活"专项活动，大力推广信息魅力业务。

【基础管理工作再上新台阶】 一是加强业务管控，提高业务管理效能。公司对全业务管理实行"一标六定"原则，即符合内控标准，定责任、定关键点、定流程、定标准、定制度、定稽核，同时建立了业务管理工作巡查制度并纳入常态化管理。二是加强成本管控，维护预算刚性，强化资源配置。建立重点费用通报制度，提高了成本使用效益。在各单位建立了各类收支台账，将成本管控点延伸到最小元素和单元，并加强了台账管理和分析。强化财务检查和财务会审工作，使基础管理工作与内控要求有机衔接。三是完善项目管理评估机制，对全年全部经营类建设项目进行了事前评估，对2007年上半年竣工投产及以前年度部分建设项目进行了总体效益评价，进一步增强了建设项目投资效益。四是盘活各类资源，努力实现降本增效。加强电源节能降耗管理，在全区各单位建立了节能降耗电费统计台帐，对空闲机板、电源模块等进行了关电处理。对交换设备板卡资源进行合理调整，实现了网络资源的合理调配。还先后启动了房地产清理专项工作、ADSL终端回收工作，共回收ADSL终端近10万部。五是强化对经营管理效果的监督，促进公司基础管理水平的提升。公司对各县分公司纪检监察、人力资源、财务、市场业务、网络维护、服务等方面基础管理工作进行了效能监察，并对存在的问题进行了认真整改。对公司营销成本渠道管理进行了自查，进一步加强营销成本渠道管理工作。围绕公司生产经营重点开展专项管理审计工作，进一步强化基础管理，增强了防范经营风险的能力。

【网络调配运营效益不断增强】 2007年网络运营工作，以“加强管理、保证质量、降低成本、提高效益、深化改革、强化支撑”为指导方针，加强基础管理、成本管控和服务支撑，不断优化和提升网络支撑能力和水平，全年网络运行安全稳定。一是深入开展精细化维护管理工作。完成了成本管控管理办法的制定工作。开发启用信息魅力流程管理系统，实现了管理运营等方面流程的电子化运转，化职能管理为流程管理。加强对网络运行质量的分析，细分话务流量，细分流量统计，支撑市场营销。二是紧跟转型工作步伐，实现网络运维向网络运营观念转变，网络业务支撑能力进一步提升。三是尝试经营网络资源，通过产品代理、线路搬迁服务、客户端设备维保项目、承揽卫星转播业务等为公司创收增效。四是开展网络优化，提高网络资源运行效益。开展了在网网络资源调查摸底工作，对不能带来经济效益的网络资源，在完成业务转移、服务延续问题的基础上，坚决做退网处置。对全区小灵通基站进行了“基站效能”分析整改，单个基站效能得到提高，网络运行质量进一步提升。优化数据网络资源，解决了部分远距离用户无法开通宽带的问题。制定接入层线网络优化及线路大修整治方案，采用光进铜退技术手段，解决长距离主干电缆线路质量差，电缆容易被盗等问题。

【服务质量和水平得到持续提升】 按照集团公司“优质服务年”的部署要求和省公司“以客户满意为标准，以客户感动为目标”的服务理念，持续抓好服务一把手工程，注重客户感知，注重服务质量的提升，把服务当作提升企业核心竞争力的大事来抓，通过不断创新服务内容，完善服务体系，提高服务标准，加大服务考核力度，推进服务工作再上新台阶。一是加强基础管理，健全各项制度。完善服务投诉规范及管理办法。进一步加强服务质量分析，建立健全应急服务流程和预案。对各单位签订了《服务暨法律工作责任状》，并建立了长效服务评优机制，明确责任、落实到人、强化考核。二是狠抓窗口单位建设。对公司所辖自办营业厅和合作营业厅分批次实施软、硬件相结合的专项整改，提升了整体服务水平和企业形象。三是加强投诉管理，强化过程控制。建立了投诉日通报制度，针对典型问题进行点评和督导整改，2007年市分公司在全省的投诉占比由年初的25.38%下降至12月份的17.90%，较上年同期下降7个百分点。四是组织开展《诚信服务、放心消费》活动。严格执行预约限时服务制度，

市网通公司举办社区信息化启动暨社区生活导航发放仪式

极大地缩短了装、移、修，特别是故障维修的处理时限，并根据省公司统一安排，积极稳妥地推进话费详单查询工作，提升了客户满意度。

【积极推进和谐企业建设】 一是加强“四好班子”建设，从“德、能、勤、绩、廉”等方面打造思想坚定、不畏困难、作风正派、坚强有力的领导班子队伍。二是建立经营业绩综合评价体系。公司对所属25个营销单位建立了综合业绩评价体系，通过横向比较寻找各经营单位存在差距，提出整改措施和发展方向，提升公司工作执行力。三是以人为本，关爱员工，下大力解决基层“六难”，改善员工工作和生活环境。通过业务培训、劳动竞赛、岗位练功等措施，着力提高员工素质和岗位技能。四是加强行风建设，主动接受社会各界的监督。11月底公司顺利通过了市民主评议考核组的行风检查。五是紧密结合企业转型发展实际，深入开展“党员示范岗”、“和谐班组”、“青年文明号”等主题创建活动。2007年，公司被国家安监局、全国总工会授予“安康杯”竞赛全国优胜企业；获得省“AAA级和谐企业”称号；被省总工会授予“经济技术创新先进单位”；公司党委分别被市委、市国资委授予“先进基层党组织”称号；公司团委被评为“红旗团委”；客户服务中心荣获“全国三八红旗集体”称号；中山路营业厅、广安营业厅被市政府授予“职工先锋号”荣誉称号。2007年公司继续保持全国“青年文明号”集体1个，省级“青年文明号”集体6个，市级“青年文明号”集体10个。

中国网通（集团）有限公司

石家庄市分公司

党委书记、总经理：李成学

党委副书记、副总经理：李　霞

副总经理：李　虹　慈志勇

张诗杰　李　爽

（宋朝霞）

【促进各项业务持续有效发展】 2007年，联通石家庄分公司面对十分严峻的市场形势给生产经营带来的巨大压力，采取多措并举的营销活动和实施差异化的竞争策略，开展春节、春风包销、节假日营销风暴、新建基站促销、秋季高校市场争夺战、世界风156促销、神通王专项营销、以及冬季突击等一系列专项市场营销活动，极大地刺激了新增市场的需求，提升了公司的品牌形象，为新增市场的健康快速发展奠定了基础。开展“春风行动之集团攻势”活动，全区联动，有效地稳定了市场局面。在开展“世界风”156“集团业务促销竞赛”活动中，完成下达任务指标的177%，取得了全省排名第二的好成绩。通过坚持以基础业务发展为主，重点业务发展为辅，扩大亮点业务的市场占有，实施特色化经营的发展思路，积极落实精细化营销、特色营销、激励营销等行之有效的发展措施，加快了增值业务的市场推广和应用步伐，保持了增值业务高速发展的态势。

【不断完善服务规划和体系建设】 石家庄联通分公司把渠道规划与建设作为持续、健康、稳定发展的重要基础，不断完善支撑服务体系建设，促进了渠道管理由粗放型向精细科学型的转变，在积极拓展社会渠道的同时，不断扩大自有渠道的营销力量，提高自有渠道的市场掌控力，着重加强了市、县区自有渠道的规划和建设力度，谋求最佳的营业服务网点布局。为加强C网销售的社会渠道力量，公司推出建立C网特许经销店的举措，为C网健康发展打下了坚实基础。通过运用经济手段，加强了对骨干代理渠道发展用户、收现、佣金收入等因素的分析、考核，积极帮助渠道分析赢利模式和合理分配资金使用以达到最佳收益。同时，积极扶助弱小代理商，简化代理商的审批、建设、开业流程，主动做好后台服务，促进了代理渠道的拓展速度，激发了代理商加快有效发展的积极性。为实现对乡镇代理商、合办厅等末梢渠道更深层次的服务，加快农村市场的开发，公司加快了乡镇客户经理队伍的建设步伐，组建了乡镇客户经理队伍，陆续招聘了一批乡镇客户经理，实现了一乡一人的目标。为加快提高乡镇客户经理的职业素质和业务水平，公司制定建立了完善的乡镇客户经理薪酬考核制度，明确了乡镇客户经理的岗位职责和薪酬政策，并组织全体乡镇客户经理开展员工职业化、工作职责、管理考核、业务知识等方面的专业培训。

【加快网络建设与优化步伐】 本着“网络提速”的战略思想，强化工程管理，严格按照内控建设要求控制工程施工质量，为业务发展奠定了坚实的基础。围绕全面提高网络通信质量和网络资源的有效利用，根据市场发展实际，公司在网络建设上采取了两条腿走路的发展战略，一方面，超常规加快建设步伐，集中人力、物力、财力开展大规模的G网12、13期建设工程，保证经营发展的需求。另一方面，充分挖掘现有的网络资源潜力，优化资源配置，通过网络优化和加强设备运维管理，提高全网的服务保障能力。以总部3A体系建设为契机，以提高通信质量为目标，下大力气抓运行维护基础管理，整体网络质量明显提高，初步实现了集中式运维体制。为提高网络覆盖质量，网优工作坚持"以市场发展为导向，为用户提供精品网络"的指导思想，细化各项维护管理，开展深入细致的网络优化，通过对全区话统筛选指标较差的小区进行重点处理和对话务量、接通率、掉话比、切换等相关指标的控制，全公司整体网络质量有了长足的进步。

【客户满意度明显提高】 围绕创建"客户可感知，服务可承诺，形象可展现"的工作目标，强化服务体系建设，完善管理职能，以个性化和人性化服务手段为客户提供优质服务，客户维系水平发生了质的飞跃。在大力加快增量市场发展的同时，认真做好存量市场的经营，实现客户维系属地化管理，进一步加强对在网客户，特别是中、高端星级客户的维系管理，最大限度地缩短客户停机时间、降低离网率。为提高对星级客户的服务水平，客服部实行了对生日客户发送短信祝福语、漫游客户的短信及电话回访、星级客户漫游异地缴费等服务措施。同时还建立了星级客户话费预警服务，通过电话回访等方式了解客户需求，主动帮助客户解决困难，通过提供异地缴费、账单邮寄、代办业务、上门服务、开设绿色通道等一系列人性化的优质服务，及时有效地挽留了一大批客户。为加强客户投诉处理工作的管理，规范投诉处理流程，建立了《集中客户投诉整改通知单》、《重大申诉转办单》、《业务通知执行单》等制度，对各部门投诉受理渠道进行了投诉电子系统的培训，同时，公司进一步严格了二三级考核管理制度，将客户投诉处理与单位考核指标挂钩，加强各部门员工的责任心，提高了各专业投诉受理渠道人员的整体水平。公司充分利用社会力量做好服务监督，聘请35名社会监督员多个角度监督和改进公司的服务工作，客户投诉率持续降低，客户满意度不断提高。

中国联通石家庄分公司
总经理兼党委书记：姚荣智
副总经理：朱立武　郭振江
李秋莉

（马志坚）

【综合管理水平得到增强】 石家庄移动分公司通过全面提升干部和员工素质，积极完善各类规章制度，使公司各项管理日益规范。合理配置人力资源，加强班子建设、干部交流，完善内训师培训制度、评先奖优等举措，顺利通过财政部驻河北专员办对公司会计信息质量工作检查；深入落实质量管理工作，顺利通过三大管理体系的内、外部监督审核工作。班组管理水平显著提升。下发《关于加强班组建设的指导意见》，制定了《班组建设评优实施办法》，成立了班组建设项目管理小组，提高班组管理水平。实施标杆管理，用标杆促进管理提升。制定《司务公开制度》，成立了司务公开领导小组。建立了以党委为主的领导机制、以行政为主的工作机制和以工会、纪检为主的监督机制，凡涉及干部任用、员工职级晋升、评先评优等重要事项均纳入公开范围。员工可通过总经理接待日等形式对公开内容随时反馈。实施阳光采购，优化采购流程，加强对供应商的考核管理，有效降低经营风险，遏制商业贿赂。

【服务水平进一步提高】 石家庄移动分公司在激烈的市场竞争中，积极把控市场脉搏，积极拓展新客户、新业务，牢牢把握住市场主动权。以燕赵讲坛为载体开展文化营销，加强与大型企业、重要集团客户的沟通，做好集团客户的发展与维系工作；开展校园营销，积极发展学生客户；发起"秋风行动"，深拓农村市场，做大客户规模，取得规范效益。开展手机淘宝、飞信相亲等业务营销活动，促进了新数据业务迅猛发展。积极推进农村信息化。完成农资零售网络供销通试点工作；开发了农村科普信息网。努力拓展信息化行业应用，在金融、环保等行业开发新型行业应用平台；加大自办营业厅建设力度，积极完善“两体四级”渠道体系，使乡镇自办厅覆盖率达到88%，农村服务站全面铺开；同时加大对电子渠道的推广，电子渠道的业务受理占比持续提升；积极探索自有模式下的常态化终端销售体系。以“满意100”活动为契机，深入开展“八项承诺”的宣传推广和落实；启动服务细节提升改善项目；加大投诉管理力度，建立外呼营销平台，客户满意度进一步提高，客户满意度排全省第一，获得2007年“河北用户满意服务”奖。

【进一步推动企业文化建设】 石家庄移动分公司制定《企业文化建设推进实施计划》，深入落实“一地两点”工程，公司被河北省公司确定为“一地两点”建设中的‘服务文化示范点’单位。通过开展员工征文活动、大型诗歌朗诵会、员工摄影绘画书法比赛、员工运动会等活动，丰富员工文化生活，增强企业凝聚力。加强对企业文化的宣传报道，提升企业的形象。全年在省市两级地方媒体发稿300余篇，在《人民邮电报》和《移动周刊》上稿40余篇，在全省名列第一。2007年，公司在承担社会责任，参加公益活动方面做了大量的工作，实施“双百工程”有效解决平山老区网络覆盖问题；助力省会信息化，建设成全省首个信息化示范点——正定东柏棠信息化示范村。向赵县杨家郭小学捐赠35万元，打造移动信息化教室，向石家庄维和官兵赞助数百万生命保险；与市总工会一起创办全国首个“希望之星”营业厅，招聘10名特困家庭子女，受到省委领导的充分肯定和高度评价。

中国移动通信集团河北有限公司
石家庄分公司

总经理：丁占武
副总经理：李广利　焦　煜
党委副书记：鲁聚平

（潘志英）

交通运输

交通运输

铁　路

【概况】 石家庄市域内现有京广、石太、石德三条国有铁路干线和新井、凤山两条支线。三条国有铁路干线分别起止京广铁路207.9公里（寨西店承安铺间）至321.3公里（高邑鸭鸽营间），石太铁路石家庄至70.1公里（南峪娘子关间），石德铁路石家庄至85.25公里（東新王家井间），合计营业里程268.75公里；新井、凤山两支线总长18.1公里。共有桥梁354座（其中400米以上8座），隧道11座（其中400米以上7座），共设车站32个（其中特等站1个，一等站1个，二等站6个，三等站6个，四等及以下车站18个）。

2007年末，北京铁路局在石家庄的派出机构有石家庄铁路办事处；驻石家庄的主要运输单位有石家庄车站、石家庄客运段、石家庄电力机务段、石家庄工务段、石家庄供电段、石家庄电务段，其他单位有石家庄房产建筑总段、石家庄职工培训基地、石家庄综合服务中心、石家庄工程建设指挥部、石家庄铁路公安处、石家庄铁路运输检察院、石家庄铁路运输法院以及河北冀铁集团公司。

石家庄站是集客运、货运、列车解编为一体的综合性特等站，主要担负着京广、石太、石德三条铁路干线的旅客列车到、发，货物列车编解，旅客、行包及货物到发、中转工作；管辖一等站1个、二等站2个、五等站1个；现有客车到发场2个，货车到发场7个，编解场4个；有客车到发线10条；货物列车分解线59条、牵出线5条；管辖专用铁道和专用线118条，配属调车机19台；日均接发旅客列车91对；年发送旅客1500万人，发送货物510万吨。石家庄客运段担负着石家庄至广州、至上海、至北京西、至秦皇岛、至长春、至承德、至烟台、至张家口，北京西至重庆等19对旅客列车客运乘务和图定99对客运列车的运转乘务任务。石家庄电力机务段配属支配机车357台，主要担当石家庄至太原11对、至德州5对、至唐山2对、邯郸至磁山、长治北7对、霸州至临汾西1对等共计36对客运列车，以及石家庄至阳泉36对、至德州24对、至济南西23对、至太原北20对、至南仓16对、磁山至长治北8对、邯郸至济南西19对等共计244对货物列车牵引和小运转任务。石家庄工务段主要担负石家庄枢纽，京广上下行线64.5至280公里，石太上下行线0至117公里，石德上下行线0至5.8公里线路、桥梁、隧道等设备的大、中、维修及保养任务，管辖线路总延长1880.941公里。石家庄供电段主要担负京广线64.5至485.8公里、石太线0至117公里电气化铁路牵引供电和生产生活供水、供电任务，担负石德线0至176.5公里、京九线76.2至372.777公里、邯长线0至215.5公里、沙午线0至69公里的供水供电设备改造、维修任务。石家庄电务段主要担负京广线66.150至485.837公里，京九线76.2至372.777公里，石德线0至176.5公里，石太线0至117公里，邯长线0至215.491公里和沙午、马磁等11条支线的信号设备维修维护业务。

2007年，石家庄市域内的国有铁路各单位狠抓安全生产，深挖运输潜力，大力增运增收，各项运输指标均完成年度计划。全年共计发送货物1226.9万吨，较上年减少91万吨，同比减少8.01%；发送旅客1685.1万人，较上年增加77.8万人，同比增长4.84%。

2007年主要运输指标

站名 \ 指标	旅客发送人（人）	货物发送吨（吨）	货物到达量（吨）	装车数（日车）	卸车数（日车）
合计	16850651	12269234	17640595	0	0
石家庄	14045871	3680402	7322981	169.5	340.8
承安铺	43877	2580	738	0.1	0.1
新乐	122072	119510	124617	5.5	5.7
新安村	1035	10976	41183	0.5	1.8
正定	20890	377329	953655	17.5	44.7
東新	0	0	0	0	0
辛集	801241	246011	408799	11	19
马于	0	0	0	0	0
晋州	287104	170571	175049	8	8
贾村	0	0	0	0	0
藁城	88354	262146	445018	12	20
良村	1995	2563212	1562093	121	76
土贤庄	0	0	0	0	0
石家庄北	1035663	0	0	0	0
石家庄西	91	817781	2718211	37.5	123.3
获鹿	563	43133	55635	1.9	2.9
头泉	332	71314	28004	3.3	1.5
下安	244	0	0	0	0
上安	6128	0	2706013	0	124.4
岩峰	424	95027	12110	4.1	0.7
翟家庄	0	0	0	0	0
井陉	129292	164833	138286	7.2	6.2
新井	0	1302141	94287	55.8	4.0
南张村	6542	874310	279577	37.2	14.2
凤山	0	355884	33919	15	1.7
井南	46706	389101	6137	16.5	0.3
南峪	14102	280801	5703	11.8	0.2
平南	0	66897	127172	3.1	5.7
窦妪	1816	0	0	0.0	0.0
元氏	108086	204824	186197	9.1	8.6
高邑	88223	170451	215211	7.4	9.9
柳辛庄	0	0	0	0	0

【全国铁路第六次大面积提速调图】 经充分准备和严密组织，2007年4月18日零时，全国铁路第六次大面积提速调图正式实施。提速调图后，北京铁路局允许时速160公里以上的线路的延展长度达到2536公里，允许时速200公里以上的线路的延展长度达到882.6公里；提速第一阶段增开旅客列车47对，开行列车达到293对。首次开行时速200公里以上的“和谐号”国产动车组，北京铁路局开行的17对“和谐号”动车组以北京、北京西站为中心，辐射沈阳、长春、哈尔滨、济南、四方、上海、汉口、郑州、天津、石家庄、邯郸、北戴河、秦皇岛等13个方面；经京哈、京广线运行停经保定、石家庄、邯郸、邢台、秦皇岛、山海关的动车组23对，形成以区域内城际间短途为主、跨区域中心城市间中长途为辅的动车组快速列车系列。北京局增开14对直达、快速、直快列车和16对普通旅客列车，停经省会石家庄的旅客列车达到118对，形成了中心城市间夕发朝至旅客列车系列和传统的旅客列车系列，满足了旅客的多样性需求和选择；旅客列车运行速度普遍有较大提高，主要城市间旅行时间总体压缩20%～30%。货物运输方面，国内自主设计生产的70吨新型货车投入使用，直达和循环货物列车以及集装箱班列开行数量大幅增加；货物列车的最高时速也将从“空70重80”逐步提高到120公里；京哈、京广、京九、石太等主要干线，列车牵引重量全面提升，内燃机车实现4500吨贯通，电力机车实现5000～5500吨贯通。京九线开行双层集装箱列车，开创了既有线开行双层集装箱列车的先河。提速调图后，列车运行密度加大，列车追踪间隔缩小。新的列车运行图中，北京至沈阳、北京西至郑州间动车组按5分钟追踪间隔铺图，京广、京哈等主要干线旅客列车按6分钟追踪间隔铺图，货物列车按7分钟追踪间隔铺图；其它双线自动闭塞区段旅客列车按7分钟追踪间隔铺图，货车按8分钟追踪间隔铺图。第六次大面积提速调图，在既有主要干线提速区段既开行时速200公里以上的动车组，又开行5000吨重载货物列车，创造了客货共线铁路运输的世界纪录。

【铁路电子货票管理系统升级换版】 自2007年12月1日起，全国铁路正式使用货票管理系统2.0版本。该版本较旧版本在覆盖的业务范围、货运收费管理、制票过程的真实性、信息考核、信息安全等方面进行了功能扩充和完善，为提高货票信息质量、规范铁路货运收费行为、提高价格管理水平提供了新的管理手段和详尽的信息资源。在营业层面上，增加了杂费核收子系统，将货物运输各环节的杂费核收全部纳入系统管理，使业务流程和信息流程完全匹配，货运收费作业全流程和各环节的信息得到全面收集；对与国铁办理直通运输的合资、地方铁路实行费目、费率的集中管理、集中维护和统一发布，保证货运收费的合规性和正确性。铁道部为推进铁路的信息化建设定于2008年1月1日起全部取消货物运输手工制票。

【北京西至石家庄动车组开行】 2007年4月18日9时29分，石家庄客运段担当的由北京西始发开往石家庄的D565次“和谐号”动车组旅客列车顺利开行，11时31分抵达石家庄站；9时26分，由石家庄始发开往北京西的D566次“和谐号”动车组旅客列车准时发车，11时29分正点抵达北京西站。河北省省会石家庄至首都北京的第一条快速客运通道正式开行。“和谐号”动车组由8节车厢组成，其中七号车厢为一等车厢，坐席设置为2座+2座；其余为二等车厢，坐席设置为2座+3座，共有610个座席；全列配备1名列车长，1名列车乘务员和1名随车机械师；列车最高运行速度200公里／小时。至年末，省会石家庄至北京间“和谐号”动车组旅客列车经停和开行数量达到9对。

【京广铁路下行线23号桥换梁完成施工】 京广铁路下行线23号桥位于承安铺新乐间，中心里程216公里900米，由18孔上承式钢板梁组成，由于运营多年，钢梁横向刚度不足，已难以满足列车高速运行的需要，是京广线长期限速地点之一。北京工务机械段天津桥隧车间按照北京铁路局的要求，在9个封闭点内，将该桥18孔钢梁更换为跨度28米的预应力钢筋混凝土梁，同时更换全部人行道、避车台、步行板、吊围栏，桥上枕木全部更换为Ⅲ型混凝土枕，11月18日4时55分，换梁施工顺利完成。此次换梁施工是北京铁路局第六次提速后在时速200公里动车组运行的主要干线上首次进行的桥梁大修更换施工。

（孔祥玉）

公　路

【概况】 2007年，石家庄市公路交通事业发展迅猛，特别是公路交通基础建设得到较大发展，全年共完成投资40.89亿元。其中，石环公路实现主路试通车，张石高速完成主体工程，工程质量和进度在全省名列前茅；农村公路建设416项1236.39公里，维修改造危桥62座1469.6延米，提前完成100个行政村的“村村通”工程，圆满完成五七路及西出市口路主体工程；石家庄内陆港顺利开港运营，经营状态良好。公路养护管理工作成效显著，干线公路大中修12项140.29公里，完成投资1.24亿元，桥梁维修改造13座1115.4延米，完成投资1476万元，工程优良率达100%，干线公路好路率达79.5%。公路绿化美化211公里，实现了国省干线适宜路段的绿色全覆盖。全市交通规费征收大幅上升，全年共征收交通规费17.65亿元，比上年增长13%。其中，养路费12.54亿元，运管三费1.45亿元，通行费3.66亿元。完成了计重设备安装和软件调试工作，全市所有收费公路顺利实施计重收费。到2007年底，全市公路通车总里程达到14667公里，路网密度达到103.69公里／百平方公里。其中，高速公路3条319.94公里，国道4条419.66公里，省道21条1317.22公里，县道48条1595.17公里，乡道及专用公路5041.56公里，村道5973.84公里。桥梁2448座88482延米，其中永久性桥梁达到97.95%。公路建设里程完成1316.25公里，全市通车里程比上年增加37.75公里。全市基本形成“以石家庄市区为中心，高速公路为依托，国省干线公路为骨架，县乡道路为脉络，放射状发展，蛛网式连接”的公路网络系统。

【全市乡村公路保持较快发展态势】 2007年，全市完成农村公路建设1236.94公里。其中，县道完成投资1.23亿元，建设规模114.5公里；乡道完成投资2.56亿元，建设规模481.15公里；村道完成投资1.96亿元，建设规模641.29公里，在建公路合格率达到100%。市政府的重点工程西出市口（植物园路口～鹿泉海山大街段）改建工程全长7.196km，总投资8300万元，2007年底主体工程基本完工。五七路工程东起107国道，西至京赞线，全长3.3公里，总投资416万元，2007年8月22日开工，2007年10月初全部完工。到年底农村公路通车总里程达12473.28公里。其中，县道1593.70公里，乡道4949.74公里，村道5929.84公里。

新建公路绿化

【“5528”绿化工程进展顺利】 2007年11月8日，省、市绿化委员会组织召开省会义务植树基地暨“5528”绿化工程建设动员大会，市长冀纯堂对此项工程的建设工作提出具体要求。此次动员大会标志着全市“5528”绿化工程进入全方位、大规模推进阶段。“5528”绿化工程要求2008～2010年全市植树1000万株，实现“林在城中，城在林中”。“5528”绿化即5环、5河、2山、8带绿化。5环绿化是指环省城绿化和环组团县（市）城区绿化，环省城绿化在二环路绿化已完成的基础上，重点规划实施石环公路和环城水系绿化，在两侧建设各宽30米的防护林带，植树101.2万株。按照“多树种、大树苗、多层次、多色彩”的绿化思路，以乔木为主，灌木点缀，条块结合，林水相依，三季有花，四季常绿，形成环省会的绿色生态长廊。环组团县（市）城区绿化，在巩固鹿泉、栾城、正定已有环城林带的基础上，重点规划实施环藁城林带建设，造林700亩，植树10.8万株，今冬明春全部完成，确保“1+4”组团的5环绿化框架基本完成。5河绿化是指流经省会的滹沱河、大沙河、木刀沟、槐河、洨河行洪线以外的两侧沙滩地营造防护林带。总体规划是2008～2015年，利用8年时间在河道两侧宜林沙滩地营造防护林带30万亩，其中重点是2008～2010年三年造林10万亩，植树630万株。2山绿化是指鹿泉市西山、封龙山绿化。8带绿化是指贯穿省会的京珠高速、石太高速、石黄高速、青银高速4条高速公路和国道107线、307线、308线，以及南水北调工程两侧营造防护林带。规划总面积94.63万亩，可绿化面积93.14万亩。全市交通系统完成“5528”绿化任务主要有：1、干线公路绿化补植。共栽植乔木3.22万株、花灌木65.34万株、常绿树2939株。除307东高新区段因拆迁工作未完成，推迟栽植乔木外，其他路段补植工作全部完成。2、青银高速公路两侧各15米绿化林带。共种植树木9.35万株。鹿泉段按计划完成绿化任务30%，赵县段完成绿化任务30%，栾城段完成绿化任务50%。剩余部分计划在2008年春季完成。3、石环公路两侧各15米绿化林带。石环公路界内整地10127平方米，挖坑7800个，栽树7092棵。

【公路保洁】 2007年是石家庄市实施公路保洁活动的第二年。为了维护全市公路干线的整体形象，市交通局提出了“突出一个重点，打好三大战役”的工作目标，将八条出入市口作为全市公路保洁工作的重中之重，做到全天候洁净、畅通、无泥土、不起尘；对平交道口硬化、过街路段整治、重点工程施工路段治理，清洗干线公路构造物、规范户外广告及公路绿化，专项治理砂石料场。为此，石家庄市交通局加大了资金投入力度，所辖八条国省干线出入市口公路（含石环公路北辅道）共配备了8台国内最先进的大型高档清扫清洗车和8台大型洒水车，购置了12台清雪铲，改装两台固体融雪剂撒布车和两台液体融雪剂撒布车。同时，加强了日常养护力度，养路工日常上路率高达95%。通过采取强力措施，使全市干线公路尤其是出入市口公路保洁工作的机械化程度实现了跨越式发展。

公路保洁插旗上岗

【张石高速公路项目进展迅速】 张石高速公路是河北省高速公路网布局规划“五纵、六横、七条线”中的“五纵”的一部分，也是河北省公路网主骨架中冀西北地区南北向唯一的一条高速通道。张石高速公路石家庄段包括主线和支线共80.7公里。主线从保定市曲阳县城东进入石家庄境内，经行唐西、灵寿东、正定西、鹿泉东，到达终点——石太高速公路申后立交，长约65公里；支线从正定曲阳桥村向东经吴兴镇，在拐角铺村连接京石高速公路，长15.65公里。该项目为双向六车道，总占地12253亩，拆迁面积约26060平方米，土方量为1000余万立方米，全线包括特大桥2座，大桥6座，通道85道，互通式立交10处，分离式立交18处，项目估算投资47.79亿元。分别在鹿泉东、石闫公路、灵寿东、行唐南、行唐西和正定北设置了高速公路出入口；并分别在石家庄北、灵寿、正定设置了服务区。2005年10月底正式开工，2008年10月建成通车，工期为三年。工程总投资47.97亿元。该项目的建设将进一步完善全市路网结构，增强路网功能，对促进冀西北地区与中部的经济交流和发展，加快落后地区的发展、以及两环带动战略的实施具有重要意义。到2007年底，张石高速公路路基（桥涵）主体工程已经基本完成，滹沱河特大桥和沙河特大桥工程11月完工；复合路面完成总工程量的85%，沥青路面完成总工程量的75%。张石高速公路石家庄段工程累计完成投资（含拆迁费用）36.83亿元，占总投资的76.7%。

【石环公路主路试通车】 2007年11月11日，石家庄市石环公路主路试通车，公路的通车后将有利于分流大型货车，缓解石家庄市区交通压力。石环公路是河北省委、省政府确定的重点工程之一，也是石家庄市委、市政府确定的一号工程。石环公路途经石家庄市6区3县(市)，全长74.9公里。由西、南、东、北四个部分组成：西环由北新城至西良政，长18.5公里，规划占地宽度65米；南环由西良政至段干，长15.6公里，规划占地宽度79.5米；东环由段干至北五女村庄，长12.1公里。均为新建。北环从北五女庄接石黄高速公路，至北新城村北接西环，利用高速公路27.6公里。建设标准为一级公路，设计行车速度80公里／小时，路基宽33米，双向6车道，中间设3米分隔带。改建辅道33.8公里，二级公路标准。全线设互通立交桥13座，分离式立交桥13座，大桥3座。全线设2个服务区、2个养护中心和2个停车区，整个项目总投资为42.8亿元。石环公路工程在满足项目交通功能的同时，充分考虑城市景观，提高省会的文化品位和城市风格。为此，在石环公路设计中，除考虑公路两侧绿化外，重点进行了景观规划。主要结合一些大型桥梁的结构，建设一批省会标志性公共艺术景观，突出燕赵风情，展现省会革命人文、历史人文和现代人文的特点。西北环主要体现以双拥模范城、解放石门、西柏坡等重大革命题材为重点的革命人文；东北环，重点规划反映伏曦、赵云、魏征等历史人物思想文化的标志性景观；东南环，结合工业、科技新区的特点，主要考虑的是现代科技景观设计；南环考虑的是太行门户、燕赵风情等特色。景观项目准备一次性规划，根据工程安排，分期实施。

【石家庄内陆港开港运营】 2007年4月6日，石家庄市内陆港正式开港运营。该港是河北省政府在原石家庄国际集装箱多式联运有限公司基础上批准建立的内陆无水港口，位于规划的石家庄石家庄经济技术开发区国际物流园区内，距市中心15公里占地面积255241平方米（382.7亩），总投资2.68亿元人民币。内陆港拥有保税监管库、联检办公大楼、拆装箱库、物流分拨库、集装箱堆场、保养维修间、铁路专用站台等基础设施，同时具有先进的物流信息处理系统和强大的电子数据交换中心。内陆港做为华北地区最大国际物流园区，具备港口、国际集装箱多式联运、中转及第三方物流功能，实现了真正意义上的沿海港口和边境口岸功能向内陆地区的延伸。集装箱年设计通过能力20.5万标箱（TEU）。内陆港地处交通枢纽地带，地理位置优越，京广、石太和石德铁路交汇于此，且纵有京珠高速、国道107和308线，横有石太、石黄高速公路和国道307线，交通比较便利。是河北省和石家庄市“十一五”发展规划中的重点项目，省发改委将内陆港项目确定为物流园区十大示范项目工程之一。内陆港的建设对于完善城市功能，提高省会城市在国际空间的知名度和内外贸易运输方面的竞争力、改善投资环境等方面具有十分重要的作用。自开港以来，内陆港同国内多地建立了协作关系，与天津港合资成立了冀津国际物流有限公司，与12省、市、区签署了《北方地区大通关建设协作备忘录》，与天津海关、石家庄海关、天津港共同签署了《内陆无水港便捷通关合作备忘录》，由华北制药维尔康药业按照四方协议通过了“关港联动物流信息平台”，满足了“快进快出”和“属地报关、口岸验收”的大通关战略要求。石家庄内陆港开港以来，完成集装箱作业量8015标准箱，其中进口119标准箱，出口296标准箱，内贸5655标准箱，货物吞吐量8.31万吨，完成周转量470.64万吨公里。出口货物主要有粮食、药品、设备、纺织品和玻璃饰品等，出口货物主要分布在美国、德国、荷兰、新加坡、墨西哥等国家和地区。

（李建鑫）

运输市场管理

【概况】 2007年，石家庄市通过进一步加大运输市场的治理整顿力度，有力地打击了各类违法、违章行为，规范了运输市场秩序，全市共查处各类违章车辆3253辆次。加快了出租汽车“油改气”进程，全年更新改造天然气出租汽车1120辆，全市天然气出租汽车已经达到5749辆，全市双燃料出租汽车占总数的85%。完善了农村客运网络，新建农村客运站64个、候车亭142个、招呼牌504个，农村客运线路增至320条，农村客运班车由490部增至1131部，总座位达19605个，全市4349个行政村全部通了客车，“村村通”客车工程顺利完成。进一步加大行业管理科技含量，建成了办公自动化信息平台，实现了全市运管部门联网办公。全市所有汽车综合性能检测站与二级维护作业站与运管处实现了业务联网，实时传送检测视频数据。全部危货车辆和部分客运车辆安装了GPS卫星定位系统，行业管理的科技含量得到进一步提升。截止到2007年底，全市运输市场共有客运线路708条，班线客车2711辆，营运货车79032辆，出租汽车8844辆。维修企业达1567家，货运企业5750家，运输服务业户584家，驾驶员培训学校37家。

【水上运输监管】 全市共有水路运输企业7家，营运船舶44艘，通航水域7处。水上交通安全监管得到进一步强化，一是在全市开展了水上交通安全管理专项整治活动，对全辖区10道渡口进行了验收，取缔了8道，保留的2道渡口限期按渡口验收标准进行修建。对水上漂流、水上餐厅、高速游艇等新兴水上特种经营项目深入调查，严格审核。二是充分利用社会力量建立水上交通遇险应急机制，帮助水路运输企业组建“水上遇险义务救助队”，实行营运船舶、在航船员每日轮流值班制度，实现了水上遇险区片联动，提高了遇险救助效率，共组建“水上遇险义务救助队”5个，组织小型水上遇险救助演习2次，初步形成了结构合理、反应灵敏、运转高效、保障有力的突发事件应急体系。三是为进一步提高船员综合素质，6月份举办了船员适任培训班，共培训船员60名，均通过了省地方海事局考试，取得了船员适任证书。四是完成了船舶检验管理发证系统的升级，继续推进了船检质量管理体系，低质量船舶专项治理活动取得明显效果。元氏蟠龙湖3艘低质量船由省地方海事局和天津船厂的技术人员补全审批图纸资料，并由保定永固造船厂按批准的图纸改造完毕，市交通局已完成改造检验工作。全年对44艘机动船舶进行了检验，为43艘船舶发放了船舶检验证书，1艘船舶发放了临时证书。通过上述举措的实施，水上交通实现了全年安全无事故。

（李建鑫）

民用航空

【概况】 2007年，是河北航空事业发展进程中非常重要和关键的一年。河北机场管理集团有限公司河北省委、省政府和民航上级部门的正确领导和大力支持下，全面贯彻落实科学发展观，进一步加大工作力度，采取切实可行的工作措施，运输总量实现新的突破，安全管理水平稳步提升，奥运机场建设进展顺利，管理创新能力不断增强，党建工作深入开展，全省机场保持了又好又快发展的良好势头。圆满完成了全年目标任务，各项工作均取得新的成绩。集团公司全年共完成旅客吞吐量88.17万人次，同比增长37.3%，其中石家庄机场完成旅客吞吐量80.22万人次、同比增长27.3%，秦皇岛机场完成旅客吞吐量7.96万人次、同比增长567.8%。完成国内航线货邮吞吐量9459.7吨，同比增长16.9%。完成飞机起降3.28万架次，其中石家庄机场3.19万架次，保证了飞行安全、航空地面安全和空防安全，实现集团公司第4个安全年，石家庄机场持续较快发展和秦皇岛机场跨越式发展，河北民航机场连续安全运营23周年。

【安全管理水平稳步提升】 先后建立完善了安全质量控制、航空保安信息交流、处置群体性事件预案、航班保障现场会商等10余项安全运行管理制度，进一步完善了规章体系。积极做好航空保安审计迎审工作，石家庄和秦皇岛机场改进完善工作流程，更新改造安全设施设备，提升全员安全意识，综合安全保障能力进一步增强，秦皇岛机场已于2007年11月份顺利通过了国家航空保安审计。继续深入开展安全专项整治，完成了机场安全专项治理、重大基础设施安全隐患排查和空防安全专项整改工作。不断增强应急保障能力，修订完善了《石家庄机场应急预案》，进行了大面积停电应急处置演练，妥善处置了中航油停止为鹰联航飞机加油、国航飞机供油系统故障备降、泛美航校飞机左发故障返航、停场飞机遭雷击以及直飞台湾医疗救援包机等突发、紧急事件。切实加强石家庄和秦皇岛机场不停航施工现场安全管理，保证了机场运行安全有序。

【运输生产经营实现新的突破】 充分利用政府补贴资金，在保证市场发展“快”的同时，着力在“好”上下功夫，通过采取承包航线、定额补贴、对外转包等多种方式，逐步引导航空公司实现航线自主运营。石家庄至海口、杭州、重庆、昆明、深圳、广州等航线由全额承包转为航空公司自主运营，至哈尔滨、三亚、西安、香港等航线由全额承包改为定额补贴，在承包航线同比减亏51.73%的同时，石家庄机场全年旅客吞吐量同比增长27.3%，降低了运营成本，促进了良性发展，实现了社会效益和经济效益同步提高。在认真调研、深入研究的基础上，结合实际提出了建设石家庄机场经停支线枢纽网络的战略规划，通过提供高标准、低成本的30分钟过站保障服务和优惠的收费政策，结合石家庄机场“从家飞”、“城市候机楼”等品牌服务措施，吸引航空公司开通经停石家庄机场至全国各地的航线航班，调整优化航线布局，构建低成本经停支线枢纽。先后引进了上海吉祥、南航新疆分公司、南航深圳分公司、鲲鹏航空等航空公司加盟我省机场运营，进一步加大了我省至上海、广州、乌鲁木齐等国内各大区域重点航线的航班密度，先后恢复和开通了石家庄至哈尔滨、三亚、海拉尔和秦皇岛至成都、深圳、广州等航线。秦皇岛国际航空口岸首次开放，开通了至俄罗斯的国际客运包机。协助邯郸机场顺利开航，开通了邯郸至上海、重庆和海口的航线。利用暑期生产旺季开展了“百日生产竞赛”活动，有力促进了运输生产总量大幅增长。2007年，石家庄机场通航城市23个，运营航线25条，每周进出港航班最高达到246班；秦皇岛机场通航城市7个，运营航线5条，每周进出港航班最高达到24班；邯郸机场通航城市4个，运营航线4条。我省机场对河北中南部的辐射力进一步增强，实现了石家庄机场持续较快发展、秦皇岛机场跨越式发展和邯郸机场顺利起步健康发展。

【管理创新能力不断加强】 通过实行生产运营动态管理，及时跟踪、分析航线经营效益情况，强化财务调控手段，航线增收能力稳步提升；大力拓展收入渠道，飞行训练和航空旅游、配餐、旅客班车等辅业收入实现了较大幅度增长。积极推行“精细化、低成本”发展战略，健全目标成本考核机制，建立了统一领导、集中管理和分级管理相结合的财务管理体制，加强全面预算管理，严格控制各部门费用支出。对各子公司财务工作和劳务用工实现了集中管理，通过逐月督办、季度考核、年终兑现的方式，促进企业增加收益，降低成本。石家庄机场在奥运改扩建工程中，通过改建污水处理站、采用地源热泵空调系统、变频水泵、玻璃框架结构等措施，大大节约了机场水、电、煤等能源消耗。企业总法律顾问全面负责公司法律事务，参与公司重大经营决策，积极参与重大合同谈判、投资及股权转让等重大事项，保证了决策的合法性，有效维护了企业的合法权益。完成了《河北机场管理集团有限公司“十一五”改革发展规划》、《河北机场管理集团公司“十一五”操作规划》和《石家庄正定机场总体规划》编制工作。大力推动航空物流园区建设，引进了北京瑞达联合飞机维修工程公司在石家庄机场建立机务维修学校，中科院科学试飞基地建设项目落户石家庄机场，积极吸引鲲鹏、鹰联和邮航等航空公司在石家庄机场设立基地，并与中科院等单位及香港国际机场、法国陈氏集团、河北物流集团等国内外大型集团沟通洽谈，寻求合作机会。

【奥运备用机场建设进展顺利】 石家庄机场候机楼改扩建主体工程基本完工。污水处理站改造工程完工并开始试运行。新建航空配餐中心工程已完成主体框架。地源热泵工程将进行主机设备安装。征地工作已经组织了调整用地规划听证会，规划方案已上报省国土资源厅待批。新候机楼将于 2008 年 5 月初开始整体调试和试运行工作。秦皇岛机场改造工程已于 2007 年 5 月 12 日通过竣工验收，至 2007 年底已进入试运行演练阶段。

（王　健　高亚梅）

城市公共交通

【概况】 2007 年，石家庄市公共交通总公司坚持以科学发展观和公交优先发展战略为指导，真抓实干，求真务实，广大干部职工奋力拼搏，实现了“服务创品牌，效益创新高，管理更精细，企业更和谐”的工作目标，圆满完成了全年的各项工作任务。年末公交公司在册职工总数 6408 人，其中管理人员 342 人，司机 2339 人，修理工 382 人，服务、辅助生产和其他人员 3345 人。公交车辆 2210 部（大车 2089 部、中巴 121 部）。拥有营运线路 102 条，其中：市区线路 93 条，旅游线路 4 条，市辖县线路 5 条。营运线路总长度 1283.55 公里。总公司下辖 6 个营运公司、1 个保修公司和 5 个直属单位。2007 年全公司营运行驶里程 9958 万公里，运送乘客 3.3 亿人次，每天平均运客 90 多万人次。总收入 30200 万元，支出运营成本 33823 万元，国家财政直补燃油补贴 9784.79 万元，保证了线路正常运营。总公司被授予“河北省五一奖状”、“河北省 AAA 级劳动关系和谐企业”称号，被中国质量协会授予“中国用户满意鼎”。总公司党委被市委评为“先进基层党组织”。

【线网结构逐步得到完善】 2007 年，市公交公司为了扩大公交经营规模，完成了公交近期线网规划初步方案。根据城市规模的扩大和 1 + 4 组团发展规划以及新火车站的迁移，在对市内 95 条线路客流调查的基础上，经过深入的数据分析，制定了《全市 2010 年公交发展规划方案》，9 月份邀请 8 名国内知名专家共同为《石家庄市公交发展规划》进行把脉会诊，综合专家的建议，进行了补充完善，为公交的健康发展指明了方向。全年公交公司先后开辟了 60、61、74、75、104 路 5 条线路。结合城市发展和道路的建设，共调整线路 35 条，撤销 19 路，将 110 与 111 路、102 路与 61 路 2 条线路合并。构筑大载体大容量公交快速网，将 1 路东延至省测绘局，实现中山路东西直线贯通。

【调整运力结构】 全年总投资 1.4 亿元，购车 371 部，其中低排放天然气车 150 部，13.7 米欧 III 标准公交车 95 部，18 米铰接车 2 部。

公交公司新购置的 12 米公交车投入使用

到年底，石家庄市公交车总数达到2210部，其中天然气公交车748部，占34%，公交车辆档次和公交形象得到了进一步的提升。根据2007年公交车辆报废及线路客流增长情况，分别将371部新车投入到1路、31路、34路等15条客流较大的线路进行运营。同时，对12、21、40、45、51路等中轿线路的车辆结构进行调整，共调整车辆400余部。将63、102路中巴线路改为中轿线路。

【打造智能化数字公交】 2007年，市公交公司继续落实智能化数字公交的要求。应用公交IC卡自动收费系统，方便了市民出行。办理公交IC卡达76万张；应用公交智能调度管理系统，在建成公交智能化调度指挥中心，建立营运公司和路队二、三级管理平台的基础上。一公司车辆实现了智能运调、电子路单、GPS卫星定位，五公司设备已安装完毕；并在1250部公交车上安装了车载电视，在公交场站和主要站点建立了视频监视系统；应用自动化办公系统，改进完善电子政务等6个子系统，进行了营运安全服务、计划统计、车辆设备、党务宣传等10个子系统的开发工作，逐步实现行业技术进步和科学管理的新突破。

【抓好场站设施建设】 为了更好地为广大市民服务，市公交公司对部分场站设施进行了更新。投资400万元建成谈固公交枢纽站；投资950万元建设西王公交枢纽站，已开工建设；南焦公交大修厂计划投资2600万元，各项手续已办理完毕，进入准备施工阶段。共安装站牌153个，站杆245个，迁移站架145座。结合市区道路的改造建设，完成了槐中路、槐北路、建华大街、新华路、平安大街、育才街、公里街等道路137座公交站亭、249块灯箱的建设工作。为迎接石家庄解放60周年，改善纪念碑周边交通环境，在城管局的大力支持下，于11月12日前在纪念碑新建公交站亭5座，安装灯箱17块。

【创新服务举措】 继续开展“文明让座”活动，结合“文明让座，排队上车”，开展了“省城千名志愿者倡导文明乘车活动”。落实“安全双百日承诺”、开展“两百万公里安全行车无事故竞赛”活动、制定了《安全生产目标管理考核办法》；规范了营运服务千分制月考评工作，组织了服务示范表演；规范内部统筹，详细制定了各类事故赔付标准，加大对服务事故的处罚；行车事故及经损额大幅度下降。公交便民服务热线共接听电话100497件次，办结率、回音率达100%；收到表扬电话961件，表扬信233封，拾金不昧锦旗17面，新闻表扬235篇。共办理70岁以上老年免费乘车证5.5万余张。做好民主评议行风工作，公开向社会承诺的内容及举报电话；上半年召开了市人大代表和政协委员座谈会；并积极参加“行风热线”直播节目。共答复人大、政协提案35份，市长公开电话等批转件20余份，全部按时办结予以答复、回音。开展“查问题、堵缝隙、树形象”活动，结合“城管问题大家找”活动，对市民提出的意见和建议152条，逐条进行答复和整改。完成了对223份“千员万人”进社区的社情民意反馈情况的答复及回访工作。

【成功举办首届“城市公共交通周及无车日”活动】 2007年9月16～22日，市公交公司按照市委、市政府的部署和要求，在全市组织开展了由国家建设部倡议的“中国

首届城市公共交通周及无车日活动启动仪式

城市公共交通周及无车日” 活动。公交总公司精心谋划，做到“一天一个主题，天天都很精彩”，同时，通过举办“公交真情伴你行”文艺晚会、发放9.5万册公交《乘车指南》等多种形式宣传公交优先，展示公交优秀，以公交的优质服务和崭新形象，赢得了社会各界广泛支持和理解。9月22日“无车日”，根据政府确定的中山路公交专用道无车区域，公交公司进行了周密的安排，采取了直通车、区间车、大站快车的应急方式，增加运力19.5%以上。无车日区域以外各线路增配15%公交车辆，同时将2部18米车辆投入1路运营，并组织500余人分布在主要站位上岗执勤，为市民提供方便、快捷、舒适、安全乘车服务，确保了活动圆满完成。

石家庄市公共交通市区线路概况

路别	起　止　点	途　经　道　路	首末车时间	
			首车	末车
1	谈固—西王	中山东路、中山西路	5:20	22:30
k1	谈固—西王	中山东路、中山西路	6:00	19:00
2	南货场—柳辛庄	汇通路、建设大街、胜利北大街	4:50	22:30
3	国大健康城（胜南客运站）—火车站	货场街、放射东路、石栾路、平安南大街、槐安路、中华南大街、自强路、站前街、裕华路、中华大街	6:00	20:00
4	好家居—省农科院（心理医院）	和平东路、和平西路	6:00	21:00
5	谈固—省医院	中山东路、平安大街、和平路、水源街、合作路、泰华街、和平路	5:30	21:30
6	医大一院（省电力培训中心）—省三院	东岗路、体育南大街、裕华东路、建设南大街、中山路、维明南大街、自强路、师范街、中山路	4:50	22:30
7	塔谈—沿东小区	汇通路、107国道、仓丰路、货场街、金利街、汇通路、平安大街、胜利北大街、丰收路、沿西街、北二环、沿东街、丰收路、沿西街、石纺路、胜利北大街	5:30	21:00
8	燕都金地城—火车站	赵佗路、自强路、站前街、裕华路、中华大街	4:50	22:30
9	车管所—火车站	石获南路、新华路、中华大街、自强路、站前街	6:00	21:30
10	小谈村—印染厂	苑东街、裕华路、建设南大街、中山东路、广安街、和平路、育才街、中山路	5:45	21:30
11	车管所—火车站	石获南路、西简良村街、南简良路、开泰街、国泰街、合作路、水源街、新华路、维明街、华西路、康乐街、中山路、中华大街、自强路、站前街	6:00	21:00
12	城建学校（医大一院）—火车站	翟营大街、槐中路、谈固西街、中山东路、翟营大街、跃进路、体育北大街、谈南路、广安街、中山东路、平安南大街、站前街、规划路、火车站公交枢纽站	6:00	21:30
13	尹泰花园—柏林南区	汇明路、滨河街、南二环、中华大街、和平路、北新街	5:30	21:30
14	公交技校—火车站	中华南大街、新石南路、友谊大街、石铜路、新石中路、红旗大街、裕华西路、师范街、自强路、站前街（上行）裕华路、中华大街、自强路	4:50	22:30
15	西王—火车站	中山西路、友谊大街、槐安路、中华大街、自强路、站前街、裕华路、中华大街	5:45	20:30
16	朝源钢化玻璃公司—人民商场	东二环、槐中路、建设南大街、裕华路、站前街、自强路、中华南大街、中山路、南小街、自强路	5:45	20:30
17	西三庄服装城—火车站	天翼路、友谊北大街、联盟路、中华大街、自强路、站前街	6:00	21:00

（续表）

路别	起 止 点	途 经 道 路	首末车时间	
			首车	末车
18	赵二街—省图书馆（西大街）	赵二街、中华北大街、联盟路、农机街、义堂路、胜利北大街、光华路、建设大街、范西路、西大街、裕华路、青园街、范西路	6:30	19:30
20	石家庄北站—火车站	市庄路、泰华街、和平西路、中华北大街、中华南大街、自强路、站前街	5:45	20:45
21	白佛长途客运站—纪念碑	中山东路、建华北大街、跃进路、体育大街、谈北路、健康路、建设大街、和平路、北荣街、新华路、公里街	6:00	19:30
22	中通驾校—火车站	新石北路、红旗大街、新石中路、中华大街、自强路、站前街、裕华路	6:30	19:30
23	火车站—铁道学院	站前街、自强路、中华大街、联盟路、石纺路、胜利北大街、运河桥立交桥、北二环、红星街、联盟路	5:45	21:30
24	小谈村—火车站	苑东街、槐安路、时光街、振岗路、西二环、工农路、中华南大街、自强路、站前街、裕华西路、中华大街	6:30	19:30
25	联合大学—人民商场	获铜路、中山西路、康乐街、华西路、中山路	6:00	20:00
26	南焦客运站—棉六	体育南大街、中山路、建设大街、和平路、平安大街、胜利北大街	6:00	20:30
27	大马庄园—省政府	大马庄园、谈固南大街、槐中路、谈固西大街、槐北路、休门街、裕华路、站前街、自强路、维明南大街、裕华路	6:00	20:00
28	玄武纯净水厂—省博物馆	黄河大道、中山路、东大街、范西路、西大街、中山路	6:00	20:30
29	蓝天驾校（北苑小区）—省文化广场	翔翼路、西三庄街、和平西路、友谊北大街、合作路、水源街、兴凯路、中华北大街、中山西路、中山东路、西大街、范西路、建设南大街	6:00	20:00
30	南焦客运站—人民商场	裕翔街、塔南路、体育大街、东岗路、育才街、范西路、建设大街、中山路、中华大街、自强路、站前街、中山路	6:00	20:30
31	（五七路口、大正驾校）—人民商场	石正公路、胜利北大街、建设北大街、和平路、平安北大街、中山路、中华大街、自强路、永安街、规划路、站前街、中山路	5:30	21:00
32	天山水榭花都—火车站	珠峰大街、湘江大道、天山大街、长江大道、裕华路、站前街、永安路、规划路、公交枢纽站	5:45	21:00
33	大马庄园—火车站	大马庄园路、谈固东街、东岗路、青园街、东风路、桥头街、胜利南大街、裕华路、南小街、自强路、站前街	6:00	20:30
34	世纪康城—省博物馆	赵佗路、友谊北大街、和平西路、泰华街、新华路、康乐街、中山路、青园街、谈南路、广安街、中山路	5:00	22:00
35	南焦客运站—火车站	裕翔路、南二环、体育南大街、槐安路、育才街、槐中路、富强大街、裕华路、站前街	6:30	20:00
36	鼎新管业公司—省博物馆	育新路、友谊南大街、新石中路、石铜路、新石南路、中华南大街、槐安路、元南路、元南公园街、建胜路、汇通路、建设南大街、范西路、西大街、中山路、东大街、范西路	6:00	20:00
37	三球鞋业公司—新华电子广场（纪念碑）	北外环、石正路、胜利北大街、和平路、北荣街、新华路、公里街、车辆厂前街	6:30	19:00

（续表）

路别	起　止　点	途　经　道　路	首末车时间	
			首车	末车
38	车管所—新华电子广场(纪念碑)	石获南路、长兴街、中山西路、友谊北大街、新华路、泰华街、和平路、北荣街、新华路、公里街	6:00	20:00
39	小谈村—世纪公园	苑东街、槐安路、体育大街、东岗路、育才街、槐安路	6:00	20:30
40	西三庄服装城—新华电子广场（纪念碑）	天翼路、友谊北大街、北城路、泰华街、市庄路、红军街、和平西路、水源街、宁安路、中华北大街、新华路、公里街	6:30	19:00
41	谈固—柏林南区	（下行）中山东路、广安街、和平东路、建设北大街、石纺路、联盟路、红星街、柏林庄路（上行）红星街、联盟路、石纺路、胜利北街、华新路	5:40	20:30
42	白佛长途客运站—槐安路桥	中山东路、谈固东街、建明中路、谈固南大街、建明北路、翟营大街、中山东路、东大街、裕华东路、富强大街、槐中路、休门街、东风路（上行）桥头街、胜利南大街、槐中西路	6:00	20:00
43	位同—新华电子广场（纪念碑）	位同路、翟营大街、槐中路、建华大街、裕华东路、东大街、范西路、建设大街、正东路、平安大街、中山路、公里街（上行）车辆厂前街、和平路、平安大街、圆明路、建国路	6:00	19:30
44	胜南客运站—火车站	货场街、仓丰路、留村路、塔谈村街、南外环、中华南大街、新石中路、广平街、槐安路、维明南大街、自强路、站前街	6:30	19:30
45	土贤庄—火车站	东二环、跃进路、翟营北大街、中山东路、育才街、范西路、建设大街、四中路、东马路和、大经街、裕华路、站前街、中山路、大经街、东马路、四中路	6:00	21:00
46	尹泰花园—省图书馆(西大街)	汇宁街、汇丰路、红旗大街、新石南路、中华南大街、汇祥路、汇通路、塔南路、建通路、石栾路、建设南大街、东岗路、青园街、范西路、西大街、裕华路、青园街	6:00	20:00
47	市交管局—寺家庄镇政府	中华大街、南二环、红旗大街、学院路、南外环、永壁村东路、寺家庄大街	6:30	19:00
48	华医学院—纪念碑	汇丰路、红旗大街、南二环、双五街、友谊大街、新石北路、红旗大街、槐安路、师范街、支农路、维明街、裕华路、中华大街、新华路、公里街	6:30	20:00
49	城建学校—火车站	翟营大街、槐安路、中华大街、自强路、站前街、裕华路、中华大街	6:00	20:00
50	贾村—火车站	贾村路、308国道、仓丰路至火车站	6:30	18:30
51	天然城—省博物馆	天然城南北街、东仰陵村北路、天山大街、长江大道、体育大街、范西路、西大街、中山路、东大街	6:00	20:00
52	城建学校（医大一院）—郄马	翟营大街、方兴路、东京北路、西京北路、郄马村路	6:00	19:00
53	省测绘局—卓达服装城	中山东路、黄河大道、天山大街、湘江大道	6:00	20:00
54	谈固—南豆村	中山路、谈固西街、建明北路、谈固南大街、建明中路、谈固东大街、东岗路、东二环、学苑路、万泉道、南豆村路	6:30	18:30
55	白佛长途客运站—火车站	黄河大道、中山路、东大街、裕华路、站前街、中山路、平安大街、裕华路	6:00	20:00
56	城建学校—南高营	翟营大街、和平路、高营大街、南高营路	6:00	18:30

（续表）

路别	起 止 点	途 经 道 路	首末车时间	
			首车	末车
57	龙泉花园—小谈村	获铜路、中山西路、苑东街	6:00	19:00
58	尹泰花园—石青公路	汇明路、汇丰路、红旗大街、新石南路、友谊大街、石青公路	6:00	21:00
59	公交技校（市交管局）—飞行学院	中华南大街、南二环西段、西二环南段、广源路、开泰街、和平路、广源路	6:30	18:30
60	位同—省博物馆	塔南路、谈固南大街、中山东路、育才街、范西路、东大街、中山东路	6:30	19:00
61	南焦客运站—贾村西口	裕翔街、贾村路	6:30	18:30
62	（北苑小区、蓝天驾校）—火车站	翔翼路、西三庄街、钟旺路、友谊大街、朝阳路、变电街、和平路、友谊大街、长青路、自强路、站前街、永安路、规划路	6:30	20:00
63	白佛长途客运站—运河桥客运站	中山东路、东二环北段、北二环东段、胜利北大街、华新路、建设大街、石纺路、沿西街、北二环	6:30	18:00
64	石家庄客运北站—华北鞋城	市庄路、泰华街、联盟路、文苑街、北二环、沿西街、丰收路、胜利大街、石正路	6:30	18:30
65	南焦客运站—白佛客运站	裕翔路、南二环东路、东二环南路、中山东路	7:00	18:30
66	位同—北国商城	塔南路、石栾路、建设大街、槐安路、休门街、中山路、建设大街、四中路	6:00	20:00
67	省测绘局—栾城道口	中山路、翟营大街、槐北路、煤机街、槐安路、富强大街、东岗路、建通路、石栾路	6:30	19:30
68	玉村（冀源汽车配件城）—火车站	西二环、新石中路、城角街、建国路、友谊大街、长青路、自强路、中华大街、中山路、站前街、自强路返回	6:30	20:00
69	南位—省博物馆	107国道、仓丰路、建通街、南二环、仓兴街、规划路、建设大街、东岗路、富强大街、槐安路、育才街、范西路、东大街、中山东路、育才街	6:30	19:00
70	宫家庄—北国商城	清水街、宫家庄北路、滨河街、南二环、汇祥路、汇通路、胜利南大街、塔南路、放射西路、平安大街、四中路、休门街、中山路、建设大街	6:30	20:00
71	石家庄外贸职业学院—五七路口	学府路、石正路	7:00	18:30
73	城建学校—运河桥客运站	东岗路、建华大街、丰收路、胜利北大街、石纺路、沿西街	6:00	20:30
74	天山水榭花都—（平安医学院、石炼影剧院）	珠峰大街、学苑路、石炼路	6:00	19:30
75	南焦客运站—人民商场	裕翔路、南二环、石栾路、平安大街、东平路、东三教大街、元南路、胜利大街、桥头街、槐安路、南长街、工农路、中华大街、自强路、华安街、中山路、中华大街返回	6:30	19:30
76	冀联医学院—火车站	石获北路、和平西路、中华大街、自强路、站前街	6:30	19:30
101	南石家庄—新华电子广场（纪念碑）	南石家庄、十里铺路、北二环、谈固北大街、北翟营村路、丰收路、胜利北大街、正东路、公里街	6:00	19:00
102	凌透—纪念碑	凌透村路、正丰路、石兆路、307国道、和平路、翟营大街、光华路、胜利北大街、正东路、公里街	6:30	18:00
103	省测绘局—中塔口	中山路、黄河大道、天山大街、307国道、光明街至中塔口	6:30	19:00

（续表）

路别	起　止　点	途　经　道　路	首末车时间	
			首车	末车
104	宫家庄—山尹村—南平同村	宫家庄南路、红旗大街、寺家庄大街、繁荣路、石南路、装院路	7:00	18:00
105	谈固—八方村委会	中山路、黄河大道、珠峰大道、长江大道、秦岭大街、湘江道、石炼路	6:30	17:30
106	方村摩托城—火车站	308 国道、石栾路、青园街、范西路、建设大街、裕华路、站前街	6:00	20:00
107	宫家庄—火车站	红旗大街、新石南路、石铜路、红旗大街、槐安路、维明南大街、裕华路、中华大街、自强路、站前街（上行）站前街、裕华路	6:00	20:30
108	公交二公司—前杜北	赵佗路、中华大街、北赵陵铺街、南高基大街、南高基南路、东营村西路、西营村路	6:00	18:00
109	南位村—新华电子广场（纪念碑）	107 国道、胜利南大街、大桥路、公里街	6:30	19:00
111	大安舍—火车站	警安路、永昌大街、昌北路、景源街、警安路、西三庄街、和平路、水源街、兴凯路、中华大街、自强路、站前街、永安路	6:30	18:40
112	河北经贸大学—东大街	五七路、石正公路、胜利北街、建设大街、范西路、东大街、裕华路、西大街、范西路	6:00	19:30
113	外经贸职业学院—保龙仓柏林店	学府路、友谊大街、联盟路、高东街、北二环、中华北大街、联盟路	7:00	18:30
114	华清池—纪念碑	石获北路、新华路、公里街	6:30	19:30
115	上京毗卢寺—新华电子广场（纪念碑）	石清公路、西三庄街、北二环、文苑街、联盟路、中华大街、市庄路、北新街、新华路、公里街	6:00	19:00
116	精英中学—桥东区政府	学苑路、东二环、槐安路、谈固东街、槐中路、建华大街、中山路、建设大街、正东路、长征街、园明路、建设大街	6:30	19:30
117	永壁村—新华电子广场（纪念碑）	永壁村路、石铜路、南二环、友谊大街、裕华路、师范街、自强路、维明街、中山路、中华大街、新华路、公里街、中山路	6:30	19:30
118	省经贸大学—纪念碑（新华电子广场）	五七路、北方鞋城路、北外环、红星街、柏林南路、北新街、北荣街、新华路、公里街	6:00	19:30
游 1	植物园—纪念碑	植物园旅游路、石获北路、和平西路、泰华街、新华路、维明街、中山西路、中华大街、新华路、公里街	6:30	18:30
游 5	抱犊寨—人民商场	鹿泉市北斗路、向阳街、垃圾路、获铜路、中山路、康乐街、华西路、华安街、中山路	6:50	18:30
游 6	动物园—赵佗公园	鹿泉市向阳街、石获南路、新华路、西二环北段、和平路、西三庄街、北二环西段、中华北大街	7:00	18:30
游 7	龙泉寺—人民商场	韩庄路、小车行村路、小宋楼村路、获铜路、台头南路、台头村路、振岗路、时光街、槐安路、友谊大街、建国路、红旗大街、裕华路、师范街、自强路、华安街、中山路、中华大街、自强路	6:30	18:30

（续表）

路别	起止点	途经道路	首末车时间	
			首车	末车
201	南焦客运站—正定汽车站	体育大街、和平路、建设大街、胜利北大街、石正公路	6:00	18:00
202	南焦客运站—栾城汽车站	体育南大街、308 国道	6:00	18:00
203	西王客运站—矿区汽车站	新华路、石获南路、307 国道	6:00	18:00
204	北站客运站—黄壁庄	市庄路、泰华街、和平路、中华北大街、北二环、石青公路	6:00	18:00
206	白佛客运站—藁城市	中山东路、黄河大道、天山大街、307 国道	6:00	18:00
211	铜冶镇—火车站	石铜路、红旗大街、槐安路、师范街、裕华路、中华大街、自强路、站前街、裕华路	6:30	18:30

（马常胜）

国内外贸易·旅游

国内外贸易·旅游

商贸流通

【概况】 2007年，全市社会消费品零售总额完成821.1亿元，比上年同期增长17.5%。全年消费品市场呈现高位平稳运行的态势，9、10、12月份更是达到了19%以上的高速增长。批发和零售业零售额占零售总额的比重为89.1%，居主体地位。住宿餐饮业零售额增幅最高，同比增长21.5%。城乡增幅差距由2006年的3.8个百分点缩小为2.3个百分点。假日经济成为促进消费品市场快速增长的一个重要因素，春节、“五一”和“十一”黄金周期间石家庄市十家大型商业企业分别实现销售收入1.19亿元、2.97亿元和3.88亿元，同比分别增长42.58%、22.7%和25.39%。商品交易市场稳步发展，到年底全市商品交易市场达到726个，其中消费品市场658个，生产资料市场68个，全年商品交易市场成交额达1374亿元，比上年增长11.1%。其中，南三条小商品市场和新华商贸中心成交额分别达到336亿元和330亿元，分别比上年增长9.5%和8.8%。

冀纯堂市长一行检查保龙仓超市的生鲜肉票证

【消费品市场亮点突出】 2007年，消费品市场呈现出需求旺盛、销售活跃和亮点突出的良好态势。全年实现社会消费品零售总额821.1亿元,比上年同期增长17.5%。其中，城市实现468.1亿元，比上年同期增长 18.5%；农村实现353亿元，比上年同期增长16.2%。餐饮业快速发展，住宿餐饮业零售额实现77.8亿元，同比增长21.5%，占社会消费品零售额的比重为9.5%，同比提高0.4个百分点。批发零售贸易业平稳增长，批发和零售业零售额实现731.5亿元，比上年同期增长17.3%。其他销售额增长较快的有:金银珠宝类零售额5.5亿元，增长40.7%;粮油类零售额4.0亿元，增长28.1%；肉禽蛋类零售额3.1亿元，增长24.7%；书报杂志类零售额1.4亿元，增长21.7%；体育娱乐用品类零售额1.5亿元，增长19.5%。

【流通现代化水平显著提高】 石家庄市按照国家和河北省关于推进流通现代化的总体要求，加快利用连锁经营、电子商务、现代物流等方式改造传统商业服务业，全市现代流通方式呈现出多行业、多业态、多形式、多元化发展的良好态势。2007年全市新开万平米以上超市2家，新建便民连锁超市、便利店100家。全市连锁经营公司发展到40家，连锁店铺达到1950余个，各类大中型超市50余家，连锁经营收入107亿元，同比增长37.9%。全年连锁经营收入达到117亿元，同比增长38%。现代物流稳步发展，多层次、多元化的物流体系和市场格局日渐形成。现代信息技术在大型商城、连锁公司和超市得到广泛应用，POS普及率和MIS普及率均达到100%。

【不断加强商贸服务业重点项目建设】 根据石家庄市建设华北重要商埠总体规划的部署要求，市商务局组织完成了《全市商业网点建设规划》、《“三场一园”规划》（草案）的编制，着力引导和促进优化商业布局，提升服务功能。不断加快商业布局调整和重点项目建设，以中山路为轴线的中心商业区和中央商务区内的远洋城商业广场、万象天城、开元环球中心（希尔顿酒店）、南花园金世界项目进展顺利，燕赵财富中心竣工投入使用；市内批发市场和商业街（区）建设顺利进行，南三条新源发二期、新华集贸中心高中档市场、金亿城二期，大经街商业街一期相继竣工开业。正定小商品城一期国际小商品市场试营业，中国北方茶城建成招商，并对高邑蔬菜、藁城惠农粮食等15个农副产品批发市场进行了标准化改造。到2007年底全市各类商品交易市场发展到726个，商品交易市场成交额达到1374.3亿元，同比增长11.1%。新华集贸、南三条市场2007年的成交额分别达到330亿元和336亿元，商品辐射到全国30个省、市、自治区以及国外俄罗斯和中亚地区。

【市场规范化建设】 石家庄市商务局推行了“全市统一领导、各级政府负责、部门指导协调、各方联合行动”的工作体制和机制，积极推动行政执法与刑事司法的衔接，组织开展食品安全、知识产权、制假售假、商业欺诈、成品油市场、煤炭市场等12个专项整治活动，取得了较好成效。把定点屠宰厂监管和打击私屠滥宰作为肉品市场管理的重点，深入开展生猪屠宰市场专项整治，使城乡肉品市场定点屠宰率和质量进一步提高。积极推行酒类流通随付单制度，加强酒类批发许可管理，开展了酒类打假活动，努力确保群众消费安全。认真抓好市场运行监测和监管，增加检测企业数量，扩大监测范围，搞好监测分析。通过石家庄市“商务天气预报”发布各类信息2000余条，在反映市场动态、指导消费和服务市委、市政府领导决策方面发挥了重要作用。

【超额完成“万村千乡”市场工程三年建设目标】 2007年建成农家店735家，自2005年实行“万村千乡”市场工程以来，三年累计建设农家店2675家，覆盖了石家庄市95%以上的乡镇和63%的行政村，超额完成了三年规划目标。累计投入资金1700多万元，加强配送中心建设，拓宽货源渠道，丰富适销对路商品，提高了商品配送水平。加强农家店的验收和后续管理工作，对年内已建成的农家店进行了验收，初评合格率达到100%。

【社区商业快速发展】 2007年，市商务局完成了《石家庄市“十一五”社区商业发展专项规划》的编制工作，以“便利消费进社区，便民服务进家庭”为主题，在银都花园、54所等五个社区开展了争创全国、全省社区商业示范社区活动，经省商务厅、市商务局、市财政局验收，推荐银都花园为全国示范社区，其他四个社区为省级示范区。在市内五区和开发区新建改建社区快餐大排档26家，总投资额1000余万元，建筑面积达12000余平米，可同时容纳5000人就餐，全市社区快餐大排档已达31家，极大地方便了社区群众。

（潘　峰）

商业集团

【概况】 2007年，全市拥有10亿元以上销售规模大型商贸流通企业13家，亿元以上销售规模企业67家。大企业、大集团营业收入占全市商贸流通业比重超过60%。

【北人集团】 北人集团是中国零售百强企业。自2000年成立以来始终保持快速稳定的发展步伐，连续

7年保持销售年均递增35%以上，利润增长率在15%以上。到2007年北人集团在河北省发展大、中型店铺超过38家，总建筑面积超过50万平方米，员工总数达2.6万人，全年销售实现65.5亿元，实现利税1.48亿元。集团拥有3万平方米以上的百货店6家，8000平方米以上的超市17家，电器连锁店11家，还有4家以租赁为主的企业和河北商业电脑有限公司，形成了以百货连锁、超市连锁、电器连锁为主，珠宝连锁为生力军，租赁业和为零售业进行信息化服务的电脑公司为辅的业态结构。北国商城是北人集团下属的旗舰企业，2007年单店销售20亿元，其化妆品、男装、女装、休闲装等重点商品销售排名进入全国前十位，是河北省经营面积最大、环境最好、人气最旺、服务最优、品牌结构最合理、顾客满意度最高、社会经济效益最佳，全面与国际接轨的超一流大众精品百货店。2006年开业的北国先天下购物广场是集“购物、商务、会展、娱乐、餐饮、康体、休闲”于一体的一站式购物中心，陆续引进了杰尼亚、BOSS、卡地亚等最具市场号召力和流行度的国际一线品牌，开创河北省国际奢华品经营领域的先河。新百广场(人民商场)自2003年成功转型以来，以“百变新百、创新永在、百折不挠、激情澎湃”的新百精神，被市商业联合会评为最具市场竞争力的商场，并成功跃居全国零售50强行列。北国超市自2000年起步，已发展连锁店达到市内15家，外埠2家，总经营面积超过10万平方米，超市销售逐年大幅增长，2007年17家门店销售15亿元，已经成长为省会规模最大，销售最高，最具竞争力的连锁模式超市。北国电器经营面积达10万多平方米，员工几千人，在石家庄市区拥有5家店面以及保定、邯郸、行唐、涉县等外埠店共11家，3年累计实现销售40多亿元，已成为河北最大的家电零售企业。

【河北保龙仓集团】 河北保龙仓商业连锁经营有限公司成立于2004年，是跨区域发展的大型连锁化综合超市运营商。公司总资产6.2亿元，现有员工3200多人。公司所属各大超市主要经营食品、生鲜商品及日用品，品种达2万余种。保龙仓集团在河北、山东两省的石家庄、唐山、秦皇岛、德州等9地市开设有大型连锁店铺（含加盟店）11家，总营业面积超过13万平米。2007年全保龙仓商业实现销售额22.8亿元，同比增长24.6%。保龙仓集团公司是河北省著名商标企业，也是河北省重点扶持的龙头企业及重点推荐境外上市企业，商标价值23.67亿元。先后获得“河北百强企业”、“零售业排头兵企业”、“河北省商贸流通业十大品牌企业”、“石家庄市商业名牌企业”等荣誉称号。2007年4月，原国家商务部部长薄熙来视察保龙仓，保龙仓在河北省零售业的领军地位和为河北省商业发展做出的突出贡献给予了充分肯定。

【新燕春集团有限责任公司】 石家庄市新燕春集团有限责任公司是经石家庄市政府批准，由石家庄燕春饭店和天府大酒店合并，于1998年7月组建的国有独资公司，总资产4.5亿元，员工1925人。公司是以经营酒店业为主，集餐饮、娱乐、食品加工、配送和人才培训为一体的大型商贸企业集团，率先在省会引进“广东烧鹅仔”、“广州绿茵阁”、“上海沈记靓汤”等知名品牌。2007年实现营业收入7344万元，上交税金597万元。经过十多年创业积聚，新燕春集团凭着规范的服务、优质的品牌及诚信的口碑，使自己综合实力得到了较大提升。近年来，集团及所属企业先后荣获“全国振兴中小企业奖”、“全国青年文明号”、“全国商业信誉单位”、“全国优质服务先进单位”、“河北省先进集体”、“石家庄市消费者信得过单位”、“石家庄市首届十佳诚信单位”等荣誉称号，得到了社会各界的认可与赞誉。

【东方城市广场有限公司】 石家庄东方城市广场有限公司位于石家庄市商业黄金地段，营业面积5.5万平方米，是河北省规模最大的商业企业之一(单体店)，是一家集购物、餐饮、娱乐、休闲为一体的大型综合性购物中心。自1996年开业以来，东购已走过企业11年的辉煌历程，经济效益逐年大幅提升，累计创效在全国大型商场排名中名列前茅。2007年东购凭借敏锐超前的现代商业意识、严密科学的管理体系，在同业竞争异常激烈的形势下，围绕“定位、调整、变革、提升”的工作指导思想，全面实施“品牌优化、管理细化和战略谋划”的核心工作目标，再次实现了品牌结构、客户结构、经营档次、卖场形象的全面提升，全年实现销售收入11.13亿元，比上年增长21.17%，利润超过5600万元。荣获“2007中国服务业企业500强”、“中国商业服务业十佳企业”“百城万店无假货省级示范店”等二十余项荣誉，塑造“诚信东购，时尚东购”的企业文化内涵。

【石家庄天元发展有限责任公司】 石家庄天元发展有限责任公司的前身是石家庄市蔬菜副食品总公司，2004年4月经市国有资产管理委员会核准改制。公司下设天元超市（便利店）连锁分公司、天元物业管理分公司、天元销售分公司和天元商务酒店四家分公司和河北天元名品物业管理有限责任公司一家控股子公司，另有参股企业2家。2007年天元名品改制成功，商务酒店等新业态开端良好，集团化进程稳步推进；超市、便利店发展本着“开一家店，方便一方居民”的思路开展，加盟连锁沿着规范化的道路稳步推进，全年实现销售收入1.1亿元。公司荣获首届河北省食品安全诚信单位、石家庄市第九届消费者信得过单位。全国劳模刘荣秀同志作为市商贸战线的唯一代表光荣地参加了中国共产党第十七次全国代表大会。

2007年石家庄市主要零售企业销售收入

单　位	销售额（万元）
石家庄北国人百集团有限责任公司	654500
石家庄北国商城有限公司	466195.8
河北保龙仓商业连锁经营有限公司	74829.6
石家庄东方城市广场有限公司	111300.9
石家庄易初莲花连锁超市有限公司	4302.1
石家庄人民商场股份有限公司	136118.2
石家庄建华百货大楼有限公司	12395.6
石家庄饮食集团公司	
石家庄天元发展有限公司	11087.6

2007年全市居民消费价格高位运行，居民消费价格同比上涨4.6%。工业品出厂价格指数同比上涨6.4%，原材料、燃料动力购进价格涨幅同比上涨6.5%。

各类价格指数表（以上年为100）

指　标	全　市	市　区	农　村
1. 居民消费价格总指数	104.6	104.3	105.1
其中：食品	111.2	110.7	112.4
烟酒及用品	101.8	102.1	101.4
衣着	101.0	100.8	101.4
家庭设备用品及维修服务	101.9	102.1	101.3
医疗保健和个人用品	100.8	100.2	102.0
交通和通讯	99.4	99.0	100.5
娱乐教育文化用品及服务	98.1	97.2	99.8

（续表）

指　　标	全　市	市　区	农　村
居住	105.0	105.8	103.8
2. 工业品出厂价格指数	106. 4		
3. 原材料、燃料、动力购进价格指数	106. 5		
4. 房地产销售价格指数	107. 6		

（潘　峰）

对外贸易

【概况】 2007年，在国家加大调控力度和人民币升值的新形势下，石家庄市各级各有关单位积极采取措施，调整优化对外贸易结构，积极应对国际贸易摩擦，切实加强对维生素C反垄断、维生素B_{12}反倾销、丁腈手套“337调查”等国际贸易摩擦案件的应诉组织协调。全市外贸进出口首次迈过50亿美元大关，达到51.2亿美元，同比增长22.6%。其中出口完成41.5亿美元，同比增长22%。机电产品和高新技术产品出口快速增长，分别完成9.6亿美元和1.1亿美元，增长幅度达到36%和59%。

【主要商品出口全面增长】 2007年，全市钢材出口强劲，出口额达53918万美元，同比增长58.44%，占比12.82%；塑胶手套出口36187美元，同比增长10.24%；机电产品出口95694万美元，同比增长36.06%，占比23.06%；高新技术产品出口保持高幅增长势头，同比增长58.80%，出口11305万美元；医药品出口49663万美元，同比增长38.69%；农产品出口23892万美元，同比增长20.51%；纺织纱线、织物及制品出口33901万美元，同比增长15.87%。

【各类企业出口均实现增长】 2007年，市商务局通过积极培育外贸经营主体，鼓励和帮助企业申请取得进出口经营资格，出口主体规模不断壮大。全市有411家企业取得对外贸易经营资格，到2007年底进出口企业数量达到2881家，民营企业出口占全市出口比重达到43%。私营企业出口稳定增长，出口额达178110万美元，同比增长30.06%，占全市出口比重达42.92%；国营企业出口99856万美元，同比增长9.72%；外商投资企业出口115177万美元，同比增长23.98%；集体企业出口额为21522万美元，同比增长12.08%。2007年，全市出口超千万美元的企业74家，其中5家出口过亿，分别是石家庄鸿锐集团（2.46亿美元）、石家庄制药集团（2.03亿美元）、华北制药集团（1.85亿美元）、石家庄钢铁集团（1.49亿美元）和河北省五金矿产进出口公司（1.07亿美元）。

【开拓国际市场力度加大】 在巩固传统市场的基础上，组织300多家企业参加了中国出口商品交易会、华东出口商品交易会等国内外二十多个展览会、交易会，对欧盟、美国、东盟、韩国和印度等主要市场出口均保持较快增长，贸易伙伴明显增加。到2007年底，与石家庄市有进出口实绩的贸易伙伴达164个国家和地区，其中亚洲38个，非洲53个，欧洲22个，拉丁美洲36个，北美洲3个，大洋洲12个。全市对前五大出口市场欧盟、美国、东盟、韩国、日本出口继续保持稳定增长，出口额分别为102346万美元、71686万美元、32152万美元、27846万美元和21598万美元，增幅依次为26.24%、15.37%、33.25%、32.64%、15.26%。

【“走出去”步伐明显加快】 2007年全市申办境外投资企业13家，总投资额1459万美元。截止年底，全市境外投资企业发展到68家，总投资额8827万美元，中方投资额6377万美元，分布于世界30多个国家和地区。通过组织全市外经企业与国内先进地区开展外派劳务对接活动，使石家庄市与京、津、沪以及江浙、湖南、湖北等地的对外劳务合作渠道进一步拓宽，对外承包工程及劳务合同额完成1302万美元，外派各类劳务人员累计1226人。与此同时，先后组织开展了“石家庄—澳大利亚企业洽谈会”、“河北省—尼泊尔、老挝投资说明会”、“东盟博览会”、“石家庄（杭州）投资合作洽谈会”等专项经贸合作活动，取得较好成效。

（陈佩君）

供销合作商业

【概况】 2007年，石家庄市供销合作系统认真学习党的十七大和省市有关会议精神，全面贯彻落实科学发展观，按照“完善两个体系，发挥两个职能，搞好两个服务”的总体工作思路。大力实施“三进三建”工程，突出“三大主题”，打好“三个战役”，抓经营、增实力、求效益、促发展，各项工作取得了明显的成绩。全系统商品总购进完成48.72亿元，同比增长4.36%；商品总销售完成52.82亿元，占计划的115.10%，同比增长4.36%；实现利润1999万元，占计划的146.34%，同比增长12.81%；农资销售额9.7亿元，占计划的154.96%，同比增长4.18%；完成碘盐购进3.99万吨，占计划的105%。

【服务“三农”功能显著增强】 围绕社会主义新农村建设这条主线，市供销总社在全系统实施了“三进三建”工程，大力推进农户进社、网络进村、农产品进市，建龙头、建平台、建市场，全面提升了供销社服务“三农”功能。按照高层次、全方位、区域化的要求，大力推广村党支部、村委会、专业合作社（专业协会）“三位一体”的组织模式，积极兴办专业合作社（协会），广泛吸收农民入社，在助农增收、维护农村稳定等方面发挥了重要作用。全系统共领办各类农民合作经济组织达到266个，吸收农民会员4.62万人，带动农户16.4万户，助农增收5亿元。灵寿烟叶协会、赞皇三六沟板栗专业社、无极万鸿塬蔬菜专业社、鹿泉野猪专业社等新型农民合作经济组织发挥了示范带动作用；实施超市下乡、网络进村站略，全系统建配送中心50个，建设农家店1794个，村级农资综合服务站2989个，碘盐连锁销售点5020个，烟花爆竹连锁经营网点2029个，农资、日用工业品、农副产品、食盐、烟花爆竹、再生资源六大经营服务网络覆盖全市80%以上的行政村。通过网络每年为农民提供各类优质商品12亿元。旧貌换新颜的农村便利店，方便了农民生活。同时，起到了平抑价格，稳定价格，净化市场的作用。城区供销社推动网络“进部队、进社区、进学校”，发展46家“红满楼”超市，取得了良好的社会经济效益；共组建龙头企业21个，兴办农产品交易市场28个，建设农副产品收购网点679个，培育25个农产品生产基地。构建起了上联龙头企业和市场、下接基地与农户的农产品市场购销网络体系，年帮助农民推销农副产品11亿元。组建各类行业协会83家，吸收会员1.65万个，带动农户16.4万户；试办农业种养殖保险业务，为农民减少损失36万元。通过培训，301人通过培训取得国家职业资格认证证书，进一步提高了农民综合素质。“三位一体”农民合作经济组织模式、再生资源回收利用体系建设、村级农资综合服务站建设等做法得到了全国总社领导的重视，并在全国推广。

【不断激发内部发展潜力】 全市以县级社综合改革为主线，重点改造基层社，不断优化社有资本投资结构，增强供销社科学发展能力，积极推进县级社综合改革，“两个体系、一个中心”的体制框架基本形成。以市、县“农合联”为依托，发展乡镇分会（办事处）100个，共吸纳团体会员893家，个人会员3105多名，各级“农合联”针对会员和农民群众需要，广泛开展了信息、技术、培训等系列化服务。2007年，共投资1630万元，建设建成集文化娱乐、体育健身、农机家电维修、餐饮洗浴、幼儿教育等为一体的农村社区综合服务中心100家；重组改造基层社86家，基层社的经济实力和服务功能得到恢复，正定城关供销社跃居全国百强供销社第三名；社属企业改革稳步推进。全系统 200 多家社属企业完成产权制度改革，改造面达 70%。培育、发展了一批供销社支柱企业和农业产业化龙头企业，放开搞活了一批社有小企业，一大批企业焕发了新的生机和活力。

【大力推进重大项目建设】 2007 年，各地供销社把项目建设作为兴社和强社之举，创新思路，充分利用供销社现有资源，大力招商引资，争取项目开发，不断培育新的经济增长点，增强供销社的发展后劲。全系统共谋划和建设项目 31 个，总投资 2.4 亿元。成立了石家庄新合作文化艺术传播有限公司、元氏绿杰食品加工厂、藁城神喻王果菜科技开发有限公司等一批经济效益增长点。石家庄北方农产品中心批发市场已完成可行性研究并签订合作协议，上报省发改委审批立项。石家庄新基业物流中心大厦开工建设，完成投资 2600 万元；投资 70 万元的供销合作信息网开通运行；再生资源回收利用体系建设“双试点”工作全面启动。全年全系统共建各类交易市场 35 个，建设绿色回收站（亭）2200 个，流动回收车 1700 辆，绿色回收网络覆盖全市各区。

【党建工作成效显著】 深入贯彻党的十七大精神，全面落实科学发展观，促进“三个文明”协调发展。党的建设得到加强，各级党组织的凝聚力和战斗力进一步提高。通过大力开展“四好”班子创建活动，树立了以实绩论英雄，凭贡献排座次的正确用人导向，营造了风清气正、心平气顺的发展氛围。落实“精、细、实”要求，严格执行日报告、周例会、月交流制度，机关工作效能进一步提高。坚持不懈的抓好党风廉政建设，大力推进“五五”普法和依法治理，开展“为民、务实、清廉”主题教育活动。共查处违纪案件 3 起，为企业挽回经济损失 21 万元。关心员工生活，进一步建立和完善职工工资发放和“三金”上缴月报制度。发布公开栏 194 期（次），走访困难职工 209 人次，发放救助金 5.76 万元，发动干部职工与 52 名特困职工结上扶贫对子。重视安全生产和信访稳定工作，搞好社会治安综合治理，共处理上访案件 150 余人次，落实军转干部“三费”补助和企业退休军转干部加发养老金补贴共计 65.4 万元。加强各级工会组织建设，落实好“两个维护”，稳定了职工队伍。充分发挥各级团组织在经济建设中的生力军作用。市供销社获得河北省文明单位、思想政治工作先进单位、石家庄市文明单位、双争共建先进单位、社会治安综合治理和安全生产先进单位等荣誉称号。

石家庄市供销合作总社
党委书记、理事会主任：赵顺法
党委副书记、监事会主任：郭同锁
党委副书记、纪委书记：李银杰
理事会副主任：周　立　谢建中
史喜庆　刘占海
刘春秋　李玉民
（王彦生　贡丽凯）

服务业

【概况】 2007 年，石家庄市实现服务业增加值 920.5 亿元，同比增长 13.0%，对经济增长的贡献率为 37.8%。其中金融业、信息传输服务业、文化体育娱乐业、教育等行业分别增长 14.7%、27.2%、28.0%、20.9%，其发展速度高于服务业平均水平，是带动服务业发展的主要力量。全年石家庄市市通过努力搭建政策平台，加大招商引资力度，积极推动服务业利用外资进程，坚持以项目建设推动服务业投资增长，重点推进物流、商贸、旅游等多个项目进展。服务业投资项目快速推进，提高了服务业投资的比重。2007 年城镇固定资产投资完成 1263.78 亿元，同比增长 26.70%。其中服务业完成固定资产投资总额 646.66 亿元，同比增长 21.36%。占全社会固定资产投资的比重达 51%，为三产之首。其中，房地产开发完成投资 197.14 亿元，同比增长 49.95%。为服务业持续稳定发展增添了后劲和活力。

【个体经营户规模稳步增长】 2007年，全市个体户呈现出个体户集群不断壮大、行业分布相对集中，个体私营商业（从事批发、零售、住宿和餐饮业的个体户和私营企业，下同）总数为26.74万户，同比增加5.7万户，增长27%；共有从业人员616424人，实现营业收入339.0亿元，同比增长27.7%，缴纳税费21.6亿元，同比增长27.2%，雇员报酬达到24.9亿元，同比增长32.1%。其中交通运输、仓储和邮政业216527户，占总户数的80.9%，实现营业收入268.5亿元，占总收入的79.2%，是服务业个体户的强力支撑；居民服务和其他服务业33751户，占总户数的12.6%，营业收入48.6亿元，占总收入的14.3%；卫生、社会保障和社会福利业9367户，占总户数的3.5%，营业收入11.4亿元，占总收入的3.4%。

【吸纳劳动力能力明显增强】 2007年全市服务业从业人员数98.6万人，比上年末增长9.6%，在8485个法人单位（不包括批发零售、住宿餐饮、房地产开发及公共管理和社会组织业）中期末从业人员为369858人，从业人员最多的教育行业为129255人，占34.9%，其次是交通运输、仓储和邮政业以及卫生、社会保障和社会福利业，从业人员分别为46850人和43023人，所占比例分别为12.7%和11.6%。2007年，石家庄市个体户从业人员为616424人，其中交通运输、仓储和邮政业为423063人，以68.6%的比重，在服务业从业人员中占绝对优势。服务业平均每年吸纳的就业人员远远超过一、二产业，成为吸纳就业人员的主要渠道。

【新兴服务业发展稳定】 2007年，石家庄市信息传输、计算机服务和软件业以及科学研究、技术服务和地质勘查业集知识密集、技术密集和现代经营理念于一身，在完善服务网络，创新服务品种和服务方式上下功夫，不断提高服务水平，运行质量和效益快速提高，显示出良好的效益提升型增长形态。信息传输、计算机服务和软件业实现主营业务收入64.1亿元，同比增长14.5%，实现主营业务税金及附加为1.8亿元，同比增长12.4%，实现营业利润17.1亿元，同比增长10.9%；科学研究、技术服务和地质勘查业实现主营业务收入28.7亿元，同比增长23.0%，实现营业利润1.9亿元，同比增长8.5%，利润总额1.3亿元，同比增长16.0%。

（潘　峰　陈佩君
左　力　李志英）

粮油购销

【概况】 2007年，石家庄市粮食局充分发挥粮食行政主管部门在确保粮食市场安全，粮食流通顺畅等方面的作用。积极转变职能，不断完善粮食宏观调控手段，加强粮食市场监测预警，全面贯彻《行政许可法》，加强粮食收购资格审批工作，共为518家符合粮食收购条件的各类所有制企业颁发了《粮食收购许可证》，粮食收购主体多元化格局已基本形成。认真抓好粮食收购工作，切实保护种粮农民利益。积极引导粮食经营企业开展粮食收购，努力发挥粮食企业在粮食流通中的主渠道作用，切实保护农民利益。认真贯彻国家发展改革委等六部门印发的《2007年小麦最低收购价执行预案》，配合中央储备粮新乐、石家庄、辛集3个直属库，推荐、确定石家庄市小麦收购、储存库点99个，并适时启动了粮食收购预案。全市共完成粮食收购255.9万吨。其中小麦98.4万吨，玉米157万吨。按照粮食流通管理条例规定积极开展执法实践，确保了粮食流通顺畅；2007年国有粮食企业改革又有新进展，购销企业改革已基本完成。经过调整，购销企业由321家缩减为135家，减少57%，超额完成了省政府缩减50%左右的目标。附营企业改制已进入尾声。附营企业原有221家，已有189家顺利退出国有序列。全年全系统未发生任何安全责任事故，被省粮食局和市政府授予先进单位和优秀单位称号。

【宏观调控能力得到加强和改善】 一是加强和完善市级储备粮体系建设，确保粮食安全。根据全市实际调整市级储备粮品种结构，新增成品粮储备4000吨。加强储备粮管理。确保了数量真实，品质可靠，在应急时可保证调得动、用得上。二是制订《石家庄市粮食应急预案》，维护正常社会供应秩序和社会稳定。为加强可操作性制定《石家庄市粮食供应应急预案》，在全市范围内选择确定了应急加工企业6个，粮食应急供应网点60个，应急储运网点10个。三是根据《石家庄市粮食应急预案》提出的“要建立完善的粮食市场监测预警系统，在全市范围内建立了粮食市场价格监测体系，共配备价格监测工作人员105名，设立价格监测点83个，可为政府及时掌握粮油价格波动情况和市场供需状况提供及时可靠的信息。

【转变粮食产业发展方式】 一是订单收购开始起步，带动种植结构发生新的变化。坚持以市场为导向，采取“公司＋农户”、“协会＋基地”等形式，积极发展粮食订单业务，订单收购粮食7.5万吨，对优化种植结构，促进农业增产，增加农民收入起到了重要作用。二是培育龙头企业，粮食产业化项目建设有了新进展。通过招商引资，整合资源，改组改制等形式，精心谋划和发展了一批粮食产业化龙头项目，筛选重点联系和支持的粮食产业化龙头企业18家，这些企业年销售收入均在6000万元以上，利税200万元以上。三是新的粮食购销网络正在形成，粮食购销服务范围有了新拓展。在库站整合的基础上，结合开展“粮油进农村”活动，积极向农村延伸经营网络，建立购销网点。四是积极推行集团化经营工作。辛集、深泽、元氏3个县（市）成立6个集团化公司，在经营中发挥了积极作用。五是积极探索“绿色标识”农产品种植项目。在行唐县确定了5000亩小麦作为绿色种植试验地块，偿试不用农药、以施农家肥为主的种植模式。六是“农村粮食丰产科技工程示范”项目开始起步。根据农户储粮损失大、浪费严重的现状，选定正定县蟠桃村为试点，投资4万元，制作农户科学储粮装具100套，免费发放到农民手中，并定期进行储粮技术指导。七是加强企业的规范化管理。为规范化管理好改革后的粮食购销企业，在全市选定8家企业开展了以“制度健全、职责明确、品质优化、管理科学、环境绿化、效益良好”为标准的企业规范化管理试点工作。经市粮食局检查验收全部达标，其中2家企业还通过了省粮食局的验收，2007年全市国有粮食购销企业实现利润325万元，同比增盈108万元，连续两年实现了省政府“购销企业统算不亏损”的目标。

【粮食监督检查工作进展顺利】 一是狠抓内设机构建设。经编制部门批准，全市18个县（市）和矿区区全部成立了专门粮食监督检查机构，超额完成了省粮食局下达的任务。二是加强人员培训。全市已有123人通过了省市相关部门组织的培训考试，领取了《粮食监督检查证》。三是对社会粮食经营者进行调查建档，共调查各类粮食企业1077个，其中国有独资、国有控股131个，私营企业和个体工商户843个，其它企业或组织103个。四是围绕小麦托市收购，按照小麦最低收购价执行预案的要求和粮食监督检查的有关规定，深入各托市收购点，对小麦的质量、数量、结算环节的政策执行情况进行了认真检查，维护了收购秩序和农民的利益，确保了小麦托市收购工作顺利进行。六是围绕社会粮食流通统计制度执行情况开展了专项执法检查。

（单丽娟）

物资经销

【概况】 2007年，石家庄市物资系统全年实现市场交易额19.74亿元，同比上年增幅12.9%；主营业务收入6823.07万元，比年计划6488.52万元增长334.55万元，增幅5.16%；利润减亏70.94万元，减幅6.45%。

【改制破产工作取得实质性进展】

为加快企业改制破产工作进程，市物产集团公司协调处理了部分改制破产企业的重大遗留问题，及时上报改制破产工作的相关文件，将716名符合“4050”及内退人员标准的职工顺利移交到了集团公司管理中心，完成了改制破产企业档案的交接和处置等大量基础性工作，切实保证了企业改革改制的稳步推进。通过一年的努力，全面启动5家未改制破产的企业进入程序，其中市燃料总公司年初进入主辅分离辅业改制程序，现已进入收尾和新公司筹建阶段；市物通化轻主辅分离辅业改制也于10月得到市国资委的批复，截至年底资产评估和职工安置费用的测算正在进行中；市二机电、市建材依法破产请示已上报市国资委，正待审批；市机动车交易中心的破产方案将于近期上报市国资委。13家已进入破产程序的企业中，又有市金属回收等4家企业终结破产程序，至此共有8家破产企业完成终结程序；其余5家破产未终结的企业中，市二燃料等3家企业的破产工作已进入尾声，待终结裁定；另外2家中，市生资正在进行资产处置和安置职工，市化轻已完成资产处置，正在进行安置职工和新公司组建工作；4家改制企业均已完成国有产权注销手续，新的有限公司运作平稳有序。

【初步启动项目调研】 随着物产集团所属企业改制破产工作的即将结束，集团公司下一步如何发展的问题摆在了面前。集团公司班子成员认真分析研究了当前国内外经济发展形势，并展开了深入细致的市场调研，决定以2006年底“中非论坛北京峰会”上中国政府向非洲国家推出的八项优惠政策为契机，确定了“两步并做一步走”的发展思路，即：摒弃“具备成熟的国内经营项目后，再发展国际贸易”的传统思维和经营模式，采取直接走出国门，到国外谋求发展的跨越式发展思路。到非洲开展对外贸易项目考察已迈出了探索性的步伐。同时还分别到北京、宁波等地对改扩建危化品储、销、运一体化的物流中心项目，与天津大无缝钢管厂合作建立废旧钢材回收基地等国内新项目进行了实地考察。通过考察在国内初步考虑以废旧轮胎回收再利用的环保项目为重点，同时密切关注甲醇燃料电池项目的发展目标。

【彻底解决历史遗留问题】 国宾大酒店的权属问题一直是备受市委、市政府和全市各界关注的社会焦点问题。集团公司成立后高度重视此项工作，在市委、市政府的支持下，通过艰苦努力使这一遗留多年的权属问题得到了较为圆满的解决，为集团公司的生存发展奠定了坚实基础。另外，按照市政府要求，集团公司积极筹措资金2325万元，分别回购了涉及23家企业、本息合计4.9亿元的信达和华融两家资产管理公司的债权商务包。已按照债权类型和清收的有效性进行了详细分类，对所涉及的23家企业分别送达了债权转让通知书。

【规范企业财务制度】 规范的现代企业制度和严格的财务纪律是企业生存发展的重要保证和根基，是生产经营活动中经常性基础性工作，它们对企业的健康持续发展起着关键作用。2007年，集团公司在全力加强和完善制度建设的基础上，对全系统已改制和未改制的12家企业进行了为期一个月的现代企业制度和财务纪律执行情况检查。检查组通过认真查阅档案、会议纪录，核实有关账目和原始凭证，采取与有关人员谈话、询问情况等方式，对各企业现代企业制度落实情况、财务纪律执行情况进行了全面检查，对检查中发现的问题和不足，分别与各企业充分交换了意见，并要求相关企业限期整改。各相关企业根据检查组提出的意见及建议，逐条制定了改进措施积极整改。通过检查，加快了各企业现代企业制度的建设步伐，促进了企业财务工作向规范化、科学化方向发展。

【扎实推进党建工作】 2007年，集团公司党委针对当前企业实际，在大力抓好组织工作、宣传工作、党员管理、领导班子建设等基础性工作的同时，着重加强党风廉政建设。集团公司和所属企业领导班子成员先后签订了《国企领导人员职业操守公开承诺书》，并利用公开栏、内部刊物、板报等方式公开承诺内容，并将原材料采购、技改投资、重要工程项目招投标等重大决策事项以及业务招待费的使用审批、干部任免等情况及时公开，主动接受职工监督。集团领导班子8位成员和所属企业251名中层以上领导还填写了《利用职务上的便利谋取不正当利益自查报告表》。2007年，市国资委纪委和集团公司纪委联合调查并妥善处理了一起所属企业领导班子违纪问题，主要违纪人得到了惩处，国家财产得以追缴，案件所涉及的其它问题也正在进一步调查核实。集团公司围绕企业改革改制与稳定发展这一中心，真正秉承以人为本理念，想方设法为职工做实事、办好事。全年对所属企业三十年以上5890平方米的老旧住房屋顶进行了修缮维护、检修了电路、上下水管道等设施；全系统在春节和“十一”两次走访慰问困难职工423人次，送去慰问金或慰问品价值10.36万元。十一前夕拨出12000余元专款，对40名特困职工进行了救助。“七一”前全系统走访慰问离休干部135名，送去慰问品及慰问金共计20050元；为1名劳模办理了劳动津贴，6名特困单亲女职工发放3000元的免费就医卡，5名符合条件的特困职工申请住房装修，1名特困职工子女申请到3000元金秋助学基金，还为40名困难职工重新办理或年审了特困证；所属企业还根据集团公司党委的建议，普遍上调了职工工资，增长幅度均在10%以上。同时集团公司针对所属企业改制、破产工作中的历史遗留问题，经常性开展信访隐患集中排查工作，特别是9月15日至11月15日全市维护稳定专项整治活动期间，及时处置了废旧汽车有限责任公司债权拍卖、慈航集团非正常参股物华金属材料有限公司等突发事件，确保了企业和社会的稳定。

石家庄物产集团有限公司
董事长、党委书记、总经理：
马保全
副董事长：隋　戈
党委副书记、纪检书记、工会主席：
高国辉
副总经理：吕春辉　李利身
田京力　王山珍
胡文正

（李　敏）

成品油供应

【概况】 2007年，中国石油化工股份有限公司石家庄分公司在河北石油分公司和石家庄市政府的正确领导下，全体员工紧紧围绕经营和管理两个主题，积极完善网络建设，优化经营结构，改善经营服务，认真履行国有企业的政治责任、社会责任和经济责任，企业各项工作取得明显成效，在地市公司绩效综合考评中连续三年位列全省第一。全年累计实现销售总量100.58万吨。实现销售收入49.40亿元。实现报表利润1.49亿元，完成年计划的160%。

【零售量创出历史新高】 在营销工作中，石家庄分公司面对复杂多变的市场形势，坚持勤调度，多分析，资源宽松时稳价推价，积极促销上量，拓展市场，资源紧张时停批发、限直销，全力以赴确保零售市场。多措并举，零售量创出历史新高。全年累计完成轻油零售83.45万吨，完成年计划的101.02%，同比增加5.78万吨，增幅7%。坚持市场调研和分析，提高对市场准确把握力度。上半年组织开展“寻根”活动、加油站商圈调查、走访用户等系列活动，共走访用户1631个。通过走访，掌握了大量用户信息，了解用户需求，并且开发新用户11个。以加油卡为营销利剑，锁定客户。进一步完善发卡网点和加油站IC卡服务功能，实施个性化服务。大力推行“替客户理财，帮客户算账”，为客户量身定制持卡加油方案，代办充值业务，提供加油卡对帐业务等，使加油卡经营总体水平得以提高的同时，真正成了与系统外成品油营销商竞争的有利武器，有效的锁定客户。全年发卡量7.74万张，IC卡充值额9.62亿元，同比增长101%；持卡加油量实现14.9万吨，完成省公司下达任务的117%，同比增长70%。加大宣传力度，高标号汽油销售创出新高。高标号汽油全年销售17.48万吨，同比增加2.87万吨，增幅20%。注重从片区经理、站长到员工引导消费者从观念上接受高标号汽油消费，在宣传高标号油品质量的同时，从环保、节能降耗、延长车辆使用寿命等方面提高宣传质量。针对以汽油需求为主的政府和企事业单位，一方面定期回访老客户，增加服务项目，组织客户联谊活动，加深感情，稳定客户。

另一方面积极开发新客户，加强走访，利用中国石化品牌、服务、油品数质量和加油卡等优势，特别是借助加油卡替客户管理车辆、降低费用的功能，吸引政府机关和企事业单位来加油。

【高标准完成加油站形象改造工作】 2007年，中石化石家庄石油分公司共完成23座加油站的形象改造工作。在全省石化系统第一个开展精品站和样品站的施工，均得到销售公司领导的认可，改造后的加油站形象更加亮丽，功能趋于完善，销量持续放大。截至12月底，已有17座加油站投入运营。

【内部管理水平大幅度提升】 从细节入手，严把油品接卸关、储存保管关、设备维修损耗关和计量员轮岗关，"四关"控制减少库存出血点。总损耗量同比下降151万升，综合损溢率下降了2.4‰，损耗费用同比降低约770万元。强化安全责任落实，加大安全监督检查和隐患治理力度。按照"商品不少和质量不差"的总体要求，严格数质量业务流程监控，狠抓施工现场安全管理。全年安全数质量工作未发生上报事故。加强资金管理和费用监控。实行了资金专岗监控、银行专人监点、银行上门收款、部分加油站配备POS机等四重监管，堵塞资金管理漏洞，做到了资金无缝隙管理。

中国石油化工股份有限公司
河北石家庄石油分公司
经　　理：田凤林
党委书记：尹保民
副 经 理：崔永超　王旭东
王晓茹

（张路萍）

旅　游

【概况】 2007年是石家庄市旅游业持续快速发展的一年。全市旅游业以科学发展观为统领，紧紧围绕"中国和谐城乡游"主题，潜心打造旅游精品，深度发展乡村旅游，4月7日和9月16日举办的"2007魅力河北行暨省会和谐城乡游启动仪式"和"第六届省会金秋旅游观光采摘节启动仪式"，活跃了全市旅游市场。全力备战奥运旅游，5月选送35件旅游商品参加河北省迎奥运旅游商品展商品大赛，获金奖1个，铜奖2个，优秀奖2个。着力优化旅游发展环境，不断加大资源开发、市场促销和行业监管力度，全年完成投资8.7亿元，全面提升了全市旅游产业素质，旅游业继续保持了旺盛发展的良好势头。全市共接待国内旅游者1901.76万人次，创收103.91亿元人民币，同比分别增长8.48%和19.66%；接待入境旅游者10.32万人次，创汇3694.35万美元，同比分别增长15.11%和32.64%；实现旅游业总收入超过106亿元，同比增长24.71%。

沕沕水景区一角

【旅游重点项目建设进展顺利】 2007年，石家庄市共有旅游建设项目62个，完成投资8.7亿元。其中，投资1200万元的西柏坡影视厅扩建改造完工，于"五一"期间对外开放；投资1.2亿元可容纳600多人的"西柏坡培训中心"已建设完工并投入使用；平山白鹿温泉度假村建成并接待游客；赞皇棋盘山景区、天桂山银河洞景区、隆兴寺展馆等建成开放。全年共新建、改建、扩建景区步游路150多公里，整修停车场5万余平方米，新建、改建、扩建旅游厕所12个。完成新增旅游交通标示牌实地勘查、定向、路测和版面设计工作。同时，推进重点景区外文说明牌、标志牌的规范改造，加快完善无障碍设施，继续加强游客咨询服务中心和自助旅游救援体系建设。启动了驼梁—

五岳寨旅游资源整合，修订完成驼梁—五岳寨旅游资源整合规划。充分利用石洽会和宁波全国旅游项目招商会等机遇，加大重点项目的招商引资力度，投资3亿美元的拉美国际文化交流中心项目、投资1.3亿美元的西部山前太行生态庄园项目等近10个项目顺利签约，增添了旅游项目发展后劲。

【加强与外地旅游业的交流与合作】 2007年，石家庄市旅游局加强了旅游业间的交流与合作。1月组织石家庄冬季旅游大篷车赴山西阳泉进行促销交流，进一步开拓了冬季旅游市场。4、5两月组织全市知名旅行社赴天津、北京密云、昌平、秦皇岛乐岛、山西阳泉考察，进行业界交流。4～8月分别赴唐山、廊坊、承德、邢台等地参加了城市广场巡展。4月下旬组织参加了2007中国国内旅游交易会（苏州）。6月组织参加了韩国（首尔）国际旅游展、首届太行山旅游文化节（邢台）、北京国际旅游博览会。7月中旬组织50家旅行社、省会主流媒体参加了晋冀精品连线游活动—“红色西柏坡·忠义藏山·佛教圣地五台山·太行风情连线游”活动。8月组织参加了2007中国北方旅游交易会。11月组织参加了中国济南国际旅游交易会及中国国际旅游交易会（昆明）。通过参加这些展会，全面展示了石家庄市“红、绿、古、新”四大系列旅游产品。

【加大旅游宣传力度】 石家庄市旅游局积极引导、组织媒体对全市各种旅游活动进行宣传。河北人民广播电台《游乐直通车》栏目对“2007和谐城乡游启动仪式”进行了现场直播。成功开展暑期媒体联合大促销活动，掀起暑期旅游高潮。进入冬季，在《河北经济日报》连续整版报道了石家庄市冬季旅游产品，突出冰雪、温泉和古文化旅游。积极邀请接待文化界、新闻界、摄影界专家到旅游景点现场采风，先后接待了中国作家协会主席铁凝带领的全国知名作家、摄影家太行采风活动，“千家媒体聚焦河北”记者团和人民日报、光明日报、中央电视台、中央人民广播电台等20余家首都主流媒体采访团，国家红办带队的12家中央媒体到西柏坡“红色旅游采风”活动。与香港凤凰卫视《纵横中国—石家庄篇》摄制组合作拍摄了石家庄专题节目。

沕沕水发电机房旧址

【圆满完成黄金周产品组织和市场监管工作】 春节、“五一”和“十一”黄金周期间，市旅游局围绕“2007中国和谐城乡游”主题，精心策划，规范市场，通过与各县（市）区旅游局、旅游区（点）、旅游星级饭店、旅行社签订了旅游安全目标责任书。对全市旅游区（点）、旅游饭店进行旅游安全大检查，营造放心旅游环境，全年未发生重大旅游安全责任事故。与外地质监部门协作检查、协查和配合36起，全年质量跟踪检查专列15个，监督包机250多架次。并推出了丰富多彩的节庆活动，三个黄金周全市共接待中外旅游者264.3万人次，同比增长2.24%，旅游业总收入11.68亿元，同比增长9.16%，全面实现了“安全、秩序、质量、效益”四统一的目标，创造了较好的社会效益和经济效益。

【大力推进行业标准化建设】 为了进一步规范旅游市场，市旅游局对全市29家星级饭店进行了年度复核，对4家星级饭店进行了重新评定。对拟上星级的晋州嘉诚商务酒店、矿区北海假日酒店、恒丰大酒店、国宾大酒店、平山县世外桃源酒店等进行了现场检查指导。完成全市旅行社2006年度业务年检工作，173家旅行社通过年检，6家旅行社步入河北省10强国际社，1家旅行社步入河北省10强国内社行列。新审批成立旅行社16家。圆满完成2006年度导游员年审工作，为全市3000余名导游员进行了IC卡年检刷卡。为2006年度新考取资格证的1000

余名导游员颁发了导游资格证书并办理了导游证 IC 卡。继续在全市旅游景区推行并落实国家《旅游景区质量等级评定与划分标准》。

水景区顺利通过省旅游局的验收，跨入了 AAA 级景区行列。平山县通过河北省旅游强县评定领导小组检查验收，进入河北省首批中国旅游强县行列。

【推进旅游行业诚信体系建设】 2007 年，石家庄市参加导游考试的考生达到 4112 人，占全省近 1/3，在考试人数多、要求高、工作量大的情况下，通过精心组织安排，顺利完成了考务工作。为迎接“2008 北京奥运”的到来，全面提升旅行社业服务品质，3 月初举办了第二届燕赵旅游论坛，来自省内外近 20 个地市的旅游局、旅游院校、旅行社的 200 余名代表参加了本次论坛。10 月下旬举办 2007 年度石家庄市导游员技能大赛，并选拔优秀选手参加了河北省导游员技能大赛，取得了优异成绩。对全市 191 家旅行社进行了诚信体系建设综合检查，评选出 31 家得分在 90 分以上的旅行社作为 2006 年度诚信旅行社，5 月份进行了全行业通报表扬。11 月下旬，启动 2007 年度诚信旅行社评定工作，继续推动诚信旅游建设工作。参加了省旅游局组织的河北省诚信旅游景区创建活动，西柏坡、抱犊寨等十三家景区进入河北省诚信旅游景区行列。

【规范旅游市场秩序】 继续贯彻落实《河北省旅游条例》，进一步完善旅游行政执法依据和执法岗位责任制，加强旅游行风建设，采取联合执法、明察暗访等多种形式，对无证经营、超范围经营、承包挂靠的旅行社以及“黑导”“黑店”“黑车”等进行重点查处，并对重大违规经营公示曝光。全年查处并在全行业通报的外地违规办事处 68 家，查禁黑办事处 16 个，黑门市部 11 个，黑旅行社 8 家，使用假导游证者 24 名，导游违规 IC 卡被扣分 6 人，净化了旅游市场秩序。进一步完善投诉受理和处理机制，有效维护旅游消费者合法权益。全年共收到各类咨询投诉 513 起，其中受理结案 3 起，其余均已协调解决。

（邹　伟）

综合经济管理

综合经济管理

计　划

【概况】 2007年，全市上下按照市第八次党代会精神，以积极的有作为的态度落实国家宏观调控政策，努力把各项工作往深里做、往实里做，国民经济继续保持了良好的发展态势。(1)经济总量快速增加。全年实现地区生产总值2361亿元，增长13.2%。全社会固定资产投资完成1390亿元，增长26.82%，其中城镇固定资产投资完成1264亿元，增长26.66%。粮食总产量实现494.5万吨，增长1.92%，粮食生产连续四年丰收。规模以上工业增加值达到909.3亿元，增长20%。社会消费品零售总额达到821.1亿元,增长17.5%。(2)经济效益不断提高。全市财政收入完成230.3亿元，增长21%，其中地方一般预算收入完成95.9亿元，增长23.9%。规模以上工业实现利税352.7亿元，增长38.13%。(3)改革开放扎实推进。石药集团与联想集团成功合作。"四个中心"挂牌运行。全市实际利用外资完成5.02亿美元，引进市外资金完成180亿元。外贸进出口总值完成51.3亿美元。(4)民生指标表现良好。城镇居民人均可支配收入13205元，增长14.87%，农民人均纯收入4954元，增长11.18%。居民消费价格指数为104.6%。城镇新增就业8万人，城镇登记失业率为4%。(5)经济社会和谐发展。八个约束性指标完成情况较好，万元生产总值能耗降低率达到4.5%，万元工业增加值取水量为64立方米，基本农田保有量保持在780万亩，主要污染物排放总量减少5%，森林覆盖率达到25.4%，城镇基本养老保险覆盖人数达到76.8万人，新型农村合作医疗覆盖率为100%，人口总量为955.05万人。市区二级以上天数达到289天，超出上年2天。全年经济社会发展亮点，主要表现为5个"首次"：一是节能降耗工作取得重大突破，万元生产总值能耗、万元工业增加值电耗首次实现双下降。二是投资结构明显改善，城镇固定资产投资首次突破1000亿元，其中第三产业投资额达到540亿元,首次超过第二产业。三是农村中小学教育取得新进展，九年义务教育阶段首次实现全免费。四是医疗保障机制进一步健全，在全面实施新型农村合作医疗的同时，启动实施城镇居民医疗保险，全市医疗保障体系首次实现全覆盖。五是成功举办首届中国生物产业大会，这是国家首次面向生物产业领域举办的高层次、大规模、极具权威性与专业性的综合性展会。

【坚持谋全局抓大事　促进经济社会又好又快发展】 一是密切跟踪形势，及时提出对策建议。近年来，为确保国民经济持续健康发展，避免出现大起大落，国家不断加强和改善宏观调控。9次大力度地调整了钢铁、水泥、电解铝、工业用粮、能源、房地产等十一个行业的产业政策,大幅提高了市场准入"门槛"。调整了200余种产品的出口退税率，13次上调法定存款准备金率，7次上调存贷款基准利率。实施主体功能区发展，实行最严格的土地保护制度,收紧信贷、土地两个"闸门"，强化节能减排，缓解煤电油运紧张，高度关注民生，切实加强薄弱环节等。尤其是针对经济运行中出现的投资增长过快、信贷投放过多、外贸顺差过大等"三过"问题，强调重点做好防止经济增长由偏快转为过热、防止价格由结构性上涨变为明显通货膨胀的"双防"工作。针对新形势、新变化，常务副市长朱浩文指示要密切追踪,认真分析，充分发挥好"三总部"的职能。并多次到国家、省发展改革委了解政策动向，赴基层单位调研掌握第一手资料，及时提出对策措施。坚持月分析、季报告，先后9次向市委、市人大、市政府汇报经济运行态势和落实宏观调控的政策建议，为领导决策提供重要依据，在宏观调控中没有出现最担心的由下滑“拐点”形成的大起大落和“硬着陆”造成的各方面失衡，及时“熨平”了投资“波峰”，全市经济社会发展基本面持续向好。二是着眼长远发展，编制和实施各项规划。按照市委书记吴显国提出的“城市和产业布局调整期、基础设施建设攻坚期、生态环境恢复期”的科学判断和“一体两翼”发展战略，反复调查研究、摸索规律，不断理清发展思路，起草了《建设繁荣文明和谐新石家庄指导纲要》、《石家庄市“一体两翼”发展规划》，编制完成了《石家庄市服务业“十一五”发展规划》、《石家庄市“十一五”循环经济规划》、《石家庄市“十一五”资源综合利用规划》、《石家庄市“十一五”节能规划》、《石家庄市“十一五”节水型社会规划》、《石家庄市“十一五”市场发展规划》、《石家庄市“十一五”综合交通运输体系发展规划》等，指导全市国民经济和社会事业又好又快发展。三是发挥政策的导向作用，力促主导产业健康发展。研究制定了《石家庄市服务业结构调整实施意见》、《高新技术产业发展手册》、《加快城区工业企业搬迁改造和产业升级的意见》、《加快石家庄市装备制造基地发展的意见》、《中小企业成长工程意见》、《中国首届生物产业大会招商招展政策》。出台了《石家庄市推进节能降耗工作实施方案》、《石家庄市“十一五”期间淘汰部分行业落后生产能力的实施意见》、《石家庄市水泥行业淘汰落后产能实施方案》。编印了《2007年产业政策蓝皮书》。四是完善工作制度，抓好经济运行调节。完善经济运行联席会议制度和经济信息直报制度。出台了《关于石家庄市工业“5+3”企业上台阶实施意见》，每季度召开市领导和市直部门与“5+3”企业恳谈会，及时解决企业重点难点问题，“5+3”企业销售收入超10亿元的达到22家，利税超1亿元的达到30家。制定了《石家庄市燃气市场整合工作计划》。印发了《关于建立日报告、周例会、月交流等六项制度的通知》，坚持日报告、周例会、月交流、季通报，定期向市委、市人大、市政府汇报经济运行和各项工作完成情况。

【全力抓好五大基地和重点项目建设】 按照每个基地都要有符合基地特色的科学规划、有战略支撑项目和战略合作者、有科技创新平台、有市场化运作投资主体的“四有”要求，实行了市领导分包、相关部门负责的“五大基地”建设责任制。“五大基地”建设进展顺利。国家生物产业基地累计投资120亿元，完成石药环糊精、华日二期等13个生物产业项目。宝成乳业、柏奇药业等项目顺利投产。石药一期制剂国际化生产中心、研发中心等项目相继开工。华药免疫制剂项目完成土建。华药丁醇、石药恩必普二期项目完成备案。实现了与清华大学在生物产业领域的技术合作。与中科院微生物研究所签定了战略合作框架协议。循环化工示范基地累计投资24亿元，500万吨炼油、16万吨己内酰胺、20万吨硫酸等16个项目已竣工。制氨制氢及尿素、硝酸铵搬迁等9个项目开工建设。10万吨粗苯、5万吨生物柴油项目建设进展顺利。40万吨己内酰胺、30万吨环己酮、50万吨硫酸和60万吨合成氨多联产等项目已在进行前期工作。信息产业基地累计投资9亿元，硅外延材料产业化等7个项目全部投产，半导体照明产业化（LED）项目主体完工，二代卫星导航项目进展顺利。装备制造基地累计投资9.2亿元，金刚集团、泵业集团、河北电机等整体改造搬迁项目全部竣工。南郊热电开工建设，隆达金刚石无齿锯项目生产车间完成土建施工。纺织服装基地累计投资4.8亿元，常山股份改造搬迁项目正式开工。

重点项目建设方面。一是大力抓好交通、能源两大基础产业重点项目建设。石太铁路客运专线已全部具备铺轨条件，京石铁路客运专线已于12月26日批复可研，石郑铁路客运专线和铁路枢纽工程项目前期工作稳步进行。张石高速公路石家庄段主体基本完工。石环公路主路试通车。石家庄机场扩建工程候机楼主体完工。石家庄内陆港正式开港并完成三期工程可研批复。总投资1.9亿元的211个农村公路改造项目列入省投资计划，基本解决300个行政村行路难问题。张河湾抽水蓄能电站项目实现1#机组并网发电。晋州秸秆发电项目1#、2#机组完成调试，并网试运行。南郊热电一期、上安电厂三期项目建设进展顺利。良村热电、大唐微水发电厂、西郊热电已在进行前期准备工作。9个热网项目建成投用。二是突出抓好重点项目和重点产业支撑项目建设。78个在建重点项目全部完成年度计划，宏昌天马专用车、正定小商品批发市场等16个项目竣工，半导体照明、明旺乳业等15个项目开工建设。32个前期重点项目中，华药丁醇、石炼化生物柴油等13个项目完成批复。三鹿牛乳深加工项目、石炼化综合改造及配套、常山股份整体改造优化升级、华药迁建重组暨新工业园区建设等4个项目列入省重点产业支撑项目，总投资304亿元，争取建设用地10835亩。

【深化改革开放　活跃经济社会发展全局】 一是统筹协调经济体制改革。建立健全全市经济体制改革工作联席会议制度。制定了《石家庄市经济体制改革重点工作指导意见》、《“城中村”集体经济组织改制及集体资产处置的意见》、《经营困难自收自支事业单位改革意见》。石药集团8.7亿元国有产权全部转让联想集团。东方热电、北人集团等6家大型国企改制重组扎实推进。市民政局、畜牧水产局等所属经营性事业单位产权制度改革资产审计、评估工作已基本完成。扶持120家成长型民营企业加快发展，支持50家规模型民营企业做大做强。投资促进中心、市民服务中心、诚信管理中心、行政效能举报中心等“四个中心”揭牌运行。二是努力扩大对外开放。认真组织3·26香港、5·18廊坊、9·8厦门、10·28石家庄等投洽会和市委书记吴显国率团出访欧洲等活动，共签约项目64项，总投资11.6亿美元，协议利用外资7.9亿美元。四药集团香港上市融资7500万美元，中信泰富为石钢增资4000万美元。三是协调推进对内开放。制定《关于推进与中央直属大公司大集团合作工作安排意见》，鼓励石家庄市优势企业与央企合资合作，共签订合作项目23项，总投资826.1亿元。制定《关于推进与东南沿海发达省市企业合作工作安排意见》，加强与广州、浙江、江苏、上海等东南沿海发达省市合作，共签订合作项目42项，总投资191.6亿元，合同引资159亿元。12·6石家庄－珠三角（深圳）经贸洽谈会共签订合作项目26项，总投资48.2亿元。成功举办中国首届生物产业大会，共签订合作项目19项，总投资15.5亿元。

【加强薄弱环节　促进经济社会和谐发展】 一是狠抓节能降耗和污染减排。制定了《关于加强节能工作的意见》和《石家庄市推进节能降耗工作实施方案》。建立了GDP能耗公报制度，将节能目标分解到各县（市）区。将110家年耗能5000吨标准煤以上企业列为全市节能重点企业，其中34家企业列入省“双百”重点节能企业与国家、省签订节能目标责任状，76家与市政府签订责任状。关停、治理太行山区域粉尘污染企业113家，取缔重点流域水污染企业122家，拆除整治市区1吨以上燃煤锅炉（烟囱）102台（根），推广优质低硫煤530万吨。598辆公交车、5900辆出租车改烧天然气，分别占总数的30%、87%。二是推进社会主义新农村建设。全面实施新型农村合作医疗制度，全市共有540万人参加了新型农村合作医疗，参合率达到87.5%。发放农业补贴3.53亿元。落实种猪、生猪补贴7918万元。完成白草坪、红领巾水库以及10座小型水库的除险加固。建设饮水工程78处，解决了6.56万人的饮水问题。治理水土流失面积157平方公里。新增节水灌溉面积30万亩。完成人工造林16万亩。三是支持社会事业加快发展。争取国债资金3729万元，用于教育、卫生、文化等领域的项目建设。改造赞皇、灵寿、平山等3个国家扶贫工作重点县的18所农村初中校舍，支持了113所中小学远程教育工程建设。为9个县（市）的74个乡镇卫生院配备医疗设备。建设了2个县级残疾人服务中心和2个示范性乡镇综合文化站。

（裴　工）

统 计

【概况】 2007年，市统计部门紧紧围绕实现更好更快发展和建设和谐石家庄两大任务，圆满完成了全年的各项工作任务。统计宣传和《石家庄统计年鉴》两项工作在国家统计局获奖。在全省统计工作综合评比中，连续12年获得一等奖。在参评的63个专项工作中，共有35项名列前茅，榜上有名。还获得"石家庄市2007年度信息化建设先进集体"。民营经济统计工作受到市委、市政府的通报表彰。

【高质量通过国家统计巡查】 把加强基层规范化建设作为2007年的工作重点之一。充分利用国家统计巡查之际，一级抓一级，层层抓落实，认真开展了各级统计工作自查和抽查，对数据源头、数据生产过程、数据匹配、执行统计标准和制度方法等方面进行了反复认真的自查和检查，有力地促进了各级、特别是基层的统计规范化建设。9月下旬，市局和鹿泉市、正定县统计局及部门基层单位分别代表石家庄市接受了国家统计工作巡查，巡查组经过认真的抽查和检查，对石家庄市的统计工作给予了充分肯定。

【全面提高能源统计工作水平和质量】 2007年，全市能源统计工作得到了市委、市政府的大力支持，市统计局设立了能源处，规范了能源统计制度、建立了能源统计台帐，加强了能源统计监测，开展了对国家和省抽中的"双17家"重点能耗企业能源统计人员的培训，周密部署了对新增成品油调查工作。各县（市）区也安排了专人抓能源统计工作。全社会单位GDP能耗、工业增加值能耗及单位GDP电耗等考核指标得到了有效控制，节能降耗工作取得了明显成效，全市能源统计监测工作步入了良性发展轨道。

【围绕中心工作 提升统计服务水平】 一是按时完成市委部署的具体统计项目。二是找准统计工作的坐标，建立周边省会与省内重点城市经济指标月报制度，每个月及时将搜集掌握的这些城市的重点经济指标上报市委、市政府，并提出相关分析建议供领导参考决策。三是针对每月快报数据和季度、年度重点经济指标数据须经省统计局审核评估后方可使用而导致时效性差的问题，采取在报省统计局审核评估的同时，及时报市领导参考，等省统计局审核评估后再行修订的办法，比较圆满地解决了主要数据上报市领导时效性不强的问题。四是加强统计数据预警机制的建设，提请市政府建立了"石家庄市各县（市）区月度重点经济指标完成情况通报制度"，每月对全市24个县（市）区全部财政收入、城镇固定资产投资、工业利税等7项重点经济指标完成情况进行排队通报，对确保市县两级全年重点经济指标的完成起到了很大的促进作用。五是国家统计局石家庄调查队成立后，制定了《石家庄市统计系统市级经济形势分析例会制度》，加强了在经济形势分析上统计局和调查队合作的力度。对每月经济形势分析例会形成的全市综合经济形势分析材料和工业、投资等十多个方面的专业分析材料做到及时上报市委、市政府供领导参阅。六是围绕加快推进五大基地建设、工业"5+3"企业上台阶、新农村建设、能源监测、服务业发展等问题，深入基层进行调研，撰写了一批有价值的对比分析信息和调研材料，受到市委、市政府主要领导和主管领导的肯定批示。七是围绕优化全市人文环境和舆论环境，积极与市委宣传部和市新闻出版局协作，开展文化产业调查和新闻出版业调查。

【圆满完成市县乡联网工作】 县乡联网是2007年全省统计信息化建设的重点之一。在市县两级政府和财政的大力支持下，对全市的统计广域网进行了改造升级。组织专业技术人员协助各县（市）区统计局建立了各自局域网并与市统计局、乡镇统计站实现了联网。全市279个乡镇中，除了3个边远山区乡镇因电信宽带没有架设的原因外，其余276个乡镇都已联入统计信息网络，联网率达到98.9%。同时，利用网络完成了全市的IP电话建设。

【认真组织实施各种专项普查、调查活动】 年内完成了多项专项普查任务，一是顺利完成农业普查各项工作任务。二是高质量完成规模以上工业企业成本费用调查工作。三是圆满完成城镇化率的统计工作。四是认真组织实施限额以下批发零售、住宿餐饮业抽样调查试点工作。五是启动了2007年投入产出调查准备阶段的各项工作，落实了调查机构、人员、经费等内容。六是完成了第二次全国经济普查前期调查研究工作。

（杨德斌）

审　计

【概况】 2007年，市审计部门紧紧围绕党委政府中心工作，以科学发展观为统领，坚持“依法审计、服务大局、围绕中心、突出重点、求真务实”的方针，积极开展“效益审计推进年”和“审计质量提高年”活动，不断改进审计手段和方法，审计队伍建设得到进一步提高。全市共完成审计单位（项目）506个，查出违规资金11.70亿元，管理不规范资金31.50亿元，上缴财政3.37亿元，向有关部门移送违纪线索6起，是历年来移交案件最多的一年；提交各类审计报告和信息574篇，被上级机关采用批示375篇。在全省审计系统2007年开展的优秀审计项目评比中，4个项目均获得省厅通报表彰，获奖总数位居全省第一；再次荣获石家庄市精神文明先进单位，完成了省级文明单位复检工作；被市委、市政府评为双争共建先进单位、民主评议先进单位；被市委评为全市信息工作优胜单位、先进基层党组织；被市政府评为石家庄市“五五普法”先进集体，在市政府组织依法行政执法考评中获得二类单位第一名；在庆祝石家庄市解放60周年歌咏比赛中夺得第一名，荣获优秀组织奖并参加全市汇演；全局向西兆通镇的5所学校捐款16700元用于资助70名失学儿童。全年工作得到吴显国书记、冀纯堂市长、朱浩文常务副市长等领导的批示肯定。

【财政审计】 全市共完成77个财政预算执行审计单位和42个财政决算审计单位。查出违规金额9.42亿元，管理不规范金额5.36亿元。工作中坚持以财政税务审计为源头，以部门预算审计为基础，以项目预算和资金活动审计为主线，以延伸审计专项资金使用情况为重点，抓住收入、支出、投资、债务链条中的关键环节取得了新突破。在预算执行审计中，围绕政府中心工作确定了审计重点，特别是针对近几年政府债务规模增长快的状况，开展了对地方政府性债务的审计调查，提出了有价值的审计建议，得到了市领导和省厅安云昉厅长的肯定。市统计局局长杨英波代表市政府所作的预算执行审计报告得到了市人大、市政府主要领导的批示和人大常委会委员们的充分肯定，并在《石家庄日报》上全文刊载。整改监督力度进一步加大，全年督促整改资金3.75亿元，整改资金比例达到99%。年内市审计部门在市第十一届人大常委会第31次会议上所作的审计整改报告，获得了市人大常委会的好评。财政决算审计中，积极探索财政效益审计。市局选择了部分县区政府进行财政效益审计的试点，初步构建了财政效益审计基本框架，形成一套初具石家庄特点的财政效益审计模式，被全省推广。

【经济责任审计】 审计了全市118名领导干部，查出违规金额5340万元，管理不规范金额34036万元。市审计局完成了对12名市直部门、地方党政领导干部的审计。按照市委书记吴显国的要求，全局制定了三年经济责任审计规划。还总结出进点见面会、审计结果通报会、问题整改培训会的“三会”审计模式，通过进点见面会起到公示效果，通过审计结果通报会提高被审计领导干部的依法理财意识，通过问题整改培训会提高各单位财务人员的财务规范管理水平，达到了“审计一个项目规范一个部门、审计一个部门规范一个行业或地区”的效果，提高了审计执法水平和社会影响。国家审计署的《审计工作通讯》、《中国审计报》、《中国审计》对这一做法分别进行了报道。

【行政事业审计】 完成审计单位173个，查出违规金额6259万元、管理不规范金额4.22亿元。全市开展的关于中小学经费保障的审计，遏制了乱收费现象的发生。市审计局在延伸审计石家庄市体育彩票公益金时，注重对体育彩票的经济效益和社会效益做出客观评价，及时在《石家庄日报》上报道，增强了政府公信力。与市总工会联合开展工会经费专项审计，督促有关单位按时足额解缴工会经费，并形成定期开展审计的制度，得到了省委常委、省纪检书记、省总工会主席臧胜业的肯定，在全省推广。

【企业审计】 全市共查出违规金额8100万元，损失浪费金额8433万元，管理不规范金额1.67亿元。市审计局开展了对石焦集团、常山纺织集团、粮食局、交通行业以及支援企业上市工作基金等项目的审计。在审计棉纺六厂时，延伸审计了劳动服务公司，发现涉嫌偷税、私设账外账、公司负责人贪污等案件线索，依法移交市检察院处理。

【社保审计】 完成农村卫生基础设施改造、农村合作医疗、城镇医疗保险、企业基本养老保险、失业保险、民政抚恤、农村养老保险等7类社保资金的审计，加大了对领导关注、群众关心的民生资金监督力度。在农村社会养老保险基金的审计中，发现1300万元的农村养老保险基金违规委托未能收回，并将部分基金不合规范存入外地银行造成549.8万元基金损失，市审计局将有关基金管理责任人移送司法机关进行了处理。

【固定投资审计】 全市共完成31个项目，查出违规金额2434万元、管理不规范金额2.59亿元。市审计局对市紧急救援中心工程、槐安路西段和建华北大街工程的审计核减造价1881.39万元。在支持重点项目专项资金审计中，针对全市支持重点项目专项资金分散，效果不明显，提出了取多种资金捆绑式增强使用效果、改变政府投资扶持项目撒芝麻盐状况的审计建议。

【金融与外资审计】 全年主要对民生银行、省建设投资公司纳税情况和石家庄市商业银行进行了审计，同时协助市金融办对某旅游公司非法集资情况进行查处，核清了非法集资的具体数额，责令限期退还。在外资审计方面，参与并完成了石家庄、承德、邯郸三市利用世行和亚行贷款的污水、城市交通、结核病、林业、节水灌溉、供水、水资源等项目的审计。还开展了对14个县（市）区水污染防治项目处理厂的审计。

【专项资金审计】 年内集中开展了对2005年至2006年各级安排使用的中小学“两免一补”补助经费、农村卫生基础设施改造、农村合作医疗、城镇医疗保险、企业基本养老保险、失业保险、民政抚恤、土地开发整理、城市道路建设项目、大型公益性建设项目等10项重点资金的审计。全市审计机关共抽调232名审计人员，组成87个审计小组。采取上审下、直审、抽审、同级审，或几种方式交叉结合，按照“六清、两加强、两推进”（“六清”即专项资金的适用政策要搞清、各专项资金的总量要搞清、专项资金的管理和使用情况要搞清、存在的问题要搞清、产生问题的原因要分析清、审计建议要讲清；“两加强”即加强揭示审计问题的深度、加强边审边纠的力度；“两推进”即推进专项资金效益审计工作的深入开展、推进专项资金审计质量的整体提高）的总体要求，结合“审计质量提高年”和“效益审计推进年”活动，建立了审计工作报告、案件线索移交通报、审计质量责任追究三项制度，确保审计质量。全市共审计175个单位，资金总额337619万元，查出违规金额6890万元，管理不规范金额89371万元。对于查出的问题，审计人员依法进行了处理处罚，审计建议得到及时采纳，受到省专资办的肯定和好评。

【效益审计】 在财政决算审计中，市审计局以信息产业基地鹿泉为试点，积极探索财政效益审计的新路子，初步构建了财政效益审计基本框架，形成一套初具石家庄特点的财政效益审计模式，经过归纳、整理所撰写的论文相继在国家级、省级等媒体上发表。得到了省审计厅安云昉厅长肯定，并在全省进行推广。

【加强内部建设】 2007年，在全市审计系统开展了“为民、务实、清廉”主题教育活动。市审计局领导多次做客电台“行风热线”，还设立审计网站监督投诉议政信箱和

24小时举报电话，开通群众联系审计的渠道。同时，积极为群众办实事，连续三年为市51中贫困生捐款，该校师生送来“众手扶植千树茂、浓情灌注万花稠”的牌匾和感谢信。

年内还积极修订完善了近年来出台的49项制度，编印成册。为从严落实党风廉政制度，全面推行了送达审计，带着经费搞审计，全年共向被审计单位支付审计费用82万元，未发生一起违纪违规行为，审计干部多次拒收馈赠、婉拒宴请，受到好评。同时，还组织对全市23个县（市）区审计局的财务清理和审计纪律进行检查。为进一步提升审计工作质量、提高审计监督的能力，规范审计查出案件线索移送工作，年初市审计局就制定了《开展“效益审计推进年”和“审计质量提高年”实施意见》及《审计查出案件线索移送奖励办法》。明确了具体工作目标和考核奖励办法，完善了审计质量考核体系，调动了全员积极性。同时，认真组织开展审计项目质量检查，就检查中发现的普遍性问题召开审计质量分析会议进行通报，确保审计规范的落实，全面提升审计整体质量和执法水平。

【“金审工程”】 为进一步加快计算机技术在审计工作中的推广应用，在省厅的支持下，市局筹集资金103万元，在全市部署了审计管理系统1拖N版，调整了网络中心机房，更新了硬件设备，其中包括为16个县部署1拖N工程购置交换机等网络设备、布线、培训人员、支付部署费用等。在项目审计中，全面实行计算机技术与审计业务相结合，通过对审计项目的计算机技术支持，计算机专业人员深入到审计过程中，把审计人员在实践中积累的审计思路、经验、职业判断转化为计算机语言命令去执行。同时，投入大量人力、财力，举办计算机审计中级等培训班6期，培训人员800人次。年内全市还撰写了9个计算机专家经验、征集到AO应用实例9个，为推进AO审计实施系统和OA的运用，积极培养了一批复合型人才。

（谢建军）

质量技术监督

【概况】 2007年，市质量技术监督部门以邓小平理论和“三个代表”重要思想为指导，认真贯彻落实科学发展观，并以服务地方经济发展为己任，以开拓创新为突破口，不断强化综合管理和行政执法两大工作职能，为促进全市经济更好更快发展、为建设繁荣文明和谐新石家庄做出了新贡献。年内市质量技术监督局被国家质检总局评为全国通联工作先进单位，被省质监局评为全省法制工作先进单位、宣传工作先进单位、计量工作先进单位、电子监管网推进工作先进单位，还被市委市政府评为市依法行政先进单位、食品安全监管先进单位、市安全生产先进帮扶单位、安全生产监督管理先进单位、热源热网项目建设先进单位和乙醇汽油推广工作先进单位。

国家质检总局原党组书记李传卿（左三）在省质监局局长郭风集（左二）陪同下检查企业时听取新华质监分局副局长杨玉昆汇报

表 1　　2007 年石家庄市获得中国名牌产品

序号	商标	产品名称	生产企业
1	翠竹	精梳纱线	石家庄常山纺织股份有限公司
2	DongMing	皮衣	河北东明实业集团有限公司
3	依鹿奇	皮衣	辛集市物资开发有限公司
4	東兰	皮衣	河北辛集東兰（集团）有限公司
5	久强	高效减水剂	河北久强建材有限公司

表 2　　2007 年石家庄市获得河北省名牌产品

序号	注册商标	产品名称	生产企业
1	3502	衬衫	际华三五零二职业装有限公司
2	鸣鹿	衬衫	河北鸣鹿服装集团公司
3	DongMing	服装用皮革	河北东明实业集团有限公司
4	佰立特	服装用皮革	河北佰立特皮业有限公司
5	宏四海	服装用皮革	辛集市宏四海皮革有限公司
6	嘉禾	啤酒	石家庄嘉禾啤酒有限责任公司
7	华莹	玻璃器皿	石家庄华莹玻璃制品有限公司
8	三鹿	乳粉	石家庄三鹿集团股份有限公司
9	三鹿	液体奶	石家庄三鹿集团股份有限公司
10	四季阳光	液体奶	河北天天乳业集团有限公司
11	三鹿	含乳饮料	石家庄三鹿集团股份有限公司
12	正元	农用尿素	河北正元化工集团有限公司
13	双联	复混肥料	石家庄双联复合肥有限责任公司
14	东华舰	工业氨基乙酸	河北东华化工总公司
15	ZUANWANG	钻机	石家庄煤矿机械有限责任公司
16	金刚	内燃机配件 （缸套、活塞、活塞环、气门、轴瓦）	石家庄金刚内燃机零部件集团有限公司
17	宝石	阴极射线管用销钉、阳极帽	石家庄宝石电子玻璃股份有限公司元件厂
18	久强	高效减水剂	河北久强建材有限公司
19	华北	注射用青霉素钠	华北制药股份有限公司
20	CSPC	维生素 C	石药集团维生药业（石家庄）有限公司
21	CSPC	维生素 B12	河北华荣制药有限公司
22	澳思达	肝素钠	河北常山生化药业有限公司
23	奥开	猪肉生鲜冷却分割肉	石家庄双鸽食品有限责任公司
24	福来氏	猪肉生鲜冷却分割肉	河北凯隆达食品有限公司
25	华牧	无公害鸡蛋	石家庄华牧牧业有限责任公司
26	小山庄	无公害鸡蛋	赞皇县天然农产品开发有限公司
27	远征	注射用青霉素钾	河北远征药业有限公司

表 3

2007 年石家庄市获得河北省优质产品

序号	商标	产品名称	生产企业
1	高晖	电力电缆、架空电缆、橡套软电缆、铜芯铝绞线	河北华达线缆有限公司
2	石桥	酸性碳钢电焊条	石家庄市光华电焊条厂
3	小蜜蜂	金刚石圆锯片	河北小蜜蜂工具集团有限公司
4	科一	工程机械用行星齿轮减速器	石家庄科一重工有限公司
5	拓达	客车内外摆乘客门气动门泵门机	河北拓达车门有限公司
6	鹿泉	食用玉米淀粉	河北德瑞淀粉有限公司
7	科力达	电力安全工具	河北省科力达电器制造有限公司
8		超细纤维毛巾	石家庄益发纺织品有限公司
9	唯帅	西裤	河北唯帅服饰有限公司
10	敬业	热轧带肋钢筋	河北敬业钢铁有限公司
11	冀水	农用节水管材管件	新乐市诚信铸造有限公司
12	力马	陶瓷砖	高邑县力马建陶有限公司
13	五环	弹性体改性沥青防水卷材	辛集五环防水建材有限公司
14	中旺	红枣核桃露	河北呈龙食品饮料有限公司
15		橡胶用炭黑	石家庄市新星化炭有限公司
16	白龙	顺丁烯二酸酐（顺酐）	石家庄白龙化工股份有限公司
17	和合	农业用硫酸钾	石家庄市和合化工化肥有限公司
18	国珍	羧甲基纤维素钠	河北新化股份有限公司
19	五福	心脑清软胶囊	神威药业有限公司
20	KAIXING	奶牛精料补充料	石家庄凯兴牧业有限公司
21	鱼泉	鲟鱼	井陉县鱼泉冷水鱼开发有限公司
22	元坊	苹果	平山县宏远实业开发公司

表 4

2007 年石家庄市获得河北省质量效益型先进企业

序号	生产企业
1	石家庄三鹿集团股份有限公司
2	石家庄双联复合肥有限责任公司
3	河北东华化工总公司
4	河北黑马粮油工业有限责任公司
5	石家庄博深工具集团有限公司
6	河北苹乐面粉机械集团有限公司
7	河北久强建材有限公司
8	河北曼都珊珠宝首饰有限公司

表 4（续表）

序号	生产企业
9	石家庄常山纺织股份有限公司
10	际华三五零二职业装有限公司
11	河北东明实业集团有限公司
12	河北大羽羽绒制衣有限公司
13	辛集市物资开发有限公司
14	河北辛集東兰（集团）有限公司

表 5　2007 年石家庄市获得河北省服务质量奖单位

序号	单位名称
1	中国联通有限公司石家庄分公司
2	中国移动通信集团河北有限公司石家庄分公司
3	中国铁通集团有限公司石家庄分公司
4	中国电信集团北方电信有限公司石家庄市分公司
5	石家庄东方城市广场有限公司
6	石家庄北国商城有限责任公司
7	中喜会计师事务所有限责任公司石家庄分所
8	河北光大会计师事务所有限责任公司
9	河北立信会计师事务所有限责任公司
10	河北冀星高速公路有限公司

表 6　2007 年石家庄市获得河北省质量管理奖企业

序号	单位名称
1	石药集团有限公司
2	河北白沙烟草有限责任公司

【认真实施“以质取胜”战略】 全年以增强产品竞争能力为重点，市质量技术监督部门加强了产品质量宏观指导和综合管理，深入实施了“质量兴市、名牌兴企”战略。在市政府大力支持和帮助下，对获得中国名牌、省名牌产品的企业进行了通报表彰和奖励，极大地鼓舞了企业争创名牌的积极性和主动性。全市通过积极组织申报，共获得中国名牌产品 5 项,省名牌产品 27 项，省优质产品 22 项，河北省质量效益型先进企业 14 家，河北省服务质量奖 10 家，河北省质量管理奖 2 家。大力推进质量体系认证、“3C”产品认证和工业产品生产许可证的换发及审核工作。全面建立企业质量档案，对企业实施动态跟踪和有效监管，并帮助企业建立健全标准化、计量、质量检测、质量管理和质量信用体系，全面提高企业素质。同时为各级政府宏观决策提供科学和可靠依据。

【大力开展标准化工作】 积极宣传推广企业采用国际标准，共办理产品采用国际标准认可 25 项，采标标志 6 项，全市采标产品在线生产企业 352 家，产品 435 种，标志 91 种。着力抓好农业标准化示范区建设，促进全市农牧业发展的市域化、规模化、标准化和专业化。

加大农业标准化的实施、监督、信息服务和无公害农产品认证工作力度，促进农业增产、农民增收。全年发布市农业地方标准21项，累计达到118项，其中新乐西瓜、深泽粮饲兼用玉米两个国家级示范区通过国家验收。深入开展企业标准化工作，实现企业执行标准的动态管理。并紧紧围绕国家强制性标准开展监督检查，查处了家具、建筑装饰材料、服装、家电、电线电缆、水泥包装袋等一批不符合国家强制性标准的案件和商品条码假冒行为等。还为企业办理产品标准备案408项。

【加强计量监督管理】 大力开展能源计量节能减排工作，积极为企业提供能源计量方面的法律、法规及节能降耗活动的咨询和服务，依法规范和服务企业能源计量管理能力，进一步建立和完善能源计量管理制度和检测手段。在5·20“世界计量日”期间，结合“能源计量节能降耗和污染减排”主题，深入开展了计量咨询服务、开放实验室、开办计量专栏、张贴计量宣传画、服务队进企业等形式的计量节能宣传活动。强化对加油机的监督管理，严厉打击利用加油机作弊的计量违法行为，对全市774家加油站的有关信息进行了采集，将信息全部录入河北省加油站监管网，并做到及时更新。还完成了对加油站在用加油机税控装置和计量性能的监督检查工作。全市为加强对加油站监督管理力度，在省质监局的大力支持下，购置了加油机防作弊检测车，开展了“省会油品计量监督110”活动，成效明显。加强日常计量监督管理，严厉打击“缺秤少量”行为，狠抓与老百姓生活密切相关的米、面粉、速冻食品等定量包装商品生产企业的计量监管，积极对集贸市场、商场、超市、医疗卫生、餐饮业、眼镜行业、粮食、棉花购销企业等在用计量器具进行了计量监督检查，共完成36项63种20515（台）件强检计量器具的登记造册工作。全年检定计量器具243106台（件），受检率在95%以上，其中强检计量器具受检率达到98%以上。

【倾力开展产品质量和食品安全专项整治】 坚持系统全员参与、全身心投入，强力推进产品质量和食品安全专项整治行动。全年共出动人员3.6万余人（次），车辆1万多台（次），检查企业（含小作坊）1.2万余家（次），查处各类违法案件909起，向司法机关移交案件1起，报请政府和有关部门取缔小作坊494个，建议吊销食品生产许可证3个，上报注销工业产品生产许可证22个。通过整治，全市913家食品生产企业100%取得了食品生产许可证，并在产品上加贴了QS标志；505个食品生产加工小作坊100%签订了食品质量安全承诺书。全市365家10类产品生产企业100%建立了纸制质量档案和电子质量档案。全市88家特种设备生产制造单位100%取得了许可证，基本消除了不按技术规范生产和无证上岗的问题。100%消除了生产“黑心娃娃”产品的行为，“黑心棉”区域性反弹得到了有效遏制。全市农资生产企业除1家停产外，其余全部获证或通过了省级验收，100%消灭了无标生产问题。年内市质量技术监督局充分发挥了参谋助手和领率机关的作用，出色地履行了政府专项整治领导小组办公室的各项职能，有力推动了政府专项整治的深入开展，得到了各级政府的高度评价。

【狠抓食品质量安全监管】 坚持以强化管理为基础，以规范和提高食品生产加工企业产品质量为重点，狠抓食品安全监管责任制的落实，实施了以“三员四定、三进四图、两书两报告”为主要内容的食品安全区域监管责任制，保证了食品安全监管各项工作任务的落实和食品生产加工企业的日常监管到位。突出工作重点，以城乡结合部和食品生产加工相对集中的村镇为重点区域，以食品生产加工小企业、小作坊、未获证的企业为重点对象，以小麦粉、儿童食品、肉制品、蛋制品等为重点产品，加大对小作坊的监管力度。全面清理和整治无照、无证和不符合食品卫生条件的食品生产加工点，加大对获证产品和企业发证后的监管，对滥用食品添加剂，使用非食品原料加工食品，掺杂使假，生产有毒有害食品的违法行为进行了重点查处。采取突出重点、部门日常监管和部门联合检查相结合的方式，加强源头治理，确保重大节日期间食品质量安全。狠抓“肉毒素”事件。从9月初开始，在全市开展了为期2个月的熟肉制品生产加工企业专项整治行动。主要领导亲自督办，市、县两级联合行动，先后对存在问题的肉制品企业依法进行了查处，并配合省政府调查组对企业生产加工情况进行了全面调查。出动执法人员4560余人次，派出执法车辆2492台次，检查肉制品生产企业130余家。抽样检验肉制品及原料肉46个批次，其中抽样送检低温火腿肠类16个批次，均未检出肉毒毒素。抽样送检原料肉30批次样品，除一份检验结果呈阳性外，其余均未检出肉毒毒素。封存肉制品2394.4公斤，召回疑似肉制品3699公斤，有力地保证了人民群众的生命安全。

【大力加强特种设备安全监察】 为提高全民安全意识，全市认真组织开展了"安全生产月"大型咨询宣传活动，共印发特种设备安全宣传材料3000份，发放特种设备宣传扑克1000副。还开展了"特种设备安全知识进校园"活动，为中小学生讲解安全知识，下发安全知识小册子200余本，受到了学校师生的好评。落实安全生产责任目标，促进设备安全使用。按照省质监局、市政府对安全生产责任目标的要求，制定印发了石家庄市2007年度特种设备安全监察工作要点，对全市特种设备安全监察工作进行了安排和部署，同时与24个县（区）局签订了2007年度特种设备安全目标责任书，落实了安全责任制。积极开展安全生产检查，全市共出动1371人次，检查企事业单位3167个，检查承压类特种设备19357台，下发专项整治通知书3246份，整改2938台，较好地消除了事故隐患。还组织开展了"五一"、"六一"、"安全生产月"和危险化学品生产储存行业等特种设备专项大检查4次，坚决拆除、停用了各类违法违规特种设备。"十一"和党的十七大召开期间，由市质量技术监督局牵头对3个县（市）安全生产进行了9次督导，仅节日期间，全市就出动635人次，检查了924个单位。全市还完成3706台起重机械的登记注册工作。努力强化特种设备作业人员考核发证工作，全年共办理各类特种设备作业人员资格证4520人，复审6780人。通过举办各类特种设备作业人员培训班，全面提高了作业人员的安全意识和操作技能。同时，加大整改复查和跟踪服务力度，努力消除事故隐患，确保特种设备安全运行，有效推进企业的安全生产工作，有力保障了人民群众的生命财产安全。

【强力推进产品质量电子监管网建设】 按照"有限目标，重点突破，逐步铺开，确保成功"的指导思想和"坚持政府推动与企业自愿相结合、部门分工与协调联动相结合"的工作原则，对全市已入网企业进行了分类整理，对省局确定的典型和重点企业进行了走访调查，将任务进行分解，并积极组织了名优企业产品展览会。截止年底，全市入网企业481家，其中3家省典型企业、10家省重点企业以及91家一般企业实现了产品包装或合格证印刷赋码，其他入网企业基本实现产品赋码激活上市。年内全市入网企业下载监管码7109.4087万个，激活上市监管码6296.6158万个，超计划地完成了省局下达的推进任务。

【扎实开展定期监督和执法打假工作】 大力完善"抽、检"分离制度，切实把中、小型生产企业和涉及安全、卫生等强制性标准要求的项目作为监督抽查的重点。全年全市共对5421家企业11515个批次的产品实施了定期监督检查，批次合格率达到94.8%。完成国抽不合格企业后处理24家，省抽不合格

河北省原副省长付双建（左五）在省质监局局长郭凤集（左四）陪同下听取质监局执法人员介绍科技打假情况

企业后处理83家，定检不合格企业后处理550家。全市质监系统还有力发挥了打假主力军作用，先后组织开展了食品、农资、建材等多个专项整治活动，共出动执法人员31680人次，检查生产企业4236家，经销企业8112家，工地2364个，查处各类违法案件9353起，其中大案要案223起，端掉制假售假黑窝点207个，查获假冒伪劣品标值1.04亿元，有效地打击了制售假冒伪劣不法行为，保护了消费者的合法利益。

石家庄市质量技术监督局
局　长：李志国
副局长：张文素　侯洪彬　曹长随
　　　　夏玉颖　韩义和　王凤彦
纪检组长：吴保成

（吴炳卫）

物　价

【概况】 2007年，全市物价系统在各级党委、政府的领导下，以邓小平理论和“三个代表”重要思想为指导，牢固树立和落实科学发展观，紧紧围绕党委、政府的中心任务，突出两手抓，一手抓改革、促发展，以价格杠杆合理配置资源，加快经济结构调整；一手抓监管、保稳控，以价格杠杆调节利益关系，着力提高人民群众的幸福指数，各项工作都取得了较好的成绩。根据统计，1～12月份，市区居民消费价格总指数为104.3，同比上涨了4.3%，低于全国平均水平0.5个百分点，低于全省0.4个百分点。全年查处价格违法案件748起，查处价格违法金额2608万元，经济制裁金额1939万元，其中，退还用户金额1199万元，没收金额637万元，罚款金额200万元，上缴财政金额837万元，有力维护了正常的市场竞争秩序和消费者的合理权益。

【抓监管保稳控】 年内全市物价系统大力开展“物价工作为民生”活动，扎扎实实解决民生价费问题。一是着力破解以猪肉、粮油为主的副食品价格上涨问题。自5月份后，以猪肉为代表的主要食品、副食品价格出现了较大幅度地上涨，引起了党中央、国务院领导的高度重视，胡锦涛总书记、温家宝总理多次就生猪等副食品的生产发展和市场供应问题作出重要指示，国务院四次召开常务会议研究部署稳定物价工作。省、市政府也先后召开了省、市“菜篮子”工作电视电话会议，市政府成立了由常务副市长朱浩文为组长的石家庄市主要副食品应急调控领导小组。面对紧迫形势，全市物价系统见事早、行动快，坚持从全局的高度、政治的高度看待物价问题，切实加强领导，尽职尽责地做好稳定猪肉等主要副食品价格工作。6月份，市局对市场物价上涨情况进行了客观地分析，向市委、市政府作了专题汇报，及时启动了价格监测应急预案，将每日市场监测情况上报市委、市政府。8月21日，市局又组织召开了全市物价局长紧急会议，就稳定物价工作进行了专题部署，并通过采取严格控制提价措施出台和落实抓补贴、抓监测、抓执法等控价措施，确保了以货稳价，牢牢把握了稳控工作的主动权，以猪肉为主的主要食品、副食品价格保持了基本稳定。二是着力破解“上学难”、“上学贵”问题。以落实农村义务教育“一费制”和公办高中“三限”政策为重点，开展了对全市中小学教育收费专项检查。共查处违法案件109件，违法金额750余万元，其中退还用户301万元，没收24万元，罚款41万。此外，针对群众反映强烈的幼儿园收费高、收费乱的问题，对幼儿园收费进行了规范，取消了幼儿园特长班费、空调费等收费项目，受到了群众的欢迎。三是着力破解“看病难”、“看病贵”问题。认真贯彻落实国家和省药品降价减负政策，相继调整了16批药品价格，使患者真正享受到了降价政策带来的实惠；严格审核把关，完成全市药品第七次第二批集中招标采购8445个规格品种中标药品零售价格审核工作，全市药品价格平均降价幅度达20%以上，年减轻患者负担400多万元；还会同市卫生局制定了符合全市实际情况的社区医疗服务收费项目、标准和药品价格核定办法，在一定程度上缓解了群众“就医难”、“看病贵”的问题。

四是着力破解“物价高”、“房价贵”等社会矛盾问题。10月份，配合市政府开展“千员万人进社区”活动，针对群众反映强烈的物价上涨过快、教育医疗收费过多、房价过高等七个方面的问题，撰写了《入户解答提纲》。市、区两级出动人员200多人，分成40多个工作小组，分组包干，逐户回访。在耐心做好解答工作的同时，积极解决了群众提出的物业收费、停车场收费、幼儿园收费等实际问题。年内市物价局办结意见和建议451件，办结率和群众满意率都达到100%。另外，针对群众反映强烈的房价高问题，在制定经济适用房价格中，严格按照经济适用房定价程序和办法，合理制定了13个单位45万平方米的经济适用房价格，定价总额约7.52亿元。五是着力破解弱势群体生活困难问题。继续实行了对城镇最低保障户的优惠电价政策，为全市低保户节约支出近50万元；通过实施对最低生活保障户和特困户免征南水北调基金、免收水表出户改造费用、免收生活垃圾处理费，以及采取对城市特困群众和重点优抚对象的供暖补贴政策和调整污水处理费后仍执行原标准的优惠政策等措施，共减少弱势群体支出近3000余万元。

【稳步推进资源性价格改革】 一是认真落实国家和省成品油价格调整方案。在国家成品油价格调整方案出台后，协调公安、工商、交通、石油等有关部门组成了维护市场秩序领导小组，对成品油价格调整及时进行了跟踪监测，与此同时加大对成品油市场的检查，确保了成品油市场价格的基本稳定和市场的正常供应。二是为缓解铁路货物运输价格偏低的矛盾，认真落实了国家和省关于调整铁路货物运输价格方案。三是按照财政、企业、用户共同负担的原则，制定了城市住宅供水一户一表、计量出户改造工程居民用户负担费用标准，即一户一表用户每户负担360元，一户两表每户负担460元，为逐步推行阶梯水价和实现向终端用户收费创造了条件。四是为缓解加气难的问题，按照省局有关规定，适度调整了全市车用天然气价格，由每立方米2.4元调整为2.8元。五是为改善城市生态环境，提高城市生活垃圾处理水平，经市政府第66次常务会议通过，出台了《石家庄城市生活垃圾处理费征收管理办法》，并于2008年1月1日起实施，计划年征收额约5127万元。省物价局对石家庄市城市生活垃圾处理费征收管理办法给予了高度评价，称赞市物价局在此项工作中“政策把握准确、覆盖面广、操作性强，值得在全省推广。”六是为了缓解城市供热企业的经营压力，保证正常供热，决定从2008年1月1日起，调整全市非居民供热价格，为供热企业减亏8000多万元。七是为提高城市污水处理水平，实现经济社会的可持续发展，决定从2008年1月1日起，调整城市污水处理费标准，计划年收费额5000万元以上。此外，为促进教育事业发展，制定了一中、十八中国际班收费标准，对二中、正定中学分校等4所学校的收费方式进行了批复。各县（市）也都围绕当地中心工作，合理利用价格政策支持地方经济发展，取得了很好的社会和经济效益。

【强化价格执法】 一是在创优发展环境上，突出抓好执法服务。特别是针对猪肉等主要副食品价格大幅上涨的现象，加大了价格监管力度，以食品生产、批发和零售市场为重点，在全市进行了拉网式检查。全市共出动检查人员286人，组成86个检查组，严肃查处了哄抬物价、价格欺诈等不正当价格行为，维护了市场正常的价格秩序。围绕社会反映强烈的热点价格问题开展了专项检查，先后组织了涉农价格和收费、停车场收费、房地产价格和收费、药品和医疗服务、电力、教育收费、成品油价格等专项检查。严厉查处了石家庄市环境卫生协会，擅自统一洗车价格的价格串通行为。在全国不正当价格行为典型案例研讨会上，国家发改委价格司司长李镭在总结点评时表扬石家庄市物价部门“敏感性强、定性准确、纠正及时，取得了很好的社会效果。”二是认真受理群众价格举报。市物价局始终把受理和查处价格投诉举报案件作为一项“民心工程”，以维护消费者权益为中心，做到了件件有着落，事事有回音。全年市价格举报中心共受理群众价格举报2351件，退还用户金额11万余元，没收金额10余万元，罚款金额4950元。三是在推进城市建设上，为改善市容环境，按照市政府“八个一”工作有关要求，制定下发了《关于做好在拆除违法建筑期间困难群众再就业和经营户经营场所价格工作的通知》，对有关免缴相关收费涉及的工商、税务、卫生等八个单位的23项收费进行了督导落实，免收各项费用上百万元。四是在促进服务业发展上，按照物业服务指导标准和收费指导标准，对新恒通等35家物业公司管理的44个普通住宅小区予以备案，年收费额近2000万元；对移动、联通、网通等3家电信企业的130多项电信资费标准按政策进行了备案；还对3条公交旅游线路票价进行了规范，受到了社会各界的好评。

【拓展价格公共服务功能】 一是突出服务理念，在价费管理上为企业和消费者服好务。在审验换发收费许可证工作中，为审核单位方便办事，市物价部门事先在网上公布了审验公告，并在审验地点按照分类在不同岗位分别张贴了换发、审验工作的步骤以及需要的相关资料明细表，让各部门办事人员一目了然，不跑两遍，受到群众的欢迎。年内应审收费单位8381个，实际年审收费单位8130个，审验率为97%。为了保障市液化气公司正常生产经营，会同财政、发改委等部门深入企业进行调研，向市政府提出了稳价保供应的具体意见，解决了企业因经营亏损而使市场面临断档供应的问题。与上级有关部门沟通反映，及时解决了企业自备井厂免收备用容量电价的规定，为石家庄焦化集团年减轻负担近200万元。通过整顿规范公安交通系统收费，年减轻企业和群众负担100多万元；重新审核批准了50余家民办学历学校的收费标准，降低了部分学校虚高的收费标准；通过清理整顿协会收费，制止了部分行业协会强行收取会费的行为，受到了会员单位和群众的好评。二是大力推进“价格服务进万家”活动。进一步健全农村义务价格监督网络，在全市11个县（市）设立了99个“农民负担调查联系点”，制作了“农民负担监督卡”，全市聘请了3400多名农村义务价格监督员；与市财政局联合印发了《涉农收费目录》，为农民抵制乱收费提供了权威依据；结合开展医疗收费、医药价格检查，进一步督促医疗单位设立收费公示栏；“十一”前，完成主要旅游景区票价公示牌的统一悬挂工作，并对主要旅游景点的门票价格在网上、报纸等媒体上公布；结合教育收费检查，督促各学校完成了收费公示工作。还积极完善了涉农价格和收费、幼儿园、中小学教育收费等公示工作。三是依法行政工作取得突出成绩。为规范政府定价行为，制定了《石家庄市物价局审价委员会工作规则》，严格了行政执法评议考核和执法过错责任追究制度，使物价队伍的执法水平明显提高，全年没有发生一起行政处罚复议案件，全局依法行政工作得到全面加强，已连续三年被评为石家庄市政府依法行政工作先进单位和普法工作先进单位。年内国务院法制办网站的“地方法制论坛”栏目登载了市物价局在依法行政方面的两篇经验做法。四是用科学严谨、公正公平的态度，提供优质价格认证服务。市物价局以服务经济为宗旨，充分发挥自身职能，开展了各类价格鉴定和认证服务。全年共受理价格鉴证、认证11171起，标的金额达8.52亿元。五是成本服务工作取得新成效。年内完成了国家和省局部署的60个农产品成本的常规调查，开展了4项涉农专项调查，先后对煤气、教育、环卫、旅游、医院、污水处理、集中供热等7个行业14个单位进行了成本监审工作，监审标的金额共计22亿元，核减不合理费用1.3亿元，为科学合理调定价格提供了有力保障。六是深入开展调查研究，不断提高物价工作和服务水平。全年积极围绕政府关注的、群众关心的、企业渴望解决的价格问题开展专题调研，共收集各县（市）区调研文章21篇，并择优在石家庄市物价局网站的价格研讨栏目里进行刊登，较好地发挥了参谋作用，展现了工作成效。市物价局撰写的《完善价格听证制度的几点思考》调研文章，还在《石家庄经济》刊物上进行了刊发。七是以加强价格监测监控为突破口，为市委、市政府和上级部门当好参谋助手。针对主要食品、副食品价格上涨情况，全市物价系统上下联动，密切关注粮食、食用植物油、肉禽蛋奶等市场供求、销售数量、商品库存和价格走势，全年共采集各种数据7万余个，接收处理各县（市）区监测报表1740期，上报监测数据近2万多个，上报国家发改委价格分析137篇，向市委、市政府上报价格监测和价格分析72期，为市委、市政府调控价格、稳定市场提供了决策依据。八是以规范企事业单位的收费行为为重点，强化了“两员”（物价员、收费员）培训工作。全市共培训企事业单位“两员”11236人次，有力提高了企事业单位遵纪守法意识，扩大了物价部门的社会影响。

【扎实推进机关效能建设】 一是积极开展“三治”活动，推进机关效能建设。按照市委、市政府关于开展“治懒、治散、治庸”活动的要求，利用1个月的时间，在全局上下集中开展了“三治”活动。通过活动，机关作风明显好转，机关干部在履行职责、服务质量和办事效率上大有改进，机关效能建设取得了阶段性的成果。国务院法制办网站刊登了市物价局在围绕五个方面下功夫，扎实推进机关效能建设方面的经验做法。二是深入开展“为民、务实、清廉”主题教育活动。通过活动,进一步高扬了“树正气、讲团结、求发展”的主旋律，全体党员干部的思想作风、工作作风和生活作风得到了明显加强。在市直工委开展的“为民、务实、清廉”主题党课优秀讲稿评选活动中，局党组书记王宣同志的《切实加强党员作风建设，树立“为民、务实、清廉”形象，推进物价工作全面发展》党课讲稿获得三等奖，局机关党委还被评为市直机关先进基层党组织。三是积极学习贯彻十七大精神，以新的面貌推进物价工作。全系统通过全面学习贯彻十七大精神，进一步理清了工作思路，以新的风貌投身物价事业，以新的举措推动物价建设，以新的思路谋划物价工作。四是扎实开展“解放思想大讨论”活动。从12月6日开始，全局迅速掀起了解放思想大讨论的热潮。经过学习动员、对照检查两个阶段的活动，全局干部结合工作实际，学理论、查不足、挖根源，进一步统一了思想，明确了方向。

（孙　玲）

工商行政管理

【概况】 2007年，石家庄市工商行政管理部门以促进石家庄经济社会又好又快发展为目标，坚持“规范化、效能化、人本化”工作标准，以建设“法治型、数字型、和谐型”的工商行政管理体系为方向，着力抓住加强能力建设、强化市场监管、创新监管机制、优化服务方式等重点工作，充分发挥工商行政管理职能作用，努力做到监管与发展、服务、维权、执法“四个统一”，各方面工作都取得了新的成绩。

【内外资企业注册登记】 围绕市政府“以工强市”战略，制定了《大力扶持工业“5+3”企业的意见》，对“5+3”企业实行“一企一策、提前介入、参与论证、政策引导、完善方案”和“一降二免三约”等服务措施，并开通了网上受理业务，帮助企业破解发展难题。截上年底，全市登记内资国有集体企业已达18538户，注册资本（金）3562094万元。围绕招商引资工作，还积极开展了“优化外资发展环境服务月”活动。全年新登记外资法人及分支机构251户，投资总额179468万美元。

石家庄市市委书记吴显国（左一）到新华区工商局视察指导

【企业信用分类监管】 年内是国家总局实施企业信用分类监管改革五年目标的最后一年。全系统以提高数据录入质量和联网应用水平为重点，对企业基础数据进行了全面清理补录，并坚持数据录入、科学分类、属地监管、督促检查“四个到位”，实现信息中心联网，确保了改革目标的实现。在国家总局组织的大检查中取得了优异成绩。

【市场规范管理】 全年市工商行政

桥西工商分局给食品规范经营示范店挂牌

管理系统按照整顿和规范市场经济秩序的部署和要求，切实加强市场管理，规范市场行为，优化市场环境，保护消费者权益，促进市场经济繁荣发展。查处不正当竞争案件5079件，案值2407万元，没收金额93.7万元，罚款676.5万元；取缔无照经营案件4127件，查处案件总值2262.24万元，没收金额278.61万元，罚款金额640.08万元；查处违反公平交易案件23411件，案值15417万元，没收金额1807.31万元，罚款金额3558.29万元；查处投机倒把案件1789件，案值726万元，没收金额31万元，罚款金额100万元。

【打虚假树诚信加强广告管理】 年内市工商部门切实落实部门联席会议、广告监测“月通报”和整治目标约束制度，突出对医疗服务、药品药械、保健食品、化妆品、房地产等广告的监管，坚持上门巡查、加强协调配合、开展专项治理，形成了对虚假违法广告齐抓共管、综合治理的良好局面。全年共查处广告违法案件406件，罚没款316万元，发布虚假违法广告警示5次。

【以保护商标专用权为核心加强商标管理】 以侵犯食品、药品商标、驰（著）名商标、涉外商标专用权和伪造注册商标标识五类违法行为为重点，全年共查处商标侵权案件236件，罚没款231万元，调解商标纠纷2起。重点培育、推荐了5件商标申报驰名商标、已申报的5件驰名商标全部为工业50强企业商标，34件商标申报著名商标，其中“双吉”商标被认定为驰名商标。到年底，石家庄市驰名商标已达9件，著名商标已达170件，均居全省首位。

基层执法人员加大日常巡查力度，对各类市场的经营行为进行认真巡查

【食品安全监管】 全市通过实施《食品经营者信用等级分类监管制度》、《食品市场巡查制度》等监管制度，完善市场巡查内容，指导帮助流通企业建立索证索票、进货台帐等七项自律制度，发挥“一会两站”人员和食品安全联络员监督作用等措施，形成了行政执法、企业自律、社会监督“三位一体”的商品质量准入和监管工作机制。建立起了以食品质量监测车、监测室、快速监测箱为平台，市局、区县局、分局“三级联动”的流通环节食品质量监测网络。深入开展对重点产品质量和“黑心肉”、“肉疙瘩”等突发事件专项执法检查，全年共检查食品经营单位24万户次，查处案件750件，为消费者避免损失818万元。全年市局共监测商品1616个批次，查出质量不合格商品491个批次。大力推进农村食品规范经营示范店建设，全市共创建“食品规范经营示范店”1500个，完成目标的150%。还实现了“两个100%和一个彻底解决”的目标，有力地维护了食品市场安全。

【打击传销与治理商业贿赂】 按照对传销组织，坚持“打防结合，预防在先；标本兼治，综合治理”的原则，全市工商系统完善预警机制、狠抓大要案件、创建无传销社区（村），有效遏制了传销的猖獗势头。全年共查处传销案件34件，取缔窝点681个，教育遣返传销人员2.5万人次，发展志愿者6万人，创建无传销社区（村）3159个。“打击传销万名志愿者在行动”活动的做法在全省现场会上介绍了经验，《人民日报》情况汇编也进行了专题报道。国务院副秘书长李适时、国家总局局长周伯华先后批示，对这种做法给予了充分的肯定。治理商业贿赂方面，全年共查处案件92件，罚没款230万元，首次实现了查处商业贿赂案件“无空白县”目标。

【支持新农村建设】 年内工商系统制定并经市政府批转实施了《关于支持新农村建设的实施意见》，进一步加大了对新农村建设的政策扶持力度。各县（市）区普遍成立了惠农服务工作队，围绕“经纪活农”、“合同帮农”、“商标富农”、“政策惠农”和“权益保农”工作主题，积极深入广大农村，对特色产业发展实施帮扶。截止年底，全市共注册农产品商标1280个，推广订单农业合同示范文本5种，指导农民签订订单8560份，标的额8100万元；农村经纪人组织发展到8913户，从业人员2.2万余人，成功组织3批经纪人外出签约，签订合同16份；建立维修指挥中心11个，维修服务中心（站）194个，维修服务联络点1982个。同时，以规范农资市场秩序为目标，以农资打假为手段，集中开展了春、秋两季专项执法行动。全年共查处农资案件1673件，罚没款416万元，发布农资市场预警78条，为农民避免经济损失489万元。在农资市场监管中，进一步完善了种子留样备查、“两帐两票一卡一书”和农资企业信用评级制度，适时发布农资市场预警，提高了市场监管效能。

【促进就业再就业】 工商系统认真落实鼓励支持就业、再就业优惠政策，在全系统注册窗口设立了下岗失业人员、大中专毕业生、复转军人就业再就业登记“绿色通道”。全年共为下岗失业人员和大中专毕业生、复退军人从事个体经营减免工商管理费170万元，引导个体私营企业吸纳3525名下岗失业人员实现了再就业。

【消费者权益维护工作成效显著】 消保维权热线“12315”行政执法体系建设扎实推进，开通了短信受理平台和网上受理系统，实现了24小时无障碍申诉举报。在全市42个大中型商场、超市建立了“消费维权直通车”制度，对一般性的消费纠纷，由企业12315联络站自行调解，促进了企业自律，提高了消费纠纷解决效率。围绕巩固基础设施、加强制度建设、创新工作举措和强化教育培训，进一步提高了“一会两站”工作的实效性，完善了12315行政执法体系的工作形态和内容。市局12315指挥中心全年共受理申诉9604件，举报4597件，为消费者挽回经济损失93.3万元；查处侵害消费者案件2084件，案件总值1366万元，罚款金额468万元。

石家庄市工商局领导陪同国家工商总局、省工商局领导视察节日市场

【大力提升队伍素质】 全年把学习贯彻十七大精神作为首要的政治任务，精心组织、周密安排，并结合开展“解放思想大讨论”活动，在全系统掀起了学习贯彻的热潮，切实将全体干部职工的思想统一到了十七大精神上来，进一步理清了工作思路。还以开展“队伍素质建设工程”为主线，制定了2007年干部教育培训计划，突出了岗位能力的提高，增强了干部教育培训的实效性。年内市局共举办各类培训班26期，培训干部1100人次，各县（市）区局、分局也结合自身实际，举办了不同形式和类型的培训，培训干部4700人次。同时，大力开展“执法规范化演练”活动，进一步深化了“规范执法行为推进依法行政”工作。止年末，全系统共核审行政处罚案件18950件，纠正各类问题313个，较好地解决了执法行为不规范的问题。

【党风廉政建设】 继续坚持教育、制度、监督并重的原则，以政风行风建设、廉政文化建设、政务公开和效能建设为重点，强化思想教育，严肃党纪政纪，创新工作机制，狠抓制度落实，各项重点工作均取得新的成效。大力开展廉政文化建设和“为民、务实、清廉”教育，进一步夯实了干部队伍廉洁从政的思想基础。继续深化政务公开和权力公开透明运行，提高了对权力运行的监督制约。推行基层执法人员和市局重点岗位中层干部向监管服务对象述职述廉，提升了工商系统的社会形象。年内市工商局行风评议免评不免建，取得了满分的好成绩。

【工商所标准化建设】 实施了以工商所达标为主要内容的规范化标准化建设。按照省局制定的达标考核标准，推出了城市和农村两种模式的样板所，对公示内容、岗位职责、工作制度等30余项规定进行了重新修订和规范，统一设计和规范了工商所的各项标志标牌。市局党组建立了基层联系点，人往基层走，强力抓落实，推进了工商所规范化标准化达标工作的顺利开展。在省局组织的首批检查验收中，全市有112个工商所实现了达标升格。全年市局为基层配发专用执法车99辆，配备微机416台，电子触摸屏126台，移动执法终端330台，有力提升了全系统信息化装备技术水平。还实施了县局到工商所2M光纤升级改造工程，全部工商所（分局）都实现了通过2M光纤进行数据交换，保障了四级网络间新增业务数据的正常流转，提高信息的查询和处理速度。同时，大力对市局外网进行改版升级，努力提高信息质量和数量，增强了社会服务功能，为树立工商系统良好形象起到了积极作用。年内省局在市局召开了“固定资产暨会计基础规范化管理工作观摩会”，组织全省工商系统对市局信息化工作进行了学习观摩。

【个体私营经济】 全年市工商局深入落实国家支持鼓励非公有制经济发展的政策，努力改进服务方式。止年末，全市注册私营企业44476户，注册资本（金）4928404.80万元，全市个体工商户已发展到285097万户，注册资本（金）数额570426.25万元。

石家庄市工商行政管理局
局　长：兰平信
副局长：刘　烨　齐志刚
　　　　孙桂莲（女）
　　　　尹兵辉（2月任）
纪检组长：张俊和
（左　力　李志英）

食品药品监督管理

【概况】 2007年，全市食品药品监督管理系统以“三个代表”重要思想为指导，全面落实科学发展观，进一步树立和实践科学监管理念，坚持与时俱进、开拓创新，积极探索新的工作方式，大力实施食品药品专项整治，严厉打击制售假劣食品药品的违法违规行为；坚持解放思想，求真务实，以改革、创新的手段解决前进中遇到的困难、矛盾和问题，努力开创了食品药品监管工作的新局面。年内市食品药品监督管理局被授予“石家庄市保护消费者权益工作先进单位”、“2007年度全省食品药品监督管理系统先进单位”、“全省整顿和规范药品医疗器械市场秩序专项行动先进集体”、“2007年度河北省医疗器械监管先进集体”、“2007年度河北省医疗器械不良事件监测先进单位”、“2007年度河北省医疗器械广告监测先进单位”和“2007年度民主评议工作优秀单位”等荣誉称号。

【食品安全综合监督工作不断深入】 一是食品安全监管工作步入规范化。先后起草了《十一五期间食品放心工程实施意见》和《2007年石家庄市食品放心工程实施方案》，制定并实施了《石家庄市食品安全工作目标考核暂行办法》和《石家庄市食品安全举报奖励办法》，进一步明确了各级政府和有关部门的责任和任务，畅通了食品安全举报的渠道，组织开展了食品安全目标管理工作考核，使食品安全监管工作逐步走上了规范化轨道。二是食品安全监管创新工作取得新进展。积极探索实施乡镇食品安全监督管理站模式和食品安全综合执法工作，在新乐市和晋州市开展了试点工作，积累了一定的工作经验，丰富了监管手段。三是食品安全突发事件应急机制不断完善。修订完善了《石家庄市重大食品安全事故应急预案》，进一步提高了食品安全事件应急能力和水平，先后妥善处理了“黑心肉”和“肉毒素”事件，有效控制了事态发展，保证了广大市民饮食安全。四是食品放心工程扎实推进。组织协调各相关部门认真做好食品安全各环节监管。初级农产品环节。全市无公害农产品生产基地认定面积达到百万亩以上，认证产品近50个，建设无公害蔬菜标准化村100个。市场和基地蔬菜抽检覆盖面达100%，其中基地蔬菜检测合格率达98%，比上年上升了5个百分点；市场蔬菜检测合格率达96%，比上年上升了3个百分点，抽检合格率高于全国平均水平，在全国37个被检城市中排名有了较大提高。食品生产加工环节。全市913家食品生产加工企业已全部取得市场准入资格，获证率达100%；食品添加剂备案率达100%。全市县城以上生猪定点屠宰率达100%，乡镇进点屠宰率达95%以上。食品流通环节。严格市场主体准入，实施分类管理，实行了进销货台帐、索证索票等有效制度，从源头上提高了食品安全保障水平。食品消费环节。全市餐饮单位新的卫生许可证换发率达100%，县城以上城市餐饮经营单位量化分级率达100%，A、B级率达66.9%。五是食品安全集中整治成果显著。组织协调各相关部门开展了元旦春节期间食品安全集中整治、春季和夏季食品安全联合整治等行动10余次，严厉打击了制假售假违法犯罪行为，保证了广大人民群众的饮食安全。全年会同各相关部门共检查蔬菜生产基地(户)1017个，畜禽和水产养殖场（户）18970余户，农药、兽药和饲料生产经营单位2293个；食品生产单位1170余家、经营单位6730余家；餐饮业、学校食堂、建筑工地食堂等共1510余家；定点屠宰场和肉品经营点180余家、冷库11家，依法查处违规养殖场（户）4个；农药、兽药和饲料生产或经营单位62个；食品生产单位87家；食品经营单位141家。责令停产整顿食品生产企业7家，限期整改餐饮单位150余家，依法取缔食品生产加工黑窝点8个、餐饮单位43家、无证照肉品经营摊点24个，收缴假冒伪劣和过保质期食品5260余件共8.558吨、不合格肉品884.5公斤。

【药品安全日常监管工作扎实有效】 年内共监督检查药品生产企业106家(其中跟踪检查70家，飞行检查34家)、药包材生产企业40家、医疗机构制剂室30家、特殊药品生产经营使用单位18家、药品批发企业121家、零售企业1053家、医疗机构325家，医疗器械生产经营使用单位695个，检查覆盖面达100%，责令限期整改49家，停产停业整顿15家，立案查处11家。同时，认真贯彻落实《石家庄市医药行业工作人员健康检查管理办法》，组织对全市700余家药械生产经营使用单位的17161名从业人员进行了检查，督促33家单位55名体检不合格人员调离了原岗位。

市食品药监管局领导在新乐市神威连锁店检查工作

【专项整治活动成效显著】 根据国务院、省、市政府和国家局、省局的安排部署，9月份至12月份，在全市统一组织开展了为期四个月的药品安全专项整治行动。在充分利用和巩固整治成果的基础上，对药械生产、流通、使用等环节进行了全面整治，圆满完成工作任务。在药品生产环节，完成省局交办药品注册核查品种674个（占全省应核查品种的78%)，发现不合格品种50个；向20家高风险注射剂生产企业和1家特殊药品生产企业派驻了监督员；完成了79个注射剂品种生产工艺核查，发现违规变更处方和工艺资料品种33个。在药品流通环节，集中打击药品经营企业超范围、超方式经营及出租柜台等违法违规行为，依法查处相关案件5起。在药品使用环节，对医用氧生产企业进行了摸底调查，加大了对医疗机构的监管力度，有效防止了工业氧冒充医用氧现象的发生。在医疗器械方面，现场核查一、二类医疗器械注册资料 277 份；检查医疗器械经营企业 172 家，发现持证未经营企业 20 余家、主动删减经营范围 5 家，依法查处违规企业 32 家，责令限期整改 8 家，劝其上交《医疗器械经营许可证》，退出市场 24 家。全年市食品药品监督系统共出动执法人员 24667 人次，检查药械生产经营使用单位 9253 家，受理各种投诉、举报、协查案件 2933 起，立案查处 1464 起，查获假劣药品 602 个批次，捣毁黑窝点 15 个，严厉打击了违法违规和犯罪行为。

【药品安全科学监管水平提升】 一是建立了以企业药品质量放行责任人为主，派驻驻厂监督员、监督组、包厂督查员为辅的“四位一体”监控网，从源头上保证了药品质量。此项工作得到了国家局和省局的充分肯定。二是认真执行印章印模备案制度和业务员上岗证备案制度，统一了业务员法人委托书格式，有效防止了业务员多家兼职、代开发票等违法违规行为的发生。年内，共审查办理从业人员上岗证备案 14000 人次，发放法人委托书号 120800 个。三是建立“药品流通实时监控系统”，提高了药品公共安全事件应急处置和假劣药品追溯能力。止年末，市区内药品批发企业已基本入网。四是利用省局稽查信息网，拓宽了案件来源，有效提高了执法办案效率。年内市食品药品监督部门通过网上信息，发现并依法查处了“速效救心丸”、“普乐安”、“制菌霉素片”等劣药案件。

【“两网”运行质量提高】 一是完善了农村监督协管员、信息员聘用手续，建立了快捷可靠的联络方式和信息反馈机制，形成了以监管部门为主，药品监督协管员、信息员为辅的县、乡、村三级药品监督网络，覆盖了 100% 的行政村。年内 18 个县（市）区查处的违法违规案件中，由监督网提供的案源达到 235 件，占案件总数的 11.5%。二是对乡镇以下开办药品经营企业适当放宽条件，加快审批速度，并实行了药品供应企业备案制度，进一步规范了农村药品供应渠道，保证了药品质量。年内全市共开办农村药品零售企业 71 家，其中乡镇及农村 37 家，做到了药品连锁、配送到乡（镇）率达到 100%，药品配送供应到村率达到了 95% 以上。

【政风行风建设稳步推进】 一是组织开展了对重点岗位重点人员的评议，有效防止了“不给好处不办事，给了好处乱办事；熟人好办事，生人难办事；吃拿卡要，以手中的权力谋私利”等现象的发生。二是组织开展了“治懒增效、治散正气、治庸提能”活动，进一步完善了“便捷高效便民”机制、“信访办理责任”机制和“效能问责追究”机制。三是积极推行了行政权力公开透明运行，强化对重点岗位、重点部位权力运行的监督，保证了权力行使的规范化。全年全市共受理行政许可 942 个，完成 801 个，办理行政审查事项 522 个，备案 496 个，实现了行政审批“零超时”、“零投诉”。四是组织开展了“药品生产企业一日行”、“安全用药、关注民生”主体宣传活动和“珍爱生命、关注健康、消除过期失效药品安全隐患”大型公益活动，及时解决了群众关心的热点难点问题。活动中，全市共发放安全用药宣传材料 8200 余份，接受群众安全用药用械咨询 8000 余人次，为群众免费体检 1000 余人次；回收药品 4800 余个品种、12 万 6 千余瓶（盒／支），总货值 150 万余元。

石家庄市食品药品监督管理局
局　长：许彦增（1 月免）
　　　　张　毅（1 月任）
副局长：张元礼　王金龙（1 月免）
　　　　张　旭　李　俊
　　　　杜瑞行（10 月任）
纪检组长：智建国（10 月任）
（李　建　宋绍龙　王伟强）

国有资产监督管理

【概况】 2007 年，国有资产监督管理系统全面落实科学发展观，进一步加强国有资产监管，努力推进国有企业改革，在正确处理改革、发展、稳定的关系，加强和改进党建工作以及继续深入推进国有企业改革等方面取得了一定成效。石药集团、有色金属加工厂、省林产品总公司、市软包装彩印厂、河北

国资委主任李荣融（左一）参观赵县杨家郭中心小学信息化教室

装潢印刷机械厂等5户企业完成改制或破产，市无线电三厂和市电路板厂已批准破产。全年国资入统监管企业46户，其中正常生产经营企业32户，处于停产、半停产企业14户。截止年底，市国资委系统入统监管企业职工人数为82949人，在岗人员76895人，资产总额达到333.35亿元，同比增长7.31%；所有者权益71.91亿元，同比增长-9.18%。

【稳步推进国有企业改革】 国有产权转让工作。完成了石家庄制药集团、常山集团常印公司等企业全部国有股权的转让工作，对应企业法人单位约20户，安置职工18464人。其中：石药集团国有产权转让工作已经完成，通过在省产权交易中心实施公开挂牌转让，联想控股有限公司成为其国有产权的受让方，共收回转让收益8.7亿元。第二纺织机械厂已在省产权交易市场通过电子竞价方式确定了国有产权受让方。东方热电深圳投资公司等3企业基本完成国有产权转让工作。合资工作。完成了电化厂与香港高和公司的合资改制。启动了北人集团的改制工作。市政府已原则同意《市国资委关于北人集团改制重组工作的意见》，北人集团已开始进行资产重组改制的各项筹备工作，并对潜在合作方河北开元投资有限公司及其关联公司进行了法律尽职调查。东方热电集团的托管工作已完成，由晋煤集团在石家庄的控股子公司——石家庄金石化肥有限公司对其实施托管，其增资改制的筹备工作已在按程序推进中。另外，珍极集团正在进行合资改制的前期筹备工作，与合资方日本龟甲万公司的商务洽谈工作已在进行。破产工作。经过积极跑办，第一批申报的第二印染厂、宝石电视机厂、无线电三厂等6家企业全部进入全国兼并破产和职工再就业工作小组下达的2007年政策性破产正式计划，占全省8家进入正式计划企业的75%。第二批申报政策性破产的天同拖拉机厂、石家庄铝业公司等7家企业已在积极争取列入国家正式计划。同时，有11家依法破产企业已进行职工安置工作。市属企业的“两分”工作。在主辅分离方面，一是完成了石药集团所属石药大药房、医药采购站以及石家庄自动化技术公司所属新型液化气公司等3个辅业单位的主辅分离辅业改制工作；二是完成了石家庄燃气集团无线电五厂与金刚集团职工医院辅业改制联审会，改制工作已开始落实；三是完成了石家庄物产集团所属市燃料总公司8个辅业单位辅业改制的预批，清产核资工作已完成，其资产评估已在进行。在分离办社会方面，市政府与中铁三局二公司签署了《全日制普通中小学移交备忘录》，铁三局二公司学校与企业分离，正式移交市长安区。中建一局六公司学校移交准备工作取得重大进展，待企业清理完学校负债后，即可移交。

【经营业绩考核体系更加完善】 全年完成了46户企业2006年度经营业绩的综合考评；与32户企业签订了2007年度经营业绩责任书，与14户停产半停产企业签订了2007年度考核备案责任书。调整和完善了考核体系。为鼓励盈利企业争创“双高双超”，督促亏损企业尽快实现扭亏为盈，制定了《石家庄市市属企业负责人经营业绩考核补充办法》。同时，为规范企业经营管理行为，确保国有资产保值增值，制定了《石家庄市人民政府国资委所出资企业负责人重大经营责任追究暂行办法》。

【国有产权股权管理】 一是组织开展了全市2006年度国有资产产权登记年度检查工作，登记企业实收资本总额107.35亿元（其中，国有资本93.4亿元，占实收资本总

国有企业监事会李盛林主席（右五）到企业视察工作

额的 87%）。石家庄市国资委的产权登记年检汇总分析报告作为工作经验在全省产权股权管理工作会议上作了交流。另外，依法明晰北国人百集团和北国商城的产权归属关系，为北国人百集团改制和北国商城重组上市做好了基础性工作。二是积极推动企业产权制度改革。除完成石药集团整体改制外，还完成了市搪瓷厂、国大房地产公司、石家庄东方热电投资公司和金刚集团与外商合资等项目的资产评估核准工作。经评估，资产总额 32.4 亿元，其中土地使用权价值 1.2 亿元，负债总额 21.5 亿元，净资产 10.9 亿元，评估增值率 20.73%。三是完成了金刚集团、泵业集团搬迁处置部分闲置报废物资和金刚集团处置部分机器设备用于回购合作企业外商股权，河北国信接受石药集团、工艺美术厂改制核销资产以及环山建材水泥生产设备等资产处置工作。四是积极打包收购华融资产管理公司石家庄办事处持有的石家庄地区企业的不良债权，经双方协商已形成初步收购的意向。涉及石家庄地区的 670 户企业，26.7 亿元债权确定以分期付款的方式进行收购。

【监事会工作】 市国资委先后起草、印发了《关于向国有企业派出监事会的通知》、《市国资委派出董事、监事管理试行办法》等 8 个规范性文件，组建了负责 44 家国有企业进行监督检查的监事会办事处 4 个、监事会巡视组 4 个，向 1 家国有控股企业推荐了监事会主席和监事，向 1 家参股企业派出了专职监事，并对 44 家监管企业的财务状况、生产经营情况和领导班子建设情况进行了摸底和检查。共搜集查阅企业各种会计帐薄、会计凭证、会计报告、审计报告等资料 1211 本（份），列席企业董事会、经理办公会等各种会议 93 次，在企业召开干部职工座谈会 63 次，在企业召开情况汇报会、财务专题汇报会 67 次。揭示和披露企业存在的问题 60 个，涉及金额共计 88383.51 万元，其中，属于财务管理方面的问题 36 个，涉及金额 31258.51 万元；属于班子建设方面的问题 3 个。

【安全生产管理】 一是与市国资系统 57 家企业签订了安全生产目标管理责任书，要求所有企业层层签订目标责任书，切实将安全生产工作落实到车间、班组、岗位和具体人员。二是在春节和“五一”黄金周期间，开展了隐患排查工作，共查出各类安全隐患 612 处，整改 609 处，整改率达 99.5%。同时，对 13 家重点企业进行了督导检查，对 5 家存在消防隐患单位提出了整改意见。三是按照市安委会的要求，在市电化厂和北人集团先天下广场进行了落实“三项制度”的安全生产规范管理试点工作，并通过了省“三项制度”试点验收，为下一步在全系统大范围推广奠定了基础。

【重点项目建设】 一是按照市政府整体部署，结合全市国有企业实际情况，规划编制完成了国资委系统资源整合、结构调整调研报告，提出了“十一五”期间国资委系统总体发展目标、发展方向和具体措施。并根据市政府下达的 139 项重点目标任务，对市国资委涉及的节能降耗指标进行督促、检查（万元地区产值能耗降低 4.5%，万元工业增加值取水量 64 立方米），确保了完成情况在时间进度和控制范围之内。二是督促常山集团加快搬迁筹备工作，推进石药集团手性药物研发中心建设，对北人集团拟重组先天下广场项目的有关协议和可行性研究报告进行分析，并提出了调整意见。

【惩治腐败工作】 一是集中开展治理商业贿赂工作。年内市国资委按照要求成立了治理商业贿赂领导小组，并会同有关部门、处室认真调查了解相关情况，摸清底数，制定了工作实施方案，明确了治理重点。同时，建立了与检察、公安、工商等机关的线索移送、案件协查机制。二是加大直查案件力度。市国资委通过“一案双报告”等多种形式帮助发案单位堵塞和管理漏洞。截止年底，共查办案件 30 件（其中结案 19 件），对 13 人给予党政纪处分，涉案金额 533 万元，挽回经济损失 321 余万元。三是重视职工来信来访。上半年共收到有关案情举报 55 件，严格落实限时办结制度，能当场解决的，不让群众跑第二趟；情况复杂的不推不拖，责成有关企业、有关责任处室在规定的时限内按时办结，按要求向投诉人及主管机关反馈了报告。对署名举报或线索比较具体的 34 件进行了认真的调查处理，还进行信访提示或诫勉谈话 23 人次。

【信访稳定工作】 全年接待群体访 27 批次，与上年相比下降 62%；接待个人访 32 人次，与上年相比下降 31%；处理和办结案件 71 件，其中：省信访局批转 13 件；市信访局批转 15 件；市民服务中心批转 27 件；绿色通道批转 10 件；个人送达 6 件。全系统排调各类矛盾纠纷案件 22 件（均有领导包案），已彻底解决的 5 件，有明显进展的 6 件。具体做法为：一是建立了批评报告会制度、信访工作领导责任追究制、领导包案责任制和“三位一体”工作责任制等行之有效的工作制度，建立机制，落实责任，在整个系统确立稳定工作无小事的理念。二是认真排查、调处各类矛盾纠纷，努力把不稳定因素消灭在萌芽状态。突出抓好群体性事件苗头和隐患排查调处，加大对重大疑难问题解决力度，千方百计做好可能进京上访人员的稳控。坚持随时排查、随时上报、随时化解。截止年底，全系统共排查各类矛盾纠纷案件 21 件。其中已排调的群体性事件苗头 9 件。三是成立了党政一把手为组长的专项整治领导小组。领导班子成员分别下到企业，进行督导、协调。各监管企业党委均认真抓好落实，实现了“五个不发生”。

（封祖长）

安全生产监督管理

【概况】 2007 年，市安全生产监督管理部门深入贯彻落实科学发展观，始终坚持“安全第一，预防为主，综合治理”的方针，积极贯彻安全生产政策法规，围绕市委、市政府中心工作、重大任务，狠抓各级、各部门和企业主体责任的落实，扎实推进了全市安全生产目标管理工作、“三项制度”建设工作、“双百日承诺”行动和“承诺制度”建设工作，积极开展了重点行业领域隐患排查整改专项行动，加大了对重大危险源的监控和隐患排查整改力度，扎实开展了煤矿、非煤矿山、危险化学品、烟花爆竹、反“三违”等专项整治行动以及“安全生产行政执法年”活动，狠抓安全生产基层基础工作，强力推进了应急救援体系建设，高标准完成市政府下达的安全生产重点工作任务，实现了事故起数、伤亡人数、经济损失“三下降”，圆满完成了市委、市政府年初提出的“事故起数、死亡人数同上年相比实现零增长”的目标，保持了全市安全生产形势总体平

国家安监总局李毅中局长视察市医疗卫生行业安全生产工作

稳、持续好转的态势。

【安全生产形势】 全年全市共发生各类伤亡事故1633起，同比减少510起，下降23.8%；死亡387人，同比减少10人，下降2.5%；受伤1012人，同比减少50人，下降4.7%；经济损失810.3万元，同比减少128.9万元，下降17.3%。一次死亡3～9人事故4起，同比减少10起，下降71.4%；死亡15人，同比减少40人，下降72.7%。与省政府下达的控制目标相比：全市未发生死亡10人以上重大、特别重大事故；一次死亡3～9人生产安全事故7起，未超过下达的不超过11起的指标；各类事故死亡人数占省政府下达控制指标的96.5%；工矿商贸企业事故死亡人数占省政府下达控制指标的88.2%，其中煤矿事故死亡3人，未超出下达的不超过4人的指标；道路交通事故死亡人数占省政府下达控制指标的96.9%。指标完成情况均在省政府下达的控制指标范围之内。年内市政府被省政府考核为全省安全生产目标管理优秀单位。

【对138家安全生产重点监控单位实行领导包案挂牌督办】 为强化各级政府行政首长和企业法定代表人两个负责制，自3月份起，市政府决定对全市138家安全生产重点监控单位（市属重点监管企业13家、县属重点监管企业125家）实施挂牌督办和重点治理，并以市安全生产委员会名义印发了《关于对全市安全生产重点隐患单位实施重点治理的通知》，要求对全市138家重点隐患单位实行市、县领导分级监管、分级负责，调动了各级各部门参与安全生产监管的主动性；同时，进一步完善了市、县“领导包案，挂牌督办，整改销号”的安全生产隐患排查整改工作责任制。截止年底，有127家整改销号，其余11家企业被列入2008年挂牌督办单位。

【扎实开展“三项制度”建设及“法人代表安全生产承诺”行动】 为加强企事业单位制度建设，较好地落实企事业单位安全生产主体责任，根据省政府和省安委会有关精神，全市认真开展了以“安全生产责任制度、安全管理制度和安全操作规程”为内容的安全生产“三项制度”建设和“法人代表安全生产承诺”行动。在“三项制度”建设中，全市共有7329家企事业单位建立和完善了“三项制度”，为落实安全生产主体责任奠定了坚实的制度基础。石家庄市金石化肥有限公司、西柏坡电厂、石家庄市第二十四中学、石家庄中心医院、北人集团先天下购物广场、石家庄新奥燃气有限公司等6家试点企事业单位的工作经验在全省“三项制度”试点单位经验推广会上进行了推广，受到省安委会、省安监局和11个地市参会领导的好评。国家安全生产监管总局李毅中局长6月份来石家庄视察时，对石家庄市“三项制度”建设工作给予了充分肯定。在“法人代表安全生产承诺”行动中，全市共有7041家重大危险源企业和相关企事业单位法人代表向市、县、乡政府递交了安全生产承诺书；企业内部也层层发动，逐级签订责任状，实现了全市重大危险源企业和相关企事业单位由被动抓安全工作向主动抓安全工作的转变。

“12·4”全国法制宣传日活动

【积极开展“安全生产行政执法年”活动】 年内根据省委、省政府提出“安全生产行政执法年”的有关要求，制定了《石家庄市安全生产行政执法年方案》，全面部署开展了安全生产行政执法年活动。通过开展日常安全生产监察执法、安全生产集中监察执法、反“三违”（违章指挥、违章作业、违反劳动纪律）

百日专项整治行动和“法人代表安全生产承诺”督导监察行动，进一步规范了生产经营单位安全生产秩序，消除了一大批事故隐患。反“三违”百日专项整治行动（从5月10日开始，至8月20日），共查处“三违”人数7100余人次，查出安全隐患26000余处，隐患整改23500余处；安全生产集中执法行动（10月8日至11月7日，市安监局组织力量对全市煤矿、非煤矿山、危化、烟花爆竹、建筑、建材等重点领域开展了“十七大”期间的集中执法行动）共检查24个县（市）、区工矿商贸生产经营单位138家，发现各类安全隐患1233条，如期整改1216条，整改率为98.6%；安全生产“打非”工作（以“非法建设、非法生产和非法经营”为打击对象）突出矿山整治这个重点，共封闭27个坑口，取缔75个非法选矿场，拆除房屋16间，拆除设施41处，查扣设备62台（件），查处非法买卖矿产资源8起。活动中，安全生产监督管理部门不断加大对事故的查处力度。对发生事故的单位，严格按照《河北省重大安全事故行政责任追究暂行规定》和“四不放过”的原则，严肃追究有关人员的责任，“顺查”追究企业主体责任，“倒查”追究监管责任，对因失职、渎职和滥用职权等行为造成严重事故的官员深挖细查。全市共有69名事故责任人受到党纪或政纪处理，刑事拘留8人，处理村干部6人。

【大力开展隐患大排查】 全市安全隐患排查工作，以行政执法为手段，坚持日常监督检查、安全生产大检查及安全生产专项整治“三结合”原则，进一步加大对各类事故隐患查处和整改的力度。全年先后组织了8次安全生产隐患大检查及专项整治活动，查出各类隐患53000余处，完成整改48760余处，整改率达92%，有力确保了安全生产形势的稳定。隐患排查专项行动主要有以下几个方面：一是根据国务院办公厅和省安委办有关文件精神，从6月份开始，在全市范围内，深入开展了煤矿、非煤矿山、危险化学品和烟花爆竹等重点行业和领域的安全生产隐患排查治理专项行动。为确保隐患排查工作落实到位，市安委会组织了7个督导检查组深入到24个县（市）、区和重点企业进行检查督导。全市5300余家企业开展了自查整改，自查隐患20500余条，落实整改资金2427.7万元、整改措施近500条。二是开展了隐患排查整治“回头看”行动。市、县两级把隐患治理“回头看”作为第四季度安全生产的重点工作，结合签订安全生产承诺书、行政集中执法活动，对前一阶段的隐患整治情况进行了督导检查。市安全生产监察支队通过为期一个月的集中执法行动，在煤矿、非煤矿山、危险化学品、烟花爆竹、冶金建材、建筑施工等重点行业排查、整改各类安全隐患849个。三是组织开展了重大基础设施隐患排查工作。10月份开始，市安委会统一协调，有关部门按照职责分工分头组织，对全市68处电厂、桥梁、水库、电站等城市重大基础设施进行了隐患专项排查，影响公共安全的266个隐患得到了及时解决。

安排部署全市2007年安全生产工作

【组织抓好安全生产专项整治行动】 煤矿专项整治。以“煤矿瓦斯治理”及“整顿关闭”两个攻坚战为契机，深入开展了以“防治瓦斯”和“防治水害”为重点的煤矿安全专项整治。全市15家煤矿进一步完善了瓦斯监测监控系统，完善了井下通风系统。对生产能力3万吨，受水害威胁较大的一家煤矿实施了关闭。 非煤矿山专项整治。严格实行采矿许可制度，开展了矿产资源整合和采矿秩序整顿行动，加大了对“一证多采”、“一个矿体多家开采”、露天边坡、排土场、采空区等重大隐患排查整改力度，依法吊销了5家安全生产许可证，暂扣了23家安全生产许可证。在中小型露天采石场推行了中深孔爆破开采技术和机械化采装作业技术。 危险化学品专项整治。组织力量对化工园区和小化工生产经营企业进行了全面整治。吊销了25个到期没有提出申请的危险化学品经营许可证。对列入市级重点监控的13家危险化学品单位重大隐患整改实行“销号”督办，并积极做好市油漆厂、市电化厂两家企业搬迁改造期间的安全监管工作。 烟花爆竹专项整治。对烟花爆竹生产企业积极落实驻厂安监员制度。按照把合法企业“管好”，把违法企业“管死”的要求，组织对全市烟花爆竹生产企业进行了清理整顿，保证企业严格执行“高温高湿季节停产”的规定。以查处超人员、超药量、超用途的“三超”行为为主要内容，对全市5家烟花爆竹生产企业开展了拉网式执法监督检查行动，确保了全市烟花爆竹生产企业生产形势安全稳定。其它领域专项安全整治。市直有关部门分别按照市政府《关于做好全市2007年安全生产工作的意见》，对道路交通安全、公共聚集场所消防安全、建筑施工、市政和拆除工程安全、电力设备的治理、特种设备安全等领域开展了扎实有效的专项整治行动，取得了较好的效果。

【积极强化安全生产基础工作】 市安全生产监管部门着眼实现安全生产工作“重心下移、关口前移”，积极强化安全生产基层基础工作。一是强力推进“三级机构、四级网络”建设。根据市安委会有关通知要求，全市286个乡镇都有安监站，4584个行政村成立了安全生产领导小组，配备了专（兼）职安全生产管理员，提高了安全生产监管的覆盖面，形成了市、县、乡（镇）、村（社区）“三级机构、四级网络”的安全生产监管网络体系和社会共同监督、部门重点监管、盲区全面监控的安全生产监管格局。二是大力开展“示范乡镇”和“安全社区”试点创建活动。在巩固提高已有安全生产“示范乡镇”基础上，全市确定了120个乡镇和50个社区作为2007年示范乡镇和试点社区。120个“示范乡镇（办事处）”、50个“安全社区”按照标准健全了办公场所，规范了办公制度，明确了社区工作职责，使全市基层安全生产工作逐步走向了规范化、制度化、科学化的管理轨道。三是在重点企业和规模企业推行了“安全助理”制度。为解决生产经营单位内部安全生产监管人员严重不足、工作落实不到位的问题，在上年全市93家重点监控单位配备安全助理基础上，年内又在1794家规模以上生产经营单位推广完成了安全助理配备工作任务。

张发旺副市长亲自为市民发放《石家庄市市民安全常识手册》

【努力推进应急救援体系建设】 全市编制了《2007年石家庄市安全生产应急救援工作要点》，修改、完善了《石家庄市安全生产事故灾难应急预案》、《石家庄市危险化学品事故灾难应急预案》等6个应急预案。督导24个县（市）、区安监局、21个市直部门、78家市属以上企业编制、修改、完善了县（市）、区、部门专项预案和重大危险源应急预案。市政府投入近800余万元，全面启动了市应急救援指挥中心的一期工程建设工作；组建了市危险化学品应急救援中心；市矿山应急救援中心顺利通过了国家三级资质认证。积极组织了全市安全生产应急救援演习；督导藁城市等12个县（市）、区，华北制药集团等20余家企业和11个街道办事处开展了40余次应急救援演练。

【加强教育培训和安全文化建设】 注重从源头上筑牢安全生产防线，不断加大培训工作力度，为进一步抓好安全生产工作提供了可靠保证。全年共组织企业管理人员培训班58期，受训人员6213人；特种作业人员培训班39期，受训人员3000人；各类复训1万人次。以“综合治理、保障平安”为主题，组织开展了第六个全国“安全生产月”活动。以市长电视讲话为序幕，先后开展了沿街悬挂标语条幅，广播、电视、报纸等新闻媒体集中宣传，设站现场咨询、发放宣传资料等活动。认真组织了国家安监总局李毅中局长及全国“安全生产万里行”采访检查团在石家庄市的各项活动，受到了安监总局领导、省政府和市委、市政府的充分肯定。定期编发安全生产信息、双百日承诺简报、双百日承诺专报、安全生产集中执法信息简报、在安监局部门网站发布安全生产信息、召开安全生产信息新闻发布会、通过媒体进行宣传报道等形式，及时发布安全生产政策信息，交流安监工作经验做法，增大了安全生产工作的透明度。11 月 3 日，《中国安全生产报》以两个版面的篇幅刊登了石家庄市的做法。组织编印和下发了 100 万册《石家庄市市民安全常识手册》，免费向市区及各县（市）区居民家庭发放，并组织了手册发放仪式，为市民提供了全面、科学、生动、形象的家庭安全常识。此举开创了河北省安全文化建设的先河，走在了全省的前列。

（寇军波　严全虎）

国土资源管理

【概况】 2007 年，国土资源管理工作坚持以科学发展观为指导，以“保护资源、保障发展、维护权益、服务社会”和增强经济社会可持续发展的资源保障能力为目标，以规范管理和保护资源为准则，创新思路，依法行政，狠抓落实，各项工作扎实推进、富有成效。年末全市基本农田保护面积稳定在 52 万公顷。基本农田示范区整理面积 1553.09 公顷，新增耕地 49.23 公顷。国家、省级投资土地开发整理项目 15 个，面积 4644.55 公顷，新增耕地 549.52 公顷。耕地“占一补一”土地开发项目 107 个，开发面积 2257.04 公顷，新增耕地 2130.79 公顷，确保了补充耕地数量不减少，质量不降低。同时加大土地违法案件查处力度。按照上级统一部署，深入开展了土地执法百日行动、进一步查处土地违法违规案件专项行动和卫星图片执法检查工作。市公安局专门成立了国土资源治安办公室，市中级人民法院专门成立了城建法庭审理相关的国土违法案件；国土、公安、检察、法院四部门联合下发了《关于涉嫌国土资源犯罪案件移送暂行办法》。全市立案查处各类土地违法案件 462 宗，依法移交公安机关 37 宗，1 人被刑事拘留；申请法院强制执行 286 宗，执行 111 宗；移送纪检监察机关追究党政责任案件 29 宗。拆除违法占地建筑物 397 宗，占地面积 38.01 公顷；对违法事实严重、影响恶劣的 18 宗典型违法案件进行了公开曝光。

【大力推进集约节约用地】 一是在调查的基础上，以市政府文件形式下发了《石家庄市关于进一步加强土地管理，推进集约节约用地的意见》和《石家庄市全面细化各类建设项目用地控制指标管理办法》；二是开展土地复垦治理工作。共立项验收复垦砖窑 46 个，面积 136 公顷。高邑县瓮窑复垦项目通过省国土资源厅验收，新增耕地置换指标 324 公顷。治理空心村 85 个，腾出土地 66 公顷。三是大力推进闲置地利用。对全市闲置砖瓦窑和建设用地潜力进行调查，清理非农建设闲置土地 346 宗，面积 1861.12 公顷，其中可复垦置换项目 86 宗，复垦面积 341 公顷。对清理出来的闲置土地，采取项目调整、增资扩建、挂钩整理、协议收回、依法无偿收回等措施进行合理利用，有力地保障了全市建设项目用地需求。四是积极推进村镇土地整理工作。组织完成了《城镇建设用地增加与农村建设用地减少相挂钩试点实施方案》的编制，在市区和县（市）选择一批有条件的村，积极开展农村居民点土地整理试点工作。其中赞皇的三镇村、孟家园村和灵寿的同上村，村庄复耕工作已经完成，待省国土资源厅验收。

【用地服务工作】 把服务全市经济发展作为国土资源管理工作的落脚点。一是完成了《石家庄市土地利用总体规划》(2006 ～ 2020 年）影子规划修编工作，为下一轮土地利用总体规划修编打下了良好基础。科学编制了 2007 年度石家庄市区建设用地供应计划，完成了全年度用地计划安排工作，保障了重点项目用地。二是依法完成了滹沱河生态整治区、市内五条道路、槐安路工程拆迁、纺织基地、化工基地等项目用地规划调整工作，保证了重点项目落地。三是加大建设用地上报和供地力度。全年共受理建设用地卷 128 个，面积 2505.39 公顷；审批项目 25 个，面积 233.25 公顷；省以上待批项目 70 个，面积 1966.4 公顷。

【土地市场建设】 按照“政府组织、企业运作”的思路，对土地收购储备运作管理机制进行了改革，组建了石家庄市地产集团和土地储备中心，加大了土地收购储备和出让力度。全年收购国有企业土地 21 宗，面积 34.22 公顷；征收集体土地 29.87 公顷，预征 40 公顷；旧城改造土地 4 宗，面积 29.33 公顷；旧村改造土地 1 宗，面积 15.27 公顷。全市土地供应总面积 1054.66 公顷，其中出让 599.36 公顷，政府纯收益 25.86 亿元。市本级全年共招标拍卖挂牌出让土地 11 宗，面积 75.31 公顷，实现政府纯收益 19 亿元。

【规范和整治矿产资源开发秩序】 针对平山、行唐、赞皇、灵寿等县超贫铁矿乱采滥挖反弹现象，强力“治乱”。年内市政府多次召开会议对矿业秩序整顿工作进行专题研究，全面安排部署，8 月 31 日在灵寿县召开了全市矿业秩序规范和整顿现场会，全市推广了灵寿县公安特勤大队开展专项整治活动的做法。截止年底，全市共填封矿坑 22 处，查封、停产选矿厂 27 家，取缔非法矿点 75 处，查处非法买卖矿产资源 8 起，刑事拘留 8 人，处理村干部 6 人，基本消除了大规模私开滥采现象。大力“治散”。积极开展矿产资源整合和调整布局工作，编制完成了《石家庄市矿产资源整合总体方案》，确定了 27 个重点整合矿区、75 家矿山企业。着力“治本”。严格落实采矿权设置方案审批制度，全面推行新设立矿权必须编制矿权设置方案。全年共受理各县上报采矿权设置方案 19 宗，已批准 8 宗。

【地质环境保护工作】 着眼全面优化矿山环境和营造良好的生态环境，积极开展了绿色矿山建设及矿山地质环境恢复治理工作。年内研究确定了矿山环境治理三项重点工程，即西部山前区域、西柏坡旅游沿线、307 国道鹿泉井陉段等三个区域的矿山环境治理工程。重点是加快西部山前区地质环境治理工程建设。9 月 28 日，西部山前区岭底西山东段矿山环境治理项目举行了开工仪式，标志着西部山前区矿山地质环境恢复治理工程已经从规划设计阶段进入施工建设阶段。此外，鹿泉汇源建材矿山地质环境恢复治理项目已通过省国土资源厅验收，井陉岩峰水泥厂矿山、鹿泉石井山矿区、行唐南河石英砂岩矿山等 10 余个绿色矿山建设项目已顺利实施。

【国土资源基础建设】 一是基础地籍信息化建设工作扎实推进。23 个县（市）土地利用更新调查和更新库建设通过省国土资源厅验收，其中市辖五区和正定等四个县（市）通过国土资源部验收。还完成了市内五区城镇地籍更新调查及信息系统建设工作，基本实现了市内五区土地登记的网络办公。8 月份，石家庄市城镇地籍信息系统通过了国土资源部和省的验收，被中国地理协会评为“基础地理信息系统银奖”。二是电子政务系统建设初显成效。完成了市局与辛集、鹿泉、藁城、正定、栾城、赵县、元氏、灵寿八个县（市）局之间的办公自动化系统，下行公文和各类通知、信息通过网上传送，进一步提高了工作效率。三是下发了《石家庄市人民政府关于开展第二次土地调查的通知》(石政〔2007〕38 号)，成立了石家庄市第二次土地调查领导小组，启动了第二次土地调查的前期准备工作。四是推进测绘成果利用。完成了石家庄市 1 ∶ 1000 数码航测工程，将地理信息数据库由 158 平方公里拓展为 600 平方公里，为石家庄市公安局 110 指挥中心 GPS 监控系统提供了 1 ∶ 500 比例尺地形数据，为滹沱河整治工程提供 1 ∶ 1000 比例尺地形图 200 余幅，提高了为城市建设和发展服务的能力。

【着力维护人民群众切身利益】 继续加大土地权属管理。全年完成国有土地使用权登记 1631 宗，个人住宅登记发证 19010 个；颁发集体土地所有权证 4793 本，占应发数的 85%；集体土地所有权变更登记发证 61 个。做好土地权属纠纷调处工作。受理土地权属争议 96 件，已处理 61 件。积极做好信访稳定工作。认真贯彻落实中央、省、市信访工作会议精神，组织开展了安全稳定隐患专项排查整治、矿业秩序治理整顿和农村土地矛盾纠纷大排查大调处活动，建立了《国土资源重大信访信息报送制度》和市、县两级干部“下基层巡回接访”和“三位一体”大调解工作机制，受理各类群众信访1087件，全部办结。同比赴省上访下降25%，进京上访下降33.3%，到市上访下降41.5%。积极开展地质灾害预测预防。年内赴乡村对3210余名乡村群众进行了地质灾害防治知识的培训。对全市94处地质灾害隐患点，制定了防灾预案，建立了三级监测网，并与市气象局联合开展了地质灾害气象预测预警预报。对地质灾害易发区的建设项目，积极开展了建设用地地质灾害危险性评估。

【国土资源队伍建设】 全市国土资源系统深入开展了“为民、务实、清廉”主题教育、党的十七大精神专题学习、干部职工思想作风整顿和解放思想大讨论等活动，进一步加强了领导班子和干部队伍的思想教育。加强依法行政工作。制定了国土资源系统《依法行政五年规划方案》和《“五五”普法规划》，组织了土地政策县（市）长培训班，大张旗鼓地进行了“4·22”地球日、“6·25”土地日、“8·29”测绘法宣传日等宣传活动，完成人大建议和政协提案11件，圆满处理行政复议案件15起。推进行政权力公开透明运行和治理商业贿赂工作。围绕“土地出让、矿业权出让、项目发包、土地和矿权评估”四个重点领域，组织开展了“治理商业贿赂，预防职务犯罪专项活动”，增强了国土系统干部职工自觉抵制商业贿赂的意识。进一步优化领导干部队伍结构。全年调整任免县（市）国土资源局领导干部54名，并从市国土局选拔4名同志分别到正定等县（市）局挂职副局锻炼。采取多种渠道提高国土资源干部职工素质。组织9名同志赴瑞典进行了地理地籍信息系统学习；举办了7期土地新政培训，累计培训系统业务骨干1500多人；对120多名国土资源所长进行了法律法规和国土资源业务培训；组织130人参加了河北师大、河北农大举办的在职研究生班、本科班以及“素质工程”专科班等学历教育。

（竺振河）

烟草专卖管理

【概况】 2007年，石家庄市烟草系统紧紧围绕省局提出的“把发展的着眼点和落脚点切实放在‘好’字上，努力保持行业的平稳发展、协调发展、节约发展和可持续发展”的工作方针，进一步加强分析和有效调控，合理发挥增长潜力。在“稳”、“实”、“保”三个字上下功夫，稳步提高销量，做实全国销量前20名一类品牌和单条零售价100元以上卷烟的销售，确保低档烟市场基本需求，实现经济运行工作的平稳发展。止年末，全市共销售卷烟155.45亿支，31.09万箱，同比提高4.75%，其中一类烟2.55亿支，同比增长29.32%；二类烟11.02亿支，同比增长34.44%；三类烟26.60亿支，同比增长15.95%；一二三类烟销售40.17亿支，同比增长21.32%。“百牌号”销售141.91亿支，同比增长17.78%。累计销售名优卷烟66.2亿支，较上年同期的53.58亿支增加12.62亿支，同比增长23.56%。单箱销售收入10221元，同比提高1029.53元，同比增长11.21%。全年实现利税5.90亿元，同比增长62.08%，其中利润4.74亿元，同比增长65.16%。完成年计划108.97%。

【专卖管理工作扎实有效】 全市各级专卖管理部门与公检法等部门密切协作，充分发挥联合双打机制的作用，积极开展监控和侦察，彻底查清网络脉络，锁定并掌握嫌疑人行踪，实施精确彻底打击。同时，不断创新工作方式，深入经营案件，增强监控和固定证据的能力，以烟找人，以人找库，以库找网，不放过任何蛛丝马迹。对涉及区域广、案情复杂的网络，及时向市委、市政府有关部门汇报，取得支持，确保了侦破工作的高效开展，严厉打击了制售假烟网络活动，取得辉煌的战果。全年共查处各类违法违规案件1403起，向公安部门移送案件14起，查获各类违法卷烟4504万支，收缴罚款26.72万元，捣毁制假窝点5个，贩假窝点40个，收缴各类制假烟草机械4台以及大量制假原辅材料。特别是成功打掉有较大影响的制售假烟网络12个，其中达到国家局标准的网络案件5个，包括国家局、公安部挂牌督办的案件1个；省局标准的网络案件3个；市局标准的网络案件4个，涉案假烟共计8800余万支，涉案金额4150余万元，刑拘36人，逮捕38人。

【网建工作水平提升】 作为省局“订单供货”、“信息化网建提升”和“工商协同、品牌培育”等三项工作的试点单位，市烟草专卖局夯实基础，创新方法，重组工作流程，完善管理制度，打造先进的信息化平台，有力推动了网建水平的提升。一是认真开展订单供货，逐步把握市场真实需求。经过几个月的不懈努力，卷烟需求预测工作已基本形成一套比较成熟的预测体系，各维各层预测流程基本顺畅，预测准确率稳步提高，把握市场真实需求的能力得到加强。二是认真开展“信息化网建提升”，努力构建先进高效的“供应链管理系统”。以按客户订单组织货源工作流程为主线串连各个单项工作，重新优化整合工作流程，确保了软件对各项工作的有力支持。软件成功开发并投入运行后，有效提高了卷烟供应链各环节的效率。三是做好典型示范，抓好“工商协同、品牌培育”。建立健全了品牌培育工作相关机构，重新梳理和完善了品牌评价体系和工业分类服务体系，完善了符合石家庄实际的品牌引入退出管理办法和工作流程，建立了以品牌经理为主体，立足为工业企业服务，强化工商企业共同培育品牌的工商协同工作机制，共同提高了品牌培育效果。

【企业优质化管理全面加强】 围绕“规范核算、强化内控、做实资产”三项工作，强化内部控制。继续深入落实同级审计自查整改的有关要求，依法依规处理经济业务事项，确保会计信息质量。完善内控制度，强化预算管理，突出财务管理过程控制。在审批费用开支及资本性支出事项时，首先审查有无预算，切实把预算作为一项管理控制的手段。做实资产。以主业清产核资为契机，成立了专门机构，对辖区所有资产进行了彻底的清理，较好地完成了主业清产核资工作任务，为国有资产经营管理相关工作打下了坚实基础。高度重视基础管理，努力提升企业现代管理能力。加强痕迹化运用。全辖区各单位在做好资料归档整理规范化的基础上，进一步加强了对痕迹化资料的分析、研究，及时总结经验，发现问题，解决问题，使痕迹化管理工作真正成为了促进管理质量提升的有效手段。加强制度建设。根据形势变化和实际需要，及时对三个层面的管理制度进一步修改完善，确保每项制度的可行性和操作性，切实提高了制度的执行力；结合ISO9000换证和职业健康安全体系认证工作，做好质量手册、程序文件、部门手册的修改完善，实现两个体系的有机整合。提高信息化管理水平。全面启动了办公自动化和视频会议系统；更新网络安全设施；健全网络应急工作领导机构，从人员、设备、信息系统等方面建立应急工作预案，有力加强了销售网络的应急机制建设。

石家庄市烟草专卖局（分公司）
局　长：戴　勇
经　理：杨克勤
副局长：段纪俊（兼纪检组长）
　　　　李琏柱
副经理：马宝平　安志发（6月任）
总会计师：付立民
工会主席：贾永亮

（张　鹏）

财政·税务

财政·税务

财　政

【概况】 2007年，市财政部门紧紧围绕建设繁荣、文明、和谐新石家庄的目标，以学习贯彻党的十七大精神和开展解放思想大讨论活动为契机，全面落实科学发展观，强化收支管理，深化财政改革，依法理财，科学理财，为民理财，圆满完成全年各项工作任务。全市全部财政收入完成230.34亿元，比上年增收40.28亿元，增长21.20%。其中，地方一般预算收入完成95.87亿元，比上年增收18.49亿元，增长23.91%，增量和增幅均创“九五”以来最好水平。

【财政收入保持平稳较快增长】 全年围绕实现增收目标，市县财税部门及时分解收入任务，强化征管责任，坚持联席协调机制，继续实行增收奖励政策，有力调动了各级各部门组织收入的积极性。深入开展综合治税，抓重点、抓大户，对房地产、金融、采矿、烟草等行业和重点企业的纳税行为进行规范，清理欠税费3.1亿元。通过涉税部门协调联动，齐抓共管，减少了收入流失，防止了跑冒滴漏。完善财源监控体系，加大监控力度，将全市511户企业纳入财政部门财源监控范围，对“5+3”、“2+1”企业实行重点监控，及时掌握了全市重点企业的纳税变化情况。全年17个县（市）和矿区全部财政收入完成86.9亿元，占全市收入总量的37.73%，比上年提高2.8个百分点。平山、藁城、鹿泉财政收入率先突破10亿元，辛集完成8亿元，井陉、晋州超过5亿元，超过3亿元的县（市）新增加3个，达到7个。全市全部财政收入占GDP的比重达到9.62%；一般预算收入占全部财政收入的比重达到41.62%；税收收入占全部财政收入的比重达到92.7%。

【重点支出得到较好保障】 年内全市一般预算支出完成163.17亿元，比上年增长27.23%。财政支出较好地保证了公教人员工资发放和政权机关运转，支持了全市经济和社会事业的协调发展。市县两级工资制度改革和规范津补贴工作顺利实施，落实市对县（市）区工资性转移支付资金10.2亿元，保障了公教人员工资水平的提高和发放。加大对教育事业的投入，全市财政用于教育的支出达39.66亿元，增长32.36%。城乡社会保障能力进一步增强，落实资金30.7亿元，支持了新型农村合作医疗试点工作，保证了企业离退休人员养老金、城乡低保金的及时发放。落实了下岗失业职工再就业政策，启动了农村“五保”供养工作，进一步完善了城镇低保家庭廉租房补贴机制，并安排专项资金支持了社区医疗服务和农村卫生基础设施建设，启动了城镇居民基本医疗保险试点工作。年内还安排资金2.35亿元，支持了市广电大楼、市图书馆、广播电视村村通、新剧目创作以及纪念石家庄解放60周年活动、第二届石家庄动漫节、市民文明素质提升工程等。全年全市公共安全支出13亿元，增长达到了22.76%，有力支持了“平安省会”建设。

【积极支持城市建设和经济发展】 通过财政贴息、担保、配套、奖励等方式，市财政多渠道支持城市建设和经济发展，着力推进了经济结构调整和增长方式转变。全市结合“五大基地”建设和市区企业搬迁改造，协调理顺了税收征管关系，提出了进一步完善市以下分税制财政体制意见。改革完善县乡财政体制，在17个县（市）和矿区214个乡镇实行了相对规范的分税制体制和统收统支加激励体制，促进了县域经济的快速发展。多渠道筹融资48.5亿元，支持了槐安路东拓西进、滹沱河综合整治、石环公路建设、体育大街南延等重点项目及

9月18日，市财政局领导，实地考察公路建设资金的筹集、拨付使用管理情况

污染治理、节能减排、环境建设"八个一"工程等工作。加大对重点企业发展的支持力度，落实资金近6亿元。支持了石家庄制药集团等7家企业成功改制和6家国有企业搬迁改造。积极推动了企业分离办社会和国企主辅分离工作。落实"5+3"企业奖励政策，兑现工业50强企业发展奖励资金1600万元。并对企业搭建科技创新平台、高新技术研发等给予了重点扶持。还积极支持中小企业服务体系建设，市财政调度资金5500万元，帮助宝德公司完成增资扩股，有力促进了中小企业的担保体系建设。

【扎实推进新农村建设】 认真落实支农惠农政策，全年各级财政用于"三农"的投入达到28.1亿元，增长32.5%，广大农民从中得到了更多实惠。年内全市财政用于农林水事业支出12.19亿元，重点支持了农业基础设施、农业产业化和文明生态村建设。教育、文化、卫生、社会保障等社会事业的投入也大幅度向农村倾斜。顺利推进了农村义务教育经费保障机制改革。发放粮食直补和综合直补资金3.42亿元，动植物良种和农机具补贴1.3亿元。落实渔业、林业、农村道路客运等相关行业成品油提价补贴资金1.28亿元。积极探索财政支农新机制，在栾城、行唐进行了农业财政资金整合试点，在高邑、鹿泉开展了"乡财县管"试点工作。还支持了"万村千乡"市场工程建设。

【进一步深化财政改革】 市财政部门继续加强预算管理改革，并建立了市级支出绩效评价和预算项目管理制度。坚持集中财力办大事，进一步扩大了资金的整合规模。全年市级财政整合资金达6.9亿元，有力支持了重点项目建设。国库管理制度改革全面推进，市级预算单位全部实施了零余额账户支付改革试点，在15家市直单位推行了公务卡试点工作。全年市级集中支付中心支付资金流量达106亿元。政府采购工作继续向纵深发展，建立了政府采购诚信档案、政府采购关联事项信息公开和资信收集制度，采购程序更加公开透明，采购工作不断规范。年内全市采购金额完成22.75亿元，增长25.14%。政府投资评审工作力度进一步加大，全年共审核金额45亿元，审减额达7.6亿元。积极开展全市行政事业单位清产核资工作，基本摸清了家底。财政监督范围进一步延伸。向桥东污水、滹沱河生态开发等七个政府投资的重点项目派驻了财政监察员。全市还开展了财政专项资金和会计信息质量检查工作，并实行了会计行业准入制度。

2007年度石家庄市一般预算收支决算总表一

表1　　单位：万元

预算科目	全市	市本级	预算科目	全市	市本级
一、税收收入	789,327	29,944	一、一般公共服务	270,636	64,072
增值税	132,814	2,808	二、外交	0	0
营业税	305,224	421	三、国防	1,518	100
企业所得税	74,252	12,140	四、公共安全	133,969	76,286

表 1（续表）

预算科目	全市	市本级	预算科目	全市	市本级
企业所得税退税	0	0	五、教育	402,666	66,196
个人所得税	58,089	0	六、科学技术	31,567	10,885
资源税	3,962	0	七、文化体育与传媒	24,316	14,741
固定资产投资方向调节税	67	0	八、社会保障和就业	140,693	46,986
城市维护建设税	70,548	0	九、医疗卫生	97,313	32,226
房产税	36,240	225	十、环境保护	28,800	14,376
印花税	16,323	0	十一、城乡社区事务	147,290	43,381
城镇土地使用税	33,382	0	十二、农林水事务	118,640	22,625
土地增值税	16,684	0	十三、交通运输	20,496	3,830
车船税	4,774	0	十四、工业商业金融等事务	61,529	33,058
耕地占用税	7,016	0	十五、其他支出	152,259	60,690
契税	29,780	14,350	其中：预备费		
烟叶税	156	0			
其他税收收入	16	0			
二、非税收入	169,393	44,768			
专项收入	54,401	11,341			
行政事业性收费收入	36,077	8,494			
罚没收入	51,882	17,545			
国有资本经营收入	17,038	5,150			
国有资源（资产）有偿使用收入	7,999	2,238			
其他收入	1,996	0			
本年收入合计	958,720	74,712	本年支出合计	1,631,692	489,452

2007 年度石家庄市一般预算收支决算总表二

表 2

单位：万元

预算科目	全市	市本级	预算科目	全市	市本级
本年收入小计	958,720	74,712	本年支出小计	1,631,692	489,452
返还性收入	166,920	56,549	财力性转移支付	2,582	26,702
增值税和消费税税收返还收入	109,817	41,539	体制上解支出	0	25,606
所得税基数返还收入	57,103	15,010	出口退税专项上解支出	2,582	1,096
财力性转移支付收入	356,504	8,524	专项转移支付	71,259	−343,647
体制补助收入	0	0	专项上解支出	71,259	−343,647

附 2（续表）

预算科目	全市	市本级	预算科目	全市	市本级
一般性转移支付补助收入	19,173	9,167	计划单列市上解省支出	0	0
民族地区转移支付补助收入	9	0			
调整工资转移支付补助收入	149,525	26,891			
农村义务教育补助收入	14,308	14			
农村税费改革补助收入	64,875	4			
缓解县乡困难转移支付补助收入	27,792	−665			
结算补助收入	75,452	−26,887			
企事业单位预算划转补助收入	5,370	0			
其他财力性转移支付收入	0	0			
专项转移支付收入	227,776	25,891			
专项补助收入	215,427	23,660			
增发国债补助收入	12,349	2,231			
省补助计划单列市收入	0	−2,735			
			增设预算周转金	1,500	0
国债转贷收入	0	0	拨付国债转贷资金数	460	0
国债转贷资金上年结余	2,858	1,558	国债转贷资金结余	2,398	1,558
国债转贷转补助	0	0			
上年结余	60,067	32,649	调出资金	1,000	1,000
调入资金	0	0	年终结余	61,954	22,083
1. 政府性基金调入	0	0	其中：本级	22,083	22,083
2. 预算外调入	0	0	减：结转下年的支出	53,787	20,007
3. 其他调入	0	0	其中：本级	20,007	20,007
			净结余	8,167	2,076
			其中：本级	2,076	2,076
总　计	1,772,845	197,148	总　计	1,772,845	197,148

（王再奇）

税　务

国家税务

【概况】 2007 年，国税系统紧紧围绕建设繁荣、文明、和谐新石家庄这一根本目标，坚持以组织收入为中心，大力加强班子队伍建设和党风廉政建设，全面加强税收征管，狠抓工作落实，较好地完成了上级交给的各项工作任务。全系统 24 个县（市）区局全部被评为石家庄市“文明单位”，再次实现了“满

全局组织“和谐乐章”大合唱

堂红”；市局和7个县（市）区局被省委、省政府命名为“文明单位”。

【管理基础不断夯实】 年内把税收管理作为主线，切实将工作重心转移到税收管理上，实现了征管水平的大幅提高。止年末，全市组织税收收入127.77亿元，完成计划的105.3%，同比增长20.8%，增收21.99亿元，超收6.47亿元。全市税收收入继续保持了平稳较快增长，有效地增强了宏观调控能力，为省会经济建设和社会发展做出了应有的贡献。市国税系统大力实行了税收分析、纳税评估、税务稽查和责任追究协调联动机制，确定了各部门按照职责分工进行税收分析—主管局长签字—提交协调联动办公室审阅—召集协调联动会议—总结工作、安排任务、填发督办单—形成会议纪要的协调联动工作流程。初步形成了以税收分析指导评估，评估为稽查提供案源，稽查对评估疑案组织检查核实，责任追究促进工作高效运行的工作格局。认真落实税收管理员制度，并结合推行《税源管理综合平台》，制定了《税收管理员工作手册》，规范了工作标准，细化了管理责任，有效地促进了税源控管。全面实行领导联系点和税务分局（所）长管户制度，定期深入企业调查研究、了解情况，有针对性地采取措施，规范了管理行为，提高了管理效能。推行了分类管理，制定了《核定征收企业所得税暂行办法》、《房地产企业所得税管理办法》、《个体定额双公开管理制度》等管理办法。自实行个体定额双公开制度后，全市个体工商户总数由年初的43418户增长到64211户，比原来增加20793户，个体税收收入比上年增加了600多万元。深化税种管理。认真落实了“一窗式”管理规程，全面实行了“票表税”比对，加强了“四小票”管理，严格了一般纳税人认定，切实落实了消费税重点行业和重点税源的管理办法。认真贯彻车辆购置税“一条龙”管理办法，对车购税实行了属地征收，较大程度地方便了纳税人。加强信息应用。按照“大集中、大网络、大平台”的建设目标，加大投入力度，全市系统共配备微机1500多台，实现了税收管理员每人一台微机的目标。加强网站建设，定期发布征管质量监控结果，不断深化数据的分析应用，充分发挥了信息化手段对强化税源管理的支撑作用。

【执法水平提高】 全年坚持将依法治税贯穿于税收工作的全过程，强化执法监督，加强税务稽查，有力地促进了税收秩序的明显好转。认真落实了税收执法责任制，严格执法过错责任追究，暂停执法人员资格4人次。通过落实执法责任，强化过错追究，有效地纠正了执法偏差，进一步规范了执法行为。积极组织对重点行业和重点税源企业进行检查。主要开展了对房地产开发企业、建筑安装及四大建材企业、食品生产企业、医药生产及经销企业等行业进行税收专项检查，较好地发挥了以查促管的职能，达到了查处一个行业，规范一个行业的目的。全年稽查系统共检查纳税人1901户，查补总额3.02亿元，实际入库税款1.2亿元。认真开展了

党组书记、局长梁传刚带头深入基层调研

皮毛行业税收专项整治活动。重点对辛集市皮毛行业2004、2005两个年度使用农产品收购发票的195户皮革企业和146户一般纳税人进行了集中检查，查补总额15949万元，入库9894万元，向公安机关移送33户。年内规范皮毛行业税收秩序的作法，得到了总局和省局领导的充分肯定。

【税收管理加强】 坚持求真务实、真抓实干，全力做好税收管理业务督导工作。全局认真开展了税收管理业务自查和调研督导工作。要求各单位敢于亮丑、不护短，充分暴露问题，积极配合省局督导组工作，同时，狠抓问题整改。市局先后制定了《关于加强税收管理业务督导效果的通知》、《关于领导班子成员参加税收管理业务督导工作的通知》和《关于对省局督导发现问题进行整改的通知》等文件，成立了整改领导小组，将检查出的59类135个问题在局域网上公布，并以任务督办单的形式安排整改，做到了全员动员抓整改，限时保质抓整改。还建立了督导联系制度，制定了与省局督导组定期信息交流制度、协助省局督导组验收制度等，并就税收管理、执法工作中发现的问题，及时进行沟通、认真剖析原因、迅速加以解决，有效地堵塞了税收管理漏洞，保证了业务督导各项工作的落实。

【税收环境得到优化】 年内市国税系统坚持一手抓严格执法，一手抓优质服务，扎实推进党风廉政建设和行风建设，努力营造了公平、公正的税收环境。继续加强反腐倡廉工作，认真落实党风廉政建设责任制，积极构建了符合全市国税实际的惩治和预防腐败体系。大力抓好领导干部的廉洁自律，健全了廉政档案。强化"两权监督"，全面实施了办税公开和行政事务公开，有效地遏制了为税不廉行为的发生。在行风建设上，市局在全市民主评议中取得了较好成绩。在优化纳税服务上，认真落实了"两个减负"要求，简并了各类业务报表。年内在省局整合制度性和非制度性报表的基础上，取消报表68种，并废止了一切自行规定的业务报表。在加强办税服务厅建设上，制定了《办税服务厅工作规范》，进一步完善了"一站式"服务模式，较好地解决了税务机关内部衔接不畅，纳税人多头跑、多次跑的问题，有效地减轻了纳税人负担，受到了广大纳税人的普遍欢迎。在开展综合治税上，加强与相关部门的协调，召开了国、地税联席会议，并与公安部门实行联合办案，还加强了与工商、金融、质监、海关等部门的信息沟通和协作配合，初步形成了综合治税的合力。

石家庄市国家税务局
局　长：李彦平（9月免）
　　　　梁传刚（9月任）
副局长：齐凤瑞（7月免）
　　　　陈福财　袁西军
　　　　岳平子
纪检组长：张　博
总会计师：王建中
总经济师：李成聚

（景爱国　娄建军　戴　青）

地方税务

【概况】 2007年，全市地税系统坚持以"四化两提高"为目标，以精细化管理为主题，以狠抓落实为主线，紧紧围绕全市经济发展大局和构建"文明、繁荣、和谐新石家庄"的战略目标，开拓创新、真抓实干，各项重点工作均取得明显成绩。坚持以人为本，全面加强班子队伍建设，税费收入首次突破100亿元大关。机关效能建设工作在全市经验交流会上发言，并作专题片演示。廉政文化建设经验被省、市纪委肯定，市纪委在地税局召开了全市廉政文化进机关现场观摩会。市地税局再次荣获全市文明执法杯竞赛第一名，行风建设工作受到市纪委行风评议考核组的充分肯定。省委常委、市委书记吴显国，市委常委、市长冀纯堂，市委副书记王增明，常务副市长朱浩文分别对地税系统2007年工作做出重要批示，对该局工作给予充分肯定。

【税费收入首次突破百亿元大关】 全年累计完成各项税费113.12亿元，同比增加22.23亿元，增长24.45%，其中：地方各税完成79.31亿元，同比增加15.41亿元，增长24.11%，社保费完成28.64亿元，同比增加5.87亿元，增长25.78%，教育费附加完成3.4亿元，同比增长25.94%，其他规费基金完成6600万元。年内税费收入是近年来收入增幅最高、增额最大的一年。一是以监控促收入。建立了重点企业分户统计台账和动态监控档案，市、县局分别将年纳税100万元和50万元以上企业纳入重点监控范围，对110项重点工程实行了跟踪监控。累计监控年纳税百万元以上企业1256户，实现税收59.4亿元，占税收总额的75%。开展欠税欠费清缴治理专项行动，对建安、房地产和工业企业进行重点清理，累计清缴欠税欠费2.7亿元。加强重点行业税负分析，完善分税种收入分析预测机制，对广告、旅游、制造、铁路、出版、房地产等重点行业共计1109户企业进行纳税评估，查补税款2200万元，及时纠正了企业改制少缴税款、超额列支费用和旅游行业毛利率过低等问题。坚持守土有则，全面加强户籍管理，正定、晋州、深泽等地由政府出面对新办企业所得税管辖权进行明确，协调国地税执行统一税负，巩固了所得税税基。二是以发票促收入。市电视台现场直播了有奖发票"二次抽奖"千人大会，当场抽奖68个、奖金10万元。启用新版有奖发票，年布奖1000万元，布奖率3.08%。建立重点用票企业监控分析制度和发票管理责任制，开展有奖定额发票、服务业发票、建筑业发票和大额已入账发票专项检查，检查企业6434户，检查面34%，查补税款119万元。市地税局重点抽查企业390户，查处发票违章50起，没收非法票据415份，查补税款50多万元，追究干部63人次，扣发奖金2910元，重点纠正了超范围供票、代开发票不规范和用收据、假发票、作废发票入账等内外部管理问题。会同财政、物价部门对1499户行政事业单位涉税票据进行集中清理，将227户涉税单位纳入正常管理。加大发票明查暗访和打假力度，联合公安部门对假票多发区域进行集中整治，组织税警、稽查人员对326户餐饮、洗浴企业进行暗访。全年受理发票举报220起，查处虚开、贩卖、使用假发票案5起，没收假票83本，刑事拘留5人，上网追逃1人，案件已移交有关部门进行处理。三是以规范管理促收入。规范货物运输业管理，开展自开票纳税人稽查年审工作，对年开票金额超过3000万元的38户企业进行重点审查，处罚23户，取消自开票资格5户。针对部分自开票纳税人会计核算不规范、收入计算不准确和开票金额明显超标等问题，变"严格审批"为"严格管理"，对自开票纳税人实行了"宽进、严管、重罚"和实地检查、限额开票、开票缴税月报制度，累计实现交通运输业营业税3.57亿元，同比增长19%。规范企业所得税管理，研究制定《企业所得税评估意见》，统一了建安、房地产、餐饮、广告、旅游等8个重点行业的行业税负、利润率和税收贡献率等24项硬性指标，对同行业、同规模、同地段企业进行纳税预警值综合测算，分行业确定了税负预警值。研究制定《餐饮业所得税征管办法》，从严审批核实征收户数，对营业额1000万以上的39户企业实行重点监控。全市2771户餐饮企业年缴纳所得税2708万元，同比增长90.2%。严格建安房地产行业管理，全面推广房地产项目管理软件，对年纳税100万元以上的137户企业实行重点监控。对低于预警税负、软件应用不到位、检查有问题的企业，一律实行定率征收办法，共实现企业所得税3.3亿元，同比增长29.3%，占到企业所得税总额的28.6%。规范个人所得税管理，对年扣缴税款50万元以上的195户企业实行重点监控，利用软件监控

10月30日，全市综合治税工作会议在晋召开

企业9251户，监控人员623万人次，其中5万元以上700人。受理12万元以上纳税人自行申报5905人，邮寄纳税人完税证明27.3万份，占到纳税人总数的30%。全年累计入库个人所得税14亿元，同比增长25%。规范财产行为税管理，强化车船税征缴，通过重点稽查、入户指导、设立台账、限时追征、严厉处罚等措施，规范了代征工作，累计入库车船税4772万元，同比增长165%。认真落实土地使用税条例，对新增税额补征情况实行网上监控，累计入库土地使用税3.3亿元，同比增长206%。加强土地增值税管理，对15户房地产企业进行调查清算，累计入库土地增值税1.67亿元，同比增长33%。四是以稽查促收入。推广分级分类稽查，完善稽查收入月通报制度，先后开展了建安、房地产、金融、保险、电力、交通和个人所得税、车船税专项检查，对30户房地产企业进行了集中检查。全年受理案件举报85起，协查612起，查处10万元以上案件46起，百万元以上大案4起，曝光案件13起。全年累计检查企业2301户，强制扣缴23户，查补税款1.8亿元。五是加强社保费管理。对缴费人员实行分类认定，认定养老保险缴费户数5776户、失业保险4469户，分别增加181户和76户。对年缴纳养老保险200万元和失业保险50万元以上的113户企业实行重点监控，监控收入分别占到养老和失业保险征缴总额的23%和25%。坚持把扩面重点放在非公有制企业和灵活就业人员上，通过扩面增加缴费企业163户、缴费人员1.53万人，月增费源550万元。与劳动、财政、银行联合开展社保费收入对账工作，累计清缴欠费3200万元，确保了社保费收入稳定。

【税收征管执法质量显著提高】 一是圆满完成了征管机构调整工作。按照省地税局批复精神，克服时间紧、任务重、情况复杂等实际情况，切实把落实和稳定放在第一位，先后完成了涉外分局撤销、相关机构分设和基层征管机构撤并、升格工作，累计撤并农村所28个，重新设立副科级税务分局117个、征收分局25个、农村所2个，对建安房地产行业和重点税源实行了分类集中管理。同时，按照“重点税源重点管”的原则，研究制定《重点税源监控管理办法》，市局、分局、区局和县市局分别设立专门机构或指定专人对年纳税1000万元、300万元、100万元和50万元以上企业实行重点管理。对重点管理员实行择优配备、重点培训、强化监督。原则上每人管理重点企业不超过10户，每3年轮换一次。对履职不力，造成企业出现重大问题的，实行调离岗位和责任追究处理，提高了重点税源管理水平。二是认真开展征管质量检查。坚持“查内”与“查外”相结合，以查外促管内，深入开展征管质量检查。在各单位自查的基础上，市局组织人员采取税务稽查、入户检查、暗访调查和沿街巡查等方式，对各单位征管执法质量进行验收，对169户漏管户及有问题企业查补税款4615万元，重点纠正了企业少计收入、虚列成本、收入不开票和管理员税收征管不到位、定额调整不及时、行业管理办法不落实等内外部管理问题。通过“双查”，追究干部管理责任43人次，逐行业、逐税种完善了管理办法。深化和完善综合治税工作，充分发挥政府主导作用，建立健全了部门信息传递和协调联动机制，全年采集部门涉税信息1.8万条，清理漏征漏管户1421户。加强与房管、土地部门的协作，对房地产交易实行“先票后证、无票检查、以票控税”办法，全年入库房地产交易税收9205万元，其中房产交易税收8227万元，同比增长94%。晋州、桥西、灵寿三个单位在全市综合治税会议上还进行了经验介绍。三是深化执法等级评定工作。建立健全了“事前自查整改、事中达标评定、事后监督监察”税收执法新机制。全年清理规范性文件743份，全文和部分条款废止164件。编制涉外企业底册，对外国人入境投资情况进行了调查摸底。按照“达标不免建”的原则，对上年10个达标单位进行“回头看”，对《等级评定方案及标准》进行了细化和完善，要求各单位对照新标准在限定时间内进行自查整改。在此基础上，组织人员对8个申报一级的单位进行了检查验收，全部实现一级达标，并从达标单位中抽取辛集市局进行了重点执法监察。通过评定和监察，重点解决了征管手续不健全、文书填写不完整、发票管理不规范、代开税率不准确等30个问题。全年追究干部566人次，经济处罚1.35万元。

【信息化建设取得新进展】 地税系统坚持以管理、应用为着力点，全面推进信息化由“建设型”向“应用型”转变。一是加强网络信息安全工作。市、县局分别成立了信息安全领导小组，逐级设立了安全员。建立防毒预警机制，充分利用入侵检测系统，对可疑计算机进行排查，发现重大病毒及时预警通知。全面推行星级管理办法，制定网络故障应急预案，构筑计算机操作系统升级平台，全年升级防毒软件70次，全网杀毒12次，提高了网络防毒能力。市地税局作为省政府信息系统安全评估试点，顺利通过信息办专家评估。二是加强信息技术综合利用。建立税收数据分析平台，严格落实税收数据备份方案，对数据采集入口实行重点监控，充分利用信息技术开展税收分析，为省局决策支持系统提供数据来源，堵塞了征管漏洞。建设视频监控系统，在市区8个办税服务厅安装录像监控电子眼，对分局、区局办税环境和纳税服务情况进行实时监控，窗口纳税服务水平进一步提高。构建诚信数据库系统，为政府和公众提供信用信息服务，促进了诚信社会建设。全面推广税收管理员软件，增加市县所三级管理界面，增设电子地图、稽查信息、文书查询、监控考评等功能，加大了对征管一线的监控力度。全面推广税收执法责任制软件，实现了对基层征管执法情况的自动考核和过错追究的透明规范化管理。全面推广网上申报软件，网上申报企业达3.1万户，税收信息化水平逐步提高。

【党风廉政建设进一步加强】 地税系统坚持把“为民、务实、清廉”教育贯穿于税收工作全过程，切实做到“两不误、两促进”。一是认真落实廉政责任制。召开全系统股级以上干部党风廉政建设大会，深入分析当前反腐败形势，邀请专家讲解十七大精神、依法行政知识和预防职务犯罪典型案例，对违法违纪情况进行公开通报，逐级签订廉政责任状和执法责任状，组织重点岗位人员到监狱接受警示教育，让犯罪人员现场说法，增强了大家的拒腐防变意识。二是加大案件查办力度。积极贯彻中纪委禁止利用职务之便谋取不正当利益若干规定，加大对收入申报、礼品登记和重大事项报告制度落实情况的监督检查，强化对重点岗位、重点环节和重点人员的监管；开展重点岗位中层干部民主评议，对新华区局和深泽县局进行内部审计，对22名科级干部进行了离任审计。全年受理举报案件6件，立案1件，处分1人。三是全面加强效能行风建设。深入开展廉政文化进机关活动，突出抓好环境促廉和家庭助廉，发动干部家属积极参与廉政共建，廉政文化建设经验被市纪委推广，全市先后有30多个单位150多人次到市地税局进行参观学习。研究印发效能建设实施方案及追究办法，坚持把功夫下在平常、形象树在经常；定期向党委、政府汇报工作，全面推行首问负责、限时办结、AB角服务等工作制度；积极参加市纪委行风热线和大街接访活动，分级走访社会各界1万多人次。坚持明查与暗访相结合，治懒增效、治散正气、治庸提能，严肃查处损害地税形象的不良行为。省委常委、省纪委书记臧胜业对行唐县局“为民、务实、清廉”教育工作给予充分肯定。

【狠抓工作落实】 地税系统坚持把狠抓落实作为推动事业发展的根本，努力建立抓落实长效机制。研究印发抓落实制度及实施方案，将着装考勤、文明用语、值班卫生、微机管理、税收征管、发票管理、减税免税等27项工作列入重点检查范围，要求责任处室根据各自职责对基层工作进行检查，对检查履职不力、贻误工作的给予通报批评。市、县局分别成立了以一把手为组长的抓落实领导小组。市局督导小组坚持不固定检查人员、不限制检查时间、不通知检查对象，采取集中检查与分头检查相结合、外部检查与内部检查相结合，实地检查与电话网络检查相结合、普遍检查与回头检查相结合的办法，随机对基层工作进行突击检查和暗访录像，检查结果网上公开通报，限期督办整改，消除了基层临时应付心理。全年累计对全系统电话抽查71次，网上抽查98次。市局督导小组共对27个基层局、35个基层所进行明查暗访，对2个基层所进行回访检查，下发情况通报32期，提出整改建议230条，追究落实不力责任144人次，问题整改率、过错追究率达到100%，重点解决了上班不守时、着装不整齐、值班不在岗、公文不规范、征管不到位和执法文书不完备等问题，促进了各项工作落实。

石家庄市地方税务局

局　长：马提福

副局长：谷廷辉

张志平(5月任)

宗翠莹(女)

高会民　宋泽军

纪检组长：刘　健

(赵　杰)

石家庄年鉴 Banking

金　融

金　融

银　行

石家庄市商业银行办公大楼

【概述】 2007年，石家庄市金融系统坚持以科学发展观为指导，积极落实中央、省、市经济、金融工作会议精神，围绕加强和改善宏观调控、加快金融改革两大主题，认真落实货币政策，充分发挥窗口指导作用，努力调整信贷结构，增加对地方经济建设的有效信贷投入，继续强化经济金融运行监测分析，强化监督管理，确保金融平稳运行，有力支持了地方经济发展。

各项存款继续增加，增速放缓。截止年末，全市金融机构本外币各项存款余额3362.3亿元，同比增长12%，较年初增加359.1亿元，同比少增29.3亿元。其中人民币各项存款余额3331.3亿元，同比增长12.2%，较年初增加362.8亿元，同比少增27.6亿元。存款的主要特点：1.企业存款活期化趋势明显。人民币企业存款中活期存款较年初增长了63.3亿元，同比多增了31.3亿元；定期存款较年初增长了40.9亿元，同比少增7.1亿元，新增企业存款中活期存款新增占比为60.7%，高出上年同期20.7个百分点。存款活期化一方面降低了商业银行经营成本，提高了盈利水平；另一方面与贷款长期化趋势形成期限错配，易造成资金运用上的潜在风险。2.企业存款多增，储蓄存款少增。企业存款同比多增了24.1亿元，储蓄存款同比少增了56.7亿元。居民储蓄存款下降的主要原因：一是股市火爆、基金热销，居民理财意识增强，风险承受能力增加；二是房地产持续升温，吸引部分居民投资房地产；三是物价指数不断走高，降低了存款利率的吸引力。居民储蓄存款分流出的资金只是属性发生了变化，大部分依然在银行体系内循环，不会对银行的资金业务运营产生大的影响。

各项贷款稳步增长，结构有所变化。止年末，全市金融机构本外币各项贷款余额1853.4亿元，同比增长6.1%，较年初增加106.2亿元，同比少增62.1亿元。其中人民币各项贷款余额1839.4亿元，同比增长6.2%，较年初增加了107.9亿元，同比少增62.6亿元；如扣除票据融资因素，则较年初增加了207.9亿元，同比多增51.8亿元。主要特点：一是短期贷款略增，中长期贷款增加较多，票据融资继续下降。截止年底，人民币短期贷款同比多增16.2亿元，中长期贷款同比多增34.7亿元，票据融资同比少增114.5亿元；短期贷款增速比各项贷款增速高1.9个百分点，中长期贷款增速高出各项贷款增速12.8个百分点，票据融资增速比各项贷款增速低54.6个百分点。二是个人中长期消费贷款增加较多，农业贷款和工业流动资金贷款成为支撑短期贷款的主要力量。个人中长期消费贷款新增35.6亿元，同比多增26.7亿元；农业贷款余额225.9亿元，较年初增加24.8亿元，同比多增2.4亿元，占新增短期贷款的比例为40.6%；工业流动资金贷款余额300.1亿元，较年初增加21.5亿元，同比少增7.4亿元，新增额占新增短期贷款的比例为35.3%。三是交通运输业、水利和房地产业贷款增加较多，全年共投放141.7亿元；对公共管理和社会组织的贷款以及对制造业的贷款投放下降较多，下降了97.9亿元。四是国有商业银行贷款同比下降，股份制商业银行贷款略增，农村信用社贷款稳定增加。国有商业银行贷款新增−23.8亿元，同比少增62.7亿元，新增贷款占比较上年同期下降了44.9个百分点；股份制商业银行人民币贷款新增76亿元，同比多增13.3亿元，占比提高了33.6个百分点；农村信用社贷款新增37.4亿元，同比多增3.6亿元，占比提高了14.9个百分点。

全市金融机构贷款同比少增的主要原因：一是受国家宏观调控措施影响，各商业银行总行纷纷出台政策，严格限制季末的信贷投放总量，对全市贷款增长带来一定影响。二是由于期限短、易收回，票据融资继续被作为收紧信贷的工具受到限制，前11个月票据贴现同比少增了80.6亿元。三是石家庄市的企业在规模、质量、效益、环境上不占优势，缺少大项目支撑，缺少吸引鼓励商业银行投放贷款的措施办法，信贷审批受限，准入困难，直接影响信贷投入。

金融机构经营效益良好。年内全市金融机构人民币业务实现盈利40.7亿元，同比多盈利4.6亿元。其中国有独资商业银行盈利27.7亿元，利润同比增加2.7亿元；股份制商业银行盈利7.2亿元，同比多盈利0.2亿元；城市商业银行盈利0.8亿元，同比多盈利0.5亿元；农村信用社盈利3.3亿元，同比多盈利0.8亿元。从全市金融机构的经营收入结构看，一方面，中间业务收入占比较上年有了较大提高；另一方面，在存款活期化、贷款长期化趋势下，银行资金成本降低，利差空间扩大，利息收入占比较上年同期有所提高。

人民银行

【概况】 2007年，人民银行石家庄中心支行在上级行的正确领导下，坚持以邓小平理论和“三个代表”重要思想为指导，深入贯彻落实科学发展观，按照全国金融工作会议要求和总行、分行工作部署，认真履行人民银行分支机构职责，贯彻执行适度从紧的货币政策，积极推进金融改革和创新，努力维护金融体系稳定，不断加强和改进外汇管理，稳步提高金融服务质量和水平，支持了经济又好又快发展。

【更新工作理念　创新工作机制】 全年石家庄中心支行积极督促各级人民银行和外汇管理部门更新工作理念，开拓工作思路，加强创新机制建设，搞好创新工作谋划。中心支行行领导分别牵头负责抓好一项创新工作，并经常过问和督促指导分管部门创新工作的开展；相关职能部门注意加强与省内分支机构的情况沟通和协调配合，稳步推进各项创新工作开展，并以此带动整体工作水平不断提高。同时，中心支行党委注意强化督导检查，加强工作调度，在建立和落实创新性及重点工作月报制度的基础上，定期听取各处室创新和重点工作进展情况汇报，分析工作中存在的问题，研究具体解决措施，并认真组织落实，确保了各项工作的优质、高效完成。在2006年出台《关于金融支持社会主义新农村建设的指导意见》基础上，2007年与省政府金融办联合制定《河北省金融机构支持新农村建设工作文案》，进一步明确了2007～2010年各金融机构支持新农村建设的目标、任务和措施，引导金融机构切实加大对新农村建设的支持力度；研究设计了获准退市金融机构的资产处置和再贷款核销程序，得到总行金融稳定局领导的肯定；研发并推广了国库统计分析资料库系统、无记名国债兑付系统，得到了总行国库局有关领导的肯定，无记名国债兑付系统已经在全国推广；继续完善人民币监管体系，制定了《石家庄中心支行假币收缴、鉴定管理实施细则》及《石家庄中心支行人民币收付业务管理办法》；国际收支统计监测系统—银企直通车网站在保定辖区正式运行，外汇指定银行和涉外企业反映良好；建立了经常项目外汇分析监管机制、外商直接投资监管合作及信息共享机制、外汇执法三级监督机制；进一步完善了货币押运管理运行机制；中小金融机构统计数据上报系统已经试点运行；金融统计数据集中上报接口程序已经进入测试阶段；积极做好总行综合管理信息化试点工作，研发了综合科技管理系统；创新集中采购管理模式，理顺了采购管理和采购行为的关系，制定的《固定资产置换操作规程》得到了总行会计司领导肯定；领导干部履行职责绩效审计、岗位风险防范监督检查、会计核算业务监督工作再监督、后勤自动化管理系统建设等工作也取得了明显成效。

【贯彻国家宏观调控政策 加强“窗口指导”】 认真贯彻执行稳中适度从紧的货币政策。积极发挥利率监测点作用，适时监测人民币存贷款利率、外汇存贷款利率、票据贴现和民间借贷利率等，及时监测和反馈利率政策效应。针对2007年以来总行10次提高人民币存款准备金率和6次调整人民币存贷款基准利率等情况，主动调查了解金融机构流动性及社会反映情况，保证了货币政策的有效贯彻落实。组织制定和落实贷款规划，加强货币信贷政策传导。一是引导金融机构认真贯彻中央有关决策部署及总行相关调控措施，合理把握贷款投放节奏，从严控制固定资产贷款的发放。针对中长期贷款持续增长、信贷集中问题突出等情况，召开了货币信贷管理工作会议，督促各商业银行坚持有保有压的信贷原则，加大对符合国家产业政策和信贷政策的中小企业及三农等薄弱环节的信贷支持力度。二是大力规范房地产市场发展，按季召开房地产金融联席会议制度，督促金融机构认真落实住房信贷政策，与省发改委等部门联合制定房地产开发项目资本金、公积金管理等政策措施。三是积极推进国家节能环保政策的落实，下发《关于建立协作机制落实环保政策推动经济金融健康发展的意见》，并建立了污染企业黑名单制度和金融环保部门联席会议制度。四是认真落实国家助学贷款政策，进一步加强对全省消费信贷业务的分析监测。

【加大对地方经济发展的支持力度】 在扎实推进金融支持新农村建设工作的同时，积极引导金融机构合理调整信贷结构，支持地方经济发展。及时组织召开经济金融形势分析会、货币信贷管理工作会、信贷形势分析会，传达贯彻总行货币政策精神，指导金融机构正确把握政策取向，认真组织落实各项货币信贷政策。进一步落实农村信用社改革试点资金支持政策，建立了责任承诺制度、定期通报制度和廉政制度，有效促进了农村信用社专项票据兑付考核工作质量和效率的提高。

【加强金融稳定监测分析 认真做好金融稳定工作】 一是金融风险监测评估系统取得重大进展。金融风险监测指标体系进一步得到完善，完成《金融稳定报告》，对金融稳定状况作出整体评估和总体判断，为各级领导决策提供依据。二是积极配合政府及其有关部门做好停业整顿金融机构的市场退出工作。积极督导获准退市金融机构的市场退出工作，密切关注辖内金融机构市场退出后的后续工作，加强对市场退出金融机构的再贷款管理。三是积极发挥金融稳定协调机制作用，在金融稳定信息共享、金融突发事件处置、金融风险监测评估提示、金融机构风险化解、金融知识宣传等方面取得了一定成绩，为有效地防范和化解金融风险，促进金融生态环境建设，维护经济和社会稳定发挥了作用。四是积极采取措施处置历史遗留风险，按照总行要求组织好待处理资产清理、登记和向汇达公司移交等工作。

【外汇管理和服务工作进一步改进】 一是改善投资环境，支持地方经济对外开放。改进外商直接投资外汇管理，全面推行外商投资项下资本金结汇改革，简化审批手续和流转程序，取消境外投资汇回利润保证金制度。积极参与投资项目的前期论证，为地方政府出谋划策，为项目单位提供外汇政策咨询与支持，支持企业对外投资和境外融资，保定天威英利在美国成功上市。全年审批境外投资项目19个，中方投资登记总额同比增长了 126%。二是优化服务意识，提高外汇管理水平。积极宣传、认真落实各项外汇管理改革措施，进一步完善国际收支统计监测系统，积极研发国际收支申报小助手软件和外汇报表统计分析系统，启动网上核销，推广应用了企业外汇信息档案数据库系统，组织开展了“诚信兴商宣传月”活动，各项外汇管理工作质量及服务水平进一步提高。三是加强外汇监管，实施审慎的外汇监管政策。认真落实贸易外汇收汇与结汇管理政策，加强对返程投资、创业投资等的外汇管理，防止异常资金流入境内；严肃查处了承德帝贤等企业和交通银行等单位的外汇违规问题，维护了金融外汇和对外贸易秩序。还圆满完成了总局“外汇非现场检查系统”的试点工作。

【金融服务能力和水平继续提高】 一是调查统计和金融研究水平进一步提高。研发了主要经济指标时间序列数据库，为相关部门的经济金融分析提供数据支持。按季通过有关媒体向社会公众披露金融统计数据及金融运行情况。中心支行重点调研课题领导小组组织开展了特色研究和课题研究，完成一批高质量的调研报告。其中关于推行廊坊小额信贷公司和保定易县、涞水扶贫社模式的建议得到省长郭庚茂、常务副省长付志芳、省长助理赵世洪的高度肯定，分别批示推广。二是征信管理工作取得较大进展。年内企业和个人信用信息基础数据库稳定运行，中小企业信用信息系统建设取得阶段性成果。全市已采集868 户中小企业的信息，入库 398 户。指导廊坊市中心支行开发了河北省农户信用评分系统，得到了农村信用社的认可和农户的欢迎。大力开展征信宣传活动。通过召开新闻通气会等形式多样的征信宣传活动，进一步普及了征信知识，提高了社会诚信意识。三是支付清算体系进一步完善。按照总行统一部署，中心支行精心组织，顺利完成了京津冀区域票据自动清分系统向全国支票影像交换系统过渡工作。支付结算现代化水平进一步提高。成功组织推广了小额支付通存通兑、定期借记业务，成功运行了支付管理信息系统、影像后督系统和银行账务核对系统。在支付工具体系建设方面，积极推进非现金支付工具推广应用，组织开展了银行本票、商业承兑汇票和个人支票业务试点工作，为发展个人转账结算业务、缓解“现金搬家”现象提供了制度保障。四是国库管理和营业核算工作平稳进行。配合财政等部门做好政府收支分类改革和各类补贴资金管理发放工作，大力推动财税库行横向联网建设。进一步完善和落实国库风险防范责任制，严把预算资金支拨、退库关，加大国库业务监管力度，开展了商业银行代理财政集中支付和国库经收业务检查，确保了各级国库资金安全。完善业务管理和操作规章，强化会计核算安全管理，营业核算工作安全高效运行。五是积极推进反洗钱工作。加强对银行、证券和保险金融机构的协调和监督，按时组织完成了大额和可疑交易数据“总对总”报送。按照总行部署，及时筛选上报了可疑交易线索。加强反洗钱监督检查，对 15 家金融机构进行了现场检查，并对 8 家违规金融机构进行了处罚。利用新闻媒体宣传、金融机构悬挂条幅等形式，广泛开展《反洗钱法》宣传活动，收到了良好的社会效果。六是科技服务保障水平稳步提高。圆满完成总行部署的各项信息化建设任务。制定了石家庄省级同城通信转接中心实施方案、内网建设技术方案，完成了网络建设的前期准备工作。顺利完成各类安全防护系统的升级和推广任务，开展了信息安全风险评估和问题整改工作，组织建设了内联网入侵检测系统综合管理平台。七是货币发行工作安全运行。加强发行基金调拨的计划性、主动性，重点保证节假日期间的现金投放需要，满足了经济发展对现金的合理需要。积极探索流通人民币监管新举措、新模式，加强对人民币流通市场的监督检查，严肃查处各类违法违规行为，切实维护人民币信誉。坚持“打防并举”原则，建立反假人民币长效机制。结合实际情况，开展了不同层次、形式多样的反假货币宣传活动，提高了广大人民群众的防假、反假货币能力，收到了良好的社会效果。坚持专项检查、综合检查与跟踪检查相结合，制度防范和技术防范相结合，保证了钞票处理工作安全、高质量运行。

【内部管理工作进一步加强】 会计财务和预算管理明显加强。健全完善各项财务管理规章，推行了“大会计”工作机制。认真开展津补贴、结余资金、账户清理工作，规范了财务收支行为。增强预算约束意识，逐步实现了预算管理的制度化、规范化、精细化。加强固定资产清查和基本建设监督，顺利完成了年终决算和会计科目结转工作。完善落实集中采购工作机制，发挥集中采购规模效益，不断扩大集中采购覆盖面，提高了采购资金的使用效益。内部监控体系建设不断深化。组织开展对部分市中心支行的钞票处理、银行账户和财务管理的专项审计。积极探索领导干部履职绩效审计方式，对辖内部分县支行开展了领导干部履职绩效审计，落实了《中心支行重要岗位和风险点内部检查监督制度(试行)》，进一步提高了内控管理水平。探索事后监督工作新方法，制订了《会计事后监督再监督办法(试行)》，建立了事后监督联席会议制度，认真落实了会计核算监督业务再监督机制，努力健全和落实了各项规章制度及操作规程，使会计核算质量和水平明显提高。安全和应急管理水平进一步提高。召开了加强内部安全管理电视会议，并组织开展了"安全检查月"和安全大联查工作，全面检查安全管理制度落实情况，促进了各单位内部安全管理水平显著提高。进一步规范了货币押运过程中的安全管理。加大应急管理工作力度，印发了《关于进一步加强安全管理维护金融稳定的通知》和《关于做好突发事件和突发信息上报工作的通知》，进一步疏通了应急信息报送渠道，完善了应急管理工作机制；先后组织完成了IT系统、外汇管理业务应用系统、国库业务系统、货币押运等10次应急演练。

表1　　2007年石家庄地区全部金融机构可比口径人民币信贷收支情况表

2007—12—31　　单位：万元

一、各项存款	33313230	一、各项贷款	18393687
1. 企业存款	9579848	1. 短期贷款	8129800
(1)活期存款	6992663	(1)工业贷款	3000597
(2)定期存款	2587186	(2)商业贷款	971357
2. 财政存款	465372	(3)建筑业贷款	81687
3. 机关团体存款	3496703	(4)农业贷款	2258690
4. 储蓄存款	16947183	(5)乡镇企业贷款	3387
(1)活期存款	4927311	(6)三资企业贷款	91859
(2)定期存款	12019872	(7)私营企业及个体贷款	111274
5. 农业存款	22704	(8)其他短期贷款	1610947
6. 信托存款		其中：个人短期消费贷款	95861
7. 委托存款	140492	2. 中长期贷款	9184364
8. 其他存款	2660927	(1)基本建设贷款	3770266
二、金融债券	96	(2)技术改造贷款	163145
三、应付及暂收款	532937	(3)其他中长期贷款	5250953
其中：应付及预收利息	285745	其中：个人中长期消费贷款	1717880
四、同业往来	1286280	3. 信托贷款	
五、系统内资金往来		4. 融资租赁	
六、各项准备	486240	5. 委托贷款	6750
其中：贷款损失准备	475236	6. 票据融资	1067906
七、所有者权益	629384	其中：贴现	1067906

表 1（续表）

其中：实收资本	395556	7. 各项垫款	4866
当年结益	407492	二、有价证券及投资	1856035
八、其他	−3442748	三、应收及预付款	137049
		其中：应收利息	62047
		四、同业往来	3433
		五、系统内资金往来	11819868
		六、金银占款	
		七、外汇占款	12927
		八、固定资产	367010
		九、库存现金	215410
资金来源总计	32805418	资金运用总计	32805418

表 2　　2007 年石家庄地区全部金融机构现金收支统计情况表

2007—12—31　　单位：万元

一、商品销售收入	5921162	一、工资及对个人其他支出	2646468
二、服务业收入	2360703	二、农副产品采购支出	933005
三、行政税款收入	413855	三、工矿及其他产品采购支出	1110076
四、城乡个体经营收入	782617	四、行政企事业管理与经营费支出	3068282
五、储蓄存款收入	55955021	五、城乡个体经营支出	2043507
六、其他金融性公司收入	93537	六、储蓄存款支出	55100425
七、居民归还贷款收入	747488	七、其他金融性公司支出	82297
八、汇兑收入	212616	八、居民提取贷款支出	553410
九、有价证券及其他投资性收入	230823	九、汇兑支出	80013
十、其他收入	3673481	十、有价证券及其他投资性支出	371846
其中：兑换外币收入	33930	十一、其他支出	3001795
		其中：兑换外币支出	21964
		支出合计	68991124
		投放(+)、回笼(−)	−1400180
		附：代发工资	2539266
收入合计	70391303		

中国人民银行

石家庄中心支行

行　　长：王景武（兼国家外汇管理局河北省分局局长）

副 行 长：邵延进　刘通午

李小秋（兼国家外汇管理局河北省分局副局局长）

梅国辉

纪委书记：任德智

工会主任：李增仁

（李红英）

农业发展银行

【概况】 2007年，农行系统紧紧围绕经营管理中心工作，积极履行职能，加快有效发展与强化精细管理并重，各项工作呈现较好的发展态势。截止年底，营业部全辖各项贷款余额53.19亿元，较年初增加1.86亿元，累计发放贷款29.65亿元。存款余额25.17亿元，较年初增加2.71亿元。各项收入3.60亿元，各项支出1.97亿元，账面实际盈利1.63亿元，同比增盈5639万元，超省分行核定利润计划6146万元，全辖18个营业单位连续两年全部实现盈利，创利额位居全省农发行系统第一。

冀纯堂市长1月4日走访农发行河北省分行营业部

【促进业务全面发展】 一是加大客户营销力度。在认真调查摸排的基础上，本着因地制宜的原则，把整个辖区划分为重点发展区、一般发展区和巩固主体业务区，突出重点区域、优质客户、特色项目进行分类指导。并组成工作组，入驻重点发展区逐企业、逐项目进行调查；在继续营销和维护好优质粮棉油产业化龙头及精深加工企业的同时，重点营销了常山恒新、省生产资料、赞皇县市政工程管理站等优质项目。全年共调查、审查项目51个，报上级行及省分行营业部审批贷款16.87亿元；已在调查、审查项目7个，涉贷金额7.66亿元。共支持企业42家，其中农业产业化龙头企业等项目贷款余额12.14亿元，较年初增加6亿元。二是狠抓存款组织工作。强调“存款增效”的经营理念，坚持以贷引存，以改进服务为手段，突出抓好同业存款、财政支农资金存款、企事业存款三项重点工作，全年旬均存款30.14亿元。还通过多渠道融资，减少向上级行借款11亿元，共节约系统内借款利息1539万元。三是大力发展中间业务。为进一步拓宽增收渠道，省分行营业部在摸清可保资源底数的基础上，制定了业务发展规划，坚持以贷引保，捆绑营销，做到应保尽保。与多家保险公司联系，扩大了保险代理险种。实现手续费收入93.3万元，完成任务的139.13%。同时，积极筹备开办国际业务，并于12月20日成功办理了首笔3715.2美元的境外汇入汇款结汇业务，国际业务实现了零的突破。四是巩固发展主体业务。大力支持粮油储备体系建设，认真做好小麦最低收购价收购贷款发放与管理工作，同时，重点支持藁城二库等7家企业通过订单或其他形式收购优质麦。全年累计发放夏粮收购贷款8.62亿元，收购小麦9.9亿斤。在秋季粮棉和跨年度收购中，重点支持优质客户做优做精做强，大力支持了省粮食局直属库等企业开展套期保值业务。全年累计发放秋季和跨年度粮食收购贷款5.98亿元，收购粮食4亿斤。累计发放棉花收购贷款4650万元，收购棉花8979担、棉籽66.8万担。

【加强贷款风险防范】 大力清收不良贷款。在摸清底数、制定方案、落实责任的基础上，采取领导包县包大户、专职清收、督导组督导、落实奖惩等多种措施和依法、依靠政府和企业重组等多种手段清收。同时，进一步加大了呆账认定及核销力度。全年累计减少不良贷款1.24亿元，其中，现金清收3759万元，企业重组清收842万元。核销呆账贷款8598万元。努力防控新增贷款风险。坚持风险关口前移，认真做好贷前调查、贷中审查、贷后管理各环节，建立风险监测和预警机制，严控新增贷款风险。

【积极实施精细化管理】 完善制度。认真制定了《精细化管理考核办法》等十余项规章制度，形成靠制度管人、靠制度规范员工行为的约束机制。落实责任。逐级签订了经营绩效目标、党风廉政建设和安全保卫目标管理责任书，明确经营管理职责，并将落实情况与各行主要负责人及班子成员的评先和绩效工资等挂钩，明责任，促效益。加大考核。制定了《经营绩效考评试行办法》、《经营指标专项量化考核办法》、《2007年财务费用与专项指标挂钩考核暂行办法》和营业部领导重点联系行和各部室包县制度，将指标完成情况与全员绩效工资和评先工作进行挂钩，激发了全辖各行经营管理和有效发展的动力。制定了《营业部干部职工岗位绩效考核实施办法（试行）》，在营业部机关和正定县支行开展了岗位绩效考核试点工作。严格资金管理。严格资金计划管理，准确核算收入，严控费用开支。全年实收利息3.20亿元，同比增加6082万元。加快推进信息化建设步伐，提升了信息工作水平。加强安全保卫工作，全辖实现了安全运营。加大信息宣传力度，中央电视台农民频道两次到该部就支持夏粮收购和生猪生产进行采访，并在“聚焦三农”节目中播出。

【重视抓好队伍建设】 以学习贯彻落实十七大精神为主线，以加强党的执政能力建设和先进性建设为重点，积极推进党的建设。“七一”前夕，向全省各级党组织和全体党员发出《倡议书》，深入开展了“六比六看”活动，进一步加强了党的建设。以主题思想教育为主导，凝聚发展合力。在全辖继续深入开展了“干事业、讲经营、求发展”大讨论活动，进一步增强了干部职工的责任感、忠诚感、归属感，树立了新观念、新作风、新气象，达到了统一思想，全员抓经营的目的。以“四好班子”创建为主线，加强领导班子建设，着力提高各行领导班子的治行理政能力。举办了领导干部政治理论培训班，提高了领导干部思想政治素质。制定了《领导班子和领导干部不作为处罚暂行办法》，强化对领导干部的监督约束。加大领导班子调整力度，调整和充实了8个县支行领导班子和营业部机关部室负责人，使领导班子结构更加合理。以信贷防案纠风为突破口，继续做好“四抓”工作，切实加强党风廉政建设和反腐败工作。深入开展“四无”创建活动，实现了依法合规、平安和谐、持续健康地发展。以提高素质入手，进一步加强员工队伍建设。认真组织实施各项培训计划，多层次开展培训活动。年内积极开展了岗位练兵和业务技能竞赛活动。在抓好员工持证上岗考试的同时，鼓励员工自学。还以核心理念和治行方针为主导，进一步加强企业文化建设，并与“青年文明号”等为载体的精神文明创建活动结合起来，营造了积极向上、人人促和谐、人人促发展的良好局面。

中国农业发展银行
河北省分行营业部
总 经 理：徐凯得
副总经理：苗全强（5月免）
蔡毅儒（5月免）
张国君（5月任）
张惠仙（5月任）

（贾立锋　白江丰）

工商银行

【概况】 2007年，中国工商银行河北省分行营业部贯彻落实科学发展观和加快转型发展、打造区域强行的战略部署，围绕建设繁荣、文明、和谐新石家庄和攻占首位、攻占强行的奋斗目标，提升理念，提升责任，提升“精明、开明、高明”的执行力，创新机制，强化管理，团结拼搏，晋位争先，各项业务全面发展，在加速发展、提速发展、跨越式发展、打造亮点上取得显著成效。各项存款高位增长，人民币存款在连续两年大幅增长的基础上，又增加73.5亿元，其中，对公存款增加51亿元，同业增量占比首位；储蓄存款增加6.5亿元，同业存款增加16亿元。贷款投放大幅攀升，累计投放贷款82.4亿元，同比多增33.4亿元，其中公司贷款投放56亿元，个人贷款和住房开发贷款投放26.4亿元，剔除票据融资，各项贷款增加17.6亿元。信用卡业务实现跨越式发展，信用卡发卡量达到29.3万张，新发卡同比增长9倍，完成省行任务的145%；消费交易额达到14亿元，同比增长1.4倍，完成省行任务的147%。在全国一级分行营业部中，发卡量由上年的第17位升至第5位，消费交易额由第19位升至第11位。新兴业务实现突破，个人理财类产品销售51亿元，同比增长4.2倍，完成省行任务的260%，其中销售基金36.5亿元，人民币理财产品6.3亿元，国债2.8亿元，保险5.6亿元，代理销售基金同业增量排名第二，系统内排名第一。新开对公结算账户6941户，净增4312户，在全国一级分行营业部处于领先水平。个人网上银行新开户14.3万户，同比增长84%；企业网上银行新开户3565户，同比增长101%；网上银行交易额3922亿元，完成省行任务的123%，是上年同期的2倍。质量攻坚取得重大进展，全年压降年初锁定重点关注贷款1.6亿元，清转不良贷款11.63亿元，其中现金清收2.1亿元，提前两个月完成省行清转任务。中间业务提速发展，实现中间业务收入1.9亿元，同比增加1.1亿元，增长242%，超过前两年的总和；中间业务收入净增额和增长率，排在全国一级分行营业部的首位。经营效益再创历史新高，实现拨备前利润9亿元，账面利润5亿元，两项利润全面完成省行计划，拨备前利润同比增加1.98亿元，再创历史最高水平。

【加快经营转型步伐】 创新干部管理机制，以数字和结果论英雄，全面落实干部责任。制定干部管理办法，从干部日常工作能力、指标完成情况、履职能力等方面设定指标，以业绩论英雄，要求各级干部在其位，谋其政，尽其责。制定储蓄存款干部营销办法，营业部直管干部，全部下达揽储任务，定期考核，对于信用卡、个人电子银行等开展全员营销，各级干部营销任务加倍下达，要求干部要当好指挥员、宣传员、战斗员，充分发挥表率作用。以“靠得住、有本事、作风硬、执行力强”为标准，提拔重用德才兼备和工作业绩突出的干部，建立干部选拔任用制度，增强考核监督结果在干部选拔任用工作中的权威性。建立干部工作责任追究制度。把考核监督同定位工作职责、工作任务完成、加强干部队伍廉政勤政建设结合起来，通过实行责任追究，认真查处了工作失职、违法违纪问题，引导干部遵守纪律，防微杜渐，增强了考核监督的严肃性。创新激励分配机制，审慎推出金融产品营销计价考核办法，进一步构建全行营销格局，激励全行员工销售金融产品，促进业务发展。创新业务营销机制，提升市场攻占能力。实施个人金融业务“专业化经营、系统化管理”，成立客户服务中心，建成了长安、桥西两大财富中心，启动了对高端客户的全面营销、联合营销。进一步加大对公存款争揽力度，研究制定了对公存款整合实施办法，由机构业务部统一管理全行的对公存款工作，履行拓展市场的职责。本部和支行分别成立营销团队，实行动态管理。完成对票据中心专营化改革，票据中心从新华支行分离，做为营业部附属中心，强化职能定位，提升风险防控和服务水平，确保了全辖票据业务的健康发展。

【创建省会第一零售银行】 实施重点攻坚，抓好大项目建设，为地方经济发展提供动力。全年投放石太铁路项目12亿元。公路行业贷款投放到位13.9亿元。电力行业8.6亿元，科技大学发放1亿元。年内公司贷款累计投放到位56亿元，完成了年度营销计划的112%。加大与市政府的沟通力度，营销了石家庄市政府投资管理办公室8条道路项目搭桥贷款10.1亿元。积极探索新型信贷业务，为河北敬业集团发放商品融资贷款1亿元。为大企业、大集团推出现金管理服务，先后与省电力、河北华润、河北邮政三家签定了现金管理协议，提高了企业资金使用效率。全面开展对公理财业务，全年共向各类企业销售国债200万元、QDII产品70万元、工行债市通1000万元；按照总行个人金融业务“专业化经营，系统化管理”的改革要求，顺利完成客户服务和营销推广两个中心建设。按照“客户分层，网点分类，功能分区，业务分流”的网点建设原则，分别在省会石家庄桥西、桥东建立了2家财富管理中心和7家贵宾理财中心，实现了中高端客户服务的全面升级。进一步调整网点布局，通过迁建、改造、购置等方式，加快在新兴商业区、高档住宅区和中高端客户聚集区的布点。完善客户经理队伍建设，大力推进人员结构调整。合理调整劳务组织，从县行抽调45名人员到城区支行，充实柜面服务力量。启动转岗机制，培训辅助岗位人员向客户经理、大堂经理、柜员方向转岗，共配备个人客户经理300名。进一步加大理财师储备，具有AFP、CFP资质的理财师达到23名。服务优质商户市场，抓重点项目，成功争揽了北国商城、保龙仓、卓达商贸城等商贸系统高端龙头商户，达成使用工行POS结算的协议，为北国商城、北国超市、5个保龙仓连锁店安装POS机215台。将发展特色业务作为促进业务发展的重头戏，深入研究代理缴费、委托贷款、网上票据、信用证等业务。主动出击，深度营销，积极拓展电子银行产品市场。年内成功营销了河北华瑞集团开通委托贷款业务，发放贷款4000万元。还成功营销了河北民生、合众人寿、中英人寿、生命等保险公司代收保费业务。成功投产网上银行代缴煤气费项目，为客户自助缴纳煤气费提供了便捷渠道，同时也对缓解柜台代收费压力起到促进作用。年内还为石家庄三鹿集团和河北省电力公司两大重点优质客户成功开通了银企互联业务。

【努力提高服务质量和服务效率】 深入落实"优质服务年"工程，在全行所有营业网点推行晨会制度，开展优质服务百日竞赛活动，多次召开各个层面的服务工作座谈会、推进会，积极解决服务质量和效率的深层次问题。举办了大堂经理业务知识技能比赛，全面提高服务意识和营销能力，并在参加省行举办的大堂经理比赛中取得团体总分第一名和个人综合技能第一、第二名的好成绩。公司员工杜爽代表省行参加工商总行大堂经理业务技能比赛，获得团体总分第一名，本人荣获了中国工商银行"优秀大堂经理"的称号。加强服务工作检查和监督制度，采取明查暗访相结合的方式，对营业网点的服务工作进行了检查，每季进行排名通报和考核，网点服务形象及规范化服务行为得到了进一步改善，整体服务水平有了明显提高。在网点建设方面，继续加大网点设施投入和维护力度，改造迁建网点34个，改造户外标识牌、灯箱30个，市区行标识牌亮化率达到30%。统一购置点钞机1200台，为网点添置和更新各类机具设备3634台，更新柜员监控349路，保卫监控164套，为全部县支行网点更换了大功率、延时时间比较长的UPS。开展柜员机巡检活动，增强安全、人性化服务界面，提高了柜员机使用效率。

【加强内控外防　确保安全运营】 加强内控制度建设，严防操作风险。以全面推广《业务操作指南》为契机，完善操作流程，狠抓制度落实，各业务管理部门根据业务流程变革和内控管理的新要求，加强了对本专业规章制度的精细化研究，及时完善了各项业务制度，使各项业务操作有章可循、有据可依。认真对待各类检查，严格落实整改责任。年内先后开展了案件和风险隐患排查、操作风险监测、代发工资专项审计等检查，配合河北省银监局实施了"矫治、对缝、补漏、整肃"四项活动，按照"谁检查谁负责，检查过程有记录，问题上报有据可查"的原则，层层落实了责任。对检查中发现的问题，深入分析原因，查找症结，制定整改方案，落实整改措施。整改工作实行责任制管理，谁主管，谁负责，做到逐条落实。深入开展排雷工程和反腐败抓源头工作，加大执法监察力度。认真开展扫雷工程和干部员工行为评价工作，加强对风险点和风险源的排查，有重点地做好安全防范。先后对全辖发电机采购、取暖锅炉和煤炭采购及财富中心装修等15个项目进行了公开招标，累计金额达1223.2万元，保证了招标过程的公开、公正、公平，有效避免了暗箱操作。推进县区支行守押体制改革，对17个县区支行全部实行了守押社会化，营业部达到了配枪为零的目标。加强对重点部位和重点环节的管理。针对邯郸农行案件，加强了对现金中心人员、制度执行、内控外防等方面的管理，对金库守护、运钞、枪支弹药等易发案环节进行了2次专项检查，发现各类问题隐患134处，全部采取了相应的安全措施。全年未发生任何大的案件和事故，确保了安全稳健运营。

中国工商银行
河北省分行营业部

总 经 理：郑晓东
副总经理：张金来　贾登斌
　　　　　崔振声　张志勇
纪检书记：程春明
工委主任：冯建中

（王晓冬）

农业银行

【概况】 2007年，中国农业银行河北省分行营业部以科学发展观为指导，组织带领全行干部员工，以业务发展、风险防控和股改基础准备为三条主线，统筹各项工作，加大推进力度，取得了可喜的成绩。年末管辖县级支行34个，其中农村支行17个，城市管点行6个，单点行11个，二级支行18个，清收专业支行1个，营业所(分理处)108个，干部职工3258人。全行实现经营利润8.5亿元，同比增盈1.2亿元，完成年度任务的113%；各项存款余额447.4亿元，较年初增加60.2亿元，完成年度任务的107.3%。其中储蓄存款272.6亿元，增加32.4亿元，企事业存款余额174.8亿元，较年初增加27.8亿元；各项贷款余额为255.8亿元，较年初增加1.4亿元，不良贷款余额为69.3亿元，比年初下降2974万元，占比为26.7%，比年初下降0.25个百分点。实现中间业务收入1.98亿元，同比增加7400万元，完成年度任务的117.4%。

【多措并举做大做强负债业务】 全年把系统性大客户作为工作着力点，大力增强省市县财政、省移动公司、交通系统、住房公积金、合作医疗基金等各类行政事业单位和贷款、结算大户资金的吸附能力，同时对现金管理平台、承兑贴现等产品提高了服务水平。把储蓄业务作为传统强项，努力推进个人业务转型。制定了《储蓄存款上台阶奖励办法》，对各类网点实行了“升阶重奖，上不封顶”。全辖一季度储蓄存款增加15亿元，占全年的46.3%。依托优质客户管理系统，识别、维护和开发个人高端客户，并通过举办个人贵宾客户联谊会和理财讲座以及健康通道，“易登机”服务等创新营销方式，巩固和扩大了优质客户群体。年末全辖储蓄存款10万元以上个人客户40026户，存款余额111亿元，户数和余额占比分别为11.7%和61.5%，三星级以上贵宾客户 116户，优质客户对储蓄存款的支撑作用得到凸显。提升网点服务功能，开展“优质文明服务季活动”。全行配备专职个人客户经理和大堂经理110名，在所有网点设置了贵宾窗口，增设ATM机11台和1家自助银行，缓解了排长队现象。

【加大营销力度 提高信贷经营水平】 重视明确贷款营销重点客户工作。将基础设施建设、交通、电力、医药、化工等作为重点优势行业，选择出36户目标客户，实现了新增贷款的优化配置。全辖在消化电网还贷26.8亿元的情况下，各项贷款实际增加28.2亿元，重点支持了石炼化、石钢、河北天然气公司、省交通厅项目办、省电视台等重点企业和客户。将房贷业务作为重点产品做大做优。主动支持有规模、有实力、讲信誉、业绩好的项目，严格执行按揭贷款“新政”，积极防范住房贷款风险。全年新增房地产贷款3.4亿元，房贷余额达到33.2亿元，占全部贷款余额的13%，比上年提高1个百分点。主动服从国家宏观调控政策，努力建设绿色信贷。对涉及“两高一剩”行业的45户、36.3亿元贷款制定了管理退出方案，全年压缩“两高一剩”客户贷款6.2亿元。加强信贷基础管理。根据不同支行的管控能力、资产质量和客户资源进行差别授权，不追求资产业务全面开花，着力培育公司信贷、房地产信贷、国际贸易融资等专业的特色支行。认真落实总行《授信工作尽职指引》，对调查、审查和日常管理全过程进行严格规范和约束。抢收快收不良贷款。年内以股改促清收，在冀中化工、瑶晨房地产、宝石硝子等不良大户上取得了重大成果，全行三季度末就完成了全年清收任务。全年共清收不良贷款本息4亿元，其中清收表外利息1.14亿元，分别完成全年任务的170%和135%，居全省首位。

农行员工进店路演转帐电话，积极争抢中小商户资源

【大力发展中间业务】 年内全行中间业务收入达到1.8亿元，比上年增加42.8%，对利润的贡献达到21.2%，比上年提高4个百分点。围绕“上总量、扩规模、提质量、增效益”，积极推进银行卡业务转型。止年末，银行卡实现中间业务收入8581万元，对中间业务总收入的贡献率达到47.7%；借记卡批量发卡达到35.7万张，占到借记卡发卡总量的53%。组织开展

了贷记卡营销竞赛活动，两级行一把手亲自动员并组织营销，全年贷记卡发行18762张，完成省行任务的125%，贷记卡透支利息收入达到1568万元。全辖营销转账电话5469台，绑定存款9.1亿元。努力拓展电子银行业务。组织了营销月活动，大力开展体验式营销。年内电子银行各项指标均居全省首位，实现手续费收入384.3万元，实现网银交易额1322亿元，电子银行业务量占比提高，有效地缓解了柜台压力。做好基金销售工作。加强了柜台营销和对贵宾客户的营销，充分发挥了理财中心和理财师的作用。全年销售基金19.8亿元，实现托管收入3317万元。扩大代理保险业务。坚持合规营销，将贷保双单作业纳入客户信贷审批限制性条款。年内实现代理保险收入4亿元，其中财产保险费1700万元，代理手续费收入1042万元，比上年增加482万元。国际业务平稳增长。全年确定57个重点营销客户和维护挖潜客户，积极发挥了专业特色支行的作用。在外部环境不利的形势下，全年累计办理国际结算11.8亿美元，比上年增加2.4亿美元，完成年度任务的103%。结算量500万美元以上客户达60户，对全行国际结算的贡献率达70%。

黄金周期间，进行产品和形象展示

【严格抓好风险防控管理】 邯郸案件发生后，营业部党委对风险防控工作高度重视，出台了一系列有效措施。年初，营业部党委与支行行长和各部门负责人签订了《安全经营责任书》，在全行建立了"三纵两横"的责任体系。同时，开展了"查补抓"活动和"矫治、对缝、补漏、整肃"四项行动，对每个业务条线彻底清理风险点，建立整改台账，实行销号制。全辖共排查出风险点666个，其中属营业部权限的584个，年内已完成整改578个，占98.97%。此外，认真组织开展了执行力教育活动。通过"三查"、"四查"，发现全辖在执行力方面存在87个问题，统一建立了问题整改台账，明确整改责任和时限。年末共整改82项，占比94.3%，其余5项还处在整改中。还严格落实了"交流、轮岗、强制休假、亲属回避"四项制度。通过自查，全辖符合条件的共有145人，安排强制休假高管人员41人，重要岗位员工完成轮岗26人，强制休假53人，占应落实总数的82.8%；在加强财会操作风险防范方面，对167名会计主管进行了综合考评并统一安排轮换，对2名不合格的会计主管进行了淘汰。通过轮换互查发现各类会计操作问题724个，并用营业部统一标准进行了纠改。抓好复核中心、处置中心和对账中心建设，建立了例会交流制度，开展了电视监控调阅检查，提高了复核和监管的质量，使前台柜员操作差错率由年初的1.2‰下降到了0.8‰。

【认真做好股改基础准备工作】 完成了法律尽职调查。此项工作时间要求急，涉及人事、财务、信贷等200多个项目。全行集中时间，全员参战，提前完成工作任务并通过省行和总行的审查；认真做好不良资产处置各项准备工作。成立了由总经理挂帅的3个专项工作组，分工协作，统一指挥。营业部与支行行长还签定了质量达标承诺书，确保了工作质量。到年末，全行完成法人客户不良贷款尽职调查4418户，贷款余额63.3亿元，完成可疑和损失类贷款档案资料整理22271户，贷款余额65亿元。共计处理不良贷款责任人799人，其中给予纪律处分105人。摸清家底，清产核资，为股改做好财务基础工作。年末全行土地确权率达到95.2%，房产确权率达到96.15%。积极消化财务包袱。通过对三批历史包袱的认定，共清理历史包袱2.93亿元，累计消化1.5亿元。还主动配合德勤等外部审计部门做好审计评估工作，为股改工作提供了详细的数据信息。

中国农业银行
河北省分行营业部
总 经 理：张春波
副总经理：杨香军 王永霞
高建芳 唐国辉
武运慈

（张 丽）

中国银行

【概况】 2007 年末，中国银行石家庄市四家管辖行本外币资产余额为 269.48 亿元，增长 7.7%；负债余额 261.83 亿元，增长 7.9%。实现本外币净收入 7.52 亿元，同比增加 1.22 亿元。实现拨备前营业利润 4.50 亿元，税后净利润 2.48 亿元。资产利润率为 0.97%。

【存贷款业务】 四家管辖行各项人民币存款余额为 234.51 亿元，较年初新增 17.81 亿元。其中公司存款新增 17.53 亿元，储蓄存款新增 0.28 亿元。金融机构存款余额 8.12 亿元。外币公司存款余额 0.34 亿美元，较年初新增 284 万美元。外币储蓄存款余额 1.36 亿美元。人民币各项贷款余额 110.04 亿元，较年初新增 2.77 亿元。其中公司贷款新增 2.76 亿元，消费贷款新增 2.54 亿元。票据融资较年初下降 2.53 亿元。

【中间业务】 四家管辖行实现中间业务收入 1.28 亿元，同比增加 0.55 亿元，增幅达到 75%，占全部净收入的 17.02%，同比提高 5.37 个百分点。全辖实现手续费收入 0.86 亿元，同比增加 0.42 亿元，增长 95.45%。各业务条线中间业务收入同比均有不同程度的增长。

【风险管理】 在强调业务发展的同时，加强政策指引，把好授信准入关。制定了重点行业授信政策指引，明确重点支持行业和总体授信政策，确定了授信业务准入和退出重点。高度重视产能过剩、投资过热行业项目，从源头控制风险。进一步理顺和规范了授信项目审批流程，取消支行发起权。加强对存量授信的监控，注重授信后评价和贷后管理工作，建立了客户风险预警及退出决策机制，最大限度地防范和控制风险。做好贷款五级分类工作，及时、准确地反映资产质量。发挥授信发放前的审核关口作用，提高了贷款发放的合规性。加强对不良资产经营和管理，全力做好不良资产清收化解工作，对正常、关注类贷款的授后监督，达到全面覆盖和存量资产结构的优化。

【国际结算】 对国际结算产品线的市场、客户、产品、收益等方面进行细致分析，形成了大量的书面信息材料，印发辖内各行，并且在调查分析的基础上，经过筛选、比较，确定了全行 2007 年国际结算重点客户和目标客户。坚持逐月跟踪分析各行工作，分别从海关、同业、外管局等多角度对比各行业务进展、指标完成进度、重点和目标客户业务及其市场份额变化等情况并通报全辖。进一步加大对国际结算客户和产品的营销力度。一方面对大客户坚持上门，提供周到、快捷的贴身服务，另一方面，充分发挥支行的技术、产品和人才优势，广泛提供咨询等高附加值服务，增加了企业对银行的信任和依赖，赢得了客户好评。根据不同客户的不同情况，制定了具体的营销计划及进度表，责任到人，抓好落实，成效显著。

【IT 建设】 积极开展核心银行系统上线的各项准备工作，抽调业务骨干参与总行项目组的系统测试，尽早熟悉系统，把好测试关。全力做好客户信息的采集、补录工作，保证信息质量。积极推进流程整合，坚持以中心城市为节点进行集中化、专业化、扁平化的改革方向，逐步改变块块分级管理的模式，建立以 11 个城市为中心的管理模式。构建业务板块，强化业务条线管理。全面梳理了支行组织架构、职责、职位设置和人员配置，取消了支行内设部门，减少了管理层级。积极协调、解决系统运行中出现的问题，推进 MIS 系统上线准备工作。及早入手抓好员工上线培训，培训面覆盖了全辖每个机构和网点。

【管理达标】 重点抓了各项工作标准的制定、网点综合管理达标和合规内控几项工作。经过一年的努力，各项业务流程、规章制度和岗位职责得到全面梳理，并制定出每项业务的操作流程。年内各行共制定完成 235 个业务环节的达标标准。扎实开展网点综合管理达标，从网点的布局规划、硬件建设、人员配置和服务水平四方面入手，推动网点转型。坚持以城市为中心，提高重点城市和区域的城区网点占比，压缩县域机构比率。坚决消灭5人所，推行“8人配置、6人当班、按日倒班”的工作标准，满足了网点内控合规的基本要求，逐步实现了向销售服务型网点转型。进一步加强内控体系“三道防线”建设，开展了案件防控“四项行动”。通过开展管理达标工作，内控体系建设得到加强，各项工作进一步规范化、标准化。

【流程整合】 设立了公司与金融市场和个人金融等前台业务板块，其中，公司与金融市场板块包括公司业务部、国际结算部、营业部、金融机构部、资金业务部；个人金融板块包括个人金融部和银行卡部；运营服务板块包括账务与支付中心（运营部）、票据与客服中心（会计结算部）、信息科技部、营业部。其他部门分别纳入集团职能部门和综合管理部门。分行还设立了公司金融板块和个人金融板块。公司金融板块包括公司业务部，并根据业务规模，除承德、张家口分行外，其他分行都设置了国际结算部，纳入公司金融板块；公司业务部负责所在地区授信业务的集中发起，管理模式与省行公司业务部对石家庄地区的管理模式相同；公司业务部内设立票据融资中心。个人金融板块包括个人金融部，整合了个人金融、银行卡业务，执行了扁平化、垂直管理的原则。个人业务板块对二级分行辖区内的城区网点（含经营性支行、其它网点）的个人金融市场营销职能实行条线垂直管理，上收理财中心、理财工作室，其中上收城区B、C类网点由分行个人业务板块统一管理，二级分行可根据网点的业务发展状况，按照需要在网点设置理财中心、理财工作室、消费信贷中心，或仅派驻若干客户经理，所有营销组织及派驻人员均由个人业务板块直接管理，包括人员的准入、配置调整、考核任用、业绩评价等。

【反洗钱工作】 由于国际国内反洗钱形势日益严峻，银行始终把反洗钱工作放在突出位置来抓。一是制定相关制度。制定下发了《河北省分行反洗钱管理办法》；结合总行制定的反洗钱工作指引，制定下发了9个业务条线的反洗钱工作指引实施细则。二是加强培训。对主管副行长、内控部主任、全辖基层网点负责人及4家管辖行的有关人员进行了反洗钱专项培训；制作了反洗钱培训视频教材发送各行组织层层培训，满足了内控部门建设、反洗钱人员调整急需培训的需要。三是加强指导和检查力度。年内两次召集4个管辖支行主管副行长研究部署反洗钱工作，提高了管辖支行对反洗钱工作重要性的认识。4家管辖支行的25个机构开展了反洗钱工作专项自查。针对自查和检查发现的问题，各行进行认真整改，该完善的进行完善，该补报的进行补报。全年全辖大额和可疑交易报告工作比以往有了很大改观。

【网点建设】 一是着力解决网点人员配置问题。下大力消灭5人网点，加快8人网点建设。二是针对重要空白凭证、印章、库存现金、授权卡等4个关键环节制订了达标规范。三是对网点人员配置和倒班模式提出了明确标准，各行结合网点优化撤并和支行流程整合充实了网点一线人员，年底所有网点都达到了“8人配置、6人当班、按日倒班”的底线运行标准。

【文明优质服务工作】 深入开展文明优质服务活动，先后制定了文优服务的各项工作标准。对营业网点的服务环境、礼仪、态度、技能、质量、纪律等六方面工作进行了规范。突出奥运特色服务，加强技术练兵。组织了“奥运服务月”活动，制定了《客户管理部门服务内容和标准》，促进了服务工作由一线窗口向二线部门的延伸。总行督导组、省银监局、省银行业协会等单位对支行的服务工作均给予了充分肯定。全年全行服务水平明显提高，在社会和广大客户群中树立了良好的企业品牌和服务形象。

【班子建设】 认真学习贯彻“三个代表”重要思想和党的十七大精神，加强各级领导班子建设，不断提高领导力，增强控制力，改善执行力，经营管理水平显著提高。突出价值创造，科学制定考核指标体系，加强分类指导，将考核结果作为绩效奖励、职位聘任、聘约管理的重要依据。不断加强党风廉政建设，强化对各级领导干部特别是“一把手”的监督管理，各单位在合规前提下开展工作、发展业务，对各种违规行为设定“高压线”，省行与各管辖支行一把手签订了《合规经营、防范案件责任状》，积极加大了管理工作力度。止年末，各行都没有发生经济案件和“四类”案件。

中国银行股份有限公司
石家庄市机场路管辖支行
行　长：柴英豪
副行长：解法林　秦战朝

中国银行股份有限公司
石家庄市中山管辖支行
行　长：张文驰
副行长：李彩岚　于大为

中国银行股份有限公司
石家庄市裕华管辖支行
行　长：赵会彬
副行长：张世江　赵永军

中国银行股份有限公司
石家庄市裕东管辖支行
行　长：李广明
副行长：乔　旸　张新良

（李菲菲　张德林）

建设银行

【概况】 2007 年，在国家进一步加大宏观调控力度的大背景下，中国建设银行河北省分行营业部认真贯彻落实上级行战略部署，积极把握形势，主动适应调控，围绕增强市场竞争力和综合盈利能力，集中精力抓业务，全力以赴促发展，取得了良好的经营业绩，较好地完成了各项工作任务。截止年底，实现考核利润 76054 万元，比上年同期增长 13752 万元，同比增幅 22.07%；实现经济增加值 2.9 亿元，比上年同期增长 4188 万元，同比增幅 16.88%。各项贷款余额 191.24 亿元，剔除票据贴现因素，对公非贴现贷款新增 2.6 亿元，个人类贷款新增 6.19 亿元。全口径存款余额 454.24 亿元，比年初增长 62.03 亿元。实现中间业务净收入 22278 万元，比上年同期增长 13232 万元，同比增幅 156.51%，在主营业务收入中占比由上年的 8.13% 提高到 15.42%，创下历史最好水平。

【各项业务实现稳步健康发展】 年内在贷款规模受限的情况下，主动调整优化结构，不放松优质资产业务，大力发展个人贷款业务，积极推进小企业业务发展，超常规发展中间业务，努力降低负债成本，主营业务得到健康发展。资产业务方面，一是集中精力做好优质重点项目的评估申报和贷款投放工作。组建了多支“任务型营销团队”，通过为对公客户提供融资产、负债和中间业务，形成了对公与对私业务相呼应的个性化服务方案，成功对优质对公客户及机构客户实现了贷款投放。二是继续加快全区小企业贷款的营销工作。通过银企洽谈会、95533 短信、广场现场推介等形式大力营销“速贷通”和“成长之路”业务，共发展小企业客户 44 户，累计发放贷款 2.29 亿元，无一笔不良。三是个人类贷款稳步发展。进一步完善个贷中心模式，坚持存量客户和增量客户齐抓并举，个人贷款业务保持了良好的增长态势。负债业务方面，适应主动负债发展方向，调整相关激励政策，大力开展“扩大优质群体百日营销竞赛活动”，抢抓优质基本结算户，促进低成本负债的发展。通过为客户设计合适的理财方案，引导高成本定期存款合理分流，促进了负债结构的优化。收费类业务在继续拓展传统产品空间的基础上，进一步加大了产品应用创新力度。深入挖掘公司类中间业务潜力，实现了法人账户透支业务新的突破，成功开办市级财政 168 家预算单位零余额授权支付业务，预算单位开户数量和支付结算量稳步提升。成功争办河北财达证券公司第三方存管业务的主办银行资格，10 万多建行银证转账客户整体透明平移到支行 CTS 系统，有力地带动了支行储蓄卡、电子银行、网上银行等业务全面发展。个人中间业务进一步巩固发展银行卡、个人结算、证券业务和代理保险四大产品的优势，全年实现个人收费类收入占营业部收费类收入的 76.88%，同比增长 193.05%。基金代销成绩显著，代理证券业务收入占全部中间业务收入的 52.05%。加快发展战略性业务。国际业务积极调整了客户结构，大力发展外贸高端客户，国际结算业务圆满完成省行核定的全年任务。电子银行业务共新增企业电子银行客户 1369 户，完成计划的 145.64%，与柜面交易量占比达到 26%。信用卡业务在防范风险的前提下得到较快发展，全年借记卡总量居全省系统首位，借记卡新增在全省系统内排名第一。

【平稳推进业务转型】 首批 40 个

网点按照“以客户为中心”的经营理念，明晰了岗位角色，优化了柜面操作流程，稳步推进零售网点由核算主导型向销售主导型转变，顺利通过了省分行和总行的验收，转型效果初步显现，媒体、同业及客户的反应良好，员工精神面貌有了明显改观，第一批转型效果逐步固化，第二批网点转型工作已在稳步推进。个贷业务转型方面，充分发挥个贷中心的作用，进一步调整完善了个贷中心组织架构与经营模式，初步实现了个贷业务的标准化、流程化和专业化，提高了业务效率和风险控制能力。对公业务经营层级上移初步完成，新的组织架构已经确立，对公客户和业务对接已顺利完成。按照“信贷工厂”的业务经营模式，对小企业中心人员进行岗位调整，初步完成了信贷工厂的岗位设置，小企业“信贷工厂”模式初步组建起来。

【综合改革继续深化】 通过考试考核、综合测试、双向选择，顺利完成中层管理岗位人员交流工作，岗位交流面达到 84.3%。进一步优化管理人员队伍结构，管理岗位人员平均年龄下降 4.7 岁，具有本科以上学历人员占比达到 77.5%，有力增强了营业部的可持续发展能力。稳步推进对公业务经营层级上移工作，形成了以公司与机构业务委员会办公室为综合管理部门、8 个对公业务经营中心和 36 个开办对公业务综合支行为主要营销机构的新型组织架构。积极适应业务转型需要，进一步完善了绩效考核办法，变层级考核为岗位人群考核，更加合理有效地提升了财务资源的配置效率。在重点做好贷前平行作业的基础上，进一步加强风险经理队伍建设，确保了平行作业稳步向前推进。深化会计管理与营运管理体制改革，积极推进前后台业务分离，大量事务性工作集中由后台处理，为前台人员腾出精力更好地服务客户奠定了基础。

【内控水平进一步提高】 全面加强金库和现金管理及柜面操作管理，顺利完成毕马威中期审计、内部账户清理、柜面人员等级评定等项工作，扎实开展了会计检查、地毯式全面检查及各类专项检查，有效地防范了各类潜在风险。交流委派会计主管 46 人，派驻纪检监察特派员 14 人，为储蓄网点选配柜员主管 39 人，实行了营业机构操作风险等级管理，组织开展了“警示教育月”系列活动，进行了案件防控矫治、对缝、补漏、整肃“四项行动”，案件防范工作得到加强。坚持按季召开风险分析例会，严格落实上级行有关禁止性规定，强化三防一保，加强行为管控，最大程度地解决了风险隐患，全年未发生重大案件和责任事故。

中国建设银行
河北省分行营业部
总 经 理：郭英辉（3 月免）
　　　　　李春生（3 月任）
副总经理：多金辉（3 月免）
　　　　　杨泽峰（9 月免）
　　　　　赵昱辉
　　　　　王旭涛（7 月任）
纪委书记：马　芝

（吕彦华）

中信银行

【概况】 2007 年，中信银行石家庄分行按照总行经营发展思路和监管部门合规要求，坚持“以人为本、严细管理、合规经营、科学发展”的指导方针，努力克服诸多不利因素的影响，抓稳定、抓管理、抓改革、抓发展；通过全员开展合规文化建设，着力解决制约分行进一步发展的突出问题，提高了管理工作的规范化水平，促进了业务持续健康快速发展。年内石家庄分行实现账面利润折计人民币 1.32 亿元，实现总行口径考核利润 2.08 亿元，计划完成率 101.46%；各项存款余额折计人民币 126.16 亿元，其中对公存款余额折计人民币 91.20 亿元；储蓄存款余额折计人民币 33.53 亿元。各项贷款余额折计人民币 99.52 亿元，实现进出口收付汇 4.62 亿美元，完成总行核定全年任务的 115.5%，收付汇同比增加 60.1%；全行累计办理有效信用卡 2.27 万张，完成总行下达全年新增计划的 151%。

【公司业务全面发展】 一是构建机制，强化约束。年内分行按照总行机构设置方案重新构架了公司银行部的组织体系。强化细致操作，全面提升业务管理工作质量；从数量和素质两方面加强公司业务主线队伍建设；全过程指标分解，全方位激励约束；适时开展阶段性竞赛活动，深度开发了战略客户。对公一般性存款大幅增长。分行对公一般性存款日均（考核口径）达 81.16

亿元，较年初增长19.49亿元，完成总行计划130%。二是控制风险，促进资产业务长足发展。公司条线继续深入贯彻总行“双优双主”战略，加大对主流客户贷款营销；积极组织竞赛活动，提高授信工作效率；认真落实信贷业务规章制度，加强信贷风险的防控；通过开展“年终挑战”竞赛等一系列营销活动，实现了资产业务在无新增不良基础上的快速增长，“双优双主”客户占比进一步提高。三是坚持一户一策，深入挖掘战略客户资源。分行先后出台了《战略客户营销小组管理办法》和《战略客户营销费用管理办法》，成立了战略客户营销小组，并按照一户一团队和一户一策的办法，充分发挥战略客户CRM系统的作用，取得了一系列重点战略客户的营销突破。

【国际及资金资本业务发展迅速】 新一届领导班子上任后，对国际业务采取了明确营销目标、调整优化客户结构；提高风险意识，加强内部管理；加强业务培训，提高营销人员业务素质；实行首问负责制，努力提高服务意识等工作措施。实现了下半年国际业务的大逆转，圆满完成了总行下达的国际和资金资本两项经营计划。在直接融资方面，除完成唐钢短券后续发行工作外，还争取到天威保变7.9亿元短券业务的联合主承销资格；间接融资方面，在张石高速及石家庄三环的银团贷款方面进行了有益的尝试，取得了宝贵的经验；中间业务方面，将财务顾问作为业务发展的重点，共与11家企业签订了财务顾问合同。

【积极推进特色经营】 一是深入贯彻总行“三维四动”零售银行发展战略，按照“结合当地区域特点，开拓创新，走中信银行零售业务发展的特色之路，创出其它银行无法赶超的特点和优势”的思路，坚持积累客户、经营客户、提升客户三个环节并举的零售银行发展路径，突出了理财、个人贷款、信用卡三个盈利点的零售银行经营策略，取得了全系统管理资产三年网均增量第一名的优异成绩，分行荣获总行“2005～2007年零售战略执行杰出成就金奖”的殊荣。二是积极组织策划各项营销活动，有效推动零售业务快速健康发展。通过开展贵宾理财红六月营销竞赛、住房按揭百日营销竞赛等一系列营销活动，加大了交叉营销力度，带动了零售各项业务指标全面发展。年内分行多项理财产品、基金获总行“网均销量冠军”；贵宾客户任务完成率列全行第一；历史性实现中间业务收入2065万元，占全行中间业务收入的49.03%；管理资产在上年储蓄存款完成660%的情况下大幅增加，达到47.28亿元，完成总行下达任务的313.28%。三是加大产品宣传力度，努力提升知名度。通过年初开展的“理财盛宴”、盛夏开展的“嘉年华会”和“中信电影之夜”及年终的“决战巅峰”贵宾理财沙龙等一系列的产品宣传活动，使中信银行的知名度迅速攀升，中信理财成为知名品牌。尤其是嘉年华会和中信电影之夜活动，宣传客户超过百万人次，使中信银行这个名字在2007年仲夏之夜响遍石家庄市。四是加强服务品质体系建设，提升总体服务水平。年内分行指派专人负责服务品质工作，从网点服务规范抓起，通过服务品质专题培训和考试，组织定期不定期的暗查和通报，有力地提升了银行的软件建设水平。同时，积极完善网点硬件设施建设，促进银行总体服务水平迈上新台阶。在总行组织的神秘客户调查中，石家庄分行服务品质排名大幅度提升。

【强化风险控制和管理】 分行严格遵守国家法律法规和金融政策，遵循“审慎授信”原则和“追求过滤掉风险的真实效益”的理念，努力争取风险控制和业务发展的协调统一。一是信审人员对授信项目审查全程参与、全程沟通、全方位思考，以专业意识发现风险，以敬业意识掌控风险，以服务意识实现价值，项目审查质量有了一定提高。全年新开发授信项目53笔，未出现一笔不良，得到总行风险部的高度认可。二是认真审核放款资料，严格落实双人核保制度，对未落实信审批复条件的坚决不予放款，保证了放款质量。对缺少非要件资料的，要求客户经理限期补齐，努力提高了资金的使用效率。三是贷后管理部门通过对客户经理提交的定期贷后检查资料进行逐笔认真分析，加大对授信客户的现场核查力度，随时发现授信风险隐患，及时列出需关注的客户名单，做到了提前告知和化解风险。

【严格落实会计工作制度】 一是加强会计内控制度建设。先后出台了《会计责任人员违规处罚办法（暂行）》、《会计经理例会制度（修订）》等二十多项会计制度，提高了会计风险防范水平和会计核算质量。全年分行网点差错率控制在万分之三的总行标准内，百万以上的账户对账率达到100%。二是落实了业务集中和管理架构整合工作。将分行资产业务全部集中到分行账务中心核算，会计部成立了会计管理中心、账务中心、后督中心、对账中心，明确了各岗位职责，进一步理顺了内部管理流程。三是完成了三代上线工作和人行账户管理系统、大小额支付系统及影像系统等多项业务系统的升级上线工作。

【完善计划财务管理 优化资源配置】 一是通过发挥票据业务和信贷资产转让业务对信贷限额的调剂作用，人民币贷款较年初增加了21.15亿元，增幅31%，在石家庄中小银行中排在首位。二是在流动性过剩的背景下，严格要求逐日逐时上存下借资金、对网银业务量较大的企业，采用资金匹配操作方法，努力提高资金的运营效率，有效控制了流动性风险，增加了资金使用效益。三是对到期续做和新发放贷款，实行较短的重订价周期，缩小了利率敏感性负缺口，防范了利率结构性风险。四是强化资本约束和资产负债管理，提高经济利润水平。通过每日监控和出台阶段性的控制措施，拉近了考核资本和监管资本的差距，取得了显著的成效。

【加大合规审计力度】 一是努力拓宽审计范围。先后开展了针对银企对账、账户管理、行政财务核算、票据中心运营合规性、零售放款中心操作情况、会计合规性、财务收支、财务授权、薪酬劳资、授信管理不同业务领域的多项专项审计。二是坚持审计与管理并重，深入挖掘增值潜力，为全行健康发展提供咨询服务。提出整改建议36条，提供制度修订意见20条。三是坚持标本兼治，突出抓好整改，提高审计效能。完成了离行式自助银行管理、抵质押物品管理、银监局对分行的非信贷资产、委托贷款检查共4项整改后续审计工作。同时，进一步增强部门之间的监督制衡，提高业务操作的合规性，保证了审计效果。

【信息化建设取得可喜成绩】 一是三代系统成功上线。信息管理部门与会计部门共同组织协调，全体参战人员以高度敬业的责任心和拼搏奉献精神，团结协作，密切配合，于8月5日成功实现了三代系统上线，并荣获总行三代大集中工程建设系统优秀组织奖。二是按照“以安全运行为中心，全心全意服务一线，不断加强内部管理”的宗旨，扎实有效地开展工作，为分行各项业务的发展提供了坚实可靠的技术保障，创造了连续六年安全生产无事故的好成绩。

【人力资源得到优化】 一是合理调配人员，充实业务第一线。按照“岗位清晰、编制合理、责任明确、便于考核”的原则，科学安排和合理调配人员，优先保证前台操作人员，确保业务正常开展。二是理顺全行员工劳动关系，加强劳动用工规范管理。为适应新《劳动合同法》的要求，对用工形式进行了明确分类，即：正式合同工、派遣制用工、非全日制用工及返聘人员，为薪酬制度改革和完善奠定了基础。三是适应市场竞争，探索多元化分配体系。修改完善了《绩效考核办法》，在绩效考核中增加了业务量、差错率等内容，使优秀柜员的绩效工资水平有了大幅度提高。还出台了《助理以上干部岗位津贴发放办法》，按月落实津贴发放，调动了中层干部工作的积极性。

中信银行石家庄分行

行　　长：陈彦明（10月免）
　　　　　韩光聚（10月任）
副 行 长：王立伟（10月免）
行长助理：张建明　王　旭
　　　　　刘志强

（吴红梅）

华夏银行

【概况】 2007年，华夏银行石家庄分行坚持以发展统揽全局，认真贯彻从严治行方针，加强合规文化建设，千方百计调动员工队伍中蕴藏的业务发展积极性，努力开拓市场。止年底，全行资产总额134.20亿元；贷款余额91.35亿元，比上年增长21.41%；一般性存款余额113.46亿元，比上年下降0.06%。年内总行下达个人业务指标19项，分行完成15项，其中，储蓄存款18.99亿元，完成年度计划的105.5%；基金余额1.64亿元，完成年度计划的227%；理财产品销售1.41亿元。丽人卡、至尊金卡、外汇卡累计发卡59818张，新增贵宾客户4271户，卡消费3.12亿元，外汇卡境外交易55笔，外汇买卖、三方存管等指标均超额完成总行下达的目标任务。

【各项业务快速发展】 一是以开发客户为突破口，业务出现快速发展。年内全行开展了以增加有效客户为主题的业务营销竞赛活动，活动中坚持了行业分散、敞口控制、抵质押优先的信贷准入“三项原则”和“以优为本，中小企业为主”的市场定位。调整和恢复了部分经营机构的经营职能，加大了营销力度。积极组建产品营销部，实行产品集中营销模式。依托机构客户资源和业务平台，通过上下联动、捆绑考核的机制，找到机构和产品营销利益结合点，用机制推动了产品营销。二是抓重点兼顾一般，个人业务营销取得成效。全行确立了以资产业务增长带动负债业务增长的发展思路，并把私营企业主贷款的营销作为重点和突破口。积极开展了“四进”营销宣传活动，建立了稳定的客户网络。加大基金和理财等产品的营销推广力度，努力增加了中间收入。三是以开发客户为重点，国际业务阶段营销取得突破性发展。积极开展国际业务营销竞赛活动，将国际业务先进支行和落后行相互结成对子，一对一的进行帮促，并实行国际结算人员值周经理制度，以“传、帮、带”方式开展营销。同时，加强与省商务厅、省外管局等部门的沟通，及时了解和掌握全省进出口贸易形势、政策信息、客户信息和发展趋势，为国际业务的快速发展奠定了基础。

【采取各种措施　努力推进不良资产清收】 年内为进一步加大不良资产的清收化解力度，在全行范围开展了清收化解不良贷款攻坚战活动，成立了清收不良贷款攻坚活动领导小组，具体负责到期贷款风险的监控和新增不良贷款控制以及对公存量不良贷款的现金清收和重组转化等项工作。摸清底数，制定方案，实行目标管理。对所有问题授信重新摸底，逐户分析，并联系实际制定出一户一策、一户多策的化解方案。同时，集中全行力量成立了清收化解小组，明确工作重点，明确奖惩措施，实行了目标管理责任制。还根据四、五级分类和诉讼进度，采取不同措施进行清收转化。现金清收，采取多种方式重组转化，向担保单位催收或执行担保，或通过法律手段迫使企业归还贷款，及时上报总行进行核销。加快诉讼进程，积极推进结案速度。对已经停止经营或有一定还款能力、但还款意愿差的借款单位或担保单位，实施了法律诉讼，维护了债权。进一步加强以资抵债和抵债资产的管理。明确专人管理，并逐户建立抵债资产台账，积极采取措施对抵债资产进行处置，大力规范了以资抵债的各种手续。

【基础管理工作全面加强】 组织开展合规文化建设活动。为增强员工合规经营意识，确保依法合规经营，分行制定了《合规文化建设活动方案》，在全行范围开展了合规文化建设活动。努力推进会计结算工作规范化、制度化进程。加强了内控监督管理，做好了稽核检查工作。采用调阅登记簿、录像记录、实物盘点及现场查看等方式，对重要岗位、敏感部位和关键点进行了全面检查。在开展对公及个人信贷业务信贷资金流向情况检查和离任强制休假稽核检查的同时，对银行承兑汇票及贴现、转贴现业务进行了全面稽核检查。围绕安全运行这一主线，认真做好了信息系统的维护工作。千方百计保证各系统运行，并利用总行推广的网管平台对各网点、离行自助等线路进行远程检查，统一了内、外网防病毒软件，做到每天对防病毒服务器的运行情况进行监控，有效防范了信息系统风险的发生。

华夏银行股份有限公司
石家庄分行

行　长：默荣芬（5月免）
　　　　杨素法（5月任）
副行长：武丽珠（女）(5月任）
　　　　王宏杰
　　　　张祺礼（5月免）
　　　　赵　巍
纪委书记：苏彦民

（刘文华）

民生银行

【概况】 2007年，中国民生银行石家庄分行深化改革，认真梳理业务流程，全面整合营销模式，努力提升经营管理水平和市场竞争力，为业务发展打下了良好的基础。截止12月31日，全行一般性存款余额177.31亿元（位居当地股份制银行首位），各项贷款余额119.67亿元，资产总计206亿元，实现税后利润12158万元。

【努力做好稳存增存工作】 为确保负债业务稳定发展，分行将稳存增存工作作为全行首要任务。一是进行全面动员，牢固树立“存款立行”和“发展是硬道理”的观念，并号召全行员工全力以赴，尽快把石家庄分行做大做强。二是加大客户经理整合力度，加强了对客户的系统化、专业化营销，进一步密切了银企关系。三是加大了内部挖潜力度，加强对现有客户的分析，进行了公司业务的二次开发和深入开发，努力把业务做精、做实。四是大力拓展个人业务，先后举办了“财富课堂”、理财讲座、刷卡得奖等各种营销活动，确保了储蓄存款的平稳增长。

【做大资产业务规模　提高资金收益率】 一是将推动资产业务做为全年工作重点，在控制风险的前提下，突出重点区域、重点客户、重点项目，加大对交通、电力、钢铁等重点产业的投放力度，扩大了市场份额。二是加强对中小企业的金融支持力度，将银行业务与河北中小企业的发展特点结合起来，认真进行产品创新，并通过与河北省11个地市中小企业局合作的方式，与全省中小企业建立了广泛的业务联系，全年实现中小企业授信81.46亿元，创造了新的效益增长点。三是加强引导，积极推动业务创新和产品营销，先后举办了“企业网上银行”、“公司理财”、“贵宾理财”为主要内容的专题营销活动，推出了稳健理财、动产融资等新产品，扩大了分行在市场的影响。四是加大票据业务工作力度，及时调整激励政策和贴现利率，提高票据的流动性，避免了资金的低息长期占用。截止12月31日，累计发放贷款104.8亿元，一般性贷款余额较年初增加30.58亿元，实现贷款利息收入5.61亿元；累计办理票据贴现177.3亿元，实现票据利差收入6684万元。

【全面加强风险防范】 在加快业务发展的同时，分行加大了风险防范力度，确保了业务健康发展。一是不断完善各项规章制度，并结合落实情况开展了多次“经营与内部管理”自查活动，使内部管理逐步向制度化、规范化靠近，有效提高了内控管理水平。二是以案件防控活动和反商业贿赂活动为契机，对分行各项业务环节进行了全面检查，扎扎实实推进了内控建设。三是以预防为主，深入开展了“三防一保”工作，建成石家庄第一个集中监控中心，对全辖营业网点（含自助银行）进行24小时全程监控，实现了利用科技手段控制风险的目标，还通过开展全员安全警示教育、召开全员大会、不定期安全检查等多种活动，使全行员工深刻领会“安全保效益”的重要内涵，做到从思想上构筑起防案件、保安全的防线，确保经营管理工作在安全、高效、正常的轨道上运行。

【强化形象建设　打造民生品牌】 一是积极参与社会公益事业。年内员工个人自愿向国家级贫困县保定顺平县捐款20万元，为分行树立了良好的社会形象。二是举办了“财富课堂”、“奢华之鉴·动感民生”贵宾宝马试驾活动和“民生银行中老年贵宾客户西安游”等营销活动，扩大了贵宾客户群体、提高了民生银行的社会知名度；三是在全市近40个写字楼和中高档社区发布电梯广告，积极促进各项理财产品的销售，带动了储蓄存款的增长。通过举办活动和品牌宣传，密切了民生银行与社会各界的联系，使社会各界更加认识民生、了解民生、信任民生。

中国民生银行石家庄分行
行　长：王家智
副行长：杨　德
　　　　胡国荣（女，9月任）

（白　亮）

石家庄市商业银行

【概况】 2007年，石家庄市商业银行以科学发展观为指导，开拓进取，克服了宏观调控力度加大、经济金融形势复杂多变的困难，经营业绩实现了规模、质量、效益的协调统一和又好又快发展。止年末，全行资产总额380.9亿元，较年初增加59.6亿元，增长18.5%；贷款余额（含贴现）171.9亿元，较年初增加15.6亿元，增长10%。不良贷款余额和占比实现“双降”，

【努力提升服务质量】 年内公司按照中国人寿标准化职场要求，对各营业大厅进行了重新装修，更换了新柜台，购置了吧台椅和精美实用的签单桌，更换了新的服务承诺、客户办理各项业务流程，方便了客户查阅；设立了客户咨询服务台，专设了客户等候位，准备了饮水机、饮水杯、小药箱和针线包等，以备客户应急之需。还设立了监督台，接受社会各界监督。继续保持"95519"电话服务中心的优质服务。全年共发送新单祝贺、缴费通知、催缴通知、失效告知、永久失效告知、红利派发通知、生日祝福等各类短信1338385条，比上年同期增长204%，受到广大客户的热烈欢迎。

【理赔工作及时到位】 全年公司累计赔付各类保险金7.05亿元。在理赔工作中，公司提高理赔速度，坚持送赔款上门。4月10日，公司党委书记、总经理崔绍臣携相关人员，驱车来到高邑县东蒲底村，亲自将52240元身故保险金送到被保险人家属手中，为遭受重创的家庭送去中国人寿的温暖和关爱，及时兑现了"惠农第一险"——国寿新简易人身两全保险的全国首例赔案。被保险人家属深受感动，当场将一面写有"中国人寿，一言九鼎，惠民爱农，真情永在"的锦旗送与公司。5月9日，平山县下口中学附近发生炸药爆炸事故，造成4人死亡，多人受伤。接到报案后，公司立即组成事故处理应急组，第一时间赶到事故地点。经调查，遇难者中有2人购买了公司保险。理赔人员在保险责任明确的前提下，仅用7个工作日就对此次赔案做了结案处理，将8000元赔款及时送到受益人手中，受到当地村民的一致好评。6月16日，公司与省公司联合举办了"牵手国寿，天长地久"为主题的首届"国寿客户节"庆典活动，省、市相关领导和1500名客户代表共同参加了首届"国寿客户节"的庆典仪式，仪式热烈、温馨、和谐，表达了国寿"感恩客户、回馈社会"的关爱与真情，拉近了公司与客户的距离。"国寿客户节"现场，公司为省会10所高校200名贫困大学生免费提供了保额高达1064万元的学生平安保险，为贫困学生顺利完成学业撑起一把遮风挡雨的保护伞。

【重视抓好队伍建设】 努力抓好员工的常规教育。公司为构建全方位、全员化学习教育体系，提高整体工作质量和服务水平，增强核心竞争力，在全辖范围内开展了"大兴学习之风，建设学习型公司"活动，激发广大员工形成浓厚的学习氛围。学习首先从培养员工诚信从业的理念入手，将诚信教育作为员工来到公司后的第一堂必修课，主要学习了《保险诚信读本》、《保险职业道德教育读本》、《员工诚信教育手册》和《员工行为手册》等，让员工树立起诚信是立业之本、立足之基的思想意识。止年末，公司共举办各类培训班113期，参训人员26721人次。深入抓好管理层的思想教育。7月28日，公司用2天时间举办了由全辖中层以上人员参加的坚持依法合规经营主题教育活动读书班，组织与会人员认真学习了《坚持依法合规经营主题教育宣讲提纲》、《员工违规违纪处理暂行规定》、《进一步加强保险业诚信建设的通知》和《关于贯彻落实反洗钱法依法治理商业贿赂的通知》等法律法规，撰写了学习心得，提高了各级领导干部对依法合规经营重要性、必要性和迫切性的认识，把坚持依法合规经营活动推向深入。大力做好员工的技能培训和考评。8月26日，公司组织全辖364名聘用人员进行了专业知识和文明服务知识考试，提高了业务管理人员的业务技能和综合素质。

【积极参加行风热线】 年内公司党委书记、总经理崔绍臣和纪委书记、副总经理刘一军分别于4月2日和11月1日带领办公室、人力资源部、业务处理中心、个险销售部、客户服务中心等部门负责人，走进石家庄人民广播电台新闻台《行风热线》节目，通过空中电波与全市广大听众就公司的险种、保单转移、保单借款等群众关心的热点问题进行了交流，并进行了认真、细致、准确的解答，加强了与广大市民和客户的沟通，虚心接受了社会监督，有力提升了公司的品牌形象。

【热心参与社会公益事业】 3月16日，中国人寿河北省分公司、石家庄分公司领导、机关员工及销售精英代表150余人以饱满的热情，参加了省、市公司的先锋林植树活动，为改善革命圣地西柏坡生态环境，造福老区人民做出了积极的贡献。2 月 16 日，公司积极响应省公司“牵手中国人寿，共建和谐生活”捐款活动倡议，为唐山身患“系统性红斑狼疮”的女孩吴迪捐款 3000 元。4 月 18 日，下属新乐支公司为家庭连遭不幸的业务员募捐 6000 多元。5 月 23 日，积极响应市委、市政府及市红十字会发出的“博爱一日捐”号召，发动员工，踊跃捐款 4000 元。8 月 15 日，由公司协办的石家庄市生育关怀工程保险保障行动大会在市人民会堂隆重召开，在救助活动仪式上，公司向全市 290 个独生子女夭亡家庭捐赠了保险金额达 4.4 万元的家庭意外伤害综合保险。公司通过一系列实实在在的活动，让社会各界和广大客户真切地感受到中国人寿的责任和爱心。

中国人寿保险股份有限公司
石家庄分公司
总 经 理：崔绍臣
副总经理：孙聚良
刘一军（4 月任）
谢素立　张国杰
（黄长亮）

中国人民财产保险

【概况】 2007 年，中国人民财产保险股份有限公司石家庄市分公司坚持以科学发展观统揽全局，以市场为导向，解放思想，转变观念，抢抓机遇，千方百计追求有效益的快速发展。全年实现保费收入 66762.5 万元，同比增长 24.58%，净增保费 1.32 亿元，保费规模创历史新高，达到年计划的 114.4%，超额完成省分公司下达的挑战目标。从各险种情况看，机动车险、企财险、家财险、责任险、意外险和农险等实现正增长，其中机动车险、责任险、意外险和农险超额完成省公司下达的年度计划指标。全年公司机动车险增速高于总体业务增速 3.01 个百分点；能繁母猪保险 8 月份开办以来，共收取保费 1369 万元，有力拉动了业务发展。

【积极拓宽销售渠道】 全年公司与 6 家保险代理公司分别签订了业务合作协议，并多次组织个人代理营销人员进行考试，努力强化了营销队伍素质。年末公司在全辖区拥有个代人员 1309 名，营销服务部 48 个，营销团队 16 支；辖区内共设立远程出单点 155 个，签单保费 1.6 亿元。年内公司在与工商银行、农业银行、中国银行、建设银行、农业发展银行和信用社等机构保持良好合作关系的同时，又与华厦银行开展了业务代理合作。新型销售渠道初步发挥作用，其中电话营销和电子商务业务合计保费收入 483 万元。与汽车经销商及 4S 店合作，努力拓宽车险业务发展渠道。全年 93 家汽车经销商和 4S 店为公司代办了车险业务，共收取保费 9500 万元。在省公司大力支持下，公司还在河北荣华东风汽车销售服务有限公司设立了车险服务中心，派驻人员，实行了承保和理赔一站式服务，共代理业务 780 万元。

【用管控夯实发展基础】 全年公司员工牢固树立“效益第一”的思想，承保过程严防“病从口入”，理赔过程减少“跑、冒、滴、漏”，从各环节严格把关，努力保证了经营效益。一是积极发挥承保中心的风险管控作用，狠抓承保精细化管理，严把承保入口关。二是围绕降低理赔成本目标，落实各项管控举措，严格环节管理，提高理赔的准确性。三是加强制度落实和风险监控，严格应收保费管理，确保应收余额在可控制的范围之内。四是妥善处理好各种法律事务，全力维护公司合法权益。五是强化统一法人意识和执行力，做到令行禁止。年末公司完成省公司下达利润计划指标的 139.9%，支付赔款 28679.4 万元，已决简单赔付率 42.96%，同比下降 5.21 个百分点。综合成本率 92.04%，比省公司下达的预算指标低 1.47 个百分点。止年底，公司现金净流量达到 1.57 亿元，经营基础夯实，市场竞争力增强。

【大力提升服务水平】 全年公司上下强化服务意识，注重提高工作效率和服务水平。公司承保中心下基层开展现场核保，提高了基层司部签单员的业务技能，其中车险 5 分钟内核保率达到 96.98%，同比提高 5.91 个百分点。车险理赔实行按区域分片设置查勘定损员，做到了单方事故第一现场查勘率达到 98%，缩短了查勘时间，加快了到达事故现场的速度，节约了客户索赔成本。在继续实施车险简易赔案处理程序的同时，非车险也大力推行小额赔案使用简易单证、查勘员一次性收集手续和赔款立等可取等服务举措。年末全辖区案件处理率达到98.9%，比全省平均水平高2.38个百分点，车险案件处理速度也同比提速29.91%。“客户节”期间，公司举办了“十一”黄金周自驾游客户服务行动、荣誉客户答谢座谈会、客户代表体验周、客户大回访和客户满意度调查等一系列活动，还通过开展奥运门票抽奖、职场规范建设、首届客户节等服务举措和形象建设工作，锻炼了服务队伍，提高了服务水平，拉近与客户的感情，提升了公司的社会形象。年内公司被评为“河北省服务质量优秀单位”和“石家庄市第九届消费者信得过单位”，95518专线还被市政府授予“职工先锋号”。

中国人民财产保险股份有限公司石家庄市分公司

总 经 理：李成全

副总经理：钱书平

丁 萍（女）

王 翔 刘世行

张彦春

（张 剑）

太平洋财产保险

【概况】 2007年，分公司营业部坚持以科学发展观为统领，认真贯彻分公司年初工作会议精神和各项工作要求，振奋精神，扎实工作，创新务实，沉着应对，充分调动每一位干部、员工的智慧和工作热情，全力以赴抓好各项工作，较好地完成了分公司下达的保费、利润等各项经营指标。截止年底，累计实现保费收入12480万元，同比增长22.5%；赔款支出4167.61万元，综合赔付率35.67%，实现净利润1763.73万元。

【效益险种增加】 全年营业部认真实践总公司“诚信天下，稳健一生”的企业文化核心价值观，全面落实科学发展观，注重处理好规模和效益、速度和质量、业务发展与规范经营的关系，实现了业务又好又快地发展。年内车险业务承保了省石油公司、省网通、省国税局、省报业集团、省移动公司、省新华书店等系统和部门的车辆统保；非车险业务承保了省新华书店、定州国华电厂、西柏坡电厂一、二期财产险、唐山豪门集团、省电力局、张石高速建工险、保阜高速建工险及人意险、青兰高速建工险及承运人责任险等大项目。

【制度管理严格】 营业部为提升管理水平，实现业务规模和管理工作协调发展，制定出台了一系列相关的管理规定，做到了精细化管理要求。核保核赔管理，加大了应收保费的管理力度，严格了单证管理，强调了执行制度的刚性。年内营业部还加强了基层机构执行制度、规范操作的检查和督导，提高了其规范经营的自觉性。

【重视队伍建设】 加强业务培训，不断提高全员的业务素质。注重对新人的培养。采取以老带新、向优秀员工学习等多种方式提高新人的素质，为公司发展增添了后劲。通过学习先进典型，激发了干部员工的工作热情。

【积极搞好“诚信”体系建设】 诚信是保险业健康发展的前提。年内按照省、市和分公司关于加强诚信教育的有关要求，建立和完善了诚信制度，加强了员工的诚信教育，坚决杜绝了对客户的误导等不良行为；建立了以客户为中心的，具有太平洋产险特色的客户服务体系，开展了“诚信天下，稳健一生”的客户服务活动；完善客户服务规则，加强客服和窗口办公人员的诚信建设，推行标准化柜台服务，开展满意调查，努力提高了服务质量。

中国太平洋财产保险股份有限公司河北分公司营业部

总 经 理：王茂佐（2月免）

蔡 瑞（2月任）

副总经理：郦海建

王 洪（3月免）

（李世彤）

太平洋人寿保险

【概况】 2007年，太平洋人寿保险河北分公司认真贯彻落实集团公司、总公司各项工作部署，大力弘扬“诚信天下、稳健一生、追求卓越”的企业文化核心价值观，上下齐心，奋力拼搏，超额完成总公司下达的各项任务指标。全年公司实现规模保费32.47亿元，预算达成率为142.01%，同比增长67.61%；折合标准保费20.18亿元，预算达成率为141.7%，同比增长91.98%。年内公司规模保费和标准保费均创历史新高，位列全系统第4位，比上年提升2个位次；经营管理等级继续被总公司评为最高级AAA

级；市场份额稳居全省第二位。

【大力夯实发展基础】 全年各业务渠道通过竞赛、增员、培训、督导等一系列专业化动作和采取各种有效措施，为公司发展奠定了强有力的基础。营销渠道以人力增长和机构晋级为重点，强化基础管理，注重产品策略和人才成长，努力提高团队的产能。人力增长做到狠抓发展，积极壮大营销团队。推动机构晋级工作在《营销服务部管理办法》牵引下，B 级以上机构增加 34 家，弱小机构脱贫 29 家，全辖机构晋升率达到 63%。大力优化产品结构，年末取得期缴总量传统险占比 41.8%、分红险占比 41.6%、万能险占比 6.6% 的好成绩。加快人才培养，全年全辖组织培训四级机构负责人 148 人次，新培养组训人才 73 人，组训人才累计达到 131 人。认真修订《讲师管理办法》和《组训管理办法》，提高专讲组训人员的待遇，有力地稳定了人才队伍。

【多措并举推动业务发展】 直销渠道"三险并进"，效益规模双向提升。意外险全力抓好农村信用社小额信贷和乘意险两个主渠道业务的同时，积极进行险种结构优化，开辟新的业务途径，培育新的业务增长点。年内与政府合作，在第三方管理的基础上，拓展了附加社保意外险。年金险拓宽发展思路，实施重点攻关，实现年金险保费收入 1.95 亿元，有效控制了年金业务的负增长。全年通过与政府有关部门协调沟通，公司的企业年金存量业务移交方案及企业年金业务推广方案得到省劳动厅和国资委的认可，其中存量业务移交方案在河北省劳动厅冀劳社［2007］65 号文件中排在第三位。银邮渠道梯次推进渠道合作，各渠道业务实现大幅增长，全年同比增长 94.1%，高于河北省保险市场 6 大寿险公司银保业务平均 39.6% 的增长速度，领军全国，并在河北银邮市场占据第二。续期渠道加强团队基础管理，各项业务指标圆满完成，并成为全国续收条线唯一选定参加"亚太杰出顾客关系服务奖"的评选单位。

【销售支援工作提升】 全年销售支援部门紧紧围绕公司发展，努力为业务部门提供强大的后援服务。财务管控加强了集中化管理水平。按照 SOP 流程要求，落实了日常现金及银行管理制度；强化全面预算管理执行力度，增强了各机构的预算管理意识；推进分渠道核算，初步建立了科学、规范的财务分析体系，提升了各渠道的自主经营意识；加强固定资产和低值易耗品管理，保证了资产完整和保值增值。两核集中项目提高了作业时效和质量。年内实施了录入外包项目及远程出单项目，推进了县级机构综合管理系统项目和 P10 影像系统项目。对各渠道业务品质优良的销售人员实施了绿色通道管理和差异化核保政策。还组织编写了营销员展业核保手册，下发了新的职业分类表。维护客户权益，注重客服队伍打造和客服服务方式创新。年内为确保客户、代理单位的利益，认真做好了首年银邮产品的满期给付工作；开展了理赔服务年活动，发放《健康处方》和《易赔通》，为理赔服务人员及一线业务人员提供了便捷的服务工具；优化改进报案流程，提高理赔工作时效；还做好了柜面服务、电话服务、咨询、投诉及 95500 的运营管理工作。

【后援服务理念增强】 公司后援管理部门牢固树立服务意识，认真提升服务质量，积极建设企业文化，严密防控风险，努力增强员工的凝聚力、向心力和竞争力。推进薪酬制度改革，调动干部员工的积极性。年内公司细化薪酬考核办法，调整和落实了专业技术系列和专务系列待遇，有力促进了员工收入的提高。对涉及干部员工切身利益的招聘录用和岗位调整等实现了集中管理。人力资源集中管理查询系统正式上线，推动人力资源管理工作向精细化、科学化发展。风险防范工作以把风险降低至最低限度为目标，认真组织对经营活动中存在违法违规问题进行自查自纠，并结合出现的新情况、新问题，下发了风险点及控制办法。员工管理上，公司从 5 月份开始，组织内勤人员坚持周一举行晨会、周四进行统一培训，引导员工关注业务，改进服务，收到良好的效果。

中国太平洋人寿保险股份有限公司河北分公司

党委书记、总经理：崔顺心
党委副书记：甘世均
副总经理：朱景洲
总经理助理：张树明（10 月任）

王卫东（10月任）

（张立军）

平安财产保险

【概况】 2007年，中国平安财产保险股份有限公司石家庄中心支公司认真贯彻总公司“品质优先、利润导向、遵纪守法，挑战新高”的新十六字经营方针，秉承“诚信第一、效率第一、客户至上、服务至上”的服务宗旨，以回馈社会、诚信经营为己任，不断提高自身偿付能力，为社会稳步发展贡献了力量。全年公司保费总收入达到14620万元，与上年同期相比增长率达到16%，石家庄当地市场占有率达到8.6%，居石家庄地区同行业前列。年内石家庄中心支公司经营范围内的企业财产险、运输工具险、货运险、家财险、工程险、责任险、短期健康险、短期意外险等均呈稳定、健康发展态势，有效满足了各行业、人群对于风险保障的需求。

【县域保障能力提升】 截止年底，平安产险石家庄中心支公司在当地各县市铺设四级机构达到6家，县域总体业务规模达到3200多万元，为石家庄县域经济的发展提供了有力的风险保障。在地域的分布上石家庄中心支公司所设四级机构呈均匀分布，其中辛集、藁城、鹿泉三家支公司分布于石家庄东西两侧，赵县、新乐、晋州三家营销服务部分设石家庄南北两侧，6家机构各自形成一个区域中心辐射周边县市，使得石家庄县域风险控制能力全面得以提升。

【团队素质增强】 石家庄中心支公司一直致力于打造“专业、高效、团结”的管理队伍，内勤管理人员全部为大学专科以上学历，其中本科及以上学历人员达22人。为了提升管理队伍的业务技能，公司针对不同岗位人员开展了各类培训，并组织多次考核，考核内容涵盖专业知识、业务技能、计算机应用等多个方面，全方位对相关人员进行了测评。此外，公司还先后针对承保、出单、查勘、理赔、财务等各个部门、不同岗位的人员出台相关操作制度，有效规范了工作流程。截止年底，石家庄中心支公司两核系列人员全部通过初级资格评定，其中中级人员5人。

【理赔服务规范严密】 年内公司累计支付赔款7500多万元，已决案件数量达18000多笔，偿付能力进一步提升。在承保方面，公司设立专岗实行风险管控，不仅提高了承保质量，也提高了广大客户的风险意识。在理赔方面，本着专业、快速、便捷的理赔原则，不断提升理赔质量。年内平安总公司将核赔、核价等权限统一上收至后援中心，各分支机构通过方便快捷的E化办公系统完成上报审批等一系列理赔程序，真正实现了一站式理赔服务。该举措的实施，使整个理赔流程更为规范化、专业化。此外，公司还严格遵循“不惜赔、不滥赔”的原则，规范查勘、理赔工作流程，提升相关人员专业技能以及责任心，全年累计破获虚假骗赔案件19笔，为创建和谐社会和良好的社会风尚做出了贡献。

中国平安财产保险股份有限公司

石家庄中心支公司

总 经 理：王 卫

副总经理：孙 烨（女）

史福增

（李小宁）

平安人寿保险

【概况】 2007年，中国平安人寿保险股份有限公司河北分公司以科学发展观为统领，以效益为中心，抓住机遇，加快发展，累计实现保费收入25.64亿元，比上年增长19%。其中人寿保险收入20.62亿元，比上年增长26%；意外保险收入1335万元，比上年增长6%；健康保险收入4.89亿元，比上年下降2%。年内公司实现长险新单保费7.62亿元，比上年增长48%。其中长险新单趸缴保费1.71亿元，比上年增长30%；长险新单期缴保费5.91亿元，比上年增长54%。保费增长主要体现在个险代理业务的发展上，其保费同比增加3.77亿元，占到新增保费的90%。年末公司个人业务保费收入在河北市场位居第三名。

【创新业务发展形式】 全年公司响应保监会有关要求，先后推出多项产品政策。按照保监会“重大疾病保险的疾病定义使用规范”，公司于7月份推出符合标准定义的新重疾险，8月份起停止销售了老重疾险。7 月份，公司还推出保险产品“富贵人生”，其短期交费，生存返还利益高的特点增强了产品竞争力。根据保监会《关于印发投资连结保险万能保险精算规定的通知》中“10 月 1 日前须停止销售不符合《万能保险精算规定》的万能险产品”的要求，公司于 9 月份停售了老的万能险，10 月份推出了新万能险。新万能险“智盈人生”是根据《万能保险精算规定》升级的万能新产品，秉承了原万能险“智盈人生”灵活可变、弹性保费交纳、弹性保障和弹性投资理财的特点，进一步完善了产品结构和功能，降低了附加重疾保费起点和保障成本，更好地满足了客户的需求。

【努力完善财务管理】 年内公司在资金管理、单证管理等风险性较强的地方特别重视双签制度的落实，并坚持严格的申报、审核、签批和确认原则。对会计从业人员，通过加大培训力度，增强其自身水平、业务素质和操作技能，达到精通业务流程和熟悉相关法规的要求。对下属分支机构，认真落实监管机制，定期进行财务检查和辅导。作为上市公司，公司严格外部监管，定期做到由会计事务所进行审计，由其出具权威的审计报告。对授权审批，要求各级工作人员必须经过授权和批准，才能对有关经济业务进行处理，明确了每一个处理过程、环节的责任和权利。全面预算管理，公司以资金有效运作为主，通过资金事前预算、事中控制解决了传统经营管理中业务与资金的分离现象，提高了资金的可控性及利用效果，减少了不必要支出，实现了资金流和业务流的合理整合。

【重视核保核赔管控】 承保前契约管理，公司要求做到对新契约件检查中发现的代签字保单，均给出拒保决定，并经核实，提交业评会对相关业务人员给予处分处理。保单核查坚持每月初对承保保单进行分析制度，对发现异常信息的保单及时进行核实。核赔坚持双人查勘定损，努力提高第一现场查勘率，严格把好防止保险欺诈的第一关。理赔款转账制度对被保人生存，身故受益人明确且唯一的赔款，大于 1000 元的可实施转账。

【注重发展人才队伍】 全年积极倡导增员和晋升文化，并采用“人才梦工厂”制式管理培育合格代理人。公司通过严格的衔接训练，保证了较高的增员质量和留存率，推动人力平台稳步上升。以主任晋升的制式流程推动业务队伍规模实现突破性成长，为组织发展和业绩平台提升奠定了坚实的基础。在管理考核上，除加强对业务人员出勤率、拜访量等基础性管理外，更加注重引导外勤人员做好寿险职的生涯规划，以专业、敬业、积极的工作态度进行寿险销售工作。年内公司继续执行总公司“英才计划方案”，通过专项支持和投入，三级机构本部在全市招募到符合机构未来发展需求和拥有较高素质的业务人员，通过提供有竞争力的财务支援及持续有效的训练、督导和追踪，使其成为公司未来业绩和人力的持续增长点。年末公司有 8 家机构享有英才计划，英才班累计参训人员 1973 人，留存在职 1271 人。

【大力搞好品牌宣传】 年内公司认真制定了公共媒体联络制度，并与省会 20 余家新闻媒体及各地市主流媒体保持着良好的沟通关系。为加大对外宣传力度，公司及时通过省市媒体向社会各界和广大客户宣传自身的大事件、大举措，努力提升品牌美誉度。至年末，公司在各级媒体共发布稿件 400 余篇，其中重要新闻稿件有《中国平安进入全球企业 500 强》、《中国平安六度最受尊敬》、《飞人刘翔出任中国平安公益大使》、《中国平安荣获亚洲品牌第二名》和《中国平安捐资建立赞皇平安希望小学》等。公司还多次在《燕赵都市报》、《河北青年报》和《河北经济日报》等媒体投放“中国平安进入全球 500 强”、“搜索平安映象，赢取幸福之旅”及“携手刘翔，让爱飞扬”等大型宣传广告。年内公司妥善处理媒体危机 20 余次，有力维护了自身形象。

中国平安人寿保险股份有限公司河北分公司

总经理：吴越

总经理助理：赵津 邢建平 范少国（10 月免）

（祁红艳）

科学技术

科学技术

自然科学

概　述

2007年，石家庄市被确定为国家知识产权示范城市创建市，全市专利申请量1700件，同比增长6.5%。全市鉴定验收科技成果252项。石家庄市及23个县（市）区全部通过2005～2006年度全国科技进步考核，藁城市等八个县（市）区被国家科技部认定为先进县（市）区。石家庄市被评为全国科技进步先进市（连续六次）。以岭药业集团、三鹿集团和先河科技发展有限公司的3个项目获国家科技奖励，科技含量比往年进一步提高。2007年度共评出市科技特别奖项目3项，科学技术进步奖项目80项，组织申报省科技奖励项目49项，推荐省科技奖励评审专家467人。石家庄市被科技部批准为国家半导体照明产业化基地，以石药、华药为依托的抗生素、维生素两个国家级产业技术创新战略联盟近期即将签约，以岭药业被批准为国家国际科技合作基地，石家庄市被授予国家科技兴贸创新基地。

实施了一批重点科技项目。全年共争取科技计划91项，资金6817万元，其中：国家科技计划18项，资金4141万元；省科技计划73项，资金2676万元。"抗生素大规模生产关键技术创新"和"维生素C与B_{12}生产工艺技术创新研究与开发"两大技术创新战略联盟，连续三年争取国家经费达7274万元。中兽药产业技术创新联合体正在筹建"华北农区高产奶牛良种繁育体系建立与规模化生产技术研究"项目，争取国家经费达1000万元。围绕全市经济社会又好又快发展，安排市级技术创新项目256项， 应用技术研发资金7540万元。

加快发展高新技术产业。石家庄市被科技部批准为国家半导体照明产业化基地，石家庄软件园被科技部批准为国家软件产业基地。石家庄高新区初步形成了以中电科技集团五十四所、十三所为领军的电子信息产业集群，以以岭药业、维生药业为代表的医药产业集群。高新技术企业规模不断扩大。全年共认定高新技术企业106家，高新技术产品186项，实现高新技术技工贸总收入520亿元。科技企业孵化体系日趋完善。石家庄市生产力促进中心成为国家级示范中心。

着力增强企业技术创新工作。启动了创新型试点城市建设工作，石家庄市列入了省首批创新型试点城市。确立了小鹰500数字化生产控制技术等一批信息化共性关键技术攻关项目。河北电机股份有限公司等3家企业进入"甩图纸"、"甩章表"河北省示范企业。河北以岭医药集团有限责任公司被国家认定为"企业技术中心"。以五十四所为依托，组建了河北省卫星导航技术与装备工程技术研究中心。至2007年底，石家庄市有国家级企业技术中心5家，省级工程技术研究中心5家，省级重点实验室1家，市级工程技术研究中心11家。大力实施企业知识产权战略。华药被列为全国知识产权示范单位，在石药建立了首批国家专利工作交流站。加强专利行政执法，重点对"吸油烟机"等16种冒充专利商品进行了查处。

强力推进农业科技创新，"一县一业一园现代农业科技示范工程"扎实推进。藁城等6个县（市）列入省级第一批示范县（市）。石家庄市有1个县、3个乡镇、9个村被列入河北省新农村建设科技示范点。石家庄凯隆达公司实施的猪肉食品安全技术体系研究与产业化示范列入了省重大技术创新项目，取得了重要进展。依据《石家庄市山区星火产业带建设规划》，重点发展7大优势产业，建立20个星火科技示范基地，扶强20个龙头企业，组建10个山区星火科技传播站，建立了50个新农村建设科技示范村，辐射带动了500个村（简称72215工程）。建成市标准的产业科技示范园区6个，核心区面积达3万多亩，辐射200多万亩，开发引进推广新产品20个，推广新技术15项，承担实施县以上科技项目20余项，培训农民达30万人次。

大力推动社会发展科技工作。拟定了《市科技局节能减排工作实施意见》，编印了《科技点亮节能生活——2007年节能宣传周宣传册》，开展了“节能减排科普进万家”活动，50万册《家庭生活节能减排实用技巧》全部发放到居民家中。加快了新药研发创制步伐。以石药、华药为依托，全力推进两素联盟的实施。国家批准在石家庄市建立生物医药科技兴贸创新基地。组织谋划重大医药科技项目20余项，“石家庄生物制药关键技术研究及免疫制剂系列产品开发”项目列入省重大技术创新项目。强化社会公共安全科技支撑。石家庄市被批准为全国第二批科技强警示范城市。加强科学技术普及工作。在藁城市举办了“河北省暨石家庄市2007年科技活动周开幕式”，全市各县（市）区组织开展了科普活动220余次，参加人员83万余人，组织开展科普大集、科技下乡、科普进社区活动60多次，专题讲座、技术培训90余场，展出宣传展板近2500块，赠送科技书籍、发放宣传资料、明白纸40万份。

科学技术研究与发展计划

【科技计划总体部署】 2007年，石家庄市财政安排应用技术研究与开发专项资金9750万元，其中，市科技局掌握经费7670万元（包括课题经费7540万元，专利实施经费130万元），其它资金2080万元。

2007年，市科技局编制下发科学技术研究与发展指令性计划5批，课题236项，应用技术研究与开发专项资金7540万元，拉动社会资金73635万元；下达指导性计划2批，课题114项。在指令计划中，科技攻关计划197项，经费6761万元；成果推广计划14项，经费255万元；星火计划7项，经费108万元；软科学计划12项，经费120万元；国际科技合作计划3项，经费66万元；其它3项，经费230万元。八大科技专项安排课题163项，经费5763万元，其中，电子信息、半导体照明专项安排29项，经费705万元；生物技术创新药物及中药现代化专项28项，经费992万元；农牧业新品种选育种养及农副产品精深加工专项34项，经费548万元；纺织新产品技术研发专项4项，经费150万元；装备制造关键技术研发专项23项，经费654万元；石家庄循环经济关键技术研究专项16项，经费611万元；先进适用技术研究推广与示范专项14项，经费255万元；科技基础条件平台建设专项15项，经费1848万元。企业安排课题195项，经费6430万元；科技院所安排课题16项，经费318万元；高等院校安排课题5项，经费29万元。县域安排课题82项，经费2408万元（其中山区县安排课题38项，经费651万元）。产学研课题106项（家），经费1962万元。为工业50强及后备企业安排课题56项，经费2653万元。

【科技计划实施效果】 2007年共取得新产品、新材料112个，新工艺、新装置211个，计算机软件8个，完成学术论文（报告）170篇，专利申请124件，专利授权103件，其中发明专利授权30件；全年制定技术标准47项。2007年参与石家庄市科学技术研究与发展计划科研人员3267人，吸引省外人才108人，吸引京津人才73人，培养研究生165名。2007年全年科技计划实施取得了显著的社会、经济效果。全年新增产值7.6亿元，新增利税1.37亿元，出口创汇610万美元，取得农业新品种35个，新品种推广面积142.38万亩，农民年总收入2.3亿元。

【争取国家、省重大科技计划支持】 2007年，科技计划进一步注重国家、省重点项目的争取和实施，紧紧抓住国家“十一五”加大科技项目实施的重要机遇，立足实际，积极主动谋划大项目、好项目，把争取国家和省级的支持作为科技计划工作的重中之重，并认真加以实施，以此带动和促进科技资源的集成利用及相关领域产业技术水平的提升。全年共争取科技计划91项，资金6817万元，其中，国家科技计划 18 项，资金 4141 万元；省科技计划 73 项，资金 2676 万元。

工业科技与发展高新技术产业

【认定四批高新技术企业和高新技术产品】 2007 年完成了四批高新技术企业和高新技术产品的认定审核。经河北省科技厅批准，全市共有 131 家企业被认定为高新技术企业，221 个产品被认定为高新技术产品，全年实现高新技术技工贸总收入 520 亿元。组织申报国家火炬计划项目 11 项。石家庄永生华清的“电视用 TFT 液晶材料”、中国电子科技集团第十三研究所的“大规模集成电路陶瓷封装外壳”等 10 个项目列入 2007 年度国家火炬计划项目。

【石家庄市被科技部认定为国家半导体照明产业化基地】 2007 年 12 月 13 日，召开石家庄国家半导体照明产业化基地论证会，科技部领导、省科技厅领导、市政府领导以及相关部门负责人、新闻媒体记者等参加了论证会，石家庄国家半导体照明产业化基地发展规划和实施方案顺利通过了专家论证。石家庄市被科技部正式认定为石家庄国家半导体照明产业化基地。

【积极组织创新基金项目】 2007 年组织申报国家、省创新基金项目 55 项，国家创新基金引导基金项目 1 项。有 4 个国家创新基金项目立项，获得无偿资助 290 万元；15 个省创新资金项目立项，获得无偿资助 197 万元。全年验收了 2 个国家级、19 个省级创新基金项目。

【加强对县域特色产业的支持引导】 积极组织有关县申报河北省第二批区域特色产业基地，正定板材、高邑陶瓷获得河北省第二批区域特色产业基地称号。组织正定县、高邑县参加了“河北省区域特色产业共性技术开发与示范”投标和答辩，正定县板材行业生产力促进中心的“新型环保脲醛胶技术开发与示范”获得省立项，争取到经费 30 万元。

【促进企业创新能力建设】 组织华药、石药、以岭等有关企业申报国家第二批创新型企业试点。积极指导帮助有特色、有一定基础的企业组建市级工程技术研究中心。2007 年组织河冶科技股份有限公司等 12 家企业申报市级工程技术研究中心。

【组织实施科技攻关项目】 重点培育发展新兴支柱产业，改造提升传统优势产业。围绕优势产业，以电子信息、新材料、生物技术、装备制造和纺织五大基地建设和 50 强企业为重点，2007 年征集国家支撑计划项目 8 项，上报 5 项。上报 2008 年河北省科技支撑计划项目 61 项，争取省指导计划项目 15 项。围绕主导产业发展中的热点、难点向有关企业征集河北省主导产业关键技术招标课题，经汇总、整理上报省主导产业关键技术招标课题 11 项。在组织企业申报 2007 年省第二批重大技术创新项目的同时，会同驻石的纺织、化工领域专家共同谋划了 2008 年省重大技术创新项目。2007 年共争取国家、省项目 33 项，资金 1284 万元。其中，国家支撑计划项目 1 项 190 万元，国家创新基金项目 4 项 290 万元，省攻关计划项目 11 项 567 万元，省创新资金项目 15 项 197 万元，省重点实验室补助资金项目 2 项 40 万元。

社会发展科技进步

【新药创制工作力度进一步加大创新能力快速提升】 年内，组织实施了“生物技术、创新药物和中药现代化”科技专项，长循环靶向环释纳米抗肿瘤脂质体制剂的开发、生物芯片技术开发及在基因工程药物生产中的应用研究、软包装输液关键技术集成创新研究、一类新药马来酸左旋氨氯地平／阿托伐他订钙片等 31 个项目列入市科技支撑计划项目，经费 977 万元，单个项目支持力度达到 80 万元。从项目数量、经费投入、单个项目资金数量等方面都创新纪录。11 个项目列入省科技支撑、重大技术创新项目，经费 755 万元。为省重大技术创新项目“石家庄生物制药关键技术研究及免疫抑制剂系列产品研发”项目给予了 1 ： 1 资金匹配，匹配经费 160 万元。筹建了抗生素、维生素技术创新战略联盟，与此同时，抗生素大规模生产关键技术创新、维生素 C 与 B_{12} 生产工艺技术创新研究与开发两项目列入科技部重大科技支撑计划项目。这些项目的研究开发为“药都”和生物产业基地建设将提供有力的科技支撑。

【加强资源与环境科技研究 节能减排技术研究工作迈出新步伐】围绕饮用水安全、废弃物资源化、清洁生产工艺、节能减排等开展科技研究，列入市科技支撑计划项目21项，经费440万元。重点开展了制药行业典型企业废水治理新技术研究与示范、脱硫石膏的深度资源化利用研究、石家庄市环境突发事件应急处置支持平台研究、省会地表饮用水安全现状分析及关键净化处理技术研究。为加强节能减排技术创新，通过科技项目招标形式确定了10个节能减排关键技术研究与示范项目。组织编印并发放了“科技点亮节能生活—2007年节能宣传周宣传册”，广泛宣传节能减排科技知识。

国际科技合作与交流

【科技合作工作取得显著成效】2007年，石家庄市共争取各级国际科技合作计划项目14项共计549万元，科技合作交流专项经费70万元；申报政府间科技合作项目、科技兴贸项目、外国专家项目共计9项；列入政府间科技合作项目2项，外国专家项目1项。全年共派出和接待科技团组23批104人次。积极开展了国内科技合作和交流，2007年，共支持院地合作项目64项共计1287万元。

【努力争取和组织实施国际科技合作项目】 一是国际科技合作计划项目。2007年争取科技部国际科技合作计划项目2项共计270万元，分别为以岭医药研究院承担的“通心络对心血管系统的保护作用及分子机制研究”（本年度科技部110万元，省科技厅匹配40万元）和石家庄国华环保科技有限公司承担的“新型糠醛工业废水处理及水回用和冰醋酸回收技术研究”(160万元)；科技兴贸项目2项，分别为普兴电子的“8英寸薄层硅外延材料”(20万元)，河北威远生化的“甲氨基阿维菌素苯甲酸盐技术改造”（指导计划)；争取省指令计划项目3项共计50万元，分别是石家庄博深工具集团有限公司承担的“DK32C台式三速工程钻机”、石家庄柏奇化工有限公司承担的“二氟甲硫基乙酸新产品的合作研发”、河北医科大学第一医院承担的“小蔓长春花天然提取物预防脑卒中的实验研究”；申报科技兴贸项目2项。另外，有9个项目列入石家庄市2007年指令计划，共安排经费169万元。除此之外，还争取了国际科技合作学术交流专项经费45万元，深圳高新技术成果交易专项费15万元，引进海外高层次人员专项费10万元。2007年1月，科技部重点项目办来石验收科技兴贸重点项目并考察石家庄市科技兴贸有关工作。博深工具的“激光焊接金刚石工具”(2004年承担，支持经费50万元)、冀凯集团的“预合金粉的制备及在金刚石工具中的应用”(2005年承担，支持经费50万元)，以及以岭药业的科技兴贸项目“通心络胶囊国际市场开发”(2004年承担，支持经费20万元)均已完成了合同任务书的要求。4月，由科技部组织，省科技厅主持，科技部孙健处长和省厅杨瑞月处长参加，对石家庄奥森自动化仪表有限公司和俄罗斯米特兰集团合作的2005年国际科技合作重点项目“带Hart协议的智能型超声涡街流量计产品合作研发”（支持经费80万元）进行了验收。同时，专家还对2005年石家庄市科学技术研究与发展计划项目“智能型超声涡街流量计合作研发”进行了鉴定，该产品已达到国际先进水平。9月23日，由省科技厅组织验收了石家庄凯胜皮革有限公司2004年承担的“澳羊皮毛革鞣制新工艺技术合作研究与示范”项目，该项目是由凯胜皮革与土耳其冬麦兹公司进行的合作，取得了显著成效。二是政府间科技合作项目。2007年，先后与日本、俄罗斯、瑞典、朝鲜、越南开展了政府间科技合作。全年共申报政府间合作项目6项，分别是中—日“中国北方缺水地区水资源形成转化规律与可持续利用模式研究”，中国—俄罗斯“新型植物防病促生复合微生态制剂的研制”，中国—瑞典“制备微波大功率通讯器件的碳化硅同质外延薄膜材料研究”，中国—朝鲜“梨‘鸡爪病’发病成因及防治技术研究”，中国—越南“特色鲜切花、盆花栽培技术研究”项目，中国—南非“煤矿深部开采支护装备技术市场考察与交流”项目，中国—捷克“皮暗斑螟性引诱剂及应用技术研究”、“植物对逆境胁迫的响应及调控技术”两个项目被两国立为政府间科技合作项目。其中，“皮暗斑螟性引诱剂及应用技术研究”项目被列为河北省外国专家项目，并被列入市级科技计划。

【积极组织开展国际科技交流与合作活动】 一是开展科技交流与合作活动。全年共派出科技考察团组12批50人次，涉及澳大利亚、新西兰、美国、加拿大、英国、瑞士等国家；接待了来自澳大利亚、俄罗斯、捷克、日本、韩国等国的专家11批54人次到有关科研院所和企业进行了科技考察和项目洽谈。申报外国专家局外国专家项目2项。通过交流和洽谈，促成石家庄市农科院与韩国生命工程研究所签订了有机肥开发合作协议。2007年度，石家庄市科技局申报的捷克科学院专家米考·豪斯考外柯获得了2007年河北省“燕赵友谊奖”。二是组织参加国际性会议和活动。5月24～29日，组织相关企业到北京参加了由科技部主办的第十届中国北京国际科技产业博览会。6月组织五十四所、十三所等有关企业、科研院所到北京参加了“欧盟第七框架计划——信息通讯技术研讨会”。6月18～21日，作为支持单位参加了“中国河北省—荷兰王国南荷兰省第一届水利、环保国际研讨会”。10月22～24日，与中国科学院遗传与发育生物学研究所农业资源研究中心共同举办了“国际农田水土精准管理研讨会”。11月1日～12月30日，协助省科学院召开了“2007年发展中国家生物酶制剂的生产及应用技术培训班”。三是平台建设。2007年，石家庄市拥有各类生物医药企业380多家，实现产值占全国医药总量的6%，河北省的80%，已初步形成了生产加工、科研教育、商贸物流、专业服务、对外贸易为一体的产业支撑体系。12月17日，石家庄市被商务部和科技部授予了“国家科技兴贸创新基地”称号。

【开展国内科技合作和交流】 2007年，共支持与中科院合作项目3项共计78万元，与其他省外院校合作项目12项共计253万元，与省内院校合作项目49项共计956万元。进一步加大了与中科院的合作力度。3月，到中科院遗传所农业资源中心进行调研，双方建立了每月联系制度。7月6日，石家庄市王刚副市长在市科技局领导陪同下到中科院遗传所农业资源中心进行调研，并考察了农业资源中心的研究情况。10月22～24日，又与农业资源研究中心共同举办了“国际农田水土精准管理研讨会”。

【加大宣传力度】 2007年，共组织撰写稿件41篇，其中国家级1篇(科技日报)、省级(河北日报、河北青年报、河北电视台等)16篇、市级10篇，石家庄市科技信息网14篇。

民营科技管理与服务

【支持非公有经济发展】 2007年，制定了《市科技局为工业50强搞好服务的九项措施》，并对市科技局已经出台的《关于鼓励支持和引导民营科技企业发展的措施》进行了进一步的修改完善，使扶持措施更具体，操作性更强。截至2007年底，全市民营科技企业已发展到2412家，年技工贸总收入达到123亿元，超亿元企业达22家，产值在500万元以上的企业达60家。

【提高企业自主创新能力】 2007年，市民营科技企业列入市级科技攻关计划项目共158项，获得资金支持3742万元，分别占总项目数和总经费的60.6%和49.6%。对工业“5+3”企业，注重调查研究，组织谋划了一批重大重点项目，申报国家支撑计划和省重点计划。全年共争取国家、省科技计划18项，资金4285万元，获得国家、省创新基金项目19项，资金487万元。2007年，全市民营科技企业共鉴定登记科技成果224项，获省、市科技进步奖70多项，占获奖总数的近一半。博深工具公司、以岭药业集团、永生华清液晶有限公司等一批高科技企业开发出一批高新技术产品。博深工具公司承担的“激光焊接金刚石工具”和以岭药业集团承担的“通心络胶囊国际市场开发”2个国家科技兴贸重点项目顺利通过了国家验收，他们研制生产的通心络胶囊、液晶材料、金钢石工具钻头等一批高科技产品不仅在国内具有广泛的市场，而且开始走向和占领国际市场。博深工具、以岭药业、永生华清、神威药业和辛基东明事业集团5家民营科技企业被省科技厅、省国资委、省总工会认定为首批省级创新型试点企业。

【提高市民营科技企业知名度】 2007年，市科技局积极组织民营科技企业参加国家、省民营科技创新奖评选活动。石家庄永生华清液晶有限公司荣获2007年中国民营科技发展贡献奖。该公司的副总经理朱起鸣荣获2007年中国民营科技发展贡献奖民营科技企业家。市科技局的徐进忠同志荣获中国民营科技发展贡献奖民营科技管理工作者。

科技进步考核

【石家庄市再次获得全国科技进步先进市】 2007年，国家科技部开展了两年一度的2005～2006年度全国科技进步考核，批准石家庄市为2005～2006年度全国科技进步先进市。刘国胜、张志勤、张荣娥、周惠芬、李建设、陈庆海、杜建英、毛全球、苏存良、刘双利、张树志、韩黎明、范文阁、李琼波、李会卿、翟炜哲、张石峰、蒋文红、张宏、赵文锋、王时新、刘跃春、黄朝庆、王华平、于月联、赵宏魁、王石佩、刘玉深等28人被授予2005～2006年度全国县（市）科技进步工作先进个人。

【23个县（市）区通过2005～2006年度全国和市级科技进步考核】 2007年由市科技局牵头，根据科技部国科农函〔2007〕7号和河北省科技厅冀科农〔2007〕7号文件要求，石家庄市本级及市属除高新区以外的23个县（市）区参加了2005～2006年度全国科技进步考核，全部通过全国科技进步考核。其中鹿泉市、栾城县、藁城市、无极县、新华区、长安区、桥东区、裕华区荣获全国科技进步先进县（市）区称号。根据修改后的《石家庄市县（市）区科技进步考核办法（试行）》（石字〔2008〕4号），市科技局组织23个县（市）区进行了2007年度科技进步考核。全市23个县（市）区全部通过了2006年度科技进步考核。考核结果是：科技工作优秀县（市）区：正定县、藁城市、新华区、栾城县、无极县、井陉县、鹿泉市、长安区；科技工作先进县（市）区：桥东区、平山县、元氏县、赞皇县、裕华区、桥西区、辛集市、深泽县、赵县、矿区、灵寿县、新乐市、高邑县、行唐县、晋州市。

科学技术普及

【科普工作宏观管理得到进一步加强】 2007年4月，召开了全市科普工作联席会议，王刚副市长参加了会议并作了重要讲话。市委、市政府对王晓莉等108名2006年度优秀科普工作者进行了通报表彰。成立了石家庄市全民科学素质工作领导小组，制定出台了《石家庄市2007年全民科学素质建设工作安排》、《石家庄市全民科学素质工作领导小组督导、考核办法》，有力地推动了《全民科学素质行动纲要》在石家庄市全面、深入的开展。

【科普教育基地工作进一步活跃】 河北省科技馆邀请国内天文科普专家举办了6场科普报告会，在全国科技馆中第一个筹建了防震减灾科普展区。正定科技馆把科技大篷车、车载天文台开到农村、学校和军营，深受群众的欢迎。市植物园推出了“珍爱绿色生命、保护地球家园”、“雨林探秘”为主题的两次热带植物观赏科普展，通过植物之最、药用植物、花卉与饮食、花卉与文化、部分国花、中国市花、有毒植物、家庭花卉、珍稀濒危植物、生物多样性保护等10个单元，向广大游客介绍了丰富的植物知识。修定了《石家庄市科普教育基地认定管理办法（暂行）》，石家庄市地震局观测站、石家庄市公安交通管理局交通控制中心、石家庄市气象台、石家庄市小壁林区、藁城市农业高科技园区、高邑县金世纪林果科技发展有限公司林果科技园、平山县驼梁风景区、鹿泉市科技文化中心科普展馆等8个单位，被市政府命名为市科普教育基地。

【成功举办科技活动周】 5月18～25日，成功地举办了以“携手建设创新型国家”为主题的石家庄市2007年科技活动周。5月18日在藁城市举办了河北省暨石家庄市2007年科技活动周开幕式及集中活动，市科普工作联席会议部分成员单位和市、县有关部门、企事业单位等共计55个单位的250多名科技人员在现场开展了科技成果展示、科技咨询服务、医疗卫生义诊等活动。河北省科普大篷车展示的40多件声、光、电、磁科普展品及正定科技馆进行的现场航模及火箭模型升空表演吸引着中小学生们观看及实际动手操作；省“心连心”艺术团进行了精彩的文艺演出；市公安局举办了科技强警宣传展示活动。活动周期间，全市共组织各类科普活动220余次，参加人员83万余人，其中组织开展科普大集、科技下乡、科普进社区活动60多次，专题讲座、技术培训90余场，展出宣传展板近2500块，赠送科技书籍、发放宣传资料、明白纸40万份。

【科技下乡活动形式多样、丰富多彩】 市委宣传部在行唐县组织开展了全市科技、文化、卫生"三下乡"集中活动；在全市开展了专业技术人员"进万村兴百业"活动；市农业局与市科技局在深泽县联合举办了农业新品种、新技术展示会；市妇联与市科技局联合开办了"巾帼科技大讲堂"，构建起专家和农村妇女互动的农业科技普及平台。市科技局与市农业局、市林业局、市畜牧水产局、市卫生局分别编印了《农业实用技术百科》、《卫生科普常识》、《石家庄养殖实用技术问答》、《林业实用技术问答》等科普系列丛书5万册，免费赠送到农民手中。

【积极推动科普进社区活动】 市卫生局启动了"卫生科技进社区暨燕赵讲坛—百姓健康大讲堂"活动，每月两期定期举办，免费听课，向市民传播疾病预防、诊疗、保健知识。团市委、市志愿者协会启动了每月一次的"社区科技服务周"活动，以10个社区志愿服务之家为平台，采用"社区科普小课堂"的形式，陆续开展了以文化辅导、节约资源、安全生产、健康生活、环境保护、节能减排等不同题材为主题的宣传活动，有效促进了科学、文明、健康生活方式的形成。市地震局充分发挥新建的防震减灾科普宣传教育培训基地作用，举办社区地震应急救援志愿者培训班70余次，培训志愿者万余人次，举办各类科普知识讲座17次，中小学生科普知识竞赛3次。

山区经济技术开发

【大力组织实施石家庄市山区星火产业带建设规划】 2007年是实施山区星火产业带建设规划的第二年，通过一年来的实施，取得了显著成效。在产业基地建设方面，重点围绕发展无公害绿色产品，推广标准化种植，引进新品种，开发新产品、新技术，提质增效，创品牌、育名牌，建立示范基地，提高产业效益，促进产业发展。截至年底，绿色名果产业示范基地面积达到41.9万亩，旱作杂粮产业示范基地面积达到11.8万亩，中药材产业示范基地面积达到5.6万亩，食用菌产业示范基地面积达到3000亩，分别达到规划总任务的58.5%、62.1%、51.7%和55.6%。生态养殖产业示范基地养殖规模达到516万头（只），达到规划总任务的65.7%，非金属矿产业共落实示范基地4个，示范企业38家，带动产业基地产值达30.2亿元，产值同比增加8.5%。特色旅游产业共扶植完善原有景点15个，新开发生态和农业环境旅游资源景点23个。7大产业20个示范基地共开发推广新技术35项，培育引进农林牧新产品40个，开发新产品25项，有力的促进了产业的发展。

加强星火产业带龙头企业建设。主要针对山区特色产业初级产品多、深加工产品少、产品附加值、产业竞争力弱、资源浪费、环境污染等问题，着力抓好山区果品、杂粮、非金属矿等产业的贮藏保鲜、产品深加工以及资源合理利用、清洁生产等方面的技术研究，提高产品附加值、培育品牌、创出名牌、增强产品竞争力，提高产业化经营水平。2007年重点抓了石家庄市三鹿乳业集团、华牧集团、赞皇县石家庄丸京干果有限公司、天然农产品开发有限公司、井陉华博精细化工有限公司、天山绿色食品有限公司、灵寿石材公司、五福牛养殖有限公司等20个科技型龙头企业建设，共为20个企业谋划和争取国家、省、市科技项目24项，经费1945万元，进行开发新技术34项，新产品27个，吸引利用外资8.81亿元，企业产值达188.27亿元。赞皇县石家庄丸京干果有限公司开发的"三康"牌核桃油脱脂核桃微粉项目，主要针对当前核桃产品加工程度低，附加值不高的问题而开发的产品，该企业采用先进的生产工艺，使生产出的产品质量稳定性好，市场前景广阔，实现年产值上亿元，利税2500多万元，创汇1000万美元。

加强山区星火科技传播站建设。《石家庄市山区星火产业带建设规划》中提出要在山区建立10个星火科技传播站，在年初向各县（市、区）下达了责任目标，要求每个县结合本县特色产业建立1～

2个星火科技传播站，并适当给予经费扶持。2007年，已建成并正式运行的有井陉矿区昊源果品、井陉钙镁、红小豆、赞皇大枣、柴鸡养殖、元氏石榴、平山旱作杂粮等10多个科技传播站。其中昊源果品科技传播站和赞皇大枣科技传播站已被省科技厅列为科技传播站试点单位。昊源果品科技传播站建设2年来，昊源优质苹果标准化无公害生产技术已推广辐射到山区8县（市、区）及平原县、市，面积达2万多亩，年产优质果品1.2万吨，年增收2000多万元。

加强新农村科技示范村建设。按照扶持龙头企业带基地，发展基地带动示范村建设思路，加快新农村科技示范村建设步伐。对列入星火产业带建设规划的50个村进行了调研，摸清了底数，对纳入2007年目标任务的20个村结合产业基地建设，有针对性的对农民进行技术培训，帮助其制定发展规划，明确发展思路，发展特色产业，依靠科技加快新农村建设。据统计，2007年50个村在发展主导产业、科技活动设施及其他公益事业方面投资达7000多万元，有力的推动了农村经济的发展，50个村农民人均纯收入达到4513元。

为了进一步促进山区星火产业带建设工程的健康发展，9月中旬，由市政府办公厅统一组织协调，市科技局牵头，市直有关部门及8个山区县（市、区）科技局局长参加组成的以王刚副市长为组长、政府副秘书长韩保来、市科技局副局长纪卫国为副组长的联查小组，对8个山区县（市、区）星火产业带建设情况进行了联查。11月上旬，省科技厅组成以李从民副厅长为组长，省山区经济技术开发办主任许保全为副组长的太行山星火产业带建设联查小组，对太行山区四个设区市星火产业带建设工作进行了联查，最后经总结评比，石家庄市荣获第一名，井陉县和赞皇县分别获县（市）评比第一名和第四名。

【为山区经济发展提供科技支撑】 2007年市山区经济技术开发办共组织实施科技发展计划项目12项，经费208万元，山区经济开发专项计划项目7项，经费40万元，省科技厅及省山区经济技术开发办科技计划9项，经费58万元。以上项目的实施和经费支持，对加快山区科技进步、经济发展和星火产业带建设步伐将起到重要作用，各项目均按计划顺利实施。全年共组织鉴定科技成果8项，其中6项达到国内领先水平。

【加大科技推广力度】 2007年按照年初制定的重点工作任务，选择了片麻岩山地技术开发推广、三优一体化优质苹果生产体系推广、赞皇大枣无公害标准化种植技术、井陉红小豆标准化生产技术、配方施肥技术等10项技术先进、量大面广、见效较快、能够辐射全市山区的成熟技术成果进行大力推广，收到了较好的效果。井陉县红小豆以其品质优良享誉国内外，是井陉县特色农产品，被河北省政府命名为“红小豆”之乡。井陉县天山绿色食品有限公司开发的“苍岩山”牌红小豆远销日本、东南亚及国内多个大城市。该公司依托知名的“苍岩山”牌商标，积极推广红小豆绿色标准化栽培技术，实行优种供应、田间技术指导及销售一条龙服务，在本县种植面积已推广近8万亩，并且辐射到周边县、市，有效地推动了农民增收致富步伐。赞皇县开展的赞皇大枣无公害标准化生产技术推广，已完成标准化栽培面积10万亩，完成无公害产地认证32万亩。

【积极抓好山区适宜新品种的引进选育示范】 2007年，积极引进山区适宜的农林牧新品种，实现山区资源的多样化，为山区持续发展做好储备。共引进和选育优种鲜食葡萄、北国龙珠鲜食桃、杂交谷子、特色大豆、仁用杏、九龙红鲜食杏等10多个新品种。经试种，均表现良好。如鹿泉市紫藤葡萄基地，针对当前市场鲜食葡萄品种单一、品质不高的问题，引进了罗马尼亚“奥迪亚”、日本“翠峰”、“伊豆锦”、“红伊豆”等4个国外鲜食品种，4个品种均表现为果实外观漂亮、品质上乘、口感好、适应性强，具有较强的抗病性，同时各有特色，具有较好的市场前景。2007年在首届省名优果品展评会上，新引进的“伊豆锦”葡萄获得了金奖。由赞皇县林业服务中心和昌黎果树研究所共同承担的优质甜樱桃引种示范项目，共引进国内外优质樱桃品种6个，进入盛果期500亩，亩收入达2万多元，在全县已推广5000亩。

【提高山区农民科技文化素质】 2007年结合星火产业带建设规划的实施，大力开展农民技术培训，2～5月利用农闲季节成功举办了春季百日星火科技大培训活动。该项活动针对农民当前亟需解决的技术问题，聘请大专院校、科研单位专家教授，采取科技讲座、现场指导等多种培训方式，把适用技术传授给农民，此次活动共举办各种类型培训班80多期，培训农民技术骨干2万多人(次)，收到了较好的效果，深受广大农民群众的欢迎。据统计，仅全年，市、县共组织各类实用技术培训班、科技讲座140多期，受训农民达3.5万多人(次)。

【积极组织山区经济技术开发项目验收】 从2006年7月开始，山区经济技术开发办组织有关专家组成验收委员会，对近几年来在山区实施且已经完成的山区经济技术开发项目进行了验收。截至9月底共组织验收项目40项，全部通过专家验收，共产生直接经济效益12.9亿元。

【完成2007年度石家庄市“科教兴山”创业奖的评审工作】 根据《石家庄市科教兴山创业奖励办法实施细则》，从2007年8月份开始进行科教兴山创业奖的申报工作。截至10月底，共收到报奖项目50项。12月4日，邀请有关专家组成以王刚副市长为主任委员，省农林科学院研究员马占元、市科技局局长卢长锁、市政府副秘书长韩保来、市科技局副局长纪卫国为副主任委员的评审委员会，对申报2007年度市科教兴山创业奖的50个项目进行评审，共评出获奖项目45项，其中一等奖5项，二等奖10项，三等奖30项。

【积极筹建石家庄市山区经济技术开发信息管理系统】 为了进一步提高山区经济技术开发工作的服务质量、管理水平和工作效率，从2006年开始石家庄市山区经济技术开发管理信息化系统研究项目列入了市科技发展计划。该信息管理系统采用先进的B/S结构框架，将实现山区经济技术开发信息分层共享、管理科学高效、服务周到优质三项主要功能。系统包含资源、项目、资金、成果、奖励、产品、评价、专家、培训、咨询等20多个功能模块。各项功能的实现，将会使办公效率、服务质量、管理水平得到极大的提高，进一步推进山区经济技术开发工作。

专利与知识产权保护

【积极争创“国家知识产权示范城市创建市”】 在圆满通过国家知识产权局对石家庄市“国家知识产权试点城市”工作验收的基础上，起草并以市政府文件向国家知识产权局提交了“申报国家知识产权示范创建市的函”及“石家庄市创建国家知识产权示范城市工作方案”。5月24日，国家知识产权局正式发文(国知发管字[2007]134号)，批准石家庄市为国家知识产权示范城市创建市。按照国家知识产权局要求和市政府领导指示，进一步修定了“石家庄市创建国家知识产权示范城市工作方案”，并组织各有关单位逐项落实国家知识产权局《委托协议书》的相关内容。

【行政执法工作和政策法规建设进一步加强】 认真落实市政府《知识产权保护专项整治实施方案(2006～2007年)》，印发了《关于开展专利执法检查活动的通知》，在全市范围开展了以商业流通领域专利商品销售及媒体专利广告行为为整治重点的集中整治行动。先后组织市内5区和部分重点县市执法人员100余人次，对北国超市和乐仁堂大药房等十余家重点单位和32家商场销售的与人民生活密切相关的食品、电子产品、医疗器械、日化产品及保健品进行了检查，共抽查专利商品325项，纠正不规范标注的专利产品17项。立案查处假冒和冒充专利案件5起，调处专利侵权纠纷1起，立案查处了河北保龙仓商业连锁有限公司冒充专利案、石家庄三叶草植发补发服务有限公司冒充专利案件等一批专利违法案件，进一步规范了专利产品市场秩序，保护了专利权人的合法权益。

【推动自主创新和企业专利工作取得新成效】 组织编制和印发了2007年专利资金专项计划，安排专利申请资助项目200项，安排重大专利实施项目14项，资金共计130万元。2007年，全市专利申请量为1867件，其中，发明专利申请532件。与2006年同期相比，专利申请量增长15.39%，发明专利申请增长14.2%；专利授权量1227件，其中发明专利124件。与2006年同期对比，专利授权量增长30.5%。万人专利拥有量1.95，万人专利拥有量增长率89.5%，专利申请量和授权量位居全省各市之首。

【组织参加全国第十七届发明博览会取得显著成绩】 根据省政府关于筹备召开“第十七届全国发明展览会”的会议精神和市领导批示，以市政府文件印发了“关于组织参加全国第十七届发明博览会的通知”，组织召开了23个县市区、高新区经科局参加的第十七届全国发明展览会石家庄组展工作会议。共组织全市103家企业的152个项目参展，完成展位25个。筛选60个重点项目刊登在《河北科技日报》，推荐25个优秀项目展览会评奖，荣获金奖5项、银奖10项、铜奖8项。石家庄欧意药业有限公司的“阿奇霉素肠溶制剂”项目获得“紫荆杯生产力奖”。5个项目达成合作意向，协议金额达6000万元。石家庄永生华清液晶有限公司等3个单位荣获十大发明单位，石药集团欧意药业完成的“马来酸左旋氨氯地平原料及制剂”、河北建设勘察研究院完成的“后压浆旋挖钻孔灌注桩技术”等4个项目荣获十大发明项目，陈新谋等4人荣获十大发明人。

【知识产权宣传培训工作不断深化】 根据国家、省知识产权局部署，谋划组织了4.26世界知识产权日宣传周活动。全市近20家知识产权管理部门及知识产权服务机构约200人参加，发放宣传材料万余份。投资3万元，精心策划编制了《石家庄知识产权》画册，宣传知识产权知识，反映工作动态、概况和成绩。全年培训专利工作骨干1098人，一般培训2340人，在《中国知识产权报》发表稿件10篇、地市级以上媒体分别发表稿件31篇次。在国家知识产权局《专利工作动态》、国家知识产权局网站、省知识产权局《知识产权快讯》简报、网站、省科技厅网站、市科技局网站发表稿件91篇次，政务信息在全省综合考核得分名列第一。

科学技术奖励

【成果奖励丰硕】 2007年，“中药制剂先进工艺单元集成及生产过程自控制高技术产业化示范工程”等3个项目获石家庄市科学技术特别奖；“优质强筋高产小麦藁优9409选育与应用”等80个项目获石家庄市科学技术进步奖，其中：一等奖18项，二等奖23项，三等奖39项；石家庄三鹿集团股份有限公司等9单位获石家庄市科学技术进步组织奖。

经市推荐，“小管径φ6～8mm温室专用滴灌带及滴灌系统产业化”等3个项目获河北省技术发明奖，其中：二等奖1项，三等奖2项；“岩溶（喀斯特）发育规律与相关地质灾害成灾机理研究”项目获河北省自然科学三等奖；“优质强筋高产小麦藁优9409选育与应用”等15个项目获河北省科学技术进步三等奖。

国家科学技术奖励中，石家庄市企业及驻省会中直、省直单位主持完成“虫类药超微粉碎（微米）技术及应用”项目获国家技术发明二等奖；“新一代婴幼儿配方奶粉研究及其配套技术的创新与集成”项目获国家科学技术进步二等奖。石家庄市企业及驻省会中直、省直单位参与完成的“高产稳产广适紧凑型玉米单交种郑单958”项目获国家科学技术进步一等奖；“华北半湿润偏旱井灌区节水农业综合技术体系集成与示范”等4个项目获国家科学技术进步二等奖。

【2007年度石家庄市科学技术奖】

表1 石家庄市科学技术特别奖（3项）

序号	项目名称	完成单位	完成人员
1	中药制剂先进工艺单元集成及生产过程自动控制高技术产业化示范工程	石家庄神威药业有限公司	李振江 陈钟 霍会斌 赵成安 卢树杰
2	TL(R)系列脱硫泵	石家庄泵业集团有限责任公司	干禧民 任晓炎 谷建伟 张莉茵 吕元付

表 1（续表）

序号	项目名称	完成单位	完成人员
3	竹材粘胶纤维浆粕及功能化纤维	河北吉藁化纤有限责任公司	朱长生　赵建芬　孙同会 张　岩　宋志国

表 2

石家庄市科学技术进步奖

序号	项目名称	完成单位	完成人员
	1. 一等奖 18 项		
1—01	优质强筋高产小麦藁优 9409 选育与应用	河北省藁城市农业科学研究所	杨海川　张庆江　李　萍　韩　然 李广新　张会娟　彭建芳　张志会 闫国敏　刘鹏云
1—02	太行大枣烘干设施及配套技术研究与示范	石家庄市果树站	剧慧存　陈锦屏　齐志红　王丽娟 徐立新　牛亚峰　杨慧娟　赵慧芬 杨金亮　赵少波
1—03	优质、多抗夏玉米新品种石玉 8 号选育及应用	石家庄市农业科学研究院	许新敏　阎二国　刘玉强　郭贵峰 冯健英　许　洛　赵文庆　刘兰锁 朱彦辉
1—04	黄霍超微粉提高蛋鸡生产性能与免疫力技术研究	正定县畜牧兽医站、河北农业大学	钟秀会　王　忠　史万玉　曹立辉 韩瑞玲　陈子璇　包永占　李志华 马国红　刘　迎
1—05	传染病疫情和突发公共卫生事件预警与应急指挥系统研究	石家庄市疾病预防控制中心	闫纯锴　周吉坤　张　娟　郭建花 刘　立　侯　通　万　丽　李卫红 张宝珍　刘淑君
1—06	五痹胶囊治疗系统性硬皮病临床与实验研究	石家庄平安医院	李学增　王晓军　李　桂　夏素萍 王君雅　韩聚方　李晓云　钮含春 戈海青　黄彦龙
1—07	腮腺造影在诊断干燥综合症中的临床应用	河北以岭医院	郑　国　王亚丽　刘荣欣　张　雪 高军茂　王利力　孟丽萍　毕学杰 钟起诚　朱秀惠
1—08	硫酸卷曲霉素的生产工艺开发和应用	华北制药华胜有限公司	李增民　张天兵　耿守民　李标文 郝宝员　户　宁　王爱军
1—09	舒筋通络颗粒	神威药业有限公司	赵成安　李志强　王钦礼　李占永 甄兰敏
1—10	14 度高浓度酒精醋生产工艺的研究	石家庄珍极酿造集团有限责任公司	刘会勇　沙惠琴　张彦民　何立涛 张彩莉　王　峥　李　岩　王立峰 王文祥　孙立明
1—11	U1 系列婴幼儿配方奶粉的研制	石家庄三鹿集团股份有限公司	田文华　生庆海　王玉良　徐　丽 刘建光　邱泉若　李朝旭　贾晓江 卢彦君　张志国
1—12	氨基乙酸清洁生产点控组合技术研究	石家庄市环境保护局裕华区分局、河北东华化工总公司	牛新国　靳　伟　李　刚　冯朝晖 丁敏杰　张二保　任春雷　张国建 左更文　李雪萍
1—13	HLC 液晶显示材料抗紫外线添加剂的研制	鹿泉市新型电子材料有限公司	杨世琰　张志东　张书文　李振海 樊邦棣　李桂兰　李跃琴　李永杰 马立斌　周泽普
1—14	丰田汽车 S48 高级棒材的研制开发	石家庄钢铁有限责任公司	刘石虹　梁　玫　王信康　齐永革 齐建军　陈俊芬　高士杰　于凯军 张立强　刘宪民
1—15	全铸无焊接中部槽的刮板输送机	石家庄中煤装备制造有限公司	梁志海　戴宪金　李建文　李仁永 李国彬　贾秀香　许三军　李占利 张跃彬

表 2(续表)

序号	项目名称	完成单位	完成人员
1—16	S13—RL.D—100/10 立体卷铁心地埋式变压器	石家庄天盾电气有限公司	耿瑞祥 李锡强 温淑红 武印彪 武二兵 武跃隆 史瑞芳 康志芳
1—17	真空型盘式连续干燥器	石家庄工大化工设备有限公司	张继军 张英杰 杨 健 张晓松 贾凤锁 张红卫 李国强
1—18	石家庄市绿色 GDP 核算与绩效考核研究	石家庄市环境保护局	牛新国 李月彬 郭丽萍 唐小坤 王 毅 樊小龙 岳 欣 王孝青 王利彬 杨国文
	2．二等奖 23 项		
2—01	高山杜鹃引种栽培与示范	石家庄燕赵种业有限公司、石家庄市神州花卉研究所	李志斌 崔 瞀 高少轩 郝建卫 白霄霞 袁会欣 刘 伟
2—02	棉花品种晋棉—26	石家庄市农业科学研究院	赵国忠 朱青竹 赵丽芬 眭书祥 冯恒文 张寒霜 李爱国
2—03	太行山区鲜食枣新品种引进、筛选与高效栽培关键技术	河北省林业科学研究院、河北省平山县林业局	王振亮 顾新庆 张金香 邵学红 田习文 张福民 刘满光
2—04	人工种子适用的一品红体细胞胚高频度高质量发生的研究	石家庄学院	肖 颖 赵玉斌 寇国栋
2—05	禽用高效喷射杀虫技术的研究	石家庄市畜牧兽医服务公司畜禽疫病防治医院、河北省畜牧兽医研究所	赵洪明 强慧勤 张素巧 梁占军 张 勤 杨 波 崔宝强
2—06	多酶高效酶解饲料	石家庄依欣饲料有限公司	许 亮 李在均 刘海龙 易石川 刘慧珍 马雅丽 范彦令
2—07	腺苷对急性心肌梗死经皮冠状动脉介入治疗患者的心肌保护作用	石家庄市第三医院、河北医科大学第一医院	韩建妙 江 平 王立君 籍振国 刘红彬 赵 刚 刘志红
2—08	乳酸杆菌治疗孕期细菌性阴道炎(BV)研究	石家庄市第四医院	孟瑞雪 刘冬梅 高淑丽 张艳华 李淑贤 冯梅梅 李彩霞
2—09	脉冲场凝胶电泳技术应用于沙门菌的基因分型研究	石家庄市疾病预防控制中心	曹春红 刘维华 刘元坤 李 云 赵丽华 张双宅 武月华
2—10	局部应用壳聚糖膜防止术后关节粘连的临床研究	石家庄市第三医院	赵振拴 武彦霄 吴洪增 王 锋 张建勇
2—11	CT 引导下栓体舒自体血浆与尿激酶－肝素治疗铸型脑室出血对比研究	石家庄市第二医院	马 力 袁国玲 习志强 马 法 徐海峰 张素萍 李 鹏
2—12	类肝素钠	河北常山生化药业有限公司	李宗科 刘 俭 张玉梅 张素艳 吴 静 朱瑞敏
2—13	华北制药股份有限公司能源计量计算机监测管理系统	华北制药股份有限公司	黄祖培 赫来福 郑 晖 王洪革 张 民 孙慧峰 黄国明
2—14	MLK—300 小电流接地系统集中选线装置	河北旭辉电气股份有限公司	杨彦峰 张建军 李瑞桂 姬新芹
2—15	JC80 支高档紧密缎	石家庄市纺织工程学会、石家庄常山纺织股份有限公司棉一分公司	徐立红 张洪军 罗晓静 马振军 米国良 钱华丽 李海彦
2—16	高温糖化与转苷真菌复合型淀粉酶在低醇啤酒中的应用	新乐国人啤酒有限公司	孙云平 陈国红 陈建章 安振红 刘永志
2—17	陶瓷色料——印度红的开发研究	赞皇县高砂陶瓷材料有限公司	尹秀菊 杜淑娟 王瑞香 罗宏杰 陈晓峰 杜振恒 常彦华
2—18	高纯度粉末料半胱胺盐酸盐产品开发	石家庄古桥化工有限公司 河北科技大学	刘方方 秦辉强 赵锁军 黄文杰 顾丽敏 赵 莹 刘 宁
2—19	钢薄板轧制油	石家庄新泰特种油有限公司	丁贞君 丁 峰 甄国芬 康永力 周增强 周志刚 杨秉陆
2—20	背负式玉米联合收获机	藁城市收割机械有限责任公司	尔建立 赵新学 刘莉敏 王保奇 赵书华 何玉环 杨永清

表 2（续表）

序号	项目名称	完成单位	完成人员
2-21	4QZ-2 型青贮饲料收获机研制与开发	石家庄市农业机械化研究所	刘虹亚　郭荣钗　李香敏　孙建奎　赵焕民　李秀梅　张峻青
2-22	石家庄市"十五"科技计划实施效果评价及"十一五"科技发展规划研究（1.石家庄市科学和技术发展"十一五"规划；2.石家庄市"十五"科技计划实施效果评价研究；3.石家庄市民营科技企业成长路径与多层战略研究）	1.石家庄市科学技术局、河北省社会科学院、河北科技大学、河北省农林科学院农业经济研究所、石家庄市科技信息研究所；2.石家庄市科技信息研究所、石家庄信息工程职业学院；3.河北科技大学	张志勤　梁国发　颜廷标　张金辉　贾文霞　徐瑞园　孙丽敏　张志勤　梁国发　杨建立　姚培龙　洪　策　张金辉　谭　鑫　陈爱祖　唐　雯　饶　倩　张春雨　高文海
2-23	构建和完善京津冀产学研合作体系和运作机制研究	石家庄市科技信息研究所、石家庄市技术市场协会	薛合庸　陈凤敏　姚培龙　谭　鑫　温潇华　马学东　王明惠
		3.三等奖 39 项	
3-01	优质强筋小麦生产技术规程	石家庄市农产品质量检测中心	李月华　段喜顺　马会国　冯立辉　吕志刚
3-02	核桃高效芽接技术示范与推广	河北农业大学、赞皇县林业局	郝荣庭　宫墨林　褚发朝　孙红川　申新英　温陟良　张志华　于俊杰
3-03	冀西干旱山地特色经济树种栽培技术研究与开发	井陉县林业局	郭天海　李明忠　李保忠　温学芬　段润泉
3-04	草莓无公害种植及加工技术研究与示范	正定县三贵食品有限责任公司	苑社强　杨秋叶　牟建楼　邢贵刚　李　莉
3-05	药用玉米生产技术规程	石家庄快易通农业科技开发有限公司、石家庄市农业科学研究院	许新敏　李向华　刘兰锁　李建平　刘玉强
3-06	优质冬瓜新品种广东青皮引进与推广应用	赵县农业局农业技术推广中心	吕志刚　赵锁辉　王红霞　曹志敏　聂翠省　魏庆霞　董中华　刘元华　徐　强　苏庆辉
3-07	珍稀食用菌开发研究	石家庄市裕华区农业办公室	康贵云　靳月转　王士贞　刘彦军　付敏杰
3-08	发酵饲料技术在养猪业上的示范与推广	赵县兽医院二院	王　斌　张秀卫　王京峰　李文彩　马平西　郭新平　焦威跃　于英良　王军波　赵金彩
3-09	克伦特罗竞争酶标免疫检测新技术应用研究	石家庄市畜产品质量监测中心	邱建琴　左晓磊　韩爱云　王　新　魏青华
3-10	手霉素抗肿瘤及诱导细胞凋亡的实验研究	石家庄市第五医院	高会霞　袁文芳　程丽荣　袁建党　卢建华
3-11	微波子宫内膜去除术与组织损伤相关性研究	石家庄市第二医院、河北医科大学第二医院	董晓瑜　杨玉凤　韩翠欣　王惠兰　牛素贞
3-12	中药治疗肿瘤的机理研究和临床疗效	石家庄市中医院、河北省肿瘤研究所、德国耶拿大学附属医院	苑艳娟　张芬梅　王淑卫　邢玉敏　安　军
3-13	慢性乙型肝炎患者 E- 选择素 A561C 基因多态性的研究	石家庄市中医院	张淑兰　魏晨玲　冯忠军　王铭超　张丽娟
3-14	慢性乙肝患者肝组织中 MMP-2、TIMP-1 与肝纤维化关系的研究	石家庄市第五医院	陈超丽　甄　真　刘晓平　张新元　冯翠玲
3-15	药物洗脱支架治疗冠脉小血管长病变的临床研究	石家庄市第二医院	王守山　张翠领　高会茹　赵丽明　曹淑华
3-16	纳米牡蛎碳酸钙生产新技术研究	石家庄隆大福生物药业有限公司、河北科技大学	赵　华　赵凤云　王会君　刘玉敏　杜红霞
3-17	注射用阿莫西林钠舒巴坦钠（2 ：1）	华北制药集团北元有限公司	吴金波　刘　浩　张彦会　郝瑞霞　王志良

表 2（续表）

序号	项目名称	完成单位	完成人员
3-18	替米沙坦胶囊	河北德信润生制药有限公司	黄国胜　刘宏国　黄洪明　梁金华　赵俊婧
3-19	癃闭舒片	石家庄科迪药业有限公司	陈子华　齐文波　王东华　何英慧　崔卫强
3-20	石家庄市专家咨询信息服务系统	石家庄市专家咨询服务团办公室	韩存锁　严晋峰　张焕景　田镜湘　李晓锁
3-21	抗干扰滤波连接器	河北八五零华阳电器有限责任公司	张　莉　魏　兵　庞海森　李荣兰　林天旺
3-22	医药化工行业废水监控系统技术研究	石家庄德川科技开发有限公司　石家庄市环境监察支队	李海波　牛新国　俞　远　解　岩　郑　颖
3-23	信息安全网络考核系统	河北燕赵软件有限责任公司	孙海波　李天智　董　力　张　娟　张　志
3-24	环保高效织物印花镍网差频协同除胶循环利用技术	石家庄市旅游印染研究所	安　锋　马和群　黄建良　孟金艳　成新刚
3-25	石家庄市环境空气质量三级预警技术的研究	石家庄市气象局	王春彦　郭彦波　陈　静　智利辉　郭卫红
3-26	镁盐企业清洁生产新工艺研究	河北井陉钙镁研发中心、河北绵河镁盐化工有限公司	马永山　赵卫新　康和义　梁春雷　李玉洁
3-27	超细活性碳酸钙	石家庄市井陉县太行化工建材有限公司	贾社多　向　兰　杨建军　齐建军　康和义
3-28	利用尾矿、矿渣、粉煤灰生产蒸压砖	石家庄市未来建材有限公司　河北科技大学	赵风清　何金良　陈建波　杨修生　曹素改
3-29	焦化甲苯生产试剂甲苯的研究与开发	石家庄焦化集团有限责任公司	耿印权　任培兵　秦连科　王　军　王　信
3-30	汽油工程钻机	石家庄博深工具集团有限公司	邓　辉　段东旭　翟西年　孟东谦　张宝林
3-31	桥梁结构附加荷载动态测试技术研究	石家庄市公路管理处	曹中杰　张献民　杜　青　李红英　王建伟
3-32	动力阀控密封式铅酸蓄电池(12V5Ah)研制开发	石家庄华北蓄电池有限公司	杨树欣　赵树歧　张更平　李　江　李春勇
3-33	车辆振动声学系统新技术研究	河北客车厂、石家庄铁道学院	冯国胜　李劲松　张志华　吴文江　姚　勇
3-34	旧水泥混凝土路面分离式加铺层的施工研究	石家庄市公路桥梁投资开发管理中心	范小响　刘　宏　赵　静　黄朝合　何占魁
3-35	CSK15 长城双卡封口机	石家庄晓进机械制造科技有限公司	白玉峰　梁培红　万秀颖　张学良　张红斌
3-36	差压式气动全自动过滤机	河北北洋水处理设备有限公司	王卫兵　胡维吉　刘彦华　刘建山　刘振兵
3-37	石家庄市城市快速轨道交通项目研究	石家庄市工程咨询研究院	韩春素　张利芬　付学玲　高　岩　陈进杰
3-38	石家庄市国防科技动员体系与运行机制研究	石家庄市科技信息研究所	张志勤　梁国发　谭　鑫　姚培龙　郑团生
3-39	京津冀大背景下石家庄数字城市规划研究	河北经贸大学	王建军　张慧巧　赵　昕　张会欣　王　亚

表 3

石家庄市科学技术进步组织奖（9 项）

序号	单位	项目	人员
1	石家庄三鹿集团股份有限公司	三鹿系列婴幼儿配方奶粉规模化生产及其品质保证	魏鹏 蔡树维 杭志奇 翟红梅 邢丽伟
2	白求恩国际和平医院 河北医科大学第二医院	颌面部血管性病变的基础与临床	顾建儒 耿建英 王中华
3	河北科技大学 河北诚信有限责任公司	丙二酸酯清洁生产工艺的研究	李强 张炳烛 张卫平 胡振林 李一如
4	河北科技大学 石家庄市海龙精细化工有限公司	高纯五氯化磷的研究	靳占忠 李永伟 付朝霞 任明亮 钱丽娟
5	河北桑沃特水处理有限责任公司	具有动态分散性能的共聚物阻垢剂的研制	曹建一 张丽 吴运娟 赵军平
6	石家庄市农业科学研究院	双价抗虫棉 SGK321 示范推广	张铁石 徐秋良 李进忠 康会敏 孙春峰
7	石家庄神威药业有限公司	中药制剂先进工艺单元集成及生产过程自动控制高技术产业化示范工程	郭超 刘铁军 李丙勇 张特利 刘素君
8	石家庄泵业集团有限责任公司	TL(R) 系列脱硫泵	刘家柏 杨文 朱广奇 马跃华
9	河北吉藁化纤有限责任公司	竹材粘胶纤维浆粕及功能化纤维	宋德武 郑书华 韩黎明 范文阁 白建娈

【2007 年度河北省科学技术奖】

表 4

河北省自然科学奖（1 项）

项目名称	主要完成人
三等奖 1 项	
岩溶（喀斯特）发育规律与相关地质灾害成灾机理研究	卢耀如 贺可强 张凤娥 许广明 童国榜

表 5

河北省技术发明奖（3 项）

序号	项目名称	主要完成人
1. 二等奖 1 项		
1	小管径 φ6～8mm 温室专用滴灌带及滴灌系统产业化	崔建伟 李光永 孙国新 王谦 王贺辉 贾新台
2. 三等奖 2 项		
1	14 度高浓度酒精醋生产工艺的研究	刘会勇 沙惠琴 张彦民 何立涛 张彩莉 王峥
2	抗盲蝽象棉花新品种晋棉 -26	赵国忠 朱青竹 赵丽芬 眭书祥 冯恒文 张寒霜

表 6

河北省科学技术进步奖（15 项）

序号	项目名称	完成单位	主要完成人
三等奖 15 项			

表 6（续表）

序号	项目名称	完成单位	主要完成人
1	优质强筋高产小麦藁优 9409 选育与应用	河北省藁城市农业科学研究所	杨海川　张庆江　李　萍　韩　然　李广新
2	特色农产品贮加新技术——太行大枣烘干设施及配套技术研究与示范	石家庄市果树站	剧慧存　陈锦屏　齐志红　王丽娟　徐立新
3	黄藿超微粉提高蛋鸡生产性能与免疫力技术研究	正定县畜牧兽医站　河北农业大学	钟秀会　王　忠　史万玉　曹立辉　韩瑞玲
4	禽用高效喷射杀虫技术的研究	石家庄市畜牧兽医服务公司畜禽疫病防治医院　河北省畜牧兽医研究所	赵洪明　强慧勤　张素巧　梁占军　张　勤
5	高支(14.5～7.3tex)精梳无毛羽纯棉纱产品研究与开发	石家庄常山纺织股份有限公司	薛建昌　袁立峰　梁淑花　梁著青　张晋生
6	氨基乙酸清洁生产点控组合技术研究	石家庄市环境保护局裕华区分局　河北东华化工总公司	牛新国　靳　伟　李　刚　冯朝晖　丁敏杰
7	焦化粗苯加氢精制新工艺技术	石家庄焦化集团有限责任公司	任培兵　耿印权　秦连科　王　力　张志海
8	医院感染智能预警决策管理平台	河北科技大学　白求恩国际和平医院　白求恩军医学院	王晓红　王井阳　冯　帆　乔　民　吴会丛
9	华北制药股份有限公司能源计量计算机监测管理系统	华北制药股份有限公司	黄祖培　赫来福　郑　晖　王洪革　张　民
10	石家庄供电公司 10kV 及以上配电地理信息系统	石家庄供电公司	石桂明　张　蕾　刘　平　张　颖　郝俊科
11	首都圈自主参与式防沙治沙技术研究	中国科学院遗传与发育生物学研究所农业资源研究中心	张万军　刘孟雨　冯学赞　郑文龙　曹建生
12	腺苷对急性心肌梗死经皮冠状动脉介入治疗患者的心肌保护作用	石家庄市第三医院　河北医科大学第一医院	韩建妙　籍振国　刘坤申　江　平　郭恒信
13	乳酸杆菌治疗孕期细菌性阴道病(BV)研究	石家庄市第四医院	孟瑞雪　刘冬梅　高淑丽　张艳华　李淑贤
14	传染病疫情和突发公共卫生事件预警与应急指挥系统研究	石家庄市疾病预防控制中心	闫纯锴　周吉坤　张　娟　郭建花　刘　立
15	新药马来酸左旋氨氯地平及片的研究	石药集团中奇制药技术（石家庄）有限公司	蔡东晨　张宏武　钟南平　张文君　邢亮彬

【2007 年度国家科学技术奖】（详见附表）

表 7　　国家技术发明奖（1 项）

项目名称	主要研究人
二等奖 1 项	
虫类药超微粉碎（微米）技术及应用	吴以岭　赵韶华　盖国胜　田书彦　高学东　吴相君（注：主研人系河北以岭医药集团）

表 8　　国家科学技术进步奖（6 项）

序号	项目名称	单位单位	主要研究人
二等奖 5 项			

表8(续表)

序号	项目名称	单位单位	主要研究人
1	新一代婴幼儿配方奶粉研究及其配套技术的创新与集成	石家庄三鹿集团股份有限公司	田文华 生庆海 王玉良 邱泉若 徐 丽 李朝旭 刘建光 张志国 贾晓江 魏 鹏
2	华北半湿润偏旱井灌区节水农业综合技术体系集成与示范	中国科学院遗传与发育生物学研究所农业资源研究中心 河北省水利科学研究院	徐振辞 胡春胜 王玉坤 陈素英 赵 勇 孙宏勇 谢礼贵 裴 冬 程一松 张喜英
3	空气质量和污染源环境光学监测技术系统与应用	中国科学院合肥物质科学研究院 安徽工业大学 安徽蓝盾光电子股份有限公司 河北先河科技发展有限公司 武汉市天虹仪表有限责任公司 安徽宝龙环保科技有限公司	刘文清 刘建国 魏庆农 谢品华 张玉钧 陆亦怀 刘世胜 王锋平 陆 钒 宋炳超
4	脑出血后脑损伤机制的研究与临床治疗新策略的应用	河北医科大学第二医院 华中科技大学同济医学院附属同济医院 首都医科大学附属北京朝阳医院 首都医科大学附属北京天坛医院 重庆医科大学附属第二医院 保定市脑血管病医院	张祥建 张苏明 贾保祥 王拥军 胡长林 刘怀军 王介明 张国华 贺 丹 李春岩
5	杨树工业用材林高产新品种定向选育和推广	中国林业科学研究院林业研究所 北京市林业种子苗木管理总站 山东省林木种苗站 黑龙江省森林与环境科学研究院 安徽农业大学 河南省林业技术推广总站 河北省林业技术推广总站	张绮纹 苏晓华 李金花 解荷锋 李占民 卢宝明 王福森 姜英淑 张玉洁 刘长敏
		一等奖1项	
6	高产稳产广适紧凑型玉米单交种郑单958	河南省农业科学院粮食作物研究所 河南省高光玉米新品种研究所 河南省荥阳市飞龙种子有限公司 全国农业技术推广服务中心 河南省种子管理站 河北省种子总站 山东省种子管理总站	堵纯信 张发林 王多成 房志勇 曹 青 温春东 孙世贤 廖 琴 周进宝 李龙凤 王定林 赵 博 张慎璞 董战鲲

科技成果转化推广与管理

【科技成果转化】 2007年度的科技成果转化工作，以国家、省、市科技计划形成的科技成果、近年获奖的科技成果和引进的各类科技成果作为推广的主要技术来源，推广的技术大部属于行业共性技术或社会公益类技术，并且可以在一个行业或一个领域实施，有较宽的覆盖面，具有先进、成熟、适用的特点。所有成果推广计划在实施过程中，都建立了合理的推广组织架构，推广组织体系完备、推广措施有力，推广方法科学。

在农业方面，重点支持了农作物、林果、畜禽、水产、蔬菜等标准化生产和农业良种良法集成配套应用技术，及其优质、高产、节本降耗新技术；农产品保鲜加工；旱作(集雨)农业、节水抗旱产品及其新技术；新型农机具及农业机械化作业技术；植保新产品示范推广及病、虫、草害预报预测及防治技术；畜禽饲养、畜(禽)产品加工新技术及疫病防治新技术应用示范与推广。

在工业方面，重点抓了新能源综合利用技术和节能降耗新技术；清洁生产、废物处理等生态环保和可持续发展技术；资源高效利用和循环利用技术；有利于医药、化工、新材料、纺织等重点产业发展的相关先进、成熟、适用技术。

在国内科技合作方面，继续加强同京津沪等外省市大专院校、科研院所开展广泛的国内科技合作，进行新产品新技术研发、科技攻关；实施“借脑工程”，与省外专家合作引进示范、推广其先进、成熟、适用的科技成果。重点抓了环渤海经济区、国内科技协作签约单位的科技合作项目，“省会高校、科研院所联席会”会员单位的科技合作项目。

在其它方面，主要推广了灾害预防控制和公共安全技术，食品安全生产新技术，现代物流技术，治理废水、粉尘、尾气等环保新技术，洁净、高效燃烧新技术等诸方面进行了宣传与推广。另外，对高效节能、降低煤耗、电耗、线路损耗等节煤、节电、节气、节水和利用新能源等方面的科技新成果、新技术加大了推广力度。

【科技成果推广资金安排】 2007年度，共完成三批科技成果推广计划的筛选、审批、立项及合同签订工作。全年共安排动物免疫检疫、动物新品种、蔬菜新品种、粮食作物新品种、新型农业机械及化工生产新工艺等各类科技成果推广计划22项，安排资金411万元，是近年来市级科技成果推广计划安排资金最多的一年。 省级科技成果推广计划的争取工作。2007年争取省级科技成果推广计划1项，资金10万元。河北省重大技术创新项目“非均相生物催化和反应分离耦合法生产精细化学品新技术”一项，项目由河北科技大学与河北诚信有限公司、石家庄中天化工有限公司等单位共同承担，项目总经费530万元。其中安排石家庄市企业研发经费260万元，2007年度该项目已落实并下拨经费100万元，2007年石家庄市为该项目再配套100万元。

【设施蔬菜病虫害防治技术示范与推广】 2007年4月，组织召开了“设施蔬菜病虫害防治技术推广观摩会”。“设施蔬菜病虫害防治技术示范与推广”是石家庄市2005年度科技计划项目，由石家庄市农业局与河北省农林科学院农业经济研究所共同承担。项目实施以来，节水、防病效果十分明显，技术应用区比对照区节水率可达30%～50%，降低发病率60%～63.4%，亩增收3000元左右。3月10日，邀请河北省发改委、省科技厅、省农技推广总站及正定等县（市）农业局的有关人员，示范县高邑县的领导及农民代表，以及河北电视台、河北日报、河北科技报及河北农民报等新闻媒体，组织了“设施蔬菜病虫害防治技术推广现场观摩会”。会上详细介绍了项目的关键技术及实施效果，并到高邑县参观了生产现场。此次现场会对促进石家庄市设施蔬菜生产的发展，提高菜农收益具有重要意义。

【全玉米粉型高效抗旱剂的推广】 项目由石家庄天源淀粉衍生物有限公司承担实施。该高效抗旱剂属于新型节水新材料，是以玉米粉为原料，产品具有可降解、吸水倍率高达自身重量的800～1500倍、无毒副作用特点。生产工艺独特，采用“一步聚合法”，生产过程通过放热反应自交联，无须交联剂；常温常压下生产；生产周期短2.5小时；无须过滤和洗涤；无三废。本产品施入植物根部，6～9个月后可降解成有机肥，对土壤结构无破坏，提高地力，是适合农作物生长的高性能吸水剂。粮食作物增产15%～30%，经济作物可高达30%～140%。该产品属国际先进，可广泛用于农、林、牧、园艺、沙漠绿化。

高效抗旱剂具有以下特点：一是可降解。高效抗旱剂属可降解型，具有疏松土壤，不板结，增加土壤透气性和透水性，对土壤结构无破坏的特点。在土壤中有效期为6～9个月，降解后形成有机肥供给植物生长，形成良性循环，增强地力，利于发展绿色环保、无公害农业产品的发展。二是吸水倍率高。高效抗旱剂在节水保水、保肥、抗旱、节约浇灌成本方面的功能和作用十分明显。该产品具有较强的吸水、保水能力，吸水量达自身重量的800～1500倍。这就相当于1公斤高效抗旱剂可吸水800～1500公斤。三是具有科学性。它是将天然高分子聚合物接枝共聚与人工合成的高分子聚合物合二为一，并选用带有功能型乙烯单体和丙烯单体接枝。抗旱剂在水中溶涨后，施于农作物根部，在土壤中水份不流失、不蒸发，缓慢释放水份，促进植物种子发芽生根，供给植物根系水份和养份。良好的吸水、释水的可逆性，可以再吸水后缓慢释放水份，干燥后仍有原来的吸水性，可反复吸水、释水，可反复使用几个月。每次降雨，少流失、少蒸发，把水贮存在根系周围，形成土壤水库，一棵植株一个小水库。施进去的肥料不流失，提高肥效。四是具有先进性。具有生产工艺简单、生产过程节省能源、节水、无三废，产品无毒、无味、无环境污染，对作物和土壤无任何毒副作用的特点。高效抗旱剂使用后，使土壤水分利用率提高24%以上，肥料利用率提高32%以上，农作物增产10%以上，经济作物增产15%～25%，提高造林成活率40%左右。项目实施发展玉米深加工，提高农产品附加值，防止地下水污染，实现水资源可持续利用，抗旱夺高产，具有重要的经济效益和社会效益。

项目实施三年来，推广应用面积3700亩，辐射面积30万亩地，受益农民达30万人，社会效益达到2000多万元。

【设施蔬菜病虫害防治技术信息化管理示范与推广】 项目由石家庄市农业局、河北省农林科学院农业信息与经济研究所共同承担。 项目整合了病虫害预测→诊断→防治一体化技术系统的等多个专家系统，研究揭示了病害发生与温室湿度的关系，创新了降低温室湿度的种植管理技术，使设施蔬菜由高湿多病的生产环境变为低湿少病的生产环境，把温室蔬菜发病率由78.4%降为13.6%，为无公害生产奠定了基础环境条件。把病害防治的以治为主变为以防为主，实现了病害防治的关口前移。实现了常规技术与信息技术的结合，使技术应用"傻瓜化"，降低了技术应用难度。针对解决技术入户、使用方便、效果稳定、规模扩大和持续应用问题，采用了相应的9项措施，组合了120多个推广方案配方，达到了理想的技术推广效果。

该技术不仅在石家庄市的高邑、正定、鹿泉、晋州、无极、藁城6个县，而且还在河北省定州、迁安、涉县进行示范推广。三年来，累计建立示范样板田65个次，规模5000亩。石家庄市6个县总推广面积10万亩，河北省其他区域推广2.77万亩，总计推广12.77万亩。其中，黄瓜6.55万亩，番茄6.225万亩。项目的实施，使秋冬茬番茄亩增产量684～1611公斤，增产率12%～30.3%；一大季黄瓜亩产量增加1667.5～3335公斤，增产率16.7%～33.3%。番茄、黄瓜分别按每公斤2元和2.6元计算，亩增收1400元和4000元。节本增收：亩减少用药289～330元，平均309.5元，减少农药投入3952万元。节本、增产增收：按加权平均，亩节本、增产增效2693.64元，总增效益3.44亿元。该技术的推广，取得良好的环境效益和社会效益。该技术亩节水100～150方，三年共节水1277.5万方。亩减少用药10次以上，总减少农药投入3952万元。节能减污，有利于农业持续发展。

技术的改造与创新，解决了设施蔬菜生产的技术难题，为蔬菜无公害产业发展提供了技术支撑；节水、省工、省药的效果起到了节能减污的作用，对促进农业可持续发展有重要意义；采用的信息技术与常规技术相互转化推广方式提升了信息化技术的应用水平，降低了技术应用难度，为现代农业技术推广开发了一条途径。

【石家庄市、县、乡三级常设农业技术市场建设与示范】 "石家庄市、县、乡三级常设农业技术市场建设与示范"项目，分别由石家庄市农业科学研究院、无极县科技局、长安区科技局、裕华区科技局四家单位联合实施。2005年6月，市科技局以"常设农业技术市场建设与示范"为题公开招标。以上四个单位中标后，从不同层次分别进行了市级、县（区）级、乡镇级常设农业技术市场建设与示范的研究，并于2007年全部通过了专家验收。通过该课题的研究，完善了石家庄市、县（区）、乡三级农业技术市场建设模式，加快了常设农业技术市场建设步伐，建设了市级农业科技服务大厅、县级农业科技服务中心和乡镇级农业科技服务站，建设了"农业科技成果转化网"(http://www.sjznykj.com)信息服务平台，成立了农业科技专家服务团，并积极开展服务三农的科技下乡活动。实现了常设农业技术市场的四大功能，即：农业知识产权、新品种经营权交易（拍卖）功能；农业新技术新产品的展示展销功能；农业技术信息的集散发布功能；农业技术咨询、技术培训、技术讲座、技术服务的"四技"服务功能。探索出了常设农业技术市场以农业科研单位为依托，以市、县、乡三级农业技术市场为框架，使农、科、贸相结合的运行模式。找出了一条推广农业新技术、新产品的新途径。从而保持了石家庄市技术市场工作在全国的领先地位和典型示范作用。

（张丽萍）

地震科学

【概况】 2007年，石家庄市地震局按照市委、市政府的安排部署，努力探索，大胆创新，努力开创防震减灾工作新局面，各项工作取得了显著成效。石家庄市地震局再次荣获全国防震减灾工作综合评比创新奖，石家庄防震减灾科普宣传教育培训基地被命名为国家级防震减灾科普教育基地，平山县荣获全国防震减灾市、县工作先进单位。市地震局连续五年荣获市级文明单位，局领导班子连续五年在市委、市政府考核中获得优秀，局党支部连续五年被市委命名为优秀基层党组织。局工会荣获省级“模范职工之家”，局地震应急救援队女子医疗宣传分队荣获全国“三八”红旗先进集体称号。

【石家庄市地震应急救援志愿者协会荣获“石家庄市十大杰出志愿服务集体”光荣称号】 2007年3月5日，在石家庄市举行志愿者行动推进大会上，石家庄市地震应急救援志愿者协会荣获“石家庄市十大杰出志愿服务集体”光荣称号，得到省会精神文明委、市委宣传部、团市委、市志愿者协会的联合表彰，协会秘书长李庆被授予“优秀志愿者骨干”光荣称号。

石家庄市地震应急救援志愿者协会是2004年在城市社区地震应急救援志愿队的基础上成立的。是全国第一家地震应急救援志愿者协会。地震应急救援志愿者协会在24个县（市）区均挂牌建立了分支机构——石家庄市地震应急救援志愿者分会县级指导中心，协会广泛吸纳具有志愿精神和一定特长的社会人员参加，逐人进行登记、注册。至2007年底，已发展注册团体会员62个，注册个人会员5658人。同时，根据各行业特点，建立了各行各业的特色服务队。联盟社区通过志愿者牵头，建立邻里互助网、应急避险通道网、单元地震应急救援网、居委会联络卡，进一步建立和完善了“三网一卡”城市社区地震应急救援安全网络。桥西区以中小学生为主，成立了“小小志愿者服务队”，开展防震减灾知识的宣传。无极县以郭庄民兵营为依托，建立了“乡村流动宣传队”，普及地震科普知识。协会在全市建立了17类59支不同行业、专业特长突出的地震应急救援志愿者队伍，定期培训，进行演练，开展多种服务活动，一专多能，一队多用，平震结合，在三个文明建设中发挥了重要作用。

【石家庄市政府召开全市防震减灾工作会议】 2007年3月16日，石家庄市人民政府召开全市防震减灾工作会议。各县（市）、区主管防震减灾工作的副县（市）、区长，市政府防震减灾联席会议成员单位主要领导，各县（市）、区科技局主管局长、地震办主任，全市防震减灾系统干部职工参加了会议。会议由市政府副秘书长刘志辉主持，副市长王刚做了重要讲话。

会议的主要任务是，总结2006年石家庄市防震减灾工作，分析研究防震减灾工作面临的新形势、新任务，安排部署2007年防震减灾工作。

市政府办公厅副主任赵志敏宣读了市政府办公厅《关于对2006年度防震减灾工作先进单位、先进集体和先进个人进行表彰的通报》，并对先进单位、先进集体和先进个人进行了表彰。市地震局局长、党组书记高翠君传达了中国地震局《关于全国地震重点监视防御区（2006～2020年）判定结果和加强防震减灾工作意见的通知》（国办发〔2006〕54号）精神。市地震局总工程师梁贵平就2007年石家庄市地震趋势判定意见进行了通报。

【石家庄防震减灾科普宣传教育培训基地荣获国家级防震减灾科普教育基地称号】 石家庄市地震局在防震减灾科普宣传上努力探索，勇于创新。依托石家庄市地震观测站，建设了石家庄市防震减灾科普宣传教育培训基地，全年面向公众免费开放，收到了良好的社会效益。2007年4月，观测站荣获“国家防震减灾科普教育基地”称号。石家庄市防震减灾科普教育基地位于河北省石家庄市裕华区谈固西街116号，占地3.9亩，面积809平方米。展馆包括石家庄市地震观测站、石家庄市地震应急指挥中心和石家庄市地震网络信息中心，具有功能齐全，设施先进，可同时满足参观者视、听、亲身体验等全方位需求的特点。展馆共四层，设地震科普知识展室、地震仪器陈列室、地震观测室、地震宣传教育室、地震宏观室、地震体验屋、多媒体放映室7个展室和1个室外地震宏观异常展板宣传橱窗区。2007年，接待公众5700余人次；举办社区地震应急救援志愿者培训班13期，参训志愿者1077人次；举办各类科普知识讲座8次、中小学生科普知识竞赛5次，参加者1543人次，受到社会各界一致好评，取得了超常的社会效益。

【中国地震局专家来石家庄市调研】 7月3日，中国地震局预测研究所党委书记王善恩、研究员邹其嘉、顾建华一行三人，在河北省地震局局长周清良陪同下，就如何进一步推进全国地震重点监视防御城市的防震减灾工作，到石家庄市调研。副市长王刚会见了调研组一行。中国地震局专家参观了国家防震减灾科普教育基地——石家庄防震减灾科普宣传教育培训基地，观看了《石家庄市地震应急预案管理》电子平台演示、《石家庄市中心城应急避难疏散规划》电子演示图、地震现场应急指挥系统演示、《全面提升防震减灾能力》纪录片，听取了市地震局关于石家庄市防震减灾工作的汇报，与地震局干部职工进行了座谈。中国地震局预测研究所党委书记王善恩对石家庄市防震减灾工作给予了高度评价。

【石家庄市地震局开展构建地震安全和谐城乡宣传教育周活动】 2007年7月23～30日，石家庄市地震局在全市开展了以构建地震安全和谐城乡为主题的宣传教育周活动。期间，全市24个县（市）、区（含高新区）开展了形式多样的宣传活动。通过展出展牌、现场救护讲解、专家咨询、发放宣传资料、文艺表演等多种形式，宣传防震减灾知识，认真实施好地震应急救援志愿者地震安全行动计划，全面提高了社会公众防震减灾意识。共展出宣传展板200余块，发放宣传资料3万余份。

抗震救灾演练

【国际减灾日防震减灾演练进学校】 2007年10月10日是第18个国际减灾日。主题是——减灾始于学校。这一天，由市地震局、桥西区政府联合在市第六中学举行了防震避震应急演练。主要演练地震发生后如何有效地进行避震，如何安全地疏散，如何更好地自救、互救。目的是更好地落实《石家庄市突发公共事件总体应急预案》，进一步提高学生防震减灾意识和自我保护能力。通过这次演练活动，达到宣传一个学生，带动一个家庭，影响整个社会的效果，逐步提高全社会的防震减灾意识，努力构建平安和谐石家庄。市地震应急救援医疗宣传队的队员还现场为大家演示了如何进行现场包扎、救护。市地震局领导、桥西区政府领导到现场进行了观摩指导。

【省会举行大型防震减灾宣传活动】 11月3日，河北省地震局、石家庄市人民政府在省博物馆文化广场举行宣传活动，庆祝《河北省地震安全性评价管理条例》修订颁布施行。活动由河北省地震局、石家庄市人民政府主办，石家庄市地震局和市内五区政府联合承办。省地震局局长周清良、副局长王钟山，石家庄市人大常委会副主任傅世武、市政协副主席赵长栓等领导应邀出席，省会居民、中小学生近万名群众参加。这次活动以庆祝《河北省地震安全性评价管理条例》修订颁布施行为主线，通过法律宣传、专家咨询、发放宣传品、展牌宣传等多种形式，宣传防震减灾各项法律、法规和防震减灾科普知识，提高社会民众防震减灾意识和依法自我保护能力。现场群众对这次防震减灾宣传活动表现出了浓厚的兴趣，进行参观、咨询群众达万余人次，发放宣传材料万余份。

【石家庄市地震局认真做好震情应急工作】 1月5日，赞皇县发生2.5级有感地震，石家庄市地震局立即启动《三级地震震情跟踪方案》，速派现场考察组第一时间赶赴地震现场，按照《地震现场工作大纲和技术指南》进行了地震现场考察，对震区进行了连续24小时地震监测，及时向市委、市政府写出了报告，为市委、市政府科学决策提供依据。11月25日，26日，29日，赞皇县连续发生ML2.0级、2.2级、2.6级三次有感地震，市地震局立即会同省地震遥测台网中心和省局地震预测研究中心有关专家进行临时会商，严密监视当地的地震活动。向当地政府书面提出了《关于以东经114° 20′北纬37° 40′为中心附近区域的震情形势和加强震情监视及地震应急工作的建议》。

【应急避险场所示范点工程】 石家庄市地震局积极推进应急避险场所建设，由专门工作小组，经过广泛调研，选择裕西公园、东环公园作为示范点，实施应急避险场所工程。这一工程包括应急避险场所规划示范点建设实施方案、绘制《应急避险场所规划图》、设置应急避险标志、配备必要的应急避险设施等，这些示范工程全部通过了市政府应急办的验收。

【扎实推进石家庄市地震活断层探测与地震危险性评价项目建设】 按照《国务院关于加强防震减灾工作的通知》(国发[2004] 24号)、全国防震减灾工作会议、全省防震减灾工作会议和省政府常务会议纪要(2004第34号)精神，经过前期可研性论证，石家庄市发改委批准开展石家庄市活断层探测与地震危险性评价项目，2007年，项目初步设计方案被省发改委正式批复。在省地震局活断层项目实施办公室的统一领导下，按照市规划局、市规划设计院提供的城市发展方向、重点区域，编制完成了施工方案和招投标方案。

城市地震活断层探测与地震危险性评价项目是探查城市所在区域是否存在发生强烈地震的断层，判定可能发生的地震的最大震级，地震时断层是否会发生地表断裂，地表地面运动的分布特征。城市活断层探测与地震危险性评价结果是城市地震安全的最基础的信息，对城市规划、建设、管理和应对突发事件非常重要，是城市减灾的基础。

(任建芬)

社会科学

党史编研

【概况】 2007年在市委的领导下，超额完成了年初制定党史工作考核目标和任务。征集资料200多万字；出版党史书籍5本，300多万字；举办了3期党史业务培训班，参加培训人员190余人次；完成了中央和省委党史研究室部署的抗战时期人口伤亡和财产损失课题调研、民营企业调查、根治海河、从十六大到十七大等任务的资料征集和编写；协助市委举办了纪念石家庄市解放60周年展览和纪念石家庄市解放60周年大会及座谈会；协助各级新闻媒体完成了电视、电台、报刊的报道，市委、市政府颁发了“纪念石家庄解放60周年组织奖”。2007年在全省党史工作考核评比中，被评为“河北省党史系统先进单位”。

【积极开展解放思想大讨论】 按照市委统一部署和安排，积极开展解放思想大讨论活动。成立了领导小组，制定了大讨论活动的具体实施方案，安排了具体的活动日程表。12月8日，组织全体党员干部召开了动员大会，大讨论活动在党员干部中全面展开。通过“解放思想大讨论活动”，领导班子和干部职工的政治和业务素质有了明显的转变和提高。

【编研成果】 1. 编辑出版了《中共石家庄历史大辞典》一书，由国家行政出版社出版。此书作为党史研究室向石家庄市解放60周年献礼的重点工程。其内容囊括石家庄自建立党组织以来的组织团体、行政区划、历史文物等11个方面的内容，总共编写词条达4895条，125.9千多字。此书为党史研究室成立以来，研究成果的第一部综合性工具书籍，对研究石家庄党的历史提供了第一手翔实的资料，具有珍贵的使用和收藏价值。2. 编辑出版了《石家庄解放纪实》一书，40万字，由研究出版社出版。3. 编辑出版了《无私的援助—石家庄抗美援朝运动纪实》一书，32万字，内部出版。4. 编辑出版了石家庄党史人物系列丛书《怀念郭芳》一书，5万字，内部出版。5. 编辑出版了《中国共产党石家庄历史大事记(2005年)》一书，30万字。6. 再版了《朱琏诊所》一书，18万字，研究出版社出版。

【资料征集】 1. 配合中央及省委党史研究室部署的抗战时期人口伤亡和财产损失课题调研活动。走访当事人、知情人4.53万人次，共涉及城、乡、村干部群众约8000多人，获直接证人证言1.69万人；拍摄各类资料、证人照片6000余张；搜集查阅档案1.80万卷册；收集抗战期间及战后出版物1500余种；扫描复印资料3.3万页；编发调研工作简报14期。石家庄市在这次抗战时期人口伤亡和财产损失课题调研活动中，在全省第一个完成调研任务。2. 配合省委党史研究室开展民营企业调查、《从十六大到十七大》和《根治海河》等丛书的征编工作。共征集民营企业资料50篇，30多万字。根治海河文献资料23万字，口述资料19万字，图片100多张。3. 完成了《中国共产党石家庄历史大事记述(2006年)》资料征集，35万字。

【宣传教育】 1. 在石家庄解放60周年之际，推出了党史研究成果10项，并召开了党史成果发布会。各县(市)区主管领导、市直各部门联络员及有关专家参加了会议。市委常委秘书长杨志辉在会上讲了话。并提出了党史成果"进机关、进学校、进社区、进农村、进企业"的"五进"要求。2. 市委抽调1名副主任参加了"石家庄解放60周年大型展览"的筹备活动。同时承担了前半部分解说词的起草和石家庄党组织发展等图片的组稿。3. 起草了市委书记吴显国在"纪念石家庄解放60周年大会"上的讲话。4. 配合市委组织召开了石家庄解放60周年大型纪念会议、座谈会议。约修改、审查文字材料4万多字。5. 为省、市电视台、电台、报刊提供大量石家庄党史素材，并帮助审查41份预刊登稿件和有关电视片的内容。6. 帮助市纪检委、平山县等单位审查《西柏坡廉政教育展览》、平山县纪念馆等展览资料。7. 本年度编写《石家庄党史信息》8期。8. 党史学会积极参与全市社科普及周活动。为群众提供了党史咨询服务，宣传党的光辉历史，免费发放党史书籍100多册，被评为全市社科系统先进单位。

【队伍建设】 一是坚持长期政治和业务学习制度。坚持每周星期五学习不动摇。二是为了开阔党史工作者视野。年初组织了各县(市)区党史研究室主任和科级以上干部到邯郸涉县参观学习，以召开现场会形式，确定各县(市)区工作目标和任务；年中组织党史系统干部到四川、重庆等省、市进行革命传统教育；与山东省济南市、山西省太原市、阳泉市等党史同行进行工作交流并交换党史成果。三是抓好队伍知识更新。2007年在经费紧张的情况下，派出1名副主任和1名处级干部参加了市委组织的在清华、复旦大学的培训；5位县级领导干部参加了党校培训，5名科级干部参加了机关工委、人事局的培训。四是注重对基层党史干部队伍的指导和联系。通过集体培训、个别指导、外出参观等活动，党史系统干部队伍组织上基本保持了稳定，业务逐步熟练，办公条件逐年改善，整体素质逐年提高。尤其基层党史领导班子得到加强，党史干部队伍不断充实新人，办公条件加速更新，研究成果无论数量和质量都好于往年。

【县(市)区编研成果】 深泽县委党史研究室编辑出版了《中国共产党深泽历史》，30万字，内部出版。高邑县委党史研究室编辑出版了党史人物从书之二《凤城骄子》，43万字，内部出版。栾城县党史研究室编辑出版了纪念栾城解放60周年画册《解放篇》图片100张，《栾城县在外人士名录》，4万字，内部出版。

(张献瑞)

地方志编纂

【赞皇县首部村志出版】 由河北省教育厅离休干部（赞皇籍）陈更新主编的《见守村志》正式出版。该村志为赞皇首部村志。该志共设19篇，内容包括村落村域、自然环境及资源、人口、村级组织、经济、文化、教育、卫生医疗、方言、民俗、民谣、战事、人物等，共20余万字，图片近百张。上限起于事物发端，下限止于2005年。

【《栾城县政协志》出版发行】 2007年，经政协机关全体人员和县史志办编修人员的通力合作，广征博采，辛勤笔耕，《栾城县政协志》出版发行。《栾城县政协志》编纂工作自2005年6月开始，该志上限为1950年2月政协栾城县委会创建之时，下限止于2006年6月底。该志采取小编法，章节目结构，共6章，章前设概述、特载；章后设大事记略、附录、编后记。志书以详实的资料，鲜明的特点，完备的体例，朴实的文风，客观、系统、科学、真实地记述了政协栾城县委员会的历史与现状，揭示了发展脉络、规律和经验，展示了政协栾城委员会的光辉历程和政协委员们的精神风貌，同时又从不同侧面反映了栾城县建设、发展的全过程，具有鲜明的时代特色和地方特点。

【《石家庄市井陉矿区志》出版发行】 由井陉矿区地方志编纂委员会编纂的首部《石家庄市井陉矿区志》由新华出版社出版发行。该志以井陉矿区现辖行政区域为记述范围，上限始于事物发端，下限止于2003年，按照详近略远的原则，重点记述上世纪初井陉煤矿创立以来，特别是1950年建区以来，井陉矿区自然、政治、经济、文化和社会发展变化的历史与现状，并通过“志补”的方式，对2004～2006年所发生的重大变化和事件等进行了补记。全志文图并茂，除志首设“总述”、“大事记”、“专记”和志尾的“附录”、“编后记”外，共设有31章，总计160万字，附图照数百幅，从不同侧面展现了井陉矿区所具有的悠久历史文化和在中国共产党领导下所发生的翻天覆地的变化，该志由井陉矿区政协主席康贵春任主编，张密廷、李建平任执行主编，全区近150人参与了编修工作，历时五年完成。

【4县市学习交流修志工作】 为学习其它县、市修志工作先进经验，提高行唐县续志编纂质量，3月下旬至4月上旬，行唐县方志办主任张林带领县志主编、副主编先后到新乐市、正定县、栾城县方志办进行学习考察，并分别就如何依靠党委政府推动修志工作、提高编纂质量、体现县（市）域特点亮点、搞好社会调查、处理志稿重复交叉、人物撰写、年鉴编纂、兄弟单位定期交流互动、修志工作面临的共性困难及应对措施等进行了座谈交流。

【召开二轮修志工作汇报暨研讨会】 为进一步贯彻落实河北省地方志工作会议精神，推动石家庄市二轮修志工作的深入开展，6月14日至16日，石家庄市在井陉矿区召开了由各县（市）、区方志（史志）办主任、志书主编参加的二轮修志工作汇报暨研讨会。会议传达学习了4月18日河北省地方志工作会议精神和市委、市政府有关贯彻落实的具体措施与要求；听取了各县（市）、区2007年以来地方志工作特别是二轮修志工作进展情况的汇报，并请井陉矿区介绍了开展修志工作的经验；围绕如何提高新修志书质量这个核心，就如何搞好二轮志书与首轮志书的衔接，如何坚持以人为本加强人文记述，如何记好县（市）、区、乡镇概况和改革开放，如何记好党委的重要决策和政府的施政辑要，以及志书保密等13个问题进行了座谈研讨。

【省方志办领导到石家庄市地方志办公室调研指导工作】 6月19日，河北省地方志办公室主任杨洪进、副主任王广才和副编审任丽英到市地方志办公室调研指导工作。在听取了石家庄市地方志工作汇报后，与市方志办同志进行了座谈。省领导肯定了石家庄市的地方志工作在全省的地位，并对当前地方志工作要持续健康向前发展提出了具体要求。座谈中，杨洪进主任还通报了省方志办2007年以来几项重点工作的进展情况。

【《元氏县志（五志合刊）》出版发行】 在元氏县委、县政府的领导和支持下，元氏县方志办对五部旧志“崇祯志”、“顺治志”、“乾隆志”、

"同治志"和"民国志"加注标点，以规范的现代简化汉字替代原书中的繁体字、古体字、异体字、通假字和废弃字，重新排版，合刊成书。五志合刊广泛请教专家学者，九易其稿，是一部设计精美，图文并茂的合订本志书。该志书记载了战国至民国中期两千多年以来，元氏县的地理、政治、文化、军事、风土人情等方面的历史，是一套完备翔实的历史资料。

【王刚副市长听取地方志工作汇报并提出要求】 8月6日下午，市政府副市长王刚专门听了市方志办关于2007年以来市地方志工作进展情况的汇报。在充分肯定上半年全市地方志工作，特别是市续志、年鉴编纂和县（市）、区二轮修志工作所取得的成绩后，王刚指出，地方志工作是一项艰苦细致的工作，市方志办在组织实施修志编纂工作中，坚持树立质量意识，重视加强修志人员学习培训，认真实行全员工作岗位目标责任制，提高工作质量和效率的做法很好，应当继续抓下去。同时，对市志编修过程遇到的困难和问题，特别是机构改革、政府职能转变、原来的行业主管部门被撤并、资料征集方面出现的一些新情况、新问题，市方志办要作为一个课题进行研究，积极探索在市场经济条件下资料征集工作的新办法、新渠道，以便为下轮修志工作的开展打下一个好的基础。关于县（市）、区二轮修志工作，王刚要求，要严格按照省、市的部署和要求，加快工作进度，确保2010年以前全部完成。对工作进展比较迟缓的县区，要进一步加强督导和调度，使其尽快赶上来。

此外，王刚副市长还详细了解了市地方志经费和人员编制机构设置等方面的情况，对一些具体问题的解决提出了希望和要求。

【第二轮《桥东区志》编纂工作正式启动】 桥东区认真贯彻落实省、市地方志工作会议精神，积极协调，进一步加大工作力度，大力推动区志编纂工作，续志各项前期工作准备就绪，区志编纂工作正式启动。一是对区对方志编纂委员会及时进行了调整，确定了主编、副主编及编辑人员，成立了以区委书记曹社会为名誉主任，区委副书记、区长黄朝庆为主任，以区委、区人大、区政府、区政协有关领导为副主任，区直各单位、部门为成员的编委会。二是在广泛征求意见的基础上，以"两办"文件形式下发了《〈桥东区志〉编纂工作实施方案的通知》、《〈桥东区志〉篇目及责任分解的通知》，明确了续志工作的指导思想、任务、目标，落实了责任。三是8月16日区委、区政府召开第二轮《桥东区志》编纂工作启动大会，对此次修志工作进行了动员部署。

【《栾城年鉴》被编入中国年鉴资源全文数据库】 《栾城年鉴》（2007年卷）正式出版发行，并被编入中国年鉴资源全文数据库。《栾城年鉴》（2007卷）彩图部分分栾城荣誉、经济与社会发展指标、领导视察、优美栾城、和谐栾城、生态栾城、文化栾城、政务之窗、特色教育、经济视野等栏目。内文分特载、专文、大事记、栾城概况、政治、政法、综合经济管理、农村经济、工业经济、医药工业、民营经济、建设环保、交通电力、邮政信息化建设、商贸服务业、财政税收、金融保险、科学技术、教育、文化体育、卫生、社会生活、乡情镇情、文件选编、社会调查、国民经济和社会发展统计资料、便民服务等27个栏目，全书共计72.5万字。

【藁城县旧志汇集本出版发行】 由藁城市地方志办公室整理校正的《藁城县志》（旧志汇集本），近日出版发行。该书为明嘉靖、清康熙、清光绪和民国时期编纂的四种孤本《藁城县志》的重新整理汇集，原则上各代县志原体例不变，仅对之进行句读和校正，以保持其时代特色和地方特色。该书16开本，45万字，古朴典雅。对藁城旧志的研究和利用将发挥重要作用。

【6县（市）、区完成续志初稿】 2007年，石家庄市各县（市）、区在县（市）、区党委政府的领导与支持下，认真学习贯彻《地方志工作条例》和省、市地方志工作会议精神，采取多种措施，加大修志工作力度，加快编纂工作进度。除井陉、矿区新编志书已正式出版、长安区续志通过评审外，栾城、鹿泉、行唐、新乐、裕华、正定等6个县（市）、区已完成续志初稿。

（市方志办）

石家庄年鉴 Education

教　育

教　育

概　述

2007年，农村义务教育经费保障机制各项政策得到了全面落实。石家庄市全年共投入资金2.94亿元，用于农村中小学校公用经费及免除农村义务教育阶段学生杂费，受益学生168.34万人次。落实农村义务教育经费保障机制所需资金中，除中央、省、市资金外，县级免杂费资金应配套2509.6万元，实际配套3355.1万元，超额845.5万元。公用经费县级应配套237万元，实际配套884.2万元，超额647.2万元。认真落实家庭经济困难学生免教科书费和补助寄宿生生活费政策，补助贫困寄宿生264万元，受助学生33.9万人次。建立了中小学校舍维修改造长效机制，落实802万元。维修和建设校舍面积70万平方米。

教育投入有较大幅度增长。2007年，全市财政性教育经费为41.91亿元，比上年的31.04亿元增加10.87亿元。财政支出中教育支出所占比例为21.97%，比上年的20.87%增加了1.10个百分点。县级政府（不含市本级）预算内教育拨款为31.93亿元，比上年的26.22亿元增长21.78%，高于财政经常性收入20.67%的增长幅度；生均预算内教育事业费支出为2316元，比上年的1837元增长26%；生均预算内公用经费支出为254.74元，比上年的217.67元增长17.03%.

城市教育费附加实征1.93亿元，拨付教育1.85亿元，拨付比例为95.8%。城市维护建设税实征3.67亿元，拨付教育2794万元，拨付比例为7.6%。农村税费改革转移支付补助资金全市总额2003年核定数为2亿元，按20%比例拨付教育4040万元，实际拨付4309万元，拨付比例为106.66%。

各项教育事业协调健康发展。学前教育基本普及。新建农村规范化幼儿园200多所，提前两年实现了全市基本普及学前三年教育的目标。义务教育均衡发展进一步推进。中小学布局调整和标准化学校建设进展顺利，全市建立了172个学区，健全县以下教育管理体制，撤并了356所中小学，完成了106所标准化学校建设。高中段教育质量进一步提升。省级示范性高中总数达到40所，优质高中规模达到普通高中规模的50%以上。职业教育进一步得到发展。职业教育全市共招生10.59万人，超额完成省下达的招生任务，中等职业教育与普通高中招生规模实现大体相当。

2007年，全市有幼儿园829所，比上年增加169所，在园幼儿16.6万人，比上年增加1.5万人，教职工7833人（其中专任教师5297人）；特殊教育学校24所，在校生1603人，教职工323人（其中专任教师250人）；小学2152所，比上年减少250所，招生11.9万人，比上年增加1.3万人，在校生64.4万人，比上年减少4.6万人，毕业生14.6万人，比上年减少0.6万人，教职工4.25万人（其中专任教师40259人）；中学592所，招生22.0万人，在校生67.7万人，其中初中44.6万人，普通高中23.1万人，毕业生24.2万人，教职工4.72万人（其中专任教师初中2.82万人，高中1.21万人）；中等职业教育学校209所，比上年增加40所，招生10.6万人，比上年增加2.3万人，在校生25.3万人，比上年增加4.9万人，教职工1.61万人（其中专任教师1.05万人），普通高校 44 所，招生11.0万人，比上年增加1.4万人，在校生 31.7万人，比上年增加4.4万人，毕业生8.6万人，比上年增加1.7万人，其中有地方高校4所，在校生3.93万人，招生1.39万人，毕业生1万人，教职工2946人（其中专任教师1553人）；各类民办学校839所，在校生27万人，专兼职教师1.85万人。

附表：

1.2007 年度《教育法》规定的“两个比例”落实情况统计表

2.2007《教育法》规定的教育投入“三个增长”落实情况统计表

3.2007 年度农村义务教育经费保障机制改革和政府三项教育经费拨付情况统计表

附件 1：

2007 年度《教育法》规定的“两个比例”落实情况统计表

单位：千元

县（市）区	2006			2007			本年比去年增长比例	2006			2007			本年比上年增减
	地方生产总值	国家财政性教育经费	比例	地方生产总值	国家财政性教育经费	比例		财政支出	教育事业费	比例	财政支出	教育事业费	比例	
石家庄市	206387030	3104557	1.50	23933516	4191374	1.75	0.25	12825620	2676108	20.87	15950000	3503991	21.97	1.10
市辖区		520915			670419				368305			377427		
长安区	11694420	141560	1.21	1353308	199208	1.47	0.26	293930	129543	44.07	413730	186524	45.08	1.10
桥东区	5212310	127604	2.45	630037	169813	2.78	0.34	329680	121800	36.94	417380	158336	37.94	0.99
桥西区	12088980	141269	1.17	1375966	177402	1.29	0.12	352910	122374	34.68	390060	155151	39.78	5.10
新华区	8978720	145209	1.62	1046884	198417	1.90	0.28	395330	114840	34.11	435610	183161	42.05	7.94
矿区	1437910	44559	3.10	175965	52998	3.01	−0.09	181930	36523	20.08	226930	43992	19.39	−0.69
裕华区	5343000	132694	2.48	601470	176304	2.93	0.45	364050	116660	32.05	479130	155877	32.53	0.49
井陉县	5874570	91340	1.55	734945	118709	1.62	0.06	347650	84250	24.23	428100	110078	25.71	1.48
正定县	9378800	137793	1.47	1084849	167550	1.54	0.08	444440	131497	29.59	518613	157709	30.41	0.82
栾城县	8483110	111979	1.32	1035763	137536	1.33	0.01	350320	95210	27.18	414430	112733	27.20	0.02
行唐县	4792260	103618	2.16	605044	139900	2.31	0.15	315230	97728	31.00	418720	131236	31.34	0.34
灵寿县	3470300	73546	2.12	418188	68223	2.11	−0.01	287850	67022	23.28	340060	83724	24.62	1.34
高邑县	2890100	43675	1.51	319801	58319	1.82	0.31	162470	41085	25.29	158240	53601	33.87	8.59
深泽县	3037870	46537	1.53	375507	66005	1.76	0.23	202460	43531	21.50	193600	61553	31.79	10.29
赞皇县	2745410	50428	1.84	340087	74844	2.20	0.36	227390	47253	20.78	272550	70716	25.95	5.17
无极县	6879810	109890	1.60	831869	246037	1.76	0.16	322000	108220	33.61	410750	139277	33.91	0.30
平山县	8561250	122218	1.43	1130619	196181	1.77	0.34	651070	101271	15.55	987900	160987	16.30	0.74

附件1：（续表）

县（市）区	2006			2007			本年比去年增长比例	2006			2007			本年比上年增减
	地方生产总值	国家财政性教育经费	比例	地方生产总值	国家财政性教育经费	比例		财政支出	教育事业费	比例	财政支出	教育事业费	比例	
元氏县	6681900	91562	1.37	812181	133847	1.65	0.28	289330	66480	29.89	371680	122449	32.94	3.05
赵县	7047770	113663	1.61	866471	175817	2.03	0.42	344870	108835	31.56	466570	165265	35.42	3.86
开发区	12903000	34065	0.26	15870000	39812	0.03	−0.24	473930	18885	3.98	537960	21862	4.06	0.08
辛集市	14020930	141335	1.01	1693915	216644		0.27	546620	129070	23.61	713770	196449	27.52	3.91
藁城市	17559290	236690	1.234	2119352	265989	1.26	0.02	630540	158602	25.15	751769	198799	26.44	1.29
晋州市	8787260	113462	1.36	1059580	172212	1.63	0.27	381220	113762	29.84	510180	160155	31.39	1.55
新乐市	8402960	99950	1.19	983696	145825	1.48	0.29	357370	82120	22.98	435600	114060	26.18	3.21
鹿泉市	12926840	142996	1.11	1566953	203343	1.30	0.19	548490	131242	23.93	673690	182870	27.14	3.22

附件2：

2007年度《教育法》规定的教育投入“三个增长”落实情况统计表

县（市）区	第一个增长							第二个增长			第三个增长		
	教育事业费（千元）			财政经常性收入（万元）			教育事业费的增长高于财政经常性收入的增长	生均事业费（元）			教育事业费中生均公用经费（元）		
	2006	2007	增长	2006	2007	增长		2006	2007	增长比例	2006	2007	增长比例
石家庄市	2621778	3192841	21.78	477941	576716	20.67	1.11	1837.13	2316.15	26.07	217.67	254.74	17.03
长安区	129323	179177	38.55	26159	30973	18.40	20.15	2644.70	3727.88	40.96	65.40	81.89	25.22
桥东区	121636	154509	27.03	25103	29555	17.73	9.29	3000.41	4238.93	41.28	141.68	188.65	33.15
桥西区	119621	146413	22.40	26727	32446	21.40	1.00	2375.50	2898.18	22.00	115.52	181.10	56.77
新华区	133830	176191	31.65	30462	36438	19.62	12.03	2782.56	2851.13	2.46	242.08	302.54	24.98
矿区	36403	42372	16.40	10713	13524	26.24	−9.84	2725.59	3420.96	25.51	79.29	239.14	201.60
裕华区	114660	145600	26.98	27813	35273	26.82	0.16	2654.93	3014.24	13.53	317.84	319.93	0.66
井陉县	78650	102708	30.59	21141	24062	13.82	16.77	1539.80	2048.26	33.02	63.24	80117	26.78

附件 2:（续表）

县（市）区	第一个增长							第二个增长			第三个增长		
	教育事业费（千元）			财政经常性收入（万元）			教育事业费的增长高于财政经常性收入的增长	生均事业费（元）			教育事业费中生均公用经费（元）		
	2006	2007	增长	2006	2007	增长		2006	2007	增长比例	2006	2007	增长比例
正定县	127034	145922	14.87	22995	26403	14.82	0.05	1978.41	2348.96	18.73	198.10	356.38	79.90
栾城县	88710	99293	11.93	17256	20167	16.87	−4.94	1490.70	1868.97	25.38	68.66	87.68	27.69
行唐县	88943	112030	25.96	7416	9444	27.35	−1.39	1636.55	2123.91	29.78	92.77	128.67	38.70
灵寿县	60877	71369	17.23	7576	8583	13.29	3.94	1282.70	1638.67	27.75	90.39	135.35	49.74
高邑县	37575	46600	24.02	6450	7136	10.64	13.38	1619.89	2186.36	34.97	62.47	149.48	139.29
深泽县	40176	52423	30.48	7632	8954	17.32	13.16	1271.15	1608.31	26.52	69.80	124.59	78.50
赞皇县	43998	61671	40.17	7371	8365	13.49	26.68	1331.34	1963.73	47.50	112.50	234.01	108.00
无极县	102262	126834	24.03	13053	15325	17.41	6.62	1841.60	2441.46	32.57	81.60	146.83	79.95
平山县	95971	147727	53.93	27427	40694	48.37	5.56	1489.15	2383.12	60.03	94.96	193.15	103.39
元氏县	79506	103161	29.75	12073	14395	19.23	10.52	1366.79	1802.50	31.88	56.08	117.14	108.89
赵县	102072	138876	36.06	11323	13003	14.84	21.22	891.75	1286.76	44.30	43.68	76.76	75.73
开发区	18885	21120	11.83	37588	40271	7.14	4.70	4084.13	4524.42	10.78	775.74	642.25	−17.21
辛集市	124820	174785	40.03	3100	37659	20.32	19.71	1264.14	1831.61	44.89	85.47	132.72	55.29
藁城市	151182	166972	10.44	29059	34801	19.76	−9.32	1257.13	1545.65	22.95	113.87	124.28	9.15
晋州市	107454	139145	28.89	17389	20851	19.91	8.98	1364.88	1712.03	25.43	157.19	159.40	1.40
新乐市	76371	93787	22.80	15744	16742	6.34	16.47	1105.13	1447.70	31.00	84.31	131.33	55.78
鹿泉市	127561	166730	30.71	38171	51652	35.32	−4.61	1848.50	2461.47	33.16	94.05	108.20	15.05

附件3：

2007年度农村义务教育经费保障机制改革和政府三项教育经费拨付情况统计表

单位：万元

县（市）区	免杂费资金		补助公用经费资金		校舍维修改造资金	补助贫困寄宿生生活费资金	教育费附加			城建税			农税改革转移支付资金	
	应拨数	实拨数	应拨数	实拨数			增值税营业税消费税总额	实征数	拨付数	实征数	拨付数	比例	应拨数	实拨数
长安区	26.4	145	2.6	2.6	0	0	129100	604	604	1481	118	7.9	41.8	41.8
桥东区	8.5	13.2	0.7	43	12.2	0	85842	698	698	1563	156.3	10	26.2	39.2
桥西区	15.9	134	1.5	1.5	5	0.2	244075	1199	1200	2024	146	7.2	29.2	29.2
新华区	17.5	281	1.6	111	0	0	88022	1043	1043	2423	170	7	37	37.1
裕华区	38.9	38.9	3.8	3.8	150	0	101545	785	785	2134	172	8.1	95.4	349
矿区	9	131	1	64	50	1.1	23639	698	698	1642	115	7	13	13
开发区	7.4	34	0.8	8.3	0	0	83549	2011	1795	4687	300	6.4	4.6	4.6
井陉县	135	179	13	114	20	10	33109	490	490	1165	81	7	222.6	223
鹿泉市	141	210	13	15	10	5.3	61904	1592	1592	2160	173	8	118.4	118.4
正定县	168	168	16	16	30	13.5	24932	755	755	1209	85	7	117.4	120
栾城县	156	156	15	147	20	4.3	19856	609	609	898	64	7.1	89	89
辛集市	237	237	23	23	50	11	39433	1183	1183	2348	165	7	223.8	223.8
晋州市	129	160	12	12	33	10	26524	585	600	1293	100	7.7	224	224
深泽县	64	64	6	76	20	2	8170	203	203	174	12.3	7.1	134.2	134.4
无极县	125	125	12	12	0	3	19040	222	222	428	30	7	260.6	260
藁城市	342	342	30	30	30	20	50931	2189	1583	4000	400	10	215.8	215.8
赵　县	196	196	19	49	50	35	14083	345	345	591	42	7.1	420.2	420
新乐市	114	114	11	11	30	12.3	20141	374	374	663	46.4	7	291.2	291.2
高邑县	44	44	4	4	0	4	8505	218	218	301	21	7	98.4	98.4
元氏县	127	127	12	102	0	10.3	13900	417	417	585	39	6.7	165.2	165

附件3：（续表）

县（市）区	免杂费资金		补助公用经费资金		校舍维修改造资金	补助贫困寄宿生生活费资金	教育费附加			城建税			农税改革转移支付资金	
	应拨数	实拨数	应拨数	实拨数			增值税营业税消费税总额	实征数	拨付数	实征数	拨付数	比例	应拨数	实拨数
赞皇县	68	68	7	7	7.3	4	10810	149	149	159	11	7	170.8	170.8
平山县	125	173	12	12	0	108	96003	2510	2510	4145	295	7.1	415	415
灵寿县	96	96	9	9	20	4	11281	160	160	190	13.3	7	324	324
行唐县	119	119	11	11	20	6	9308	279	279	480	38.4	8	302.2	302.2
合计	2509.6	3355.1	237	884.2	557.5	264	1223702	19318	18512	36743	2793.7	7.6	4040	4308.9

基础教育

【概况】 2007年，以义务教育均衡发展为重点的基础教育继续发展。一是义务教育均衡发展取得突破。健全了学区管理体制，全市建立了172个学区，完成了365所中小学撤并和106所标准化学校建设，市政府为民办40件实事中的45所标准化学校建设任务将超额完成；建立并启动了区域内教师流动机制，完成了符合流动条件5%的教师流动任务目标；创新了市区1+2学校联合体管理模式，学校管理水平和办学质量不断提高。二是加强示范性高中建设，省级示范性高中总数达到40所，不断满足了人民群众对优质高中的迫切需要。三是积极发展学前教育和特殊教育。建设规范化幼儿园200多所，创建省级示范性幼儿园5所，赞皇、平山、灵寿、行唐四县和裕华区、桥西区通过省教育厅验收。

【推动学前三年教育普及工作】 2007年，主要采取四个方面措施：一是召开调度会，明确目标、任务。二是组织人员对四个贫困县普及学前三年教育工作进行过程性督导。三是安排市内四区与四县对口帮扶，重点加强对幼儿教师的岗位职业技能培训，以及补充幼儿园玩教具等必备的设备，改善办园条件。四是组织4个县学区校长到深泽、新乐参观考察推进农村规范化幼儿园建设工作。年底，4个贫困县顺利通过省教育厅"普三"达标验收，全市提前两年实现基本普及学前三年教育规划目标。

【有序推进义务教育均衡发展】 2007年，石家庄市政府制定了《石家庄市义务教育均衡发展实施方案》和《2007年推进义务教育均衡发展安排意见》，着力抓好教育资源的优化配置，切实抓好农村学校、薄弱学校的建设，努力缩小城乡之间、区域之间、学校之间的差距，逐步实现区域内各学校的办学条件、经费投入、教师队伍配置基本均衡。5月，全市推进义务教育均衡发展现场会在桥西区和井陉县召开，10月份，全省义务教育均衡发展现场会在石家庄市召开，桥西区"一托二"捆绑式推进城市和城郊学校均衡发展以及井陉县加大布局调整力度推进均衡发展的做法和经验在全省推广。推进乡(镇)中心校(总校)转变为学区中心校的管理改革，完善以县为主，县级教育行政部门、学区中心校和学校三级管理的县域管理新体制，并以学区管理体制改革带动中小学布局调整和标准化学校建设工作。全市172个学区已全部建设到位。

【初中招生入学工作】 针对以往招生工作中出现的问题，和石家庄市外来人员多的实际情况，教育局制定下发了《关于做好2007年初中招生工作的通知》，精心组织，周密安排，加强管理，严肃招生纪律，实行均衡分班，彻底清理重点班、实验班，实行计算机编班，受到社会各界的好评。外来人员子女入学工作，符合入学条件的和市民同等对待，该做法和经验得到省委、省政府充分肯定，《光明日报》等国家级新闻媒体对此进行了报道。全国人大教科文卫委员会、教育部对此做法进行专题调研，在全国推广。农村地区(含县城)改制学校，从2007年秋季起不再按改制政策招生，执行划片招生、免试入学的义务教育招生政策。

【提高特殊教育干部素质普及特殊教育达标】 2007年12月，裕华区、桥西区接受省教育厅达标验收，全市实现“普特”工作目标。组织各特教学校20多名特教干部参加河北省特教干部培训班，提高特教学校干部政治理论水平和业务素质。参加河北省第一届特殊教育教师基本功大赛，全市12名特教教师参赛并获奖，其中一等奖2个，二等奖1个，三等奖9个。

【探索高中教育新思路】 改革中考招生政策，制定下发了《关于做好2007年中考招生工作的意见》，将素质教育和均衡发展纳入中考招生工作，将省级示范性高中公助生计划50%指标分配到各初中学校。探索多层次、全方位的育人模式，批准石家庄二中举办“清华大学美术学院生源基地实验学校”，石家庄十五中举办“飞行员早期培训基地预备班”，市一中、辛集中学、十五中、二十四中国防生生源基地获得省教育厅和省军区批准。

【加强信息技术教育和科技创新教育】 继续组织实施好中小学现代远程教育工程及应用培训工作，组织培训2期，1500人次参加，完善市、县、校三级培训体系，实现优质教育资源共享。23个县（市）、区已建成远程教育培训中心。组织开展“石家庄市第七届中小学探索者创新大赛”，培养广大中小学师生的创新意识和创新能力。全市共有875所中小学的1.08万名学生参加了中小学计算机软件制作活动，提交作品1万余件。

【德育工作扎实有效】 年内，承办全国弘扬中华传统美德教育现场会。全市有70余所学校参加了弘扬中华传统美德实验课题研究。有31名个人被评为先进工作者，21个单位被评为先进单位，110余篇论文获奖。成立了石家庄市未成年人心理维护中心，建立了三级服务网络。该中心设立了全国一流的功能室，即一网一刊二话八室。同时建立了县市（区）级服务中心26个，三级服务中心100个。继续抓好德育课题研究工作，实施“20111工程”。向教师推荐专著《帕夫雷什中学》，收集论文1200篇，向教育部心理健康专家委员会推荐100篇优秀论文。深入开展“五小”公民道德实践活动。全市有千所学校万名学生参加了各种社会实践活动。以文明礼仪教育为重点，加强学生的基本道德规范和养成教育。以“迎奥运、讲文明、树新风”为主题，开展系列教育活动，培养师生文明素质。

【师生竞赛成绩斐然】 石家庄二中学生杨乐获39届国际化学奥赛金牌，陈述获亚洲物理奥赛金牌；在全国生物联赛中，石家庄市有14人获全国一等奖，占全省56%，22人获二等奖；全国数学联赛石市有22人获全国一等奖，占全省68.8%，94人获全国二等奖；全国物理联赛有29人获一等奖，占全省63%，其中5人参加全国决赛；全国化学联赛石市有25人获全国一等奖，占全省73.5%，56人获二等奖；4人获全国劳动技术竞赛一等奖，12人获二等奖。石家庄市第一中学学生王凯，荣获中央电视台三星智力快乐2006年度总冠军。在全国教学年会、教学艺术大赛等评比中，小学共有16名教师获全国一等奖，2名获二等奖；全省评优课、课例教案评选中，有21名教师获省一等奖，13名获二等奖；在全省中小学教师音乐技能大赛中，8名教师获全能一等奖，12名获单项一等奖；在全国初高中学科教学评优课中，7名教师获一等奖，3名获二等奖；在省初高中学科评优课中，31名教师获一等奖。

【启动“校园文化主题年”活动】 石家庄市从2007年始，3年内全市各中小学将开展“校园文化主题年”系列活动，这项活动将以“十个一”为载体，即制定一个“校园文化建设”发展规划，形成一套完善的学校管理制度，开展一次绿化美化校园活动，举办一次校园文化艺术节，组织一场运动会或体育单项竞赛，组织一场创新实践大赛活动，开展一次经典古诗文、美文的诵读活动，开展一次法制讲座或模拟法庭活动，组织一场心理健康咨询活动，组织一场校园文化进乡村、进社区演出活动。

【国际教育基地和中美教师专业发展中心挂牌】 2007年7月5日，联合国教科文组织亚太国际教育与价值教育联合会，在石家庄市第24中学举行国际教育基地和中美教师专业发展中心授牌仪式。国际教育基地和中美教师专业发展中心，将在国际课程设置与开发、教育教学方法改革、教育目标及教育理念更新、师生间交流、教师的专业发展、学校管理与学校行政领导力等方面，与美国等发达国家的教育机构、学校及大学科研部门进行多方位的交流与合作，共同培训学校的管理人员和专业教师队伍，双方将交流学生和教师，共同就基础教育阶段国际教育比较开展探索和研究工作。

中等专业教育

【概况】 2007年，石家庄市有中等职业学校209所，比上年增加40所，招生10.6万人，比上年增加2.3万人，在校生25.3万人，增加4.9万人，教职工1.61万人，其中专任教师1.05万人。

【市卫校不断提升办学质量】 石家庄卫生学校是教育部首批认定的国家级重点中等职业学校。2007年，完成省职教科研立项 12项，省“十一五”规划课题1项。5名教师被卫生部选定为全国“十一五”规划统编教材主编、副主编。教师撰写论著8部，发表省级以上论文12篇，其中两篇在中央教科所组织的论文评比中获一等奖。2007年，学校内部管理体制实行“教管合一”，成立护理专业部、临床专业部、医学技术专业部、体育教育部，在培训处基础上组建石家庄市卫生职业培训基地。为全省各级医疗卫生机构培养了2万余名中初级专业技术人才。

【推进工学结合的培养模式】 石家庄市城乡建设学校以质量立校，以特色专业、特色教育、特色管理的特色化办学模式求发展。坚持以就业为导向，加强学生实践能力的培养，完善了各专业“2+1”课程体系，改革了岗前培训模式和内容，由原来按专业进行培训改为按就业方向培训。除强化了以学生抹灰、砌筑技能比赛为载体的课程实训外，精心组织岗前强化训练，拓宽毕业生出口，很好的解决了毕业生的就业问题，促进招生——教育——就业良性循环。隶属石家庄市城乡建设学校的石家庄市城乡建设培训中心，是一所培养建设类人才的专业培训机构，具有建设部A类二级和B类一级培训机构资质。常年举办建筑业、房地产业预算（造价）员、施工员、质检员、安全员、测量员、物业管理部门经理、房地产估价员等岗位培训，经考试合格由省建设厅颁发相应岗位从业资格证书。举办各种执业资格考前培训（造价工程师、监理工程师、一级建造师、二级建造师、房地产估价师等）、职业技能培训以及建设行业所需的专门培训。

【女能手大专班在市农校开班】 2007年11月，由石家庄市妇联、河北农业大学、石家庄农业学校联合举办的第二期河北省女能手大专班在石家庄农业学校开班，这是石家庄市开办的第一期专门针对农村妇代会主任的大专证书班，主要以农村女能手为教育对象。此班共有50名学员，学期一年半，采取学校面授和业余学习、实践学习相结合的方式，系统学习农业经济管理专业知识。

【市艺校获国家及省市大奖】 2007年，市艺校校长王刚参与创作的歌曲《西柏坡，我是你的读者》获中宣部精神文明建设“五个一工程奖”；戏曲专业学生白梦飞在第十一届中国少儿戏曲小梅花荟萃活动中荣获金奖并获得全国“十佳”小梅花称号；副校长刘治宗创作的舞蹈《走山梁》入围全国舞蹈专业最高奖“荷花奖”决赛，这是河北省首次入围这一奖项；“红组合”和“星星岛组合”在河北省音乐金钟奖首届流行音乐大赛中分别获得金奖和铜奖，并入围在宁波举行的全国总决赛。

【体育比赛创佳绩】 2007年，石家庄市体育运动学校的7个竞赛项目13支运动队，参加了河北省年度比赛，共获金牌43枚，总分1267分。其中拳击队、女子举重队、男女跆拳道队获金牌总分第一名。2007年世界田径锦标赛上，该校输送的学生李梅菊、巩立姣分别获得女子铅球第六名和第七名。2007年全国田径锦标赛上，巩立姣获得女子铅球冠军，李梅菊获得女子铅球第三名。2007年世界女子摔跤团体赛上，该校输送的学生任雪层获得冠军。

高等教育

【概况】 2007 年，石家庄地方高校有石家庄学院、石家庄职业技术学院、石家庄信息工程职业学院、石家庄科技工程职业学院 4 所。有在校生 3.93 万人，招生 1.39 万人，毕业生 1.00 万人，教职工 2946 人，其中专任教师 1553 人。

齐心协力办专场洽谈，就业工作创薪新局面

【石家庄职业技术学院被确定为省级示范性高职院校】 2007 年，石家庄职业技术学院（原石家庄大学）创建于 1984 年，是经国家教育部批准、石家庄市人民政府主办的一所全日制普通高等院校，是教育部、信息产业部、建设部确定的计算机应用与软件技术、工业与民用建筑专业领域技能型紧缺人才培养基地。学院以全日制高职教育为主体，多种办学形式并存，以特色骨干专业为重点，工、经、管、法、文、艺多专业协调发展。学院现设有六大类 44 个专业，其中 1 个专业为省级示范专业，5 个专业为省级教学改革试点专业。在校生万余人，成人教育本专科在籍生人数达 1.2 万人。2007 年毕业生就业率达 90% 以上。2007 年 5 月 16 日，石家庄职业技术学院与英国布莱顿霍夫城市学院缔结友好学校，举行了签字仪式。2007 年 6 月，该院教师吴英绵获得“河北省高等学校教学名师奖”；8 月，又获得全国“第三届高等学校教学名师奖”。学院形成了以博士、硕士和双师型教师为主的骨干教师队伍。2007 年学院被确定为河北省重点建设的示范性高职院校。

【石家庄学院办学条件进一步增强】 2007 年，石家庄学院完成了 790 万元的实验室、办公设备招标采购、58 万元的教学设备维修及 36 万元的实验室布局改造工作。新建物理、化学、经管、美术、计算机等实验室 11 个，扩建实验室 13 个。学院物理实验中心被河北省教育厅批准为省级实验教学示范中心，这是河北省近几年新升本科院校中，唯一一个省级实验教学示范中心。

石家庄学院外景

【石家庄科技工程职业学院挂牌】 2007 年，石家庄科技工程职业学院正式挂牌。石家庄科技工程职业学院隶属于石家庄市政府，原校“石家庄学院正定分院”。2007 年经省政府批准，改建为“石家庄科技工程职业学院”，实施专科层次的高等职业技术教育。学院占地面积 20 万平方米，建筑面积 8.6 万平方米，主要建筑有多功能图书馆、两栋教学楼、体育馆、艺术楼、实验楼、礼堂、学生宿舍楼群、餐厅。图书馆面积 1.9 万平方米，藏书 20 多万册，报刊 360 多种，实行计算机借阅、计算机检索的现代化管理。学院局域网通过宽带光缆与国际互联网连接。学院现有教职工 229 名，专兼职教师 176 名。其中，副高级以上职称教师 70 名，研究生 13 名，脱产在读硕士生 5 名，具有研究生学历或硕士学位、研究生班结业者共 41 名，双师型教师 21 名。授课教师本科学历达 100%。在校学生 3519 人，其中，高中起点三年制大专1730人；初中起点五年制大专729人；初中起点三年制中专1060人。学院分别进行高中起点三年制大专、初中起点五年制大专、初中起点三年制中专教育，开办专业共计26个。

【科研成果与立项】 2007年，石家庄学院申报课题总数达134项，其中获准市级以上纵向课题立项为57项，引进横向课题8项，引进纵向横向科研经费68.55万元。出版著作、教材50部，获得专利2项，发表论文726篇，其中被SCI、EI、ISTP三大检索收录论文26篇，被中文核心期刊收录254篇。48项成果分获河北省、石家庄市社科优秀成果奖、河北省教育科学研究优秀成果奖等奖励。学院科研处荣获石家庄市社科工作先进单位称号。

【师资队伍建设】 2007年，石家庄学院共引进高层次人才70 人，其中博士12人，硕士53人，本科5 人。新聘外籍教师4人。同时积极鼓励教师进修深造，共有3人考取博士研究生，6人考取硕士研究生，其中2人到国外攻读硕士，选派36人到国内重点大学作访问学者，2名优秀骨干教师到国外一流大学访学。

【石家庄职业技术学院教师获得全国高等学校教学名师奖】 2007年8月，石家庄职业 技术学院教师吴英绵在全国第三届高等学校教学名师奖评选活动中，被授予“第三届高等学校教学名师奖”。吴英绵教授是河北省第三位全国高校教学名师，也是河北省首位从高职院校中走出的教学名师。她是石家庄市职业技术学院化学工程系教授，1987年以来，一直为化工制药类学生讲授专业基础课和专业课。

职业教育　成人教育

【概况】 2007年，职业教育办学规模不断扩大，办学实力进一步增强。全市各级各类中等职业学校教育完成招生10.59万人，超额完成省下达的8.9万人的招生计划，圆满完成连续3年扩招任务，在校生达到25.25万人，实现了中等职业教育与普通高中招生规模大体相当。完成职教中心数控专业实训基地扩建工作，19个实训基地列入省级实训基地建设项目，1个列入国家级实训基地建设项目，完成了1000名“双师型”教师培训，“双师型”教师比例提高到了40%，中等职业教育的基础能力不断提高；开展了“职业教育质量年”活动，实施学分制度试点，教育质量不断提高。完成农村实用技术培训、成人继续教育和再就业培训65万人次。石家庄学院正定分院转型升格为高职院校，优化了职业教育结构。举办了亚太地区职教成果展，提高了石家庄市职业教育的知名度。

【改革办学模式】 2007年，石家庄市职业学校加大了合作办学力度，提高了招收校企“订单”培养生比例；与发达城市的名牌学校合作，采取了“1+2、2+1、1+1+1”等模式，由对方学校负责安排学生在当地的知名企业就业。部分职业学校采取工学交替、半工半读等形式，增强了招生的吸引力．在招生方式上采取招生部门招生和学校自主招生相结合的方式；在招生对象上扩大生源范围，面向高中毕业生、退役士兵等，学制1～1.5年，毕业后推荐就业。2007年，各级各类中等职业学校招生9.82万人，其中招收初中毕业生8.34万人，招收高中毕业生1.48万人，圆满完成了省教育厅给石家庄市下达的招生任务。

【加大宣传力度】 2007年，石家庄市教育局利用各种媒体大力宣传职业教育。一是编辑《职业教育招生专刊》6万册，免费发放到初中毕业生手中。二是在新闻媒体刊登职业学校招生公告。三是与市交通信息台合作，开辟“石家庄职业教育指南”专题广播节目，分专题介绍石家庄市职业教育的发展情况，引导初中毕业生根据自身的优势，理智选择高中阶段的学校，并开通热线电话，现场解答家长、学生提出的有关问题。

【做好国家助学金发放工作】 2007年，全市职业学校在校学生中的农村户口学生和城市贫困家庭学生都可享受每人1500元的助学资助金。为了做好此项工作，石家庄市教育局对06级在校生和07级新生进行了详细的统计，并对受助资格进行了严格的审查，确保符合条件的学生全部受到资助。

【实施“四大工程”】 1. 实施“技能型人才培养工程”，加快技能型紧缺人才的培养。2007年，紧缺人才所涉及到的专业招生数量4.62万人，占教育系统招生总数的70%以上。2. 实施“农村劳动力转移培训工程”，为建设社会主义新农村服务。以用工量大的建筑、餐饮、酒店、家政等行业为重点，大力开展“订单”培训，全年完成农村劳动力转移培训15万人次。3. 实施“农村实用技术培训工程”。2007年培训已达到40万人次。4. 实施“成人继续教育和再就业培训工程”，有近一半的职业学校和成人学校开展了面向成人的继续教育和下岗职工的再就业培训，全年培训10万余人次。全市职业与成人学校全年开展各类短期培训已达65万人次。

【推进“五项计划”】 1. 制定了《石家庄市“十一五”期间县级职教中心建设计划》，要求每个县（市）重点建设好一所高水平的职教中心。2. 制定了《石家庄市“十一五”期间中等职业教育实训基地建设计划》。全市有19所职业学校进行了申报，力争建成1个国家级、4至5个省级实训基地。3. 制定了《石家庄市“十一五”期间示范性中等职业学校建设计划》。2007年，晋州职中和矿区职教中心申报了省级重点学校，井陉职教中心申报了国家级重点学校，三所学校均接受了省专家评估组的检查验收。4. 制定了《石家庄市教育局“十一五”期间中等职业学校教师素质提高计划》。全市认定了10所市级职业教育师资培训基地，开展了数控、旅游服务、电子电工等10个专业的教师培训，对全市近600名教师进行了“双师型”和“转型”教师培训。并组织了200名教师参加职业学校教师英语、班主任、创业3个项目的教师培训。5. 实施规范化乡镇成人学校建设计划。在平山职教中心召开了现场会；制定了《市级示范性乡镇成人学校建设标准》；确定了在全市创建40所示范性乡镇成人学校的目标。

【全国职业技能大赛】 2007年，石家庄市一职专、二职专、三职专、市职教中心、市旅游学校、鹿泉职教中心6所学校的师生代表队，代表河北省参加全国职业学校师生技能大赛。在汽车运用与维修、电子电工、服装设计与制作等5个专业8个项目的比赛中，取得了团体及个人2个一等奖、3个二等奖、5个三等奖、3个优秀奖的优异成绩。

【评定示范性中职学校15所】 “十一五”期间，石家庄市通过创建示范性中等职业学校，迅速提升中等职业教育的整体水平。2007年评定示范性学校15所。石家庄市教育局要求，市级示范性中等职业学校的评定工作每年进行一次。各学校将争创市级示范性中等职业学校的工作纳入发展规划和年度考核目标中，确保提前纳入市级示范性中等职业学校队伍。

特殊教育

【概况】 2007年，石家庄市特殊教育取得长足进步，市特教学校设备更新升级，建成了校园局域网，开办了职业初中、特教高中、职业中专班，学校在文艺、体育方面获得多个奖项，被国家教育部、人事部授予“全国教育系统先进单位”称号。藁城市特教学校加强基础建设，为学生提供了更好的学习和生活空间；晋州市特教学校注重开设职业技术教育课程，使之成为学校的办学特色。

【注重学生全面发展】 石家庄市特殊教育学校坚持以人为本，以提高聋生素质和培养其自立于社会的能力为目标，注重学生全面发展。2007年2月，舞蹈《飞翔》在教育部组织的全国第二届中小学生艺术展演活动中，获艺术表演类节目一等奖。舞蹈队两名学生入选中国残疾人艺术团，随团到世界各地演出。在全国第六届残疾人运动会中，学生张菲菲荣获女子t60组田径比赛800米第四名。在河北省第六届残疾人运动会中，校篮球队代表石家庄市参赛，获聋人篮球第二名；学生张菲菲，获1500米第一名、t60级800米第二名；杜佩瑜获女子标枪和铅球第五名。学生高亮亮、李石亮、董志方等十余名队员入选河北省聋人篮球队，参加了全国第六届、第七届残疾人运动会。学生蔡丽丽、张雪同学被借调到中残联艺术团，随该团参加在世界各地的巡演。学生李娜、任路曼、吕雪娇、杜玉婷的事迹被拍成电视专题片在河北电视台播出。

【特教学校有特色】 晋州市特殊教育学校始建于1988年4月，学校占地6000平方米，建筑面积2455平方米。学校环境幽雅，花草繁茂，树木成荫。2007年有教学班7个，学生66名。其中2个聋哑初中班，学生16名；小学5个班，学生50名，其中聋生17名，培智生33名。教师22名，教师学历达标率100%。以“培养学生自食其力的能力”为目标，注重在高年级开设职业技术教育课程，努力使学生掌握一技之长，使职业教育成为学校的办学特色。5月17日该校邀请市直部门到校参加“全国助残日”活动。全市29个单位的领导来校参加了助残活动，共为学生捐款8800元。9月，该校聋生表演的舞蹈节目《苗歌》参加了“石家庄市第三届残疾人艺术汇演”获舞蹈类二等奖。

【注重艺术教育】 藁城市特殊教育学校是一所九年一贯制国办学校。学校教育教学设施齐全，有计算机室、多媒体室、律动室、劳技室、图书阅览室、远程教育系列教室等十多个专用教室，办学条件达到了省定特殊教育学校办校标准。2007年，学校投资20余万元加强学校基础建设和购置教学设备设施，改建了餐厅、语训室、培训室、律动室和学生宿舍，为学生提供了安全、卫生、舒适的学习生活环境。在河北省举办的2007年特殊教育教学基本功大赛的预赛中，藁城市特殊教育学校教师获得4个一等奖和1个二等奖；在决赛中获得1个二等奖、3个三等奖。在石家庄市中小学生艺术节书画大赛中，该校有4名学生获奖。在石家庄市第三届残疾人艺术汇演中，该校创编的舞蹈《荷塘月色》获二等奖。

（周占海　陈锦栋　张佳音）

文　化

文　化

专业文化

【概况】 2007年，石家庄文化事业紧紧围绕贯彻《石家庄市文化建设五年规划》，认真履行职责，以改革和创业的精神继续完善工作思路，取得了可观的业绩。围绕石家庄解放60周年纪念活动，成功组织举办了"进京美展"、《放歌石家庄》大型主题晚会和历史剧目创排演出三项重点活动，受到领导和社会的广泛好评。一批艺术精品剧目（作品）获奖，其中歌曲《西柏坡，我是你的读者》获全国"五个一工程"奖，河北梆子《石门风萧萧》、评剧《月嫂》荣获河北省文艺振兴奖。在文化市场管理方面进行了许多有益探索，受到了文化部和省文化厅领导的多次表扬和充分肯定，市文化局被中宣部等七部委授予全国"扫黄打非"办案有功集体荣誉称号，这是全国唯一以文化局名义受到表彰的先进集体。非物质文化遗产保护工作取得显著成效，刘秀荣、靳景祥等6人被命名为第一批国家级非物质文化遗产项目代表性传承人。由于活动组织充分、丰富，市文化局被文化部授予"文化遗产日奖"，石家庄市成为全省获此殊荣的唯一城市。

【着力构建公共文化服务网络】 2007年，在城区着眼打造学习型城市，努力完善市、区、社区三级文化服务网络；在农村，着力建设县图书馆、文化馆，乡镇综合文化站和村文化活动室三级文化服务网络。研究制定了《石家庄市乡镇综合文化站建设"十一五"规划》，全市新建"村民中心"、文明生态村文化室、图书室和文体活动广场359个、文化大院213个。新建"文化信息资源共享工程"农村基层中心和网点25个，并全部实现了与省和国家中心的联网；印发了《关于做好全市农村电影工作的意见》，为乡镇文化站购置电影放映设备22套，推动了全市农村电影工作的繁荣和发展。新乐市电影公司被文化部授予"全国先进电影公司"称号，这是全省获此荣誉的唯一县（市）级电影公司。市群艺馆和辛集市、井陉县文化馆被评为国家一级馆，另有3个县（市）文化馆被评为国家二级馆，9个县（市）文化馆被评为国家三级馆，石家庄市的国家等级文化馆总数位居全省第一。

【提高文化服务质量】 把公益性文化单位作为公共文化服务的主阵地和主力军，充分发挥其引领和示范作用，带动城乡文化活动的广泛开展。市图书馆在改扩建期间，采取异地借阅和流动服务车进社区、进校园等措施，实行了延伸服务和无间断服务。全年各级公共图书馆共接待读者85万人次；市博物馆举办各类陈列展览15个，接待观众5万人次；市群艺馆组织举办各类群众文艺活动70多项，城乡群众参与人数达到百万余人次。各县（市）区文化馆、图书馆克服困难，深入基层，开展文艺培训、文艺调演、艺术展览等多种活动，最大限度地满足了城乡人民的文化需求。

【扩大公共文化服务覆盖面】 2007年，组织开展了群众舞蹈"千人大比舞"、"优秀剧目进社区，好戏送到家门口"、"万场电影进农村、千场演出进社区"等系列文化活动，受到基层群众的热烈欢迎。一年中，共组织举办大型文艺演出1100场，放映电影14000多场，市直各院团在城乡共演出932场。最大限度满足民生文化需求，让不同群体共享文化发展成果。

【注重精品生产】 2007年，在丰富和繁荣城乡舞台的同时，着眼于精品创作，推出了一批文艺力作和舞台精品。市直专业艺术院团和广大文艺工作者深入生活、深入实际，创排和完成了河北梆子《石门风萧萧》、京剧《华阳公主》、广播电视剧剧本《月嫂》、大型美术作品《翠山流云处》等一批精品力作。组织举办的2007年春节文艺晚会，取得圆满成功；大型主题文艺晚会《放歌石家庄》，作为“纪念石家庄解放60周年”活动的重头戏，抽调文化系统精干力量全力投入，经过近半年的艰苦努力，演出获得巨大成功，把活动推向了高潮；经过一年多的筹备和紧张创排，河北梆子《石门风萧萧》在“纪念石家庄解放60周年”之际成功上演，广获好评。与此同时，积极组织参加各项大型赛事活动并取得优异成绩，展示和检验了全市的文化成果。刘秀荣获上海白玉兰戏剧表演艺术奖主角奖；市艺校学生白梦飞荣获全国“小梅花”金奖并获得全国“十佳”小梅花称号；靳玲展荣获“中国戏曲红梅荟萃”大赛中国戏曲红梅之星奖第一名；李淑荣、刘治宗等创作的舞蹈《走山梁》入围荷花杯全国舞蹈比赛决赛，这是河北省首次入围这一赛事；市艺校红组合和星星岛组合在河北省音乐金钟奖首届流行音乐大赛中分获金奖和铜奖，并入围全国总决赛。

【大力实施“文化环保工程”】 深入开展反盗版行动、电子游戏专项整治、娱乐演出场所净化和网吧市场管理等工作，规范和净化了文化市场。全年共破获音像大案4起，查缴盗版音像制品60多万张；查处非法电子游戏厅40多家，收缴非法电子游戏机540多台，电路板2000余块，并进行了公开销毁；查处违规网吧176家，停业整顿24家，吊销网络经营许可证1家。在此基础上，开展了“异地交叉执法”，取得良好效果，受到省文化厅表扬，并作为经验在全省推广。同时，注重对文化市场的整体把握和宏观管理，将歌舞娱乐等审批权下放到县(市)区，既调动了县(市)区的积极性，也从客观上搞活了文化市场。在强化监管的同时，不断推动网吧、演艺娱乐等行业向规模化、档次化和品牌化方向发展。朗易等12家网吧入围“2007中国网吧行业200强”。通过树立和扶持正面典型，带动了网吧行业的健康发展。

【打造和培育文化活动品牌】 策划了“一月一名剧”演出，受到广大市民的赞许，这种政府补贴、市场运作、平民票价的运作方式和以石家庄市专业剧团为班底，名家担纲主演的组织方式，正在逐步打破戏曲市场低迷的局面，打造了自己的演艺品牌；“彩色周末”作为石家庄市文化活动的“老牌子”，经过不断革新和精心打造，已经形成了大型活动与中小型活动穿插进行，高雅艺术与民间艺术结合，专业演员与业余演员同台献艺，各级领导与普通百姓同乐的良好局面。先后组织开展了“新农村、新农民、新风采”群众文艺创作演出等大型活动10余项，社区活动千余场；为纪念周恩来总理为丝弦剧团题词50周年和丝弦剧团建团60周年，市丝弦剧团在市内剧场及广场举行了为期两个月的专场演出；会同有关部门组织举办了市第二届国际动漫节，有效活跃了市民假日文化生活。

【深入挖掘城市历史文化底蕴】 在对市区和1+4组团所涉区域154处历史文化遗存调查的基础上，进一步完善了《石家庄都市区历史文化遗存调查评价与保护研究》(城市紫线划定)课题，并依此谋划了依托民生路、电报局街等老街区建设历史文化街区的工作；抓住企业“退市进县”的机遇，积极开展重点工业遗存调查工作，着手建立了工业遗存档案库；启动了石家庄市第三次全国文物普查的准备工作、大遗址保护规划的编制工作；进行了历史文化村镇和优秀乡土建筑普查和申报工作，于家石头村被命名为“全国优秀历史文化村镇”。

【加强文物的有效保护与合理利用】 年内，推进“小灰楼”暨中国人民银行总行旧址修缮和钱币博物馆改建工程，设计方案已获通过；实施了新乐玉皇庙等3处文物修缮工程以及元氏朗公和尚塔复立工程；圆满完成了石家庄市第五批省级重点文物保护单位申报工作；积极推动全市馆藏文物数字化管理和数据库建设，开展了全市所有馆藏珍贵文物影相信息拍摄工作。在保护的同时注意合理利用，与园林局合作，进行了毗卢寺佛教文化艺术园的规划编制工作，设计方案已上报市政府。

【认真做好非物质文化遗产保护工作】 石家庄市文化局以市政府名义率先命名了一批市级“非遗”项目代表性传承人；《藁城宫灯》等

21个项目列入第二批省级非物质文化遗产名录，《赵州扇鼓》等34个项目列入第二批市级非物质文化遗产名录，“非遗”名录体系建设走在了全国前列；辛集市、井陉县和藁城市耿村被命名为“全国民间艺术之乡”，无极县、正定县被命名为“河北民间文化艺术之乡”；“井陉拉花”进京参加了全国民间艺术大赛并荣获金奖；石家庄丝弦参加了全国“非遗”珍稀剧种晋京展演，受到好评；组织举办了石家庄市首届“非遗”保护成果展暨民间艺术精粹大观，受到全国政协专题调研组高度评价。

【重视文化设施建设】 由市政府投资近3000万元的市图书馆改扩建工程，经过一年多的紧张施工和全过程的督导协调，工程主体已完工，预计2008年6月竣工投用。这是继市群艺馆后，又一个较大型的公益文化项目。酝酿多年的市美术馆项目，终于确定了选址，并于11月举行了开工奠基仪式。鹿泉市、长安区文化中心项目已竣工并投入使用，裕华区图书馆、文化馆综合大楼已完成外装修，新华区综合文化中心已完成立项和图纸设计。

【积极实施“走出去”工程】 市艺校应邀赴美国进行了为期23天的文化交流；市青年评剧团赴法国20多个城镇进行了为期一个多月的巡回演出，均受到当地观众的热烈欢迎；市歌舞团应邀赴友好城市韩国天安市进行了文化交流，增进了两市人民的友谊和感情。评剧《胡风汉月》《乾坤带》两次进京为第四届华侨华人社团联谊大会和中国侨商投资企业协会成立大会的演出，评剧《月嫂》在廊坊等地的巡回演出，丝弦《武成王》《空印盒》的赴京演出，以及评剧《西柏坡》搬上银幕，都对扩大石家庄市的知名度、提升城市文化形象起到了积极作用。经过近两年的精心筹备，在中国美术馆举办了为期15天的“纪念石家庄解放60周年美术作品展”，受到首都各界人士的广泛关注和好评。

【古韵文化广场暨文化产业发展研讨会在石举行】 1月17日，由市文化局、省民俗文化协会、省民间收藏协会等部门联合主办的“省会民俗收藏产业发展研讨会”在河北古韵文化广场举行，省、市文化主管部门领导、民俗文化领域专家、学者、收藏家、民间工艺大师等多方代表出席会议。

河北古韵艺术品市场是石家庄市最大规模的民间投资文化产业项目之一，是集艺术品收藏、交流、鉴赏、购销、流通、拍卖、展示等多种功能为一体的专业市场。其经营内容涵盖古玩、书画、陶瓷、玉器、工艺品、美术用品等，其目标是全力打造集艺术品展示中心、艺术品交易中心、书画家交流中心、艺术人才培训中心于一体的文化市场。

【省会举行第二届群众舞蹈“千人大比舞”表演赛】 3月20日，由中共石家庄市委宣传部、市文化局主办，市群艺馆承办的省会第二届群众舞蹈“千人大比舞”表演赛激情上演，来自全市18个县（市）区的2000多名演员，舞动心情，挥洒笑容，为初春时节的省会文化广场妆点出亮丽的色彩。第二届“千人大比舞”表演赛分为大中型舞蹈和小型舞蹈两部分，经过复赛、半决赛和决赛的激烈角逐，矿区西岗头村代表队表演的《燕赵情怀》和深泽县育才学校表演的《纤夫之歌》、晋州市实验小学表演的

《晋州官伞》从34个参赛节目中脱颖而出，分获大中型和小型舞蹈一等奖。新华区代表队表演的《溜溜的康定，溜溜的情》、辛集市代表队表演的《欢天喜地》等5个节目获二等奖，井陉县民政局拉花表演队表演的《拉花伴着夕阳红》、藁城市实验小学代表队表演的《舞动北京》等11个节目获三等奖。“千人大比舞”表演赛历时两个多月，全市24个县（市）区的60多支大、中、小型舞蹈队伍、130多个节目、6000多名演员参与其中。参赛选手年龄最大的已年逾古稀，最小的仅有8岁。

【刘秀荣喜获“白玉兰”大奖】 上海白玉兰戏剧表演艺术奖创设于1990年，每年评选一次，上年度在上海演出的剧目都可以报名参评，是中国当今戏剧领域主要评奖活动之一。第十七届白玉兰奖共有参评演员81名，参演剧目包括江、浙、沪、津、冀等11个省、直辖市26个剧团的66台剧目，涉及了京、昆、越、淮、评、滑稽、秦腔等14个剧种。石家庄市青年评剧团团长、著名评剧表演艺术家刘秀荣，凭借在评剧《胡风汉月》中饰演的“蔡文姬”一举摘取了第十七届“白玉兰”戏剧艺术表演奖主角奖。这是石家庄市评剧艺苑获得的第一个白玉兰奖项，也是继其获得中国戏剧梅花奖“二度梅花奖”、“文华表演奖”和巴黎中国戏曲节塞纳大奖之后，又一个分量非常重的艺术表演大奖，再次为石家庄市争得了荣誉。

【召开网吧行业诚信自律大会】 市网吧行业经营协会于4月29日召开了石家庄市网吧行业诚信自律大会。市文化局局长李耀峰、省文化厅市场处处长单建勋、市诚信办主任李福强、市文化局副局长左春和、团市委等有关单位领导出席了会议。各县（市）区文体局主管局长、协会理事、常务理事和网吧经营会员代表及新闻单位500余人参加了会议。会议传达了全国网吧行业自律大会精神，制定并通过了《石家庄市网吧经营行业协会自律公约》，网吧业主进行了自律宣誓，会员代表作了表态发言。会议强调：全市网吧经营单位要严格执行互联网上网服务的相关法律法规，加强行业自律，做到诚信经营，守法经营；不接纳未成年人进入网吧，引导顾客文明、理性使用网络；自觉接受政府和社会的监督，做到经营透明化、理性化，促进网吧行业健康、有序、繁荣发展，为“诚信石家庄”建设做出贡献。

石家庄美术馆规划设计图

【市丝弦剧团进京参加“中国非物质文化遗产稀有剧种展演”活动】 应文化部邀请，市丝弦剧团携优秀传统剧目《白罗衫·夜审姚达》和《赶女婿》赴京，于6月7日在民族文化宫大剧院进行了正式演出。演出受到首都观众和专家的热烈欢迎。

2007年6月9日，是中国第二个“文化遗产日”。此次“展演”是全国“文化遗产日”纪念活动之一，全国9省、自治区的优秀经典剧目参加此次展演。丝弦是河北省唯一入选剧种。“丝弦”是石家庄市的独有剧种，在2005年被确定为全国首批非物质文化遗产。市委、市政府对丝弦的保护传承工作非常重视，在政策和资金上都给予了大力支持。市文化局专门制定了保护和传承丝弦艺术工作方案，并在丝弦发展规划，丝弦剧目挖掘、整理，丝弦艺术研究，丝弦人才培养，丝弦队伍建设等方面全面展开了工作。

【石家庄解放60周年美术作品展在京举行】 9月30日，由市委、市政府主办，市委宣传部、市文化局承办的“纪念石家庄解放60周年美术作品展”在北京中国美术馆隆重举行。中国作协主席铁凝、文化部常务副部长孟晓驷、河北省人大副主任张群生、中国美术馆馆长范迪安、故宫博物院副院长王亚民等省部级领导和省文化厅厅长许宁、省文联党组书记赵景之、省文联副主席郑世芳、省美术家协会主席祁海峰、市委常委常务副市长朱浩文、市委常委宣传部长孙万勇、副市长张殿奎、市政协副主席张光大、市文化局局长李耀峰等领导及首都美术界专家学者数百人出席了开幕式并参观展览。首都及省、市20多家媒体参与报道了此次美展活动。美展精选了石家庄市26位画家的140幅作品，具有很高的艺术水准。作品再现了石家庄的革命历史，反映了60年来石家庄的建设成就和火热生活，展示了繁荣、文明、和谐的新石家庄形象。展览历时16天，于10月15日结束。

【中国·石家庄第二届国际动漫节举行】 9月30日至10月5日，由河北石家庄市市委宣传部、石家庄市文化局等部门共同举办的中国·石家庄第二届国际动漫节在石家庄市举行。石家庄第二届国际动漫节将专业性、艺术性、参与性、娱乐性和商业性巧妙融合，以互动交流为中心，既满足了专业动漫人士的需要，又满足了广大动漫迷的视觉享受，把“石家庄国际动漫节”打造成了别具特色的石家庄动漫文化品牌，同去年第一届动漫节相比，本届动漫节的规模更大、气氛更浓厚、亮点更突出、国内外动漫界的交流也更广泛。动漫节期间，三个主、分会场参展、参赛、参演和观展、观演、观光人数近50万人次。

《石门风萧萧》剧照

【《石门风萧萧》汇报演出获得成功】 纪念石家庄解放60周年重点剧目——大型河北梆子现代戏《石门风萧萧》于2007年11月7日晚在市人民会堂倾情上演。该剧由市河北梆子剧团优秀青年演员、第十九届“梅花奖”获得者刘莉莎主演，以抗日战争为时代背景，成功地塑造了江弘、陆明和林向魁等地下党员、爱国志士生动鲜活的艺术形象，热情讴歌了石家庄人众志成城、不屈不挠、誓死捍卫美好家园的革命精神。该剧曾在2006年市第八次党代会期间成功上演，并在河北省戏剧节上荣获包括“优秀剧目奖”在内的多个奖项，受到各级领导和社会各界普遍好评。

（焦五星　刘　锋）

新闻出版

【概况】 2007年，新闻出版（版权）局坚持以邓小平理论和“三个代表”重要思想为指导，牢固树立科学发展观，认真学习贯彻落实党的十七大、省市党代会、市“三千会”精神，围绕中心、服务大局、解放思想、开拓创新，对2007年的各项工作特别是被列入政府180项重点工作的发展动漫产业和印刷包装产业、组织全民读书活动进行了精心谋划和周密部署，各项工作稳步推进，实现了发展与繁荣、服务与管理并重的新突破。为建设沿海经济社会发展强省省会和建设繁荣、文明、和谐的新石家庄做出了应有的贡献。

【建立动漫产业发展基地】 2007年，在广泛调研的基础上，石家庄市委、市政府制定了动漫产业发展的扶持政策、措施和动漫产业发展规划，并以两办的名义下发了《关于推动我市动漫产业发展的若干意见》。同时建立动漫网站，制定燕赵动漫创意题材库具体实施方案，出版了连续性内部资料性出版物《河北动漫》。5月初，成功参与承办了中国·石家庄第二届国际动漫节。6月12日，经河北省新闻出版局考察验收后，同意在石家庄市建立国家动漫产业发展基地。6月14日，国家动漫产业发展（石家庄）基地授牌仪式在石家庄职业技术学院隆重举行。

【印刷包装产业稳步发展】 为了加大印刷包装产业发展，与石家庄市发展改革委员会联合制定了《石家庄市印刷包装产业发展规划》，准备提请市政府尽早出台，制定下发了《2007年加快印刷包装产业发展实施意见》，拟定了《石家庄印刷包装产业优惠政策》。先后到印刷包装产业发展重点县市区进行调研12次，对县域印刷包装产业发展起到积极的促进作用。经过与多个单位的接洽协商，向市政府提交了《关于确定华北印刷包装产业园选址的请示》，主要领导给予了重要批示。积极做好华北印刷包装产业园招商引资工作。成功举办了河北（石家庄）第五届印刷包装器材展览会 。会展期间共接待参观厂商万人次，合同订货额逾2000万元，建东印刷厂一次订购海德堡印刷机2台，价值2900万元人民币，组织印刷企业参加河北省2007年强势印刷企业认定，石家庄市共有17家企业入选强势印刷企业，占全省总数近30%。

【民营书业持续发展 图书发行管理规范有序】 市新闻出版（版权）局率队组织部分民营书业代表参加第十七届全国书市，推荐6家民营图书经营单位参加2007年中国民营书业评选活动，组织100多家民营书业代表参加全省民营出版物发行企业发展论坛，秋林书城、花山书店在会上作了典型发言。为使民营书业做大做强，市新闻出版局积极扶持发展潜力较大的龙头企业，积极筹措帮助秋林书城完成扩建改造工程，新建、扩建1500平方米营业面积，形成总计营业面积3000平方米的大卖场，进一步提升了市场整体形象。

销毁非法出版物

2007年，将图书市场管理作为图书发行行业管理的重中之重，作为民营书业健康发展的基石，继续开展以优化市场发展环境，规范市场经营秩序为重点的集中治理工作，开展“诚实守信、文明经营，创造无盗版市场”活动，提高经营者自律意识、表率意识、诚信意识，为构建版权保护高地，创建无盗版市场做出贡献，进一步营造了遵纪守法光荣，违法经营可耻的争先创优的良好氛围。

【版权管理工作再上新台阶】 为了扎实有效的推进软件正版化工作，先后到正定、晋州、辛集、新乐、桥东等县区督导软件正版化工作。截至12月底，辛集市四大机关全部实现软件正版化，桥东区落实资金18万元全部完成软件正版化工作。制定了新闻出版行业软件正版化实施细则。深入基层指导企业进行软件正版化，建立软件资产管理制度和企业版权保护制度。并率先在石家庄市新闻出版局主管的印刷行业和桥东区先行试点，从而使石家庄市企业软件正版化工作走在全省前列。为了增强群众的版权保护意识，成功举办了2007年“保护知识产权宣传周”活动及版权登记作品宣展活动，连续三个月深入到各县市区、企业、高校、农村对非物质文化遗产作品、民间原创作品及动漫产品进行调研宣传，并为农民作曲家王会君免费登记50余件自创歌曲。在动漫节期间，现场为石家庄市动漫界人士的原创作品进行版权资助登记，共申报作品登记2835件，是石家庄四年来开展作品版权登记业务总量的54倍，是河北省开展作品版权登记业务总量的3倍。通过一系列的宣传教育极大地增强了群众的版权保护意识。

【组织开展各项专项行动】 2007年，根据国家、河北省扫黄打非办公室的会议精神，制定了石家庄市《2007年扫黄打非行动方案》周密部署全市扫黄打非工作，并在全市开展了打击政治性非法出版物活动春季战役、“文化环保工程”暑期战役、政治性非法出版物和非法出版活动专项治理行动、整治假报刊、假记者站、假记者、假新闻专项行动等多次出版物市场专项治理。专项治理行动期间，共出动检查人员1000余人次，车辆206台次，检查各类出版物单位和摊点987家次，取缔无证地摊58家，收缴非法出版物2.34万册(盘、份)，立案处罚案件45起，总计罚款8.18万元。为了推动“反盗版天天行动”和“扫黄打非”春季战役的深入，举办了2007年“扫黄打非”春季战役盗版非法出版物集中销毁活动，销毁各类非法出版物约20万册，有力的震慑了不法分子。为了让更多市民了解、参与、投入到扫黄打非、保护版权工作中，与共青团石家庄市委、新华区人民政府联合举行“石家庄市扫黄打非、保护版权志愿者活动”，招募志愿者300人。在此基础上，又于11月13日组织召开了市内五区扫黄打非、保护志愿者活动推广会，让更多的人投入到扫黄打非、保护版权工作中去。在打击网络侵权专项行动中共组织出动检查人员2088人次，检查网吧1017家，查处43家三无网站案件，累计接受投诉案件29起，上级交办3起，共立案32起，查处投诉案件全部结案。

【认真贯彻落实行政执法责任制】 为全面贯彻石家庄市法制工作会议精神，市出版局从抓好法规学习和培训入手，采取多种学习宣传形式，大力宣传相关法律、法规。制定了“五五”普法规划，完善落实“法律八进”实施方案，制定2007年度法规学习计划。为了落实“全市学法日”实行会前十分钟学法新举措，全年共组织各种培训13次，开展大型宣传活动5次，参加培训人员达1200人次，提高了全市新闻出版部门行政管理水平。实行千分考核制度和行政执法通报制度，加强对县(市)区执法人员的监督和管理。

【加强“窗口一站式”行政审批工作】 2007年，坚持以人为本的思想，遵循“合法、合理、效能、责任、监督”五项原则，进一步加强“窗口一站式”行政审批工作，继续实行“保姆式”办公。重新修订了《石家庄市新闻出版局行政审批责任制》，制作了行政审批公示栏，将行政审批事项办理程序和条件及工作流程等全部予以公示。并实行了行政审批周、月报制度。全年共办理行政审批事项421项，其中当场办结368项，当场办结率达87%，总办复率100%，真正实现了接待服务“零距离”，提供服务“零投诉”，经办许可“零差错”的要求。

【实施“新农村书屋”工程】 2007年，积极落实中央部署的“新农村书屋”工程，制定了石家庄市“新农村书屋”工程“十一五”发展规划及“新农村书屋”建设规划，召开市内六区新闻出版局主管局长会议，就“新农村书屋”建设工作进行调度督导。全市共新建、改建、援建“新农村书屋”265个，社区书屋2个，占全省的88%以上。同时，按照市委、市政府统一部署和市委宣传部提出的“万册图书进农村”的要求，组织6个县市新华书店到行唐县优惠售书，组织图书批发单位分别到栾城县、晋州市、辛集市、藁城市等县市巡回售书，市新闻出版局克服经费不足等困难，向行唐县4个新农村书屋捐书1.2万册，价值18万码洋，并捐赠现金1万元。极大的丰富了当地的文化生活，受到领导和群众的好评。

(王　军)

报　纸

【概况】 2007年，在市委和市委宣传部的正确领导下，石家庄日报社党委带领全社员工，以十七大精神和科学发展观为指导，深入开展新闻质量管理年活动，不断强化内部管理，完善运行机制，新闻宣传、经营创收、内部管理和事业建设等各项工作取得较好成绩。全社获奖新闻作品66件，在中央级媒体发稿101篇；实现总收入2.61亿元，广告收入1.41亿元，利润492万元。荣获“全国自办发行先进集体”、“河北省先进管理报社”等市级以上奖励28项。

【纪念石家庄解放60周年宣传报道有声有色】 在纪念石家庄解放60周年的宣传报道中，石家庄日报社各报刊网紧紧围绕“回顾光辉历程、歌颂党的领导、展示发展成就、描绘美好蓝图”这一主线，展开了大跨度、全方位、立体式的宣传报道。

石家庄日报推出的大型主题报道“光辉”，刊发33篇系列报道，还以16篇述评进一步加以阐述，充分展现了石家庄60年来的光辉历程；推出的大型讲述类专栏《百姓见证》和“我眼中的石家庄”摄影专栏，以普通百姓的视角，讲述石家庄60年沧桑巨变；策划的“议成就、看变化”市民采访团大型系列报道，以及《石家庄赋》征文、《石家庄与新中国》、《追寻英烈足迹》等互动专栏活动，形成了较强的社会冲击力，引起了强烈的社会反响。

燕赵晚报推出的“光辉60年系列综述”、“我与石家庄”名人访谈、“石家庄与新中国”等专栏，形成了宣传冲击波；策划的《石门是这样打开的》大型系列报道，生动地再现了60年前，人民军队为了解放事业英勇无敌、敢于赴汤蹈火的精神；开展的“遵义一西柏坡携手寻找老红军”、“石家庄（城区）首届新十景”评选等多项活动，以及推出的百版精装《甲子：共和国第一城新闻年鉴》，以新闻形式展现了一部城市影像史。

精品导报、燕赵老年报和新闻网站根据自身特点和定位，推出了《时尚和我们的城市》、《见证》、《今日石家庄》大型专题。

报社各媒体在搞好石家庄解放60周年宣传的同时，还向《求是》杂志、新华社、人民日报、光明日报、经济日报等中央媒体提供有关石家庄解放60周年的稿件达36篇，拍摄的电视文献纪录片《1947·电影镜头下的石家庄》先后在省、市电视台和凤凰卫视播出，充分提升了省会的外部形象。

在纪念活动中，石家庄日报社各报刊网共拍摄纪录片2部，编发专版304个，开设专栏25个，刊发纪念文章700多篇160多万字。在市委、市政府召开的纪念石家庄解放60周年活动总结表彰大会上，石家庄日报社荣获组织工作奖，石家庄日报、燕赵晚报被授予先进单位，9个报道组获得新闻报道特别奖，44人被授予先进个人。

【纪念石家庄日报社成立60周年活动亮点频现】 2007年11月18日是石家庄日报社成立60周年纪念日。为总结报社60年来取得的辉煌成就，记录报社在党的领导下走过的不凡之路，在社庆庆典前夕，石家庄日报社安排编纂了包括《岁月——石家庄日报社史略》、《跨越——燕赵晚报成长之路》、《硕果——石家庄日报社获奖新闻作品选》（上下）、《求索——石家庄日报社论文选》、《追忆——石家庄日报60年征文选》共5卷6本的由人民出版社出版的《石家庄日报创刊六十年》系列丛书，编辑出版了报社60年发展成就画册，拍摄了反映报社60年发展历程的专题片。总字数达300万字的系列丛书、90页的画册和25分钟的专题片，引起了社内外极大关注和好评。各报刊网编辑部以纪念报社成立60周年为契机，推出了共计296个版的特刊和大型网络视频专题，系统总结了报社60年来取得的辉煌成就，提升了报社的社会影响力和知名度。

为营造喜庆气氛，烘托社庆大典，从2007年9月开始，报社先后组织开展了职工运动会、联欢会、报业知识竞赛、书画摄影展和职工代表座谈会等内部职工活动，以丰富多彩的活动彰显报社60年来取得的光辉业绩，抒发员工爱岗爱社的热情。各项活动的成功组织，极大地调动了全社员工的工作积极性，增强了干部职工的凝聚力、向心力和战斗力，为60年社庆大典营造了浓厚的喜庆氛围。

11月18日，石家庄日报社在人民会堂组织召开了成立60周年庆典大会。包括中央、省、市和兄弟报社嘉宾在内的1000余人参加了大会，新闻出版总署、经济日报社等116家单位为报社发来了贺信、贺电，全国政协原副主席万国权，中共中央委员、国家新闻出版总署署长柳斌杰，中共中央委员、人民日报社社长王晨等46位中央、省、市领导和社会名人为报社题写了贺词，石家庄市委副书记、市长冀纯堂代表市委、市政府到会致辞祝贺，310家领导单位、县（市）区市直部门和兄弟报社领导到会庆贺，22家媒体对大会进行了采访报道。为答谢参会代表和社会各界的支持，庆典大会前夜，报社还在省艺术中心举办了一场由央视著名主持人白燕升主持，于魁智、李胜素、赵葆秀、杨燕毅等担纲的京剧名家名段大型演唱会，得到了外地来宾和省会各界群众的高度评价，树立了报社的形象。

【科学设置新机构】 为适应报社事业发展和市场竞争，全面提升核心竞争力，提高经济效益，经过长期研究论证并借鉴兄弟报社的经验，2007年，石家庄日报社设立了经营管理委员会及其办公室，设立了报社采供中心，统一管理报社的经营活动和物资采供工作。两个新机构的设立，加大了对全社经营工作和采供工作的管控力度，进一步理顺了经营管理机制，为报社党委在经营方面的决策和增收节支奠定了基础。

【建立新的经营部门】 2007年12月5日，报社新成立的绚彩印象数码快印中心正式开业。此中心是集创意设计、排版、印刷、装订为一体的大型专业商务图文数码印刷公司，在省会市场具有强劲的竞争实力，成为报社新的经济增长点。

【第一届“春风送暖”慈善广告助困活动顺利举办】 2007年春节前的2月11日，由石家庄日报社与市民政局、市慈善会联合主办的第一届“春风送暖”慈善广告助困捐赠活动在河北省文化广场举行。为了让贫困家庭感受社会大家庭的温暖，让他们过一个充裕、祥和、幸福的春节，报社发挥自身优势，把春节前后一个月内企业在日报刊登的贺年广告款捐出，用于资助石家庄市低保家庭，只此一项共筹集善款10多万元；在捐赠活动现场，又得到了社会各界群众的捐款2万多元和部分衣物。捐赠活动当日，12.5万元捐助款和部分衣物全部发放到贫困家庭。此项活动彰显了媒体的关注社会、关注民生的社会责任感。

【石家庄日报社记者作品获全国新闻奖】 2007年7月27日，第十七届中国新闻奖评选结果揭晓，由石家庄日报社记者李东顺、韩华山采写的发表于《农民日报》的消息《石家庄农民铸“告别田赋”鼎》获第十七届中国新闻奖三等奖，这是石家庄日报社记者第5次获得中国新闻奖。这篇2006年11月24日刊于农民日报的消息，反映了灵寿县农民王三妮为感谢党和政府取消农业税，减轻农民负担的政策，自己出资设计制作“告别田赋”鼎的事迹。这则消息得到了中共中央政治局委员、国务院副总理回良玉的重视，他在当日召开的研究2007年农村工作及指导方针的全国农村工作起草会议上讲到，农民主动铸鼎感谢党这件事说明，党的农村政策得到了广大农民的真心拥护和欢迎。

【石家庄日报、燕赵晚报新闻助学活动成效显著】 2007年，报社主要媒体石家庄日报和燕赵晚报分别以不同形式，开展新闻助学活动，为1299名寒门学子筹集学费。该活动是自7月10日至8月15日，由石家庄日报编辑部与石家庄市民政局、市希望工程办公室联合举办的第三届“让爱圆你大学梦——新闻助学活动”。参与此项爱心捐助活动的有企业主，也有普通职工，他们纷纷伸出援助之手，为寒门学子献爱心。这项活动筹集资助金额达94.1万元，使298名贫困学生得到资助。此外，2007年暑假期间，晚报利用社会联系面广、社会影响力大的优势，与商场、超市等企事业单位取得联系，发起了“精英励志、你我同行”大型助学活动，这次活动为1001名贫困学生联系到月薪1000元以上的工作岗位。

【燕赵晚报成功举办第五届城市集体绿色婚典】 2007年9月28日，由燕赵晚报、共青团石家庄市委、石家庄市总工会、石家庄市妇联、河北衡水老白干酒业股份有限公司共同主办的“十八酒坊·燕赵晚报第五届城市绿色婚典”盛大仪式在河北省会文化广场举行，100对新人携手步入神圣的婚姻殿堂。河北省委常委、市委书记吴显国，市委副书记、市长冀纯堂为婚典发来贺信，市人大副主任许昆峥为新人主婚，市政协副主席宣叙为新人证婚。在婚典现场，用大屏幕插播了百对新人在无锡太湖月老祠悬挂同心锁的过程，新婚同心锁在集体婚礼中首次使用，在月老祠如此大规模悬挂同心锁也是首次。下午，百对新人到卓达太阳城植下象征爱情永恒的长青树。晚报城市集体绿色婚典，引领了省会婚礼节俭文明的新风尚，被中国文艺家协会评为“中国婚庆十大盛世婚典”。

【燕赵晚报发起“自觉排队，礼让乘车”活动】 为促进省会的文明建设，燕赵晚报自2007年3月31日正式发起了“自觉排队、礼让乘车”志愿活动。这项活动得到了河北省各界的参与和支持，6月，河北省文明办、石家庄市公交总公司作为主办单位加入，进一步提高了该活动的力度和影响。6月份开始，省城千名志愿者在省会公交站台加入志愿活动，至9月份，共计2万多人次先后在省会800多个公交站台持续180多天无一间断地参与了活动。其间中央、省、市多家媒体对此活动给予了报道，在河北省乃至全国产生了良好的影响。

【精品导报连续举办两届“千人相亲会”】 为了给青年人交友恋爱提供方便，精品导报继 2006 年 9 月举办第一届“千人相亲会”获得成功后，2007 年 4 月 21 日和 11 月 3 日，导报编辑部又在世纪公园电视塔广场举办了第二、三届千人相亲会，到现场参与人数分别为 3800 余人和 4000 余人。这项活动引领了省会时尚相亲潮流，大型相亲会渐成为省会一份时尚标签，受到众多单身男女的追捧，得到了社会各界的认同及肯定。

【适时提出“四二一”计划】 面对新媒体的挑战，为了抢占发展先机，实现科学发展，2007 年年初，报社党委提出了实现报社战略转型的“四二一”计划，即：通过搭建网络、数据、移动和商务四个平台，完成全传媒、全覆盖两项战略任务，最终实现由传统报业向现代传媒集团的战略转型。截至 2007 年底，“四二一”计划的子项目出租车移动视屏传媒和户外视屏传媒，已经获得承办权，其中户外视屏传媒项目已完成前期审批手续，正在谋划和跑办设立公司及融资事宜。其它部分项目建设正在逐步推进。

（王惠彬）

广播电视

【概况】 2007 年，在市委、市政府的领导下，石家庄市广播电视局进一步解放思想，强化“以人为本，办台为民”理念，实施“品牌带动”、“人才强台”战略，以“深化改革”和“精细管理”为重点，大力提高舆论引导力，为推动全市经济和社会发展营造良好舆论环境，新闻宣传实现突破，各项工作取得新的成效。

2007 年 2 月 9 日，我局召开了广播电视工作会议。肯定了 2006 年取得的成绩，表彰奖励了有突出贡献人员和优秀人员，安排部署了 2007 年重点工作。图为受表彰奖励人员上台领奖

【重点报道石家庄解放 60 周年】 2007 年，重点开办了“石家庄与新中国”、“在我们身边”、“辉煌 60 年·喜迎十七大”等专栏，将纪念石家庄解放 60 周年宣传报道作为全年工作的重中之重，有步骤、有节奏地逐步升温。“两台一报”协调联动，多种广播电视表现方式交相使用，相继策划推出“60 年 60 人”系列报道、点石成金——新石家庄发展论坛等大型宣传报道，拍摄制作播出了 5 集文献纪录片《石破天惊》。尤其在 11 月 11 日、12 日推出了“辉煌 60 年”和“辉煌历程”大型直播活动，将纪念石家庄解放 60 周年活动推向了高潮，实现了石家庄市广播电视的历史性突破，产生了广泛的社会反响，进一步彰显了石家庄广播电视的主流媒体地位。

【开展新闻质量管理年活动】 两台新闻频道（率）制定了《新闻质量

管理手册》，实施节目质量环节控制。品牌节目影响力不断扩大，电视台《民生关注》、《小吴帮忙》等栏目收视率和市场份额不断攀升。电台《新闻882》被评为省优秀栏目。“感动省城”十大人物评选及颁奖盛典再次在省会引起强烈反响，省委常委、市委书记吴显国将这项活动称之为“我们这个城市强有力的思想政治工作方式之一”。

【以竞聘上岗和完善频道（率）总监制为重点新一轮改革积极推进】 2007年年初，集中时间重点进行了电视台、电台频道（率）总监及中层干部的竞争上岗和员工的双向选择，两台共有61人参加竞争44个中层管理岗位，有24名新人脱颖而出，成为中层干部，6名中层人员离开了原工作岗位。两台进一步完善总监负责制，对频道（率）实行预算管理，与频道（率）签订了目标责任书。各频道（率）、各部门制定绩效量化办法，实行奖金二次分配，对员工的激励作用进一步增强。面向社会公开招聘声屏之友报社社长，积极推进报社内部改革、版面改版，遏制了报社经营不良局面。

【基础设施建设步伐加快】 广电中心大楼建设进展顺利，大楼主体24层封顶，正在进行主楼内、外装修等工作。局基建办严格管理、优质服务、廉洁自律。在国家建设部组织的质量安全检查、河北省建设厅组织的建设工程质量巡查中受到充分肯定。进一步推进广播电视“村村通”建设，灵寿和赞皇两座电视差转台如期建成，西部山区50多万群众能够通过无线接收方式清晰收看到市一套、四套电视节目。加大解决历史遗留问题力度，广播中心大楼已经全部出租，盘活工作取得突破性进展。推进数字电视整体转换工作，正式启用有线数字平台，超额完成10万户数字电视转换任务。

2007年3月30日，省委常委、宣传部部长聂辰席在市委书记吴显国和市委常委、宣传部长孙万勇，广电局长王智陪同下视察广电中心施工现场

【行业管理力度不断加强】 制定下发了《关于进一步加强广播电视社会管理工作的意见》，从管理内容、管理方式等方面做出明确规定。理顺管理体制，重新明确了市内6区广电行政管理部门的职责。建立县级广播电视监督联络员制度，加强了对县级广播电视节目的监管。组织开展了以治理违规广告和滥设频道（率）为内容的统一行动，取得明显成效。局属“两台一报”广告发布违规率控制在10%以下，低于省会其他媒体。停播县（市）擅自开办的频道26个、频率4个，频道（率）设置日趋规范。按照中央、省、市的统一部署，石家庄市全面完成了转星调整工作任务。

【经营创收稳步增长】 全年经营创收比上年增长18.7%。“两台一报”积极应对广告市场严峻形势，变挑战为机遇，努力开拓市场。电视台强化对广告人员的刚性管理，对广告部重新定岗、定员、定薪，按区域分组划分业务范围，对各组的工作任务和目标进行明确规定，对各部门、各岗位的工资待遇制定了严格的标准。同时，加大品牌广告和基础客户的开发力度。电台广告由统一经营变为分频经营，在坚持“五统一”的前提下，由各频率自主组织市场营销。网管中心将市内五区办理处改为经营部，中心副主任兼营业部经理，采取多种措施加大收视维护费收缴力度，全年创收首次超亿元。

【“人才强台”战略有效实施】 面向社会公开招聘专业人员，共有1001名考生参加笔试，120人入围参加面试，两台共聘用34人，其中电台12人，电视台22人，为事业发展增添了新生力量。进一步加大人才培训力度，分别请中国传媒大学教授袁方， 中央电视台新闻评论部主任梁建增等业内专家进行专题知识讲座。两台也分别邀请业内专家就媒体品牌创建、市场营销、广告业务等进行培训。与河北大学新闻传播学院联合举办的研究生班正式结业，26名学员得到了深造。规范劳动用工，广电队伍的整体素质明显提升。

【管理人员作风明显转变】 深入贯彻市直机关干部大会精神，提出了广播电视要由单纯注重事业发展向事业产业协调发展转变，由单纯行政事业型向事业产业经营型转变，由以权力为中心向以效益（包括社会效益和经济效益）为中心转变。在全局强化以节目为中心的理念，推动局台管理部门转变职能、优化服务、提高效率、狠抓落实，为广电发展创造良好环境。在"辉煌60年"大型直播活动中，行政、后勤人员在车辆使用、工作人员餐饮、供水等方面提供了及时周到的服务。

（广电局）

档案工作

【概况】 2007年，石家庄市档案局馆在市委、市政府的正确领导下，紧紧围绕市委、市政府的中心工作，坚持以邓小平理论、"三个代表"重要思想和科学发展观为指导，深入贯彻党的十七大精神，全力搞好《档案法》颁布实施20周年系列宣传，认真履行档案事业行政管理和保管利用两项职能，抓住重点，强化服务，档案管理水平和服务层次不断提升，档案工作取得了可喜成绩。在纪念石家庄解放60周年活动中，市局荣获组织工作奖、市档案馆被评为先进单位、4名同志被评为先进个人，受到市委、市政府的通报表彰；鹿泉市档案局李淑华被评为全国档案系统先进个人，受到国家人事部、国家档案局通报表彰。

【档案法制建设】 开展纪念《档案法》颁布20周年系列宣传活动。9月5日是《档案法》颁布实施20周年日，石家庄市档案局制定了《纪念〈档案法〉颁布20周年宣传活动实施方案》。常务副市长朱浩文在《石家庄日报》发表署名文章《认真贯彻落实＜档案法＞为石家庄市经济社会发展服好务》、市档案局领导接受了石家庄日报记者的采访，并刊登以《存住历史的真实面目》为题的档案工作宣传文章。宣传日当天，市县两级档案局分别在省会儿童少年活动中心、西清公园、河北大戏院广场、人民广场、世纪花园社区等繁华地带、公共场所张贴《档案法》宣传标语、发放宣传资料、举办档案展览、设立咨询台等，以多种形式开展宣传活动，市电台、电视台对活动情况进行了采访报道。这次活动，市县

两级共有6名政府领导发表了署名文章、7名领导发表了电视讲话，发放档案法规、家庭建档手册等宣传材料4万余份，接待群众咨询2万余人，接受宣传人数达百万余人。

配合市人大常委会对石家庄市贯彻实施《档案法》情况进行执法检查。9月3日至10日，石家庄市人大副主任王中联率领市人

大、教科文卫委员和市人大代表组成的执法检查组一行12人，对石家庄市贯彻实施《档案法》情况进行了检查。检查组听取了石家庄市政府和辛集市政府、栾城县政府、石家庄市发改委、国资委关于全市重点建设项目档案管理情况和国有改制、破产企业档案处置情况汇报；检查了市、县两级档案局馆及部分县直单位的档案工作，并召开座谈会，检查结束后，检查组形成了《关于我市贯彻实施〈档案法〉执法检查情况的报告》，经市人大常委会主任会议审议，形成决议，并正式行文报送市政府。检查组对全市档案工作给予充分肯定，并指出了存在的主要问题。

对全市教育系统档案工作进行了行政执法检查。按照通知的检查内容和时间安排，对市教育局及所属中学和23个县（市）区教育局及其所属48所学校的档案工作进行了执法检查，发限期改正通知书20份、对2个县教育局和1个学校提出了口头警告，对赵县教育局丢失档案进行了立案查处。

组织全市2000余名档案工作者参加了国家档案局主办的“剑南春杯”档案与法制知识有奖竞赛活动。

【档案馆库建设取得新进展】 2007年，石家庄市档案馆新馆建设列入市政府重点推进项目，建筑面积由16300平方米增加到20000平方米。市委、市政府对新档案馆选址非常重视，主要领导作了重要批示。各县（市）区档案保管条件得到改善。鹿泉市档案馆新建1588平方米的档案馆新馆启用，投资40余万元安装了密集架38列；矿区档案局调整增加库房面积60平方米；井陉县档案局投资20万元对库房进行了改造，新购密集架18列；桥西区增加库房一间，新购密集架5列。行唐县、深泽县分别争取经费，购置安装了密集架，解决了档案馆装具不足的问题。通过积极争取，全市各县（市）区新增微机35台，扫描仪13台，改善了办公条件，提高了办公自动化水平。

【档案信息化建设实现新突破】 一是石家庄市数字档案馆工程正式立项并付诸实施。2007年6月14日，市发改委石发〔2007〕437号文批准《石家庄市数字档案馆工程项目》正式立项。该项目的主要内容是：将利用率高的78个全宗档案原文进行数字化处理，总计扫描原文800多万幅；建立档案目录数据库和全文数据库，实现档案信息资源共享；建立电子档案接收、存储体系。项目建设三年完成，总投资500万元。现已拨付资金80万元。2007年，市档案局录入馆藏案卷级目录1.28万条、卷内文件级目录55.88万条、扫描原文180万幅，累计扫描档案原文220万幅；正定县、桥东区两个试点县区启动了馆藏档案原文扫描工作，共扫描原文13.83万幅。桥东区、长安区、鹿泉市、正定县已全部完成了馆藏档案的文件级目录录入；长安区、鹿泉市进行了馆藏档案的扫描工作。各县（市）区全年共录入卷内文件级目录56.54万条，扫描原文233.83万幅。抽查录入目录612卷，差错率控制在2%，远低于规范要求5%的差错率。二是“三网”建设取得初步成果 。全市有8个县级档案馆开通了局域网，已上网开放目录10.64万条，有16个档案馆开通了政务网，有18个档案馆开通了互联网，已建立开通档案信息网站的馆达9个，使工作效率大大提高。

【档案馆藏不断丰富　利用服务水平不断提高】 一是市县两级档案馆开展了“电话查档”、“业务咨询”及“来人查阅”服务，市档案馆2007年共提供利用资料633册，文书档案4503卷，现行文件580件，接待利用者达1323人次，复印3000余页。全市各级档案馆全年共接待利用者1.97万人次，提供利用档案资料5万卷册，1.55万件。产生了较好的社会效益和经济效益。二是为配合庆祝石家庄解放60周年系列宣传活动，市馆对1947年前的馆藏档案进行筛选，将涉及石家庄解放相关内容的101卷档案47册资料重新编目，编制石家庄解放专题目录926条。为中央、省、石家庄电视台、《石家庄日报》、《河北青年报》、《燕赵晚报》、《燕赵都市报》等11家媒体提供服务，共计提供利用档案资料924件册，提供照片1.53万张、利用367张、磁性载体档案12盘。三是档案馆藏不断丰富。市档案馆接收市委、市审计局2个单位的文书档案共计1695卷，其中永久档案559卷，长期档案1136卷，还将首届中国动漫节组委会寄存的文书档案75件及市物资局下属3个单位寄存的文书档案118卷，会计档案 2064 卷全部排列上架。2007 年全市共接收档案 8.25 万卷、16.6 万件。对满 30 年的档案依法进行了鉴定，向社会开放档案 9216 卷。

【档案资源整合探索新方法】 为克服国家档案馆馆藏档案内容单一、结构不尽合理的缺陷，更好地发挥国家档案馆的保管、利用服务功能，开展了县级档案资源整合试点工作，选择赵县和灵寿两县作为档案资源整合试点先行探索。赵县档案馆接收县城建局、规划局、公证处等 15 个县直单位业务档案和部分行政村村务公开档案 1.95 万卷另 9.27 万件，灵寿县接收 10 个单位档案 2399 卷另 2084 件。国家档案局对此给予了高度评价。

【档案征集编研工作成绩显著】 市县两级全年征集档案 1771 件、照片 1.84 万张，较好地完成了年鉴、大事记的编写和报送工作。其中仅市档案局就征集各类档案资料 1071 件、电子版照片 3078 张。主要内容有石家庄市小麦专家郭进考、棉花专家赵国忠、艺术家奚啸伯等名人档案、纪念石家庄解放六十周年档案资料以及图书资料等。市档案馆组织编写的《石门风云》一书于 11 月 11 日由中国文史出版社正式出版。该书收录内容时间断限为 1900 年至 1950 年，分上下两卷。上卷从纵向讲述石家庄的发展历史，主要有石门市的兴起、早期党的活动、抗战斗争风云、石家庄解放、石门新生五部分内容；下卷从横向介绍石家庄的文化底蕴，主要有革命文艺盛况、石家庄籍著名人物、城市历史遗迹、珍贵文物史料、石门老照片五部分内容。全书共收录文章 193 篇，70 余万字，照片近 200 幅，历史发展脉络清晰，资料权威性强，视角独特，图文并茂，具有较强的史料价值和可读性。

【家庭建档工作】 石家庄市档案局出台了《家庭档案管理办法》，对家庭档案的整理做出了相应规定，在全市档案系统开展了家庭建档工作。提出了城镇与农村、居民与村民区别对待，方法多样的工作思路。培训家庭建档业务骨干 1000 余人。市档案局、桥东区、桥西区档案局还印制了 2 万份《家庭建档指南》，免费提供给有建档需求的群众。全市档案系统的干部职工全部建立了家庭档案，家庭建档数累计达 2 万余户。

【农业、农村档案工作】 种养加大户建档、文明生态村建档、小额信贷建档、农业经济园区建档等取得了显著成绩。全市 222 个乡镇中，有 202 个达标，规范化率达到 91%。行政村档案工作规范化率达到 71%。全年共接收土地延包合同档案 7.75 万份，接收土地流转合同档案 218 份，接收率分别达到 90% 和 80%。以农村大户建档为重点，积极引导和推动农民开展家庭建档，全市农村家庭建档达到 2.1 万户。围绕社会主义新农村建设，积极开展了为农村“两委”班子建档、为参加新兴合作医疗群众建立合作医疗档案、为失地农民建档、为农村独生子女户建档工作，做到社会主义新农村建设开展到哪里，档案工作就跟踪、服务到哪里。

【机关、企业、重点项目档案工作】 1. 市直机关、团体、事业单位的档案工作。 从 7 月份开始，对 119 个市直机关、团体、事业单位逐一进行了考核打分，并由考核组向被考核单位通报考核结果，指出存在的问题和不足。同时，对各单位的档案资源情况进行了调查，形成了各单位的业务档案。市县两级全部完成归档工作，合格率分别达 97% 和 96.5%。继续抓好档案目标管理等级认定工作，年内新增升级单位 10 家。其中，省一级 1 家，省二级 3 家，省三级 7 家。

2. 企业档案工作。以贯彻落实《国有企业文件材料归档办法》为契机，对石家庄市物产企业集团公司、市常山纺织集团公司、石家庄中港通讯技术有限公司及所属企业、石家庄炼油股份有限公司及所属企业共约150余家企业进行了集中指导和咨询。石家庄宝石集团公司投资近百万元改造、装修了集团档案室，增配了装具和设备，实现了集团全部档案的集中统一管理。石药集团公司改制为民营企业后，对其所属十几家企业的档案工作进行了逐一调研指导。依据省政府办公厅《国有破产企业档案处置暂行办法》，对市第二燃料总公司、市物资贸易公司、市金属回收总公司、市汽车贸易公司、市人造板厂、市木材公司、市第二木材公司等破产企业的档案处置工作进行了督导，并接收市第二燃料总公司、市物资贸易公司、市金属回收总公司破产档案2182卷。

3. 重点建设项目档案工作。市档案局与发改委共同转发了国家档案局、国家发改委制定的《国家重点建设项目档案验收办法》，对石家庄市张石高速、石环路建设项目和赵县各重点建设项目约170余个参建单位进行了集中指导培训。按照分级管理原则，对2007年在建的其他重点建设项目档案工作进行了具体指导，组织填写了《河北省重点建设项目档案管理登记表》。全年对重点建设项目指导100余次，验收重点项目6个。

【档案科研、教育、宣传工作】 市县两级档案局认真落实国家档案局《关于加强业务人员培训工作的意见》和《河北省档案专业技术人员继续教育暂行规定》的精神，狠抓教育培训工作。6月，市局会同组织部、人事局举办了档案人员岗位培训班，共有169名档案业务人员参加了培训。各县（市）区档案局举办各种培训80期，培训人员达2657人次。组织20名在籍考生参加了自学考试。积极开展档案科研工作，2007年，市档案局《内容安全与数据交换型电子档案系统》科研课题已基本完成。并在市中小企业局、鹿泉市档案局、桥东区档案局试运行。为配合石家庄解放60周年纪念活动，市档案局利用馆藏老照片和近些年来拍摄的新照片，在省会儿童少年活动中心举办了《纪念石家庄解放六十周年馆藏照片展》，展览反映了石家庄市解放60年来在城市建设中取得的巨大成就，新旧对比，生动再现。同时开办《档案大观》阅报专栏，深受广大市民的欢迎，阅报人数达1.5万人次，提高了市民的文化素养和档案意识。在《中国档案报》发表理论文章18篇，在《档案天地》杂志发表文章19篇，编辑档案信息22期。认真做好档案业务报刊的征订工作，全市征订《档案天地》1750份，超额完成任务。

【重点档案的抢救和保护】 2007年，市档案局与市财政局共同转发了《国家重点档案抢救与保护补助费管理办法》，汇总上报了2006年三个项目实施进展情况，并按照石家庄市“十一五”期间国家重点档案抢救和保护工作规划，筛选了13个项目作为2007年的项目上报省档案局。经省档案局审批，共有9个项目获准立项，其中市档案馆1项，各县（市）区8项，共获得中央财政资金支持12万元。

市档案馆的解放石家庄档案资料抢救与保护项目取得较大进展。起草了《关于征集解放石家庄档案资料的公告》、《关于协助征集解放石家庄档案资料的函》两个文件，石家庄日报、河北日报、燕赵晚报、燕赵都市报、市电视台、市广播电台、河北电视台刊登、播放了公告，并向80余家兄弟档案馆发出征集函。征集公告和协助征集函发出后，广大市民、兄弟档案馆、特别是参加过解放石家庄战役的老同志及其子女、亲属纷纷来电、来函积极提供线索、踊跃捐赠资料。经过近一年的紧张工作，征集到各种载体的档案资料198件，其中军功章、纪念章10枚，照片50余张。采集参加过解放石家庄战役的四纵司令员曾思玉中将（98岁）、独立旅旅长曾美少将（93岁）、战地记者林放、有关参战人员曹京法、王香葆、刘文达、王明、小说《解放石家庄》作者李丰祝、参加过支前工作的老同志蒋二黑、王占奎等口述档案15人次，河北省电视台采集10位同志的口述档案，共计采集25人次口述档案。

【机关建设】 2007年，认真开展了“为民、务实、清廉”为主题、“治懒增效、治散正气、治庸提能”为主要内容和向新时期档案工作者先进代表卞峰煜同志学习等系列活动。通过学习教育，统一了思想，加强了团结，转变了作风，进一步树立“默默无闻、甘于奉献、爱岗敬业”的服务意识。进一步完善各项规章制度。根据工作实际建立了全员岗位责任制，实现了定岗、定责，增强了干部职工工作的主动性，切实保证了各项工作任务的完成。

（马彦春）

文物保护 文博工作

【文物保护工作进展突出】 2007年，省级文物保护单位新乐玉皇庙、深泽文庙大成殿维修工程、元氏朗公和尚塔复立工程竣工；井陉文庙大殿维修工程进展顺利；启动中国人民银行总行旧址（小灰楼）修复工程。开展石家庄市文物资源普查工作，全面启动石家庄市第三次全国文物普查（复查）和石家庄市河北省历史文化村镇和优秀乡土建筑普查工作。同时，结合新农村建设和城区大型企业“退二进三”工程，启动农村文化遗产和工业遗产的普查、规划、保护和利用工作。南水北调考古发掘资料整理工作圆满结束，新乐大岳、安庄、正定西邢家庄三处墓地共出土各类文物194件（套）。全市文物系统的文物保护单位、文物库房的保卫人员统一着装工作如期进行，先期正定、赵县、平山、井陉四县的试点工作完毕。

【圆满完成第五批省级重点文物保护单位申报工作】 经过近半年的调整、筛选，石家庄市最终确定76处文物点申报省级文物保护单位，申报数量居全省第一。同时补充了部分市级文物保护单位的保护范围及建设控制地带相关资料，完善了毗卢寺、中国人民银行总行旧址、东垣故城遗址、民生路历史文化街区等历史文化遗存保护利用规划设想。

【“文化遗产日”系列宣传活动丰富多彩】 围绕“保护文化遗产，构建和谐社会”这一主题，于6月9日全国第二个“文化遗产日”开展了丰富多彩的文化遗产宣传活动。正定、井陉、平山、赵县、毗卢寺、西柏坡等分别开展了著名的常山战鼓现场表演、“帝王巡古城”巡演、平山精品文物展、《鹿泉历史文化展》等活动。并在各县（市）区悬挂宣传条幅68条，摆放展牌480余块，向群众发放宣传资料4.5万余份，各文物开放单位优惠接待游客2.6万余人。

【馆藏珍贵文物影像资料采集工作基本结束】 配合国家文物局建立国家馆藏珍贵文物电子信息档案工作，按照省文物局部署，石家庄市组织开展了馆藏珍贵文物影像信息采集工作，全市除个别文物因出国展出等客观原因外，其余已基本拍摄完成。此次共拍摄文物2703件。其中一级文物88件，二级文物470件，三级文物2145件，照片共计8810张。

（夏素颖）

西柏坡纪念馆

【概况】 2007年，西柏坡纪念馆坚持以邓小平理论、“三个代表”重要思想和科学发展观为指导，认真贯彻落实党的十七大和胡锦涛同志西柏坡重要讲话精神，积极开展“创三优”、“双争共建”和“解放思想大讨论”活动，在中央、省、市各级领导的正确领导和社会各界的大力帮助下，发扬西柏坡精神，树正气、讲团结、求发展，努力创建和谐景区，圆满完成了全年的工作任务和工作目标。2007年，西柏坡纪念馆从提高工作质量和接待服务的精细度上入手，全年共接待观众59万人次，其中接待吴官正、李鹏等省部级以上领导60多位，社会各界名人500多批次。

【吴官正到西柏坡考察学习】 2007年4月2日，中共中央政治局常委、中央纪委书记吴官正到西柏坡纪念馆考察学习。

吴官正书记参观了矗立在西柏坡纪念馆广场中央的五大书记铜像、董必武同志旧居、新华社在西柏坡旧址、刘少奇同志旧居、军委作战室旧址、毛泽东同志旧居、周恩来同志旧居、七届二中全会旧址等。还观看了西柏坡历史资料片及展览馆的陈列展览。参观结束后，吴官正同志和中央、省、市领导及西柏坡纪念馆部分干部职工在七届二中全会旧址合影留念。

【“百名儿童庆六一，百米长卷迎奥运”活动在西柏坡举行】 2007年5月31日上午，革命圣地西柏坡的少年儿童用他们的特殊的方式来迎接自己的节日。来自西柏坡希望小学和西柏坡镇中学的二百余名孩子用五彩的画笔和天真无邪的心灵，尽情地在百米长卷上书写自己的梦想，描绘自己心中的奥运。孩子们绽开的笑脸映衬着色彩斑斓，绚丽壮观的画卷，为庄严肃穆的革命圣地平添了不少亮色。这份寄托着革命老区少年儿童美好理想和希冀的百米长卷由中央电视台少儿频道转交2008年北京奥组委。

【“喜迎十七大，快乐大巴——牵手西柏坡小朋友”活动在西柏坡纪念馆举行】 为迎接党的十七大胜利召开，庆祝少先队建队58周年，共青团河北省委、河北省少工委、共青团石家庄市委、石家庄市少工委、中央电视台少儿频道于9月15～16日在革命圣地西柏坡共同举办了“喜迎十七大，快乐大巴——牵手西柏坡小朋友”活动。央视少儿频道党总支书记、频道总监余培侠，共青团河北省委副书记、河北省少工委主任李军，石家庄市委副书记王增明等参加了此次活动，并与700余名来自革命老区平山县的少先队员一起观看了精彩的演出。

15日下午，在全国第一所手拉手希望小学——西柏坡希望小学举行了“央视少儿频道党总支捐赠仪式”。仪式上，央视少儿频道为西柏坡希望小学捐赠了音响设备和学习用品，并与西柏坡希望小学成为“手拉手互动基地”联系单位，西柏坡希望小学正式聘请央视少儿频道党总支书记、频道总监余培侠，著名节目主持人鞠萍成为该校的校外志愿辅导员。仪式结束后，央视少儿频道的主持人们与少先队员一起游戏联欢。随后，有关领导入户慰问了当地留守儿童。

16日上午，“喜迎十七大，快乐大巴——牵手西柏坡小朋友”文艺演出在西柏坡纪念馆广场隆重举行。演出以“手拉手，喜迎十七大”为主线，以西柏坡当地流传的革命故事为素材，回顾历史的同时又充分展现了当代少年儿童积极向上、开创未来的美好心愿。孩子们与鞠萍、刘纯燕等央视少儿频道的著名主持人们一同表演了《歌唱二小放牛郎》、《卖报歌》等精彩的节目。在《我的2008》的歌声中西柏坡小队员们献上了亲手绘制的迎接奥运百米长卷，表达了对北京奥运会的热切期待。特邀嘉宾中国广播事业的老一代播音前辈雅坤、央视著名栏目《高端访问》主持人水均益与河北少先队员代表常思琦一起以一首题为《新中国从这里走来》的诗朗诵，共同抒发了对革命先烈的缅怀以及对革命老区的赞美之情，精彩的节目使孩子们真正体会到了节日的快乐。

【百万巨款为农民购买大额医疗保险】 2007年9月21日，平山县参加新型农村合作医疗的农民大额医疗保险启动仪式在西柏坡举行。平山县政府拿出109万元，为参加2007年新型农村合作医疗的36.38万农民投保了中国人寿保险的大额医疗保险。

平山县自从2006年实施新型农村合作医疗以来，全县参加新型农村合作医疗的农民达到36.38万人，参加率达到了92.88%。但新型农村合作医疗的最高赔付上限为2万元，大病医疗救助的最高限额为1万元，难以完全解决重病农民的医疗费用。许多农民为看病背上了巨额债务。2007年初，平山县委、县政府开始研究农村大额医疗保险和救助机制，决定借助商业保险公司的资源优势，健全和完善农村医疗保障体系，以增强农民抵御大病医疗风险的能力。

9月21日上午，平山县县长王俊英与中国人寿保险股份有限公司石家庄分公司总经理崔绍臣在西柏坡正式签订了“平山县参合农民大额医疗保险”协议。协议规定：大额医疗保险的报销起付线为6万元。参加新型农村合作医疗的农民在定点医疗机构就医的，按可报费用的80%给付。在非定点医疗机构就医的，按可报费用的70%给付。参加新型农村合作医疗的农民家庭中18岁以下的独生子女，在同等条件下，报销比例可提高5%。医疗总费用在6～30万元（含）的，大额医疗保险封顶线为10万元。医疗总费用在30万元以上的，大额医疗保险封顶线为15万元。大额医疗保险封顶线为参加新型农村合作医疗的农民在一个保险期限（此次为2007年1月1日到2007年12月31日）内一次或多次报销的累计。参加新型农村合作医疗的平山县3名农民王志强、齐建磊、田彦林的家属当场领到19万余元保险金。

【中央党校西柏坡教学基地揭牌】 9月21日，在西柏坡纪念馆前，中央党校西柏坡教学基地揭牌仪式隆重举行。这标志着西柏坡纪念馆正式成为中央党校的教学基地，并将以其特殊的方式和独特的资源发挥在干部教育培训中的重要作用。中央党校副校长李君如，河北省委常委、石家庄市市委书记吴显国为教学基地揭牌，并作重要讲话。

中央党校在利用好浦东干部学院、井冈山干部学院、延安干部学院的同时，为了深化体验式教学，又开办自己的教学基地，第一批一共建立五个，分别是曹妃甸工业园区、西柏坡纪念馆、北京市高级人民法院、中央新闻纪录电影制片厂和外交部新闻发布厅。西柏坡教学基地是中央党校第三个揭牌的教学基地。

中央党校第49期党建班30余名教师、学员及西柏坡纪念馆工作人员参加了揭牌仪式。石家庄市市委常委、市委秘书长杨志辉，市委常委、宣传部长孙万勇参加了揭牌仪式，并陪同参观。

【李鹏到西柏坡考察学习】 9月22日，原中共中央政治局常委、全国人大常委会委员长李鹏和夫人朱琳，在李鹏委员长办公室主任吴文昌、李鹏的警卫长赵留江和河北省委书记张云川、省委秘书长张力、市委书记吴显国等陪同下到西柏坡考察学习。李鹏委员长仔细参观了西柏坡中共中央和解放军总部旧址大院、毛泽东同志旧居、周恩来同志旧居、七届二中全会旧址和陈列展览等。

【“追溯西柏坡历程，贯彻十七大精神”学术研讨会在西柏坡纪念馆召开】 为了更好地领会和发扬西柏坡光荣传统，全面贯彻十七大精神，中国社会科学院马克思主义研究院、河北师范大学、西柏坡纪念馆于10月20～21日在西柏坡纪念馆联合召开“追溯西柏坡历程，贯彻十七大精神”学术研讨会。中国社会科学院马克思主义研究院院长程恩富教授主持会议并致开幕词。西柏坡纪念馆馆长赵贵世向与会专家致欢迎词并讲话。石家庄市委宣传部副部长耿振环与会并讲话。来自中国社会科学院马克思主义研究院、河北省社会科学院、石家庄市社会科学院、河北师范大学、西柏坡纪念馆的专家学者40余人参加了研讨。中国社会科学院政治学所副所长房宁教授、中国社会科学院马克思主义研究院赵智奎研究员、李伟研究员分别围绕“民主政治建设的有关问题”、“中国特色社会主义理论体系的新认识”、“西柏坡精神与中国特色社会主义”作了学术报告。与会专家围绕会议主题，就坚持和发展中国特色社会主义理论、加强党的建设、全面建设小康社会以及坚持唯物史观等内容进行了会议交流和发言。先后发言的专家学者有冯颜利、龚云、王宜秋、桁林、李晓勇、李红岩、刘德中等。与会专家认为，党的十七大报告使用了“中国特色社会主义理论体系”这一创新提法。研究中国特色社会主义理论体系需要注意处理好六个关系。一是中国特色社会主义旗帜、道路、理论体系的关系；二是中国特色社会主义理论体系与马克思主义中国化的关系；三是中国特色社会主义理论体系与毛泽东思想的关系；四是中国特色社会主义理论体系与邓小平理论、“三个代表”重要思想、科学发展观的关系；五是中国特色社会主义理论体系的研究与宣传、普及的关系；六是中国特色社会主义与世界社会主义运动的关系。会议认为，在西柏坡召开的党的七届二中全会确定了“把中国建设成一个伟大的社会主义国家”的基本方针，因而，中国特色社会主义的起点就是从西柏坡开始的。会上，程恩富教授指出，西柏坡精神与党的十七大精神至少在三个方面是相同的：在道路上，都是坚持社会主义道路；在核心或宗旨上，都坚持全心全意为人民服务；在作风上，西柏坡精神强调“两个务必”，党的十七大强调三个“一定”。弘扬以“两个务必”为核心的西柏坡精神在中国特色社会主义建设中有着不同寻常的作用和意义。

【“革命后代情系太行”活动到达西柏坡纪念馆】 10 月 29 日，“革命后代情系太行”活动一行 160 多人到达西柏坡纪念馆参观学习。此次活动是为纪念中国人民解放军建军 80 周年和晋察冀抗日根据地创建 70 周年而举办的，由聂荣臻研究会、北京八一学校校友会、中共河北省委宣传部、中共山西省委宣传部共同主办，由聂荣臻之女聂力，任弼时之女任远芳，贺炳炎之女贺北生，马本斋之子马国超等 160 余名将帅后人组成。在此次活动中革命后代奔赴河北省和山西省，在晋察冀纪念馆举行纪念活动，向当地仍健在的老抗日战士发放慰问金；参观西柏坡；在华北军区烈士陵园举行纪念仪式，向烈士纪念碑敬献花圈；参观八路军纪念馆等，重温革命历史，继承革命传统。

【“中华百位书画名家爱心助残万里行”活动在西柏坡启动】 2007 年 11 月 4 日，“中华百位书画名家爱心助残万里行”活动启动仪式在西柏坡纪念馆举行，河北省人大常委会副主任张群生、河北省残疾人福利基金会理事长郭洪岐及河北省委宣传部有关领导出席了启动仪式，老一辈革命家朱德、任弼时的亲属等也应邀参加了此次活动。在启动仪式上，来自全国各地的十几位书画家代表上台向主办单位捐赠了他们的书画艺术作品。“中华百位书画名家爱心助残万里行”活动发起人、著名书法家吴家贵将一幅 80 米长的书法长卷《圣教序》现场义卖，被石家庄晴连煤炭运销有限公司总经理刘连锁认捐，所得善款 100 万元当场捐给省残疾人福利基金会，并为 1000 名白内障患者重见光明设立专项爱心基金。

“中华百位书画名家爱心助残万里行”活动由省残疾人福利基金会、吴家贵巨幅书法长卷大巡展组委会倡导发起，并特邀中国书画界联合会、中国大众文学学会、中国香港国际书画家协会、西柏坡纪念馆、韶山毛泽东同志纪念馆、井冈山革命博物馆、遵义会议纪念馆、延安革命纪念馆共同主办。活动在西柏坡启程后，还将开展“首都誓师、爱心长征、港澳义展、两岸联动”等一系列活动。

【“辉煌六十年——纪念石家庄解放 60 周年”大型展览开展】 2007 年 11 月 14 日，由石家庄市委、市政府主办，市委宣传部承办的“辉煌六十年——纪念石家庄解放 60 周年大型展览”，经过半年多时间的紧张筹备，在河北省博物馆隆重开展。展览以回顾光荣历史、展示辉煌成就为主题，分华北重镇、攻坚第一城、共和国摇篮、新城崛起、辉煌成就、灿烂明天六个单元。展览通过文字、图片、图表、音像、实物、模型等形式，综合运用新材料、新技术等现代展示手段，系统回顾了石家庄城市发展的历史脉络，充分反映了石家庄解放的历史意义，集中展示了石家庄解放 60 年来经济和社会发展的辉煌成就，描绘勾勒了石家庄未来发展的美好愿景。展览于 11 月 30 日闭幕。

【西柏坡红色旅游发展建设项目全面开工建设】 11 月 15 日，西柏坡红色旅游发展建设项目全面开工建设。项目由河北省建筑设计院设计，河北冀科监理公司监理，河北宏信招标公司代理招标，河北深化建筑安装公司和石家庄市一建公司中标施工。包括环境整治、旅游厕所、污水站改造、步游路修建 4 个方面。总投资 1000 万元，其中国家支持 600 万，地方自筹 400 万，预计 2008 年 5 月 1 日全面竣工。此项工程是为迎接中共中央、解放军总部移驻西柏坡 60 周年献礼工程。

【中共中央和解放军总部旧址山体滑坡灾害治理工程顺利竣工】 11 月 30 日，河北省国土资源厅支持项目——中共中央和解放军总部旧址山体滑坡灾害治理工程顺利竣工。该项目由河北省国土资源厅批复立项，投资670万元。此工程由中铁西北研究设计院设计，甘肃铁科监理公司监理，河北筑城招标公司代理招标，河南郑州地质勘察院中标施工，项目建成后既保证了中共中央和解放军总部旧址、西柏坡国家安全教育馆和游人的安全，同时绿化美化了环境。

【西柏坡纪念馆生活区窑洞改建项目顺利竣工】 12月31日，西柏坡纪念馆生活区窑洞改建项目顺利竣工。此工程由河北省建筑设计院设计，河北方圆工程监理公司监理，河北宏信招标公司代理招标，河北第六建筑有限公司和平山县城乡建筑有限公司中标承建。2007年6月18日开工，建筑面积5939平方米，二室一厅48户，投资600万元。这一项目的建成使纪念馆职工的生活质量、生活环境上了一个新台阶，解决了职工的后顾之忧。

（西柏坡纪念馆）

石家庄年鉴 Public Health & Sport

卫生·体育

卫生·体育

卫　生

【概述】 2007年，石家庄市卫生工作以努力实现人人享有基本医疗服务为目标，解放思想，开拓创新，突出重点，狠抓落实，各项工作取得了新进展。全市共有医疗卫生机构2148个，实有床位3.06万张，卫生人员4.93万人，其中卫生技术人员4.02万人，其他技术人员2633人，管理人员2375人，工勤人员4089人。卫生技术人员中，执业医师1.56万人，执业助理医师3146人，注册护士1.15万人。另有村卫生室5162个，执业（助理）医师1475人，乡村医生和卫生员8236人。

【农村卫生】 2007年，石家庄市以普及新型农村合作医疗制度为抓手，农村卫生工作得到加强。新农合实现了全覆盖，运行平稳，成效显著。一年来，参合农民540.16万人，参合率87.54%，全年共补偿参合农民203.42万人次，补偿总费用2.3亿元，参合农民满意率达98%以上。特别是2007年9月，平山县由县财政出资，按每人每年3元的费用为参合农民购买商业保险，参合农民罹患大病、重病之后的大额医疗费用补偿最高可达15万元，较好地弥补了现行新型农村合作医疗低水平、广覆盖的制度缺陷，在为参合农民建立大额医疗费用再保险方面进行了有益探索。利用国债和省补资金，全面加强了乡镇卫生院改造工程。市政府多次召开全市乡镇卫生院建设调度会，并将乡镇卫生院建设工作列入考核各县（市）区政府主要领导的重要指标。有146所乡镇卫生院完成了建设和改造任务。深入开展创建标准化乡村卫生机构活动，133所乡镇卫生院实现改造达标，85%的村卫生室达到了标准化要求，农村三级医疗卫生服务网络进一步健全，为新农合制度提供了有力支撑。

【城市社区卫生服务】 2007年，石家庄市把发展社区卫生服务列入了为人民群众办实事的重要内容，以居民满意为目标，加快建立功能合理、便捷惠民的城市社区卫生服务体系，按照《石家庄市城市社区卫生服务机构设置规划(2007～2010)》要求，完成了新增15所社区卫生服务中心的目标任务。2007年，全市共设置社区卫生服务机构199所，80%以上的街道办事处设置了社区卫生服务中心，社区卫生服务街道覆盖率达到90%以上，人口覆盖率95%以上，126所社区卫生服务机构达到了标准化要求。培训全科医师462人、全科护士304人，提高了社区卫生人员素质。桥东区顺利通过“国家中医药特色示范区”复核评估，桥东、新华、裕华3个区创建成为“省级社区卫生服务示范区”，在全省率先实现了全国和省级社区卫生服务示范区全覆盖、率先实现了社区卫生服务机构收费项目、收费标准、药品价格、服务标准“四统一”。全面推行了社区责任医生制度。选聘768名社区医生，深入居民家庭，开展“六个一”、“三及时”服务（“六个一”就是每个居民家庭发放一张责任医生联系卡，注明医生姓名和联系方式；为每位居民建立一份健康档案，及时掌握居民的健康和患病治疗信息；每月进行一次社区巡诊，开展健康咨询服务，提供身体、心理、社会行为等方面的健康和医疗帮助；与居委会共同组织一次健康教育讲座；更换一期社区健康教育橱窗；对重点人员，如残障和行动不便的居民等，每周进行一次访视。“三及时”就是对患有一般常见病的居民及时开设家庭病床，提供用药指导和健康咨询；对疑难重症患者及时联系、护送至上转医院，协助办理住院手续；对下转患者及时登门走访，搞好康复治疗，告知保健常识），小病当医生、大病当参谋、康复当助手、保健当亲人，家庭覆盖率达到了83.1%，形成了融亲情、友情于一体的和谐医患关系。特别是开展了社区药品网上竞价采购，统一配送，参与竞标的药品生产企业356家，中标药品426种，中标药品价格较集中采购前平均下降21.3%，比药店零售价低6.4%，让居民用上了放心药、便宜药。7月20日，河北省政府在石家庄市召开全省城市社区卫生工作会议，省政府副省长孙士彬出席会议并作了重要讲话，对石家庄市的经验和做法进行了推广。8月，国务院将石家庄市确定为“全国社区卫生服务体系建设重点联系城市”，在全国省会城市中仅此一家。

【公共卫生服务】 2007年，石家庄市加强了重点传染病防控，完善了卫生应急预案，严格了疫情报告管理，全年未发生重大疫情和突发公共卫生事件。在全国省会城市第一家以政府令形式颁布实施了《石家庄市流动儿童预防接种管理办法》，摸排流动儿童1.36万人，流动儿童预防接种管理工作处于全国领先水平，艾滋病发病率第一次出现了下降趋势，结核病防治各项指标位居全省前列，为突发公共卫生事件的及时预警和有效处置奠定了坚实基础。妇幼卫生工作扎实推进，“中美预防神经管畸形合作项目”获卫生部项目办综合先进奖。作为卫生部确定的全国8个“卫生科技进社区”项目试点城市，12月8日顺利启动。爱国卫生工作深入开展，灭鼠、灭蟑、控烟禁烟等项工作全省领先，改造农村厕所7万座。《石家庄市居民健康手册》免费发放；《卫生与健康》，全年共出刊29期，采编各类稿件1416篇。在全国首家推出了公共卫生公益热线心理咨询服务，接受咨询5000人次。

加大了健康教育和医学科普知识宣传力度。2007年10月在平山启动了“健康生活进农村大讲堂活动”，计划利用一年半时间在全市2500多个千人以上村开展以慢性病和常见传染病防治知识为主要内容的健康教育宣传。并先后在平山县、晋州市等4个县（市）、200多个村举办了健康教育课堂，受教育农民2万多人次。“燕赵讲坛——百姓健康讲堂”是面向市民普及健康知识的系列公益讲座活动，于2007年12月8日启动。聘请国家、省、市著名医学、健康教育专家讲授常见病、多发病、老年病的防治知识，每月两次在石家庄人民会堂举办，无偿发放科普宣传资料，受到居民的普遍欢迎。

【卫生监督执法】 2007年，石家庄市继续开展了中小餐馆食品卫生安全整治“洁餐行动”，推行了食品卫生安全第一责任人、卫生管理制度、卫生许可证、量化分级标识、责任卫生监督员等“十统一”公示制度，全市共检查单位1.90万户次，查处违法案件1139起，查处取缔无证餐饮单位1661家，中小餐馆食品卫生优良率达到66.9%，提前实现了年初60%的目标。持续加强了打击非法行医专项行动力度，在媒体曝光了96起违法行医典型案例，医疗服务市场得到进一步规范。特别是积极推进了“卫生监督进社区”工作，以市政府办公厅名义印发了《进一步加强卫生监督进社区工作实施意见》，对市区五区62名一线卫生监督人员全部派驻社区，设立了25个卫生监督分所，统一配备了社区卫生监督执法专用车，每个分所选派2—3名卫生监督员，担负起“卫生片警”的责任，实现了卫生监督关口前移和重心下移，实现了社区卫生服务与社区卫生监督的有机结合，在全国创出了经验。

【“三大一重”活动】 2007年，石家庄市进一步加强了医疗卫生单位内涵建设，在全国率先开展了大培训、大练兵、大比武活动。从临床、医技到护理，从党务、行政到后勤掀起了全员大培训、技术大练兵、岗位大比武热潮，分别举办了急救、临床、医技、麻醉、中医以及“白衣天使”风采等8个大赛，评比命名各专业状元10人，标兵、能手各5人，卫生人员的理论水平、操作技能、沟通能力明显提高。加强了重点学科建设，筛选命名了36个医学重点学科和41名医学重点学科带头人，引进新技术、新项目36项，19项继续医学教育项目被确定为国家级项目，27项成果获2007年度省科技厅、省卫生厅和市科技进步奖。“中医特色年”活动成效显著，被命名为“中医药工作综合考评先进单位”，授予中医中药中国行大型系列义诊咨询活动“特别贡献奖”，还被列入首批药品零售企业设置中医坐堂医诊所全国试点城市。

【医疗惠民工程】 2007年，石家庄市卫生系统立足行业、主动作为，扎实推进医疗惠民工程，先后推出了28项便民惠民举措，全方位、立体式的医疗惠民体系基本建立。“医学专家大篷车”和“千名医师下乡村”活动深入扎实开展。全年共选派市、县级医务人员600名对口支援了4所县级医院和66所乡镇卫生院，对222所乡镇卫生院的院长、医师和9193名乡村医生进行了培训，诊治病人12.2万人次，提供义诊咨询1.5万余人次，免费体检1700余人次，发放健康科普宣传手册5万余册。面向四类弱势群体的《夕阳红就医优惠卡》和《就医优惠证》受益人群达48万，减免优惠医药费用2100多万元。对全市493名劳动模范、600多名环卫女工和全市女交警进行了免费健康体检，建立了健康档案。广泛开展了“为民、务实、清廉”活动，加强了效能建设，推行了院务公开，聘请党的十七大代表刘荣秀为全系统行风建设顾问，43名社会各界人士为行风建设和效能监督员，为实现卫生事业又好又快发展提供了有力保障。

（许　云）

体　　育

【概述】 2007，在市委、市政府的领导下，高举中国特色社会主义伟大旗帜，以邓小平理论、“三个代表”重要思想和十七大精神为指导，深入落实科学发展观，全面贯彻中央、省委和市委、市政府《关于进一步加强和改进新时期体育工作的意见》，以实施全民健身计划和奥运争光计划为重点，以参加河北省第十二届运动会和第六届城市运动会为主要任务，以办好第十三届市运会为重点工作，团结一致、求实创新，与时俱进，做到了“抓落实，求突破，见成效”，各项工作成绩显著。

【石家庄市体育代表团获省运会三项第一】 2006年6月至2007年6月第十二届省运会在唐山市举行。石家庄市体育代表团经历了长达一年的奔波征战，最终以金牌总数214.2枚、团体总分6736.4分、奖牌总数513.5枚(214.2枚金牌、163.4枚银牌、135.9枚铜牌)三项第一的优异成绩站在了省运会之巅，出色地完成了市委、市政府交给的参赛任务，并荣获“体育道德风尚奖”和“全运会贡献奖”，取得了运动成绩和精神文明的双丰收。

【全国第六届城市运动会石家庄市代表团实现历史性突破】 全国第六届城运会上，石家庄市以最佳阵容参加决赛，有33名运动员参加了乒乓球、武术套路、射击、柔道、摔跤、田径等6个项目的决赛，共获得3金3银2铜的优异成绩，在参赛的74个城市中排名第27位，比上届提前了34位，实现了历史性突破。

【举办全国田径锦标赛】 8月2日至5日，石家庄市在裕彤国际体育中心承办了2007年全国田径锦标赛。全国各省、市、自治区、行业体协、解放军和体育院校共37个单位来石参加了比赛，参会人员1400多人，其中运动员662人。全国10余家新闻单位的50余名记者采访报道了本次比赛。这是石家庄市连续第五次承办此项赛事，并受到国家体育总局和参赛单位的一致好评，充分展示了石家庄市的办赛能力和整体形象。

【群众体育蓬勃开展】 2007年，以“全民健身与奥运同行”为出发点和落脚点，继续围绕“大型活动造声势，小型活动添风采”，推动群众性体育活动深入开展，形成“全市联动、上下互动、日日有活动，阶段有高潮，长期不断线”的大好局面。一是按照以社区为基础，以学校为重点，以活动为动力，以法规为保障的指导思想，逐步实现了组织工作网络化、健身活动系列化、管理工作制度化，基本建立了适应社会发展和市场经济规律的全民健身运行机制。2007年，石家庄市体育人口已达到42.01%(市区达45%)；建立社会体育指导站568个，培养社会体育指导员6000余名；安装全民健身路径800余条(2007年累计完成100条)、体育健身苑6个、全民健身工程42个、示范工程4个，成为河北省安装全民健身路径最多的城市。二是在做好学校体育、社区体育、农村体育、职工体育以及老年人、残疾人、少数民族体育等常规性工作的同时，利用有一定知名度的品牌活动和比赛的影响力、宣传力开展群体活动。举办了2007年安利纽崔莱健康跑暨省会全民健身月活动启动仪式和系列体育比赛。先期在文化广场举办了健康嘉年华活动，参加人数达1万余人次。5月12日，健身周启动仪式在裕彤国际体育中心举行，奥运冠军王军霞作为“健康跑”推广大使与省会20000名市民一起进行健康跑，河北省副省长孙士彬、石家庄市副市长王刚等领导同志出席了启动仪式。健康跑结束后，进行了大型健身活动表演。健身月期间举办了12项体育活动和比赛，有近万人参加。继续举办第十二届国际奥委会主席杯全国百城市自行车赛——石家庄赛区比赛暨第五届石家庄市自行车比赛。分别设立以竞技为目的普通车组和重在参与的大众组，调动全民参与的积极性。共有2020名运动员参加了比赛，创造了本赛事参赛人数最多的纪录，产生了极大的社会效应，有很大的影响力。通过选拔石家庄市组队参加了在云南举行的第十二届国际奥委会主席杯全国百城市自行车赛总决赛，并取得了较好的成绩。三是在传统项目的基础上，不拘一格挖掘新颖、时尚的活动新形式，以吸引更加广泛的人群参加到全民健身的行列中。10月13日在封龙山举办纪念石家庄解放60周年群众登山活动。市直机关各单位、各县市区及石家庄市居民积极响应，参加人员达5000余人。4月27日在裕彤体育中心举办了市直机关老干部运动会，作为老年人的体育盛事，有72个单位3000余名老同志参加了12个项目趣味体育比赛和体育表演。

在1月18日“体育三下乡”活动中，石家庄市体育局携带捐赠的2.2万元现金和价值8千元的体育器材来到灵寿县，为100多名农民进行了体质监测，还进行了精彩的文体表演。

【体育竞赛成果卓著】 2007年，共举办市级比赛20项38次，协助基层办赛事45次，筹集社会资金19万元，举办培训班15次，圆满完成全年度竞赛计划。全年，石家庄市外派代表队28次，共获得奖牌88枚，其中金牌34枚，银牌28枚，铜牌26枚，在参加世界及全国性比赛中获得金牌6枚，参加省级比赛共获得金牌28枚。

【体育产业】 2007年，石家庄市体育市场管理进一步加强，体育经营活动进一步走向法制化、规范化轨道。全市体育经营场所总投资达2.5亿多元，建有体育俱乐部26个，体育经营项目28项，经营单位274家。2001～2007年，石家庄市共建立电脑体育彩票投注站531个，总经营销售额已达13.4亿元，总销售额始终位居全省前列。07年石家庄市电脑彩票销售2亿多元，即开型彩票1500多万元。

（体育局）

社会生活

社会生活

人口和计划生育

【概况】 2007年，石家庄市以宣传落实中央《全面加强人口和计划生育工作，统筹解决人口问题的决定》（以下简称决定）为统领，以建章立制、规范管理为抓手，以构建统筹解决人口问题政策体系为重点，在加强领导，强化基层，帮促后进和综合治理等方面狠下功夫，着力解决制约工作上水平的关键问题，使各项人口计生工作取得了明显成效，在年终省委、省政府对全省11个市的考核评估中，石家庄市的人口计生工作排名第一，进入了全省一流行列。其中十项重点工作实现了新突破：人口控制水平实现新突破。政策符合率由2006年的87.63%提高到93.32%；育龄妇女普查质量实现新突破。普查生孕比由90%提高到93.37%；人口计生宣传教育工作实现新突破。育龄群众对生育政策、奖励扶助政策、社会抚养费征收规定及生殖保健知识知晓率达到95%以上；避孕节育措施落实率实现新突破。采取长效措施的已婚育龄妇女达到87%以上；农村独生子女父母奖金落实实现新突破。由去年的42.3%提高到100%；流动人口计划生育管理服务实现新突破。全市流动人口婚育证明发证率、验证率、流动人口已婚育龄妇女普查服务率均达到90%以上；综合治理出生人口性别比工作实现新突破。全市出生人口性别比趋向正常。出生缺陷干预工作实现新突破。已婚待孕妇女优生服务率由60%提高到80%；优质服务体系建设实现新突破。新购置医疗器械648台（件），新进具有执业资格的医师65名，建成省优质服务型标准的县、乡级服务站分别达到90%和70%以上；长效机制建设实现新突破。出台了《关于贯彻落实中央〈决定〉的实施意见》、《关于建立和完善计划生育利益导向机制的实施意见》、《石家庄市再生育申报审批诚信制度》等15个规范性文件。全市人口计生工作步入了经常化、制度化管理轨道。

【落实中央《决定》精神 做到“五坚持、五到位”】 2007年，市委、市政府始终高度重视人口计生工作，按照中央《决定》的要求，把人口计生工作纳入建设繁荣、和谐、文明新石家庄的大局中去思考、定位，具体做到“五个坚持、五个到位”：一是坚持把学习宣传中央《决定》精神放在首位，对新时期人口计生工作认识到位。2月5日，市委中心组组织专题学习，省委常委、市委书记吴显国要求各级党政领导要充分认识统筹解决人口问题的艰巨性，充分认识全市人口计生工作发展不平衡的现状，切实加大力度，狠抓后进转化。用制度管人，用制度保证中央《决定》落实的长效机制，一刻不松，持之以恒地做好新时期的人口计生工作。2月2日至3月2日，全市组织开展了《决定》集中宣传月活动，通过召开座谈会、举办演讲比赛、知识竞赛、制作展牌、发放宣传材料等形式，把中央《决定》精神迅速传达到基层。市委副书记王增明带领全市23个县（市）区的副书记、人口计生局长到唐山市学习考察，市委副书记王增明、副市长王刚带队，组织各县（市）区党政主管领导参加了省政府组织的中央《决定》专题讲座，现场聆听了国家人口计生委主任张维庆同志的专题辅导。8月中旬，又举办了全市党政领导人口计生培训班，对各县（市）区委副书记、副县（市）区长、人口计生局长、市直30个相关部门的主管领导进行了集中培训，副市长王刚亲自动员，省人口计生委主任赵新同志亲自授课。仅市本级就举办培训班20期，1668名骨干参加了培训。二是坚持把人口计生工作纳入全市经济社会发展的全局统筹谋划，对人口计生工作领导到位。市委、市政府着眼全市长远发展，坚持把人口计生工作与经济工作同谋划、同部署。自2006年市委换届以来，已召开五次全市三级干部大会，每次会议都把人口计生工作列上重要议题。2007年7月召开的第四次全市三级干部大会上，安排六个现场"看"计生、典型发言"说"计生，通报排位"评"计生，领导讲话"讲"计生，充分体现了市委、市政府对人口计生工作的高度重视。各乡（镇）由党委委员、副乡（镇）长担任计生办主任，享受正科级待遇，保证了对人口计生工作的坚强领导。三是坚持实行目标管理责任制，对人口计生工作责任到位。市委、市政府主要领导坚持每年与各县（市）区党政主要领导和市直相关部门主要领导签订人口与计划生育目标管理责任书，各县（市）区也层层签订责任书，并严格考核奖惩，对完不成责任目标的实行一票否决。市政府拿出26万元，对2006年度人口与计划生育目标管理先进单位予以奖励，对2个单项工作不达标的县、区否决了评先资格。在2006年度全市文明单位评选中，石家庄建工集团等3个单位因计生问题，被取消评选资格。四是坚持分档管理、分类指导，帮促后进转化到位。将全市人口计生工作分为农村一档、农村二档、城市区和相关部门四个类别，实行分档管理、分类考核。在2006年对后进单位出示黄牌警告的基础上，2007年把16个计生工作综合指标后进乡（镇）列入重点管理单位，责令由县（市）主要领导定点联系，限期改变落后面貌。五是坚持人口计生财政投入高于经常性财政收入增长幅度，对人口计生工作经费投入到位。2007年市本级投入计生经费1400万元，其中，农村奖励扶助金150万元，"民心工程"专项经费220万元，"四项手术"专项经费40万元。人口计生工作总投入比上年增加203万元，增长幅度为17%，高于全市经常性财政收入两个百分点。全市24个县（市）区也全部按标准投入到位。

【综合治理重点难点问题】 部门联动，综合治理出生人口性别比偏高问题。一是加强组织协调，强化部门责任。及时调整了综合治理出生人口性别比协调指导小组，建立了公安、卫生、人口计生、民政、统计、教育6部门人口信息通报制度。2007年，市委、市政府两次召开综合治理出生人口性别比调度会，明确要求谁主管、谁查处"两非"案件。强化了各职能部门的责任。二是从源头抓起，落实各项管理制度。认真落实全员全程包保责任制，建立B超机准入制度和孕情跟踪服务制度。石家庄市有1295台B超，全部列入管理监督范围。2007年，全市对持二胎生育证的夫妻因私自实施流引产而收回生育证8例，查封B超8台。三是开展关爱女孩行动。建立健全了关爱女孩活动领导机构，加大关爱女孩行动综合治理出生人口性别比宣传力度，组织开展了关爱女孩行动知识竞赛，对女孩困难家庭实施救助，营造了有利于女孩成长的社会环境。

严格政策，认真做好干部任用中的计划生育审核，严肃查处党员干部违法生育案件。市委、市政府出台了《石家庄市再生育申报审批诚信制度》和《关于违反生育政策，严格落实责任追究的通知》，并在《石家庄日报》每季公开一次再生育审批人员名单，增强再生育审批工作的透明度。按照省委组织部、省人事厅、省人口计生委《关于在领导干部选拔任用中做好计划生育情况审核工作的通知》要求，全市实行了干部任用计划生育审核制度。各级组织人事部门坚持在公职人员入党、评优、兑现奖励、调职晋级时，及时向人口计生部门通报有关情况，由人口计生部门对其计生情况进行认真审核，凡有政策外生育情况的，实施一票否决。2007年，仅市本级就对40名拟提任副县级以上职务的领导干部进行了计划生育审查，有3人被否决。全市共清理出违反计划生育政策的党员干部952人，其中副科级以上干部22人，给予党纪处分893人，政纪处分113人。

【全面落实国家和省《条例》规定的奖励优惠政策】 一是兑现独生子女父母奖金。全市把兑现独生子女父母每月10元奖金作为2007年的一项重点工作来抓，改变过去农村独生子女年满18周岁时一次性发放的办法，实行按季度或年度发放。截至10月底，全市农村18周岁以下独生子女父母领证人数为1.24万人，已发放独生子女父母奖金1412.41万元，农村兑现率达到了100%。同时，积极探索企业及城镇居民独生子女父母奖金落实的有效办法，组织人口计生、财政、税务、法制办等部门深入到常山纺织集团、华药集团、石药集团、宝石集团、金刚集团等5个大型企业进行调研，了解实情，研究制定落实措施。二是对特困计生家庭实施救助。在往年对全市200户独生子女夭亡和患重症家庭每户发放一万元救助金的基础上，2007年市本级又对79名独生子女父母实施了救助，各发放5000元救助金，总计39.5万元。各县（市）区也全面开展了救助活动。三是全面落实农村部分计生家庭奖励扶助制度。2007年奖励扶助对象确定为1.82万人，新增3522人，退出291人。市本级已将150万元奖励扶助金列入财政预算作为配套资金准备到位。四是为3810名农村独生子女落实了中、高考加10分的奖励。

【完善利益导向体系】 在抓好政府主导的同时，充分发挥各相关部门的作用，要求各相关部门在制定社会经济政策和措施时，都要坚持“三个有利于”，即有利于落实现行生育政策、有利于女孩健康成长、有利于计划生育家庭，让计生家庭优先分享改革发展成果。各部门按照要求，发挥职能优势，从多方面制定出台了政策措施。如：教育部门规定：农村“一孩、双女户”家庭优先享受中央和省制定的义务教育阶段“两免一补”政策，优先取得石家庄市“爱心助学活动”资助；劳动、人事部门规定：有关单位、各类企业在招考录用工作人员时，同等条件下，优先录用农村独生子女；民政部门规定：各级发放救济款时，优先考虑实行计划生育的低保对象；公安部门规定：农村“一孩、双女户”办理户口手续、入城务工办理暂住证时免收工本费；卫生部门规定：“一孩、双女户”家庭到市以下医疗机构就医，免收挂号费；工商部门规定：对从事个体经营的农村“一孩、双女户”家庭免收一年的工商管理费；扶贫办规定：对计划生育家庭要优先发放扶贫贷款。这些优先优惠政策的出台，完善了计划生育利益导向体系，营造了有利于人口计生工作开展的政策环境。

【建立流动人口计生工作新机制】 全市流动人口已达46.6万，其中已婚育龄妇女11.8万人。市委、市政府把流动人口计生管理服务工作作为新时期统筹解决人口问题的重要任务之一，加强领导，统筹协调，扎实推进。

建立流动人口统一管理新机制。一是加强流入、流出地的统一管理。石家庄市区域内的流动人口，实行双向管理、双向考核；对省内市外的流动人口，与流出地建立区域协作制度，2007年，已与邢台六县签定了双向管理协议书；对跨省流动人口，通过国家流动人口信息平台，实现信息的及时变动、异地查询、跟踪管理和服务。二是落实流入人口与常住人口的统一管理。按照“属地化管理、市民化服务”的要求，全市将流入人口纳入本地人口总数，落实经费，并与常住人口同管理、同服务。2007年，着力强化“一个基础，健全五项制度，完善四线管理，突出四个部位”。“一个基础”，即以社区管理为基础。“五项制度”，即建立社区流动人口协管员责任制度；楼长、单元长负责制度；社区流动人口登记制度；社区《流动人口婚育证明》查验制度；社区流动人口宣传服务制度。“四线管理”：即加大对流动人口用工单位的管理力度；加大对出租房主的管理力度；加大对市场流动人口的管理力度；加大对物业管理小区流动人口的管理力度。“四个部位”即：抓好城郊结合部、大型集贸市场、封闭住宅小区和城中村改造区域，对这些重点部位的流动人口及时清理，建档立卡，落实管理服务措施。全市《流动人口婚育证明》发证率、验证率、流动人口已婚育龄妇女建档率、合同签订率分别达到了90%以上。

完善流动人口优质服务新体系。按照“便民、惠民、维权”的原则，全市对流动人口实施了六免服务：即：免费开展宣传教育、免费提供政策咨询、免费提供避孕药具、免费查验办理婚育证明、免费提供国家规定的基本项目的计划生育技术服务、免费提供空房空岗信息及法律援助服务。全市县、乡计生服务站都增挂了“流动人口计划生育技术服务站”的牌子，一些地方还组织技术人员，深入到流动人口集中的市场、工地等开展普查服务，受到了流动人口的欢迎。

建立流动人口综合治理新格局。石家庄市把流动人口计生管理纳入社会治安综合治理总体方案，提出了量化指标和要求，并建立了“三联一通报”工作制度，“三联”：联席会议制度，每半年召开一次，由相关部门参加，汇报工作，沟通情况，解决问题；联合办公制度，计生部门派人到派出所联合办公，在办理《暂住证》时，及时查验《流动人口婚育证明》；联合巡检制度，计生部门与公安、工商、劳动等部门联合，定期或不定期到流动人口集中地进行巡检，对违反计划生育政策的流动人口进行查处。“一通报”即信息通报制度，由公安、工商、劳动等部门定期向人口计生部门通报流动人口《婚育证明》办理等信息，人口计生部门及时做好各项管理服务工作，全市初步形成了相关部门信息互通、管理互动、服务互补、合作共赢的局面。3 月召开的全省流动人口工作经验交流会上，石家庄市介绍了加强流动人口计划生育管理服务的做法。

【全面实施出生缺陷预防工作】 石家庄市全面落实中央《决定》精神，着力创建“政府主导，部门参与，预防为主，科学指导，因地制宜”的工作机制，有效地推动了出生缺陷一级干预工作的开展。2007 年，全市举办优生科普知识培训班 1125 班次，接受培训 7.77 万人，优生咨询指导 8.21 万人，咨询指导服务率 93.98%；发放优生药物 57798 人，服用率 66.17%；优生检测 4.95 万人，查出异常 496 人，优生检测率 56.69%；孕期 B 超监测 7.30 万人，查出畸形 293 人，B 超监测服务率 84.54%。

【开展系列服务　落实关怀措施】 一是实施困难救助，关怀计生家庭。全市募集救助资金 300 多万元，分批为 6 万多个计划生育困难家庭送去了党和政府的关怀。二是推行系列保险，解除后顾之忧。2007 年以来，共为 12 万个计生家庭办理了独生子女平安、独生子女父母养老、母婴安康等保险，保费达 750 万元。三是开展早期教育，提高人口素质。着力开展“0 岁方案·天使摇篮工程”，举办了一期早期教育师资培训班，聘请专家对 138 名“0 岁方案”早期教育负责人和辅导员进行了培训。还组织 12 名早期教育工作负责人参加全国培训。四是开展“少生快富”、“幸福工程”项目。利用省财政拨付的 40 万元贴息资金，在赞皇县、灵寿县为 526 个计生家庭贷款 576 万元，帮助他们发展投资少、见效快的生产项目。在 7 个县建立了 11 个“幸福工程”项目点，先后资助 1546 名贫困母亲发展生产，脱贫致富，走上幸福之路。

【夯实协会基层基础工作】 一是抓好基层协会的组织整顿，调整会员结构，优化会员队伍。2007 年 8 月在中国计生协省级会长座谈会上，石家庄市应邀专题介绍了这方面的做法。二是抓好阵地建设。全市 40% 以上的会员之家达到了优秀标准。三是抓好参与村（居）民自治工作。各级计生协在村民自治中认真履行民主参与和民主监督职能，积极参与生育指标的申报与审批、“民心工程”和奖励扶助金、救助公益金的发放，发挥了协会组织的作用。

【深入开展“四清三落实”活动】 石家庄市把“四清三落实”活动作为 2007 年全市重点工作进行安排部署，采取了一系列措施，取得明显成效。一是加强组织领导。成立了由市政府主管领导任组长的清理活动领导小组，制定了“四清三落实”活动实施方案，召开“四清三落实”活动动员大会，先后五次召开调度会，各县（市）区也都成立了“四清三落实”活动领导小组，召开了高规格动员会、调度会。二是明确任务，搞好出生人口漏报清理。要求各县（市）区在清理中严把“三关”，即：一把入户登记关，二把资料核查关，三把质量关。对清理出来的漏报出生落实到了“三头”，即“年头、户头、人头”上。三是加强督导检查。各级进一步加大督促指导力度。市人口计生委先后两次由各主任带队，对全市 24 个县（市）区的“四清三落实”活动进行督导，面对面会诊问题，查找差距。各县（市）区对进展缓慢的乡（镇）进行重点帮促，推进了整体工作的开展。截至 8 月底，全市已清理出 6 年的常住人口漏报 11.25 万人，清理流动人口出生 1.39 万人，清理党员干部违纪超生 952 人，清理政策外生育案件 7.9 万起，清理征收社会抚养费 1.94 亿元，清理政策外怀孕 3198 例，已补救 2935 例，清理未落实避孕节育措施的 6.78 万人，已落实 5.15 万人。

【落实长效避孕节育措施】 一是抓好动员发动。始终把严格落实避孕节育措施作为完成全年人口计划的重中之重。召开了全市第一季度育龄妇女普查动员大会，下发了《关于认真做好已婚育龄妇女普查严格落实避孕节育措施的通知》，将全市24个县（市）48个乡（镇）48个村作为市人口计生委普查质量跟踪监测点，实施全年跟踪，用整个年度的生孕情况验证普查质量。二是实行典型带动。一季度普查中，总结了赵县严格普查程序，信息引导普查服务的管理模式，召开了现场会，推广赵县经验，使一季度普查服务质量明显提高。三是严格落实避孕节育措施。对已生育子女的育龄妇女除禁忌症外，积极引导到县、乡服务站落实长效避孕措施。对政策外生育二孩的育龄夫妻，做到专人负责，挂牌管理。对比2006年度出生总量，2007年半年报“生孕”比达到93.37%，同比增加了1.77个百分点。2007年全市落实四项手术15.77万例，同比增加1.22万例，全市当年出生长效节育措施落实率达到87%以上。

【建立和完善计划生育优质服务体系】 一是加强计生技术服务阵地建设。2007年，投资1700万元，用于县、乡技术服务站改、扩建。截至8月底，全市有20个县（市）区服务站、164个乡（镇）服务站、2327个村服务室达到省优质服务型标准，初步形成了以县站为龙头，以乡站为依托，以村室为基础、以流动服务车为纽带的计生技术服务体系。二是更新医疗器械。2007年，市财政拨出220万元统一购置医疗器械350台（件），各县（市）区购置设备298台（件），使县乡服务站的装备水平大大提高。三是提高技术队伍素质。通过招调、聘用等方式，为县、乡服务站充实具有执业资格的医师65名，同时加大在职培训和上岗培训力度，2007年全市安排到省、市医院进修人员25名，提高了专业技术人员的操作技能。四是完善服务机制。按照县站建设规模，积极争取当地卫生部门的支持，已有15个县级服务站获得医疗执业许可，有3个县站纳入当地医保定点单位，9个县站纳入当地新农合定点医疗单位。五是扎实开展生殖健康免费服务“民心工程”。继续把为120万已婚育龄妇女提供生殖健康免费服务“民心工程”列入市委、市政府为民办的40件实事之一，实行一季一督办、一季一通报。截至10月底，全市免费服务128.37 万人，完成省下达任务的114.62%，查出乳腺疾病15.96万例，妇科疾病23.73万例。

（董恩中）

城乡居民生活

城市居民生活

【概况】 2007年，石家庄市国民经济保持了持续快速增长、协调发展的良好态势，经济社会建设取得了新的突出成就，市区居民家庭收入继续保持较快速度增长，消费水平明显提高，生活质量进一步改善。据国家统计局石家庄调查队对市区300户居民家庭抽样调查，2007年市区居民家庭人均可支配收入13204.92元，比上年同期增长14.9%，扣除价格上涨因素影响，实际增长10.1%；人均消费性支出9188.86元，比上年同期增长10.9%，扣除价格上涨因素影响，实际增长6.3%。但居民家庭收入差距依然较大，低收入居民家庭受物价影响明显，看病贵问题依然突出，保障制度需进一步加强。

2002～2007年石家庄市区居民家庭收支情况示意图

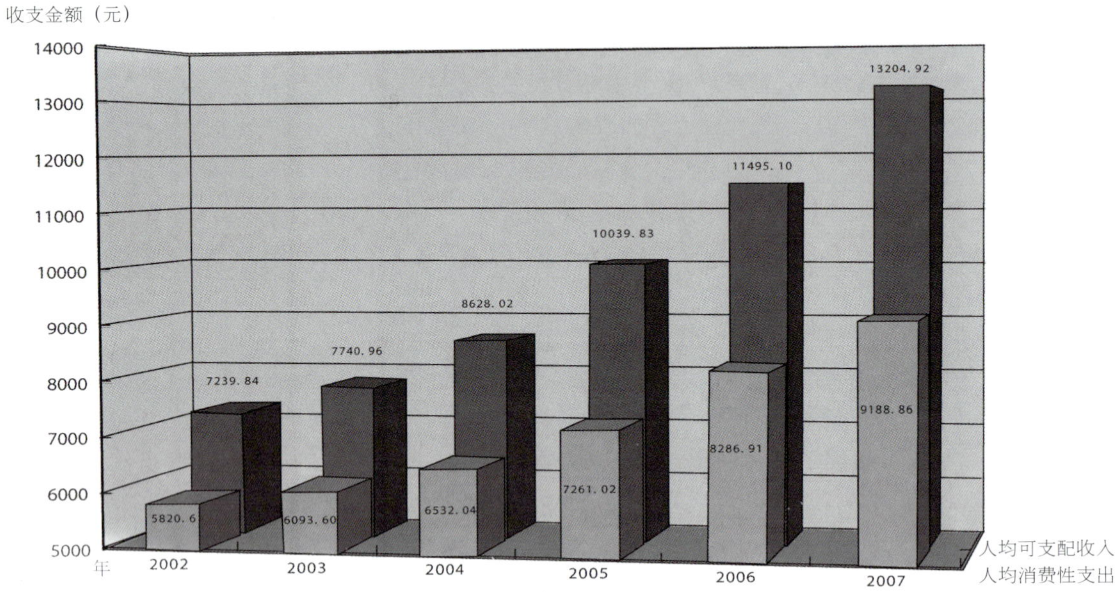

【工薪收入较快增长】 在居民家庭总收入构成中，人均工薪收入为8476.35元，同比增长24.6%，占总收入的比重为61.4%，工薪收入仍是城镇居民家庭收入的主要来源。工薪收入的增长，拉动可支配收入增长了14.5个百分点，是拉动居民收入快速增长的主要因素。工薪收入增长的主要原因：一是机关事业单位工资套改及其示范效应带来的影响，二是企业工资水平有所提高，随着企业效益的提高，企业发放的各种奖金、福利补贴比去年同期也有所增加。三是最低工资标准的提高，也保证了灵活就业者工资收入增加。

【投资渠道拓宽 财产性收入提高】 受居民投资意识增强及投资渠道拓宽的影响，2007年，人均财产性收入179.50元，比上年同期增长69.8%。占人均可支配收入的比重由上年同期的0.9%上升为2007年的1.3%。其中，人均利息收入46.42元，增长27.1%；出租房屋收入101.50元，增长66.3%。人均股息与红利收入28.85元，增长了3.6倍。2006年以来受到股票市场的利好影响，城镇居民储蓄明显出现分流，基金和证券类的支出大幅增长，拓宽了居民家庭收入渠道。

【居民家庭收入水平在河北省的排位】 根据全省调查数据，石家庄市居民家庭收入绝对额排在第三位，高出全省平均水平1514.45元。排在第一位的是唐山市，石家庄市收入水平与唐山的差距是1032.39元，从增长幅度来看，石家庄市区人均可支配收入增幅为14.9%，高出全省平均增幅1.5个百分点，在十一地市中排在第七位。

【居民消费亮点突出】 2007年石家庄市区居民消费需求继续保持平稳增长的态势，人均消费性支出比上年同期增长10.9%，略滞后于收入的增长速度。消费率为69.6%，比上年同期下降2.4个百分点。恩格尔系数是33.8%，比上年同期下降2.8个百分点。八大类消费支出项目除衣着支出略有下降外，其他各项均呈上升趋势。

居民八大类消费支出构成情况表

项　　目	绝对值（元）	增幅（%）	占消费比重（%）
人均消费性支出	9188.86	10.9	100
1．食品	3108.27	2.5	33.8
2．衣着	977.97	-1.4	10.6
3．居住	1046.38	11.5	11.4
4．家庭设备用品	568.25	12.1	6.2
5．医疗保健	1174.96	40.4	12.8
6．交通通讯	1129.08	29.5	12.3
7．教育文化娱乐服务	926.49	6.6	10.1
8．杂项商品及服务	257.45	7.6	2.8

【食品消费追求高档】 2007年，市区居民人均食品消费3108.27元，同比增长2.5%，恩格尔系数较去年同期降低了2.8个百分点。居民食品消费由量的满足转向质的提高，膳食结构更加合理。主要体现在：(1)主食消费下降，副食品消费上升。2007年居民人均粮油类支出461.48元，同比下降了3.5%；人均肉禽蛋水产品类支出712.06元，同比增长12.4%，其中肉类增长10.7%、禽类增长21.8%、蛋类增长11.9%、水产品类增长11.6%；人均蔬菜类支出367.95元，同比增长12.1%；人均糕点、奶及奶制品消费支出275.74元，同比增长11.5%。(2)食品消费追求高档。高档粗粮、特级水产品、绿色天然食品、高档进口水果等食品普遍受到市民欢迎。

【衣着消费略有下降】 2007年，市区居民人均衣着消费为977.97元，比上年同期下降1.4%。城市居民衣着消费呈现下降趋势，主要是随着生活水平的改善，居民衣着消费观念也在不断更新，需求已从传统的保暖朝舒适、个性、时尚发展，中老年人穿衣注重舒适和档次质量，青年人则更加注重时尚和展现个性。高级品牌服装价格相对较高，购买者有所减少，主要集中在高收入群体。

【居住条件进一步改善】 2007年居民人均居住支出1046.38元，比上年同期增长11.5%。其中，水电燃料及其他支出增长11.9%，居住服务费支出增长52.3%，随着居民居住小区各项设施及管理的不断完善，居民用于居住服务方面的费用近年来呈现快速增加的趋势，占居民消费的比重逐年加大。年度人均用于购房支出854.68元，比上年同期增长23.4%，年末市区居民家庭住房人均建筑面积达到27.78平方米，同比增长2.1%；居民住房成套率达94.0%，比上年同期提高1.7个百分点。

【医疗支出增长明显】 2007年，市区居民人均医疗保健支出1174.96元，比上年同期增长40.4%。其中，医疗器具增长40.4%，药品费增长30.7%，其他医疗保健支出增长56.5%。

【通讯事业迅速发展】 近年来，石家庄市通讯事业呈现出长久不衰的态势，城市居民对通讯的消费欲望持续增强，2007年人均通讯支出524.70元，增长1.7%。百户拥有移动电话153.8部，同比增长17.1%；百户拥有固定电话82.7部，同比减少7.8%；百户接入互联网的家用电脑为28.6台，同比增长58.7%。近年来网络通讯成为新潮，上网家庭日益增多，因此居民家庭用于网络服务的费用也呈现快速增长的趋势。

【家用汽车成为热点】 2007年，市区居民家庭每百户购买汽车1.0辆，比上年同期增长1.8倍，2007年末，百户拥有汽车达到5.3辆。

私家车的增加带来车辆用燃料及零配件支出迅速增长，此项人均支出48.96元，增长1.4倍。另外，居民家庭拥有电动助力车数量也快速增加，百户拥有量达到29.6辆，增长38.6%，大大方便了居民出行。

【教育和旅游消费持续增长】 2007年，市区居民家庭人均教育费支出为468.80元，比上年同期增长15.7%。值得注意的是，一些家长对重点学校的崇拜意识依然非常严重，为了让孩子能到重点学校，不惜重金者比比皆是，此项支出在教育支出中占有很大比重。

居民对精神生活的不断追求，使健身旅游变为新的时尚，越来越多的人利用双休日和节假日进行健身活动或外出旅游，居民在这方面的支出快速增加。2007年人均旅游花费149.73元，比上年同期增长8.3%；人均用于健身活动支出为22.78元，增长63.3%。

【保障型消费 服务性消费渐成亮点】 随着经济的快速发展和社会竞争的日益激烈，居民为了提高家庭和自我抵御风险的能力，安全可靠的保险投资受到消费者关注。2007年人均储蓄和非储蓄性保险支出56.27元，比上年同期增长2.9倍。经济的发展带来的是社会的进步，各种服务业迅速兴起，家政服务、钟点工、社区各种服务等越来越多，市区居民消费支出逐步向服务性消费领域分流，作为享受型的服务性消费逐渐为越来越多的人所接受，家庭服务社会化趋势更加明显。2007年人均用于服务性的消费支出2152.87元，同比增长18.6%，占消费支出的比重达到23.4%，比上年同期增加1.5个百分点。

（郭社发）

农民生活

【概况】 2007年，石家庄市各级党委、政府认真贯彻落实中央“一号”文件精神，围绕新农村建设、农业增产、农民增收，不断增加农业和农村基础设施投入，继续加大“一降三补”力度，积极推进农业产业结构调整，大力发展农业产业化经营，进一步深化和完善农村各项改革，努力拓宽农民增收渠道，农村经济保持较好的发展态势，农民收入呈现快速增长的势头。据对石家庄市18个农村县（市）、区1800个农村住户抽样调查显示：2007年石家庄市农民人均纯收入4954元，比上年增加498元，增长11.2%，增速比上年增加3个百分点。

【工资性收入持续增长】 随着国家《关于解决农民工问题》的若干政策的实施，石家庄市各级政府相继采取了积极的措施，优化了务工环境，扩大了劳务输出队伍，切实保障了农民工的合法权益。2007年石家庄市农民人均工资性收入2307.78元，比上年增长11.61%。其中在非企业组织中劳动得到收入人均243.40元，比上年增长7.59%；在本乡地域内劳动得到收入人均1622.51元，比上年增长13.50%；外出从业得到的收入人均441.88元，比上年增长7.24%。

【种植业纯收入继续增加】 2007年农民种植业纯收入人均1312.89元，比上年增加201.60元，增长18.14%，对农民纯收入增长的贡献率为40.5%。种植业纯收入增长的主要原因是农产品价格持续上涨，其中全年农民出售粮食的价格比上年增长9.30%，出售小麦价格增长4.47%，出售水果价格增长14.70%。

【牧业纯收入快速增长】 2007年，石家庄市畜牧业生产快速平稳发展，牧业收入继续快速增长，据调查农民牧业纯收入人均403.50元，比上年增加63.79元，增长18.78%，成为2007年农民收入增长的又一亮点。主要原因是畜产品价格大幅上涨，使农民牧业现金收入快速增长，调查显示农户出售猪肉收入人均增加117.65元，增长34.64%，出售蛋类收入人均增加77.93元，增长21.80%，出售家禽收入人均增加10.12元，增长21.75%。

【财产性、转移性纯收入大幅度增长】 2007年，石家庄市财产性纯收入人均125.59元，比上年增加22.74元，增长22.11%，其中股息和红利收入人均25.40元，增长33.26%；其他投资收益人均20.06元，增长74.74%。转移性纯收入人均124.08元，比上年增加27.57元，增长28.57%，其中粮食直接补贴、良种补贴、购置或更新大型农机具三项补贴等政策性收入人均44.29元，比上年增加14.15元，增长46.90%。

【农民收入增长的主要原因】 主要有四个方面的原因。1.政策支持。2007年石家庄市各级党委政府认真贯彻“中央一号”文件和省、市农村工作会议精神，把提高粮食生产、保护农民利益、增加农民收入作为宏观调控的主要任务来抓，在稳定落实原有的支农政策基础上，又出台了新的扶持“三农”政策，政策种类多、支持力度大，受益面广，对促进农民收入持续快速增长发挥了至关重要的作用。据调查，2007年石家庄市农民粮食直接补贴、良种补贴、购置或更新大型农机具三项补贴等政策性收入增长46.90%，广大农民真正得到了实惠。2.产量增加。2007年由于领导重视，措施得力，管理到位，石家庄市粮食生产喜获丰收。据统计，2007年全市粮食作物播种面积1106.23万亩，比上年增加0.14万亩，增长0.01%；亩产447公斤，比上年增加8公斤，增长1.86%；总产494.21万吨，比上年增加9.08万吨，增长1.87%。粮食丰收，进一步促进了农民收入的增加。3.价格拉动。自2007年一季度以来，农产品价格持续上涨，是实现农民纯收入增长的主要因素。2007年，农户出售粮食的综合平均价格为1.41元／公斤，同比增长9.30%。其中，小麦价格增长4.47%，油料价格增长6.07%，水果价格增长14.70%。牧业产品中，猪肉价格增长29.09%，羊肉价格增长16.28%，蛋类价格增长22.24%。农产品价格的大幅提高，增强了农民从事农业生产的信心，对农民收入的增加起到了重要的促进作用。4.务工环境改善工资性收入是农民纯收入的主要来源，调查显示：工资性收入占纯收入的比重达46.58%。随着国家《关于解决农民工问题》的若干政策的实施，石家庄市各级政府相继采取了积极的措施，优化了务工环境，扩大了劳务输出队伍，切实保障了农民工的合法权益，促进了农民外出务工收入的增长，成为拉动全年农民收入增长的重要因素。

（刘利萍）

扶　贫

【概况】 2007年度，市委、市政府对扶贫开发工作高度重视，将此项工作列入为人民群众办的40件实事之一。全市扶贫开发工作以第二批贫困村为主战场，扎实推进四大扶贫项目建设，不断深化“四帮一”扶贫工程，继续加大扶贫资金投入和监管力度，全年共解决了6万贫困人口的温饱问题，完成了年初市委、市政府下达的任务目标。

【扶贫项目】 全市扶贫项目368个，覆盖贫困村199个。项目主要集中在增加群众收入和改善生存条件等方面。如种植业（食用菌、大棚菜、优质林果等）、养殖业（主要是周转猪、周转羊、周转鸡及奶牛饲养，肉牛畜肥等）、移民搬迁、扶贫培训及部分基础设施建设。从2007年10中旬起对列入第二批扶持的199个重点村完成整村推进规划情况进行了考核验收，经验收，其中有171个村完成整村推进任务。

【“四帮一”扶贫工程】 在第二批贫困村扶持期间，全市共有国家、省、市区、机关、部队、企事业单位及大中专院校188个单位参与对205个贫困村的帮扶工作。2007年度，社会帮扶资金达到1213.7万元（含物资折款）。根据省的安排，有7个区县分别承担了对沧州、衡水、邢台、保定四市7个县的帮扶，同样给予了大量无私的帮扶，得到了当地政府和群众的好评。

【扶贫培训】 实施贫困地区劳动力转移培训和农民实用技术培训，是新时期扶贫开发工作的重要举措，2007年以来，市、县不断加大培训力度，增加培训内容，改进培训方式，有针对性地开展扶贫培训，实现了贫困户每户有一人掌握一到两门实用技术的目标。据统计，2007年，对4055人进行了劳动力转移培训，就业率达到85%；对1.77万人进行了以种养业为主要内容的各类实用技术培训。

【移民搬迁】 按照“搬得出、稳得住、能致富”和自觉自愿的原则，采取灵活多样的安置方式，共安排搬迁资金 1264.8 万元。平山、灵寿、赞皇三县有 869 户 3161 人纳入搬迁范畴。至年底已完成任务的 80%。通过移民搬迁，使贫困群众的生产生活水平条件得到了极大的改善，结束了长期以来存在的行路难、上学难、就医难、致富难的状况，一批先期搬迁群众已开始走上致富道路。

（市扶贫开发办公室）

社会福利和社会事务

【概况】 2007 年火化遗体 5.05 万具，社会火化率为 91.5%，办理收养登记 159 起，登记合格率为 100%，接待求助人员 5188 人次，经核查后救助 4583 人次，其中发票返乡的 3424 人，自愿离站回家的 475 人，被亲人接走的 152 人，亲属寄路费还乡的 225 人，被护送返乡的 120 人，送少保中心 12 人，送医院救治 175 人。

【养老服务社会化】 2007 年，共审批老年公寓 7 家，其中改建 5 家，床位 722 张，新建 2 家，设计床位 660 张。到年底，石家庄市区共审批老年公寓 29 家，床位 3516 张。2007 年 10 月 23 日，在桥西区召开了石家庄市为老服务站工作现场会，会上参观了桥西区松鹤园老年公寓为老服务中心、桥西区瑞祥老年公寓为老服务站和桥西区西雅办事处的为老服务站。会议检查和验收了在市区设立的两个为老服务中心和 58 个为老服务站。

【县级殡仪馆建设】 石家庄市县级殡仪馆建设发展势态良好。辛集市三级馆申报二级馆，新乐市申报二级馆，元氏县申报三级馆，都通过了省厅检评，使石家庄市等级馆总数达到 10 个。

【流浪未成年人救助】 印发了《关于加强流浪未成年人工作的意见》，明确了相关部门的职责；坚持主动上街救助，对正在流浪乞讨及遇到临时困难面临乞讨的人员引导到站内救助；对正在城市流浪的老人、未成年人进行保护性救助；对职业乞讨者进行规劝，劝阻他们放弃乞讨；对经说服无效、不愿接受救助的乞讨人员，救助站给其留下救助引导卡，载明求助电话和救助站的地址，并根据季节特点给予他们必要的衣被、食品，防止他们饿死冻死。

【实施“微笑列车”与“明天计划”】 2007 年，“微笑列车”实施唇颚裂手术 112 例，手术成功率为 100%；“明天计划”为孤残儿童实施矫治手术 26 例，手术成功率为 100%。

（刘晓杰）

城乡救助

【城市低保工作】 2007 年，按照属地管理原则，将符合条件的城市贫困居民家庭全部纳入了保障范围，实现了动态管理下的应保尽保。积极探索建立相关配套措施，在全市广泛推行了“分类施保”办法，较好地保障了城市困难群众的基本生活。2007 年春节前，为城市低保对象每人增发了 100 元，全市共计增发 714.74 万元。为保障城市低保家庭冬季取暖，对市内 5 区和开发区 1.6 万户困难群众 2006 ～ 2007 年度采暖费给予补贴发放工作，共发放补贴资金 1086 万元。至年底，全市共有城市低保对象 7.15 万人，全年累计发放保障金 8473.38 万元，月人均补助 101.32 元。

【农村低保工作】 2007 年，农村低保在抓好规范化管理的基础上，着力于扩大保障面和提高补助标准，全市农村低保人数比 06 年翻了一翻，增加到 16.3 万人；全年农村低保累计支出 3309 万元，月人均补助 33.3 元。

【五保供养】 2007 年 1 月 10 日，市政府下发了《关于农村五保供养工作的实施意见》（石政发 [2007] 8 号）。在广泛宣传相关政策的基础上，对全市农村人口进行了排查摸底。市、县两级按照供养标准和供养人数将五保供养资金列入了财政预算。2007 年全市已保障农村五保供养对象 2.03 万人，累计发放五保供养资金 2314.63 万元，实现了按标施保。

【城乡医疗救助】 2007年1月10日，市政府出台了《关于建立城乡医疗救助制度的意见》(石政发[2007] 7号)，各县(市)区也都结合各自的实际出台了相应的实施办法，全市城乡医疗救助工作基本制度已确立起来。在广泛宣传相关政策的基础上，通过试点和调查分析，对一些救助标准和救助方式进行了必要的修订，并进一步加大了资金的筹集和支出力度。2007年，全市有4617人次得到了城市医疗救助，支出资金350.47万元，9.17万人次得到农村医疗救助，支出资金920.17万元。全市城乡医疗救助水平大幅度提高。

(岳建国)

救灾救济

【救灾工作】 2007年，石家庄市先后遭受了旱灾、风灾、雹灾及病虫害等自然灾害侵袭，使部分农作物减产或绝收。全年共发放救灾款2110万元，比去年同期增长32.7%，共救济灾民28.6万人，有效地保障了灾民的基本生活。在救灾款的发放过程中，全面落实灾民救助卡制度，积极推行“一站式”发放的“阳光工程”，切实保障救灾款物公开、公平、公正发放，充分发挥了救灾款物最大的应急效应。9月10日，在国家综合减灾“十一五”规划暨减灾工作座谈会上，石家庄市作了经验介绍，同时被表彰为“2007年全国减灾宣传先进单位”。

【救灾应急预案演练现场会】 4月12日，河北省救灾工作会议在石家庄市平山县召开。石家庄市、平山县、桥西区在会上分别做了经验介绍。河北省11个设区市和22个扩权县(市)主管副局长参加了会议。石家庄市23个县(市)、区民政局主管副局长列席会议。国家民政部宋继华巡视员及省民政厅副厅长程鸿飞对2007年的救灾救济工作提出了具体要求。

【“送温暖、献爱心”活动】 2007年，石家庄市广泛开展“送温暖、献爱心”活动，全年多次向困难群众捐赠物资，12月24日，石家庄市举行“送温暖、献爱心”社会捐赠物资向灾区发放仪式。36辆汽车满载着市区人民爱心物资，驶向行唐县、灵寿县、平山县、赞皇县、井陉县、元氏县等6个山区县。12月25日，在井陉县小作镇举行了全市“送温暖、献爱心”社会捐助物资发放暨赈灾放粮仪式，仪式现场，为5个受助乡镇1500户受困家庭的5000余困难群众，发放面粉10万斤，棉衣被3万余件。2007年，石家庄市的经常性社会捐赠工作受到河北省民政厅表彰，被授予“河北省社会捐助工作先进单位”荣誉称号。

【慈善活动】 2007年，积极动员全社会力量参与慈善活动，组织开展了“红色之旅捐资助学中国行”、爱心图书室援建捐赠、“慈善助学，爱心传递”、环渤海湾集团慈善捐资助学、“健行天下”医疗救助、“关注民生、点燃梦想”、贫寒学子捐助、银联励志助学、“绿拐杖”、“慈善助困救心工程”等多项慈善活动。建立了慈善医疗救助基金，救助大病和突发事件引起的困难家庭7户，补助资金14万元，在社会引起了广泛关注，深受社会各界的欢迎，河北省会各新闻媒体也作了专题报道。2月11日，市民政局、市慈善会、石家庄市日报社在省会文化广场共同举办了石家庄市首届“春风送暖”慈善广告助困捐赠活动。市领导李宏英、李遵英、马玉文出席了活动并为捐助企业颁发了爱心牌。

(刘建伟 陆 红)

双拥工作

【概况】 2007年，石家庄市坚持以服务全面建设小康社会和支持军队现代化建设为中心，以创建双拥模范城为载体，不断强化组织领导，完善工作机制，拓展双拥领域，丰富双拥内容，广泛开展军民共建活动，有力地促进了地方经济发展和部队战斗力提高，取得了显著成绩。石家庄市连续第六次被国家命名表彰为全国双拥模范城，平山县连续第二次被命名为全国双拥模范县，井陉县光荣院被评为爱国拥军模范单位。

【宣传教育】 为庆祝建军80周年和纪念石家庄解放60周年，开展双拥宣传月和双拥书画摄影创作活动，大力弘扬双拥工作的新风新貌、新人新事，通过评比，有83部作品分获省级一、二、三等奖。不断加大新闻媒体的宣传力度，系列报道了戎冠秀、王灵芬等被国家、省、市表彰的爱国拥军杰出人物，形成双拥工作的强大宣传声势。全年各地共组织军地座谈会、报告会、知识竞赛、文艺演出等 200 多场，受教育军民达百万余人。

【军民共建】 2007 年，与海军加强共建与交流，将海军某部一艘舰艇命名为“石家庄舰”。1 月 17 日，市领导率团参加了“石家庄舰”命名授旗仪式。后又于 6 月、9 月两次走访慰问了曾参加过解放石家庄的解放军 65735 部队，并赠送慰问金。2007 年，深入开展以“援建军营图书室，共建学习型军营”为平台的系列活动，带动军民共建文明生态村、安全社区、希望小学的健康发展，促进经常性双拥共建活动的蓬勃开展。

【拥军支军】 2007 年，石家庄市将国防、部队建设列入全市经济和社会发展规划，共接转部队基本建设项目十余个，总投资达 3 亿多元。全年在进出道路和排水设施维修、供水供电、安排随军家属、子女入学、开通公交车、修建战备公路等方面为部队办实事 126 件。各县（市）、区在落实双拥优抚政策、开展科技拥军、营造双拥文化氛围等方面，做了大量扎实有效的工作，全年共支援部队生活训练用地 70 亩，投入资金 167.5 万元，减免各类费用 42 万元。

【拥政爱民】 驻石部队努力发挥自身优势，积极开展拥政爱民工作，为石家庄市“三个文明”建设做出了新的贡献。积极支持地方重点工程建设，在全市义务植树基地和“5528 工程”建设中，先后出动官兵 5000 余人次，车辆 300 余台次，义务植树 4 万余株，在东开发区、新动物园、滹沱河防护林带和鹿泉市山前大道营造“国防林”、“八一林”、“民兵预备役林”和“军民共建林”。积极参与全市“八个一”工作和“双争共建”活动，出动官兵 6000 余人次，车辆 160 余台次，清运垃圾 5 万多立方，拆除违章建筑 4500 平方米。积极开展“送温暖、献爱心”活动，累计向省、市捐款 100 多万元，衣物 2 万余件。22 个驻军单位坚持对赞皇县贫困村实施对口帮扶，帮助贫困山区群众改善生产生活条件，支持教育事业，累计捐赠扶贫款物价值 70 多万元，资助贫困学生 50 多人。陆军指挥学院捐资 25 万余元为帮扶村兴建了“红星希望小学”和“连心堰”，军械工程学院、石家庄警备区分别捐资 10 多万元帮助帮扶村改善了基础设施建设。66440 部队组织 16 名干部家庭与帮扶村 16 名贫困学生结成“一帮一”共学对子。各部队积极帮助学校开展学生军训工作，全市共军训学生 5 万多人次。广泛开展“我爱石家庄”活动，和平医院在市人民广场开展了百名专家大型公益义诊活动，积极支持地方公益事业的发展。

（李聪臻）

优待抚恤

【概况】 2007 年，全市各类重点优抚对象 3.66 万人，其中伤残人员 1.11 万人，“三属”（烈士遗属、因公牺牲军人遗属、病故军人遗属）7129 人，在乡复员军人 1.68 万人，带病回乡退伍军人 1647 人。全市共有光荣院 17 所，县级以上烈士纪念建筑物保护单位 10 个和 1 所优抚医院。

【慰问部队老同志】 在 2007 年春节和“八一”建军节前夕，石家庄市委、市政府领导对驻石部队、光荣院、部分重点优抚对象、干休所进行走访慰问，并组织召开了石家庄市军地迎新春座谈会和军地庆“八一”座谈会。为纪念石家庄解放 60 周年，市领导对 30 名参加过解放石家庄战役的老同志、老战士进行了慰问；各县（市）区领导对全市 2200 多名在乡老战士、老同志普遍进行走访慰问，为每人颁发石家庄解放 60 周年纪念章一枚。

【提高优抚对象抚恤补助标准】 根据省民政厅、省财政厅通知，从 2007 年 8 月 1 日起，提高残疾军人（含伤残人民警察、伤残国家机关工作人员、伤残民兵民工）残疾抚恤金，“三属”（烈士遗属、因公牺牲军人遗属、病故军人遗属）定期抚恤金和在乡复员军人、带病回乡退伍军人生活补助标准。在 2006 年基础上，残疾抚恤金每人每年提高 4340～530 元，“三属”定期抚恤金每人每年提高 1020～480 元，在乡复员军人生活补助每人每年提高 600 元，带病回乡退伍军人生活补助每人每年不低于 1440 元，不高于 1800 元。

【优抚政策落实】 年初，为在乡重点优抚对象每人发放一次性救助金100元。8月份，联合市财政局、市劳动和社会保障局出台了《石家庄市一至六级残疾军人医疗保障暂行办法》，自2007年10月1日起实施。11月底，按市政府通知要求，对市内6区参加集中供热的重点优抚对象每户低于100平方米的，按实际面积给予采暖费补贴，超出部分由个人负担；对未参加集中供热的重点优抚对象给予每户500元采暖费补贴。

【解“三难”】 “八一”前，下发了《关于进一步做好解“三难”工作的通知》，要求各县（市）、区为在乡重点优抚对象每人发放一次性救助金。普遍建立和推行了《重点优抚对象医疗救助办法》，构筑了四位一体医疗救助平台，即：参加新型合作医疗、发放门诊费、住院报销、大病救助。11月初，下发了《关于做好近期优抚工作确保优抚对象安全过冬的通知》，要求为每户重点优抚对象发放棉衣、棉被和采暖补助。

【优抚事业单位建设】 光荣院工作进一步加强，整体水平名列全省前茅。2007年，在全市光荣院开展了星级管理活动。5月底，组织17个县（市）主管局长对全市光荣院星级管理进行了第一次复核。11月中旬，进行了第二次复核。为迎接石家庄解放60周年，投入100万元资金对石家庄解放纪念碑碑体、纪念馆、大石桥等进行了维修改造。

（王燕芳）

复退安置

【复员退伍军人安置】 2007年，共接收退伍义务兵和复员转业士官5535人，符合安置条件的退役士兵3241人，回农村安置2294人，需在城镇安置人员中，市区安置2728人，辖县（市）安置513人，全市共有822人办理了自谋职业手续，有效缓解了各级政府安置压力。

（李红武）

军队离退休干部安置

【概况】 截至2007年底，石家庄市共累计接收安置军队离休退休干部、退休士官3574人、无军籍退休退职职工1427名，成立25个军休所，（市直8个，县（市）17个），另设一个军休干部培训服务中心。按照政策全面落实了军休干部的政治、生活待遇。

【接收安置】 2007年，石家庄市共接收军队离休干部322名，接收军队退职职工530名。达到了部队、地方和休干本人三见面、三满意。

【医疗保障】 全年共解决军队离休干部超支医疗费776万元。给予患重病、医疗开支大的军队离休干部和无工作家属、遗属补助28万元。军队离休干部顺利纳入市医疗保障体系。同时按定点医疗机构规定要求，对各卫生所设施进行了改造。组织2800多名军队离休干部、包干家属、遗属进行了健康体检。

【落实政策】 按民安发〔2005〕135号规定，职工享受机关事业单位人员同等待遇。前三批800多名职工因04年工资调整未包含在内，欠发的695万元工资春节前全部得到了解决。

【文体活动】 组织各所开展了“双和谐”创建活动，上报省级和谐军队离休家园4个，和谐军队离休家庭7 个。军队离休二所被民政部表彰为全国“和谐军休家园”。 按省厅要求组织军队离休干部开展了“我的军旅生涯”征文活动，上报征文14篇。7月20日组织举办了军队离休干部庆八一文艺演出活动，参演节目24个，1500多名离休干部参加观看。10月14日参加省第二届军队离休干部文艺汇演。石家庄市有5个节目参加了汇演，获得一等奖2个，二等奖2个，三等奖1个。组织军队离休干部到元氏、栾城参观学习。各所根据军队离休干部特点组织开展了门球、钓鱼、运动会等活动，并组织老年知识健康讲座14次，形式报告会22次。

【基础设施维护改造】 投资90多万元对军队离休一所住房隔热层、小房进行了改造维修，9月份已经顺利完成。投资150万元对二所进行电力线改为地下电缆，上下水管道、车库整修，隔热层更换，楼道粉刷。投资130万元对三所进行路面整修，建热力交换站，地下水管道和洗浴室的改造。投资100万元对四所进行老干部活动室、车库、围墙的整修和修建，建加压泵房以及大门和门卫室的修建改造。投资 338 万元对六所的文化中心，服务设施 16 个项目进行改造。投资 150 万元对七所进行院落整理，管道维修，办公楼修缮。以上项目共投资 958 万元，12 月底前已全部完工。

（刘书敏）

老龄工作

【概况】 2007 年 9 月 29 日，石家庄市老龄工作委员会印发了《石家庄市老龄工作委员会成员单位职责》（石老龄委发〔2007〕1 号）和《石家庄市老龄工作委员会成员单位联络制度》（石老龄委发〔2007〕2 号），进一步明确了各成员单位做好老龄工作职责和联络制度。为今后加强老龄工作，凝聚老龄工作合力，推动全市老龄事业发展奠定了良好的基础。

2007 年 11 月 27 日，中共石家庄市委、石家庄市人民政府下发了《关于调整石家庄市老龄工作委员会成员的通知》（石字〔2007〕63 号），决定调整充实市老龄工作委员会组成人员，主任由市委副书记王增明担任，常务副主任由副市长马玉文同志担任，副主任、委员也做了调整。进一步增强了对全市老龄工作的领导。

（董海京）

石家庄年鉴 An Introduction of Cities and Counties

县（市、区）概况

县（市、区）概况

桥西区

【概况】 全区总面积54.67平方公里，辖1个乡，11个街道办事处，15个行政村，80个居委会，年末总人口50.48万人。2007年，全区实现地区生产总值137.3亿元，同比增长12.3%；全部财政收入完成40.32亿元，同比增长26.79%，其中：地方一般预算收入完成12.35亿元，同比增长26.20%；城镇固定资产投资完成87.06亿元，同比下降0.60%；社会消费品零售总额完成22.42亿元，同比增长18.8%；城镇居民人均可支配收入达到13205元，同比增长14.9%；农民人均纯收入达到7788元，同比增长14.0%；规模以上工业企业增加值48.76亿元；实际利用外资1238万美元。

中共桥西区委书记：朱增海

区人大常委会主任：

宋东来（4月免）

王来传（4月任）

区　　长：刘月照

区政协主席：路中林

【重点项目建设步伐明显加快】 始终将项目建设摆在经济工作的首要位置，牢固树立抓项目、促发展意识，不断提高项目建设水平。年初确定的23个重点项目中，振兴大厦、盛世华庭等9个项目主体竣工或建成投用；东里"城中村"改造AB区、津港湾等7个项目正在抓紧建设，部分项目已经显现出形象效果；西里友谊大厦、华域城等7个项目正在办理前期手续或正在拆迁。全年共完成重点项目投资13.8亿元，超额完成年度计划。2个省重点项目中，桥西糖烟酒饮品软包装项目已经办理完毕规划、环保等前期手续，正在进行拆迁；万国华商装饰城项目正在办理规划手续。

【商贸服务业不断发展壮大】 坚持市场化、产业化的发展方向，把繁荣发展第三产业作为结构调整、扩大就业的重要举措，"一区、一群、三街两路"的发展框架得到完善。南花园商务商贸区建设进展顺利，步行街二期即将开始拆迁；金世界、万象天成等项目施工进度加快。市场建设取得新进展，古韵文化广场、新石农贸市场等建成开业，青年街市场北厅完成升级改造，市内区首家蔬菜质量检测站建成投用，全年完成市场成交额126亿元，实现税收2879万元。街路经济蓬勃发展，主街主路两侧的餐饮、购物、娱乐等业态已形成规模，中山西路、中华南大街等街路沿线的商业氛围日渐浓厚。社区商业发展迅速，便民商贸服务网络不断完善，全年建成商业示范社区1个，社区餐饮大排档5家。

【工业经济运行平稳】 坚持把工业经济摆在区域经济发展的突出位置，重点做好骨干企业的服务工作。2007年，全区规模以上工业企业达到50家，完成工业增加值43.59亿元，实现利税27.62亿元，分别同比增长16.08%和42.43%，骨干行业对全区工业经济增长的拉动作用较大。园区建设稳步发展，振新、仓安工业园区进园企业近40家，入驻率达到98%。鼓励企业构建技术创新体系，逐步提高产品科技含量，全年共开发新产品、新技术73项。

【城郊农村建设深入开展】 农业产业化进程加快，大谈都市农业观光园项目正在谋划论证，全区农业产业化经营率达到63.6%。认真落实惠农政策，全年共发放粮食直补和农资综合直补66.5万元，受益农户达3300余户。以新农村建设为载体，编制了全区新农村建设规划，进一步完善农村基础设施建设，发展农村集体经济，农村居民的生产生活环境得到了较大改善，工资性收入逐步提高。

【改革开放扎实推进】 化工九厂、东星公司等3家企业的改制筹备工作步伐加快，西三教、北杜等4个村（居）的农村集体资产股份制改革基本结束。积极开展招商引资，对闲置地块、厂房等招商资源进行了摸底，谋划招商项目21个。全年共引进内资9.7亿元；引进外资项目6个，实际利用外资达到1238.8万美元，同比增长14.28%。积极做好外贸出口工作，全年外贸出口达到1.52亿美元，同比增长35.89%。民营经济规模逐步壮大，对11家民营企业给予了重点关注，促其做大做强，全区民营经济增加值预计达到71亿元，同比增长13%。

【大力开展市容市貌综合整治活动】 坚持“精细化、无缝隙”管理理念，开展了大规模的市容市貌综合整治活动，市容环境较差的局面得到了初步改观。着重对中山西路、裕华西路、人民商场等主要街道、重点部位进行了集中整治，加强了“三摊一车一亭”的规范化管理，共取缔占道经营7000余处，整治门头牌匾4638块，清理小广告182万条。认真做好绿化、美化、亮化工作，创建省、市级园林单位、居住区2个，绿色社区5个，新增绿地面积7500平方米，粉刷沿街楼体10.4万余平方米，完成14栋楼宇的夜景亮化任务。

【重点抓好城乡环境建设“八个一”工作】 将“八个一”工作与经济发展、社会稳定和困难群众救助相结合，推动各项工作的顺利开展。2007年，全区共完成拆违面积35.45万平方米，在市内区名列前茅；拆除燃煤锅炉27台，位居市内区第一，治理燃煤锅炉12台，率先完成治理任务；拆除违章广告牌匾约3万平方米，清理积存垃圾9.09万立方米，植树2.77万株；关停水污染企业10家，搬迁水污染企业1家；环城水系拓展工程租地拆迁工作也在进行中。按照“以拆促建、拆建结合”的原则，认真做好拆违后的项目建设工作，谋划了一批沿街开发和旧村改造项目。

【科教文卫工作迈上新台阶】 积极引导科技创新，全年共承担省、市科技计划课题20个，争取支持资金715万元，获省、市科技进步奖各1项，组织申报2008年度市级科技计划48项，科技研发资金的使用领域得到拓宽。全面推进义务教育均衡发展，中小学布局调整、学校基础设施建设取得良好成效，教育技术装备水平走在全省前列，教育教学质量进一步提高，圆满承办了省、市义务教育均衡发展现场会。不断完善社区卫生服务体系建设，在全省社区卫生服务工作会议上作了典型发言。在市内区率先开展卫生监督进社区工作，中央电视台《新闻联播》栏目给予了报道。认真做好产品质量和食品安全专项整治活动，对消费品、餐饮业食品等8大类产品质量进行了专项整治，规范了产品生产过程，强化了市场流通领域的食品安全，改善了居民就餐环境，取得了一定成效。深入开展“彩色周末”和全民健身活动，新建健身路径16套，成功举办了区第十三届运动会，新石中苑社区被命名为第五批全国城市体育先进社区。

【社会保障工作得到加强】 继续加大社会救助力度，增加了对低保边缘人群的救助，全年共发放低保金679.1万元，医疗救助款49万元，保障人数达到5.6万余人(次)。区慈善协会累计接收捐赠款物价值200余万元，救助居民达到7000余户(次)。严格落实再就业优惠政策，新增就业岗位7810个，创建充分就业社区41个，5824名下岗失业人员实现再就业。以解决农民工工资问题为重点，认真受理劳动监察投诉案件，追回拖欠工资387.3万元，涉及3600余人。离退休人员基本养老金按时足额发放，为3.4万名居民办理了医保登记，发放廉租房补贴33万元，充分保障了弱势群体的基本生活。

【社区建设、人口计生工作取得新成绩】 大力开展和谐示范社区创建工作，建成了54个示范社区，荣获全省“和谐社区建设示范区”称号。深入实施“帮居工程”，共解决社区办公服务用房1.2万平方米。科学整合社区居委会，由原来的95个整合为80个。积极探索农村社区建设工作，被国家民政部确定为“全国农村社区建设实验区”。继续深化计划生育优质服务，加大出生人口性别比综合治理力度，人口出生率控制在7.64‰。全力做好市场整规工作，共没收假冒伪劣产品3000余件。不断加强残疾人工作，荣获全省“社区残疾人工作示范区”称号。同时，统计、物价、土地、档案、人防、工商、民族宗教、国防、人民武装等工作也取得了新的成绩。

【精神文明和民主法制建设持续

深入】 积极开展文明社区、文明生态村、纪念石家庄解放60周年等精神文明创建活动，大力实施市民素质提升工程，以“双争共建”活动为主题，评选出4万余户模范家庭。未成年人思想道德实践论坛被中央文明委评为创新案例二等奖，并被收入中宣部编发的《十六大以来宣传思想工作新实践新探索》一书。认真做好“五五”普法工作，全民法制观念日益增强。自觉接受区人大和区政协的监督，累计办理人大代表建议和政协委员提案共计170件，办结率达到100%。不断强化社会治安综合治理，建成社区警务室88个，“三位一体”大调解体系得到完善，依法治访取得积极进展，群众反映的热点、难点问题得到及时妥善处理。加大安全生产工作力度，创建了6个安全生产示范街道和10个安全社区试点单位，安全生产形势平稳，实现了重特大安全生产事故为零的目标。加强行政监察工作，查处各类违反工作纪律行为46起。强化审计监督，完成审计项目54项。严格机构编制管理，使人员编制、机构设置和领导职数控制在规定范围之内。

（翟红卫）

桥东区

【概况】 2005年，桥东区辖1个镇、9个街道办事处、67社区居民委员会。总面积43.07平方公里，年末总人口35.28万。全年完成地区生产总值60.98亿元，同比增长13.1%。其中第一产业增值完成0.47亿元，同比下降6.1%；第二产业增加值完成21.14亿元，同比增长6.1%；第三产业增加值完成39.37亿元，同比增长17.3%。财政收入14.7亿元，同比增长22.56%。其中，中央级财政收入完成6.31亿元，同比增长20.86%；省级财政收入完成1.39亿元，同比增长17.91%；地方一般预算收入完成7亿元，同比增长25.11%；财政收入占GDP的比重为24.12%。全社会固定资产投资完成107.77亿元，同比增长24.25%。其中，区属固定资产投资完成31亿元，增长17%。全年引进市外资金10.5亿元，同比增长2.94%；实际利用外资完成2123.7万美元，同比增长240%；完成贸易出口额26338万美元，同比增长25.39%。全区在统单位在岗职工8692人，在岗职工工资总额20869万元，在岗职工人均工资24351元。

中共桥东区委书记：曹社会
区人大常委会主任：张炳谦
区　　　长：黄朝庆
区政协主席：田玉芬

【商贸服务业发展迈上新台阶】 大力推进商贸服务设施建设，新源发市场二期等一大批商贸设施投入使用，全年新增商业面积20万平方米。全面开展南三条市场环境卫生、消防安全、交通秩序等综合整治活动，创建了华北箱包城、东方文化商品市场等5家专业化示范商城。南三条市场品牌化水平有了新的提升，市场效益明显提高，被评为全国工业品综合市场第二名。以华北鞋城、槐中西路瓷砖市场、华夏灯具市场、佳农市场为重点的各专业市场管理进一步加强，市场档次得到提升。全年市场成交额达到360.5亿元，同比增长9%，其中，南三条市场成交额为306.94亿元，同比增长13.26%。楼宇经济发展初见成效，全区新增公司企业1834家。全区社会消费品零售额总额完成31.58亿元，同比增长18.7%。

【工业和非公有制经济整体质量提升明显】 鼓励和引导企业提高技术创新能力，与石家庄铁道学院科技合作计划已经启动，10家企业达成合作意向，“政府搭台，企院合作”局面开始形成。汽车、冶金装备、医药、化工等主导产业持续发展，双环集团进入国家汽车工业目录，双环汽车荣获全国发明博览会金奖；三环集团平山铸造分厂一期工程已完成征地，冶金机械产品市场占有率进一步提高；中润制药集团技术创新力度进一步加大，经济效益明显提升；永通化工等骨干企业发展势头良好。全区规模以上工业企业完成总产值34.51亿元，同比增长14.6%；完成增加值10.19亿元，同比增长7.76%；实现利税2.1亿元，同比增长9.68%。全区个体工商户注册登记11237户，同比增长0.98%；私营企业发展到650户，同比增长7.26%；非国有经济完成增加值36.5亿元，同比增长31.53%；实现税金3.4亿元，同比增长32.49%。

【人居环境得到明显改善】 城区管

理水平进一步提高，深入推进精细化管理，着力提高基层城区管理水平，长效管理机制得到巩固。建成四中路、建设大街两条市容样板街，创建省、市级园林居住区(单位)4个，绿色社区5个，对北国商城、燕春饭店等21栋楼体进行了夜景亮化，城区形象明显提升，中山东路女子清扫班被全国妇联等27个国家部委联合命名为全国巾帼文明岗。城乡环境建设“八个一”工程取得阶段性成效，拆除治理燃煤锅炉23台，二氧化硫排放量、化学续氧量下降4%以上。落实“万株乔木进社区”工作，种植各类树木3万棵。拆除违章户外广告面积1.3万平方米，规范整治门头牌匾1760余块1.5万平方米。社区建设取得新突破，投入资金2000万元，新建东风、休门2个街道办事处办公楼，修缮了桃园镇办公楼，全面启动检察院“两房”建设，改造5个社区居委会，和谐社区创建取得显著成效，楼院文化、邻里节、流动人口之家等特色文化活动深入开展，数字化社区水平进一步提高，建成便民快餐大排档5家，荣获省级“和谐社区示范区”称号。

【各项社会事业全面发展】 教育工作取得新成绩，深入开展“校园行为文化主题年”活动，素质教育水平稳步提升。加大投入力度，完成了桃园小学等6所中小学的整体改造和整合，建成第20中学综合艺术楼。重点扶持名校建设，第23中学被评为省级示范性高中，7中成为省级职业高中示范性学校。卫生工作成效显著，率先在全省推行“社区责任医生机制”、“双向转诊车进社区”和“卫生监督进社区”，被命名为省级社区卫生服务示范区，被列入全国中医药社区示范区并经过检查验收。文体活动日益丰富，建成河北省首家综合性专业健身中心——桥东区全民健身活动中心。人口与计划生育工作进一步加强，建成600平方米计生服务大厅。残疾人康复事业取得显著成效，荣获国家级“残疾人社区康复示范区”称号，胜北街道办事处建成全国第一个残疾人特奥示范社区。认真落实省、市就业再就业政策，建成2000平方米的区劳动力市场，城镇登记失业率控制在1.2%以下，132个“零就业家庭”全部实现再就业。企业离退休人员社会化管理服务率达到100%。全面开展劳动合同三年行动计划和创建“和谐”企业工作，劳动合同建制率和签订率达到92%以上，创建省、市级劳动关系和谐企业5家，着力提高困难人群、弱势群体的生活水平，全区共发放最低生活保障金926万元。

（姚建梅）

长安区

【概况】 全辖区3个镇、8个街道办事处、60个居委会、33个村委会，总面积110.24平方公里，耕地面积4160公顷，年末总人口数41.90人。人口自然增长率2.1‰。2007年地区生产总值1345105万元，其中：第一产业增加值18676万元、第二产业增加值869788万元、第三产业增加值771587万元；农业总产值46967万元、其中：农业产值20003万元，林业产值7万元，畜牧业产值26632万元，渔业产值325万元，粮食总产量31697吨，平均亩产445公斤，财政收入263089万元，地方财政一般预算支出41373万元，社会消费品零售总额490003万元，固定资产投资完成1035143万元，在岗职工年平均工资17103元，农民人均纯收入7018万元。2007年，全区地区生产总值预计完成135亿元，同比增长10.1%；城镇固定资产投资完成103.51亿元，同比增长34.53%；财政总收入完成26.31亿元，同比增长16%，其中地方一般预算收入完成10.89亿元，同比增长21.53%；全区规模以上工业企业增加值完成66.29亿元，同比增长6.71%，工业利税完成28.71亿元，同比增长26.52%。

【项目建设势头强劲】 按照加快区域经济优化升级的目标和要求，坚定不移地把增投入、上项目作为拉动区域经济增长的重中之重，依托区位和资源优势，发展特色产业项目，狠抓新项目开工率，加快在建项目进度，项目建设取得新进展。长安区在建、拟建及谋划项目82个，计划总投资231亿元，其中超亿元项目达到47个。省博物馆、省图书馆、北方汽配城、滹沱河污水处理厂、市水上项目运动中心等省市重点项目已经开工建设；名门华都、汇景国际、盛世长安、冀兴尊园、中铁大厦等超亿元的房地产开发项目进展顺利，销售势头良好，成为石家庄市房地产市场的风向标；亚龙花园四期、秋景怡园、山水家园等旧村改造项目基本竣工并开始入住；81中、12中新建教学楼已开工建设。

【工业经济支撑作用更加明显】 不断加快产业结构调整步伐，提升工业经济的整体素质和效益，新型工业产业优势日趋明显，长安区工业经济继续保持较快增长势头。积极实施工业“2+1”发展战略，全面推进“六个工贸小区”建设，大力扶持20家工业“小巨人”企业发展，通过实施层级递进、补充进位机制，加速形成了一批主业突出、核心竞争力强的企业集团，冀台铸造、华曙制药、链轮总厂等企业的档次规模和发展实力进一步提升。预计全年区属规模以上工业企业总产值完成105.2亿元，工业利税完成12.1亿元，同比增长23.9%和21%。

【新农村建设扎实推进】 以发展特色农业为突破口，狠抓农业结构调整，农业产业化进程不断加快，社会主义新农村建设迈出坚实步伐。认真贯彻市政府“115工程”，新引进农业开发项目5个，滹沱河鸵鸟养殖园、百瑞奶牛养殖基地等项目进展顺利。全区已建和新建农业开发项目20余个，以圣农生态科技园、颐菲农业生态园等为代表的农业园区规模效益进一步凸显。社会主义新农村建设成效显著，基层民主政治建设得以加强，农民负担进一步减轻，农村面貌发生巨大变化。2007年，全区农民人均纯收入达到7036元，同比增长6.2%；不断丰富文明生态村创建内容，十里铺、董家庄等7个村建设了“村民中心”。此外，农村教育、科技、医疗等事业也都取得了较快发展。

【招商引资取得新成绩】 坚持把双向开放作为活跃全区经济的关键，大力实施“走出去、引进来”战略，加大招商引资工作力度，全区对内对外开放水平不断提高。先后组织参加了杭州中小企业投资洽谈会、石家庄—珠三角经济技术合作洽谈会、欧盟驻华商务项目对接等活动，推介招商项目40余个，全区经济外向度进一步提升；同时组团参加了首届中国生物产业大会和“11.1”石洽会等招商活动，拉美国际文化交流中心、建华商业家居广场两个项目成功签约，总投资12亿元，合同引进资金8亿元。全年实际利用外资9449万美元，引进市外资金12.1亿元，完成年计划的124.3%，实际利用外资总额和增幅位居全市第一。

【产业集群效应逐步增强】 围绕发展壮大中山东路“龙型”商贸街和“十大市场群”的总体思路，在加快装饰建材、果品蔬菜、钢材石材等专业市场建设的同时，积极培育和发展壮大规模档次高、辐射面广的商贸市场群体，组建了一批专业商会，市场物流功能和增值商贸流通网络进一步健全。红星美凯龙世博家居广场、好家居石材市场相继建成开业，阳光宜家市场、鼎坚五金机电市场已经试营业，河北汽贸二期、白佛有色金属市场等改扩建项目进展顺利，省会北部商圈的活力逐步显现。全年社会消费品零售总额完成48.9亿元，同比增长17.2%，市场成交额完成132亿元，同比增长7.3%。

【环境整治工作卓有成效】 以提升中山东路、裕华东路、体育大街等11条主路主街和3个主要出入市口形象为重点，强力推进环境综合整治工作。2007年，拆除违法建筑、超期临建和简陋建筑38万平方米，拆除整治违章户外广告3万平方米，清理城镇积存垃圾32万立方米，长安区建筑工程渣土管理工作在全市名列前茅。集中开展土地执法“百日行动”，拆除违章建筑1.1万平方米，恢复耕种38.2亩。积极开展城区容貌综合整治“百日行动”，煤机街占道经营等一批群众关心的热点难点问题得以解决。市容样板街道和环境精品一条街创建工作扎实推进，青园街、范西路整体面貌焕然一新。“12319”城管热线深受群众欢迎，被评为市级“职工先锋号”。体育大街和建华大街北延工程、滹沱河及太平河综合整治工程进展顺利。夜景建设和亮化水平迈上新台阶，圆满完成了42栋楼寓的夜景亮化工程，形成了由中山东路“龙型”夜景亮化一条街和人民广场、文化广场周边组成的“一线两片”亮化景区，为省会夜色增添了一道璀璨景观。

【绿色城区建设位居前列】 坚持植树、认养、管护等多种形式齐头并进，城区绿化工作成效显著。大力开展“全民义务植树”、“万株乔木进社区”等活动，在各街道、社区植树4万株，长安区在全市绿化管护公示评比中始终位居前列。率先在全市开展了“城市隔离空间绿化”活动，石津灌渠、107国道东侧等地段200亩绿带建设任务圆满完成。扎实推进绿色社区创建工作，4个省市级园林式小区（庭院）和5个绿色社区顺利通过省市验收。积极实施五河绿化暨平原农田林网建设工程，完成滹沱河沙滩地绿化500亩，农田林网绿化15公里。2007年，长安区城区绿化覆盖率达到34%。

【大气污染整治成效显著】 按照建设生态文明的要求，紧紧抓住结构调整和技术进步两大关键环节，加强生态环境治理，加快资源节约型和环境友好型社会建设。严格落实各项节能环保措施，加强对企业的日常监管，大力推进节能降耗、减污增效。围绕解决重点行业污染、饮用水源保护、工业园区治理等突出环境问题，认真开展专项检查和集中整治，一批影响群众健康的环境问题得以成功解决。完成了5家重点污染单位污染物削减治理任务，依法取缔水污染企业6家，拆除、治理燃煤锅炉（烟囱）24台（根），推广优质低硫煤3万吨，规模以上工业企业单位增加值能耗降低率为8.6%，水污染、大气污染整治成效明显。

【社会保障体系日趋完善】 大力实施积极的就业政策，加大扶持引导力度，创建充分就业社区20个，开发公益岗位246个，免费开办培训班82期，实现新增就业人数7825人，其中下岗失业人员再就业5964人，安置“4050”人员3018人，建成了全省唯一的县区级社会保障服务中心和高标准企退人员档案管理中心，长安区连续四年保持基本养老金全部按时足额发放。进一步完善社会保险制度，全面启动了城镇居民基本医疗保险，养老保险、失业保险、工伤保险参保面不断扩大，最低生活和廉租住房保障制度日益完善，实现了应保尽保。大力开展农村劳动力转移“阳光工程”，完成培训1390人，长安区被确定为省级农民转移培训示范区。圆满完成了经济适用住房公开销售工作，发放廉租住房补贴近50万元。“白内障无障碍区”创建活动深入开展，免费实施白内障患者复明手术210例。

【和谐社区建设成果显著】 进一步拓展服务领域，完善服务内容，创新服务方式，社区建设始终在全国保持领先地位。在去年建成第一批6个高标准示范社区的基础上，今年又完成了沿西、和平路、光华路等7个高标准示范社区建设，长安区被评为全省和谐社区建设示范区。按照市委、市政府关于建设宜居社区的要求，积极整合资源，搭建服务平台，建设完成了49个社区“一站式”办公大厅和7个街道的社区综合服务中心，有效提高了服务水平和工作效能，架起了党和政府为民服务的快捷通道。成功举办了第二届社区节，广大社区居民的凝聚力进一步增强。养老服务社会化工作健康发展，长安区作为全市唯一区被推荐参加全国养老服务社会化示范区评比，区老年公寓被评为全国爱心护理工程示范单位。

【公共卫生体系更加完善】 坚持以扩大全国社区卫生服务示范区成果为重点，加强社区卫生服务机构建设，制定出台了社区卫生服务机构设置规划，建成社区卫生服务中心9所，三镇卫生院建设全部达标，33个村全部建立了卫生室，医疗卫生服务覆盖面进一步扩大，有效缓解了居民看病难、看病贵的问题。公共卫生服务体系进一步完善，顺利完成卫生监督体制改革，组建了区卫生监督所和区疾控中心，并建立了5个监督分所，实现了卫生监督力量的下移。不断加大医疗救助力度，救助特困群众600余人。积极开展“洁餐行动”，推动食品卫生监督分级管理，辖区中小餐馆持证率达到95%。

【科教事业稳步发展】 大力推进科技进步和科技成果转化，全年转化推广科技成果10项，列入省市科技发展计划17项，科技成果转化率达到52%，被评为全国科普示范区。坚持教育工作高投入，加快学校基础设施建设，50中学、51中学和范西路、谈南路及建明小学操场硬化美化工程全部完成并投入使用。农村义务教育经费保障机制改革顺利实施，为辖区农村义务教育阶段学生全部免除了学费。全面落实“名师、名校、名校长”战略，切实提高教育教学水平，2007年全区中考普高上线率和高考建档率达到69.8%和93.6%，较去年分别增长15.8%和6%。

【人口计生工作全面加强】 紧紧围绕社会抚养费征收、生殖健康服务、出生人口性别比治理、“四清三落实”等重点工作，整体推进人口和计划生育工作再上新台阶。全年出生人口2542人，出生率6.1‰，符合政策生育率99.2%，自然增长率2.1‰。完善基础设施建设，投资75万元对区计划生育服务站进行了改扩建，免费为辖区3.4万名已婚育龄妇女进行了生殖健康检查。建立健全计划生育利益导向机制，落实优先优惠政策，确保计生家庭得到实惠，全年投入独生子女父母奖金134万元。扎实开展“四清三落实”和流动人口“双居工程”，综合治理人口性别比偏高问题，深入开展第三阶段“婚育新风进万家”活动，科学、文明、进步的生育观更加深入人心。

【社会公共秩序保持平稳】 积极开展肉品市场、产品质量和食品安全、餐饮安全以及打击传销等专项整治活动，加大联合执法力度，维护公共秩序，确保群众生命财产安全。按照市级示范乡镇和安全社区创建标准，健全完善了区、镇（街道）、村（社区）、企业“三级机构、四级网络”，全区专（兼）职安监员达到2300人，11个街镇全部通过市级示范乡镇验收。精心组织事故应急演练，积极开展消防和安全常识宣传教育，注重日常监督检查，健全基层网络，安全生产及消防工作继续保持了平稳态势，被评为全市安全生产目标管理优秀单位。加强社会治安综合治理，积极构建“三位一体”大调解工作体系，严厉打击黑恶势力和多发性侵财犯罪，成功破获“两抢一盗”案件2562起，平安长安创建成果明显，稳定局面进一步巩固。

【转变职能依法行政】 坚持依法行政，加快政府职能转变，行政效能和服务水平有了新的提高。深入贯彻《全面推进依法行政实施纲要》，完善科学决策机制，全面推行政务公开、行政权力公开透明运行工作，政府决策议事规则和信息发布等制度进一步健全。自觉接受人大法律监督和政协民主监督，高度重视人大代表、政协委员建议意见的办理工作，全年共办理各级人大代表建议72件、政协提案86件，办结率100%，满意率98%。积极开展“千员万人”进社区活动，努力为群众办实事、解难题，498件群众意见、建议全部办结，办理满意率100%。建立健全了“日报告、周例会、月交流”制度，日常管理工作的规范化、科学化、精细化水平进一步提升。

（长安区档案局）

新华区

【概况】 新华区现辖11个街道办事处、4个乡镇、27个行政村、65个居委会，总面积92.11平方公里。耕地面积2206公顷，农作物播种面积1638公顷，粮食产量9645吨。年末总人口49.63万人。其中35个少数民族，人口13220人，其中回族5947人，满族5615人，蒙古族766人，其他32个少数民族892人，是个多民族居住的城区。辖区有大石桥、石家庄解放纪念碑、正太铁路纪念碑、正太铁路总工会旧址、懋华亭、高克谦烈士纪念馆、赵佗先人墓、毗卢寺等重点保护文物。天主教、基督教、伊斯兰教、道教等宗教活动场所均设在新华区。2007年，全区实现地区生产总值103.93亿元，比上年增长12.1%；实现全部财政收入16.44亿元，比上年增长8.64%，其中地方一般预算收入7.63亿元，比上年增长24.01%；实现社会消费品零售总额70.2亿元，比上年增长14.5%；固定资产投资113.63亿元。比上年增长23.21%。

中共新华区委书记：张石峰
区人大常委会主任：
王来传（4月免）
门秀敏（4月任）
区　　长：蒋文红
区政协主席：周玉林

【经济结构进一步优化】 充实完善了三大主体战略发展思路。加快推进新华集贸中心市场发展，一方面抓硬件改造，旭冉商城、金亿城二期和中兴商厦建成开业，金华综合停车楼、鑫源精品童装两个市场建设进入收尾阶段，民族路二期改造项目顺利签约；一方面抓软件升级，开通了市场门户网站，建立了市场内公共信息显示系统、安全监控系统，市场功能形象全面提升。全年完成商品成交额330亿元，同比增长8.91%。抓住产业布局调整的有利时机，结合城区建设，加快“退二进三”步伐，发展壮大楼宇经济，积极引进金融、餐饮旅店、中介机构等，第三产业呈现集聚发展、规模发展的态势，全年实现税收占全部税收的68%，其中金融保险业实现税收比上年增长76%，已经成为拉动全区经济发展的生力军。三鹿集团年生产能力达6万吨的小安舍配方奶粉生产线建成投产，配方奶粉产销量稳居全国首位，全年实现销售收入100亿元。进一步拉长乳制品产业链条，形成了以奇特、北方油墨、兄弟伊兰等企业为代表的包装、印刷、食品添加剂等配套产业集群。重点扶持的“5+5”工业企业发展势头良好，除三鹿集团外，其他企业利税总量已占到全区比重的27%，呈现出强劲的发展势头。谋划引进了城市生态庄园、“农家乐”等形式的一批绿色生态项目，西北部生态资源优势正在转化为经济发展优势。努力在服务扶持民营经济发展的力度、深度和广度上下功夫，全区民营企业达到3280家，其中去年新增329家，全年民营经济完成增加值61.93亿元。

【发展后劲明显增强】 始终把项目建设做为推动经济发展的重中之重来抓，注重衔接城区发展规划和土地利用规划，注重结合区位优势和产业优势，注重理顺项目运作机制和创优环境，努力破解项目工作中的难题。在征地拆迁方面，与市地产集团签署了合作框架协议，成为土地运作新模式试点区，为项目建设搭建了良好平台。在项目谋划方面，抓住中华北大街拓宽改造契机，经过反复论证修改，完成了中华北大街沿线4.7公里的整体开发规划设计方案，启动了中储商业区、柏林商业广场、柏林商贸广场等项目；抓住石获北路拓宽改造契机，搬迁了石获北路木材市场，启动了建材市场项目。中华北大街和石获北路已经成为项目建设热点区域。在服务环境方面，继续实行领导分包、部门领办、全区联动的项目工作机制，全区500万元以上在建、续建项目63项，建成7项。

【发展活力全面提升】 抓住薄弱环节和突出问题，以改革创新为着力点，调动一切积极因素促进经济发展。建立了税收征管协调机制，强化了各职能部门协税护税和服务税源企业的责任，实现了涉税信息共享，堵塞了征管漏洞。全面推进新华集贸中心市场税赋平衡工作，较好解决了分市场间、经营户间税负不均问题，营造了公平竞争、稳定协调的市场环境，市场全年税收达到8318万元，比上年增长16.15%。修订完善了科技进步考核办法和奖励办法，全年共投入科技专项资金490万元，有16个科技项目通过了市级以上鉴定验收，其中1项达到了国际领先水平，实现了历史性突破。基本完成了蚨纶商场、康乐商店改制和党家庄、西三庄的集体资产产权制度改革。全年累计引进市外资金10亿元，实际利用外资296万美元。

【城区建设全面铺开】 全力做好城区重点项目建设，“南水北调”一次征迁征地工作全部完成，二次征迁工作已经启动；石环公路主路建成通车；西北部水利防洪生态工程二期河道施工正在进行；启动了滹沱河综合整治工程。加快推进城区主次干道改造，实施了中华北大街、石获北路、红星街、赵佗路等20条道路的拓宽改造工程，其中17道路已经完工。

【城区形象有效改善】 下半年，全市统一开展了以“节能减排、生态建设、环境整治”为主要内容的“八个一”工作，随后又开展了“争创优美环境，争做文明市民，共建繁荣文明和谐新石家庄”活动。“八个一”工作涉及全区的有五项，全区上下迅速行动、合力攻坚，全面打好了这场环境综合整治大会战，共清运积存垃圾15.28万立方米，成堆积存现象基本消失；拆除户外违章广告近7000平方米，二环路内楼体楼顶违章广告全部拆除；拆除燃煤锅炉22台，拔除烟囱9根；万株树木进社区完成植树2.7万株；拆除违法违章建筑12.2万平方米，其中有一批多年“顽症”。“八个一”工作的难点和重点是拆违工作，在全市率先出台了《加强拆违工作中社会保障和生活救助的意见》，预先安排好被拆居民和从业人员的工作生活，认真落实补偿政策，耐心细致地上门做说服工作，实现了“依法、有序、和谐、同步”拆违。在“双争共建”活动中，通过千员万人进社区，收集群众意见建议1966条，年内办结了1021条，群众满意率达到97.7%。在此基础上，集中解决了一批灯不亮、路不平和脏乱差等群众反映强烈的热点、难点问题。

【经济社会协调发展】 坚持把促进就业作为民生之本，不断完善“一站式”就业服务功能，努力拓宽就业渠道，下大力解决“零就业”家庭就业问题，全年开发社会公益性岗位163个，城镇新增就业9787人，下岗失业人员再就业7737人，企业职工登记失业率控制在4%以内。不断加大社会事业投入，全年社会事业支出占财政总支出的47%，其中对教育、卫生、计划生育等领域的投入分别增长29%、20%、12%。启动了16中、柏南、自强等学校的改造，完成了机场路二校的撤并，全区教育教学质量进一步提高。全年新增社区卫生服务中心4所，集中治理了无证诊所，顺利通过了省级社区卫生服务示范区验收。扎实推进计划生育“四清三落实”活动，全面提高计生服务水平，积极倡导婚育新风尚，全年人口出生率8.83‰。高度重视低收入家庭住房问题，圆满完成了经济适用住房销售工作，认真落实了廉租房补贴政策。以大病统筹为主的城镇居民基本医疗保险全面推开，参保人数达到3.5万人。落实低保家庭分类施保政策，出台了《低保边缘人员救助办法（试行）》，提高了对特困居民医疗救助标准，全年救助城镇低保对象6045人，救助金额730万元，城区困难群体的生活得到进一步改善。全面加强社区建设，建成了3个社区综合服务中心，创建了10个文明社区，新建了5个社区大排档，解决了93个老旧小区路灯照明问题，社区综合服务功能全面提升。

【新农村建设扎实推进】 深入推进文明生态村建设，全年改造旧村7700平方米，新建村民住宅18.11万平方米，建成16个村民中心和13处街心公园，全面完成了农村书屋工程，为各村办好了60件实事，城郊农村居民生产生活条件进一步改善。完成了农村义务教育经费保障机制改革，免除学生杂费270万元；完成了西三庄乡卫生院改造，启动了另外三个乡镇卫生院改造工程。继续深化村务公开工作，全面开展民主议政活动，对25个村2005年度村级财务进行了全面审计，切实维护了村民民主权利。

【社会文明程度不断提高】 以建设“学习型新华、宜居新华、美誉新华、魅力新华”为载体，全面丰富群众文化生活，不断提高市民文明素质。启动了区文体中心建设，建成了我市首家当代美术馆，建设了4条健身路径。承办了石家庄市国际动漫节分会场活动和奥运火炬巡礼活动，举办了16场“彩色周末”演出。在市第十三届运动会上区代表队获得了金牌总数第三名。大力开展“扫黄打非”专项行动，集中治理学校周边等重点部位，保证了文化市场健康繁荣。

【辖区安全稳定】 健全完善了安全生产监管标准，突出抓好重点部位、重点行业的安全整治活动，彻底消除了11处重大隐患。消防经费投入比上年增长44%，在各乡镇成立了农村消防队，承办了全省社区消防队伍建设现场会，全年火灾起数和财产损失数全面下降。大力开展食品安全专项治理和“洁餐行动”，全面排查整治中小餐馆和农贸副食品市场，保障了群众食品安全。打击传销工作取得阶段性成果。着力抓好社会矛盾纠纷排查调处工作，建成了“信访绿色通道”和一站式服务大厅，妥善解决了一批群众关心的热点难点问题。深入开展严打整治专项行动，成立了公安特勤大队，消除了一批社会治安隐患，继续保持了安全稳定的大好局面。

【为民办实事全面完成】 年初，区委、区政府着眼于辖区群众的现实需要，确定了社区建设、教育文化、社会救助、城区建设管理等方面10件为民实事，并向社会公开承诺。区政府将办好10件实事摆到重要位置，强化责任、明确标准、重点督查，经过一年的努力，已全部完成。特别是将老旧小区供暖改造定位为“温暖工程”，连续两年列入了为民实事范围，积极发挥政府主导作用，迎难而上，合力攻坚，两年共改造80万平方米，1.3万余户居民实现了正常供暖，历史遗留的成规模小区供暖问题全部得到解决。

（潘志勇）

裕华区

【概况】 全区辖7个城市街道办事处、2个镇、70 个居委会、16个村。总面积101.45平方公里，耕地面积 47715亩，年末总人口50.50人，人口自然增长率为6.51‰。2007年，完成地区生产总值59.33亿元，增长7.8%；全社会固定资产投资完成123.13亿元，增长3.24%；规模以上工业增加值及利税、城镇居民可支配收入和农民人均纯收入等指标分别达到26.50亿元、10.43亿元、13361元和7794元，分别增长4.1%、3.62%、15.2%、13%。社会商品零售总额37.04亿元，增长17.1%；市场成交总额9.89亿元。职工年平均工资23617元，增长18.7%。

中共裕华区委书记：
武卫东(2007.1～2007.6)
赵宏魁(2007.9～至今)
区人大常委会主任：
李成虎(2007.1～2007.4)
张金海(2007.4～至今)
区　　长：
赵宏魁(2007.1～至今)
区政协主席：
陈小凤(2007.1～2007.4)
韩志芳(2007.4～至今)

【三产步入规模　档次整体提升】 牢固坚持"商贸立区"发展战略不动摇，上大项目、引大资金，"三圈两线"集群发展新格局初步形成。怀特黄金商业圈及辐射带动能力进一步增强，省会东南商业商务中心地位进一步巩固。以北国商城明珠店、华北五金机电城和居然之家、乐惠家等一批国内知名商家相继落户为带动，槐安东路高端商业开发带、东南二环商贸物流带两条商业集聚带初具规模，东南商圈和建通商圈正在成长为新的商贸经济增长点。全年新增商业面积55万平方米，三产增加值完成24.5亿元，增长14.7%，增幅居市内五区之首，占全区经济比重达到40.7%，三产服务业已经步入快发展大发展的黄金期。

【项目建设数量多　规模大　结构优】 立足拓展区位优势，拉动产业结构优化升级，精心筛选谋划了一批大项目、好项目，全年新建、续建项目98个，其中亿元以上项目49个，以三产服务业为主导的生产经营性项目49个，均占项目总量的50%。大石门饮食文化街、东方家园建材超市、润丰物流中心、省疾控中心等31个项目竣工投用，为增强经济发展后劲和实现持续快速发展打下了良好基础。

【"八个一"工程圆满完成】 全市瞩目的槐安路东延宋营段拆迁工作在短短45天时间内，完成了286块民宅、4家企业、12万平方米的拆迁任务，确保了槐安路顺利建设通车。市"八个一"工作，涉及全区五项任务全部超额完成，其中，"拆违"22万平方米，308国道、东南二环等主要出入市口环境综合整治初见成效。总投资14亿元，占地833亩的省体育中心征地工作稳步推进。

【东南分区城市框架逐步形成】 坚持"量力而行、尽力而为、急用先建"的原则，累计投资1.5亿元用于基础设施建设。谈固大街、规划路2基本通车，塔南路、塔北路路灯安装和南二环三条辅路建设竣工或部分竣工，建华东路等5条道路正在加快建设。东南分区累计通车里程达到17公里，铺设水、电、暖、气、讯等各种管网110公里，路网密度达到了每平方公里2.8公里，二环以内初步形成交通便利、通畅的路网体系。44中学全面竣工，希望绿洲公园"十一"正式开园，东环公园顺利进点，城区综合载体功能显著增强。

【方村工业园建设取得实质性进展】 按照"以园区为载体，促进工业集群"的思路，成立了方村工业园管委会，工业园一期280亩土地圈墙进点，晓进机械、华能金具、华能电器、东明红木家俱生产线、华丹完全生物降解等5个规模大、效益好、环保型的工业项目即将定向挂牌、启动建设。特别是经过积极跑办、协调，争取了11万伏变电站建设，将从根本上解决我区塔南路以南工业、商业和民用供电瓶颈问题。

【新农村建设取得实效】 下大力解决事关农村群众切身利益的出行难、看病难以及环境脏乱差等一系列实际问题，累计投入1300多万元用于7个试点村乡村道路、村民中心、村级卫生所、薄弱学校改造、垃圾转运站、文体设施等基础设施建设。大修和改造了方兴路及南辛庄道路等17条乡村道路，安装了学苑路全长5500米共160盏路灯，建成了东京北、韩通村2座垃圾转运站，新建了南豆、八方、南辛庄、韩通等高标准的村级卫生所，改造了方村镇卫生院和东京北、西京北、南位等6个村级卫生所，对55中、49中、西仰陵等农村薄弱学校进行了改造，建设了南豆、南辛庄等村民活动中心，为南位、西京北、八方等村安装了健身路径和太阳能照明灯41盏，农村生活环境和质量明显改观。城中村社区股份制改革取得新突破，大马、小马完成改制，孙村、二十里铺、南栗、塔冢股份制改革已经启动，集体经济实现良性运转。

【规范信访秩序】 按照"不再制造新的矛盾纠纷隐患，下大力解决历史遗留问题，依法规范信访秩序"的总体要求，坚持"疏、堵、治"结合，重在治本，先后妥善解决了宋营、南王、东王等村因拆迁安置、项目建设引发的上访堵路问题以及原郊区物资公司、农机厂、水电站转制等一批区划调整遗留问题。实行了重点难点信访稳定问题区领导包案责任制，坚持依法规范信访秩序，全区赴省市集体访明显减少，没有发生重大越级、集体访案件。

【"和谐裕华"建设稳步推进】 始终坚持关注民生、改善民生，让广大群众更多地分享经济社会发展成果。按照"以强带弱、重点帮扶、整合资源"的思路，积极推动教育均衡发展，44中学全面竣工，投入1300万元完成了西京北小学、孙村小学等21所薄弱学校改造。按照"分类管理、升级达标"和"宜租则租、宜建则建"的思路，投资220万元对青园二、裕东9个基础设施薄弱社区进行了改扩建，创建了海天阳光园等13个市级高标准社区，建立了22个社区服务中心，新建了6家社区大排档，社区工作整体迈上了新台阶。按照"规范、实用、便民"的要求，改建了方村卫生院，新建了国际城、新天地、银通等3个社区卫生服务站，顺利通过了"省级社区卫生服务示范区"验收。按照"繁荣群众文体生活，满足群众文体需要"的思路，深入实施市民素质提升工程，组建了500人的区群众艺术团并在全区巡回演出，区图书阅览中心主体完工，便民健身路径覆盖全部城市社区，城乡文明程度进一步提高。

（侯会革）

井陉矿区

【概况】 矿区辖两镇一乡两个办事处，56个居委会（村），总面积69.98平方公里，耕地面积 2.8万亩。年末总人口9.71人。2007年，全区完成地区生产总值17.47亿元，同比增长16%。其中第一产业增加值完成 4740万元，同比下降8.9%，占GDP的比重为2.7%；第二产业增加值完成11.72亿元，比上年增长18%，占GDP的比重为67.1%；第三产业增加值完成5.28亿元，比上年增长14.4%，占GDP的比重为30.2%；财政收入完成4.00亿元，比上年增长32.13%。全区农林牧渔业总产值完成8778 万元，比上年同期下降8.46%，其中农业产值5105万元，同比下降4.82%；林业产值299万元，同比增长14.8%；畜牧业产值2624万元，同比下降22.75%；渔业产值156万元，同比下降5.19%。全年粮食总产量为15719吨，同比下降1.34%。全区规模以上工业企业完成增加值9.85亿元，同比增长20.2%。全社会固定资产投资完成13.76亿元，比上年增长20.64%。外贸出口创汇额921万美元，同比增长26.63%。社会消费品零售总额达到38.72万元，增长16.4%。城乡居民储蓄存款余额14.13亿元，同比增长16.7%。城镇居民人均可支配收入达到10849元，同比增长14.3%；农村居民人均纯收入达到6328元，同比增长10.24%。

中共井陉矿区区委书记：贾连海
区人大常委会主任：王禄文
区　　　长：朱献军
区政协主席：康贵春

【产业结构调整扎实推进】 围绕"石家庄重化工区"的发展新定位，着力培育壮大特色产业集群，煤化工一体化项目纳入了全省煤化工产业发展规划和省政府关于进一步调整产业结构的实施意见，循环经济煤化工产业园规划编制完成并通过专家评审。引进建设了一批促进产业优化、财力提升的大项目。力晶光固化剂、亿天纺织等项目竣工投产，新世纪100万吨捣固焦、中栋碳素等项目开工建设。特色农业快速发展，全国生猪养殖高层论坛在矿区召开，吴源苹果被选定为"奥运推荐果品"，并荣获中国国际林业博览会金奖，并在全国农产品交易会上被评为"果王"。

【改革开放迈出新步伐】 以规范村集体资产管理为切入点，在全区3个乡镇、30个社区全面建立了社区财富积累机制。林权制度改革基本完成，促进了林业发展和林地增效。供水站、污水处理厂两家公益性事业单位实行了捆绑出售，道路清扫和公园绿化管护作业推向市场，一批改革遗留问题得到妥善解决。民营经济保持快速发展的良好势头，完成增加值、上缴税金分别比上年增长19.2%和25.4%。大力实施“东出西联”战略，引进香港东晖等一批有实力的大企业。

【人居创业环境持续改善】 完成了城市总体规划调整工作，同步编制了供热、道路等一批专项规划。城市建设力度加大，在建工程总投资超过4亿元。金川西路主干道建成通车，康盛街北段完成硬化改造。新世纪煤炭营销中心、项目展示中心、生态公园等工程进展顺利。八个住宅小区陆续开工建设，住宅楼续建和新开工面积达到27.5万平方米。新增集中供热面积15.8万平方米。新增煤气用户1018户。大城区格局正在逐步形成。以“八个一”工程为载体，拆违改破3.8万平方米，取缔超标排污企业5家，治理整顿11家，启动了污水处理厂二期和无害化垃圾处理场建设，植树造林11585亩，全区生态环境有所改善，城区二级以上天气达到278天，比上年增加21天。

【社会事业取得长足进步】 科技投入力度不断加大，企业自主创新能力稳步提高，连续第四次荣获“全国科技工作先进区”称号。在全市率先免除了义务教育阶段所有学生的学杂费，顺利通过了四年一次的省教育教学督导评估以及职教中心晋升省重点的达标验收。中学城一期工程启动。区医院综合门诊楼、凤山卫生院建成并投入使用。人口和计划生育工作不断加强，低生育水平保持稳定。首部《井陉矿区志》出版发行。成功举办了庆祝矿区解放60周年大型文化活动，民间舞蹈“拉花”在央视舞蹈大赛和香港国际音乐舞蹈大赛上分别荣获三等奖和“金紫荆最高奖”。以优抚安置为重点的“双拥”工作深入开展，国防动员和民兵建设工作不断加强。

【人民生活质量日益提高】 全面落实积极的就业再就业政策，新增城镇就业岗位3115个，转移农村富余劳动力973人，下岗再就业415人，城镇登记失业率控制在3.6%。社会保险覆盖范围进一步扩大，养老、医疗、失业、工伤、生育5大保险分别扩面875人、2600人、678人、1511人和960人。失地农民参保试点工作有序推进。城镇居民基本医疗保险顺利启动。“两个确保”和“三条保障线”得到全面落实。十件民心工程进展良好，人民群众从发展中得到了更多的实惠。

【平安稳定局面更加巩固】 深入开展“为民、务实、清廉”主题教育实践活动，扎实推进“服务型”政府建设。开通了电子政务网，深化了行政机关岗位责任制，启动了ISO质量管理体系导入工作，建立了“日报告、周例会、月交流”制度，加大了对重大决策贯彻落实情况的效能监察力度，促进了行政提速、服务提质。认真执行区人大及其常委会的各项决议，主动及时地报告工作。自觉接受区政协的民主监督，认真听取各方面的意见。办理人大代表、政协委员建议提案120件，满意率达到了95%。积极推进“平安矿区”创建活动，深入开展“严打整治”，认真处理群众来信来访，切实加强了安全生产和消防工作，全区社会安定，政治稳定。

（张密廷）

辛集市

【概况】 总面积1100平方公里，耕地面积954975亩，人均耕地面积1.57亩。年末总人口61.08人，人口自然增长率2.92‰。2007年生产总值166.83万元，比上年增长13.4%。其中，第一产业总值297470万元，比上年增长1.9%；第二产业总值952748万元，比上年增长16.3%；第三产业总值418089万元，比上年增长14.6%。规模以上工业企业增加值625904万元，比上年增长24.3%。农林牧渔总值562856万元，比上年增长1.5%。粮食总产量535160吨，比上年增长1.71%，财政收入80060万元，支出71396万元，社会消费品零售总额783340万元，比上年增长15.8%。完成固定资产投资698374万元，比上年增长54.48%。职工年平均工资16097元，比上年增长43.75%；农民人均纯收入5514元，比上年增长13.13%。年末城乡居民储蓄余额1086292万元，比上年增长11.57%。

中共辛集市委书记：张国亮

市人大常委会主任：刘计良

市　　长：张连钢
市政协主席：高保平

【工业发展后劲进一步增强】 辛集经济开发区、府东、制衣、制革4个市级工业园和新城、南智邱、位伯3个重点乡镇工业区的框架基本形成，完成道路、污水治理等设施投入7630万元，为今后项目建设奠定了坚实基础。顺利实施了82个市级收益性项目，固定资产投资25.81亿元，其中千万元以上项目49个；41个项目建成投产。开工建设了一批投资规模较大、科技含量较高、能够带动产业发展的项目，其中澳森钢铁公司技改扩建投资4亿元，制衣新区一期工程投资1.79亿元，宝得福制鞋项目投资1.5亿元，鸿锐扩建投资1.1亿元。战略支撑性项目建设的空白正在打破，投资27.6亿元的国电辛集热电厂项目通过专家评审；与中国昊华集团签署了战略合作框架协议，投资20亿元、占地2000亩的昊华精细化工基地建设顺利启动。以工业50强为代表的骨干企业发展势头强劲，上缴税金4.28亿元，比上年增长52.4%。皮革业面对俄罗斯禁售令、原皮短缺等不利因素，积极调整产品结构和经营方略，继续保持健康较快发展态势，销售收入超过100亿元,比上年增长9.65%。澳森钢铁公司上缴税金1.26亿元，成为市第一家税收过亿元的企业。万元GDP能耗下降5%，完成了上级下达的目标任务。产品创优取得新突破，“东明”、“伊鹿奇”、“束兰”牌皮衣荣获中国名牌，“双吉”牌农药荣获中国驰名商标，国家级名优产品达到6个，位居全省县市首位。

【农村经济全面发展】 粮食总产量达52.5万吨，玉米高产攻关田单产创全省最高纪录。国投中鲁果蔬汁、新希望饲料、德瑞淀粉等9个新上、扩建农产品加工项目竣工投产；23家新型农民专业合作社完成注册，产业化率达76.9%。合同收购蔬菜面积达到5万亩、优质麦25万亩、果品15万亩。梨果亩均增收120元；“益康”牌黄冠梨荣获奥运推荐果品一等奖，天华、裕隆果品公司取得出口欧美的“绿卡”。奶牛存栏突破2万头，生猪饲养量达到100万头。改造中低产田2万亩，铺设地下管道22万米，新增大中型农机具209台套。春季植树105万株，森林覆盖率达30.7%。乡村经济发展较快，新上致富项目314个，乡镇税收增幅首次超过全市平均水平，增长54.6%。

【城乡建设力度加大】 聘请天津大学规划设计院，完成了城市总体规划修编。城建、交通等基础设施投入大幅增加，全年完成投资4.2亿元，教育路北段、安定街东段及307国道西段改造顺利完成，方碑街东段、育红街东段改造正在加紧进行；新建、续建了芳华、鑫苑、芳苑等高标准居民小区，建筑面积50万平方米；泰和商厦、肯德基连锁店等商贸设施投入使用，新增营业面积2.7万平方米。“六个专项行动”取得成效，拆除违章建筑3.93万平方米、不规范广告牌匾2.1万平方米，亮化沿街建筑物191个；芳华公园建成投入使用，对部分主要路段绿化带进行了改造，新增绿地5.67万平方米。建成了制革区第一调峰污水处理厂，彻底关闭了东柳科皮革工业公司，取缔了一批“十五小”企业，对城市污水处理厂实行企业化运作，保证了稳定达标排放，邵村排干出境断面COD浓度保持在省控指标以内；市区二级以上天数达到304天，比上年增加12天。以文明生态村创建活动为载体的新农村建设富有成效，农村环境、面貌和农民生活质量有一定改观。

【社会各项事业全面发展】 新建改造84个村通村公路122条196公里，乡村公路建养机制进一步完善，村村通等级公路的目标基本实现。投资5亿元的石东550千伏变电站、枣营220千伏变电站、陈家庄110千伏变电站等一批供电工程建成投运，多年来广大群众反应强烈的拉闸限电局面得到明显改观。新建沼气池5026个。解决了55个村的饮水安全问题。农村有线电视新增1.2万户。改造乡村中学4所12975平方米。城乡医疗保险实现全覆盖，新型农村合作医疗参合率86.2%,2007年补偿16.43万人次、1844.88万元，2008年参合率提高到93.06%；城镇居民医疗保险开始启动；10所乡镇卫生院改造基本完成。增加城镇就业岗位2985个，城镇登记失业率控制在3%以内；养老、失业、工伤、医疗保险扩面1.15万人。投入各类资金2649.88万元，确保了6945名农村低保、城镇低保、五保对象的基本生活；全部免除了6.5万名义务教育阶段学生学杂费和下半年课本费，对2000名贫困寄宿生和2200名职业高中学生给予了生活补贴。科技创新全面推进，实施国家级项目4个、省级4个。计划生育在石家庄市考核中名列前茅，人口自然增长率2.92‰。

（张建辉　郑　响）

藁城市

【概况】 总面积836平方公里，耕地面积81.6万亩，人均耕地面积1.1亩。全市辖15个乡镇区，239个行政村。年末总人口75.64万人，人口自然增长率 3.74‰。2007年，完成地区生产总值209.00亿元，比上年增长15%。其中，第一产业增加值36.87亿元，增长1.2%；第二产业增加值109.88亿元，增长19.3%；第三产业增加值62.24亿元，增长14.8%。规模以上工业增加值71.60亿元，增长29.38%。粮食总产量51.5万吨，增长2.2%。蔬菜总产量267.5万吨，增长0.15%。财政收入10.03亿元，增长25.19%；财政支出8.57亿元，增长35.97%。全社会固定资产投资80.41亿元，增长31.92%。实际利用外资额3011万美元。社会消费品零售总额52.86亿元，增长15.9%。在岗职工年平均工资15146元，增长19.43%。农民年人均纯收入6184元，增长13.16%。城镇居民可支配收入11706.7元，增长16.2%。年末城乡居民储蓄余额76.5亿元，比上年增长11.2%。

中共藁城市委书记：张树志
市人大常委会主任：
　　张占锋（2007年4月免）
　　高国才（2007年4月任）
市　　长：王普增
市政协主席：
　　牛振友（2007年4月免）
　　王永生（2007年4月任）

【新农村建设成效显著】 2007年，不断深化新农村建设，“八大体系”更趋健全完善。农业经济稳步增长，全年完成农业增加值39.6亿元，粮食播种面积99.9万亩，粮食生产获得丰收。农业产业化水平不断提高，全年建设投资超500万元农业项目25个，三鹿饮品、常安油脂淀粉厂、宝城乳业等20多个项目竣工投产，全市销售收入500万元以上龙头企业达到72家、超亿元企业5家，省级龙头企业5家。农业基础设施进一步完善，全年新建高标准农田7.9万亩，争引农业科技项目57个，争取支持资金4623万元。文明生态村建设扎实推进，全年累计投入创建资金6950万元，新建精品村12个、一类村8个。“万村千乡”市场工程成效显著，新改建农村超市146家，全市239个行政村实现农村超市全覆盖。藁城禽蛋、岗上蔬菜、梅花面粉等12个农副产品批发市场发展壮大，年交易额23亿元。社会消费品零售总额完成52.8亿元，同比增长16%。

【再次荣获“全国粮食生产先进县”称号】 2007年藁城市粮食生产继续在全国处于领先地位，再次获得农业部“全国粮食生产先进县”荣誉称号。在粮食生产上，以提高综合生产能力为重点，努力打造粮食生产强市，一是加大市、乡、村和农民的生产投入，市、乡两级财政投入资金3000多万元，对粮食生产实行重点倾斜和扶持。二是大力发展标准粮田。积极推行电、水、路、林、田一体化建设，大力实施“一改三化一整治”工程，积极推广配方施肥，建设标准粮田，形成“沟平垄直、田平地方、管道输水、小畦灌溉、按需施肥”的粮田管理模式；三是调整品种结构，大力发展优质专用粮食生产。实现了粮食生产结构优化，形成了51万亩集中连片的以优质小麦、饲用玉米连作为基本种植形式的北方特色集中产区，其中优质强筋小麦种植面积保持在小麦面积的95%以上，价格高于普通小麦10%以上，饲用玉米保持在玉米面积的80%以上。是年繁育优质麦藁优9415、9618、石麦15等良种840万公斤，除满足本地用种外，还为其他地区提供了部分良种。为保持优质麦生产的连续性，认真搞好科研工作，“优质强筋高产小麦藁优9409选育与应用”研究分别获得“石家庄市科技进步一等奖”和“河北省科技进步三等奖”；四是大力组织实施“六化”工程和“亩增百元”工程。努力实现品种优质化、生产标准化、灌溉节水化、耕作机械化、经营产业化、服务社会化。五是建设小麦—玉米节水高产万亩示范方。落实各项节水技术措施，亩增效100元以上。

【项目建设势头强劲】 全年共完成固定资产投资 79.1 亿元，同比增长 29.7%，引进域外资金 21 亿元，实际利用外资 3010.6 万美元。共建设固定资产投资超 500 万元项目 137 个，其中，超千万元项目 87 个，超亿元项目 15 个。益海粮油一期、宏昌天马、金刚集团、翼辰铁路器材 4 个投资超亿元项目竣工投产，石药工业园、国大御温泉、黄骅信誉楼等 6 个超亿元项目开工建设。总投资 253.5 亿元的华药工业园、石药工业园、东方热电等 20 个项目列入省市重点盘子。四药股份在香港成功上市，实现了本市上市公司零的突破；日资河冶科技项目的正式签约，使本市世界 500 强投资企业达到 5 家。是年石家庄（良村）经济技术开发区完成固定资产投资 24 亿元，新区完成投资 4 亿元。化工基地总投资 12.8 亿元的环已酮、硫酸、氨基已酸等 5 个一期进区项目进展顺利。八个乡镇工业园区完成固定资产投资 1.5 亿元，完成基础设施投入 800 万元，园区配套进一步完善。

全市工业增加值完成 99.3 亿元，同比增长 21%，其中，规模以上工业完成增加值 70.3 亿元、利税 27.2 亿元，同比分别增长 29.4% 和 45%。“20+20” 骨干企业效益显著提升，全年完成销售收入 94.2 亿元、利税 10.3 亿元，同比分别增长 37% 和 40.5%。民营经济完成增加值 165 亿元，实现税收 5.5 亿元，分别占全市 GDP 和财政收入总量的 76.7% 和 54.8%。

【财政收入突破十亿元大关】 2007 年，全市财政工作抓好增收节支，强化税收征管，确保了财政收入稳步增长。是年财政收入完成 10.03 亿元，同比增长 25.2%。其中国税完成 53614 万元，地税完成 32000 万元，财政完成 14682 万元。财政收入继 2006 年跨上 8 亿元台阶后，2007 年又一举跨越两个亿元台阶，财政收入质量明显提高。开发区财政收入突破 3 亿元，廉州镇、丘头镇分别跨上 7000 万元和 4000 万元台阶，财政收入超千万元乡镇达到 10 个，镇域经济实力明显增强，全市综合实力显著提升。

【城市建设加速推进】 2007 年，坚持卫生城、园林城、文明城“三城同创”，开工建设了一批重点工程，全年完成城建投资 2.1 亿元。307 国道综合整治拆迁基本结束，6 个绿化组团全面启动，5 个建筑组团规划方案已经完成。总投资 1200 万元的昌盛街立交桥建成通车；渠北路改造、工业路西伸、人民广场改造等城建项目全部完工，城区覆盖 40 万平方米的两座大型集中供热站建成投用。供热、燃气、排水等 5 个专项规划和 30 个村庄规划编制完成，城市总体规划、绿地系统和环城水系规划通过专家评审。全市新增绿地面积 44 万平方米，为省级园林城创建打下了基础。机场路大中修和藁贾线改线工程竣工通车，省道新赵线南延完成拆迁，已全线开工建设。5 个村 8.5 公里“断头路”全部打通，改建了 12 个重点村通村道路，完成了 17 条村庄通向中心小学以上学校路面硬化，结束了部分村庄与学校不通硬面路的历史。小果庄、梅花、贾市庄、西关农村客运站竣工。全年共完成道路建设投资 1.1 亿元，建设农村公路 132.6 公里，全市公路密度和通车总里程在全省处于领先地位。新建投运 110KV 变电站 2 座，4 座 35KV 变电站完成增容改造，全年完成电力基础设施投资 7000 多万元，城乡基础设施更加完善。

【“八个一工程”成绩突出】 2007 年下半年，按照上级部署，全市“八个一工程”（即污染减排“三个一”；生态建设“两个一”；环境整治“三个一”）进展顺利。加大环保基础设施建设力度，投资 3000 多万元的开发区污水处理厂改造开始试运行，投资 1.4 亿元的新区污水处理厂正式运营。在 11 月份掀起的环保风暴中，藁城市开发区和藁城市先后被区域限批，市政府采取断然措施，打响了节能减排和环境保护攻坚战，依法严厉整治超标排放企业。共取缔重点流域水污染企业 28 家、停产或限期治理 8 家，取缔“五小”企业 63 家，滹沱河水质和全市环境质量得到逐步改善。积极实施生态环境建设，西部防护林带基本完工，西北部森林公园续建、石黄高速防护林带完成实地勘查，东部工业隔离区防护林带正在加紧前期准备。在全市深入开展环境综合整治，共拆除重点区域违章建筑和超期临建 10 余万平方米，城乡面貌日益改观，再次荣获省“燕赵杯”评比金奖。

【挖掘发展民间文化】 2007 年，全市文化按照“繁荣发展”的工作思路，一方面加大对传统文化的挖掘整理，使之发扬光大；另一方面，积极发展现代文化艺术。一是在耿村民间故事被列为全国非物质文化遗产代表名录的基础上，是年又将藁城战鼓、屯头宫灯、北周卦乱弹成功申报为河北省非物质文化遗产保护项目。靳正新、靳景祥被批准为国家级非物质文化遗产项目代表性传承人；靳正新、靳景祥、孙胜台、张小梅、安坡湖、马青旺6人被批准为石家庄市非物质文化遗产项目代表性传承人。二是组织了耿村、屯头民俗文化旅游，接待了美国女娲故事代表团和来自北京、山东、河南的代表团，这项活动一方面传播了耿村故事文化，另一方面树立了本市特色文化形象。三是文艺创作喜获丰收。先后两次召开业余工作者创作研讨会。配合宣传社会主义新农村建设和生态文明村建设创作小说、诗歌、散文、戏剧、小品、快板、歌舞、书画等作品110多件。其中，《野菜饼子面叶汤》、《新农村新媳妇》、《农业开发颂》、木雕《连理鸳鸯扣》等20多部作品在省、市组织的活动中获得不同奖项；出版了小说散文集《野草春思》、《柳浪闻莺》共60多万字。

【民众幸福指数持续提高】 2007年，全市城镇居民人均可支配收入、农民人均纯收入分别达到11706元和6184元，同比分别增长16.2%和13.2%。教育强市、教育名市建设步伐加快，完成教育基础投入3410万元，10个项目学校竣工投用，免除了8.6万名农村中小学生3063.5万元学杂费，新建、维修中小学校舍4万多平方米。文体事业蓬勃发展，青少年校外活动中心投入使用，广电中心主体竣工。市镇村三级医疗卫生网络进一步健全，7所乡镇卫生院达到石家庄市标准化卫生院要求，323个村卫生室达到规范化要求。新型农村合作医疗运行平稳，参合率达到89%，全年共筹集新农合资金3100万元，为27.5万人次参合农民报销医药费2516万元；城镇居民基本医疗保险正式实施，居民积极参保。为企业离退休人员兑现增资，全年共发放基本养老保险金3777万元。由市财政筹资打钻深水井11眼，解决11个村群众饮水安全问题。全年共组织发放对农直补资金5081万元，惠及农民67万人。年初确定的市镇村三级为民办的大事实事全面完成。大力实施就业再就业工程，全年新增就业岗位2150个，44个城镇“零就业”家庭实现至少一人就业。扶贫济困力度不断加大，全年共发放城乡低保金539万元，发放贫困生救助金155万元，解决了63户残疾人的住房困难问题。深入开展食品安全专项整治，严格以食品、药品为重点的产品质量监管，维护了群众生命健康安全。

（刘玉强　路永兵）

新乐市

【概况】 新乐市总面积625平方公里，耕地面积42万亩，人均耕地面积0.9亩。年末总人口46.90人，其中农业人口348867人，人口自然增长率15.72‰，人口出生率19.3‰。辖8个镇、3个乡、1个街道办事处，160个行政村。2007年完成地区生产总值957500万元，增长12.5%，其中：第一产业增加值177800万元，增长2.4%；第二产业增加值534793万元，增长15%；第三产业增加值244907万元，增长13.8%。农、林、牧、渔业总产值381000万元，增长1.3%，其中农业总产值173538万元，增长0.6%；林业总产值549万元，增长9.2%；牧业总产值202370万元，增长1.9%；渔业总产值43万元，增长4.8%；农林牧渔服务业产值4500万元，增长2.3%；工业总产值1830707万元，增长24.2%。粮食总产量306233吨，增长2.5%，平均亩产460公斤，其中夏粮亩产423公斤，秋粮亩产504公斤。财政收入36200万元，增长16.66%；财政支出43560万元，增长21.89%。社会消费品零售总额309935万元，增长16.0%。固定资产投资完成536084万元，增长22.75%。职工年平均工资14738元。农民人均纯收入5984元，增长11%。年末城乡居民存款余额356947万元，增长13.78%。

中共新乐市委书记：高新城
市人大常委会主任：张　鹏
市　　　长：赵丽娟
市政协主席：杨运良

【综合经济实力持续攀升】 全市完成地区生产总值983696万元，同比增长12%；完成财政收入3.62亿元，同比增长16.7%；完成全社会固定资产投资536090万元，同比增长22.8%；城镇居民人均可支配收入和农民人均纯收入达到11159元、5980元，同比分别增长13%、11%；完成社会消费品零售总额309935万元，同比增长16.1%；金融机构存款余额达到43.8亿元，同比增长13.5%。

【项目建设开创新局面】 进一步完善《新乐市投资和新上工业项目优惠政策》，财政出资130多万元，大张旗鼓奖励项目建设先进单位、先进个人和利税大户，调动了社会各界招商引资上项目的积极性。恢复成立了工业园区管理委员会及办公室，理顺了园区管理体制。全年安排投资500万元以上重点项目63个，其中20万吨合成氨扩能技改、300吨氨基酸等9个项目投产投用，复合农药、中医院搬迁等24个项目进展顺利，18个前期项目中11个项目达成了合作意向。积极参加"石家庄国际投资贸易洽谈会"等招商活动，接洽客商300多人，邀请200余名外地客商来新考察，谋划洽谈项目30余个，其中，总投资3.4亿元的鑫顺石材、总投资1.5亿元的制鞋设备、总投资2.8亿元的鹏烨药剂、总投资4.5亿元的中广核电生物质发电等10个项目正式签约，对外开放的裂变效应逐步显现。

【工业经济规模效益实现新提高】 组织市、乡领导赴江苏、山东、唐山等发达地区学习考察；深入开展工业经济普查，摸清了底数；制定了《促进工业经济加快发展的意见》和《规范对规模以上工业企业检查收费罚款的规定》，加大了对工业经济的扶持力度，工业经济规模效益和对财政的贡献率进一步提高。新化公司投资1.23亿元的20万吨合成氨扩能项目提前竣工，全年实现利税首次突破亿元大关，达到1.17亿元。卫星民爆公司兼并承德兴湘化工公司等6家企业，组建了河北兴安民用爆破器材有限公司，成为华北地区最大的民爆集团公司，拓展了发展空间。坚持不求所有、但求所在，引导支持优势企业靠大靠强求发展，东方热电公司与石家庄东方热电集团再次合作，二期扩建项目与中广核电集团达成了合作协议，久乐公司由省信息产业投资公司控股，骨干企业对外合作迈出实质性步伐。规划建设了协神板材、正莫石雕、杜固塑料、木村电热毯等8个乡镇特色经济区，园区内集聚企业259家。2007年，全市规模以上工业企业实现增加值、利税分别增长35%和41%。

【新农村建设迈出新步伐】 认真落实各项支农惠农政策，兑付粮食直补、农资综合补贴和良种补贴2400多万元。被省政府确定为全省13个养猪大县之一，积极跑办列入了全国生猪调出大县，争取能繁母猪补贴、生猪调出大县奖励等806万元，促进了畜牧业发展。深入开展阳光培训和人力资源就业推介活动，组织1.56万富余劳动力外出务工，增加了农民现金收入。新增大中棚西瓜3000亩、设施蔬菜2000亩、地膜花生6000亩，新发展奶牛养殖小区4个，全市销售收入100万元以上的农业产业化龙头企业36家，农业产业化经营率44%。深入开展第三批文明生态示范村创建活动，建设了6个"村民中心"，完成了20个村的安全饮水工程，发展节水灌溉8000亩，被石家庄市政府评为农田水利基本建设"优胜杯"竞赛先进市。在全省率先完成了林权制度改革，植树造林5000亩。继续组织大型农机具跨区作业，农机工作全省排名第一。翻修建设了承大线至相家庄等6条乡村道路，方便了群众出行。投资7800万元，新建了彭家庄变电站，增容扩建了陶家庄、杜固、田村铺变电站，全省"井井通电"现场会在新乐市召开。进一步完善了村级财富积累机制，小赵村、陆桥村成立了村级资产经营公司，新乐市延伸村级财富积累机制的作法在石家庄市推广。

【服务业发展实现新繁荣】 新建万圣汽车配件市场、世都名品商场、花园购物广场等规模型市场、商场6家，新乐花生米市场被农业部评为定点市场。深入实施"万村千乡"市场工程，新建规范的"农家店"69家。龙腾盛世公司与河北好日子集团合作成功，万强购物中心由五洲商贸集团注资控股，商贸企业靠大靠强求发展成为新潮流。深入开展打击传销、红盾护农、打假扶优等市场经济秩序整顿活动，维护了良好的市场环境。华宝塑机、清真牛羊肉、铁艺制品等特色产品出口创汇1490万美元，同比增长16.8%。成功举办了第三届伏羲文化节，动漫产业园有6家公司入驻，燕赵文学艺术馆基本竣工，文化产业初具规模。参加了2008中国文化产业新年国际论坛，被授予“全国创意城市产业园区创新奖”。

【城市建设实现新突破】 利用石家庄市开展“八个一”工作的有利时机，借势造势，谋划实施了拆违建绿、旧城改造“十大工程”。拆除违法建筑、违章建筑、简陋建筑10.4万平方米，拆违工作被石家庄市评为除市内五区和组团县市外第一名。建成投用城市花园9个，新增绿地18万平方米。关停污染企业18家，拆除燃煤锅炉、大灶24个。坚持“严管街禁、一般街限、放开街活”的原则，取缔各类占道摊点350余个，拆除有碍市容观瞻的户外广告2.1万平方米，封闭自备井189眼，加强了城市管理。加强环境保护工作，深入开展秸秆禁烧和综合利用，空气质量二级以上天数达到310天。改造了城区污水管网，结合污水管网改造，翻修了礼堂街、长寿路，新建了育才北街，拓宽改造了新开路、南环路立交桥。竣工投用了交通指挥中心，开工建设了烨京城市花园、法院审判楼、检察院“两房”、计生服务站、消防站、烟草周转房，谋划了东长寿、东杨家庄、同常店和老干部宿舍改造工程。建设地下共用管网18公里，网通、联通、有线电视等弱电线路入地12公里。一年来，完成城市建设投资2.6亿元。

【财税支撑保障能力得到新加强】 进一步加强综合治税，开展清理漏征漏管、行业纳税评估和重点企业税收稽查专项行动，税收质量显著提高。严格规范减免程序，加大财政外欠追缴力度，保证了应收尽收。落实分税制与统收统支加激励相并行的市乡财政体制，调动了乡镇抓发展、增收入的积极性。为2915名企业离退休人员支付养老金2824万元，为2168名机关事业单位离退休人员支付养老金4232万元，医疗保险金、特殊慢性病及住院费用合计支出1572万元，实现了“不拖一天、不欠一分、不漏一人”的既定目标。调高了财政供养人员取暖补贴标准，兑现了考核合格人员加发一个月工资的奖励政策，规范了公务员津贴标准，财政对经济社会发展的支撑保障能力显著增强。

【和谐新乐建设迈上新台阶】 组织实施科技攻关12项，取得石家庄市科技进步二等奖2项。改造农村中小学危房3000平方米，新建校舍5000平方米。完成了8所乡镇卫生院改造，中医院搬迁一期工程主体竣工，31.8万农民参加了新型农村合作医疗，参合率达到84.1%，卫生事业发展加快。城镇居民基本医疗保险正式启动，制定了《失地农民基本养老保险办法》、《城镇职工生育保险办法》，保障了弱势群体的基本生活。深入开展节能降耗行动，将绿色GDP列入了干部政绩考核的重要指标。深入开展“四清三落实”活动，政策生育率达到90.4%，人口自然增长率控制在了6.8‰以内。深入开展安全生产大检查，严格落实生产安全法人代表承诺制度，全市没有发生重大安全生产事故。积极开展严打整治斗争，增强了群众安全感。顺利启动了“五五普法”，大力推进“三位一体”大调解工作，基层防线作用得到加强。

【政府工作效能实现新提升】 进一步深化行政审批制度改革，全面实施机构编制实名制管理，圆满完成了事业单位清理整顿。成立了行政服务中心暨投资促进中心、市民服务中心、诚信管理中心和行政效能举报中心，开通了党政办公网，严格落实日报告、周例会、月交流制度，提高了政府工作效率。加强对外宣传工作，全年在石家庄市级以上主流媒体发表稿件200多篇，南水北调施工环境建设、文化产业发展、“井井通电”、林权制度改革等经验被省市推广，提高了新乐的美誉度和影响力。年初为民承办的8个方面15件实事全部落实。

（吴　静　丁然平）

鹿泉市

【概况】 鹿泉市辖12个乡镇、1个省级经济开发区、1个街道办事处、208个村、11个居民委员会；总面积603.09平方公里，耕地面积40.55万亩，比上年减少0.41万亩；年末总人口37.16万人，人口自然增长率为4.69‰。2007年全市生产总值完成154.96亿元，比上年增长14.7%，第一、二、三产业增加值分别为13.53亿元、100.52亿元、40.91亿元，比上年分别增长1.4%、18%、11.1%；民营经济增加值为113.41亿元；粮食总产量21.68万吨，比上年增长1.3%；财政收入完成10.02亿元，比上年增长33.45%，财政支出6.74亿元，比上年增长22.83%；全社会消费品零售总额完成36.84亿元，比上年增长16%，全社会固定资产投资67.53亿元；职工年平均工资16370万元，比上年增长21.23%，农民人均纯收入达到6460元，比上年增长10.13%，城镇居民人均可支配收入达到11657元，比上年增长15.6%，年末城乡居民存款余额达到60.4亿元，比上年增长10.7%。规模以上工业企业发展到188家，完成产值194.04亿元，增长37.4%；全市优良天数达到281天，比上年增加19天。被省政府授予“河北省宜居城市金奖”。 2007年，财政收入历史性地突破了10亿元大关，成为石家庄市首批财政收入跨入10亿元行列的县市之一。完善了政府采购、集中支付等制度，成立了财政投资评审中心。金融保险运行平稳，全市存款余额达到85.6亿元，贷款余额达到42.5亿元；全市保险机构发展到14家。农村信用社改革取得重大突破，顺利通过了央行验收，成功完成了1.88亿元的央行专项票据资金兑付工作。加强政府自身建设，进一步完善了网上互联审批、集中收费等制度，开通了鹿泉市党政机关电子办公系统。全面推行日报告、周安排、月交流等制度。

中共鹿泉市委书记：安树国

市人大常委会主任：

马瑞生（4月免）

安明法（4月任）

市　　长：郝竹山

市政协主席：田拴锁（4月免）

尤栓庆（4月任）

【农业综合生产能力不断提高】 积极落实支农惠农政策，发放粮食直补资金和综合直补资金1207万元。全市实现农林牧渔业总产值289983万元，比上年增长2.21%。2007年，粮食播种面积530136亩，比上年增加0.3%，粮食总产量216846吨，比上年增加1.3%；在畜牧业发展上，全年申报省级无公害畜产品基地5个，肉类、禽蛋、奶类总产量分别达到66773吨、35577吨和116715吨，分别比上年增长2%、0.1%和9.43%。在渔业生产上，全市水产养殖面积1951公顷，水产品产量7258吨，比上年增长9.43%。在林业生产上，全年完成造林面积456公顷，引进林果新品种12个，推广林果实用技术11项，干鲜果品产量44224吨，增长4.13%。积极推进农业标准化生产，全市无公害蔬菜种植面积达到了12万亩，12个奶牛小区、5000亩水产基地通过了省级认证。石家庄市级以上龙头企业发展到6家，农民专业合作组织增加到32个，产业化经营率达到66%。完成了集体林权制度改革，启动了省会义务植树基地工程。结合新农村建设修编完成了郑庄村、小马村、北故城村、贾村、东郭庄村、杜童村6个村建设规划。

【工业结构调整向纵深推进】 水泥业结构调整取得重大突破，开展了2次集中行动，关停拆除20家企业的24座水泥窑，淘汰落后产能184万吨；曲寨、燕赵等大型旋窑水泥生产线前期工作进展顺利。电子信息业发展迅速，投资5.4亿元的信息产业基地一期8个项目投产，投资3.92亿元的半导体照明项目为核心的二期工程开工建设，总投资11.36亿元的信息技术转化中心、向阳电子等8个后续项目已经签约。不断扩大食品加工业规模，投资3.5亿元的三鹿永盛乳业正在施工，投资1.98亿元的珠江啤酒、投资1.3亿元的石家庄桥西糖烟酒等项目正在建设，食品加工业正在成为鹿泉新的优势产业。

【项目建设与旅游业】 2007年，全社会固定资产投资完成156亿元，同比增长14.7%；全市投资500万元以上的重点在建项目达到92项，完成投资18.8亿元。其中，亿元以上的项目13个。投资1.78亿元的国能页岩砖一期重点项目竣工，投资3.52亿元的曲寨热电联产重点项目正在施工。总投资100亿元的西郊热电项目前期工作进展顺利，被列入国家“十一五”电力项目计划。完成了全市旅游业发展总体规划修编，对抱犊寨、封龙山等景区进行了升级改造；西部山前生态新区开发稳步推进，制定了总体规划，实施了路网等基础设施配套工程；对区域内用地实行严格的规划控制，保障了开发建设有序进行。现代物流开始起步，投资2.7亿元的华通物流等一批项目正在施工。“万村千乡工程”进展顺利，新建农家店36家，全市标准农家店达到了125家。

【基础设施建设更加完善】 配合做

好石太客运专线、石家庄水利防洪生态工程等国家、省、市重点工程，总投资1.2亿元、全长6千米的槐安路西延（鹿泉段）工程，该工程是2006年续建工程，2007年9月底主路面全线通车；投资1.3亿元的山前大道、投资2750万元的北斗路东延、投资1500万元的封龙山路竣工通车；同时完成了3200平方米的实验小学游园建设；投资4000万元的石获北线鹿泉段、投资2800万元的京赞线黄壁庄段改线工程正在建设。2007年是鹿泉市道路交通史上投资最多、工程标准最高、建设里程最长的一年，全年公路建设里程50.1公里。全市公路通车里程增加到728.1公里，公路密度达到1.2公里/平方公里，年底，全市共有10条交通干线直接与省会对接，基本形成了连接省会、沟通城乡、贯穿景区的路网框架。同时，总投资15亿元、占地147亩的城市中心区改造完成了规划、设计、拆迁、清表及专家论证工作，进入了扫尾阶段，大规模建设已全面铺开。此外，对乡村电力设施进行了更新改造，实施了宋楼110千伏变电站、新农村电气化改造等工程。2007年末，园林绿地面积380.74公顷，公共绿地面积233.12公顷，建成区绿地覆盖率36.03%。新增供热面积7.26万平方米，市区内供热总面积达到161.96万平方米，供热普及率74%。

【环境保护与治理】 年初，为提升鹿泉城市竞争力，实施了以城区、景区、道路为重点的六大环境专项整治活动，取得了阶段性成效。下半年，石家庄市实施了环境建设“八个一”（1、年内关停、治理太行山区域100家大气污染企业；2、取缔、治理重点流域100家水污染企业；3、拆除、治理市区100台1吨以上燃煤锅炉。4、规划实施环城（1+4组团）1000万平方米水系拓展工程；5、实施“5528(5环、5河、2山、8带）”绿化工程，用3年时间完成植树1000万株，年内完成100万株乔木进市区工程；6、力争用2～3年时间，拆除整治全市范围内违法建筑100万平方米；7、拆除整治市区范围内违章户外广告10万平方米；8、清理城镇积存垃圾100万立方米。）工作，鹿泉市作为一项重中之重的工作来抓，高标准、大力度、长时间对城乡环境进行综合整治。重点加大了石闫线、107国道鹿泉段等干线整治力度，累计拆除违法建筑、超期临建、简陋建筑12.6万平方米；对307国道鹿泉段等进行了美化、绿化、亮化。并荣获石家庄市“八个一”工程第一名。加强重点污染源监管，关停治理大气、水污染企业34家。2007年，全年大气环境质量二级和好于二级的天数达到281天，比上年增加19天。

【社会各项事业全面发展】 加大教育事业投入，落实“两免一补”（两免：免除贫困生学杂费、教科书费；一补：补贫困生住宿费）优惠政策，启动了标准化学校建设，扎实开展教师交流，推动了教育均衡化发展。新改建村民中心72个，投资1886万元的宣传文化中心建成投入使用，共组织以文化下乡、彩色周末等文艺演出13场次，开展了“周末红色电影”放映活动。公共图书馆图书总藏量80千册，图书电子阅览室正式开放。广播电视综合覆盖率100%，电视“村村通”全面达标。启动了以大病统筹为主的城镇居民基本医疗保险制度，不断完善新型农村合作医疗运行机制，市人民医院门诊综合楼二期工程完工并投入使用。积极开展计划生育“四清三落实”（四清：出生情况清、现孕情况清、应落实避孕节育措施人员清、应征收社会抚养费的人员、数额清；三落实：把避孕节育措施和外孕补救落到实处、把社会抚养费征收落到实处、是党员干部的除交纳社会抚养费外，还必须严格按规定把党政纪处分落到实处）活动，探索实施了“三优”（优生、优育、优教）服务工程。社会保障体系和城乡低保制度进一步完善。年末参加各类社会保险统筹人数168650人，增长7.1%；城镇居民基本医疗保险正式运行，率先在河北省进入全民医保时期。全年发放城镇低保金115.29万元，1063人受益；发放农村低保金161万元，为3503人提供了生活保障。加大重点行业安全生产专项整治力度。安全生产保持平稳态势，顺利通过了国家安全生产万里行检查组验收。开展了“严打整治”、“命案必破”，打击传销等专项行动。

【鹿泉市宣传文化中心投入使用】 鹿泉市宣传文化中心经鹿计〔2005〕6号文批准立项，规划占地20亩，建筑面积8600平方米，项目总投资1876.80万元。该中心由公用事业局承建，于2005年10月正式开工建设，历时一年半建成。2007年，主要完成了后期零星配套工程建设及文化中心绿化等工程项目。2007年4月4日，宣传文化中心举行落成典礼，标志着该中心正式投入使用。鹿泉市市委书记安树国、政府市长郝竹山等四大班子主要领导参加了落成典礼。公用事业管理局局长杜仁芝就宣传文化中心的建设情况做了介绍，市长郝竹山代表市委、市政府做了重要讲话。至此，鹿泉市唯一一个集文化宣传、科技展览、档案管理、文物保护、青少年活动等多种功能于一体的高标准精神文明宣传阵地建成。该中心集中展示了鹿泉市的历史风貌与文化现状，是了解鹿泉的一个理想平台。

（鹿泉市史志办）

晋州市

【概况】 全市总面积716平方公里，耕地面积40772公顷。2007年末总人口52.44万人，人口自然增长率10.18‰。地区生产总值完成106.84亿元，比上年增长14.9%。其中第一产业完成增加值16.05亿元，增长–0.5%；第二产业完成增加值56.83亿元，增长20.3%；第三产业完成增加值33.95亿元，增长13.6%。民营经济增加值765012万元，增长20.4%；农林牧渔业总产值完成34.61亿元，增长0.12%，其中农业产值16.27亿元，增长9.9%；畜牧业产值18.09亿元，增长0.6%；农业机械化水平不断提高，年末全市机械总动力1316239千瓦，与上年持平。粮食总产405149吨，增长–0.5%。工业企业增长速度较快，规模以上工业企业完成增加值35.67亿元，增长36.15%；规模以上工业生产总值能源消耗0.3618标准煤/万元产值，增长–23.57%。社会固定资产投资完成53.42亿元，增长31.14%，社会消费品零售总额全年实现33.68亿元，增长16%。空气质量二级以上天数达到293天。社会保障工作面进一步扩大深入，年末全市17039名职工参加养老保险，4540名离退休人员参加养老保险社会统筹，养老金社会发放率100%。社保基金首次超亿元。321个单位，22639人参加医疗保险。全市1101户，累计1915人享受城镇最低保障救助，保障率3.83%；2599户，累计4194人享受农村最低保障救助，保障率0.89%。发放新农合补贴1441万元，城镇居民医疗保险启动。城镇居民人均可支配收入达到11180元，比上年增长16.2%；职工年平均工资13118元，增长30.88%；农村居民年人均纯收入6012元，名列石家庄市第三，增长13.01%。城乡居民储蓄余额816971万元，增长12.67%。城乡居民居住条件进一步改善，市区城镇居民人均居住面积35.1平方米，比上年增加1.3平方米；农村居民人均居住面积41.99平方米，比上年增加2.21平方米。

中共晋州市委书记：张　业
市人大常委会主任：杨立保
市　　　长：田嘉一
市政协主席：张务卿（4月免）
柴香稳（女，4月任）

【综合实力大幅提高】 2007年，全市地区生产总值完成108.9亿元，增长14.8%。城镇固定资产投资完成46.6亿元，增长45.3%。新增规模以上工业企业10家，达到169家。财政收入完成5.002亿元，增长1.3亿元，比上年提高9.76个百分点，达到35.02%，在石家庄市排名跃居第二，其中一般预算收入完成2.17亿元，增长38.31%，在石家庄市排名第三，增量和增速均创历史新高。财政收入占GDP的比重和税收占财政收入的比重分别达到4.59%、84.86%，分别提高0.37、0.83个百分点。

【经济结构更趋合理】 2007年，晋州市的三次产业结构中，三产比重稳中有升，二产比重提高2.5个百分点。工业结构实现由轻工业向重、化工业与轻工业合理配比转变，产业集中度和抗风险能力进一步提高。全年新建续建投资千万元以上项目92项、竣工69项，嘉远钢管、光大线材等4项列入省市重点在建项目，是历年来大项目投产最多的一年。纺织业纱锭和箭杆织机分别达到200万枚、2300台，增长41.8%、91.7%，召开了河北省首届重点产业集群暨晋州市纺织“十一五”规划论证会，与河北科技大学签订长期合作协议，为纺织业健康发展提供了保障。建材业引入新型生产工艺，生物柴油等高新技术产业项目基本具备了开工条件；化工、纺织、装备制造业税金占税收的比重达到 48.5%，提高 14 个百分点；商贸流通繁荣活跃，社会消费零售总额达到 33.7 亿元，增长 16%。特色农业发展加快，畜禽养殖小区发展到 21 个，双鸽集团核心群种猪场即将开工建设；长城、鲜鲜、加一食品等农业龙头企业不断壮大，果品产业链条进一步拉长，全市新增果品出口认证面积 4560 亩，成功进入欧盟等高端市场，实现出口创汇 500 万美元，被确定为省级出口鲜梨标准化生产示范市。

【城乡面貌明显改善】 城市总体规划在全省首批通过，城区规划面积增加近一倍，达到 22 平方公里。城市建设详细规划及绿地等专项规划启动，规划体系进一步完善。组建了规划局和城市建设项目审定委员会。307 国道改造、世纪街、迎宾大道拓建一期和晋周总公路赵魏至周头段大修工程完工，公路通车总里程达到 703 公里；滨河路改造、新世纪广场及向阳街等 4 条街道亮化完工，旧城改造启动。周头等 3 座 35KV 变电站新建、改造和元头 110KV 变电站土建工程完工。完成滹沱河防护林带绿化 5690 亩，城乡主干道及农田林网植树 74 万株，全市树木覆盖率 35.2%，被国务院命名为全国绿化模范县市；依法否决污染项目 15 个，关停、治理水和大气污染企业 84 家，化学需氧量、二氧化硫排放量分别消减 505 吨、309 吨，全年空气质量二级以上天数达到 293 天。

【人民生活显著改善】 机关事业单位误餐补贴首次发放，工资改革全面落实，年人均津补贴达到 6000 元。硬化城区小街小巷 48 条、5.3 万平方米；修建乡村道路 40 条、116.8 公里，居石家庄市首位；新打深水井 56 眼，解决了 13 万人的饮水问题；新建沼气池 1700 个、农家店 20 家，完成西里庄等 9 个村的电气化建设。社会保障体系不断完善，新增养老、失业、低保等各类保险 5810 人，社保基金首次超亿元。乡镇卫生院上划顺利完成，马于等 3 所卫生院改扩建即将完工；发放新农合补贴 1441 万元，城镇居民医疗保险启动。完成劳动力就业培训 1.2 万人，新增城镇就业 2800 人，下岗失业人员再就业 750 人，转移农村劳动力 2.8 万人次。城镇居民人均可支配收入达到 11180 元，增长 16.2%；农民人均纯收入 6012 元，名列石家庄市第三，增速 13%，增速为近年来最快。科教投入不断加大，朝阳小区等 4 所中小学新建改建主体工程完工，九年义务教育首次实现全免费，被评为河北省规范教育收费示范县市。周家庄特色旅游起步。农村计生家庭奖励扶助全面落实，被评为河北省人口和计划生育工作先进县（市）。

【改革开放统筹推进】 组建了中小企业信用担保公司，在石家庄市率先完成信用社改革，1.2 亿元的央行票据兑付到位。创新农村财富积累机制，西南捏盘成为石家庄市首个完成以集体资产质押贷款的试点村。完成了种子公司、棉油厂改制和林业产权制度改革。开展行政事业单位清产核资，建立起国有资产动态监控系统，实现国有资产收益 1623 万元，同比增长 2.2 倍；引进市外资金 10.2 亿元，实现出口创汇 1.7 亿美元。财政收入增量连续三年实现翻番，总量基本实现三年翻一番。政务中心网上办公系统在全省率先开通互联审批、电子身份认证、网上监管系统，行政权力公开透明运行工作受到中纪委的充分肯定，省纪委在晋州召开现场推介会，并将晋州列为政务公开示范县市。随着经济实力的加速提升，晋州知名度、美誉度、受关注度明显提高，石家庄市明确要求晋州加快建设中等城市，并将晋州列为省会东翼重点发展县（市）。

【民主法制建设不断加强】 “五五”普法深入开展。按照法制化、规范化、制度化的要求，进一步完善了政府工作规则。自觉接受市人大的法律监督、工作监督和市政协的民主监督，共办理人大议案、建议 84 件，政协提案 106 件，按时办结率 100%。严厉打击非法传销，依法取缔黑窝点 86 个。治安防控体系初步建立起重点区域、城区、市界三道治安防护线。安全生产网格化管理全面落实，事故起数和直接经济损失分别下降 6.8%、7.8%，在 24 个县（市）区考核中名列第一。开展了“解决有理访，稳控无理访，打击违法访，追究新生访，降低信访量”攻坚年活动，被命名为石家庄市信访工作先进县市。

（刘永科　韩彦欣）

正定县

【概况】 正定县辖9个乡镇，一个街道办事处，174个村（街），全县总面积470平方公里，耕地面积29894公顷，人均耕地1.001亩。年末总人口44.78万人，人口自然增长率3.56‰。2007年，全县地区生产总值108.39亿元，同比增长12%。其中，第一产业增加值19.71亿元，同比增长2.2%；第二产业增加值50.81亿元，同比增长13.9%；第三产业增加值37.87亿元，同比增长13.7%，非农产业增加值占GDP的比重达到81.8%。农林牧渔业总产值41.09亿元，同比增长2.3%。其中，农业总产值17.42亿元，增长1.6%；林业总产值0.0545亿元；牧业总产值21.85亿元，增长2.3%；渔业总产值0.1876亿元。畜牧业产值占农林牧渔业总产值的比重达53.17%。全年粮食播种面积83.68万亩，粮食总产量30.43万吨。种植亩产505公斤，耕地亩产1004公斤。夏粮种植面积 30.60万亩，亩产494 公斤，总产15.115万吨。秋粮种植面积 29.6849万亩，亩产516公斤，总产15.3161万吨。全县财政收入4.89亿元，同比增长21.23%。财政支出51862万元，同比增长16.69% 。社会消费品零售总额35.05亿元，比2006年增加5.35个亿，同比增长18.0%。全社会固定资产投资51.04亿元，同比增长39.41% 。

年末全县金融机构本外币各项存款余额955647万元，比年初增长63153万元。年末城乡居民储蓄存款余额737965万元，比年初增长51143万元，金融部门贷款余额346620万元，比年初增长58539万元。农民人均纯收入达5952元，增长13.71%。居民生活质量显著提高，全县城镇居民人均可支配收入8672元，同比增长8.5%。年末城市居民百户拥有汽车18辆，电脑56台，移动电话188部；农村居民百户拥有影碟机71台，电冰箱88台，摩托车77辆。城乡居民人均住房面积分别为39.33平方米和32.4平方米。

中共正定县委书记：

牛祯贵（2006年1～12月）

县人大常委会主任：

肖建儒（2007年1～12月）

县　　长：

贾玉英（2007年1～12月）

县政协主席：

徐　玲（2006年1～12月）

【园区建设全面铺开】 编制完成纺织服装基地总体规划和控制性详规，基础设施投入达7000万元，路网框架基本形成。投资58亿元的常山纺织改造升级项目列入省重点产业支撑项目，一期工程正式开工建设。县科技工业园区探索建立“三级共建、收益分成”机制，实现园区建设和失地农民生活保障共促双赢，3家企业入驻建设，储备项目12个，总投资8.2亿元。南牛综合工业园区、北早现木业园区和朱河纺织工业园区率先启动，一批项目入驻园区。全社会固定资产投资完成49.6亿元，增长29.8%，50万元以上投资项目达259个，完成投资32亿元。11个重点项目完成投资10.1亿元，超额完成年度投资计划。年初确定的十个方面26件利民实事全部完成。

【正定国际小商品城建设进展顺利】 截止2007年底，正定国际小商品城一期竣工并实现试营业，二期工程正在加紧施工，三期工程占地拆迁工作已经启动，四期及仓储物流园区、产业园区已完成规划设计，招商工作全面展开。恒山市场外立面包装改造已经完成，河北正定家具城正在加紧建设，农村商贸流通繁荣活跃。全县市场交易额完成60.8亿元，增长15.2%；社会消费品零售总额完成35.05亿元，增长18.1%。全县旅游直接收入完成3096万元，实现综合效益3亿元。服务业增加值占地区生产总值的比重达到35%。

【特色产业和骨干企业支撑作用明显】 着力推进板材家具、食品饲料等主导产业集聚式发展。加大对重点企业的扶持力度，力促“2+1”企业快速成长，金源化工、银港人造板、苹乐面粉机、海天绿伟、诚峰热电等5家企业进入全市“5+3”企业行列，久强建材高效减水剂荣获“中国名牌产品”称号，小蜜蜂工具荣获“中国驰名商标”。全县规模以上工业企业完成增加值38亿元，增长26.7%；实现利税14.8亿元，增长38%。

【农业农村经济全面发展】 发展特色农业、生态农业、创汇农业，形成无公害蔬菜、特色种植、畜禽养殖等区域性特色产业，龙头企业和专业合作组织规模壮大，产业化经营率达到69%。全年粮食总产达30.43万吨，肉、蛋、奶产量均保持4%以上的增速。实施土地开发整理、农田林网、两河滩绿化工程，农业综合生产能力明显提高。农村财富积累机制向纵深推进，村级集体收入达到5216万元，在10个村进行了集体资产质（抵）押贷款试点。文明生态村创建活动进一步深入，28个村建成了“村民中心”，文明生态质量明显提高。

【各项改革向纵深推进】 抓好县属企业改革，大旗公司进入政策性破产程序，县财政筹资912万元，较好解决了饲料公司、制酒厂、锅炉安装公司等破产企业遗留问题。民营经济实现增加值92.8亿元，占全县地区生产总值的比重达到86%。完成了首批公务员登记，启动了乡镇机构改革试点工作。积极开展专题招商和园区招商活动，全年引进技术合作项目30个，引进域外资金10.2亿元，实际利用外资1104万美元。调整出口产品结构，全县出口创汇3800万美元。

【财政收入大幅度增长】 全县财政收入完成4.8169亿元，同比增收8159.3万元，增长20.39%；地方一般预算收入完成2.52亿元，增长21.6%。在保工资、保运转的基础上，加大了科教文卫等公益事业、城市基础设施和城乡合作医疗、最低生活保障等民计民生方面的投入，安排支农资金4874万元，增长45.5%，有力支持了新农村建设。全县金融机构各项存款余额达95.56亿元，城乡居民储蓄存款余额达73.79亿元，分别比年初增长7.08%和7.45%；贷款余额达34.66亿元，比年初增长20.32%，净增贷款5.85亿元，其中，信用联社净增贷款5亿多元。

【县城基础设施建设和管理力度加大】 组织实施了规划引导、路讯通达、文化精品、园林绿化、风貌恢复、综合整治六大工程。曙光路、子龙广场、天宁苑广场二期工程如期竣工，体育大街北延工程占地拆迁、东南旧城区道路及供排水改造、柏棠东大街、环卫设施建设、热网二期续建、天然气利用、信息管网建设等基础设施建设工程完成年初预定任务，恒州体育广场、博物馆、城垣公园建设工程已经启动，资金基本到位。园林绿化、美化亮化和夜景建设迈上新台阶。全年城建投入达3.15亿元。城市日常管理步入制度化、规范化轨道。全县共拆除违法建筑、超期临建87198平方米，清运积存垃圾70231立方米，超额完成市下达任务目标，清理各类违章广告1500多块，总计14925平方米，栽植乔木35万株，107国道综合整治和常山路整体包装改造工程成效显著。

【环境保护工作成效显著】 积极开展重点污染源专项治理行动，狠抓水环境和烟尘污染治理以及环境监理监测等重点工作。在全市率先采用先进监控技术，对重点排水企业进行全天候监控，有效杜绝了偷排偷放现象。中水回用项目前期工作基本完成。切实加大节能减排力度，彻底取缔了全县391家废旧塑料加工场点，关闭二级水源保护区内工业污水直排口2个。化学需氧量、二氧化硫等主要污染物排放共计削减300余吨，超额完成全年削减任务，生态环境质量明显改善。全年县城空气质量二级及以上天气达到295天，出境工业废水和生活污水COD含量下降到139mg/L，农作物秸秆综合利用率达100%，顺利通过国家生态示范县验收。

【社会保障体系日臻完善】 较好地完成了养老、医疗、工伤、失业保险和农村低保、五保扩面任务，社会保险覆盖面不断扩大。扎实推进新型农村合作医疗，参合率达到95.2%。城镇居民基本医疗保险全面推开。积极推行被征地农民基本养老保险，确保失地农民老有所养。发放城乡最低生活保障金280.73万元，救助低保对象2277户4711人，基本实现了全覆盖。救灾救济、困难救济、贫困学生救济制度日趋完善，发放救灾救济款78.56万元。就业和再就业工作扎实推进，新增就业岗位1810个，安排下岗职工再就业420人，安排“4050”人员70人。阳光培训工程成效明显，转移农村劳动力19830人次。人民生活质量日益提高，城镇居民人均可支配收入和农民人均纯收入分别达到8672元、4891元，增长8.5%、7.5%。

【各项社会事业协调发展】 “科技富民强县试点”工程扎实推进，全年推广应用重大科技成果10项，开发市级以上新产品8项，争取国家级项目3个。农村免费义务教育全面实施，义务教育均衡发展。教育设施进一步改善，教学质量稳步提高。人口与计划生育目标全面落实。文化体育设施不断完善，群众性文化体育活动蓬勃开展。公共卫生体系建设取得新的进展，医疗便民惠民工程得到落实。广泛开展群众性精神文明创建和道德实践活动，城乡整体文明程度明显提高。切实加强社会治安综合治理，深入开展严打战役和专项行动，社会治安秩序明显好转。安全生产责任制、责任追究制和“双百日承诺”得到落实，安全生产形势良好。食品安全专项整治取得明显成效。司法、民政、宗教、审计、广播电视、外事、侨务、国防后备力量建设等各项事业都取得了新成绩。

（张　君）

栾城县

【概况】 总面积345平方公里，耕地面积26268公顷。年末总人口33.07万人，人口自然增长率3.27‰。2007年全县生产总值实现101.79亿元，增长13%。其中第一产业实现增加值19.74亿元，增长-1.2%；第二产业实现增加值52.83亿元，增长18.8%；第三产业实现增加值29.22亿元，增长12.7%。全县农业总产值38.6亿元，增长4.7%，粮食总产量278739吨，比上年增加3852吨。全县规模以上工业企业完成增加值24.63亿元，比上年增长29.09%，实现利税15.49亿元，增长45.90%。财政收入完成4.64亿元，比上年增长28.76%。全社会固定资产投资完成49.88亿元，比上年增长23.88%。社会消费品零售总额22.99亿元，增长16.6%。在岗职工平均工资16195元，比上年增加3052元。农民人均纯收入5788元，比上年增加15.62%。全县城乡居民储蓄存款余额37.10亿元，增长8.27%。

中共栾城县委书记：

张振县（07.1～07.9）

毛全球（07.10～07.12）

县人大常委会主任：

颜良仁（07.1～07.4）

解晓东（07.4～07.12）

县　　长：

毛全球（07.1～07.9）

韶　华（07.10～07.12代县长）

县政协主席：

刘恒福（07.1～07.4）

曹金亮（07.4～07.12）

【农业经济全面发展】 小麦、玉米总产分别达到13.05万吨和14.4万吨。优质小麦、优质玉米种植面积分别达到23万亩、23.1万亩；蔬菜标准化生产面积14万亩，农业部抽检合格率达到100%。推进万亩生态观光农业园区建设，成功举办了第五届阳春草莓采摘节。5种农产品通过国家级无公害农产品认证。全县标准化规模养殖场区达到173个，牛、猪、鸡良种覆盖率分别达到88%、85%和100%。建设完善了20个绿化示范村、20条高标准绿化街道，建成青银高速（栾城段）、栾城大街（体育大街南延）等精品绿化工程，全年完成乔木种植103万株，花灌木100万株，森林覆盖率达到21.6%，比上年增长0.3个百分点。“生猪养殖及安全猪肉产业化开发”和“一县一业一园”被省政府确定为科技富民强县示范点。全县182个村全部建立村级财富积累机制。

【工业效益不断提升】 全县126家入统企业主要指标增幅在全市17个县（市）保持先进位次。利税超500万元企业由上年的20家增加到43家，超千万元企业由8家增加到15家，全年实现税金超千万元企业达到6家。医药、化工、食品、服装纺织、机械制造行业入统企业分别达到9、30、15、32和22家，占入统企业总数的85.7%。实施重点技改项目12项，圣雪大成硫酸链霉素扩建等10个项目竣工投产，预计年新增销售收入12.4亿元，利税2.5亿元。

【民营三产活力显现】 新发展个体工商户1256户，私营企业206家。医药、化工等五大主导行业实现产值72.7亿元，增长21.5%。形成南高纺织、西营服装、栾城镇鞋业三大产业集群，南高纺织列入市重点产业集群。卓达市场一期工程运行平稳，建筑面积4.5万平方米的“卓达·中国名优特产品交易中心”主体竣工。“万村千乡”市场建设步伐加快，农家店总数达到319家。县社系统9个企业依法破产，县种子公司改制全面启动。全县出口创汇6500万美元，增长18%。

【产业基地和项目建设不断加强】 装备制造基地规划面积由 14.5 平方公里扩大到起步区 20 平方公里、规划区 30 平方公里。医药工业园区、循环化工示范基地、冶河工贸园区建设取得新进展。总投资 180 亿元的 30 个重点项目进展顺利，完成固定资产投资 17 亿元，引进县外资金 12.7 亿元，河北电机投产运行，裕华热电、三农化工、汉崴公司等 11 个重点项目正在建设，潜水电泵、三鹿豆奶粉扩能等 10 个项目正在抓紧运作，神威现代中药园、通用航空工业园等 9 个项目正在跑办前期手续，全年获批项目建设用地 10 宗 2681 亩。铬渣无害化处理工程等项目共争取上级支持资金 1990 万元。组团参加了国家和省、市举办的各类经贸洽谈活动，新签订外资项目 4 项，总投资 10 亿元，合同利用外资 8 亿元。全年实际利用外资 150 万美元。

【城乡建设水平不断提高】 完成城区、四大基地和 53 个村庄的基础测绘工作。完成《县城总体规划(2004～2020)》调整，县城规划区详规覆盖率达到 65.7%，开展了城市环城水系设计和公园规划编制工作。投入城市建设资金 4.4 亿元，完成城区北京路、隆安路硬化及新开街、泰安街改造工程，新增道路 3.6 万平方米，改造面积 1.6 万平方米。泰安步行街、宏达路升级改造和夜景建设全面完成，打造了又一城建亮点。完成县标广场、文化公园、交通公园、丰泽大街、西南外环绿化升级改造工程，完善街头景点 6 个。全县城市化率达到 38.4%，全省排名第 18 位，是石家庄市唯一名列全省城市化 30 强的县。石环公路栾城段主线、栾城大街(体育大街南延)、丰泽大街北延工程建成通车，省会东南一刻钟快捷交通圈进一步完善。完成交通投资 1.55 亿元，新改建干线公路和农村公路 20 余条，总里程 59.2 公里，栾故公路、南西线改造、西高支线改建拓宽等工程竣工通车。

【社会事业全面进步】 “科技兴县”迈出新步伐，全县高新技术技工贸总收入 8.1 亿元，增长 4.9%。10 个科技项目列入省、市重点，争取支持资金 780 万元。全县专利申请量达到 10 件。连续第五次荣获“全国科技进步先进县”称号。全部免收农村义务教育阶段学生杂费，为 5980 名家庭贫困学生免费提供教科书，为 115 名贫困学生补助寄宿生生活费。建成 10 个文化广场(大院)、20 个村文化活动室。组织各类群众性文化体育活动 80 余场次，在市 13 届运动会上金牌总数和团体总分列第 2 名和第 3 名。全县人口出生率 11.68‰，自然增长率 5.33‰，符合政策生育率 89.79%，出生人口性别比 104.7，圆满完成市下达的人口和计划生育责任目标，连续 9 年位居全市先进。4 所国债资金支持的乡镇卫生院升级改造顺利完成。新型农村合作医疗农民参合率达到 92.25%，提高 6 个百分点，核销医疗费用 1237 万元，惠及农民 12.7 万人次。新改建农村卫生户厕 8000 座。城乡救助保障体制进一步健全。城镇居民医疗保险工作顺利启动，城乡最低生活保障和困难群众救助制度进一步落实，全年共有 6430 户、15317 人享受了城乡低保，累计发放低保金 246.3 万元。全县新增城镇就业 2460 人，下岗失业人员再就业 850 人，转移农村劳动力 1.2 万多人，城镇登记失业率 2.5%,低于 4% 的控制目标。

（栾城县政府办）

井陉县

【概况】 全县总面积 1381 公里，辖 17 个乡镇、318 个行政村和 1 个街道办事处、4 个居民委员会。年末总人口 32.50 万人。人口自然增长率为 7.68‰。2007 年，县内生产总值完成 72.44 亿元，比上年增长 16.3%。其中第一产业增加值 6.33 亿元，比上年增长 7.1%；第二产业增加值 40.87 亿元，增长 16.8%；第三产业增加值 25.24 亿元，增长 17.5%。财政收入完成 5.06 亿元，同比增长 21.1%。全社会固定资产投资完成 56.16 亿元，同比增长 39.41%。民营经济实现增加值 55.5 亿元，比上年增长 19.4%，占县内生产总值比重达 75.5%。职工年平均工资达 16138 元，同比增长 16.82%；农民人均纯收入 4527 元，同比增长 13.37%；城镇居民人均可支配性收入 11993 元，同比增长 14.8%；城乡居民储蓄存款余额 39.04 亿元，同比增长 14.85%。

中共井陉县委书记：庞彦须

县人大常委会主任：

王小亭(2007 年 4 月免)

彭朝信(2007 年 4 月任)

县　　长：李彦明
县政协主席：
赵二军（2007 年 4 月免）
王新民（2007 年 4 月任）

【项目建设硕果累累】 全年实施投资 500 万元以上项目 124 个，投资总额 51.8 亿元；62 项重点工程和 34 项书记乡镇长工程全部完工。北蒿亭村移民顺利搬迁，确保了省重点工程—张河湾电站第一台机组按时并网发电。投资 19 亿元的华能上安电厂三期工程基本完工；大唐微水电厂上大压小、年产 360 万吨大水泥和年产 30 万吨碳酸钙等一批大项目招引跑办进展顺利。成功举办了石家庄（井陉）开放周、老乡会等集中对外招商活动，全年新增企业 100 家，签约项目 32 个，实现合同引资 15 亿元。钙镁业新开发医药用钙等“三高”产品 8 个，培育出年产 10 万吨钙镁企业集团 2 家，全县钙镁行业年利税达到 1.05 亿元。煤炭业加快向规模化、加工型发展，年洗选能力超过 30 万吨企业发展到了 30 家，煤炭业年交易量超过 1500 万吨，交易额达到 30 多亿元。完成了锦山、石鼓寺等 4 个景区规划编制，实施了苍岩山景区水景一期、福庆寺步游路及主景区夜景区、仙台山景区、秦皇古驿道滑雪场等一大批项目提档升级改造工程，苍岩山被评为“河北十大名山”。全年县境内旅游景区共接待游客 108 万人次，实现旅游收入 6500 万元，同比增长 10%。

【新农村建设整体推进】 山区开发上，全县发展千亩以上荒山开发大户达到 87 个，万亩以上荒山开发大户达到 13 个。农业产业化上，金柱奶牛场等 4 个标准化养殖小区通过了省级无公害产品产地认证；鲟鱼被评为河北省优质产品；井陉县被国家科技部确定为生态放养鸡基地；苍岩山牌绿色小杂粮被评为市知名品牌。全县农业产业化经营组织累计达到 8 个，农业产业化率达到 26%。农业及城镇基础设施建设上，完成了灌区节水改造和两座水库除险加固和 23 条 86 公里农村公路、10 座公路大桥的工程建设；新建 5 个乡镇客运站、20 个候车亭，设置了 50 个招呼站牌，全县行政村基本实现了村村通客车；实施了农村电网增容改造工程，新建变电站 10 座；新建农村公园累计达到 117 个，建成农民文化活动广场 80 多个，中央电视台等多家媒体对此进行了报道。农村及农业政策实施上，全部落实了粮食直补等各项惠农政策，村级财富积累机制全面推广，全县新增村级集体收入 850 多万元。

【城镇基础建设力度加大】 县城建设上，冶河大桥完工并通过验收；完成了县城迎宾路提档升级改造和城区主街道维修工程，启动了韩信公园扩建提档和南环路开发、金良河大桥工程建设等。小城镇建设上，城镇化率达到 28%；测鱼、小作等乡镇新建了机关办公大楼，全县 60% 的乡镇建成了标准化食堂、水冲式厕所等设施，机关面貌焕然一新。邮政事业发展上，新建“邮政三农服务站”192 个，覆盖全县 60.4% 的行政村。通信建设上，投资 1950 万元，新建农村信息化基站 15 座、交换点 6 个；截至年底，全县固定电话用户达 77124 户，小灵通用户达 24021 户，移动电话用户达 99784 户，计算机互联网用户达 7962 户。

【生态井陉建设成效显著】 在全市率先完成了生态县建设规划编制，治理小流域面积 16 平方公里。强力推进“八个一”工程，关停治理县境内 307 国道沿线两侧污染企业 87 家，拆除冒黑烟烟囱 32 根，封堵排污口 48 个，县城 II 级以上天气达到 276 天，被评为“全市太行山粉尘污染企业关停工作先进县”。深入开展春、秋季全民植树绿化活动，全县退耕还林 8000 亩，封山育林 8 万亩；实施无缝隙、多行加密绿化，环道路、县城、旅游景区、乡村等栽植各类乔木 278 万株，完成工程造林 3.8 万亩，成为井陉县历史上植树最多、效果最好的一年。

【城乡居民生活保障有力】 全年新增就业岗位 1585 个，安排失业人员再就业 528 人；城镇企业基本养老保险、失业保险、基本医疗保险参保范围扩大，全县 8500 名城乡特困群众享受到最低生活保障，1053 人享受到农村“五保”供养；85% 的农民加入新型农村合作医疗，全年共为参合农民群众报销医药费 1000 余万元，城镇居民基本医疗保险正式启动。全部兑现了公务员津、补贴，预发了事业单位津、补贴；并连续三年增加了全县企业退休人员养老金。组织全县广大党员干部群众捐款，为 302 名白内障患者实施了复明手术；全年筹资800多万元，广泛开展了扶贫济困送温暖活动，弱势群体基本生活得到保障。新建城镇居民住房5万平方米，城乡居民住房条件持续改善。

【社会事业蓬勃发展】 教育工作：对县境内中、小学教学点重新进行布局规划，全县中小学精简合并为105所，教学点71个；农村义务教育经费和“两免一补”全面落实，全县义务教育阶段学生的学杂费全部免除，落实了职业中学学生每人每年享受1500元补贴的优惠政策；县青少年学生校外活动中心及威州中学等6所学校12项教育设施建设全部完成，省、市教育均衡发展现场会在井陉县召开。文化体育建设：井陉孤山被授予全国唯一的“中国感恩文化之乡”和“中国感恩文化研究基地”；“南张井老虎火”、“桃林坪花脸社火”被列为国家级非物质文化遗产，“赵庄岭皇纲”等三项民间艺术被列为省级非物质文化遗产；井陉拉花参加了省运会开幕式演出，应邀参加了北京第二十四届春节龙潭庙会展演并获金奖；创刊了《苍岩文艺》，出版了《井陉当代诗歌选》等一批有影响力的作品；《井陉历史文化》丛书被评为全国文史资料优秀成果提名奖和全省政协系统文史资料优秀成果一等奖；新续《井陉县志》被国家、天津等图书馆永久收藏。组队参加了全省举重锦标赛和市第十三届运动会，荣获10枚金牌、2枚银牌。全县4.3万户城镇居民实现有线电视联网，电视人口覆盖率达到97%，有线电视覆盖率达51%。科技创新：全年引进推广新技术、新工艺68项，组织开展科研项目8个，获市级以上科技成果12项，授专利权9件，5个项目的产品及生产工艺填补了国内空白，太行山星火产业带建设在全省联查中名列第一。公共卫生体系建设：县医院和中医院更新医疗设备134台（套），妇幼医院整体搬迁，全面提高了妇幼保障水平。完成了70个乡镇、村卫生所升级改造工程。

【民主政治建设进一步加强】 充分发挥县人大、政协监督和参政议政作用，全力扎实推进全县民主法制建设，全年办理人大代表建议和政协委员提案171件，办结率100%，井陉县被省政府授予依法行政示范县。深入开展双拥共建活动，县光荣院被授予全国双拥模范单位。全力抓好安全生产和信访稳定，在全市18个县市（区）中第一个建成了省级消防站；加强社会治安综合治理，对重点纳税企业实行了挂牌保护，对重点项目实施“零干扰”制度，对破坏发展环境的违法违规活动进行严肃查处；同时，依法严厉打击各类违法刑事犯罪活动，全县政治稳定、社会安定、人民安居乐业。

（朱凯荣）

无极县

【概况】 无极县辖11个乡镇，213个行政村，总面积524平方公里，耕地面积53万亩，人均耕地面积1.1亩。年末总人口49.14万人，人口自然增长率5.98‰。2007年完成生产总值86.98亿元，同比增长14.3%。其中农林牧渔业总产值完成28.5亿元，比上年增长1.2%，财政收入完成3.08亿元，比上年增长23.78%，其中地方一般预算收入完成1.39亿元，增长19.12%。全社会固定资产投资完成33.87亿元，增长47.65%，其中城镇固定资产投资完成23.94亿元，增长63.87%。城镇居民人均可支配收入达到11649元，比上年增长23.5%；农民人均纯收入5321元，比上年增长9.15%。年末各金融机构存款余额53亿元，增长10.7%，各项贷款余额达到17.54亿元，增长4%。商贸流通发展势头良好，全年社会消费品零售总额实现35.18亿元，增长15.9%。

中共无极县委书记：张平军
县人大常委会主任：岳双群
县　　长：苑彦刚
政协主席：胡海江（任至4月）
杨成岱（4月任）

【农林牧渔全面发展】 农林牧渔业总产值完成28.5亿元，同比增长1.2%。优质专用小麦种植面积34.2万亩，粮饲兼用型玉米种植面积25万亩，分别占小麦、玉米种植面积的89%和85%。粮食总产35.2万吨，增长0.7%。畜牧、蔬菜两大农业主导产业规模不断壮大，肉、蛋、奶产量分别为7.7万吨、6.2万吨、2.8万吨，畜牧业产值占农林牧渔业总产值比重达到58.4%，8个养殖场区被列为市级标准化规模养殖小区，4个产品获农业部无公害农产品认证。新增设施蔬菜种植面积1500亩，设施蔬菜总面积达到4.5万亩。全年争取农、林、牧等项目33项，资金4000万元，农业及农村基础设施建设得到加强，综合生产能力全面提高。全年完成农村公路改造52.6公里，解决了5个村1.5万人口饮水安全问题，新建沼气池2000个，完成节水灌溉面积4万亩，完成植树造林1.1万亩，全县森林覆盖率达到8.5%。

【工业经济增速加快】 进一步加大对主导产业的扩规改造力度，工业经济呈现出快速增长态势。全县规模以上企业达到62家，全年规模以上工业增加值完成36亿元，增长26.3%，实现利润8.3亿元，增长51.4%，中冀正元、和合化工等骨干企业的支撑带动作用明显增强。城北工业园区进行了详细规划和深化设计。投资550万元的配套管网工程、投资139万元的园区主干道已开工建设；投资3300万元的城北工业园区污水处理厂正在招投标。同时，坚持建设与招商同步，已吸纳对位脂、省农药厂搬迁、液晶中间体等3个项目入驻园区，建成后年可实现利税1.2亿元，园区效应初步显现。

【大项目建设实现新突破】 全年共有建设项目266项，总投资20.9亿元，同比增长38.5%，其中亿元项目3项，千万元以上项目55项，全年完工项目194个。总投资4.9亿元的合成氨扩能、硫酸技改、长链二元酸、甲醇扩能等26个重点项目建成投产；总投资8.4亿元的对位脂、明胶技改、木业套装等29个重点项目正在加紧建设。特别是中冀正元公司投资3.6亿元的合成氨综合节能技改和30万吨多孔粒状硝酸铵两个省重点项目的落户，标志着我县在大工业项目建设上实现了新的突破，项目投产后，预计年可实现销售收入9.5亿元，上缴税金可达1亿元。

【城镇建设力度加大】 以道路改造、污水治理、绿化美化为重点、加大县城基础设施建设力度。总投资2600多万元实施了8项重点工程。其中，投资1280万元的人和街北段、智慧街北段、东北环一期等改造工程完工，投资380万元的千山路翻修工程即将竣工，城区路网进一步完善。投资5216万元的城市综合污水处理厂建成并试运行，投资575万元的城区管网续建工程完工，城市排水功能增强。投资350万元的完成了智慧街绿化、迎宾花园等建设，投资261万元的木刀沟南堤绿化已完成植树工作，城镇载体功能进一步提升。城镇总体规划新一轮修编即将完成。制定并实施了《城区垃圾管理办法》、《门店牌匾及户外广告管理办法》、《夜景照明管理办法》等制度，城市管理再上新台阶。同时，严格执行《房地产开发管理办法》，进一步规范了房地产开发市场秩序。坚持把推进小城镇建设与壮大主导产业统筹考虑，以张段固、北苏两个省级重点镇为重点，不断加大投入建设力度。张段固镇投资近4000万元用于城镇基础建设，其中投资3200万元的齐治村城市化建设一期工程正加紧建设，城镇知名度和综合竞争力不断提升。

【国有企业改革继续推进】 全县累计完成国有企业产权改革140家，正在进行改革的国有独资企业20家。坚持以人为本，全年共投入改制资金2500多万元，对开元印刷、大成明胶、华润化工、轻化工厂等企业的986名职工进行了妥善安置，维护了职工切身利益和社会稳定。同时，严格按照《企业国有资产转让管理暂行办法》，切实加强对改制过程中国有资产的监管，确保了资产处置价值最大化和国有资产的保值增值。招商引资工作取得新进展，全年实际利用外资328万美元。

【节能减排与环境整治】 按照市委、市政府要求，深入开展以“八个一”工程为核心内容的节能减排工作。大力开展制革业改革，共削减转鼓2400多个，投资1200万元对各皮革公司的污水处理设施进行全面检修，实现了生产能力与治污能力相匹配，出境水质明显改善。十家皮革公司全部进入过渡期生产，正在进行新企业的组建和新厂区建设工作，为皮革业可持续发展奠定了基础。同时，重点流域水污染防治工作全面展开，制定了《重点流域水污染防治专项行动实施方案》，为今后三年水污染治理工作提供了有力保障和科学依据。持续开展了打击“十五小”和非法排污环保专项行动，共取缔非法制革场点80余处，拆除非法转鼓300多个。集中开展了5次城乡环境综合整治活动，加大县城、主要交通干道、乡镇政府驻地等重点部位、重点领域的环境整治力度，全县累计拆除、整治违章建筑 1.1 万平方米，清理垃圾 7.2 万立方米，规范临街牌匾 1.1 万平方米，城乡环境得到明显改善。特别是乡镇机关建设位居全市前列。以城区、交通干道、农田林网及“两河一沟”为重点，开展了声势浩大的植树造林活动，全县共植树 76.5 万株，森林覆盖率提高 1.5 个百分点，是近年来植树数量最多、质量最好的一年。

【大力实施科教兴县战略】 全县科技贡献率达到 49%，被国家评为全国科技进步考核先进县；教育工作高标准通过了省政府教育教学督导评估，整合县城小学教育资源，撤并 23 所中小学，投资 1150 多万元新建郭庄镇寄宿制初中等 6 所标准化中小学；计生工作成效显著，被省确定为省级计划生育优质服务先进县；新型农村合作医疗制度平稳运行，农民参合率达到 94.6%，位居全市前三名；提供就业岗位 2000 个；进一步扩大社会保障覆盖面，城镇职工基本养老、基本医疗保险实现全覆盖，失业、工伤保险参保率均达到 90% 以上，各项保险金均按时足额发放；实行了城镇居民基本医疗保险制度，实现了医疗保险无缝隙覆盖；进一步完善城镇和农村低保制度，共为 6937 人发放低保金 442 万元，基本实现了应保尽保；全力做好困难优抚对象救助工作，资助了 955 名困难优抚对象；为 60 个残疾困难家庭翻修了住房；进一步推进政风行风建设，成立了行政效能投诉中心，共查处行政效能案件 48 起；高度重视安全生产工作，切实消除各种安全隐患，全县安全生产形势基本稳定。精神文明和民主法制建设不断加强。加大社会治安综合治理力度，深入开展了一系列洗楼、严打行动，进一步完善矛盾纠纷排查机制，全县政治安定，社会和谐。同时，认真接受县人大的工作监督、法律监督和县政协的民主监督，共办理人大代表议案、建议 27 件、政协委员提案 25 件，办理质量明显提高。

【为民承诺的十件实事圆满完成】 投资 400 万元完成了城区供水项目，解决了 5 个村 1.5 万人的饮水安全问题；对城区小学教育资源进行了整合，为城区小学生入学创造了良好条件；行政审批服务中心已经试运行；投资 198 万元的南流乡、北苏镇、张段固镇 3 所卫生院已经竣工；投资 700 万元实施了“村村通”客车工程；投资 187 万元的智慧街北段综合改造工程已完工；投资 1150 万元的郭庄战备路工程基本完工；投资 60 万元的光明街迎宾花园已经完工；投资 3200 万元的两所 110KV 变电站建设和增容工程已竣工投运；建成了 20 个村民活动中心。

（张志良）

深泽县

【概况】 全县辖 4 乡 2 镇 2 个办事处，总面积 286 平方公里，耕地面积 19898 公顷，年末总人口 25.01 万人，人口自然增长率为 6.78‰；地区生产总值 36.69 亿元，同比增长 14%。其中第一产业 7.23 亿元，同比增长 3.7%；第二产业 20.93 亿元，同比增长 17.9%；第三产业 8.54 亿元，同比增长 13.2%。全县工业增加值完成 18.8 亿元，同比增长 20.2%。其中规模以上工业增加值完成 12.23 亿元，实现利税 2.63 亿元，同比分别增长 26.9% 和 41.2%。全年粮食总产量 18.6 万吨。棉花总产量 780 吨。民营经济增加值完成 27 亿元。上缴税金完成 13078 万元。财政收入 1.67 亿元，同比增长 23.87%；财政支出 2.5 亿元，同比增长 23.79%；一般预算支出 1.94 亿元。社会消费品零售总额 12.81 亿元，同比增长 15.6%。完成固定资产投资 16.54 亿元。城镇居民人均可支配收入 9733 元，增长 8.1%。在岗职工年平均工资 13740 元。农民人均纯收入 4611 元，增长 6%。年末城乡居民储蓄存款余额 31.14 亿元，贷款余额达到 11.3 亿元，同比分别增长 9.98% 和 3.8%。空气质量二级以上天数 300 天 。

中共深泽县委书记：聂英武
县人大常委会主任：张俊立
县　　　长：杜振琪
区政协主席：张占营

【农业和农村经济持续发展】 以农民增收为核心，蔬菜、禽蛋、果品、牛奶、食用菌五个特色产业链条不断延长，生猪产业链初步形成。农业产业化经营取得新进展，投资超亿元的威龙木糖项目开工生产，万头祖代种猪场、山田食用菌、深港肉联加工、金玉奶牛良种繁育等重点项目进展顺利，全县具有一定规模的农业产业化龙头企业达到30余家。农民专业合作社不断发展，实现规范运作的达到16个。多方筹集资金完成了生态家园富民工程等11个农业项目，国家级粮饲兼用玉米标准化生产示范区项目顺利通过验收，成功举办了第二届金秋文化观光采摘节，农业发展水平进一步提升。

【项目建设势头强劲】 深入开展“全民招商”和“六联六找”活动，聘请了“政府经济顾问”和“特聘海外经济顾问”，建立了侨商深泽创业基地，组建了“深泽企业家俱乐部”，与首都企业家俱乐部签定了长期友好合作协议，提高了深泽知名度。加强了县城、纺织、皂业、造纸、拔丝五大工业园区建设，目前入区企业达到265家。年初30个投资超500万元的重点项目实现了集中开工，农哈哈公司玉米联合收获机、鹏辉公司2万纱锭、纳利鑫公司洗衣粉、华运公司钠盐生产等一批重点项目竣工投产，龙泽公司拉米呋定项目完成了一期工程建设，旭东公司工艺暖气片项目正在进行设备安装，鹏辉公司新型高档面料等项目实现开工建设。坚持在建项目与跑办项目两手抓，鸿锐集团深泽工业园区、生物发电、5000万支气门生产、美图制药等项目实现签约，柏奇公司与国药集团合作、省化工研究院中试基地搬迁、深玉纸业10万吨纸浆、泽源光学材料等一大批重点项目正在积极跑办中，全县项目建设呈现出梯次推进、滚动发展的良好格局。

【城乡面貌显著变化】 按照“小县大县城”发展思路，高标准完成了县城规划纲要修编工作。确定了以县城为中心、贯穿乡镇的环状公路建设规划，确定了建设“生态园林城市”的远景定位，谋划启动了集采摘、休闲、娱乐于一体的滨河生态公园建设工程。多渠道筹措资金，实施了向阳街、文昌街、建设路、真武路、南苑路、北苑路、西环路等街道修缮改造工程，载体功能明显增强，县城框架进一步拉大，路网“七纵七横”格局初步形成。完成了17条30公里通村公路及滹沱河东大桥桥面排水改造等建设工程，故前公路北延工程顺利启动。新建移动通信基站6个，网络宽带村村通工程顺利完成。白庄、城东、赵八三个变电站顺利实现扩建增容，小陈庄220千伏和铁杆110千伏变电站正式投运。大力实施“八个一”工程，扎实推进“城区亮化”和“见缝插绿”工程，积极开展“村民变居民、农民变市民”活动，县城管理水平和城乡居民整体素质明显提高。

【各项改革规范运作强力推进】 完成了纺织品批发站、咏济食品厂改革，五交化采购供应站、鑫中铝塑管厂、棉麻公司、种子公司转制进入程序。进一步完善了财政集中支付、政府采购、收支两条线管理和财政监督等机制，全面实施了政府收支分类改革。县信用联社完善了法人治理结构，2.19亿元央行票据顺利兑付。建成了集投资促进、便民服务、诚信管理和行政效能举报四个中心于一体的政务服务中心并实现正常运转。农村综合改革整体推进，农村税费改革成果不断巩固，林权制度改革全面完成，农技推广体系改革稳步开展。

【各项社会事业协调并进全面发展】 科技创新能力进一步增强，开发新产品4个，推广和应用新技术、新品种25项，农哈哈“4YB—3玉米联合收获机”获第十七届全国发明博览会银奖。教育事业快速发展，学校硬件建设力度进一步加大；积极推行教师定期交流、培训制度，不断加强教师队伍建设，教育教学水平明显提升；免费义务教育全面实施，贫困学生得到资助。完成了文庙修缮，深泽坠子被收录为省级非物质文化遗产。大力开展群众体育活动，被评为全国全民健身优秀单位。县医院综合门诊楼建设顺利启动，乡镇卫生院基础设施得到改善，村级卫生室管理不断规范，三级卫生网络服务水平和突发公共卫生事件应急能力进一步提高。人口计划全面完成，免费生殖健康服务扎实开展，计划生育工作再上新台阶。环保工作强力推进，文明生态村创建不断深化，环境质量明显提高，人居环境进一步改善。

【人民群众生活质量不断提高】 各项惠农政策得到全面落实，养老、医疗、失业、工伤、生育五项社会基本保险全部启动，覆盖面不断扩大，社会保障体系更加健全。新型农村合作医疗运转正常，城镇居民医疗保险顺利起步，2007年全县新农合参合率达到86.6%，5.2万多名农民获得746.8万元医疗费补偿。积极扩大就业再就业，全县新增城镇就业岗位1600个，下岗失业人员再就业350人，转移农村富余劳动力1.6万人。社会救助体系进一步健全，对城乡低保对象实行了动态管理，做到了应保尽保，全年共发放社会救助金474.4万元。安全生产常抓不懈，全县未发生重特大安全生产事故。加强市场经济秩序整顿，强化社会治安综合治理，深入开展“严打”整治斗争，依法规范信访秩序，全县政治安定、社会稳定、人民安居乐业的良好局面进一步巩固和发展。县政府承诺的13件实事和乡村两级确定的900多件实事基本完成。

（王国英　袁亚利）

行唐县

【概况】 行唐县总面积1025平方公里，耕地面积537750亩，人均耕地1.27亩，辖4镇11乡330个行政村，年末总人口42.56万人，人口自然增长率6.97‰。

2007年，全县地区生产总值完成58.62亿元，比上年增长14.9%，其中，一产增加值12.75亿元，比上年增长10.9%；二产增加值32.82亿元，比上年增长19%；三产增加值13亿元，比上年增长9%。其中规模以上工业产值101.6亿元，比上年增长41.9%，增加值完成28.5亿元，比上年增长27.32%；农业总产值完成10.7亿元，比上年增长12.2%；林业总产值 完成1214万元，比上年增长15.4%。畜牧业总产值完成12.3亿元，比上年增长6.4%。 渔业总产值完成627万 元，比上年增长3.1%。粮食总产量27.8万吨，平均亩产395公斤，夏、秋亩产分别为387公斤和402公斤。棉花总产量581吨，平均亩产48公斤。油料总产量19560吨，平均亩产218公斤。财政收入18664万元，比上年增长21.33% 。财政支出41873万元，比上年增长32.83%。社会消费品零售总额18.12亿元，比上年增长16.1%。集贸市场成交额5.3亿元。全社会固定资产投资完成40.06亿元，比上年增长40.37%。在岗职工年平均工资13041元，比上年增长23.8%。城镇居民人均可支配收入10621.82元，比上年增长15.3%。农民年人均 纯收入3286.7元，比上年增长6.85%。年末城乡居民储蓄存款余额 30.3亿元，比上年增长 21.96%。

中共行唐县委书记：李旭阳

县人大常委会主任：

赵翠琴（2007年4月免）

高和福（2007年4月任）

县　　长：李震国

县政协主席：赵大水

【民营经济快速发展】 深入实施“民营活县”战略，出台行唐县支持2+1企业（20家重点扶持企业和10家后备企业）加快发展意见和鼓励民营企业创品牌实施办法，督导工商、环保、质监、建设、卫生、国土资源等24个职能部门制定扶持重点企业加快发展的措施，建立民营企业家联谊会和中小企业创业辅导基地，并成立两家信用担保公司，着力解决占地、融资和煤、电、油、运等影响民营经济发展的困难与问题，推动民营经济健康、快速发展。至年底，全县个体工商户发展到11420家，比上年增长4.2%；私营企业达456家，比上年增长24.2%。民营企业经济增加值完成39.8亿元，比上年增加6.2亿元，增长18.3%，占GDP比重达70%；实现税收1.14亿元，比上年增加2882万元，增长33.8%，占全部财政收入的61.2%。其中，纳税过百万元的企业达20家，石家庄三鹿太行乳业有限公司突破450万元，行唐县昌运运输有限公司、行唐县万通运输队、行唐县顺达运输队等3家企业突破300万元。“中旺牌”核桃露、“凯兴”牌奶牛饲料被评为“河北省优质产品”，河北冬日锅炉制造有限公司的“冬日”商标被认定为“河北省著名商标”，填补了行唐县没有省著名商标的空白。民营经济成为支撑县域经济的“半壁江山”。

【社会保障水平大幅度提高】 行唐县积极加大社会保险征缴力度，完善城乡困难群众生活救助体系，全年发放养老、失业、医疗、工伤等各项保险基金及再就业资金3564万元，保证了1.5万名弱势群众的基本生活需要；启动大额医疗保险和城镇居民基本医疗保险；城乡低保工作实现规范化管理，全县参保困难群众达3065户6439人，其中，城镇718户2150人、农村2347户4289人，安排使用城镇低保款190.46万元、农村低保款161万元，并为1368名五保对象发放供养资金159万元，发放城乡医疗救助金49.5万元，有效缓解了贫困人口的治病难问题；加大灾害救济工作力度，建立县、乡、村三级灾害预警机制，确保灾区稳定；创新济贫助困模式，创建县内第一所爱心超市，更好地发挥了社会捐赠物品的使用价值。城乡社会保障水平进一步提高，人民生活条件有了可靠保障，幸福感明显增强。

【创建“平安行唐”成绩显著】 县委、县政府以科学发展观为宗旨，以构建“平安和谐行唐”为总目标，认真落实社会治安综合治理各项措施，确保了全县政治局面和社会治安秩序的持续稳定。一是积极搭建县级综合性调解机构平台，成立县“三位一体”（人民调解、司法调解、行政调解相结合）大调解中心，并组建城区调委会，到年底，各类调解组织共调处各类社会矛盾纠纷2873余件，成功率达98%；调解各类行政案件198件，调解成功182件，成功率92%；城区调委会被授予“全国模范调委会”荣誉称号。二是建立县信访接待中心，制定10项信访工作制度，开通“信访绿色通道”，并实行县级领导接访制度，推行“五长”（公、检、法、司四长及信访局局长）联合接访机制，形成完善的信访工作网络，保持了信访工作的良好发展态势，全县信访案件同比下降17%。三是持续开展“严打整治”斗争，深入开展“洗楼行动”、“命案侦破”、“两抢一盗”、“打黑除恶”等专项行动，实现县内社会治安秩序根本好转，人民群众的安全感增强。年内，破获各类刑事案件762起，其中，大案487起，打掉黑恶势力团伙3个，追捕各类犯罪嫌疑人292名，命案侦破率达到92.3%。四是加强安全生产管理，全年没有发生重大治安事故和安全事故，和谐稳定局面得到进一步巩固和发展。

【项目建设实现新突破】 围绕“实干发展、富民强县”这一目标，跑部进厅，上争外联，大力推进项目建设，年内总投资33亿元的46个100万元以上的在建、续建项目全部完成了年度投资计划。总投资11亿元的迈尔斯通电子材料项目一期工程完工并交付使用；总投资13亿元的旺旺工业粉项目，一期工程即将竣工投产。这两个超10亿元项目的成功落地，填补了县内没有超亿元大项目的历史空白。总投资5600万元的华牧行唐20万套父母代种鸡场项目已开工，这是继旺旺、三鹿之后落户本县的又一国内知名企业。南桥定氧定氢、只里德宝路化工等投资1000万元以上的18个项目已竣工投产或开工建设。成功举办了第二届大枣采摘节暨经贸洽谈会，进一步宣传行唐，提高了行唐县的知名度。总投资26.93亿元的低聚甲醛、污水处理厂等21个重点项目顺利签约。投资2.2亿元的云母勘查与开发、投资3.5亿元的煤焦物流中心等18个跑办项目进展顺利。2007年，全县项目建设实现历史性突破，成功跨入国家级“农业开发县”行列，为农村发展、农业增效、农民增收搭建了新平台。

【城乡环境整治进展顺利】 围绕“高起点规划、高标准建设、高水平经营、高效能管理”的城市建设思路，完善规划控制体系，确定县城“东拓、南跨、西延、北接”的战略发展目标，特别是在园林绿化建设上提出了“一环绕城、二廊抱城、五线穿城、多点融城”的格局要求，出台城区容貌环境综合整治办法，全覆盖、无缝隙、精细化城市建设管理全面推进。年内投资7800多万元进行了县城道路建设，县城东环东北环、张石高速连接线、龙州大街东延等工程竣工并投入使用。玉城大街东延拆迁任务顺利完成，永兴路建设全面启动。县城至北协神、贝村至连家庄路段的改建工程和行陈线至白庙、小锅岭至范家庄路段的修建工程顺利完工并通车，总投资3000万元。完成了红领巾水库除险加固主体工程，总投资1939万元。拆除违章建筑3万平方米，拆除不规范广告牌匾178块，清除垃圾2万余立方米。投资387万元实施“五河绿化”工程，植树10万余棵，森林覆盖率达到30.7%。开展矿山河道集中整治，对私挖滥采进行严厉打击。取缔污染企业5家，治理污染企业5家，以李七里峰为中心的100多家粉制品加工企业全部关闭，二氧化硫削减203吨，COD削减170.5吨，城乡环境大大改观。

【新农村建设卓有成效】 县委、县政府深入宣传贯彻党的新农村建设方针、政策，出台《行唐县社会主义新农村建设规划纲要》，年内建成了40个文明生态村，培树了8个村民中心典型、12个省太行山宣传文化工程示范村和市文化示范村，全县330个行政村实现了村村通公路、村村通客车。“万村千乡”市场工程进展顺利，完成了50家农家店、4家农资店建设。农村财富积累机制建设成效明显，15个乡镇盘活存量资产779项，增收483万元。建立村民和谐互助组4684个，群众参与面达到85%，中央电视台等39家中央、省、市级新闻媒体先后报道了行唐的做法和经验。全年培训新农民7650人，转移富余劳动力2.65万人次，劳务输出近万人次，增加农民工资性收入1.56亿元。“亩增百元”工程扎实推进，粮食总产达到30.12万吨，同比增长6.95%。农业产业化步伐加快，产业化企业增加到134家，销售收入达到7.6亿元。红枣、乳业等特色产业规模进一步扩大。红枣种植面积达到60万亩，年产量达到8000万公斤，太康牌甲壳素红枣被指定为人民大会堂国宴用枣。奶牛养殖小区达到74个，奶牛存栏13.1万头，通过了国家奶业标准化示范区验收，被评为“河北省农业标准化十强县”。“龙兴贡米”在中国农产品交易会上荣获“优质农产品”称号。薯类、蔬菜、食用菌、中药材等特色农业初具规模，成为农民增收的主要渠道。围绕特色产业发展，组建农民专业合作经济组织40个，其中注册登记农民专业合作社24个，全县农业产业化经营率达到40%，新农村建设取得重大成效。

【多措并举建设“服务型政府”】 2007年，行唐县政府以建设“和谐、文明、开放、富裕”新行唐为目标，把维护和实现人民群众的根本利益作为一切工作的出发点和落脚点，以民为本，心系百姓，通过采取多种措施，认真履行社会管理和公共服务职能。年内，县政府进一步深化政府学法制度，强力推行行政权力公开透明运行，自觉接受人大的法律监督、工作监督和政协的民主监督，全年共办理人大代表建议和政协委员提案195件，按时办结率为100%，满意率达95%；加强诚信建设，真正做到“言必行，行必果”；深入开展“肃风正位行动”，建立分工负责制、过程督查制、结果追问制，推行日报告、周例会、月交流制度，提高政府决策的民主性、科学性；深入推行机关效能建设，坚持做到今日事，今日毕，提高办事效率；坚持精打细算，厉行节约，反对浪费；坚持标本兼治，惩防并举，教育、制度、监督并重的惩治和预防腐败体系不断健全，党风廉政建设得到加强，民本政府、法治政府、效率政府、责任政府、节约政府、清廉政府等“服务型政府”建设取得重大成效。实际工作中，县政府各级干部察民意，虑民计，为民生，谋民利，带着感情、责任和追求，切实做好了事关群众利益的各项工作，年初向群众、企业、社会承诺的新型农村合作、免除义务教育阶段学生学杂费、产品质量和食品药品安全专项整治等十件民生实事全部兑现，“服务型政府”赢得全县人民的衷心拥护。

（李蕙萍　赵翠玉　霍海英）

平山县

【概况】 总面积2951平方公里，耕地面积30130公顷。年末总人口46.48万人，人口自然增长率9.02‰。2007年完成生产总值1067155万元，比上年增长18.2%，其中第一产业完成增加值131115万元，比上年增长4.7%；第二产业完成增加值717110万元，比上年增长22.4%；第三产业完成增加值218930万元，比上年增长11.6%。人均COP达24117元，比上年增加5216元。职工平均工资16771元，比上年增加3457元，增长26.0%。全社会固定资产投资335194万元，其中城镇固定资产投资280118万元。财政收入140658万元，财政支出98760万元。粮食总产量203827吨，蔬菜总产量143955吨，肉类总产量68560吨，水果总产量52840吨，干果总产量8900吨。农民人均纯收入2842元，比上年增加248元，增长9.8%。全县完成造林面积7174公顷，森林覆盖率48.8%。社会消费品零售总额158230万元，比上年增长16.3%。对外贸易完成进出口142000万元，比上年增长98.0%。全县完成工业增加值684008万元，其中规模以上工业55个，完成增加值6781074万元，比上年增长25.71%。城镇居民人均可支配收入11036元，比上年增2058元，增长22.9%。年末城乡居民储蓄余额417592万元。

中共平山县委书记：赵新朝
县人大常委会主任：郝书文

县　　长：王俊英（3 月代）
　　　　　卢长锁（3 月免）
县政协主席：张大平

【旅游业迅速发展】 全年共投入资金 32000 万元，以建设大旅游、大市场、大产业为目标，大力实施“旅游强县”战略，强力推进精品名牌景区建设，使平山县成为“河北省旅游强县”，并成功入围“中国旅游强县”行列。年内中共中央六部委旧址恢复项目完成主体工程，开发了一批以休闲游、观光游、乡村游为特色的 10 个新景点，全年接待游客 240 万人次，旅游总收入 130000 万元。

【财政收入大幅增长】 2007 年全县完成财政收入 143392 万元，（其中包括基金收入 2734 万元）比上年增长 65.5%，占全县生产总值的比重 12.9%，比上年增加 2.8 个百分点，其中县级地方预算收入完成 46841 万元，比上年增长 67.6%。在全部财政收入中：国税完成 106999 万元，比上年增长 61.2%；地税完成 22932 万元，比上年增长 63.5%；财政正常收入 13461 万元，比上年增长 105.8%。全县财政总支出 109901 万元，比上年增长 55.7%。其中：用于农林水事业支出 12735 万元，比上年增长 46.2%；用于教育事业费支出 19783 万元，比上年增长 45.4%；用于医疗卫生事业支出 3888 万元，比上年增长 25.7%；用于一般公共服务支出 12292 万元，比上年增长 61.2%。

【民营经济成绩显著】 民营经济快速发展成为全县经济增长的重要支撑。2007 年末全县民营企业发展到 15952 户，从业人员 86973 人。民营经济完成增加值 758553 万元，同比增长 18.7%，占全县 GDP 总量的 68.3%。民营经济实缴税金 79609 万元，同比增长 92.2%，占全县财政收入的 55.9%，增幅比上年提高 6.3 个百分点。出口创汇 2364 万美元，比上年增加 1004 万美元，增长 73.82%。

【城市建设力度加大】 2007 年完成的重点建设工程：一是完成北循环路勘察设计、测量放线工作；二是冶河旧桥新建工程已进入施工阶段；三是路网建设工程。2007 年先后对柏坡东路、平光南路延长段进行了全面硬化，硬化面积 80 万平方米。四是完成了以冶河明珠为重点的旧城改造的规划设计、拆迁安置房正在加紧建设。五是投资 50 多万元对县城大街小巷进行了高标准建设，提高了街道硬化、净化、亮化水平。六是投资 1240 万元，在冶河公园西侧安装了大型音乐喷泉，其中水面面积 30 万平方米，绿地面积 47500 平方米，成为县城的标志性建筑之一。七是投资 220 万元对迎宾路进行了大规模的绿化、美化、亮化升级改造，使迎宾路面貌焕然一新，成为县城的一个亮点。八是集中供热工程。投资 280 万元对县城桥东、桥西两个供热站进行扩建，新增供热面积 21 万平方米，全县供热面积 181 万平方米，供热普及率达到 87%，大大提高了县城居民的生活质量。

【基础设施建设步伐加快】 年末全县公路通车里程 2504 公里。公路建设：全年完成总投资 10889 万元。（一）国省干线完成投资 1239 万元，完成了石闫线过城路段 1.6 公里大修工程和黑山口桥、温塘桥、小米峪改建工程；完成了西柏坡一级公路 27.6 公里新建工程的前期准备工作。（二）农村公路完成投资 9650 万元，完成了钢城路 14 公里新建工程；陈孟线、古拦线、木下线、清营线、红宜线等重点县乡公路 42.5 公里改建工程；完成了 116 公里农村公路通达工程和改造工程；完成了东李家坡、塔崖、坛子口、瓦房头、碴马等 5 座危桥改造工程。公路建设促进了运输业的发展。全县共有货车 3000 辆，客车 154 辆，汽车挂车 1002 辆，出租车 393 辆，小客小货车 8200 辆，公共汽车 40 辆。投资 4800 万元完成小觉 110 千伏变电站和 4 座 35 千伏扩建增容工程，新增变电容量 5.5 千伏安，建成 9 个电气化村。投资 9300 万元完成饮水安全，水土保护、灌区改造、水电建设及小型农田水利工程 1280 项。太行山水土保持项目顺利通过国家水利部验收。投资 33000 万元，建设移动基站，实施网络扩容改造，全县基本实现移动通讯全覆盖，通讯保障能力显著提升。

【科教文卫事业全面推进】 科技工作，把服务三农、扶持高新技术企业和特色产业作为主要任务，年内引进县外科技人才 316 人，培训农民 10.8 万人次。接受咨询群众 1000 人次，解决技术难题 300 多个。发放科普图书3000册，明白纸2万份。申报专利31项，引进推广研制开发新技术、新品种、新产品80项，取得科技成果5项，荣获全国农村防震减灾先进县称号。教育工作，2007年全面落实国家农村义务教育经费保障机制改革政策，建立了深山区教师岗位补贴制度，完成14个学校续建项目和26个远程教育“校校通”工程，办学条件明显改善。中小学教育质量不断提高，高考成绩进入全市山区县前列，职业教育取得突破性进展，学前三年教育顺利通过省政府评估验收。文化工作，2007年投资380万元实施新农村书屋建设工程，新建农村文化活动室20个，集中开展网吧专项整治，文化市场进一步规范。年内举办了春节文化汇演、彩色周末、老干部、离退休职工文艺演出、梆子剧团巡回演出等文化活动。广播电视完成市县联网，电视节目不断丰富，编播质量明显提高。有线电视用户30000户，比上年增10000户，电视收视率达99.7%。卫生工作，新型农村合作医疗覆盖范围进一步扩大，监管能力和监管水平显著提高，参合率达到92.8%，基金使用率达到96%。县政府投资110万元与人寿保险部门签定了保险协议，建立了大额医疗保险制度，实行了“政府投保、农民受益、商业式运作”的新农合医疗保险模式，投资152万元为13个乡镇卫生院配置医疗器械157台（件）使新农合制度更加科学完善。2007年，共有18名参会农民申请赔付，其中12名得到赔付，共领到赔付款32.35万元。投资26万元启动了城镇居民医疗保险。

（马建林　吴凤菊）

赵　县

【概况】　全县辖11个乡镇281个行政村。总面积714平方公里。耕地面积75.73万亩，与2006年相比减少0.2%。年末总人口56.81万人，增长1.63%，人口自然增长率13.1‰，比2006年增长了5.2个千分点。2007年全县国民生产总值85.79亿元，增长14.7%，其中第一产业增加值19.83亿元，增长5.8%，第二产业增加值44.36亿元，增长19.1%，第三产业增加值21.89亿元，增长11.6%。农林牧渔业总产值33.83亿元，增长3.9%。粮食总产量47.56万吨，增长4.5%。财政收入30037万元，财政支出46664万元，分别比2006年增长25.02%和35.31%。社会消费品零售总额33.63亿元，增长16.5%。全社会全年固定资产投资41.64亿元，增长26.39%。全县用电量93557万度，增长9.6%，其中工业用电量72577万度，增长14.4%。职工年平均工资15400元，增长24.29%。农民人均纯收入5005元，增长16.88%，城镇居民人均可支配收入11368元，增长23.3%。年末城乡居民存款余额33.53亿元，增长11.46%。

中共赵县县委书记：罗二虎
县人大常委会主任：孟国忠
县　　　　长：安忠起
县政协主席：陈炜兴

【工业经济实力增强】　县委、县政府坚持实施“项目立县、工业强县”战略，重点抓投资、上项目、建园区，扶持发展工业20强，壮大特色主导行业，工业经济实力进一步增强。一是把项目建设作为工业发展的重要抓手。全年实施规模以上工业项目162个，完成投资6.7亿元。金怡化纤、兴柏集团阿维菌素扩能等103个项目竣工投产，金鱼油漆、中铁龙金属加工等重点项目建设顺利推进，积极谋划了联合制药、珍极合资扩能、常山集团部分能力搬迁等项目。二是加强工业园区建设。重点规划发展了城西工业区、赵州玉米生物产业园和新寨店工业园区，分别成立了管委会和开发公司。城西工业区聘请北方设计院正在进行高标准规划设计；赵州玉米生物产业园区和新寨店工业园区实施了道路、电力、供排水等基础设施建设，提高了园区承载能力和园区档次。全年新入区企业26家，总数达到157家。三是20强企业实力进一步壮大，全年实现税收1.1亿元，增长21%。四是特色产业得到迅猛发展。充分发挥淀粉、纺织两大行业的产业规模和优势，加强政策引导和扶持，进一步做大传统优势产业规模。全县淀粉行业生产规模进一步扩大，产业链条进一步延伸，淀粉产业被评为省级重点产业集群。纺织行业新增纺织企业30多家，新增布机2000台，使全县布机总量达到12000台规模，纱锭总量达到25万锭，行业整体装备水平进一步提升。

【新农村建设取得新成绩】　积极推

广农业节水、两晚技术、缓释肥等农业新技术，粮食生产再上新台阶，小麦平均亩产居全市第一，粮食丰产科技示范工程试验区小麦亩产刷新了全省小麦单产最高记录。全面推广畜牧标准化生产，6家规模养殖场顺利通过市标准化验收。认真做好动物疫病防控工作，实现了“力争不发生，确保不蔓延”的目标。积极推广梨果标准化无公害管理技术，雪花梨获得中国国际林博会金奖、奥运推荐果品评选一等奖和中华名果称号。农业产业化经营继续在全市保持领先水平，龙头企业带动作用持续增强，建立健全了县农合联及乡镇分会机构，组建了40家农民专业合作社，农民的组织化程度明显提高。组织实施了生态家园富民工程、测土配方施肥项目、国家农业机械购置补贴项目等一批农业基础项目，增强了农业综合生产能力。在全县281个村普遍建立了村级财富积累机制，村级集体实现年收入1403万元。

【城乡基础环境明显改善】 “八个一”工作深入开展，整治环境，提升形象，打造亮点，城乡面貌明显改观。县城污水处理厂开始试运行，垃圾处理厂完成了土建工程，城区水厂已具备供水条件，实施了城区供暖旧管网改造和新管网铺设工程，完成了历史名城牌楼建设，启动了古城墙遗址园、永通桥公园景观建设，积极推进李春大道开发工作，城市功能进一步完善。大力开展乡村公路建设年活动，投资5600万元，改造升级省道和县、乡、村公路100.7公里。投资10352万元，用于全县电网建设及设备改造，解决了全县1567眼无电井的用电问题，完成了各子35千伏变电站建设和北王35千伏变电站增容迁建工程。投资8797万元用于通信基础设施建设，全县实现了通讯信号全覆盖。

【社会事业实现新突破】 全县新增城镇就业岗位、下岗失业人员再就业、“4050”人员再就业全部提前超额完成了市政府任务目标，城镇登记失业率控制在2.1%。全年转移农村劳动力2196人，劳务输出12096人。坚持优先发展教育，全年投入4403万元改善办学条件，完成了县直双语幼儿园、杨家郭中心小学等教育工程，全部落实了“两免一补”政策，被省政府命名为“落实义务教育经费保障机制先进县”，顺利通过了省政府教育督导评估、省义务教育阶段教学评估。加快发展卫生事业，县医院新病房大楼、传染病区楼投入使用，争取国债资金和省补奖金建设的11所乡镇卫生院，9所已投入使用，两所正在建设，县投资的圪塔头卫生院即将完工。新型农村合作医疗制度平稳规范运行，补偿农民医疗费总额达1352万元。文化事业繁荣活跃，赵州扇鼓被列为省级非物质文化遗产，赵州背灯挎鼓列为市级非物质文化遗产。认真开展计划生育“四清理三落实”活动，加大了出生人口性别比治理力度和社会抚养费征收力度，圆满完成了市下达的指标任务，稳定了低生育水平。

（孟伟丽）

元氏县

【概况】 元氏县总面积849平方公里，辖15个乡镇、1个街道办事处、4个居民委员会、208个行政村。年末总人口40.19万人，自然增长率6.52‰。2007年，地区生产总值完成79.69亿元，比上年增长12.4%。其中，第一产业增加值12.80亿元，增长3.0%；第二产业增加值42.94亿元，增长14.7%；第三产业增加值23.95亿元，增长13.2%。财政收入完成3.02亿元，增长25.01%，增收6041万元。城镇固定资产完成34.55亿元，增长46.15%。全社会消费品零售总额完成15.80亿元，增长15.7%。城镇居民可支配收入和农民人均纯收入分别达到11044元和4658元，增长13.6%和14.28%。年末全县存款余额达到40.6亿元，比年初增加4.6亿元。粮食总产量27.6万吨，蔬菜生产38.09万吨。全县规模以上工业企业完成增加值27.58亿元，增长20.2%(按不变价)。

中共元氏县委书记：李义增
县人大常委会主任：
钱志华（4月免）
孙辰彦（4月任）
县　　长：夏生华
县政协主席：史全斌

【农业经济取得新成效】 按照“主导产业抓优质，优势产业抓效益，特色产业抓示范”的思路，狠抓农业结构调整。全县优质小麦种植面积达到24万亩、蔬菜种植面积10

万亩。全县标准化奶牛小区18个，奶牛存栏突破3万头，其中故城养殖小区存栏达到3000头，元氏县成为全省知名度较高的奶牛养殖大县。测土配方施肥、“亩增百元工程”等农业项目顺利实施，农业产业化取得新成效，蟠龙面业、故元乳业被评为市级先进龙头企业。完成河道绿化2400亩、太行山绿化4000亩、封山育林10万亩，以石榴为主的特色林果基地达到7.5万亩。投资1亿多元建设了农村饮水安全、水库除险加固、小流域治理等项目，节水型社会建设得到国家及省市充分肯定。通过实施农业产业化115工程，产业化龙头项目取得明显进展。新农村建设扎实推进，农村集体经济进一步壮大。

【工业项目园区建设势头强劲】 确立了“一个中心、四大板块”的“对接省会、环绕县城、块状推进”经济发展格局。诚信公司扩建、力源高蛋白饲料、众友塑胶等56个重点项目建成投产，线路器材厂、野田农化、远征药业、南方泵业、河北九天、省广电局717发射台等23个规模项目正在加紧建设，投资15亿元的车辆厂项目已具备签约条件。工业园区建设取得重大进展。马村装备制造基地规划面积扩展到30平方公里，入驻企业达到10家。城南工业区路网等基础设施进一步完善，入区企业发展到12家。结合石家庄工业新区建设，规划的槐河生态经济长廊被市委、市政府列为市区工业企业搬迁重点区域之一。通过实施“纳税超百万元企业上台阶工程”，骨干企业规模进一步扩大，化工、轻纺两大产业优势更加明显。全县规模以上企业完成增加值23亿元；纳税超百万元企业达到40家，比去年增加9家，上缴税金1.95亿元。诚信公司实现税收7674万元，增长52%，三年翻了一番。全县工业用电量达到7.2亿千瓦时，增长40%，增速创历史最高水平。

【物流基地建设和旅游业发展加快】 综合物流基地规划面积达到20平方公里，中道物流港、天山加工装备园等5个项目签约入驻，投资5000万元的石油储运库项目具备签约条件，铁路新货场近期启用。煤炭运输市场规范发展，运销企业达到200多家，年纳税5000多万元；全年新增大型营运货车820辆，保有量达到6100辆。“万村千乡”市场工程稳步推进，改造农家店37家。围绕“湖、山、碑、树”旅游资源，倾力打造名山靓湖。投资1300万元的封龙书院复建工程开工建设，牛家庄至白果树景区旅游公路建成通车。成功组织了2007魅力河北暨省会城乡和谐游及河北金秋文化采摘节等活动，全年接待游客40万人次，实现综合收入1568万元。

【城乡基础设施建设和县城面貌有新改观】 围绕建设“园林式、生态型、现代化”县城的要求，坚持统筹城乡规划、建设和管理，努力拓宽县城建设融资渠道，切实加快县城经营开发步伐。相继完成了县城发展总体规划编制，实施了槐阳大街南延、人民路综合改造、站前街硬化等工程，完成了南、北桥头及城区公园绿化植树1.2万余棵，新增绿地8000平方米，文化路被评为“石家庄园林绿化样板街道”。投资6200万元的污水处理厂即将投用，投资4200万元的天然气项目进展顺利，投资1300万元的城区工业供水项目顺利通水，元氏成为全市第一个利用地表水解决工业企业及县城绿化用水的县，县城载体功能明显加强。全面加强交通、电力等基础设施建设，投资4000万元完成了107国道、赵赞（赵县至赞皇）、井元路（井陉至元氏）等41条公路建设和维修工程，总里程达200多公里，圆满完成了61个村近90公里的农村主要街道硬化工程，行路难问题初步得到缓解。投资2.02亿元完成了元氏110KV变电站迁建、槐阳110KV变电站增容扩建、南佐35KV电网改造等工程，进一步优化了电网结构。扎扎实实开展了以“八个一”工作为重点的城乡环境综合整治，共拆除违章建筑4万平方米、清理积存垃圾7万多立方米，整治不规范广告牌匾1231块，治理煤场69家，植树2万余株，城乡容貌环境有了明显改观。

【财政保障能力增强】 强化税源培植，坚持综合治税，收入结构不断优化。地方一般预算收入完成1.25亿元，同比增长26.7%，税收占财政收入比重的91%，全县可用财力达到2.8亿元，纯增4300万元。保证了公教人员工资、党政机关正常运转和基础设施、教育、卫生、科技等重点支出需要。落实了公务员津贴补贴制度，事业单位津贴补贴资金也全部筹措到位。认真落实惠农政策，发放粮食补贴、良种补贴、农机具补贴、能繁母猪补贴等2700多万元。农村义务教育免除学杂费、课本费1300多万元。发放计生奖励政策奖励扶助资金60多万元。广播电视“村村通”工程使115个村看上了有线电视。新型农村合作医疗累计补偿12万人次，补偿金额1012万元。实施了廉租住房补贴制度。城镇居民医疗保险全面启动，全县城乡居民基本医疗保险实现了全覆盖。养老、医疗、失业等保险覆盖范围进一步扩大，参保人数近5万人，全年发放社保资金6120万元。就业和再就业工作扎实推进，全年输出劳务2.2万人次。年初向全县人民承诺的农村公路建设、饮水安全等实事工程圆满完成，人民群众生活水平得到进一步提高。

【法制建设、严打整治和安全生产成绩显著】 “五·五普法”深入开展，全民法制观念日益增强。建立了“信访绿色通道”、“三位一体”调解中心，信访秩序不断规范。深入开展严打整治，“洗楼行动”成绩显著，成功侦破了冒充警察拦路抢车、手持砍刀飞车抢劫等一批重大刑事案件，命案侦破率达100%，受到省市领导高度评价。进一步建立健全了“三级机构、四级网络”安全体系，有效预防和杜绝了重特大事故发生。

【社会事业全面发展】 科技创新能力进一步增强，科技贡献率达到60%，荣获市级“科技进步先进县”称号。制定了第二轮学校布局调整三年规划，筹资1500万元新建教学楼、实验楼、学生宿舍楼2万多平方米，教学质量明显提升。举办了红色电影月、彩色周末等文体活动82场次，荣获市“春节文化活动先进县”和“彩色周末活动先进县”；积极开展非遗项目申报，《乐乐腔》等三个民间传统项目被评为省、市非物质遗产保护项目。强化食品药品安全监管，产品质量和食品安全工作得到市政府充分肯定，全市现场会在本县召开。加快乡镇卫生院建设，全县87%的卫生院和70%的村卫生室达到标准化要求。人口和计划生育工作圆满完成了各项指标，在市年终考核中位次大幅提升。

（王英辉　次喜全　杨夕群）

高邑县

【概况】 高邑县辖3镇2乡、107个行政村。总面积211平方公里，耕地面积25.17万亩。年末总人口17.78万人，人口自然增长率8.1‰。2007年，全县地区生产总值完成30.88亿元，增长5.7%。其中，一、二、三产增加值分别完成5.7亿元、16.28亿元、8.89亿元，分别增长-9.9%、9.4%、8.8%。全社会固定资产投资完成17.81亿元，增长13.44%，其中城镇固定资产投资完成13.47亿元，增长16.72%。财政收入完成1.31亿元，增长13.17%，其中地方一般预算收入完成6061万元，增长14.64%；财政支出2.19亿元，增长34.93%。城市空气质量等级达二级以上294天，占全年80.55%以上。农业总产值完成13.31亿元，增长11.6%。粮食总产13.1万吨，蔬菜总产43.8万吨，棉花总产474吨。规模以上工业完成增加值12.51亿元，实现利税6.07亿元，分别增长5.13%和1%。金融机构存款余额达到18.62亿元，增长10.3%；贷款余额达到10.11亿元，降低0.9%。社会商品零售总额完成10.1亿元，增长14.3%。职工年平均工资11509元，增长17.8%；城镇居民人均可支配收入达到9427.21元，增长11.9%；农民人均纯收入达到4551元，增长6.01%；年末城乡居民存款余额达到16.695亿元，增长8.2%。外贸出口总额完成2000万美元，增长66.7%。

中共高邑县委书记：崔欣元
县人大常委会主任：李连平
县　　　　　长：王雁南
县政协主席：陈金锁

【经济后续发展能力显著提升】 全社会固定资产投资完成18亿元，同比增长12.5%。重点项目建设取得新进展。福隆抛光砖、恒力内墙砖、富村11万伏电站等24个项目竣工投产投用；金鱼油漆搬迁、城区统一供水等24个项目开工建设。招商引资再创佳绩，招引亿元以上大项目取得重大突破。投资5.6亿元的力马煤改气项目与山西客商签订合作协议，合同利用县外资金1.68亿元；投资6000万元的辽宁盘锦中石油沥改性项目签订合作意向；投资5000万元的河北精细化工中试基地项目正式落户。县域经济发展总体战略规划研究完成。

【工业经济持续快速发展】 全县工业用电量完成4.2亿度，同比增长41.2%，增幅位居全市第二。园区建设取得重大进展。城东工业区依托工大化工大型中高压装备制造基地项目，完成初步规划设计。抓住石市企业外迁机遇，在西部岗坡地带，谋划建设凤凰山开发区，列入全市“南部山前工业新区”建设规划。大力实施“20+10”上台阶工程，骨干企业发展势头强劲。10家企业销售收入超亿元。华美玻璃、工大化工分别在英国伦敦和美国纽约成功上市，开创了高邑县企业境外上市融资的先河。正元集团正式入驻海达化工。天力金属技改、华美“一炉三线”项目竣工投产。特色产业结构趋好。建陶产业，15家中小型企业完成煤改气改造，全县新增生产能力4500万平米；与景德镇陶瓷学院达成人才培养合作协议，由县财政、企业、个人各负担1/3学费，首批18名高中毕业生已赴学院学习深造；建陶产业被列为“全省建筑陶瓷特色生产基地”。纺织产业，积极应对市场变化，调结构、上档次，全年新增纺纱能力5万锭，新增布机1000台。煤炭资源勘探开发正式启动。

【新农村建设扎实推进】 “环县公路”沿线新农村建设成效显著。大力开展村容村貌集中综合整治活动，累计投入800多万元，硬化村内道路51条，整修道路336条，农村“脏、乱、差”现象得到有效改善。绿色生态高邑建设成效突出。大力实施1环（环县公路及相邻林网）、2河（泲河、槐河）、1山（凤凰山及周边岗坡地）、3带（贯穿全县的京深高速、107国道和393省道）“1213”绿化工程，全年植树80万株。法桐基地建设取得重大突破，全年发展桐粮间作4000亩。蔬菜产业继续保持了较快的发展势头，全年新增蔬菜大棚162座。生态家园富民工程续建项目进展顺利，全年新建沼气池3100个。农村信息化扎实推进。南水北调分水口跑办成功，并被列为全市第一批南水北调配套工程支持县。粮食生产再创历史新高。高度重视农村经济合作组织建设，全年新建、改建农村经济合作社12个。农村财富积累机制全面推行。蔬菜批发市场升级改造取得较大进展，通过市级标准化市场验收。“万村千乡”市场续建工程顺利推进，全县新建标准化农家店42家。

【县城建设跃上新台阶】 完成县城总体规划修编。城市重点基础设施项目进展顺利。天然气民用续建工程，新铺设管道20公里，新增居民用气700余户。城区统一供水工程，主供水管网铺设完毕，厂区主体工程完工。污水处理厂开工建设。府前路东延、西延工程竣工投用。城区街巷，先后完成北新街等五条道路修建、翻新，城区道路状况明显改善。环城公路，北环完成初设方案，南环竣工投用。扎实推进“八个一”活动，以美化县城出入口、清理占道经营、垃圾清运、城区绿化、拆除违法建筑及超期临建、治理户外广告牌匾为重点，大力进行县城容貌环境集中综合整治活动，城区面貌有了较大改观。交通基础设施建设成效明显。“两路四站”跑办取得重大进展。393省道北跨获省交通厅、省发改委批复，正式立项。107国道东跨完成可行性报告。石郑高速客运铁路“新高邑”中间站正式列入设计规划，成为河北省境内唯一一家县级客运站。京广铁路高邑客运站升级改造正式批复，增加7列停靠车次。货运站扩建规划，经北京铁路局多次考察论证，已初步同意。“新高邑”汽车站，完成可行性报告和环境评估报告。村村通班车工程全面完成。107线西幅中修等24项国省干线和县乡村公路工程竣工通车。

【财政收入结构显著改善】 大力压虚增实、压费增税，加强税种调剂，全年全县地方一般预算收入完成6061万元，按可比口径增长34.7%，县乡可用财力大幅增加，财政收入结构彻底优化。扎实推进县乡财政体制改革，乡镇税收快速增长。核销不良贷款成效明显，工行法人客户不良贷款全部处置完毕，累计核销5629万元，农发行核销478万元不良贷款，农行已上报营业部剥离不良贷款2.4亿元。借力县外金融机构取得重大进展，海达化工、力马陶瓷等企业从市商业银行、省交通银行、省风险投资公司等机构融资6000万元。农村信用联社专项票据通过国家人总行验收，成功兑付。

【社会保障显著增强】 下岗职工再

就业工作得到加强。城镇居民基本医疗保险顺利启动。新农合运行良好，补偿费用530万元，第二轮参保率达到89.7%，群众看病贵问题得到初步缓解。扎实开展“农村卫生室建设年”活动，全县新建、改建标准化农村卫生室24所，农民就医条件明显改善。教育工作通过省政府教育督导评估，高中教育质量稳中有升，中小学布局调整扎实推进。南星书院、刘秀登基台两个文化亮点工程进展顺利。计生工作成效突出，计生服务站建设通过省市验收。环保力度进一步加大，严格整治建陶行业烟尘污染，积极推广使用天然气，15家中小建陶企业完成煤改气改造。

【西富村乡、大营乡撤乡设镇】 根据《河北省民政厅关于撤销高邑县西富村乡设立富村镇》和《河北省民政厅关于撤销高邑县大营乡设立大营镇》的批复，2007年12月23日，西富村乡、大营乡撤乡设镇。西富村乡位于高邑县西南部，地处太行山麓，总面积54.5平方公里，辖20个行政村，总人口3.7万人。2007年全乡工农业总产值达到23.11亿元，企业固定资产投资2亿元，财政收入2210万元，农民人均收入突破4660元。该乡建陶产业被授予“河北建材之乡”、“全省建陶特色生产基地”称号，成为继广东佛山、福建晋江、山东淄博、四川夹江之后全国第五大建陶生产基地。特色农业蓬勃发展，建成北方最大的李子生产基地，被授予“河北梨枣之乡”称号。大营乡地处高邑县东部，京珠高速公路纵贯南北，393省道横穿东西，“西气东输”主干线途径腹地，交通便利。全乡辖25个行政村，总面积46.2平方公里，总人口近4万人，耕地面积5.7万亩。该乡在巩固优质粮食生产区的同时，积极发展蔬菜、苗木和养殖三大产业，建立了东邱村、后哨营、庄头、河北四个无公害蔬菜生产基地，以东方园林为依托的法桐苗木基地和奶牛、蛋鸡、肉猪养殖基地。大营乡又是一个以纺织产业为主，兼有水嘴制造、化工、造纸等产业的工业乡。全乡民营企业400多家，其中纺织、浆纱企业300多家，东城纺织集团、顺兴纱厂等已成为高邑县纺织龙头企业和县、乡镇扶持保护企业。

（籍飞龙）

赞皇县

【概况】 赞皇县总面积1210平方公里，耕地面积18800公顷，人均0.81公顷。年末总人口23.98万人，人口自然增长率为5.5‰。2007年全县生产总值完成33.23亿元，较上年增长13.0%，其中第一产业完成8.271亿元，增长6.6%；第二产业完成17.703亿元，增长16.3%；第三产业完成7.251亿元，增长11.9%。三次产业比为24.9∶53.3∶21.8。单位生产总值能源消耗为0.14440吨标准煤／万元，较上年下降4.5%。全县民营经济完成增加值15.5亿元，上缴税金6800万元，分别较上年增长20.4%和22.8%。粮食总产量11.7万吨，较上年增加1756吨，单产、总产均创历史新高。县财政总收入完成1.62亿元，纯增3000万元，增长24.00%，财政收入占生产总值的比重为4.8%，较上年增长0.1个百分点。财政支出27160万元，增长19.44%。社会商品零售总额12.2亿元，较上年增长16.2%。农民人均纯收入2798元，增长8.28%，净增213元。城镇居民人均可支配收入9238元，增长13.8%，净增2340元。城镇居民存款余额达到22.4亿元，新增5.1亿元。

中共赞皇县委书记：
王俊英（2007.1～2007.12）
县人大常委会主任：
李平原（2007.1～2007.12）
县　　长：
吴时茂（2007.1～2007.12）
县政协主席：
秦三梅（2007.1～2007.12）

【工业经济形势喜人】 重点项目建设实现新突破，规模以上工业完成增加值13.1亿元，较上年增长28.7%，利税5.77亿元，增长46.5%。全县工业用电量达到2.87亿千瓦时，增长11%。倍受全县人民关注的大水泥项目，经过反复协商、多次招商，通过市场化运作，采取独创的“土地出让＋政府附加条件”的方式，重新确定了投资主体，与北京金隅集团签定了总投资8亿元的项目建设投资合同和总投资30亿元的战略合作框架协议。第一条日产2500吨熟料及配套水泥生产线建成投产，第二条日产5000吨熟料及配套水泥生产线，总投资1.1亿元的河北汇泽陶瓷地板砖、总投资7000万元的石家庄经纬纺织等项目正在建设中。投资1亿元的鸿锐赞皇县基地增塑剂及污水处理厂项目正式奠基。五马山工业区建设列入市南部山前工业新区规划，成为全市搬迁企业的投资热点。民营经济发展迅速，全县新增私营企业158家，其中，投资在500万元以上的18家。高度重视节能与“减排”工作，按照市“八个一”工作要求，关停、治理大气污染企业9家(7个小炼铁厂、2个石料加工厂)，取缔、搬迁备用水源地白草坪水库上游水污染企业8家，圆满完成了市下达的节能减排任务。

【新农村建设扎实推进】 在稳定粮食生产的前提下，加快发展现代农业，林果产品和农畜产品生产加工的规模化、标准化建设迈出新步伐。坚持依法治农，狠抓科技兴农，全年共推广农业技术8项，引进新品种15个。建成农业技术推广站1个、“快易通”服务站6个。农业综合开发成效显著，总投资252万元的农业综合开发生态治理项目治理面积达3400亩，使农业生产条件得到了进一步的改善。突出抓好封山育林、植树造林和果树管理工作，完成植树造林4万亩、四旁植树80万株，新建沼气池950个，完成了农村新能源沼气项目阶段性目标任务，被评为“全国绿色小康县”。大枣“二次创业”向纵深推进，按照“政府搭台、市场动作、群众受益”的思路，成功举办了“中国·赞皇大枣之乡采摘周”活动。“荣康”、“绿康”等5家公司通过了国家QS标准生产认证，蜜枣产品获得通往市场的“绿色通行证”。农村基础设施建设加快，新建、改建通村公路23条，完成建设里程62.1公里，惠及了52个村共5万余农民。投资2亿元的京赞公路建设项目前期准备工作已经就绪。在全市率先实现了客运“村村通”。投资8000万元，新建改建变电站4座，投资739万元实施了“井井通电，户户持卡”工程。农田水利基本建设进一步加强，高标准、高质量完成了槐南灌区节水示范与履行工程，完成小型水库加固3座，安全饮水工程8处，发展节水农业800亩，荣获全市农田水利基本建设“优胜杯”和全省“海河杯”竞赛二等奖。大力倡导联合经营、联合发展，农民专业合作组织发展到43家，农业产业化经营率达到27.3%。全县212个行政村全部建立起村级财富积累机制，被评为全市“村级财富积累机制工作突出县”。加大了农村文明建设，全县文明生态村达到54个。

【县城基础设施不断加强】 按照“做美县城”的总体要求，投资5000万元，先后对太行路、槐泉路、北环路及22条街巷进行翻新改造，实施了东城区排污、县城南水北调、县城街道绿化美化、亮化、万棵法桐进县城等11项重点工程。县城环境卫生大为改观，县城建成区面积达到3.8平方公里，人口达到4.7万人，全县城镇化率达到27%。

【林权制度改革和商务体制改革】 2007年，赞皇县林改工作代表河北省与石家庄市接受国家林业部门检查并得到肯定。商务体制改革制定出台了“三定”方案，明确了主体定位，理顺了职能，为市场经济条件下流通待业实现新发展提供了保障。深化了财政体制改革，推进综合治税，财政收入持续稳定增长。制定出台并严格执行国有资产管理、政府投资和政府采购管理、项目工程招投标管理及财政管理的办法和规定，提高了政府的执行力。

【群众生活得到新改善】 积极推进就业与再就业工作，城镇新增就业1435人，下岗失业人员再就业566人，城镇登记失业率控制在2.8%以下。社会保障进一步完善，城镇低保、农村低保、五保供养覆盖面不断扩大，基本上实现了应保尽保；低保标准进一步提高，城镇由人均每月60元提高到71元，农村由人均每月15元提高到25元。新型农村合作医疗运行良好，6万余名农民患者受益。扶贫开发成效明显，积极实施了周转扶贫、劳务输出、移民搬迁三大工程，全年共争取扶贫资金1206万元，解决了1.1万人口的温饱问题。

（甄民一）

灵寿县

【概况】 灵寿县位于太行山东麓，距省会石家庄市30公里，辖6镇9乡，总面积1546平方公里，耕地面积39.2万亩，总人口31.79万人，人口自然增长率4.64‰。2007年，地区生产总值完成43.78亿元，同比增长13.6%。其中第一产业增加值7.93亿元，增长

3.4%，占全县生产总值比重为14.3%；第二产业增加值25.43亿元，增长18.4%，占全县生产总值比重为60.8%，第三产业增加值10.42亿元，增长9.2%，占全县生产总值比重为24.9%。全社会固定资产投资完成47.43亿元，同比增长56.5%。财政收入完成2亿元，同比增长26.99%，地方一般预算收入完成9133万元，同比增长27.72%。规模以上工业企业增加值达到15.78亿元，同比增长28.29%。全年实际利用外资576万美元。城镇居民人均可支配收入10410元，同比增长16.4%；农民人均纯收入2898元，比上年净增111元。城乡居民存款余额28.25亿元，同比增长20.10%。

中共灵寿县委书记：刘海生
县人大常委会主任：
罗华远（4月免）
郝建英（4月任）
县　　长：王建海
县政协主席：郝建英（4月免）
傅连英（4月任）

【确立"发展省会城郊县"战略目标】 1月11日，灵寿县委召开九届三次全体（扩大）会议，会议认真学习省、市、县党代会精神，围绕加快推进"经济转型、地区开放、脱贫小康"步伐，在全面分析形势和任务的基础上，明确提出加快发展省会城郊县的战略目标，并对加快省会城郊县建设做出具体安排与部署，为全县未来的发展指明方向。

【国家级生态示范区顺利通过验收】 10月12日，受国家环保总局委托，河北省环保局组织石家庄市环保局和有关专家，对灵寿县国家级生态示范区创建工作进行考核验收。考核验收组在观看灵寿县生态示范区创建工作专题片，实地考察灵寿县污水处理厂、小流域水土流失治理、湿地保护、镇容镇貌后，对灵寿的创建工作给予充分肯定。经现场考核，随机征询公众意见、审查申报资料、公议咨询讨论，专家组一致认为：灵寿县社会经济发展、区域生态环境保护等26项生态示范区建设指标全部达到国家生态示范区验收标准，灵寿县国家级生态示范区建设通过验收。

【15万吨醇氨综合节能技改项目奠基】 11月8日，河北正元集团15万吨醇氨综合节能技改项目在灵寿县奠基。该项目是2007年石家庄市重点项目，是河北正元集团列入河北省重点支撑项目的"正元集团碳一化学"基地的子项目之一，是正元集团大力发展清洁煤化工产业，弥补国家石油资源不足，解决能源可持续利用的重要举措。该项目属于《外商投资产业指导目录》鼓励类大中型煤化工产品生产及废气、废液、废渣综合利用处理项目。项目占地22万平方米，总投资4亿元（其中环保专项投资6700万元），采用正元集团14项自主知识产权专利与专有技术，形成一套国内领先的生产工艺流程体系和完整的循环经济产品链，以节能降耗，废气、废水、废渣综合利用为目标，以使GDP综合能耗降低为原则，提高产品质量及经济效益。设计规模年处理废水量640万吨，年减排废水123.6万吨；年处理废气量4395万NM3、废渣量5万吨，并全部回收利用。同时，新增甲醇生产能力20万吨，合成氨5万吨，二甲醚10万吨。项目建成后，年增销售收入8亿元，利税2亿元，上缴税金可达亿元，年节白煤2.25万吨，节电2100万千瓦时，节水15万吨，节蒸汽15万吨。

【"八个一"工作成效显著】 灵寿县委、县政府深入贯彻市委、市政府"八个一"工作部署，紧紧围绕"建设省会城郊县，打造山水生态灵寿"的目标，从加强领导，精心组织入手，多措并举，集中时间，集中力量，在全县开展环境综合整治攻坚活动，取得显著成效。截止11月上旬，关停大气污染企业17家，对3家水泥生产企业进行阶段性治理；依法拆除违法建筑42044平方米，清运垃圾26355立方米，拆除违章户外广告15458平方米，拆除围墙4796米，清运板材3655立方米；绿化县内交通主干线80公里，绿化乡村道路40公里，"五河绿化"工程5200亩，全县共栽植树木100万棵，县内交通主干线"绿色通道"框架初步形成，滹沱河、慈河防护林带日趋完善。

【狠抓基础设施建设】 2007年，灵寿县围绕城乡统筹、城乡一体化发展规律和加快发展省会城郊县、建设山水生态灵寿的目标，狠抓基础设施建设。在城市功能建设方面，完成北洼110KV输变电站、陈庄35KV输变电站建设，完善双电源、双回路电力网络。谋划与省会城市、重大枢纽的连接线建设，张石高速灵寿段连接线建设进展顺利。实施漫山至五岳寨公路拓宽改造工程，完成燕川至白家沟公路建设，改造县、乡道危桥7座。完成29个村77.7公里的“村村通”工程。完成县医院病房楼和13所乡镇卫生院改造。

在提升城市形象方面，共投资2000万元，先后完成城北路东段、新开街北段、中段改造；把正南大街、新开街等道路便道砖更换为彩色便道砖，路沿石更换为大理石路沿石；在正南大街、西环路、北环路、新开街等街道安装或改造路灯480套，政府大院、建设局、国土资源局等单位高标准完成霓红灯建设；完成街心广场改造和牌楼公园建设；完成建设街隔离带、正元化肥东侧、西环岛等绿地建设，县城新增公共绿地1.66万平方米，城区绿化覆盖率达到28.1%。

（高志勇　郑云鹏）

石家庄年鉴 Figures

人　物

人 物

2007年全国五一劳动奖章获得者

胡成元　58岁，河北省元氏县人，中共党员，大学学历，河北正定中学校长，中学高级教师。先后荣获“全国优秀教育工作者”、石家庄市劳动模范等荣誉称号。担任校长十余年，以团结、勤奋、求实、创新的优良校风，取得了石家庄市高考“十连冠”的优异成绩，连续10年被市教育局授予“高中教学工作先进单位”、“民主管理先进单位、“实绩突出领导班子”。被省人民政府授予“河北省先进企事业单位”。重视学校的可持续发展，学校由2001年的36个教学班发展到2006年90个教学班。2004年开始筹建河北正定中学新校区，实现了办学条件的跨越式发展。承担着青年教师培训和学生德育教育讲座等教学任务，荣获了河北省省政府授予的“特级教师”称号。撰写的论文《传统美德化细雨，于无声处润心田》在第九届传统德育教育研讨会获得一等奖。主抓的自动节水装置和废水利用工艺获国家两项专利，被评为河北省第三届“优秀发明者”。在河北正中网上学校基础上，又成立河北名校联盟，开创了河北省教育发展的一条新路。

王铭维　女，49岁，河北省保定市人，中国民主同盟盟员，医学博士，河北医科大学第一医院神经内科主任，河北省脑老化与认知神经科学重点实验室主任，教授，博士生导师。先后获石家庄市劳动模范、河北省五一劳动奖章荣誉称号。曾在美国宾州匹兹堡大学做博士后研究，在帕金森病发病机制的研究中取得突破性进展。承担4项国家及省级课题，其中一项获河北省科技进步奖，发表论文50余篇，著书7部。经常下乡为群众免费看病，足迹踏遍石家庄周边的各个县区，带领全科人员到敬老院为孤寡老人送健康。经常为网站、报社撰写科普文章，参加电视讲座，自费印刷卫生知识宣传册，提高人民的防病能力。积极关心城市贫困群体和农民工的看病问题，撰写关于城市低保问题的政协提案，河北医科大学第一医院成为省级唯一一家农民工定点优惠医院。

鲁国平　49岁，安徽省繁昌人，中共党员，大专学历，中国建设银行石家庄市和平东路支行行长，经济师。2004年5月评为石家庄市劳模，2005年荣获河北省五一奖章。在鲁国平的精心努力下，该支行业务发展快速稳健、经营管理规范严谨、经营效益屡创新高，六年共实现账面利润66021.62万元，创利水平逐年攀升。2006年全年实现帐面利润13489.22万元，人均创利达201.33万元，较2000年的2198万元利润翻了六番多。目前，支行资产业务规模达到357061万元，不良资产率仅为0.03%，各项经营指标在河北省分行营业部范围内连续多年名列前茅。支行党支部被省分行党委评为“优秀基层党支部”，连续四年荣获“石家庄市文明单位”荣誉称号。

张文元　48岁，河北省井陉县人，中共党员，大专学历，石家庄市地方税务局第二分局局长。先后7次荣立二等功、2次荣立三等功，被授予市劳模、省地税系统先进工作者、省五一奖章等荣誉称号。分局担负着全市商业饮食、铁路电信、新闻出版、物资外贸等2300余户大中型企业的税收征管任务和2200余户社保费征缴任务。为实现优质高效服务，张文元率先在全省行政机关、全国地税系统将ISO9000国际标准成功引入税收工作，组织开发出的“个人所得税征管软件”被誉为监控高收入者的“新型雷达”。主动与有关部门沟通，成功进驻房产、地产交易市场并正式开征相关税种，使其成为全市新的税收增长点。分局的出租车行业税收管理、税收管理员制度、纳税评估辅导等工作，在全省乃至全国领先。2006 年组织入库各种税费首次突破 10 亿元，税收收入以年均 15% 的速度递增。

仇淑芳 45 岁，河北省正定县人，中共党员，中技学历，石家庄市邮政局速递公司业务营销员．先后荣获石家庄市劳模、河北省邮政系统先进个人、河北省邮政“效益杯”竞赛“营销状元”、河北省劳模等荣誉称号，2005 年被信息产业部评为“技术能手”，同年被评为“全国邮政系统百名优秀员工”。从事速递业务营销工作九年来，业务收入完成情况连年排全局第一。2002 年完成业务收入 163 万元，2003 年完成 189 万元。2004、2005 年连续两年将稳定的老客户的三分之一划给其他营销员，通过积极开发市场，不但没有影响营销任务的完成，还分别完成 165 万元、160 万元，完成当年计划的 200%。2006 年又把稳定客户划走一半，又完成 110 万元的任务，成为速递局名副其实的营销状元。

刘艳红 女，37 岁，湖北省宜昌市人，中共党员，大专学历，石家庄市公共交通总公司驾驶员。先后荣获全国先进女职工、省市优秀共产党员，河北省劳动模范、河北省五一劳动奖章等荣誉称号。2006 年当选为石家庄市第八次党代会和河北省第七次党代会党代表，自 1990 年以来，始终本着乘客至上、服务为本的宗旨，爱岗敬业，无私奉献，用自己的行动给乘客带来春天般的温暖．在营运服务工作中总结出了“四多七要六做到”的工作方法和“三勤”、“三稳”的行车经验。为认真研究乘客心理，总结服务规律，提高服务水平，自学了《心理学》、《语言学》、英语、哑语，整理出了近万字的地理环境手册，练就了一身为乘客服务的过硬本领，被乘客誉为“活地图”、“贴心人”。

2007 年全国三八红旗手获得者

王聪颖 女，52 岁，河北省赵县人，中共党员，大专学历，现为河北华脉房地产开发集团有限公司董事长、总经理，石家庄市政协委员，石家庄市人大代表，兼任石家庄市海外联谊会副会长、河北省海外联谊会理事、河北省立法研究会理事。1998 年 1 月创办河北华脉房地产开发集团有限公司，2001 年实现集团化经营，拥有河北华冠建筑装饰工程有限公司、石家庄市华脉商贸有限公司、石家庄华脉广告有限公司、石家庄市华脉物业管理有限公司、石家庄市凯旋金悦大酒店有限公司等多家子公司，2006 年公司总资产 4.1 亿元，跻身于石家庄市房地产企业十强之列。公司连年被评为“省会房地产市场争创质量、计量、服务三满意单位”，“河北省争创质量无投诉先进单位”，“重合同、守信用单位”，民营企业“光彩之星”，河北省委、省政府授予的“优秀私营企业”等一系列荣誉称号。

鲁聚平 女，汉族，51 岁，河北省赵县人。中共党员，大专学历，现任石家庄移动公司党委副书记、纪检书记、工会主席。2005 年被河北省移动公司评为优秀思想政治工作者，2006 年被省公司评为先进工会工作者，并连续多年获得公司优秀党员称号。1981 年 6 月调至石家庄邮电局工作，先后担任农话科副科长、电信局运维处副处长、石家庄移动公司市场部经理、总经理助理兼人力资源部主任。2005 年 12 月至今任中国移动通信集团河北有限公司石家庄分公司党委副书记、纪委书记、工会主席。在石家庄移动公司党委的统一安排部署下，由鲁聚平牵头组织纂写的《党委工作要点》，为指导基层开展各项工作，特别是在加强基层党支部的思想建设、组织建设、制度建设方面起到了积极作用，逐步修订完善《党员学习教育制度》、《党员联系和服务群众工作制度》等各项制度。鲁聚平发现公司有的员工存在着互不了解、缺乏沟通和信任的现象，并及时开展了“感动你我他——发现身边闪光的故事”、“我为移动添光彩、畅想移动新生活”、“我与企业共成长”、“阳光下看人”

等活动，活动的开展为员工搭建了一个相互了解、相互沟通、相互理解的平台。公司先后获得省级文明单位、石家庄市五一劳动奖状、消费者信得过单位等。

信淑娥 45岁，河北鱼鹰集团副董事长，河北信迪克涂料有限公司企业法人代表。工作中运用先进的管理方法，科学的绩效考核手段，人性化的员工管理方式以及高瞻远瞩的企业发展目标和以科技创新促发展的先进理念，将河北信迪克涂料有限公司的发展不断推向一个又一个新的高峰。先后主导研发了用于喷涂内燃机铝活塞，做固体润滑膜，以保证活塞表面有一定摩擦寿命的酒精石墨乳，经高温后不脱落，附着力强，润滑性能好，明显改善铝活塞初期磨合、际卡死和抗擦伤；以及适用于木器、家具和家用电器的VC01−1快干醇酸清漆。这两种产品均填补了国内空白，达到国内领先地位。尤其是酒精石墨乳，可代替进口产品，大大提高了内燃机配件的国产化水平。企业通过ISO9001质量管理体系认证，连续多年荣获"中国著名品牌"、"信誉诚信单位"、"保真扶优重点保护品牌"、"消费者信得过产品"、"产品质量、售后服务无投诉单位"等一系列荣誉。

王玮玮 女，43岁，中共党员。1984年7月毕业于河北师范大学化学系，学士学位，中学高级教师，省教育学会会员，省化学教学专业委员会会员。1984年8月参加工作，先后任石家庄市第四十中学化学教师、校团委书记、办公室主任，1998年12月任石家庄市第二十三中学副校长；2002年8月任石家庄市第二十中学校长。工作中重视教师队伍建设，尊重教师的发展需要，提出了"加强学习、培养能力、增强实力、开发潜力"，还组织实施完成了多项系统工程，使教师队伍素质显著提高。主研的国家级"十五"和"十一五"重点课题《信息技术在中学各学科的应用》、《父母教育方式对初中学生心理健康的影响》等课题被评为优秀课题。王玮玮曾获全国中小学创造教育先进个人，国家"十五"重点课题研究先进个人，河北省中小学骨干校长，全国职业教育杰出贡献奖，连续两届被评为石家庄市市管专业技术拔尖人才，河北省实验教学标兵，河北省创新实验奖，河北省成人高校招生工作先进个人，石家庄市优秀教育工作者等。

2007年河北省五一劳动奖章获得者

田春玲 女，石家庄煤矿机械有限责任公司铸造分厂清铲工段电焊工

吴占宇 男，河北移动通信公司石家庄分公司动力技术主管、助理工程师

王春花 女，石家庄常山股份棉三分公司细纱车挡车工、技师

于君维 男，石家庄油漆厂第六生产基地主任、技师

范秀菊 女，石家庄市裕华区东苑街道办事处工会主席

党　辉 女，石家庄市新华区石岗大街小学副校长、小学高级教师

陈秉克 男，中国电子科技集团第13研究所河北普兴电子科技股份有限公司高级工程师

聂续民 男，栾城三鹿乳业有限公司总经理、政工师

2007年河北省三八红旗手获得者

周玉兰 栾城县南郄马村党支部书记

苗润敏 石家庄市裕东小区第一社区居委会主任

刘莉英 石家庄市动力机械厂代机生产厂化二组电焊工

李　青 中国民生银行石家庄建设北大街支行

李燕华 石家庄市桥东区妇

联主席

王铭维 河北医科大学第一医院神经内科主任

吴亚峰 北国商城有限责任公司副总经理

武彦君 藁城市交通局养路费征稽站书记

赵铁英 石家庄市第三中学校长兼党支部书记

赵 巍 华厦银行石家庄分行副行长

武会霞 鹿泉一中教师

2007年度感动省城十大人物

见义勇为的“新石家庄人”

——谷岳潘

青山林木的守护者

——史岁忠

燕赵神探

——高占国

文明路上的“美容师”

——桥东区卫生队中山东路女子清扫班

农民工的“娘家人”

——范秀菊

打工妹志愿者

——秦绪梅

舍身排险的英雄司机

——赵旭光

轮椅上的圆梦人

——宋玉红

“三农”问题的思考者

——戴忠金

远赴异国的白衣天使

——白求恩国际和平医院赴利比里亚维和医疗分队

逝世人物

侯文生（1914～2007） 山西省孟县人，原石家庄市电信局干部，1938年加入中国共产党并参加革命工作，1981年离休，享受处级待遇，因病于2007年11月24日去世，享年94岁。

杨鸣远（1914～2007） 河北省宁晋县人，民建委员，原政协石家庄市第一、五、六届委员会副主席，1955年参加工作，1993年离休，因病于2007年12月11日去世，享年94岁。

刘秉衡（1918～2007） 河北省大城县人，石家庄市公安局原副局长，1942年参加工作，同年加入中国共产党，1983年离休，享受副厅级待遇，因病于2007年12月31日去世，享年89岁。

李朝荣（1918～2007） 河北省新乐市人，石家庄市科学技术学会原党组书记、副主席，1938年参加革命，同年加入中国共产党，1983年离休，享受厅级待遇，因病于2007年2月19日去世，享年89岁。

朱安国（1915～2007） 河南省睢县人，原石家庄市卫生防疫站副站长，1940年参加革命工作，同年加入中国共产党，1982年离休，享受地专级待遇，因病于2007年6月21日去世，享年88岁。

李如双（1915～2007） 河北省阜平县人，石家庄市委正市级离休干部，原石家庄市市委书记，政协主席，1938年加入中国共产党并参加革命工作，历任阜平县第12区工会主任，工会宣传部长，石家庄市供销合作社主任，石家庄市人民政府副市长，中共石家庄市委副书记、书记，政协主席等职，1983年离休，因病于2007年1月24日去世，享年88岁。

王育珊（1915～2007） 原石家庄市第三棉纺厂离休干部，1949年参加革命工作，同年加入中国共产党，1984年离休，享受副县级待遇，因病于2007年6月24日去世，享年88岁。

刘凤贵（1920～2007） 河北省昌黎县人，1947年参加工作，

1954 年加入中国共产党，1983 年离休，享受副县待遇，因病于 2007 年 10 月 21 日去世，享年 87 岁。

郭浩之（1921～2007） 河北省定县人，原中共石家庄市纪律检查委员会副书记，1939 年 9 月参加工作并加入中国共产党，1982 年 12 月离休，享受副厅级待遇，因病于 2007 年 6 月 9 日去世，享年 86 岁。

孙承业（1921～2007） 河北省石家庄建筑机械厂干部，1938 年参加革命工作，1939 年加入中国共产党，1983 年离休，享受正处级待遇，2007 年 11 月 16 日去世，享年 86 岁。

何海舲（1921～2007） 河北省平山县人，石家庄市房管局离休干部，1939 年参加革命工作，享受县级待遇，因病于 2007 年 6 月 11 日去世，享年 86 岁。

吴玲玉（1922～2007） 河北省灵寿县人，原中共获鹿县政法委副书记，享受县处级待遇，1937 年参加革命工作，1938 年加入中国共产党，1983 年离休，因病于 2007 年 12 月 1 日去世，享年 85 岁。

朱跃洪（1922～2007） 山西省霍县人，原石家庄市农机局局长，1938 年参加革命工作，1943 年加入中国共产党，1983 年离休，享受副厅级待遇，因病于 2007 年 10 月 30 日去世，享年 85 岁。

田士安（1922～2007） 河北省宁晋县人，1946 年参加革命工作，1951 年加入中国共产党，1982 年离休，享受副县级待遇，因病于 2007 年 6 月 8 日去世，享年 85 岁。

封授天（1922～2007） 河北省平山县人，原石家庄地委组织部副部长，1939 年加入中国共产党并参加革命工作，享受地专级待遇，因病于 2007 年 1 月 23 日去世，享年 85 岁。

李金铭（1923～2007） 河北省献县人，原河北省检察院石家庄分院检察长，1941 年参加革命工作，同年加入中国共产党，1983 年离休，享受副厅级待遇，因病于 2007 年 2 月 20 日去世，享年 84 岁。

王赞英（1923～2007） 河北省赵县人，原晋县人大常委会副主任，1943 年参加革命工作，1945 年加入中国共产党，1984 年离休，享受地级待遇，因病于 2007 年 4 月 23 日去世，享年 84 岁。

高庆勋（1923～2007） 河北省安新县人，原石家庄地区政协主席，1944 年参加革命工作并加入中国共产党，1983 年离休，享受副厅级待遇，因病于 2007 年 10 月 7 日去世，享年 84 岁。

李士杰（1923～2007） 河北省邯郸市人，原桥东区服务中心店党支部书记，1986 年离休，享受副县待遇，2007 年 6 月 19 日去世，享年 84 岁。

陈道夫（1923～2007） 河北省阜平县人，石家庄市质量技术监督局离休干部，1940 年参加革命工作，1941 年加入中国共产党，1983 年离休，享受地专级待遇，因病于 2007 年 6 月 30 日去世，享年 84 岁。

谢洪昌（1925～2007） 石家庄市家具工业公司原党委书记，1948 年参加革命工作并加入中国共产党，1984 年离休，因病于 2007 年 1 月 28 日去世，享年 83 岁。

于法庭（1926～2007） 河北省平山县人，石家庄市第一棉麻总公司离休干部，1946 年参加工作，1949 年加入中国共产党，1988 年离休，享受副县级待遇，因病于 2007 年 6 月 10 日去世，享年 82 岁。

马连生（1926～2007） 原石家庄市第三机床厂党委副书记，1945 年入党并参加革命工作，1986 年离休，享受副县级待遇，因病于 2007 年 1 月 7 日去世，享年 82 岁。

张吉围（1927～2007） 河北省深县人，原石家庄市第一生产资料服务总公司副经理，1945 年参加工作，中共党员，1988 年离休，享受县级待遇，2007 年 6 月 15 日去世，享年 81 岁。

张　文（1927～2007） 石家庄市棉纺四厂离休干部，1948 年参加革命工作，1986 年离休，享受县级待遇，因病于 2007 年 2 月 2 日去世，享年 81 岁。

魏旭光（1927 ～ 2007） 河北省辛集市人，原河北省纺织品进出口公司代经理、顾问、局级离休干部，1942 年参加革命工作，1943 年加入中国共产党，因病于 2007 年 11 月 21 日去世，享年 81 岁。

贾风栖（1927 ～ 2007） 原石家庄地区乡镇企业局副县级离休干部，1948 年参加革命工作，1950 年加入中国共产党，1987 年离休，享受副县级待遇，因病于 2007 年 11 月 22 日去世，享年 81 岁。

贾栓喜（1927 ～ 2007） 河北省深泽县人，原石家庄邮电局副局长，1943 年加入中国共产党并参加革命工作，1985 年离休，享受局级待遇，因病于 2007 年 1 月 21 日去世，享年 81 岁。

耿文池（1927 ～ 2007） 河北省清苑县人，石家庄市长安区原区长，1941 年加入中国共产党并参加革命工作，享受副地级待遇，因病于 2007 年 11 月 24 日去世，享年 81 岁。

李敏珍（1927 ～ 2007） 原束鹿县县委书记、无极县委顾问，1944 年参加革命工作，同年加入中国共产党，1989 年离休，因病于 2007 年 12 月 7 日去世，享年 81 岁。

陈　浩（1928 ～ 2007） 石家庄轴承设备股份有限公司离休干部，1944 年参加革命工作并加入中国共产党，1989 年离休，享受县级待遇，因病于 2007 年 7 月 21 日去世，享年 80 岁。

任玉连（1928 ～ 2007） 石家庄市人，原石家庄市劳动教养管理所副所长，1947 年参加革命工作，1949 年加入中国共产党，1989 年离休，享受县级待遇，因病于 2007 年 1 月 4 日去世，享年 80 岁。

刘晓东（1929 ～ 2007） 河北省赞皇县人，原井陉县政协副主席，1945 年参加革命工作，1947 年加入中国共产党，1991 年离休，享受副厅级待遇，因病于 2007 年 12 月 5 日去世，享年 79 岁。

薛文跃（1929 ～ 2007） 河北省望都县人，石家庄市桥东区人民检察院原检察长、党组书记，1948 年参加革命工作，1949 年加入中国共产党，1989 年离休，因病于 2007 年 10 月 26 日去世，享年 79 岁。

赵世荣（1929 ～ 2007） 河北省灵寿县人，原灵寿县政协副主席，1946 年参加革命工作，同年加入中国共产党，1988 年离休，因病于 2007 年 10 月 31 日去世，享年 79 岁。

田久生（1928 ～ 2007） 河北省新安县人，原石家庄市绵纺一厂副厂长，1948 年参加革命工作，1949 年加入中国共产党，1999 年离休，享受县级待遇，因病于 2007 年 6 月 6 日去世，享年 78 岁。

牛澍辰（1931 ～ 2007） 河北省鹿泉市人，原石家庄地区纪检委副县级检查员，1949 年参加工作，同年加入中国共产党，1991 年离休，因病于 2007 年 1 月 30 日去世，享年 76 岁。

王钦岳（1931 ～ 2007） 山东省文登市人，原桥东区人大常委会副主任，1947 年参加革命工作，1949 年加入中国共产党，1992 年离休，享受正县级待遇。因病于 2007 年 8 月 15 日去世，享年 76 岁。

舒自民（1931 ～ 2007） 云南省昆明市人，原石家庄第二棉纺织厂办公室主任，1949 年参加革命工作，1979 年加入中国共产党，1992 年离休，享受副县级待遇，因病于 2007 年 8 月 24 日去世，享年 76 岁。

赵寿铭（1932 ～ 2007） 河北省保定市人，石家庄市歌舞团乐队二级指挥，1948 年参加革命工作，1990 年离休，因病于 2007 年 6 月 18 日去世，享年 75 岁。

董树成（1932 ～ 2007） 原石家庄阀门一厂股份有限公司副厂长，1949 年参加革命工作，1953 年加入中国共产党，1992 年离休，享受副处级待遇，因病于 2007 年 1 月 8 日去世，享年 75 岁。

张义全（1933 ～ 2007） 河北省鹿泉市人，原石家庄市工艺美术总公司党委副书记，1949年1月参加革命工作，同年加入中国共产党，1993年离休，享受副处级待遇。因病于2007年12月5日去世，享年74岁。

杨炯奎（1933～2007） 原石家庄市农业广播电视学校副校长，享受副处级待遇，因病于2007年1月8日去世，享年74岁。

孟宪敬（1934～2007） 原石家庄市教委副主任，享受正县级待遇，因病于2007年10月1日去世，享年73岁。

王继造（1940～2007） 原石家庄市交通局副局长，1956年参加工作并加入中国共产党，2000年退休，因病于2007年9月30日去世，享年68年。

王炳海（1940～2007） 石家庄市人，石家庄市房产管理局副局长，1956年参加工作，1973年加入中国共产党，因病于2007年1月23日去世，享年68岁。

刘庆三（1941～2007） 河北省徐水县人，石家庄市第三医院原党委书记，1958年参加工作，1965年加入中国共产党，2000年退休，享受处级待遇，因病于2007年6月24日去世，享年67岁。

王吉祥（1945～2007） 河北省赞皇县人，石家庄市交通局原纪检组长，1966年参加工作，1979年加入中国共产党，因病于2007年1月20日去世，享年63岁。

江　佑（1946～2007） 北京市人，原石家庄市第二十八中学校长，2001年退休，因病于2007年4月26日去世，享年62岁。

张寿林（1952～2007） 河北省灵寿县人，石家庄市住房保障和房产管理局调研员，1970年参加工作，1972年加入中国共产党共产党。因病于2007年12月26日去世。享年56岁。

乔和平（1953～2007） 河北省衡水市人，石家庄市档案局副局长，1970年参加工作，1976年加入中国共产党，因病于2007年10月23日去世，享年54岁。

安振兴（1954～2007） 河北省晋州市人，生前系石家庄市公安局高新技术产业开发区公安分局党委书记、局长，一级警督。曾被公安部授予“全国优秀人民警察”光荣称号，二次荣立个人二等功，四次荣立个人三等功，八次受到嘉奖，还多次被评为河北省、石家庄市先进个人。2007年9月25日，安振兴因病去世在工作岗位上，享年53岁。

黄素江（1957～2007） 河北省藁城市人，藁城市政协副主席、交通局党组书记、局长，1972年参加工作，1987年加入中国共产党，因病于2007年11月25日去世，享年51岁。

石家庄年鉴 Literatures & Regulations

文献法规

石家庄市人民政府第 152 号令

《石家庄市餐厨垃圾处理管理办法》已经二〇〇六年十二月十四日市第十一届人民政府第五十七次常务会议讨论通过，现予发布。自二〇〇七年九月一日起施行。

市长：冀纯堂

二〇〇七年一月八日

石家庄市餐厨垃圾处理管理办法

第一条　为防止餐厨垃圾对环境造成污染，维护城市市容环境整洁，保障人体健康，促进餐厨垃圾无害化处理和合理利用，根据《石家庄市城市市容和环境卫生管理条例》等相关法律法规，结合本市实际，制定本办法。

第二条　本办法所称餐厨垃圾，是指除居民日常生活以外的食品加工、饮食服务、单位供餐等活动中产生的厨余垃圾和废弃食用油脂。

前款所称的厨余垃圾，是指食物残余和食品加工废料；前款所称的废弃食用油脂，是指不可再食用的动植物油脂和各类油水混合物。

第三条　本办法适用于市内五区（含高新技术产业开发区）的餐厨垃圾收集、运输、处置、利用及其相关管理活动。

第四条　石家庄市城市管理部门（以下简称市城管部门）是全市餐厨垃圾处理的行政主管部门；石家庄市环境卫生管理机构（以下简称市环卫机构）负责本市餐厨垃圾处理的日常管理。

市发展改革部门负责研究制定鼓励发展餐厨垃圾处理利用政策；市卫生行政主管部门负责餐厨垃圾产生单位的食品卫生监督管理；市畜牧行政主管部门负责查处使用未经无害化处理的餐厨垃圾饲喂畜禽的违法行为；市质量技术监督行政主管部门负责对以餐厨垃圾为原料加工产品的质量标准管理。

财政、物价、工商、商务、公安、交管、农业等有关管理部门按照各自职责，协同实施本办法。

第五条　餐厨垃圾处理以政府主导、统一管理、社会参与、综合利用的原则进行。

市政府鼓励开展对餐厨垃圾处理的科学研究和工艺改良，促进餐厨垃圾的无害化处理和合理利用。

第六条　食品加工企业、饮食经营企业、单位食堂、个体工商户等餐厨垃圾产生单位，按照本办法承担餐厨垃圾收集、运输和处置的义务。

本市提倡通过净菜上市、改进食品加工工艺、文明用餐等方式，减少餐厨垃圾。

第七条　餐厨垃圾产生单位应于每年年底向市环卫机构申报本单位下一年度预计产生餐厨垃圾的种类和数量。

第八条　餐厨垃圾产生单位应当设置专用的餐厨垃圾收集容器；产生废弃食用油脂的，还应安装油水分离装置或设置隔油池等设施。

餐厨垃圾产生单位应当将餐厨垃圾与非餐厨垃圾分开收集；餐厨垃圾中的厨余垃圾和废弃食用油脂应当分别单独收集。

餐厨垃圾产生单位应当保持餐厨垃圾收集容器的正常使用。

第九条　符合下列条件的餐厨垃圾产生单位，可以自行收集、运输其产生的餐厨垃圾：

（一）餐厨垃圾日产生量1吨以上；

（二）拥有符合规定要求的收集、运输车辆和设备。

需自行收集、运输的餐厨垃圾产生单位，应持相关资料向市环卫机构备案。

第十条 除符合本办法第九条规定的餐厨垃圾产生单位外，其他餐厨垃圾产生单位产生的餐厨垃圾由市环卫机构统一收集、运输和处理。

第十一条 市环卫机构应当及时清运餐厨垃圾，做到日产日清，桶洁地净；在收运餐厨垃圾时，其收运的餐厨垃圾种类和数量应当由餐厨垃圾产生单位予以确认。

第十二条 餐厨垃圾应当实行密闭化运输，按照规定的时间和路线行驶，沿途不得滴漏、撒落；餐厨垃圾运输设备和工具应当具有餐厨垃圾运输明显标识，并保持整洁完好。

第十三条 自行收运的餐厨垃圾产生单位和市环卫机构应当建立收运记录台账，对餐厨垃圾来源、种类、数量和处置单位等情况进行登记。

第十四条 市城管部门设立餐厨垃圾处置场所，餐厨垃圾处置场所的设置应符合本市的城市总体规划和土地利用总体规划。处置场所应按照国家相关技术标准进行建设，并配置相应的环保处理设施，产生的污水、臭气、残渣、噪声等经处理后各项指标均应符合环保部门的相关规定。

第十五条 市环卫机构应当按照城市生活垃圾处置标准，实施餐厨垃圾无害化处置，并维护处置场所周围的市容环境卫生。

市环卫机构应当建立处置记录台账，对餐厨垃圾来源、种类、数量等情况进行登记。

第十六条 餐厨垃圾产生单位应当按照市环卫机构收运的餐厨垃圾的种类和数量，缴纳生活垃圾处理费。具体的缴费标准和办法，由市财政、物价主管部门会同市城管部门另行制定。

第十七条 在餐厨垃圾收集、运输、处置过程中，禁止下列行为：

（一）废弃食用油脂加工后作为食用油使用或者销售；

（二）擅自从事餐厨垃圾收运、处置；

（三）厨余垃圾直接作为畜禽饲料；

（四）餐厨垃圾提供给本办法第九条、第十条规定以外的单位、个人收运或者处置；

（五）餐厨垃圾混入其他生活垃圾收运或直接排入城市排水管网；

（六）餐厨垃圾裸露存放。

第十八条 市城管部门应当建立投诉举报制度，接受公众对餐厨垃圾收集、运输、处置活动中违法行为的投诉和举报。受理投诉或者举报后，市城管部门应当及时到现场调查、处理，并在15日内将处理结果告知投诉人或者举报人。

第十九条 市城管部门应当加强对餐厨垃圾产生单位和市环卫机构的监督检查，并建立相应的监管档案。

餐厨垃圾产生量连续3年低于同行业平均产生量的单位，由市城管部门公布其名单，并可以给予一定的奖励。具体的奖励办法，由市城管部门另行制定。

第二十条 对违反本办法的行为，由市城管部门按照下列规定予以处罚：

（一）违反本办法第七条规定，未办理申报手续的，责令限期改正；逾期不改正的，处以100元以上300元以下罚款；

（二）违反本办法第八条第一款、第三款规定，未设置餐厨垃圾收集容器及收集容器不能正常使用的，责令限期改正；逾期不改正的，处以100元以上300元以下罚款；

（三）违反本办法第十三条规定，未建立收运、处置台帐的，责令限期改正；逾期不改正的，处以100元以上200元以下罚款；

（四）违反本办法第十七条第（二）项规定，擅自从事餐厨垃圾收运、处置的，处以200元以上500元以下罚款，并对其运输工具予以登记保存；

（五）违反本办法第十七条第（五）项、第（六）项规定，随意倾倒排放、裸露存放餐厨垃圾的，处以200元以上500元以下罚款；

（六）违反本办法第十七条第（四）项规定，将餐厨垃圾提供给本办法第九条、第十条规定以外的单位、个人收运或者处置的，责令限期改正，并处以200元以上500元以下罚款。

第二十一条 违反本办法第十六条规定，未缴纳生活垃圾处理费的，责令限期补缴；逾期不补缴的，可按日收取百分之一的滞纳金。

第二十二条 违反本办法第十七条第（一）项规定，将餐厨垃圾中的废弃食用油脂加工后作为食用油经营性使用的，由卫生行政管理部门责令限期改正，并处以1万元以上2万元以下的罚款；将餐厨垃圾中的废弃食用油脂加工成食用油并销售的，由质量技术监督、工商行政主管部门依法进行处罚。

第二十三条 违反本办法第十七条第（三）项规定，使用未经无害化处理的餐厨垃圾直接饲喂畜禽的，由畜牧部门责令限期改正，逾期不改正的，处以200元以上500元以下罚款。

第二十四条 各市县（市）的餐厨垃圾管理参照本办法执行。

第二十五条 本办法自2007年9月1日起施行。

石家庄市人民政府第153号令

《石家庄市人民政府关于修改〈石家庄市社会科学成果奖励办法〉的决定》已经二〇〇六年十二月三十日市第十一届人民政府第五十八次常务会议讨论通过，现予发布。自二〇〇七年三月一日起施行。

市长：冀纯堂

二〇〇七年二月五日

石家庄市人民政府
关于修改《石家庄市社会科学成果奖励办法》的决定

石家庄市人民政府决定对《石家庄市社会科学成果奖励办法》作如下修改：

一、将第二条修改为：“集体或个人取得的社会科学成果，在社会科学领域有较为突出的实用价值或学术价值的，可依本办法授予市级社会科学成果奖。市级社会科学成果奖分为市社会科学特别奖和市社会科学优秀成果奖。”

二、删除第三条。

三、将第四条修改为第三条，将其中的“保证获奖作品的水平”修改为“保证获奖成果的水平”。

四、将第五条修改为第四条，“市政府授权市社会科学界联合会负责市级社会科学成果奖励的管理工作。”

五、将第六条修改为第五条，“设立社会科学成果奖励评审委员会，负责评定奖励项目和奖励等级。

评审委员会应当由从事社会科学工作的专家、学者组成，其中具有高级职称的人员不少于三分之二。

市社会科学界联合会组织评审委员会，评审委员会应按照专业设立评审小组，小组成员应为5人以上单数。评审委员会依照评审规则进行评审，确定评审结果。”

六、将第七条修改为第六条，在“社会科学专著”前加“并以印刷出版物、电子出版物为载体的”，将“古籍整理出版物”修改为“古籍整理文献”。

七、将第八条修改为第七条，将第三项“作品”修改为“成果”。

八、将第九条修改为第八条，删除“具备下列条件之一的，可”和“市长”，在“特别奖，”后加“应具备下列条件：”。

九、将第十条修改为第九条，“申报优秀成果奖”修改为“申报市社会科学优秀成果奖”，“古籍整理出版物”修改为“古籍整理文献”。

十、将第十一条修改为第十条，删除“，评审期间为5月至6月份”。

十一、删除第十二条。

十二、将第十三条修改为第十一条，“作品”修改为“成果”，“《社会科学科研成果评奖申请书》”修改为“《石家庄市社会科学成果奖励申报表》”，删除“（一）”和第二项全部内容。

十三、增加一条，作为第十二条：“集体署名和两人以上合作的成果，必须由第一主编或第一作者申报，与市外作者合作的成果，第一署名是本市的可以申报；第一署名为市外作者的著作，原则上本市作者不能以整部著作申报，只能以个人撰写的章、节为论文申报。

合作成果可以分割使用的，作者对各自创作的成果可以单独申报。”

十四、删除第十四条、第十五条、第十六条、第十七条。

十五、增加一条，作为第十三条：“经评审入选的市级社会科学奖励项目，授奖前向社会予以公布。自公布之日起15日内，如有异议，由初审单位提出处理意见，由市社会科学界联合会另行组织裁决委员会予以裁决。”

十六、将第十八条修改为第十四条，“市社会科学市长特别奖由市长核准授予”修改为“市社会科学特别奖由市政府授权市社会科学界联合会核准授予”。

十七、将第十九条修改为第十五条，“市社会科学市长特别奖”修改为“市社会科学特别奖”，“8000元”改为“10000元”。

十八、将第二十条修改为第十六条，将第一项“一等奖4000元，二等奖2000元”修改为“一等奖5000元，二等奖3000元”，将第二项“一等奖2500元，二等奖1500元”修改为“一等奖3500元，二等奖2000元”，在“不超过20名”和“不超过40名”前分别加“总数”二字，删除“同时，设鼓励奖，颁发奖励证书。”

十九、将第二十一条修改为第十七条，“市社会科学界联合会对获得市社会科学特别奖和市社会科学优秀成果奖中的一等奖和部分二等奖的集体和个人，可向省评审委员会推荐，申请省级社会科学奖励。”

二十、将第二十二条修改为第十八条，“市社会科学成果奖的奖金”修改为“市级社会科学成果奖的奖金”。

二十一、将第二十三条修改为第十九条。

二十二、删除第二十四条。

二十三、将第二十五条修改为第二十条，“凡属弄虚作假或剽窃他人成果而获奖的项目，由市政府授权市社会科学界联合会撤销其奖励，追回奖励证书、奖杯和奖金，并由责任者所在单位视情节轻重，给予批评教育或依法给予行政处分。”

二十四、将第二十六条修改为第二十一条，删除“有关主管部门或”和“或者行政监察部门”，在“行政处分”前加“依法给予”。

二十五、删除第二十七条。

二十六、将第二十八条修改为第二十二条，“生效”修改为“施行”。

此外，对条文的顺序和部分文字作了相应的调整和修改。

本决定自二〇〇七年三月一日起施行。

《石家庄市社会科学成果奖励办法》根据本决定作相应的修订，重新公布。

石家庄市社会科学成果奖励办法

第一条 为充分调动和发挥社会科学工作者研究方面的积极性、创造性，促进本市社会科学事业的繁荣，推动国民经济和社会发展，根据《河北省社会科学奖励办法》，结合本市实际，制定本办法。

第二条 集体或个人取得的社会科学成果，在社会科学领域有较为突出的实用价值或学术价值的，可依本办法授予市级社会科学成果奖。市级社会科学成果奖分为市社会科学特别奖和市社会科学优秀成果奖。

第三条 市级社会科学成果奖的评审和授予应遵循公开、公正、注重质量和社会效益、经济效益的原则，保证获奖成果的水平。

第四条 市政府授权市社会科学界联合会负责市级社会科学成果奖励的管理工作。

第五条 设立社会科学成果奖励评审委员会，负责评定奖励项目和奖励等级。

评审委员会应当由从事社会科学工作的专家、学者组成，其中具有高级职称的人员不少于三分之二。

市社会科学界联合会组织评审委员会，评审委员会应按照专业设立评审小组，小组成员应为5人以上单数。评审委员会依照评审规则进行评审，确定评审结果。

第六条 申报奖励的市级社会科学成果范围为，本届评奖年度内正式出版的并以印刷出版物、电子出版物为载体的社会科学专著、译著、教材、古籍整理文献、通俗读物、史志、工具书，在市级以上报刊发表的论文和被采纳的应用性决策咨询报告。

第七条 集体或个人具有下列情况之一的，可申报市级社会科学成果奖：

（一）行政关系隶属于本市的；

（二）参加本市社会科学学术团体的；

（三）成果内容为研究或宣传本市的政治、经济、文化，对本市国民经济和社会发展有明显促进作用的。

第八条 申报市社会科学特别奖，应具备下列条件：

（一）在同一领域研究中，居国内领先水平；

（二）对新学科的建立或老学科的发展有重大贡献；

（三）对推动国民经济和社会发展有显著作用。

第九条 申报市社会科学优秀成果奖，应具备下列条件：

（一）专著，应在研究重大问题上有创见，对学科建设有新贡献；

（二）译著，应译文准确，对研究和解决理论问题及实际问题有重要参考价值；

（三）教材，应在内容上有突破，结构上有新意，对科研、教学有重要应用价值；

（四）古籍整理文献，应切合原意，注释准确，对历史考证、研究有所发现或有重要价值；

（五）通俗读物，应适应时代需要，并有较强的科学性和知识性，在传播和普及社会科学知识方面有较重要作用和效益；

（六）史志，应史料准确，记述清楚，具有历史保存价值和资料参考价值；

（七）工具书，应体例科学，资料可靠，知识性强，能反映国内外最新科研成果，并有实用价值或学术价值；

（八）论文，应在学术上有所创见，在市内有一定影响，并能正确阐明重大理论问题或有助于解决实际问题；

（九）决策咨询报告，应适应社会实践需要，具有较高应用价值，对促进本市国民经济和社会发展发挥明显作用。

第十条 市级社会科学成果奖每两年评审一次。

第十一条 市级社会科学成果奖的申报审批程序：

申报社会科学成果奖励的，由申报人（含集体和个人）持身份证、成果和其它证明领取《石家庄市社会科学成果奖励申报表》，填写后报所在县（市）、区社会科学界联合会。未成立社会科学界联合会的，报县（市）、区人民政府确定的部门。经初审符合申报条件的，报市社会科学界联合会；市属社会科学学术团体成员，可通过学术团体直接向市社会科学界联合会申报。

第十二条 集体署名和两人以上合作的成果，必须由第一主编或第一作者申报，与市外作者合作的成果，第一署名是本市的可以申报；第一署名为市外作者的著作，原则上本市作者不能以整部著作申报，只能以个人撰写的章、节为论文申报。

合作成果可以分割使用的，作者对各自创作的成果可以单独申报。

第十三条 经评审入选的市级社会科学奖励项目，授奖前向社会予以公布。自公布之日起 15 日内，如有异议，由初审单位提出处理意见，由市社会科学界联合会另行组织裁决委员会予以裁决。

第十四条 市社会科学特别奖由市政府授权市社会科学界联合会核准授予，市社会科学优秀成果奖由市社会科学界联合会核准授予。

第十五条 市社会科学特别奖为 1 名，颁发奖励证书、奖杯和 10000 元奖金。

第十六条 市社会科学优秀成果奖颁发奖励证书，并按下列类别、等级颁发奖金。

（一）专著类：一等奖 5000 元，二等奖 3000 元，三等奖 1000 元；

（二）教材、古籍整理、通俗读物、史志、工具书、决策咨询报告类：一等奖 3500 元，二等奖 2000 元，三等奖 1000 元；

（三）论文类：一等奖 1500 元，二等奖 1000 元，三等奖 500 元。

各类一等奖总数不超过 10 名，二等奖总数不超过 20 名，三等奖总数不超过 40 名，优秀成果不足时，奖项可以空缺。

第十七条 市社会科学界联合会对获得市社会科学特别奖和市社会科学优秀成果奖中的一等奖和部分二等奖的集体和个人，可向省评审委员会推荐，申请省级社会科学奖励。

第十八条 市级社会科学成果奖的奖金，由市财政列支。

第十九条 获奖者的事迹，记入本人档案，作为考核、晋升、评定专业职称的重要依据。

第二十条 凡属弄虚作假或剽窃他人成果而获奖的项目，由市政府授权市社会科学界联合会撤销其奖励，追回奖励证书、奖杯和奖金，并由责任者所在单位视情节轻重，给予批评教育或依法给予行政处分。

第二十一条 评审委员会成员利用职务之便徇私舞弊的，由市社会科学界联合会取消其评审委员资格，并由其所在单位视情节轻重，给予批评教育或依法给予行政处分。

第二十二条 本办法自1996年5月1日起施行。

石家庄市人民政府第154号令

《石家庄市流动儿童预防接种管理办法》已经二〇〇六年十二月三十日市第十一届人民政府第五十八次常务会议讨论通过，现予发布。自二〇〇七年六月一日起施行。

市长：冀纯堂

二〇〇七年二月五日

石家庄市流动儿童预防接种管理办法

第一条 为保障流动儿童身体健康，预防、控制传染病的发生与流行，根据《中华人民共和国传染病防治法》和《疫苗流通和预防接种管理条例》等有关法律、法规，结合本市实际，制定本办法。

第二条 本市行政区域内在暂住地居住3个月以上的7周岁以下(含7周岁)流动儿童预防接种工作适用本办法。

第三条 市、县卫生行政部门负责流动儿童预防接种的监督管理工作。疾病预防控制机构负责疫苗供应、冷链管理、技术培训、咨询服务、统计监测、质量控制、接种效果评估等工作。卫生行政部门指定的接种单位负责对辖区内流动儿童的变动、预防接种实施管理。

财政、公安、教育等行政部门在各自职责范围内负责流动儿童预防接种的相关工作。

新闻单位应当加强流动儿童预防接种工作的宣传，普及流动儿童预防接种知识。

第四条 流动儿童预防接种工作实行暂住地管理，流动儿童与本地儿童享有同等免疫服务权利。

第五条 流动儿童国家免疫规划疫苗的预防接种工作所需经费由县级政府财政列支。

第六条 对在流动儿童预防接种工作中取得显著成绩的单位和个人，市人民政府给予表彰、奖励。

第七条 流动儿童实行预防接种证制度，国家免疫规划疫苗接种率应达到国家规定的要求，国家免疫规划疫苗的预防接种实行免费。

第八条 流动儿童到暂住地3个月内，其监护人应持《预防接种证》、预防接种卡或原接种单位出具的既往接种证明，到暂住地接种单位办理接种转证(卡)手续。未完成免疫程序接种的流动儿童应按免疫程序完成预防接种。

无《预防接种证》、预防接种卡和既往接种证明的流动儿童，应当办理建证(卡)手续并按免疫程序要求进行预防接种。

第九条 流动人口中在本市出生的新生儿，其家长或监护人应到暂住地接种单位办理《预防接种证》。

第十条 居(村)民委员会应当明确专人对本辖区流动儿童进行摸底登记，填写《石家庄市0～7周岁流动儿童登记表》，并于每月月底报辖区接种单位。

居(村)民委员会应当向流动儿童监护人宣传有关预防接种信息，告知预防接种的地点与时间，通知流动儿童监护人及时到所在地接种单位办理转证(卡)手续。

第十一条 流动儿童入托、入学时，托幼机构和学校应当查验《预防接种证》。发现未完成国家免疫规划疫苗接种的流动儿童，应向所在地的县级疾病预防控制机构或流动儿童暂住地的接种单位报告，并督促流动儿童监护人及时为其补种相关疫苗。

第十二条 公安部门在办理《流动人口暂住证》时应当对流动儿童的基本情况进行登记，并配合卫生部门做好相关查找查询工作。

第十三条 接种单位为流动儿童实施预防接种时应当遵守下列规定：

（一）不得拒绝为流动儿童接种国家免疫规划疫苗，接种国家免疫规划疫苗时不得收取任何费用；

（二）预防接种工作应当按照免疫程序、疫苗使用指导原则和接种方案，规范实施预防接种。

第十四条 接种单位应当定期查清辖区流动儿童的基本情况，审核接种情况，发现未按要求接种的流动儿童应当通知其监护人及时为其接种疫苗；对新发现流动儿童应当及时登记，建立预防接种证（卡）；流动儿童离开暂住地时，接种单位应将预防接种卡或接种证明交给其监护人。

第十五条 接种单位在辖区内流动人口聚集地的显要位置设置固定宣传栏开展预防接种知识的宣传。

第十六条 疾病预防控制机构及接种单位有下列行为之一的，由县级以上人民政府卫生行政部门责令限期改正，通报批评，给予警告：

（一）无正当理由拒绝为流动儿童进行预防接种的；

（二）拒绝执行流动儿童预防接种证、卡制度的；

（三）未开展流动儿童摸底调查和知识宣传的。

第十七条 接种单位未按规定为流动儿童进行预防接种造成疫苗针对传染病传播、流行的，由县级以上卫生行政部门责令改正，有违法所得的，没收违法所得；造成受种者人身损害或者其他严重后果的，由原发证部门吊销负有责任的医疗卫生人员的执业证书。

第十八条 县级以上人民政府有关部门未依照本办法的规定履行流动儿童预防接种保障职责的，由本级人民政府或者上级人民政府有关部门责令改正，通报批评；造成传染病传播、流行或者其他严重后果的，对负有责任的主管人员和其他直接责任人员，依法给予行政处分；构成犯罪的，依法追究刑事责任。

第十九条 本办法自 2007 年 6 月 1 日起施行。

石家庄市人民政府第 155 号令

《石家庄市公园管理办法》已经二〇〇七年四月四日市第十一届人民政府第六十一次常务会议讨论通过，现予发布。自二〇〇七年六月一日起施行。

市长：冀纯堂

二〇〇七年四月十日

石家庄市公园管理办法

第一章 总 则

第一条 为加强公园的规划、建设、管理和保护，改善城市生态环境，增进公民身心健康，根据有关法律、法规，结合本市实际，制定本办法。

第二条 本市行政区域内已建成的各类公园和规划确定的公园预留用地适用本办法。

第三条 本办法所称的公园，是指向公众开放，以游憩为主要功能，兼具生态、美化、防灾等作用的绿地，包括：综合公园、社区公园、专类公园及绿化广场等。

第四条 市园林绿化行政主管部门负责全市行政区域内公园管理工作。

县（市）、区园林绿化行政主管部门按照职责分工，负责本行政区域内的公园管理工作。

公园管理机构负责公园的日常管理工作。

国土资源、规划、建设、城市管理、公安等有关行政管理部门按各自职责，协同城市园林绿化行政主管部门做好公园管理工作。

第五条 本市公园实行分类、分级管理。公园的类别和等级由市园林绿化行政主管部门按照有关规定确定并公布。

第六条 市、县（市）、区人民政府应将公园的建设和管理纳入本级财政预算，保障园林公益事业发展。

园林绿化行政主管部门应通过市场化、社会化运作模式，多层次、多渠道组织公园的建设和管理。

鼓励企业、事业、公民及其他社会团体通过自建、资助、捐赠、认养等方式参与公园的建设、管理和保护。

第七条 市、县（市）、区人民政府对在公园建设、保护和管理工作中成绩显著的单位和个人给予表彰和奖励。

第八条 任何单位和个人都有保护公园内绿地和设施的责任，有权对损害公园绿地和设施的行为进行劝阻、制止和举报。

第二章 规划和建设

第九条 城市园林绿化行政主管部门应依据城市总体规划和绿地系统规划，会同城市规划部门编制公园发展规划，报市、县（市）人民政府批准后实施。

已建成公园和规划预留公园用地，实行城市绿线控制管理。

第十条 各级人民政府应当依托当地历史文化特色，建设大、中型公园，并注重建设服务半径五百米以下的小型公园。

新建居住区、旧城区改造、新区开发必须按照规定标准建设社区公园。

城市道路两侧、河道两侧，有条件的应当结合周边环境建设公园。

鼓励利用荒滩、荒地、废弃地、垃圾填埋场等建设公园。

第十一条 规划、国土资源等行政主管部门应对可能影响公园周边景观环境的建设项目，实行严格控制。公园周边的建设项目规划审批时，没有控制性详细规划的，应书面征求园林绿化行政主管部门的意见。

任何单位和个人未经园林绿化行政主管部门同意，不得借助公园形象进行营利性广告宣传。

第十二条 公园新建、改建和扩建项目由市、县（市）、区园林绿化行政主管部门依据公园发展规划制定计划书，报市、县（市）人民政府审批并按规定办理规划、建设等相关手续。

第十三条 公园新建、改建和扩建项目应通过招投标方式确定设计、施工、监理单位。

公园新建、改建和扩建项目的设计，应由具备相应资质的设计单位承担，设计方案应符合公园发展规划，由市、县（市）园林绿化行政主管部门组织设计方案论证，提出意见，报市、县（市）人民政府批准。

公园新建、改建和扩建项目的施工，应由具备相应资质的施工单位承担，严格按批准的设计方案实施，不得擅自变更。确需变更的，由建设单位提出，报经原批准部门审查同意。

第十四条 建设单位应当委托园林绿化工程质量监督机构对公园建设工程进行质量监督。

公园建设项目竣工后，由建设单位按照有关程序组织竣工验收。验收合格后，建设单位应当在园林绿化工程竣工验收合格之日起十五日内持开工许可证、质量监督报告、竣工验收报告到市、县（市）园林绿化行政主管部门办理竣工验收备案。

第十五条 公园绿化应体现植物多样化，植物配置注重生态和景观效应。公园绿地率应达到百分之七十以上。绿化广场的绿地率应达到百分之六十五以上。

第十六条 公园内水、电、燃气、热力等各类市政设施应当隐蔽设置，不得破坏公园景观。

公厕、果皮箱、路椅、服务部等配套设施应与公园功能相适应，与景观相协调。

第三章 管理和保护

第十七条 任何单位和个人不得擅自改变公园用地性质。因城市规划确需征用公园用地的，应当制定调整方案，补偿经济损失并就近异地补偿相应的用地。调整方案需经规划、园林等部门论证提出意见，经市、县（市）人民政府同意，报同级人大或其常委会审批。

因城市基础设施建设临时占用公园用地的，按照相关规定办理。

第十八条 公园内树木的砍伐、更新、移植和修剪按《石家庄市城市园林绿化管理条例》的规定办理手续。

第十九条 公园管理机构应依法保护公园内的古树名木。不得伐移古树名木，加强对古树名木的养护扶壮。

第二十条 动物园应加强动物饲养、繁育和保护，积极开展科学研究，扩大珍稀、濒危动物种群，依法做好动物的引进、交换等工作。

植物园应加强植物科学研究和引种，积极开展科普活动。

第二十一条 公园的养护管理，应通过市场化的方式，招标选择作业队伍。

第二十二条 游客应当文明游园，爱护公园绿地，保护公园设施，维护公园秩序，遵守游园守则。公园内禁止下列行为：

（一）在路椅、亭、廊等处躺卧；

（二）在非指定区域进行游泳、球类、轮滑、放风筝等；在水体非指定地段、区域捕（钓）鱼；

（三）随地吐痰、便溺、乱丢果皮、纸屑、倾倒垃圾、杂物等；

（四）翻越公园围栏（墙），静园后滞留和过夜；

（五）携带宠物进入；

（六）进行算命、占卜等封建迷信活动；

（七）在树木、文物、建筑、雕塑和硬化路面上留言刻字、乱贴乱画；

（八）擅自采石取土，损坏花草树木，焚烧枝叶、垃圾或其它杂物；

（九）恐吓、投打、捕捉、伤害动物或者在非投喂区投喂动物；

（十）打架斗殴、酗酒闹事等妨碍公共秩序的行为；

（十一）擅自散发广告等宣传品；

（十二）擅自引用水体、使用水体洗刷物品、车辆；

（十三）向公园内排放烟尘、有害气体，倾倒废弃物；

（十四）向公园水体内排放污水、倾倒有毒物质；

（十五）其他影响公园秩序的行为。

第二十三条 公园环境卫生应符合下列要求：

（一）环境整洁、美观；

（二）全天保洁，无外露垃圾，无积水、污物、痰迹及烟头；

（三）水面清洁无漂浮物，水质符合观赏标准；

（四）垃圾清运及时；

（五）厕所专人负责，设施保持完好，卫生达标。

第二十四条 公园内供游览、休憩用的建筑物和设施，由公园管理机构负责维护和保养，不得擅自改变用途。

第二十五条 公园应当设置科普宣传栏，定期更换内容，维护良好。

第二十六条 公园内应当保持路椅、牌示等配套设施和各类建筑物、构筑物外观完好；牌示上的文字图形应当规范，牌示内容中的文字应当中外文对照，并保持齐全、准确，完好和洁净。

公园喷泉和灯饰应按规定定时开关。

第二十七条 公园内施工必须进行围挡作业，施工物料、设备放置整齐，设置警示标志，做到工完场清。

第二十八条 除老年人、残疾人、儿童等使用的手摇、手推轮椅车外，其他车辆未经允许不得进入公园。

第二十九条 公园应配备治安管理人员，确保安全有序的游览秩序。

公园应公示游客投诉电话，及时办理游客投诉。

第三十条 公园应做好防风、防汛、防火和安全用电等工作，配备消防和抢救器械。

第三十一条 公园管理机构应及时清理危树枯枝，定期检修湖堤、桥梁和山体等构筑物，设置安全警示标志。

第三十二条 公园各种设备的操作人员必须经业务培训合格后持证上岗，定期对设备进行安全检查和维修保养，严格遵守操作规程。

第三十三条 公园应每日开放，按时开园、闭园。具体开放时间由市、县（市）园林绿化行政主管部门按照季节确定并及时向社会公布。

第三十四条 公园商业服务、游乐项目应当统一规划，控制规模，并按照批准的设计方案设置。游乐项目应严格执行国家《游乐园管理规定》。

设置商业服务、游乐经营项目由公园管理机构报城市园林绿化行政主管部门批准。

第三十五条 公园管理及服务人员应定期培训，持证上岗，统一着装，执行岗位规范，礼貌待客，文明服务。

饮食服务从业人员应定期检查身体，持健康证上岗。

第三十六条 公园门票收费的项目及标准，应报物价管理部门核定并公示。收费公园的门票依据有关规定对老人、儿童、现役军人、残疾人实行优惠，优惠办法应当公示。

第三十七条 公园内举办展览、宣传、咨询、演出等活动，应当符合公园的性质和功能，坚持健康、文明的原则，禁止各类商业促销和广告宣传活动，不得损害公园绿化和环境质量。

第三十八条 公园举办各类活动，由公园管理机构根据申请单位的活动方案提出审查意见，报园林绿化行政主管部门批准；在绿化广场举办大型活动，须经公安、城市园林绿化行政主管部门审核，报市、县（市）人民政府审批。

第三十九条 在公园举办活动应遵循谁主办谁负责的原则，按批准的期限、区域从事活动，制定应急预案，保障游客安全。不得随意扩大场地、变更活动内容和延长活动时间。

活动举办者应当按照市、县（市）园林绿化行政主管部门核定的范围和标准交纳有关费用，损坏的设施应照价赔偿。

活动举办者需用水、电的由公园专业人员负责接用，任何单位和个人不得擅自接用。

活动举办者不得使用超过规定噪声分贝的音响设备，控制噪音污染，保持场地卫生整洁，做到人走场清。

第四章 法律责任

第四十条 违反本办法第十七条，擅自改变公园用地性质的，责令限期改正，并处以一万元以上三万元以下罚款。

第四十一条 违反本办法第二十二条规定的，责令停止侵害，赔偿损失，并视情节轻重按以下规定给予处罚：

有（一）、（二）、（三）项行为的，处五元以上二十元以下罚款；

有（四）、（五）、（六）、（七）、（八）、（九）、（十）、（十一）项行为的，处二十元以上五十元以下罚款；

有（十二）项行为的，按每立方米一百元的标准处以罚款，不易确定引水量的，处五百元以上五千元以下罚款；

有（十三）项行为的，处二百元以上五百元以下罚款；

有（十四）项行为的，处一千元以上二万元以下罚款。

第四十二条 在公园内擅自设置经营项目的，责令停止侵害，赔偿损失，处五百元以上一千元以下罚款。

第四十三条 违反本办法第三十七条、第三十九条规定的，责令停止活动或限期改正，并赔偿损失。

第四十四条 公园行政主管部门和公园管理机构的工作人员玩忽职守，造成损失的，由其所在单位或上级主管机关给予批评教育或行政处分；滥用职权、徇私舞弊、涉嫌犯罪的，由司法机关依法追究刑事责任。

第五章 附 则

第四十五条 本办法自 2007 年 6 月 1 日起施行。

石家庄市人民政府第 156 号令

《石家庄市餐饮业食品卫生管理办法》已经二〇〇七年四月十九日市第十一届人民政府第六十二次常务会议讨论通过，现予发布。自二〇〇七年七月一日起施行。

市长：冀纯堂

二〇〇七年五月二十二日

石家庄市餐饮业食品卫生管理办法

第一条 为加强餐饮业食品卫生管理，规范餐饮业食品卫生行为，保障消费者饮食卫生安全，根据《中华人民共和国食品卫生法》等法律法规，结合本市实际，制定本办法。

第二条 本市行政区域内从事餐饮业食品生产经营活动的单位和个人适用本办法。

第三条 本办法所称的餐饮业是指通过即时加工制作、商业销售和服务性劳动等手段，向消费者提供食品、消费场所和设施的食品生产经营行业，包括餐馆、小吃店、快餐店、食堂等。

第四条 餐饮业卫生管理应当坚持预防为主、分类管理、标本兼治、监督指导相结合的原则。

第五条 市卫生行政部门是全市餐饮业食品卫生监督管理的主管部门，负责全市餐饮业食品卫生监督管理工作。

各县（市）、矿区卫生行政部门负责本辖区内餐饮业食品卫生监督管理工作。

长安区、桥东区、桥西区、新华区、裕华区、高新技术产业开发区卫生行政部门负责本辖区内建筑面积在五百平方米以下餐饮业生产经营者的食品卫生监督管理工作。

工商、商务、教育、城管、建设、环保、民宗、公安、食品药品监管等行政管理部门按照各自职责做好餐饮业的管理工作。

在本市行政区域内铁道行政主管部门设立的食品卫生监督机构，依法对管辖范围内的餐饮业生产经营者行使食品卫生监督职责。

乡（镇）人民政府、街道办事处负责本辖区内餐饮业的卫生管理工作，协助卫生行政部门做好对餐饮业的食品卫生监督工作。

第六条 从事餐饮业生产经营活动应当办理卫生许可证。同一餐饮业生产经营者在两个以上地点从事餐饮业生产经营活动应当分别办理卫生许可证。餐饮业生产经营者地址变更、卫生许可项目变更应当重新申请卫生许可证。

第七条 餐饮业生产经营者单位名称、法定代表人（负责人）变更的，应当在七日内办理卫生许可证变更手续。

第八条 餐饮业生产经营者办理卫生许可证，应持工商行政管理部门出具的企业名称预先核准证明文件、法定代表人（负责人）身份证明、场地或场所使用权证明以及卫生许可证申请书等材料，向卫生行政部门提出申请，卫生行政部门受理后二十日内进行审查并作出是否许可的决定。

第九条 有下列情形之一的，禁止从事餐饮业生产经营活动：

（一）未取得卫生许可证的；

（二）从业人员未取得健康证明和培训合格证的；

（三）不具备生产经营条件或不符合卫生标准的；

（四）未按规定变更卫生许可证的；

（五）超越或改变卫生许可项目的；

（六）卫生许可证超过有效期限未延续的；

（七）取得卫生许可证后未经卫生行政部门批准而擅自对食品加工经营场所进行改建、扩建的；

（八）法律、法规和规章另有规定的。

第十条 餐饮业加工经营场所应符合下列卫生条件：

（一）距离粪坑、污水池、垃圾场（站）、旱厕、饲养场等污染源半径不小于二十五米；

（二）地面、墙壁、天花板应当光滑、不透水、无异味；

（三）配备足够的照明、通风和有效的防蝇、防鼠、防蟑螂和污水排放设施；

（四）设置专用的餐厨垃圾收集容器，餐厨垃圾与非餐厨垃圾、厨余垃圾与废弃食用油脂分开收集；

（五）厨房的地面排水坡度不小于1.5%，上、下水通畅；设置的各类洗涤池内径长不小于五十厘米、宽不小于三十五厘米、深不小于二十厘米，砖混结构的洗涤池内外表面应当光洁；有冷（冻）藏设施和餐饮具保洁柜；炉灶设有排烟气设施，砖混结构的灶台表面应当光洁，燃煤炉灶应隔墙掏灰；

（六）设有凉菜制作间的，面积不少于五平方米，并装有制冷空调和紫外线消毒灯，配备专用加工工具、冰箱以及用于加工工具、蔬菜洗消和洗手消毒的洗涤池；五百平方米以上餐饮业经营场所在凉菜制作间入口处应设置有洗手、消毒、更衣设施的通过式预进间，五百平方米以下不具备设置预进间条件的应在专间内入口处设置洗手、消毒、更衣设施；

（七）用于制作裱花蛋糕的操作间，应当有专用冷藏设施，安装紫外线消毒灯和符合要求的更衣室及洗手、消毒水池；

（八）设有餐饮具消毒专间的，应有专用洗刷水池；使用化学方法消毒餐饮具的，应有明显标志的洗刷、消毒、冲洗池；

（九）设有供消费者使用的流水洗手设施。

第十一条 餐饮业加工经营场所除符合本办法第十条的规定外，还应符合下列规定：

（一）建筑面积在一百平方米以下，不具备消毒条件的，餐饮具必须采用集中消毒或使用一次性可降解餐饮具；

（二）建筑面积在一百平方米以上三百平方米以下的，厨房面积不小于餐厅面积的二分之一，设有专用的洗菜、洗肉洗涤池；未采用集中消毒或未使用一次性可降解餐饮具的，应设置有专用的除渣、洗涤、清洗三格池，并对餐饮具进行消毒，采用热力消毒的，配备容积不小于三百升的热力消毒柜；

（三）建筑面积在三百平方米以上五百平方米以下的，厨房面积不小于餐厅面积的二分之一，设置相对独立的粗加工、烹调区域；设专用的洗菜、洗肉等洗涤池；未采用集中消毒或未使用一次性可降解餐饮具的，设餐饮具消毒专间，采用热力消毒的，配备容积不小于四百升的热力消毒柜；

（四）建筑面积在五百平方米以上的，厨房面积不小于餐厅面积的五分之二，设有独立的粗加工、烹调专间；凉菜制作间面积不小于厨房面积的10%；设专用的洗菜、洗肉等洗涤池；设餐饮具消毒专间，采用热力消毒的，配备容积不少于五百升的热力消毒柜；建筑面积在一千平方米以上的，应设有与经营规模相适应的餐饮具洗涤消毒设备。

不具备集中消毒条件的乡（镇）、村餐饮业生产经营场所，必须设有相应的消毒设施。

第十二条 餐饮业食品生产经营人员应当每年进行健康检查，其中直接从事食品加工的人员每半年应当进行一次甲型肝炎、痢疾、伤寒、副伤寒等传染病的检查；未取得健康证明的不得上岗。

第十三条 餐饮业食品生产经营人员应当每年进行食品卫生法规、食品卫生知识的培训，取得食品卫生法规、食品卫生知识培训合格证。

第十四条 餐饮业生产经营者禁止采购销售下列食品：

（一）有毒、有害、腐败变质、油脂酸败、霉变、生虫、污秽不洁、混有异物或者其他感官性状异常的；

（二）含有致病性寄生虫、微生物的，或者微生物毒素含量超过国家限定标准的；

（三）无卫生许可证者生产经营的或无检验（检疫）合格证明的；

（四）超过保质期限及其他不符合食品标签规定的；

（五）使用报纸、书刊、油印纸张、回收的印铁制品和塑料制品、有毒的塑料制品和植物叶片等包装的；

（六）不符合食品卫生标准和卫生要求的。

第十五条 餐饮业生产经营者应当对采购的食品及其食品添加剂的名称、日期、数量、地点等内容进行登记；从食品生产单位或批发市场批量采购食品及其食品添加剂的，应索取食品生产经营者的卫生许可证和产品的检验（检疫）合格证明的复印件。

第十六条 食品生产经营过程应符合下列规定：

（一）蔬菜、生肉、水产品和禽蛋等食品原料在使用前必须洗净；

（二）用于加工、盛放原料、半成品和成品的工具、容器必须标志明显，并做到分开使用，定位存放，用后洗净，保持清洁；

（三）熟制加工的食品中心温度不低于70℃，食品原料、半成品、成品应当分开存放；

（四）烹饪后至食用前存放超过两小时的食品，应当在高于60℃或低于10℃的条件下存放；提供给消费者的隔餐或隔夜熟制品必须充分加热；

（五）制作凉菜应当在凉菜制作间内由专人加工制作，制作间内温度不超过25℃；加工凉菜使用的工具、容器用前必须消毒；

（六）贮存食品的场所应当保持清洁，通风良好；食品贮存应当分类、分架、隔墙、离地存放，定期检查及时处理变质或超过保质期限的食品；

（七）餐饮具自行消毒的，应配有大于餐位数量两倍的餐饮具；

已消毒餐饮具和未消毒餐饮具应分开存放、标记明显；餐饮具保洁柜应当定期清洗、消毒；

（八）禁止重复使用一次性餐饮具；

（九）加工过程中使用的食品添加剂亚硝酸盐应有固定地点存放，专人保管、登记。

第十七条 食品生产经营人员在工作时应当保持个人卫生，穿戴清洁的工作衣帽，遵守国家有关卫生规范，不得有妨碍食品卫生的行为。

第十八条 餐饮业生产经营者的法定代表人或负责人为食品卫生安全第一责任人，应当对本单位的食品卫生和安全负责，建立健全食品卫生管理和责任制度，制定食物中毒应急处理工作预案，配备专职或兼职的食品卫生管理员，并履行下列管理职责：

（一）组织从业人员进行卫生法律和卫生知识培训；

（二）建立食品卫生管理档案；

（三）检查食品生产经营过程的卫生状况，对检查中发现的不符合卫生要求的行为及时制止和处理；

（四）组织食品生产经营人员进行健康检查，负责将患有有碍食品卫生疾病的人员调离相关岗位；

（五）接受和配合卫生监督机构对本单位的食品卫生进行监督检查，并如实提供有关情况；

（六）在生产经营场所内的规定位置张贴卫生管理和岗位责任制等制度。

第十九条 食品卫生管理员应符合下列条件：

（一）具备从事食品卫生管理经验；

（二）参加食品卫生管理员培训并经考核合格；

（三）经健康检查取得健康证明。

第二十条 建有食堂的单位实行食品卫生安全法定代表人负责制，建立食堂卫生管理制度和食物中毒应急处理工作预案，定期进行检查考核。

第二十一条 市场举办者应当负责市场内餐饮业生产经营者的卫生管理，提供必要的供排水、垃圾废弃物清除、餐饮具集中消毒等设施和条件。组织市场内的餐饮业生产经营人员定期进行健康检查，配合监督管理部门执行有关控制措施，在市场显著位置设置食品卫生警示牌，对市场内餐饮业生产经营者的食品卫生不良记录定期予以公布。

第二十二条 卫生行政部门应当按照国家规定对餐饮业实行食品卫生监督量化分级管理，评定餐饮业生产经营者的食品卫生信誉等级，发放食品卫生监督量化分级标示，并及时向社会公布。

第二十三条 餐饮业生产经营者应当将卫生许可证、食品卫生监督量化分级标示和营业执照悬挂在经营场所的显著位置，任何单位和个人未经法定程序不得扣押卫生许可证、食品卫生量化分级标示和营业执照。

第二十四条 市卫生行政部门应遵循保障消费者健康、保证餐饮具卫生、布局合理、方便经营的原则，根据餐饮业生产经营者的数量、餐饮具集中消毒需求和供应范围，制定餐饮具集中消毒企业设置规划，报经市人民政府批准后予以公布。

第二十五条 餐饮具集中消毒企业应具备下列条件：

（一）具有法人资格和相应的资金；

（二）具有相应的消毒场所、设备、营运工具；

（三）工作人员经健康检查取得健康证明并培训合格；

（四）布局合理，工艺流程符合卫生要求，具备对餐饮具消毒效果检测的条件；

（五）提供符合标准的消毒餐饮具。

第二十六条 卫生行政部门应定期对餐饮具集中消毒企业进行监督检查和对餐饮具消毒效果实施抽检。

第二十七条 餐饮业生产经营者承办一百人以上聚餐和重大接待活动的，应当按有关规定对所供应的食品留样，并保存四十八小时。

第二十八条 在发生食物中毒或疑似食物中毒时，餐饮业生产经营者应当启动食物中毒应急处理工作预案，及时向当地卫生行政部门和公安机关报告，保护好现场，封存造成食物中毒或者可能导致食物中毒的食品及其原料、工具、设备，积极配合卫生行政部门和公安机关开展食物中毒事故调查和处理。

因食物中毒事故给他人造成损害的，餐饮业生产经营者应当依法承担赔偿责任。

第二十九条 市卫生行政部门应根据国家、省有关餐饮业食品卫生的有关规定，及时调整、公布餐饮业的食品卫生要求。

第三十条 县级以上卫生行政部门应当将发现的无卫生许可证的和被依法吊销、注销卫生许可证的餐饮业生产经营者及时以书面形式向工商行政管理部门通报。

第三十一条 对无证照或非法占道经营的餐饮业生产经营者，由工商、城管等部门在各自的职责范围内依法进行取缔，并定期通过新闻媒体向社会公布取缔的餐饮业生产经营者。

第三十二条 违反本办法第六条和第九条第（五）、（六）、（七）项规定的，由县级以上卫生行政部门按《中华人民共和国食品卫生法》第四十条规定处罚。

第三十三条 违反本办法第七条规定未按规定变更卫生许可证的，由县级以上卫生行政部门给予警告、责令改正，并可处以五百元以上二千元以下的罚款。

第三十四条 违反本办法第十条、第十一条、第十二条、第十三条、第十四条、第十六条规定的，由县级以上卫生行政部门给予警告，责令限期改正，逾期不改正的，处以五千元以下罚款。

第三十五条 违反本办法第二十一条、第二十五条第（二）、（三）、（四）、（五）项规定的，由县级以上卫生行政部门给予警告，责令停止违法行为，并处以五百元以上一万元以下罚款。

第三十六条 违反本办法第二十三条规定未在显著位置悬挂卫生许可证或食品卫生监督量化分级标示的，由县级以上卫生行政部门给予警告，责令限期改正，逾期不改正的，处以一千元以下罚款。未按规定悬挂营业执照的，由工商行政管理部门按有关法律、法规和规章的规定处理。

第三十七条 违反本办法第二十七条、第二十八条第一款规定的，由县级以上卫生行政部门处以五百元以上三千元以下罚款。

第三十八条 以暴力、胁迫等手段拒绝、阻扰行政执法人员执行公务的，由公安机关依法处罚；情节严重构成犯罪的，移送司法机关依法追究刑事责任。

第三十九条 卫生、工商、城管等相关行政管理部门执法人员和有关责任人徇私舞弊或者滥用职权的，由所在单位、上级主管部门或行政监察部门依法给予行政处分；情节严重构成犯罪的，移送司法机关依法追究刑事责任。

第四十条 本办法自 2007 年 7 月 1 日起施行。

石家庄市人民政府第 157 号令

《石家庄市病媒生物预防控制管理办法》已经二〇〇七年十月十二日市第十一届人民政府第六十八次常务会议讨论通过，现予发布。自二〇〇七年十二月一日起施行。

市长：冀纯堂

二〇〇七年十月十七日

石家庄市病媒生物预防控制管理办法

第一条 为了预防控制病媒生物的孳生和扩散，改善城乡卫生环境，防止疾病传播，保障人体健康，促进经济建设和社会发展，根据《中华人民共和国传染病防治法》和《河北省爱国卫生条例》等有关法律、法规，结合本市实际，制定本办法。

第二条 本市行政区域内的病媒生物预防控制适用本办法。

第三条 本办法所称病媒生物是指直接或间接危害人体健康，传播人类疾病，影响生产生活的鼠、蚊、蝇、蟑螂、臭虫、蚂蚁、蚤、虱、蜱、螨等有害生物。

第四条 病媒生物预防控制坚持政府组织、部门协作、单位负责、全民参与、综合预防控制的原则，实行集中消杀与日常消杀相结合，群众预防控制与专业消杀服务相结合，环境治理控制孳生条件与直接消杀相结合。

第五条 各级人民政府应当制定病媒生物预防控制工作规划，将病媒生物预防控制经费列入年度财政预算，加强公共卫生设施建设，开展公共环境病媒生物预防控制，组织动员全社会参加病媒生物预防控制活动。

第六条 市爱国卫生运动委员会负责全市病媒生物预防控制工作的组织、管理、协调、监督和检查，县（市）、区爱国卫生运动委员会负责本行政区域内的病媒生物预防控制工作。各级爱国卫生运动委员会办公室负责病媒生物预防控制的日常管理工作。

第七条 爱国卫生运动委员会委员部门按照各自职责，组织实施病媒生物预防控制工作：

（一）建设行政主管部门负责建设工地病媒生物预防控制工作的管理；

（二）城市管理行政主管部门负责城市供排水系统、道桥等市政公用设施和垃圾处理场、转运站、公共厕所、垃圾点等环境卫生设施的病媒生物预防控制工作；

（三）园林行政主管部门负责广场、绿地的病媒生物预防控制工作；

（四）卫生行政主管部门负责病媒生物密度日常监测、抗性监测、药效实验和防制技术指导工作；

（五）农业行政主管部门负责农村灭鼠工作；

（六）宣传、工商、商务、教育、交通、房管等委员部门按照各自职责做好病媒生物预防控制工作。

第八条 乡（镇）人民政府、街道办事处及村（居）民委员会应当组织辖区内的单位、村（居）民开展杀灭病媒生物及其清除和治理孳生场所的活动。

第九条 村（居）民住宅内的病媒生物预防控制由房屋使用人或所有人负责。

居民小区公共部位和共用设施的病媒生物预防控制，实行物业管理的，由物业管理企业负责实施；未实行物业管理的，由居委会负责组织产权单位或小区居民实施。

第十条 各单位的生产、经营、办公、教学等区域内病媒生物预防和控制工作，由本单位负责；公共场所的病媒生物预防和控制工作由主管部门或者主管单位负责；责任不明确区域的病媒生物预防和控制工作由市、县（市）、区爱国卫生运动委员会办公室负责。

第十一条 预防病媒生物孳生应当采取下列措施：

（一）及时清除易孳生病媒生物的积水、有机废弃物，堵塞易孳生病媒生物的缝隙和孔洞；

（二）厕所、下水道、电缆（讯）沟、垃圾和污物收集容器、存（积）水处，应当密闭、冲洗、消杀、平整、疏通；

（三）化粪池应当加盖密封，定期清掏，粪便无害化处理；

（四）设置防蝇门、防蝇窗、防鼠门、防鼠网、防鼠台等设施；

（五）其它有效措施。

第十二条 餐饮、食品加工销售、仓储、农贸市场、商场超市、医院、学校、屠宰场、养殖场等应当建立预防控制病媒生物的制度，并定期检查。

第十三条 病媒生物预防控制标准应达到以下标准：

（一）每15平方米为一标准房间，布放20×20厘米滑石粉两块，一夜后阳性粉块不超过3%；有鼠洞、鼠粪、鼠咬痕等鼠迹房间不超过2%；

（二）单位和居民小区内、外环境各种存水容器和积水中，蚊幼及蛹的阳性率不超过3%；

（三）宾馆、饭店、食品加工销售、商场超市、医院、学校等单位有蝇房间不得超过1%，其他单位不得超过3%，平均每个阳性房间不超过3只；加工直接入口食品的场所不得有蝇；

（四）每15平方米为一标准房间，室内有蟑螂的阳性房间不超过3%，平均每间房蟑螂不超过5只；有蟑螂粪便、蜕皮、死蟑螂等蟑迹的房间不超过5%。加工直接入口食品的场所不得有蟑螂。

第十四条 卫生行政主管部门可指定或委托疾病预防控制机构等单位对单位和居民区进行病媒生物密度监测。

被监测单位不得以任何理由拒绝监测，不得挪动和损坏监测器具。

第十五条 单位和个人经营、使用的杀灭病媒生物药品和器械应当符合国家规定和标准，严禁经营和使用国家禁用的剧毒灭鼠、杀虫药品。

第十六条 经营杀鼠剂的单位应当依法取得杀鼠剂经营资格。

申请经营杀鼠剂的，应当按照国家有关规定取得《危险化学品经营许可证》和农药经营资格后向爱国卫生运动委员会或农业行政部门提出申请。杀鼠剂经营资格的核准城市由市爱国卫生运动委员会负责，农村由县级以上农业部门负责，核准的经营单位应报同级安全生产监督管理部门备案。

第十七条 病媒生物预防控制服务机构应当依法登记注册；应当具有固定的办公场所、储存药品的器械的专用库房和经业务培训的专业技术服务人员。

病媒生物预防控制服务机构取得营业执照后二十日内，应当到市爱国卫生运动委员会办公室备案。

第十八条 病媒生物预防控制服务机构从事消杀服务时，应当使用符合国家有关规定的药品和器械，并达到《河北省有害生物防制服务质量要求》。

第十九条 鼓励病媒生物预防控制服务机构依法成立和加入行业协会，制定行业规范，加强行业自律。

第二十条 对符合下列条件的单位和个人，由各级人民政府或各级爱国卫生运动委员会办公室给予表彰、奖励：

（一）开展病媒生物预防控制工作成绩显著的；

（二）在病媒生物预防控制中，组织协调工作突出的；

（三）在病媒生物预防控制科研工作中有较大贡献的。

第二十一条 违反本办法规定的，由县级以上人民政府主管爱国卫生工作的行政部门按下列规定给予处罚：

（一）违反第十三条规定的，处以100元以上2000元以下的罚款，并责令限期改正；

（二）违反第十四条第（二）款规定的，处以100元以上1000元以下的罚款并承担重新监测的费用；损坏监测器具的应承担赔偿责任；

（三）违反本办法第十七条第一款规定的，处以1000元以上3000元以下罚款，并责令限期改正。

第二十二条 本办法自2007年12月1日起施行。

石家庄年鉴 Statistical Data

统计资料

统计资料

全市社会经济统计指标（2007年）

表 1—3—1

指标名称	计量单位	2007 年	2007 年比 2006 年（±%）
一、行政区划			
（一）全市土地面积	平方公里	15848	
#市区土地面积	平方公里	456	
#建成区土地面积	平方公里	187	174
（二）市辖区数	个	6	
市辖县（市）数	个	17	
二、人口			
（一）年末总户数	户	2633582	1.31
#市区	户	596691	1.81
年末总人口	人	9550523	1.66
年出生人口	人	125402	−3.78
年死亡人口	人	39158	−26.98
（二）年平均人口	人	9472745	1.49
三、生产总值			
（一）全市生产总值	万元	23607230	13.2
第一产业	万元	2757361	2.2
第二产业	万元	11644087	15.7
第三产业	万元	9205782	13.0
（二）全市生产总值构成			
第一产业	%	11.7	−1.0
第二产业	%	49.3	0.9
#工业	%	44.4	1.2
第三产业	%	39.0	0.1
（三）人均地区生产总值	元	24243	3243
四、固定资产投资			
（一）全社会固定资产投资	万元	13901235	26.82

表 1—3—2

指标名称	计量单位	2007 年	2007 年比 2006 年（±%）
（二）城镇房屋施工面积	万平方米	3067	4.81
（三）城镇房屋竣工面积	万平方米	1284	10.56
五、财政			
（一）全部财政收入	万元	2303474	21.20
一般预算收入	万元	958720	23.91
（二）一般预算支出	万元	1631692	27.23
六、金　融			
（一）各项存款余额	亿元	3331.32	12.23
（二）储蓄存款	亿元	1694.72	9.11
七、物　价			
（一）居民消费价格总指数	104.6	104.3	105.1
（二）商品零售价格总指数	104.8	104.4	105.3
八、城市居民生活			
（一）人均可支配收入	元	13205	14.87
（二）人均消费性支出	元	9189	10.88
九、城市公用事业			
（一）供水综合生产能力	万立方米／日	115	21.56
（二）年供水量	万立方米	22757	16.68
（三）公共交通运营车辆	辆	2316	8.43
（四）绿化覆盖面积	公顷	7617	17.80
十、农村及农村基本情况			
（一）年末常用耕地	公顷	563796	1.99
（二）农业机械总动力	万千瓦	1900.18	1.73
（三）农作物产量			
粮食作物	吨	4945181	1.92
（四）农林牧渔业总产值	万元	4931161	2.14
（五）农林牧渔业增加值	万元	2757361	2.16
十一、农村居民生活			
（一）农村居民人均总收入	元	6837.97	12.26
（二）农民人均纯收入	元	4954	11.18
（三）人均全年总支出	元	4723.12	12.20
十二、工业			

表 1—3—3

指标名称	计量单位	2007 年	2007 年比 2006 年（±%）
（一）工业企业总产值	千元	329372862	28.63
（二）工业企业增加值	千元	90932549	20.40
十三、用电			
全社会用电量	万千瓦时	3212588	13.29
（一）#工业用电	万千瓦时	2431760	15.32
（二）城乡居民生活用电	万千瓦时	340392	6.20
十四、国内贸易			
（一）商品市场数	个	726	1.4
#消费品市场	个	658	1.1
商品市场成交额	万元	13743058	11.1
#消费品市场	万元	12571320	10.5
（二）社会消费品零售总额	万元	8210983	17.5
十五、对外经济			
（一）新批设立外商投资企业	个	42	−25.0
（二）进出口总值	万美元	512981	22.6
#进口总值	万美元	98043	25.4
出口总值	万美元	414938	22.0
#三资企业	万美元	115178	24.0
（三）历年实际利用外资额	万美元	492806	——
当年实际利用外资额	万美元	50199	1.7
#直接利用外资	万美元	41116	−5.6
（四）入境游客人数合计	人次	103263	15.1
#外国人	人次	93337	15.3
国际旅游（创汇）收入	万美元	3604	32.6
十六、教育			
（一）普通高等学校			
学校个数	个	44	12.82
（二）普通中等学校			
学校个数	个	93	16.25
（三）小学			
学校个数	个	2152	−10.41

人口情况（2007 年）

表 2—1—1

行政单位	年末总户数（户）	2007 年比 2006 年（±%）	年末总人口（人）	2007 年比 2006 年（±%）	年平均人口（人）	2007 年比 2006 年（±%）	年出生人口（人）	2007 年比 2006 年（±%）	年死亡人口（人）	2007 年比 2006 年（±%）
全市总计	2633582	1.31	9550523	1.66	9472745	1.49	125402	−3.78	39158	−26.98
市区合计	596691	1.81	2377283	2.76	2345390	2.98	21428	5.72	7732	0.06
# 长安区	112017	1.22	421255	0.53	420146	0.52	3658	1.39	1830	11.86
桥东区	90105	1.41	352802	3.70	346511	3.30	3069	11.12	1249	−0.95
桥西区	118389	2.15	504814	4.50	493955	4.09	4685	12.65	1204	−19.63
新华区	129401	1.81	496329	1.49	492685	1.97	4442	1.07	1568	2.22
裕华区	117920	2.89	504996	4.09	495084	5.50	4777	4.83	1291	−0.84
矿　区	28859	−0.27	97087	0.16	97010	−0.05	797	1.27	590	18.95
高新区	—	—	—	—	—	—	—	—	—	—
井陉县	105161	−0.58	325019	1.14	323194	0.73	3875	−13.00	1392	0.72
正定县	124240	0.40	447822	1.14	445305	1.01	5104	−52.73	1643	−68.29
栾城县	89467	0.39	330738	1.52	328264	1.43	4632	−17.68	1387	−29.02
行唐县	130294	2.56	425579	1.34	422773	1.05	7064	10.50	877	−68.56
灵寿县	95276	1.82	317876	1.24	315932	0.90	5630	8.94	1905	−25.73
高邑县	49852	0.93	177769	0.71	177144	0.67	2476	−10.77	1042	1.26
深泽县	72887	0.68	250123	0.53	249459	0.47	3271	−13.37	1657	24.40
赞皇县	71698	4.94	239820	3.64	235610	2.00	6289	55.82	1367	−34.97
无极县	135497	0.18	491427	0.81	489450	0.65	6859	−3.30	2455	−18.03
平山县	140467	3.00	464800	1.88	460511	1.65	7334	−13.07	3180	−6.22
元氏县	93967	0.81	401938	1.48	398998	1.31	8473	13.32	2122	−18.82
赵　县	154207	2.67	568107	1.63	563541	1.07	8744	10.95	1363	−60.72
辛集市	189192	1.07	610821	0.49	609339	0.06	5845	−11.06	2541	−33.45
藁城市	203227	0.34	756371	0.83	753258	0.68	8353	−13.80	3700	−18.95
晋州市	145501	0.42	524400	1.00	521796	0.69	6621	16.42	1306	−47.17
新乐市	124176	1.14	469005	1.74	465001	1.71	8955	−6.15	1645	−33.05
鹿泉市	112052	0.25	371625	2.11	367784	1.79	4449	−4.32	1844	3.48

全社会固定资产投资（2007 年）

表 3—1—1

行政单位	全社会固定资产投资（万元）	2007 年比 2006 年（±%）	城镇固定资产投资（万元）	2007 年比 2006 年（±%）	建设项目投资（不含农村非农户）（万元）	2007 年比 2006 年（±%）
全市总计	13901235	26.82	12641826	26.66	10666456	23.17
市区合计	5878796	17.11	5877037	16.95	4066763	7.13
# 长安区	1035143	34.53	1035143	34.53	601100	19.53
桥东区	1077663	24.25	1077663	24.25	675475	−3.10
桥西区	870603	−0.60	870603	−0.60	550287	2.83
新华区	1136336	23.21	1136336	23.21	1092544	23.56
裕华区	1231584	4.11	1231584	3.24	762861	−15.06
矿　区	142937	46.96	141178	53.54	140478	55.98
高新区	384530	25.99	384530	25.99	244018	29.35
井陉县	561582	38.66	511177	42.10	511177	42.10
正定县	510373	39.41	465645	55.37	444344	48.47
栾城县	498822	23.88	391578	22.24	385778	20.43
行唐县	400589	40.37	326349	41.00	326349	41.00
灵寿县	474348	56.50	429516	51.76	429516	51.76
高邑县	178150	13.24	134700	16.72	134700	16.72
深泽县	165369	40.54	136014	40.34	136014	40.34
赞皇县	353080	81.86	255390	62.32	255390	62.32
无极县	338651	47.45	239373	63.87	239373	63.87
平山县	335194	−14.97	280118	−18.18	251775	−25.97
元氏县	541842	66.46	345522	46.15	345522	46.15
赵　县	416364	26.39	401399	34.48	401399	34.48
辛集市	698374	54.58	606576	44.00	556848	41.15
藁城市	804138	31.92	700458	36.33	696447	36.74
晋州市	534150	31.14	466385	45.28	466385	45.28
新乐市	536084	22.75	421760	43.59	376730	49.90
鹿泉市	675329	28.54	652829	25.78	641946	27.65

财政与金融（2007 年）

表 4—2—1

行政单位	全部财政收入（万元）	2007 年比 2006 年（±%）	一般预算收入（万元）	2007 年比 2006 年（±%）	财政支出（万元）	2007 年比 2006 年（±%）
全市总计	2303474	21.20	958720	23.91	1631692	27.23
市区合计	1474413	16.32	608045	20.14	796939	24.21
# 长安区	263089	16.00	108884	21.53	41373	40.76
桥东区	147124	22.56	70091	25.11	43531	32.04
桥西区	403271	26.79	123524	26.20	45691	29.47
新华区	164370	8.64	76339	24.01	51236	29.60
裕华区	172426	32.58	83669	35.36	47913	31.61
矿　区	40019	32.13	14467	35.08	22663	24.57
高新区	131645	13.75	56359	21.25	55080	16.22
井陉县	50580	21.10	24186	21.83	42810	23.14
正定县	48893	21.23	25210	21.61	51862	16.69
栾城县	46366	28.76	17931	18.06	41443	18.30
行唐县	18664	21.33	10039	12.98	41873	32.83
灵寿县	20009	26.99	9133	27.72	39877	38.53
高邑县	13148	13.17	6061	14.64	21922	34.93
深泽县	16715	23.87	8761	17.63	25063	23.79
赞皇县	16165	24.00	6791	19.48	27160	19.44
无极县	30800	23.78	13914	19.12	41075	27.56
平山县	140658	68.86	44107	81.53	98760	51.69
元氏县	30209	25.01	12522	26.70	37167	28.46
赵　县	30037	25.02	12504	24.32	46664	35.31
辛集市	80060	21.19	33123	25.32	71396	30.85
藁城市	100296	25.19	45410	28.49	85733	35.97
晋州市	50022	35.01	21689	38.31	51019	33.83
新乐市	36200	16.66	16853	13.24	43560	21.89
鹿泉市	100239	33.45	42441	45.59	67369	22.83

财政与金融（2007 年 ）

表 4—2—2

行政单位	金融机构存款余额（万元）	2007 年比 2006 年（±%）	金融机构贷款余额	2007 年比 2006 年（±%）	储蓄存款余额（万元）	2007 年比 2006 年（±%）
全市总计	33313230	12.23	18393687	6.23	16947183	9.11
市区合计	23677068	12.14	14501558	5.20	9115834	6.63
# 长安区	—	—	—	—	—	—
桥东区	—	—	—	—	—	—
桥西区	—	—	—	—	—	—
新华区	—	—	—	—	—	—
裕华区	—	—	—	—	—	—
矿　区	—	—	—	—	—	—
高新区	—	—	—	—	—	—
井陉县	505895	15.90	189990	8.07	390372	14.85
正定县	954551	7.19	346620	20.32	736921	7.57
栾城县	498696	9.32	230339	2.07	371001	8.27
行唐县	343051	21.94	113085	6.99	303252	21.95
灵寿县	334197	20.17	121263	12.55	282455	20.10
高邑县	186227	10.34	101131	—0.87	161695	8.17
深泽县	344208	10.13	113081	3.84	311422	9.98
赞皇县	224108	29.67	100870	11.18	177775	18.09
无极县	529512	10.80	175450	4.01	480424	11.14
平山县	565302	19.14	242021	13.33	417592	16.75
元氏县	406201	12.76	197678	0.16	335513	12.20
赵　县	408068	13.49	201686	—9.52	335322	11.46
辛集市	1284911	10.91	361664	18.38	1086292	11.57
藁城市	930715	11.04	457561	21.52	763798	11.29
晋州市	826082	12.65	247896	8.93	716995	12.00
新乐市	438083	13.46	266960	9.04	356947	13.78
鹿泉市	856353	13.33	424832	15.16	603573	10.75

农产品总产量（2007 年）

表 5—2—1

行政单位	粮食总产量（吨）	2007 年比 2006 年（±%）	小麦总产量（吨）	2007 年比 2006 年（±%）	玉米总产量（吨）	2007 年比 2006 年（±%）	油料总产量（吨）	2007 年比 2006 年（±%）	棉花总产量（吨）	2007 年比 2006 年（±%）
全市总计	4945181	1.92	2412530	1.26	2264320	3.68	224194	6.94	18679	—1.49
市区合计	106371	—5.43	49613	—7.00	55438	—1.90	2254	7.90	66	—21.43
# 长安区	32963	—3.06	15595	—	16463	—0.01	1393	—4.59	66	—2.94
桥东区	2406	—13.73	1136	—22.88	1270	—3.50	—	—	—	—
桥西区	4694	1.67	2100	1.45	2376	1.63	—	—	—	—
新华区	10302	—19.85	4635	—30.02	5637	—8.90	723	78.52	—	—
裕华区	36236	—4.58	17156	—7.56	19080	—1.69	—	—	—	—
矿　区	15719	—1.34	6958	0.55	8594	—0.05	138	—36.99	—	—
高新区	4051	—5.92	2033	—3.51	2018	—8.23	—	—	—	—
井陉县	108918	7.01	38130	8.20	55855	6.38	5955	11.60	79	—30.09
正定县	289308	—0.88	144325	—1.56	130381	0.25	22180	0.19	601	—5.35
栾城县	258464	0.30	130518	0.30	124332	0.75	3776	13.43	97	—62.11
行唐县	304730	9.66	116480	—1.60	155350	22.29	20484	4.72	479	—17.56
灵寿县	130579	1.41	53675	0.61	64630	1.71	4828	—8.89	167	—19.32
高邑县	131187	—5.62	67431	—10.45	59972	1.06	5271	—9.09	474	182.14
深泽县	185598	1.47	84842	0.24	90566	2.47	6642	11.26	780	84.83
赞皇县	109790	9.85	46691	25.15	52237	2.04	11727	4.69	150	—26.47
无极县	348682	—3.13	182364	—6.72	152535	1.85	16165	7.25	219	8.42
平山县	197798	20.97	95448	53.34	88007	3.87	8323	24.13	452	61.43
元氏县	291741	2.21	143964	0.80	123497	4.51	7600	0.01	945	—21.45
赵　县	497564	0.24	262222	—0.60	222001	5.24	11505	14.76	1315	1411.49
辛集市	535160	1.71	261010	—0.80	232391	5.98	34651	4.75	11276	—15.38
藁城市	526732	2.49	283321	3.45	228652	1.90	11976	13.75	405	55.17
晋州市	405149	—0.48	206436	—1.18	175157	1.33	9669	14.53	611	—2.71
新乐市	306233	2.49	154058	4.88	142844	—	37282	10.56	316	107.89
鹿泉市	211177	1.35	92002	1.14	110475	1.34	3906	3.97	247	61.44

农产品总产量（2007 年）

表 5-2-2

行政单位	蔬菜总产量（不含瓜类）(吨)	2007 年比 2006 年（±%）	园林水果总产量（吨）	2007 年比 2006 年（±%）	肉类总产量（吨）	2007 年比 2006 年（±%）	禽蛋总产量（吨）	2007 年比 2006 年（±%）	水产品总产量（吨）	2007 年比 2006 年（±%）
全市总计	12310783	1.21	2051899	5.04	651025	-2.86	928180	3.79	31138	4.12
市区合计	408814	-13.48	—	—	—	—	—	—	—	—
# 长安区	119248	1.98	2670	-0.37	3254	-17.77	2433	-5.70	336	4.02
桥东区	16034	-25.75	3160	0.32	618	-27.89	378	-28.68	8	—
桥西区	55075	-39.00	70	55.56	432	-18.34	702	-17.70	113	3.67
新华区	117966	0.40	2785	-40.30	1700	-18.31	3022	-15.54	354	4.12
裕华区	75943	-23.74	60	-1.64	1370	-23.42	1209	-36.60	135	3.85
矿　区	24548	-7.67	6203	-0.35	1546	-23.31	1249	-18.58	220	4.27
高新区	—	—	—	—	378	-0.53	950	-0.52	—	—
井陉县	170040	10.36	26743	10.37	20679	4.93	20219	2.52	384	4.07
正定县	818250	5.33	17680	-0.01	66849	-0.10	121634	4.54	2100	4.12
栾城县	1228610	2.92	3300	—	49244	5.11	102480	8.72	202	4.12
行唐县	219146	7.54	89062	28.88	34850	-3.40	27354	4.29	840	4.09
灵寿县	147942	5.11	21805	-7.68	21007	-5.31	13834	2.49	5153	4.12
高邑县	437935	-25.92	1190	-2.06	9595	-10.96	10404	-13.79	27	3.85
深泽县	356528	4.23	72759	4.32	17810	-3.65	14449	2.72	46	4.55
赞皇县	95326	5.18	145060	10.77	22139	-0.20	12471	4.64	672	4.19
无极县	614622	4.48	40755	-10.70	48893	-2.31	68350	4.61	424	4.18
平山县	136859	2.40	52840	0.46	18392	-7.79	9608	1.72	13020	4.14
元氏县	362142	4.67	21765	-3.84	38490	-1.23	43819	2.79	477	4.15
赵　县	857155	3.43	500080	11.11	34792	-3.04	50035	7.79	184	3.95
辛集市	1728527	2.33	404680	0.22	66688	-3.86	133256	3.05	439	4.03
藁城市	2542883	2.44	171838	3.69	72050	-2.96	134871	2.02	84	3.70
晋州市	392242	3.80	396128	2.00	47235	-4.86	62113	5.43	294	4.26
新乐市	945791	2.41	27780	6.85	47030	-5.76	63226	4.68	50	4.17
鹿泉市	847971	2.30	43486	3.86	25984	-5.23	30114	1.93	5576	4.13

规模以上工业企业情况（2007 年）

表 6—1—1

行政单位	规模以上工业企业个数(个)	2007 年比 2006 年（±%）	规模以上工业企业总产值（千元）	2007 年比 2006 年（±%）	规模以上工业企业增加值（千元）	2007 年比 2006 年（±%）	规模以上工业企业利税总额（千元）	2007 年比 2006 年（±%）	规模以上工业企业利润总额（千元）	2007 年比 2006 年（±%）
全市总计	2127	0.05	329372862	28.63	90932549	20.40	35267983	38.13	22166498	49.25
市区合计	335	−8.72	116191819	13.44	26194137	—	10675461	37.46	4460437	102.69
# 长安区	73	1.39	26634447	17.04	6629169	6.71	2871158	26.52	1622566	44.59
桥东区	27	−15.63	3452488	4.61	1067945	7.76	179938	−15.64	5809	−82.39
桥西区	43	−21.82	13278629	27.02	4876951	16.01	2784103	41.48	988349	83.31
新华区	36	−25.00	13993100	16.36	2084744	7.62	761236	−17.38	392805	−31.64
裕华区	51	−5.56	8856580	7.15	2650344	4.10	1043418	3.62	573645	5.52
矿　区	44	15.79	4518063	37.45	1376365	20.64	507829	44.48	244347	49.20
高新区	33	−10.81	4674259	11.82	1672073	16.58	816073	36.88	561151	49.81
井陉县	86	2.38	7914511	41.01	2492302	26.08	494891	44.92	302295	41.31
正定县	133	3.10	21029460	42.23	6180599	29.50	1547247	46.02	1141411	42.77
栾城县	138	8.66	8331620	47.05	2463122	29.09	1548929	45.90	1139352	47.35
行唐县	85	−5.56	9955758	38.02	3308052	27.32	1535380	36.33	1060926	40.55
灵寿县	50	19.05	4720286	35.08	1578061	28.29	677141	36.83	501718	19.88
高邑县	48	−12.73	3519631	1.23	1100454	5.13	585635	−2.63	382726	7.13
深泽县	49	8.89	4656721	33.63	1434940	26.92	262095	40.52	125867	39.59
赞皇县	56	−5.08	5009809	40.39	1547771	28.60	571115	45.07	475481	48.25
无极县	65	3.17	12169337	32.69	3907956	26.32	1096209	35.12	827237	42.62
平山县	55	—	23314959	51.53	6781074	25.71	2365504	27.33	1466696	17.18
元氏县	47	−9.62	8333529	31.25	2758325	20.17	822146	14.46	637318	10.15
赵　县	95	15.85	13891732	41.61	3782347	22.42	1304324	45.30	984145	44.52
辛集市	209	9.42	21990699	34.79	6460906	26.96	2846356	43.74	2083115	55.61
藁城市	220	1.85	24283794	38.27	7160250	29.38	2615298	41.07	2091213	39.24
晋州市	162	1.89	12350518	43.92	3772376	29.18	2023815	47.02	1319420	61.24
新乐市	106	11.58	12304845	37.40	4134963	28.53	1943940	43.70	1415166	45.69
鹿泉市	188	−7.84	19403834	36.53	5874914	29.59	2352497	42.33	1751975	45.77

农林牧渔业总产值（2007 年）

表 7—1—1

行政单位	农林牧渔业总产值（万元）	2007 年比 2006 年（±%）	农林牧渔业增加值（万元）	2007 年比 2006 年（±%）
全市总计	4931161	2.1	2757361	2.2
市区合计	—	—	—	—
# 长安区	30522	−3.4	18676	−2.6
桥东区	7994	−6.3	4667	− 6.1
桥西区	10522	−35.0	5809	−34.8
新华区	28021	9.9	14112	10.8
裕华区	21548	−13.5	11656	−15.0
矿区	8778	−8.5	4740	−8.9
高新区	—	—	—	—
井陉县	112528	6.7	63323	7.1
正定县	410945	2.3	197135	2.2
栾城县	359137	−1.7	197371	−1.2
行唐县	237181	9.5	127499	11.0
灵寿县	145305	2.9	79278	3.4
高邑县	106953	−10.4	57094	− 9.9
深泽县	131702	3.2	72267	3.6
赞皇县	136477	5.3	82714	6.6
无极县	295862	1.1	157329	1.3
平山县	215969	4.6	131115	4.7
元氏县	238669	3.4	127095	3.0
赵县	338277	3.9	198275	5.8
辛集市	562856	1.5	297470	1.9
藁城市	668148	1.1	368732	1.2
晋州市	299852	−0.5	160540	−0.5
新乐市	323832	1.9	177800	2.4
鹿泉市	234224	1.4	135310	1.4

社会消费品零售总额（2007 年）

表 8—1—1

行政单位	社会消费品零售总额（万元）	2007 年比 2006 年（±%）
全市总计	8210983	17.5
市区合计	3518397	18.3
# 长安区	490003	17.2
桥东区	315783	18.7
桥西区	224185	18.8
新华区	702458	14.5
裕华区	370427	17.1
矿　区	38719	16.4
高新区	—	—
井陉县	131389	16.6
正定县	350462	18.0
栾城县	229859	16.6
行唐县	181222	16.1
灵寿县	119851	16.0
高邑县	101010	14.3
深泽县	128082	15.6
赞皇县	121965	16.2
无极县	351836	15.9
平山县	158230	16.3
元氏县	157959	15.7
赵　县	336295	16.5
辛集市	783340	15.8
藁城市	528609	15.9
晋州市	336834	16.0
新乐市	309935	16.0
鹿泉市	368408	16.0

地区生产总值（2007 年）

表 9—1—1

行政单位	地区生产总值（万元）	2007 年比 2006 年（±%）	第一产业增加值（万元）	2007 年比 2006 年（±%）	第二产业增加值（万元）	2007 年比 2006 年（±%）	第三产业增加值（万元）	2007 年比 2006 年（±%）	工业增加值（万元）	2007 年比 2006 年（±%）
全市总计	23607230	13.2	2757361	2.2	11644087	15.7	9205782	13.0	10483487	16.9
市区合计	9473325	12.8	59660	−3.5	3433593	10.5	5980072	14.3	2899717	12.6
# 长安区	1345105	10.1	18676	−2.6	869788	7.7	456641	15.2	771587	6.0
桥东区	609760	13.1	4667	−6.1	211396	6.1	393697	17.3	152996	7.1
桥西区	1373119	12.3	5809	−30.5	617226	12.1	750084	13.0	472119	14.7
新华区	1039266	12.1	14112	35.9	506306	11.2	518848	12.5	356153	8.2
裕华区	593314	7.8	11656	−15.0	336750	3.9	244908	14.8	276850	3.8
矿　区	174735	16.0	4740	−8.9	117176	18.0	52819	14.4	114138	18.1
高新区	—	—	—	—	—	—	—	—	—	—
井陉县	724445	16.3	63323	7.1	408674	16.8	252448	17.5	378340	18.3
正定县	1083942	12.0	197135	2.2	508117	13.9	378690	13.7	461679	15.2
栾城县	1017857	13.0	197371	−1.2	528258	18.8	292228	12.7	489434	19.1
行唐县	586160	14.9	127499	10.9	328209	19.0	130452	9.0	311714	19.5
灵寿县	437767	13.6	79278	3.4	254252	18.4	104237	9.2	209114	19.0
高邑县	308750	5.7	57094	−9.9	162752	9.4	88904	8.8	147606	9.5
深泽县	366906	14.0	72267	3.7	209256	17.9	85383	13.2	187862	20.2
赞皇县	332250	13.0	82714	6.6	177029	16.3	72507	11.9	168129	17.0
无极县	869826	14.3	157329	1.3	476110	19.7	236387	12.5	465385	20.1
平山县	1067155	18.2	131115	4.7	717110	22.4	218930	11.6	684010	23.5
元氏县	796874	12.4	127995	3.0	429353	14.7	239526	13.2	406453	15.4
赵　县	857936	14.7	198275	5.8	443638	19.1	216023	14.0	418638	18.9
辛集市	1668307	13.4	297470	1.9	952748	16.3	418089	14.6	854348	18.0
藁城市	2090002	15.0	368732	1.2	1098847	19.3	622423	14.8	992709	21.3
晋州市	1068401	14.9	160540	−0.5	568344	20.3	339517	13.6	545082	21.1
新乐市	957500	12.5	177800	2.4	534793	15.0	244907	13.8	488293	16.2
鹿泉市	1549574	14.7	135310	1.4	1005160	18.0	409104	11.1	925960	19.7

人均生产总值（2007 年）

表 10—1—1

行政单位	人均生产总值（元）	2007 年比 2006 年（±%）
全市总计	24243	3243
市区合计	40312	5019
# 长安区	32103	4116
桥东区	17283	1841
桥西区	27796	2347
新华区	21093	2574
裕华区	13457	796
矿区	31203	5526
高新区	—	—
井陉县	22415	3890
正定县	24342	3161
栾城县	31004	4747
行唐县	13857	2421
灵寿县	13771	2719
高邑县	17444	1052
深泽县	15481	2552
赞皇县	14102	2301
无极县	17770	3619
平山县	23174	4268
元氏县	19972	2856
赵县	15225	2564
辛集市	27381	4358
藁城市	27745	4544
晋州市	20475	3518
新乐市	20591	2172
鹿泉市	42211	6580